Mini Dictionnaire Anglais

Français – Anglais
Anglais – Français

Berlitz Publishing
Munich · Londres · Singapour

Édition originale editée par Langenscheidt
Réalisé par LEXUS

Imprimé en France
978-2-400-19009-3

12010 (95526)

Contents / Table des matières

Abbreviations / Abréviations

and	&	et
see	→	voir
registered trademark	®	marque déposée
adjective	*adj*	adjectif
adverb	*adv*	adverbe
agriculture	AGR	agriculture
anatomy	ANAT	anatomie
architecture	ARCH	architecture
astronomy	ASTR	astronomie
astrology	ASTROL	astrologie
attributive	*atr*	devant le nom
motoring	AUTO	automobiles
aviation	AVIAT	aviation
biology	BIOL	biologie
botany	BOT	botanique
British English	*Br*	anglais britannique
chemistry	CHIM	chimie
commerce, business	COMM	commerce
computers, IT term	COMPUT	informatique
conjunction	*conj*	conjonction
cooking	CUIS	cuisine
economics	ÉCON	économie
education	EDU	éducation
education	ÉDU	éducation
electricity	ÉL	électricité
electricity	ELEC	électricité
especially	*esp*	surtout
euphemism	*euph*	euphémisme
familiar, colloquial	F	familier
feminine	*f*	féminin
figurative	*fig*	figuré

finance	FIN	finance
formal	*fml*	langage formel
feminine plural	*fpl*	féminin pluriel
geography	GEOG	géographie
geography	GÉOGR	géographie
geology	GÉOL	géologie
geometry	GÉOM	géométrie
grammar	GRAM	grammaire
historical	HIST	historique
IT term	INFORM	informatique
interjection	*int*	interjection
invariable	*inv*	invariable
law	JUR	juridique
law	LAW	juridique
linguistics	LING	linguistique
literary	*litt*	littéraire
masculine	*m*	masculin
nautical	MAR	marine
mathematics	MATH	mathématiques
medicine	MED	médecine
medicine	MÉD	médecine
masculine and feminine	*m/f*	masculin et féminin
military	MIL	militaire
motoring	MOT	automobiles
masculine plural	*mpl*	masculin pluriel
music	MUS	musique
noun	*n*	nom
nautical	NAUT	marine
plural noun	*npl*	nom pluriel
singular noun	*nsg*	nom singulier
oneself	o.s.	se, soi
popular, slang	P	populaire
pejorative	*pej*	péjoratif

pejorative	*péj*	péjoratif
pharmacy	PHARM	pharmacie
photography	PHOT	photographie
physics	PHYS	physique
plural	*pl*	pluriel
politics	POL	politique
preposition	*prep*	préposition
preposition	*prép*	préposition
pronoun	*pron*	pronom
psychology	PSYCH	psychologie
something	*qch*	quelque chose
someone	*qn*	quelqu'un
radio	RAD	radio
railroad	RAIL	chemin de fer
religion	REL	religion
singular	*sg*	singulier
someone	s.o.	quelqu'un
sports	SP	sport
something	*sth*	quelque chose
subjunctive	*subj*	subjonctif
noun	*subst*	substantif
theater	THEA	théâtre
theater	THÉÂT	théâtre
technology	TECH	technique
telecommunications	TÉL	télécommunications
telecommunications	TELEC	télécommunications
typography, typesetting	TYP	typographie
television	TV	télévision
vulgar	V	vulgaire
auxiliary verb	*v/aux*	verbe auxiliaire
intransitive verb	*v/i*	verbe intransitif
transitive verb	*v/t*	verbe transitif
zoology	ZO	zoologie

La Prononciation de l'anglais / English Pronunciation

Les consonnes / Consonants

[b]	*b*ag	*b*ouche
[d]	*d*ear	*d*ans
[f]	*f*all	*f*oule
[g]	*g*ive	*g*ai
[h]	*h*ole	et *h*op
[j]	*y*es	rad*i*o
[k]	*c*ome	*qu*i
[l]	*l*and	*l*a
[m]	*m*ean	*m*on
[n]	*n*ight	*n*uit
[p]	*p*ot	*p*ot
[r]	*r*ight (*la langue vers le haut*)	*r*eine
[s]	*s*un	*s*auf
[t]	*t*ake	*t*able
[v]	*v*ain	*v*ain
[w]	*w*ait	*ou*i
[z]	ro*s*e	ro*s*e
[ŋ]	bri*ng*	feeli*ng*
[ʃ]	*sh*e	*ch*at
[ʧ]	*ch*air	*cha-cha-cha*
[dʒ]	*j*oin	ad*j*uger
[ʒ]	lei*s*ure	*j*uge
[θ]	*th*ink	langue entres les dents
[ð]	*th*e	langue derrière les dents du haut

Les voyelles anglaises / English vowels

[ɑː]	f*a*r	*â*me
[æ]	m*a*n	s*a*lle
[e]	g*e*t	s*e*c
[ə]	utt*er*	l*e*
[ɜː]	abs*ur*d	b*eu*rre
[ɪ]	st*i*ck	*i très court*
[iː]	n*ee*d	s*i*
[ɒː]	in-l*aw*s	ph*a*se
[ɔː]	m*o*re	ess*o*r
[ʌ]	m*o*ther	entre *à* et *eux*
[ʊ]	b*oo*k	b*ou*quin (*très court*)
[uː]	h*oo*t	s*ou*s

Les diphtongues anglaises / English diphthongs

[aɪ]	t*i*me	*aïe*
[aʊ]	cl*ou*d	*ciao*
[eɪ]	n*a*me	nez suivi d'un *y* court
[ɔɪ]	p*oi*nt	cow-b*oy*
[oʊ]	s*o*	*eau*

['] indique que la syllabe suivante est accentuée: *ability* [ə'bɪlətɪ]

Some French words starting with h have ' before the h. This ' is not part of the French word. It shows i) that a preceding vowel does not become an apostrophe and ii) that no elision takes place. (This is called an aspirated h).

'hanche **la hanche, les hanches** [no z sound between *les* and *hanches*]

habit **l'habit, les habits** [a z sound between *les* and *habits*]

French – English
Français – Anglais

A

à *lieu* in; *direction* to; ***au bout de la rue*** at/to the end of the street; **~ *2 heures d'ici*** 2 hours from here; **~ *cinq heures*** at five o'clock; **~ *Noël*** at Christmas; **~ *demain*** until tomorrow; ***c'est* ~ *moi*** it's mine, it belongs to me; ***aux cheveux blonds*** with blonde hair; **~ *pied*** on foot; **~ *dix euros*** at *ou* for ten euros

abaissement *m* lowering; (*humiliation*) abasement; **abaisser** lower; *fig* (*humilier*) humble; ***s'~*** drop; *fig* demean o.s.

abandonner abandon; *pouvoir* give up; SP withdraw from; ***s'~*** (*se confier*) open up; ***s'~ à*** give way to

abasourdi amazed

abat-jour *m* (lamp)shade

abattre *arbre* fell; AVIAT shoot down; *animal* slaughter; *péj* (*tuer*) kill; *fig* (*épuiser*) exhaust; (*décourager*) dishearten; ***s'~*** collapse

abbaye *f* abbey

abcès *m* abscess

abdomen *m* abdomen

abeille *f* bee

aberrant F absurd

abêtir make stupid

abîmer spoil, ruin; ***s'~*** be ruined; *d'aliments* spoil

aboiement *m* barking

abolir abolish; **abolition** *f* abolition

abominable appalling

abondance *f* abundance

abonné, ~e *m/f* subscriber; **abonnement** *m* subscription; *de transport, de spectacles* season ticket; **abonner**: ***s'~ à*** subscribe to

abord *m*: ***d'~*** first; ***au premier ~*** at first sight; ***~s*** surroundings; **aborder 1** *v/t* (*prendre d'assaut*) board; (*heurter*) collide with; *fig*: *question* tackle; *personne* approach **2** *v/i* land (***à*** at)

aboutir *d'un projet* succeed; **~ *à*** end at; *fig* lead to; **aboutissement** *m* (*résultat*) result

aboyer bark

abréger abridge

abréviation *f* abbreviation

abri *m* shelter; ***être sans ~*** be homeless

abricot *m* apricot; **abricotier** *m* apricot (tree)

abriter (*loger*) take in, shel-

ter; ~ ***de*** (*protéger*) shelter from; ***s'~*** take shelter
abrupt abrupt; *pente* steep
abruti stupid; **abrutir**: ~ ***qn*** be bad for s.o.'s brain; (*surmener*) exhaust s.o.
absence *f* absence; **absent** absent; *air* absent-minded; **absenter**: ***s'~*** leave, go away
absolu absolute; **absolument** absolutely
absorber absorb; *nourriture* eat; *boisson* drink; ***s'~ dans*** be absorbed in
abstenir: ***s'~*** POL abstain; ***s'~ de faire qc*** refrain from doing sth; **abstention** *f* POL abstention
abstrait abstract
absurdité *f* absurdity; ~(***s***) nonsense
abus *m* abuse; ~ ***de confiance*** breach of trust; **abuser** overstep the mark; ~ ***de qc*** misuse ou abuse sth; ***s'~*** be mistaken; **abusif**, **-ive** excessive; *emploi d'un mot* incorrect
académie *f* academy
acajou *m* mahogany
accabler: ***être accablé de*** be weighed down by; ~ ***qn de qc*** heap sth on s.o.
accalmie *f aussi fig* lull
accaparer ÉCON, *fig* monopolize
accéder: ~ ***à*** reach, get to; INFORM access; *à l'indépendance*, *au pouvoir* gain; *d'un chemin* lead to
accélérateur *m* AUTO gas pedal, *Br* accelerator; **accélérer** *aussi* AUTO accelerate
accent *m* accent; (*intonation*) stress; ***mettre l'~ sur qc*** *fig* put the emphasis on sth; **accentuer** *syllabe* stress, accentuate
acceptable acceptable; **accepter** accept; (*reconnaître*) agree; ~ ***de faire*** agree to do
accès *m aussi* INFORM access; MÉD fit
accessoire 1 *adj* incidental **2** *m* detail; ~***s*** accessories; THÉÂT props
accident *m* accident; *événement fortuit* mishap; ***par ~*** by accident, accidentally; **accidentel**, ~**le** accidental
acclamation *f* acclamation; ~***s*** cheers, cheering; **acclamer** cheer
acclimater: ***s'~*** become acclimatized
accolade *f* embrace; *signe* brace, *Br* curly bracket
accommodation *f* adaptation; **accommoder** adapt; CUIS prepare; ***s'~ à*** adapt to; ***s'~ de*** make do with
accompagnateur, **-trice** *m/f* guide; MUS accompanist; **accompagner** accompany
accomplir accomplish; *souhait* realize
accord *m* agreement; MUS chord; ***d'~*** OK, alright; ***être d'~*** agree; ***tomber d'~*** come to an agreement; **accordé**:

(***bien***) **~** in tune
accordéon accordion
accorder *crédit* grant; GRAM make agree; MUS tune; ***s'~*** get on; GRAM agree; ***s'~ qc*** allow o.s. sth
accouchement *m* birth; **accoucher** give birth (***de*** to)
accouder: ***s'~*** lean (one's elbows); **accoudoir** *m* armrest
accoupler connect; ***s'~*** BIOL mate
accourir come running
accoutumance *f* MÉD dependence; **accoutumer**: ***~ qn à qc*** get s.o. used to sth; ***s'~ à qc*** get used to sth
accrocher *manteau* hang up; AUTO collide with; ***s'~ à*** hang on to; *fig* cling to
accroître increase; ***s'~*** grow
accroupir: ***s'~*** crouch, squat
accueil *m* reception, welcome; **accueillir** greet, welcome
accumulation *f* accumulation; **accumuler** accumulate; ***s'~*** accumulate
accusation *f* accusation; JUR prosecution; *plainte* charge; **accusé**, **~e** *m/f* **1** JUR: ***l'~*** the accused **2** COMM: ***accusé m de réception*** acknowledgement (of receipt); **accuser** (*incriminer*) accuse (***de*** of); (*faire ressortir*) emphasize
acerbe caustic
acéré sharp
acharnement *m* grim determination; **acharner**: ***s'~ à faire qc*** be bent on doing sth; ***s'~ sur*** *ou* ***contre qn*** pick on s.o.
achat *m* purchase; ***faire des ~s*** go shopping
acheter buy
achever finish; ***s'~*** finish
acide **1** *adj* sour; CHIM acidic **2** *m* CHIM acid
acier *m* steel
acné *f* acne
à-coup *m* jerk; ***par ~s*** in fits and starts
acoustique acoustic
acquéreur *m* purchaser; **acquérir** acquire; *droit* win
acquiescer: ***~ à*** agree to
acquis acquired; *résultats* achieved
acquisition *f* acquisition
acquitter *facture* pay; JUR acquit; ***s'~ de*** carry out; *dette* pay
âcre acrid; *goût*, *fig* bitter; **âcreté** *f* bitterness
acrobate *m/f* acrobat; **acrobatie** *f* acrobatics *pl*
acte *m* (*action*) action, deed; (*document officiel*) deed; THÉÂT act; ***~ de mariage*** marriage certificate
acteur, **-trice** *m/f* actor; actress
actif, **-ive** **1** *adj* active **2** *m* COMM assets *pl*
action *f* action; COMM share; ***~s*** stock, shares *pl*; **actionnaire** *m/f* shareholder
actionner operate; *alarme etc*

activate
activer (*accélérer*) speed up
activité *f* activity
actualiser update
actualité *f* current events *pl*; **~s** TV news *sg*
actuel, **~le** current, present; (*d'actualité*) topical; **actuellement** currently, at present
adaptation *f* adaptation; **adapter** adapt; ***s'~ à*** adapt to
addition *f* addition; *au restaurant* check, *Br* bill; **additionner** add
adéquat suitable; *montant* adequate
adhérent, **~e** *m/f* member; **adhérer** stick, adhere (***à*** to)
adhésif, **-ive 1** *adj* sticky, adhesive **2** *m* adhesive
adieu *m* goodbye; ***faire ses ~x*** say one's goodbyes (***à qn*** to s.o.)
adjectif *m* GRAM adjective
adjoint, **~e** *m/f & adj* assistant, deputy
admettre (*autoriser*) allow; (*accueillir*) admit, allow in; (*reconnaître*) admit
administrateur, **-trice** *m/f* administrator; **administratif**, **-ive** administrative; **administration** *f* administration; (*direction*) management, running
admirateur, **-trice 1** *adj* admiring **2** *m/f* admirer; **admiration** *f* admiration; **admirer** admire
admissible *candidat* eligible; ***ce n'est pas ~*** that's unacceptable
admission *f* admission
adolescence *f* adolescence; **adolescent**, **~e** *m/f* adolescent, teenager
adopter adopt; **adoption** *f* adoption
adorable adorable; **adorer** REL worship; *fig* (*aimer*) adore
adosser lean; ***s'~ contre*** *ou* ***à*** lean against ou on
adoucir soften; ***s'~*** *du temps* become milder
adrénaline *f* adrenalin
adresse *f* address; (*habileté*) skill; ***~ électronique*** email address
adresser *lettre* address (***à*** to); *remarque* direct (***à*** at); ***~ la parole à*** address, speak to; ***s'~ à qn*** apply to s.o.; (*être destiné à*) be aimed at s.o.
adroit skillful, *Br* skilful
adulte 1 *adj* adult; *plante* mature **2** *m/f* adult, grown-up
adultère 1 *adj* adulterous **2** *m* adultery
adverbe *m* GRAM adverb
adversaire *m/f* opponent, adversary
adversité *f* adversity
aération *f* ventilation; **aérer** ventilate; *literie*, *pièce* air
aérien, **~ne** air *atr*; *vue* aerial
aérobic *f* aerobics
aérodynamique aerodynamic

aéronautique aeronautical
aéroport *m* airport
aérosol *m* aerosol
affable affable
affaiblir weaken; ***s'~*** weaken
affaire *f* (*question*) matter, business; (*entreprise*) business; *marché* deal; (*bonne occasion*) bargain; JUR case; (*scandale*) affair, business; ***~s*** *biens personnels* things, belongings; ***les ~s étrangères*** foreign affairs; **affairer**: ***s'~*** busy o.s.
affaisser: ***s'~*** *du terrain* subside; *d'une personne* collapse
affamé hungry (***de*** for)
affectation *f d'une chose* allocation; *d'un employé* assignment; MIL posting; (*pose*) affectation; **affecter** (*destiner*) allocate; *employé* assign; MIL post; (*émouvoir*) affect
affectif, **-ive** emotional
affection *f* affection; MÉD complaint
affectueux, **-euse** affectionate
affermir strengthen
affichage *m* billposting; INFORM display; **affiche** *f* poster; **afficher** *affiche* stick up; *attitude*, INFORM display
affilier: ***s'~ à*** *club* join; ***être affilié à*** be a member of
affiner refine
affinité *f* affinity
affirmatif, **-ive** affirmative; *personne* assertive; **affirmation** *f* statement; **affirmer** (*prétendre*) maintain; *autorité* assert
affligeant distressing, painful; **affliger** distress
affluence *f*: ***heures*** *fpl* ***d'~*** rush hour *sg*; **affluent** *m* tributary; **affluer** come together
affolement *m* panic; **affoler** (*bouleverser*) madden, drive to distraction; *d'une foule, d'un cheval* panic; ***s'~*** panic
affranchir free; *lettre* meter, *Br* frank
affreux, **-euse** horrible; *peur, mal de tête* terrible
affront *m* insult, affront; **affronter** confront, face; SP meet; ***s'~*** confront ou face each other; SP meet
afin: ***~ de faire*** in order to do, so as to do; ***~ que*** (+ *subj*) so that
africain, **~e** African; **Africain**, **~e** *m/f* African; **Afrique** *f*: ***l'~*** Africa
agaçant annoying; **agacement** *m* annoyance; **agacer** annoy; (*taquiner*) tease
âge *m* age; ***Moyen-Âge*** Middle Ages *pl*; ***personnes*** *fpl* ***du troisième ~*** senior citizens; ***quel ~ a-t-il?*** how old is he?, what age is he?; **âgé** elderly; ***~ de deux ans*** aged two, two years old
agence *f* agency; *d'une banque* branch; ***~ immobilière***

realtor's, *Br* estate agent's; **~ *matrimoniale*** marriage bureau
agenda *m* diary; **~ *électronique*** (personal) organizer
agenouiller: ***s'~*** kneel (down)
agent *m* agent; **~ *de change*** stockbroker; **~ *immobilier*** realtor, *Br* real estate agent; **~ *de police*** police officer
agglomération *f* built-up area; *concentration de villes* conurbation
aggraver make worse; ***s'~*** worsen
agile agile; **agilité** *f* agility
agios *mpl* ÉCON bank charges
agir act; **~ *sur qn*** affect s.o.; ***il s'agit de*** it's about
agitation *f* hustle and bustle; POL unrest; (*nervosité*) agitation; **agiter** *bouteille* shake; *mouchoir, main* wave; (*préoccuper, énerver*) upset; ***s'~*** *d'un enfant* fidget; (*s'énerver*) get upset
agneau *m* lamb
agonie *f* death throes *pl*
agrafer *vêtements* fasten; *papier* staple; **agrafeuse** *f* stapler
agrandir enlarge; **agrandissement** *m* enlargement; *d'une ville* expansion
agréable pleasant (***à*** to)
agrément *m* approval, consent; ***les ~s*** (*attraits*) the delights
agresser attack; **agresseur** *m* attacker; *pays* aggressor;
agressif, **-ive** aggressive; **agression** *f* attack; PSYCH stress
agriculteur *m* farmer; **agriculture** *f* agriculture, farming
agrumes *mpl* citrus fruit
ahuri astounded; **ahurissant** astounding
aide 1 *f* help, assistance; ***à l'~ de qc*** with the help of sth; ***avec l'~ de qn*** with s.o.'s help **2** *m/f* (*assistant*) assistant; **aider 1** *v/t* help; ***s'~ de qc*** use sth **2** *v/i* help; **~ *à qc*** contribute to sth
aïeul, **~e** *m/f* ancestor; ***aïeux*** ancestors
aigle *m* eagle
aigre sour; *vent* bitter; *critique* sharp; *voix* shrill
aigu, **~ë** sharp; *son* high-pitched; *conflit* bitter; *intelligence* keen; MÉD, GÉOM, GRAM acute
aiguille *f* needle; *d'une montre* hand; *tour* spire
aiguiser sharpen; *fig*: *appétit* whet
ail *m* garlic
aile *f* wing; AUTO fender, *Br* wing
ailier *m* SP wing, winger
ailleurs somewhere else, elsewhere; ***d'~*** besides; ***par ~*** moreover
aimable kind
aimant *m* magnet
aimer like; *parent, enfant, mari etc* love; **~ *mieux*** prefer

aine *f* groin
aîné, ~e 1 *adj* elder; *de trois ou plus* eldest **2** *m/f* elder/ eldest; ***il est mon ~ de deux ans*** he is two years older than me
ainsi this way, thus *fml*; ***~ que*** and, as well as
air *m* air; *aspect* look; MUS tune; ***se donner des ~s*** give o.s. airs; **airbag** *m* airbag
aire *f* area; ***~ de jeu*** playground
aisance *f* ease; (*richesse*) wealth
aise *f* ease; ***être à l'~*** be comfortable; ***être mal à l'~*** be uncomfortable; ***prendre ses ~s*** make o.s. at home
aisselle *f* armpit
ajourner postpone (***de*** for); JUR adjourn
ajouter add; ***s'~ à*** be added to
ajuster adjust; *vêtement* alter; (*viser*) aim at; (*joindre*) fit (***à*** to)
alarme *f* alarm; ***donner l'~*** raise the alarm; ***~ antivol*** burglar alarm; **alarmer** alarm; ***s'~ de*** be alarmed by
album *m* album
alcool *m* alcohol; **alcoolique** *adj & m/f* alcoholic; **alcoolisme** alcoholism; **alco(o)-test** *m* Breathalyzer®, *Br* Breathalyser®
aléatoire uncertain; INFORM, MATH random
alentour: ***~s*** *mpl* surroundings *pl*; ***aux ~s de*** in the vicinity of; (*autour de*) about
alerte 1 *adj* alert **2** *f* alarm; ***~ à la bombe*** bomb scare; **alerter** alert
algèbre *f* algebra
Algérie *f*: ***l'~*** Algeria; **algérien, ~ne** Algerian; **Algérien, ~ne** *m/f* Algerian
algue *f* BOT seaweed
aligner TECH align (***sur*** with); (*mettre sur une ligne*) line up; ***s'~*** line up; ***s'~ sur qc*** align o.s. with sth
aliment *m* foodstuff; ***~s*** food; **alimentation** *f* food; *en eau, en électricité* supply; ***~ de base*** staple diet; **alimenter** feed; *en eau, en électricité* supply (***en*** with); *conversation* keep going
alinéa *m* paragraph
allaiter breast-feed
allécher tempt
allée *f* (*avenue*) path; ***~s et venues*** comings and goings
allégé *yaourt* low-fat; *confiture* low-sugar; **alléger** lighten; *impôt, tension* reduce
allègre cheerful
Allemagne *f*: ***l'~*** Germany; **allemand, ~e 1** *adj* German **2** *m langue* German; **Allemand, ~e** *m/f* German
aller 1 *v/i* go; ***~ en voiture*** go by car; ***~ chercher*** go for, fetch; ***comment allez-vous?*** how are you?; ***je vais bien*** I'm fine; ***ça va?*** is that OK?; (*comment te portes-tu?*) how are you?; ***ça va***

bien merci fine, thanks; ***~ bien avec*** go well with; ***on y va!*** F let's go!; ***allez!*** go on!; ***allons!*** come on!; ***allons donc!*** come now!; ***s'en ~*** leave; *d'une tâche* disappear; ***cette couleur te va bien*** that color really suits you **2** *v/aux*: ***je vais partir demain*** I'm going to leave tomorrow, I'm leaving tomorrow **3** *m*: ***~ et retour*** round trip, *Br* return trip; *billet* round-trip ticket, *Br* return (ticket); ***~ simple*** one-way ticket, *Br* single; ***match*** *m* ~ away game

allergie *f* allergy; **allergique** allergic (***à*** to)

alliance *f* POL alliance; (*mariage*) marriage; (*anneau*) wedding ring; **allié, ~e 1** *adj* allied; *famille* related by marriage **2** *m/f* ally; *famille* relative by marriage

allô hello

allocation *f* allowance; ***~ chômage*** workers' compensation, *Br* unemployment benefit

allonger lengthen, make longer; *jambes* stretch out; ***s'~*** get longer; (*s'étendre*) lie down

allumage *m* AUTO ignition; **allumer 1** *v/t* light; *chauffage, télévision etc* turn on **2** *v/i* turn the lights on; **allumette** *f* match

allure *f* (*démarche*) walk; (*vitesse*) speed; (*air*) appearance; ***avoir de l'~*** have style

allusion *f* allusion

alors then; (*par conséquence*) so; ***~ que*** *temps* when; *opposition* while

alouette *f* lark

alourdir make heavy

Alpes *fpl*: ***les ~*** the Alps

alphabet *m* alphabet

alpinisme *m* mountaineering; **alpiniste** *m/f* mountaineer

altercation *f* argument

altérer *denrées* spoil; *couleur* fade; *vérité* distort; *texte* alter

alternance *f* alternation; *de cultures* rotation; **alternative** *f* alternative; **alterner** alternate

altitude *f* altitude

alto *m* alto; *à cordes* viola

altruisme *m* altruism

aluminium *m* aluminum, *Br* aluminium

amabilité *f* kindness

amadouer softsoap

amaigri thinner; **amaigrir**: ***~ qn*** cause s.o. to lose weight; ***s'~*** lose weight, get thinner

amalgame *m* mixture, amalgamation

amande *f* almond

amant *m* lover

amarrer MAR moor

amas *m* pile; **amasser** amass

amateur *m* lover; *non professionnel* amateur; ***en ~*** as a hobby

ambassade *f* embassy; **ambassadeur, -drice** *m/f* ambassador
ambiance *f* (*atmosphère*) atmosphere
ambigu, **~ë** ambiguous; **ambiguïté** *f* ambiguity
ambitieux, -euse 1 *adj* ambitious **2** *m/f* ambitious person; **ambition** *f* ambition
ambivalence *f* ambivalence
ambulance *f* ambulance; **ambulancier** *m* paramedic, *Br* ambulance man
ambulant traveling, *Br* travelling
âme *f* soul; ***état*** *m* ***d'~*** state of mind; ***~ charitable*** do-gooder
amélioration *f* improvement; **améliorer** improve; ***s'~*** improve, get better
aménager *appartement* arrange, lay out; *terrain* develop; *vieille maison* convert
amende *f* fine
amender improve; *projet de loi* amend
amener bring; (*causer*) cause; ***s'~*** turn up
amer, -ère bitter
américain, **~e 1** *adj* American **2** *m* LING American English; **Américain**, **~e** *m/f* American; **américaniser** Americanize
amérindien, **~ne** Native American; **Amérindien**, **~ne** *m/f* Native American
Amérique *f*: ***l'~*** America; ***l'~ centrale*** Central America; ***l'~ latine*** Latin America; ***l'~ du Nord*** North America; ***l'~ du Sud*** South America
amertume *f* bitterness
ameublement *m* (*meubles*) furniture
ameuter rouse
ami, **~e 1** *m/f* friend; (*amant*) boyfriend; (*maîtresse*) girlfriend; ***devenir ~ avec qn*** make friends with s.o. **2** *adj* friendly; **amiable**: ***à l'~*** amicably; JUR out of court; *arrangement* amicable, friendly; JUR out-of-court
amical, **~e 1** *adj* friendly **2** *f* association
amincir 1 *v/t* make thinner; *d'une robe* make look thinner **2** *v/i* get thinner
amiral *m* admiral
amitié *f* friendship; ***~s*** best wishes
amnésie *f* amnesia
amnistie *f* amnesty
amoindrir diminish, lessen; ***s'~*** diminish
amollir soften
amonceler pile up
amont: ***en ~*** upstream (***de*** from)
amoral amoral
amorcer begin; INFORM boot up
amorphe *sans énergie* listless
amortir *choc* cushion; *bruit* muffle; *douleur* dull; *dettes* pay off; **amortisseur** *m* AUTO shock absorber

amour *m* love; **~s** love life; ***faire l'~*** make love; **amoureux**, **-euse** *regard* loving; *vie* love *atr*; *personne* in love (**de** with); ***tomber ~*** fall in love; **amour-propre** *m* pride
amphithéâtre *m* amphitheater, *Br* amphitheatre; *d'université* lecture hall
ample *vêtements* loose; *sujet* broad; *ressources* ample; **ampleur** *f d'un désastre etc* scale
amplification *f* TECH amplification; *fig* growth; **amplifier** TECH amplify; *fig*: *problème* magnify; *idée* expand
ampoule *f sur la peau* blister; *de médicament* ampoule; *lampe* bulb
amputer amputate; *fig* cut
amusant funny, amusing
amuse-gueule *m* appetizer
amuser amuse; ***s'~*** have a good time, enjoy o.s.; ***s'~ à faire qc*** have fun doing sth, enjoy doing sth; ***faire qch pour s'~*** do sth for fun
amygdale *f* ANAT tonsil; **amygdalite** *f* tonsillitis
an *m* year; ***le jour*** *ou* ***le premier de l'~*** New Year's Day; ***elle a 15 ~s*** she's 15 (years old)
analogie *f* analogy; **analogique** INFORM analog; **analogue** analogous (**à** with)
analphabète illiterate; **analphabétisme** *m* illiteracy
analyse *f* analysis; *de sang* test; **analyser** analyze, *Br* analyse; *sang* test; **analytique** analytical
ananas *m* BOT pineapple
anarchie *f* anarchy; **anarchiste** *m* anarchist
anatomie *f* anatomy
ancêtres *mpl* ancestors
anchois *m* anchovy
ancien, **~ne** old; *de l'Antiquité* ancient; **anciennement** formerly
ancre *f* anchor
Andorre *f*: ***l'~*** Andorra
âne *m* donkey; *fig* ass
anéantir annihilate
anecdote *f* anecdote
anémie *f* MÉD anemia, *Br* anaemia
anesthésie *f* MÉD anesthesia, *Br* anaesthesia
ange *m* angel
angine *f* MÉD throat infection; ***~ de poitrine*** angina
anglais, **~e** **1** *adj* English **2** *m langue* English; **Anglais**, **~e** *m/f* Englishman; Englishwoman; ***les ~*** the English
angle *m* angle; (*coin*) corner; ***~ mort*** blind spot
Angleterre *f*: ***l'~*** England
anglophone English-speaking
angoisse *f* anguish; **angoisser** distress
anguille *f* eel
anguleux, **-euse** angular
animal **1** *m* animal; ***~ domestique*** pet **2** *adj* animal *atr*
animateur, **-trice** *m/f d'une*

émission host, presenter; *d'une discussion* moderator; *d'activités culturelles, d'une entreprise* leader; *de dessin animé* animator; **animation** *f* (*vivacité*) liveliness; *de mouvements* hustle and bustle; *de dessin animé* animation; **animé** *rue, quartier* busy; *conversation* lively, animated; **animer** *fête* liven up; (*stimuler*) animate; *discussion, émission* host; **s'~** come to life; *d'une personne, discussion* become animated

animosité *f* animosity

anneau *m* ring

année *f* year; ***les ~s 90*** the 90s; ***bonne ~!*** happy New Year!

annexe *f d'un bâtiment* annex; *d'un document* appendix; *d'une lettre* enclosure

anniversaire *m* birthday; *d'un événement* anniversary

annonce *f* announcement; *dans journal* ad (vertisement); (*présage*) sign; ***petites ~s*** classified ads; **annoncer** announce; ***s'~ bien/mal*** be off to a good/bad start

annotation *f* annotation

annuaire *m*: ***~ du téléphone*** phone book

annuel, ~le annual, yearly

annulaire *m* ring finger

annulation *f* cancellation; *d'un mariage* annulment; **annuler** cancel; *mariage* annul

anodin harmless; *personne* insignificant; *blessure* slight

anomalie *f* anomaly

anonyme anonymous; ***société f ~*** incorporated *ou Br* limited company

anorak *m* anorak

anorexie *f* anorexia; **anorexique** anorexic

anormal abnormal

anse *f d'un panier etc* handle; GÉOGR cove

antagonisme *m* antagonism

antarctique 1 *adj* Antarctic **2** *m* **l'Antarctique** Antarctica, the Antarctic

antécédents *mpl* history

antenne *f* ZO antenna, feeler; TV, *d'une radio* antenna, *Br* aerial

antérieur (*de devant*) front; (*d'avant*) previous, earlier; **~ à** prior to, before

anthropologie *f* anthropology

antibiotique *m* antibiotic

antibrouillard *m* fog lamp

anticipation *f* anticipation; ***payer par ~*** pay in advance; **d'~** *roman* science-fiction

anticiper anticipate; ***~ un paiement*** pay in advance

anticonstitutionnel, ~le unconstitutional

antidater backdate

antidérapant *m* AUTO non-skid tire *ou Br* tyre

antidote *m* MÉD antidote

antigel *m* antifreeze

antipathie *f* antipathy
antipelliculaire: ***shampoing** m* **~** dandruff shampoo
antiquaire *m* antique dealer; **antique** ancient; *meuble* antique; *péj* antiquated; **antiquités** *fpl* antiques
antisémite **1** *adj* anti-Semitic **2** *m/f* anti-Semite
antiseptique *m & adj* antiseptic
antisocial antisocial
antiterroriste anti-terrorist
antivol *m* anti-theft device
anxiété *f* anxiety; **anxieux, -euse** anxious
août *m* August
apaiser *personne* calm down; *douleur* soothe; *soif, faim* satisfy
apathie *f* apathy
apercevoir see; ***s'~ de qc*** notice sth
apéritif *m* aperitif
à-peu-près *m* approximation
apitoyer: **~ *qn*** move s.o. to pity; ***s'~ sur qn*** feel sorry for s.o.
aplanir flatten, level; *fig*: *différend* smooth over
aplatir flatten; ***s'~*** (*s'écraser*) be flattened; ***s'~ devant*** kowtow to
aplomb *m* self-confidence; (*audace*) nerve; ***d'~*** vertical, plumb; ***je ne suis pas d'~*** *fig* I don't feel a hundred percent
apostrophe *f* (*interpellation*) rude remark; *signe* apostrophe
appli *f* TÉL app
apparaître appear; ***faire ~*** bring to light
appareil *m* device; AVIAT plane; ***qui est à l'~?*** TÉL who's speaking?; **~ *ménager*** household appliance; **~ *photo*** camera
apparemment apparently
apparence *f* appearance; ***en ~*** on the face of things; ***sauver les ~s*** save face; **apparent** visible; (*illusoire*) apparent
apparenté related (***à*** to)
apparition *f* appearance
appartement *m* apartment, *Br* flat
appartenir belong (***à*** to); ***il ne m'appartient pas d'en décider*** it's not up to me to decide
appauvrir impoverish; ***s'~*** become impoverished; **appauvrissement** *m* impoverishment
appel *m* call; MIL (*recrutement*) draft, *Br* call-up; JUR appeal; ÉDU roll-call; ***faire ~ à qc*** (*nécessiter*) require; ***faire ~ à qn*** appeal to s.o.; **appeler** call; (*nécessiter*) call for; ***en ~ à qn*** approach s.o.; ***comment t'appelles-tu?*** what's your name?, what are you called?
appendice *m* appendix; **appendicite** *f* MÉD appendicitis
appétissant appetizing; **ap-**

pétit *m* appetite; ***bon ~!*** enjoy (your meal)!
applaudir applaud, clap; **applaudissements** *mpl* applause, clapping
applicateur *m* applicator; **application** *f* application; **appliquer** apply; ***s'~*** *d'une personne* work hard; ***~ Y sur X*** smear X with Y
apport *m* contribution; **apporter** bring
appréciation *f* estimate; (*jugement*) opinion; COMM appreciation; **apprécier** estimate; *personne, musique, la bonne cuisine* appreciate
appréhender: ***~ qc*** be apprehensive about sth; ***~ qn*** JUR arrest s.o.; **appréhension** *f* apprehension
apprendre learn; *nouvelle aussi* hear (***par qn*** from s.o.); ***~ qc à qn*** (*enseigner*) teach s.o. sth; (*raconter*) tell s.o. sth
apprenti, **~e** *m/f* apprentice; *fig* beginner; **apprentissage** *m* learning; *d'un métier* apprenticeship
apprivoiser tame
approbateur, **-trice** approving; **approbation** *f* approval
approcher 1 *v/t* bring closer (***de*** to) **2** *v/i* approach; ***s'~ de*** approach
approfondir deepen; (*étudier*) go into in detail
approprié appropriate, suitable (***à*** for); **approprier**: ***s'~ qc*** appropriate sth
approuver *loi* approve; *personne, manières* approve of
approvisionnement *m* supply (***en*** of)
approximatif, **-ive** approximate; **approximation** *f* approximation
appui *m* support; *d'une fenêtre* sill; ***prendre ~ sur*** lean on; **appuyer 1** *v/t* lean; (*tenir debout*) support; *fig candidat, idée* support, back **2** *v/i*: ***~ sur*** *bouton* press, push; *fig* stress; ***s'~ sur*** lean on; *fig* rely on
après 1 *prép* after; ***d'~ les journaux*** going by what the papers say **2** *adv* afterward **3** *conj*: ***~ que*** after
après-demain the day after tomorrow
après-midi *m ou f* afternoon
apr. J.-C. (= ***après Jésus-Christ***) AD (= anno Domini)
aptitude *f* aptitude
aquarelle *f* watercolor, *Br* watercolour
aquarium *m* aquarium
arabe 1 *adj* Arab **2** *m langue* Arabic; **Arabe** *m/f* Arab; **Arabie** *f*: ***l'~ Saoudite*** Saudi (Arabia)
araignée *f* spider
arbitrage *m* arbitration
arbitre *m* referee; ***libre ~*** *m* free will; **arbitrer** arbitrate
arbre *m* tree; TECH shaft
arbuste *m* shrub

arc *m* ARCH arch; GÉOM arc
arc-en-ciel *m* rainbow
arche *f* arch; *Bible* Ark
archéologie *f* archeology, *Br* archaeology; **archéologue** *m/f* archeologist, *Br* archaeologist
archet *m* archer; MUS bow
archevêque *m* archbishop
architecte *m/f* architect; **architecture** *f* architecture
arctique 1 *adj* Arctic **2** *m* **l'Arctique** the Arctic
ardent *soleil* blazing; *désir* burning; *défenseur* fervent; **ardeur** *f fig* ardor, *Br* ardour
ardoise *f* slate
ardu arduous
arène *f* arena; **~s** arena
arête *f d'un poisson* bone; *d'une montagne* ridge
argent *m* silver; (*monnaie*) money; **~ *liquide*** *ou* ***comptant*** cash
argot *m* slang
argument *m* argument; **argumenter** argue
aride arid, dry
aristocrate *m/f* aristocrat; **aristocratie** *f* aristocracy
armateur *m* shipowner
arme *f* weapon (*aussi fig*); ***~ à feu*** firearm; **armée** *f* army; ***~ de l'air*** airforce; **armement** *m* arming; **~s** armaments; **armer** arm (***de*** with); *fig* equip (***de*** with)
armistice *m* armistice
armoire *f* cupboard; *pour les vêtements* closet, *Br* wardrobe
arnaque *f* F rip-off F; **arnaquer** F rip off F
aromate *m* herb; (*épice*) spice; **arome, arôme** *m* flavor, *Br* flavour; (*odeur*) aroma
arracher pull out; *pommes de terre* pull up; ***~ qc à qn*** snatch sth from s.o.; ***s'~ à*** *ou* ***de qc*** free o.s. from sth; ***s'~ qc*** fight over sth
arrangement *m* arrangement; **arranger** arrange; *objet* fix; *différend* settle; ***cela m'arrange*** that suits me; ***s'~ avec qn pour faire qch*** come to an arrangement with s.o. about sth; ***s'~ pour faire qch*** manage to do sth
arrestation *f* arrest; ***en état d'~*** under arrest
arrêt *m* (*interruption*) stopping; *d'autobus* stop; JUR judgment; ***sans ~*** constantly; **arrêter 1** *v/i* stop **2** *v/t* stop; *moteur* turn off; *voleur* arrest; *jour, date* set; ***~ de faire qch*** stop doing sth; ***s'~*** stop
arrière 1 *adv* back; ***en ~*** backward; *regarder* back; (*à une certaine distance*) behind; ***en ~ de*** behind **2** *adj inv* rear **3** *m* AUTO, SP back; ***à l'~*** in back, at the back
arrière-goût *m* aftertaste; **arrière-grand-mère** *f* great-grandmother; **arrière-grand-père** *m* great-grand-

father; **arrière-pensée** *f* ulterior motive; **arrière-petit-fils** *m* great-grandson
arrivée *f* arrival; SP finish line; **arriver** arrive; *d'un événement* happen; **~ à faire qch** manage to do sth; **~ à qn** happen to s.o.; ***j'arrive!*** (I'm) coming!
arrogance *f* arrogance; **arrogant** arrogant
arrondir *vers le haut* round up; *vers le bas* round down; **arrondissement** *m d'une ville* district
arroser water; **~ qch** *fig* have a drink to celebrate sth; **arrosoir** *m* watering can
art *m* art; ***avoir l'~ de faire qch*** have a knack for doing sth
artère *f* ANAT artery; (*route*) main road
arthrite *f* arthritis
artichaut *m* artichoke
article *m* article, item; JUR article, clause; *de presse*, GRAM article; **~s de luxe** luxury goods
articulation *f* ANAT joint; *d'un son* articulation; **articuler** *son* articulate
artificiel, **~le** artificial
artisan *m* craftsman; **artisanal** hand-made; *fromage, pain etc* traditional
artiste 1 *m/f* artist; *comédien, chanteur* performer **2** *adj* artistic
as *m* ace
ascenseur *m* elevator, *Br* lift
ascension *f* ascent; *fig* (*progrès*) rise; ***l'Ascension*** REL Ascension
asiatique Asian; **Asiatique** *m/f* Asian; **Asie** *f*: **l'~** Asia
asile *m* shelter; POL asylum; **~ de vieillards** old people's home; **demandeur** *m* **d'~** asylum seeker
aspect *m* (*vue*) look; (*point de vue*) angle, point of view; *d'un problème* aspect; (*air*) appearance; **à l'~ de** at the sight of
asperge *f* BOT stalk of asparagus; **~s** asparagus
asperger sprinkle; **~ qn de qch** spray s.o. with sth
asphyxier asphyxiate
aspirateur *m* vacuum (cleaner); **aspirer** *de l'air* breathe in, inhale; *liquide* suck up; **~ à (*faire*) qch** aspire to (doing) sth
aspirine *f* aspirin
assagir: **s'~** settle down
assaillir *vedette* mob; ***être assailli de*** be assailed by; *de coups de téléphone* be bombarded by
assainir (*nettoyer*) clean up; *eau* purify
assaisonnement *m* seasoning
assassin *m* murderer; *d'un président* assassin; **assassinat** *m* assassination; **assassiner** murder; *un président* assassinate

assemblée *f* gathering; (*réunion*) meeting; **~ générale** annual general meeting; **assembler** assemble; **s'~** assemble, gather
asseoir: **s'~** sit down
assez enough; (*plutôt*) quite; **~ d'argent** enough money; **~ grand** big enough
assidu *élève* hard-working
assiette *f* plate; ***ne pas être dans son ~*** *fig* be under the weather
assigner assign
assimiler (*comparer*) compare; *connaissances*, *étrangers* assimilate
assis: ***être ~*** be sitting; **assise** *f fig* basis
assistance *f* (*public*) audience; (*aide*) assistance; **assistant, ~e** *m/f* assistant; ***~e sociale*** social worker; **assister 1** *v/i*: ***~ à qc*** attend sth, be (present) at sth **2** *v/t*: ***~ qn*** assist s.o
association *f* association; **associé, ~e** *m/f* partner; **associer** associate (***à*** with); **s'~** join forces; COMM go into partnership; **s'~ *à*** *douleur* share in
assoiffé thirsty
assombrir: **s'~** darken
assommant F deadly boring; **assommer** stun; F bore to death
Assomption *f* REL Assumption
assorti matching; **~ *de*** accompanied by; **assortiment** *m* assortment
assoupir send to sleep; *fig*: *douleur*, *sens* dull; **s'~** doze off; *fig* die down
assourdir deafen; *bruit* muffle
assumer take on, assume
assurance *f* assurance; (*contrat*) insurance
assuré, ~e 1 (*sûr*) confident **2** *m/f* insured party; **assurément** certainly; **assurer** *succès* ensure; *par une assurance* insure; **s'~** take out insurance; ***s'~ de qc*** (*vérifier*) make sure of sth, check sth
asthme *m* asthma
astiquer *meuble* polish; *casserole* scour
astre *m* star
astrologie astrology
astronaute *m/f* astronaut
astronomie *f* astronomie; **astronomique** astronomical (*aussi fig*)
astuce *f* (*ingéniosité*) astuteness; (*truc*) trick; **astucieux, -euse** astute
atelier *m* workshop; *d'un artiste* studio
athée *m/f* atheist; **athéisme** *m* atheism
athlète *m/f* athlete; **athlétisme** *m* athletics *sg*
Atlantique *m*: **l'~** the Atlantic
atlas *m* atlas
atmosphère *f* atmosphere
atome *m* atom
atout *m fig* asset

atroce dreadful, atrocious; **atrocité** *f* atrocity
attachant captivating
attaché-case *m* executive briefcase
attacher 1 *v/t* attach, fasten; *animal* tie up; *prisonnier* secure; *chaussures* do up **2** *v/i* CUIS (*coller*) stick; ***s'~ à*** become attached to
attaquant, **~e** *m/f* SP striker; **attaque** *f* attack; ***~ à la bombe*** bomb attack; **attaquer** attack; *travail*, *sujet* tackle; ***s'~ à*** attack; *problème* tackle
attarder: ***s'~*** linger
atteindre reach; *d'un projectile* strike, hit; *d'une maladie* affect
atteinte *f fig* attack; ***porter ~ à qc*** undermine sth; ***hors d'~*** out of reach
attendant: ***en ~*** in the meantime; ***en ~ qu'il arrive*** (*subj*) while waiting for him to arrive; **attendre** wait; ***~ qn*** wait for s.o.; ***s'~ à qc*** expect sth; ***~ un enfant*** be expecting a baby
attendrir *fig*: *personne* move; *cœur* soften; ***s'~*** be moved (***sur*** by); **attendrissement** *m* tenderness
attentat *m* attack; ***~ à la bombe*** bombing, bomb attack; ***~ à la pudeur*** indecent assault
attente *f* wait; (*espoir*) expectation
attentif, **-ive** attentive (***à*** to); **attention** *f* attention; (***fais***) ***~!*** look out!, (be) careful!; ***faire ~ à qc*** pay attention to sth
atténuer reduce; *propos*, *termes* tone down
atterrir AVIAT land; ***~ en catastrophe*** crash-land
attestation *f* certificate; **attester** certify; (*prouver*) confirm
attirance *f* attraction; **attirer** attract; ***s'~ des critiques*** come in for criticism
attitude *f* attitude; *d'un corps* pose
attraction *f* attraction
attrait *m* attraction
attraper catch; (*duper*) take in
attrayant attractive
attribuer attribute; *prix* award; *part*, *rôle* allot; *valeur* attach; ***s'~*** take; **attribution** *f* allocation; *d'un prix* award; ***~s*** (*compétence*) competence
attrister sadden
attroupement *m* crowd; **attrouper**: ***s'~*** gather
aube *f* dawn; ***à l'~*** at dawn
auberge *f* inn; ***~ de jeunesse*** youth hostel
aubergine *f* BOT eggplant, *Br* aubergine
aucun, **~e 1** *adj avec négatif* no, not …any; *avec positif*, *interrogatif* any **2** *pron avec négatif* none; ***~ des deux*** neither of the two; *avec positif*, *interrogatif* anyone,

anybody
audace *f* daring, audacity; *péj* audacity; **audacieux, -euse** (*courageux*) daring, audacious; (*insolent*) insolent
au-delà beyond; **~ *de*** above; **au-dessous**: **~ (*de*)** below; **au-dessus**: **~ (*de*)** above; **au-devant**: ***aller* ~ *de*** meet; *désirs* anticipate
audible audible
audience *f d'un tribunal* hearing
audiovisuel, ~le audiovisual
auditeur, -trice *m/f* listener; FIN auditor; **audition** *f* audition; (*ouïe*) hearing; *de témoins* examination
augmentation *f* increase; *de salaire* raise, *Br* rise; **augmenter 1** *v/t* increase; *salarié* give a raise *ou Br* rise to **2** *v/i* increase, rise
aujourd'hui today
auparavant beforehand; ***deux mois* ~** two months earlier
auprès: **~ *de*** beside, near
auquel → ***lequel***
auriculaire *m* little finger
aurore *f* dawn
ausculter MÉD sound
aussi 1 *adv* too, also; ***il est* ~ *grand que moi*** he's as tall as me **2** *conj* therefore
aussitôt immediately; **~ *que*** as soon as
austère austere
Australie *f*: ***l'*~** Australia; **australien, ~ne** Australian; **Australien, ~ne** *m/f* Australian
autant (*tant*) as much (*que* as); *avec pluriel* as many (*que* as); *comparatif*: **~ *de* ... *que* ...** as much ... as ...; *avec pluriel* as many ... as ...; **(*pour*) ~ *que je sache*** (*subj*) as far as I know; ***en faire* ~** do the same
auteur *m/f* author; *d'un crime* perpetrator
authenticité *f* authenticity; **authentique** authentic
autiste autistic
auto *f* car, automobile
autobiographie *f* autobiography
autocollant 1 *adj* adhesive **2** *m* sticker
autodéfense *f* self-defense, *Br* self-defence
autodidacte self-taught
auto-école *f* driving school
autographe *m* autograph
automatique *adj & m* automatic; **automatiquement** automatically; **automatiser** automate
automne *m* fall, *Br* autumn
automobile *f* car, automobile; **automobiliste** *m/f* driver
autonomie *f* independence; POL autonomy
autoradio *m* car radio
autorisation *f* authorization, permission; **autoriser** authorize, allow; **autoritaire** authoritarian; **autorité** *f* au-

thority
autoroute *f* highway, *Br* motorway
auto-stop *m*: ***faire de l'~*** hitchhike
autour: **~ (*de*)** around
autre 1 *adj* other; ***un/une ~ ...*** another ...; ***nous ~s Américains*** we Americans; ***rien d'~*** nothing else; ***~ part*** somewhere else; ***d'~ part*** on the other hand **2** *pron*: ***un/une ~*** another (one); ***l'~*** the other (one); ***les ~s*** the others; (*autrui*) other people; ***l'un l'~, les uns les ~*** each other, one another
autrefois in the past
autrement (*différemment*) differently; (*sinon*) otherwise
Autriche *f*: ***l'~*** Austria; **autrichien, ~ne** Austrian; **Autrichien, ~ne** *m/f* Austrian
autrui other people *pl*, others *pl*
auxquelles, auxquels → ***lequel***
av. (= ***avenue***) Ave (= avenue)
aval 1 *adv*: ***en ~*** downstream (***de*** from) **2** *m* FIN guarantee
avalanche *f* avalanche
avaler swallow
avance *f* advance; *d'une course* lead; ***d'~*** in advance; ***en ~*** ahead of time; **avancement** *m* progress; (*promotion*) promotion; **avancer 1** *v/t chaise, date* bring forward; *main* put out; *argent* advance; *thèse* put forward **2** *v/i* make progress; MIL advance; *d'une montre* be fast; ***s'~ vers*** come up to
avant 1 *prép* before; ***~ tout*** above all; ***~ de faire qch*** before doing sth **2** *adv temps* before; *espace* in front of; ***en ~*** forward **3** *conj*: ***~ que*** (+ *subj*) before **4** *adj*: ***roue f ~*** front wheel **5** *m* front; *d'un navire* bow; SP forward
avantage *m* advantage; ***~s sociaux*** fringe benefits; **avantager** suit; (*favoriser*) favor, *Br* favour
avant-dernier, -ère last but one
avant-hier the day before yesterday
avant-première *f* preview
avant-propos *m* foreword
avant-veille *f*: ***l'~*** two days before
avare 1 *adj* miserly **2** *m* miser; **avarice** *f* miserliness
avarié *nourriture* bad
avec with
avenir *m* future; ***à l'~*** in future; ***d'~*** promising
Avent *m* Advent
aventure *f* adventure; (*liaison*) affair; **aventurer**: ***s'~*** venture (***dans*** into)
avenue *f* avenue
avérer: ***s'~*** (+ *adj*) prove
averse *f* shower
aversion *f* aversion (***pour*** *ou* ***contre*** to); ***prendre qn en ~***

take a dislike to s.o.
avertir inform (**de** of); (*mettre en garde*) warn (**de** of); **avertissement** *m* warning; **avertisseur** *m* AUTO horn
aveu *m* confession
aveuglant blinding; **aveugle 1** *adj* blind **2** *m/f* blind man; blind woman; **aveugler** blind
aviateur, **-trice** *m/f* pilot; **aviation** *f* aviation, flying
avide greedy, avid (**de** for); **avidité** *f* greed
avilissant degrading
avion *m* (air)plane, *Br* (aero-) plane; ***aller en ~*** fly, go by plane; ***par ~*** (by) airmail
aviron *m* oar; SP rowing
avis *m* opinion; (*information*) notice; ***à mon ~*** in my opinion; ***changer d'~*** change one's mind; ***sauf ~ contraire*** unless otherwise stated
aviser: ***~ qn de qc*** advise *ou* inform s.o. of sth; ***s'~ de qc*** notice sth; ***s'~ de faire qch*** take it into one's head to do sth
av. J.-C. (= ***avant Jésus-Christ***) BC (= before Christ)
avocat, **~e 1** *m/f* lawyer; (*défenseur*) advocate **2** *m* BOT avocado
avoir 1 *v/t* (*posséder*) have, have got; (*obtenir*) get; ***j'ai froid/chaud*** I am cold/hot; ***~ 20 ans*** be 20; ***il y a*** there is; *avec pluriel* there are; ***qu'est-ce qu'il y a?*** what's the matter?; ***il y a un an*** a year ago **2** *v/aux* have; ***j'ai déjà parlé*** I have *ou* I've already spoken; ***je lui ai parlé hier*** I spoke to him yesterday **3** *m* COMM credit; (*possessions*) possessions *pl*
avoisiner: ***~ qc*** border on sth
avortement *m* miscarriage; *provoqué* abortion; **avorter 1** *v/t femme* terminate the pregnancy of; ***se faire ~*** have an abortion **2** *v/i* miscarry; *fig* fail
avouer: ***~ (avoir fait qc)*** confess (to having done sth)
avril *m* April
axe *m* axle; GÉOM axis; *fig* basis

B

babiller babble
bâbord *m* MAR: ***à ~*** to port
bac[1] *m bateau* ferry; *récipient* container
bac[2] *m* F, **baccalauréat** *m exam that is a prerequisite for university entrance*
bâche *f* tarpaulin
bâcler F botch F
badaud *m* onlooker
badiner joke
baffe *f* F slap

bafouiller 1 *v/t* stammer **2** *v/i* F talk nonsense
bagages *mpl* baggage, luggage; *fig* (*connaissances*) knowledge; ***faire ses ~*** pack
bagarre *f* fight; **bagarrer** F: ***se ~*** fight
bagnole *f* F car
bague *f* ring; ***~ de fiançailles*** engagement ring
baguette *f* stick; MUS baton; *pain* French stick; ***~s*** *pour manger* chopsticks
baie[1] *f* BOT berry
baie[2] *f* (*golfe*) bay; ***Baie d'Hudson*** Hudson Bay
baigner *enfant* bathe, *Br* bath; ***se ~*** go for a swim; **baignoire** *f* (bath) tub
bail *m* lease
bâiller yawn; *d'un trou* gape; *d'une porte* be ajar
bain *m* bath; ***salle*** *f* ***de ~s*** bathroom; ***être dans le ~*** *fig* (*au courant*) be up to speed; ***~ de bouche*** mouthwash; **bain-marie** *m* CUIS double boiler
baiser 1 *m* kiss **2** *v/t* kiss; V screw V
baisse *f* fall; ***être en ~*** be falling; **baisser 1** *v/t* lower; *radio, chauffage* turn down **2** *v/i de forces* fail; *de lumière* fade; *d'une température, d'un prix* drop, fall; *de vue* deteriorate; ***se ~*** bend down
bal *m* dance; *formel* ball
balade *f* walk, stroll; **balader** walk; ***se ~*** go for a walk *ou* stroll
baladeur *m* Walkman®
balai *m* broom; ***donner un coup de ~ à qch*** give sth a sweep
balance *f* scales *pl*; COMM balance; ASTROL ***Balance*** Libra; **balancer** *jambes* swing; F (*lancer*) chuck F; F (*jeter*) chuck out F; ***se ~*** swing; **balançoire** *f* swing
balayer sweep; *fig*: *gouvernement* sweep from power; *soucis* sweep away
balbutier stammer
balcon *m* balcony
baleine *f* whale
ballade *f* ballad
balle *f* ball; *d'un fusil* bullet; *de marchandises* bale
ballet *m* ballet
ballon *m* ball; *pour enfants*, AVIAT balloon
ballotter 1 *v/t* buffet **2** *v/i* bounce up and down
balnéaire: ***station*** *f* ***~*** seaside resort
balourd clumsy
balte Baltic; **Baltique**: ***la*** (***mer***) ***~*** the Baltic (Sea)
balustrade *f* balustrade
bambou *m* bamboo
banal (*mpl* -als) banal; **banalité** *f* banality
banane *f* banana; **bananier** *m* banana tree
banc *m* bench, seat; ***~ de sable*** sandbank
bancaire bank *atr*
bancal (*mpl* -als) *table* wob-

bly
bandage *m* MÉD bandage
bande *f de terrain, de tissu* strip; MÉD bandage; (*rayure*) stripe; (*groupe*) group; *péj* gang, band; **bander** MÉD bandage; **~ *les yeux à qn*** blindfold s.o.
bandit *m* bandit; (*escroc*) crook
banlieue *f* suburbs *pl*; ***de ~*** suburban
bannière *f* banner
bannir banish
banque *f* bank; ***~ du sang*** blood bank
banquet *m* banquet
banquette *f* seat
banquier *m* banker
baptême *m* baptism; **baptiser** baptize
bar *m* bar; *meuble* cocktail cabinet
baraque *f* shack
barbant F boring
barbare 1 *adj* barbaric **2** *m/f* barbarian
barbe *f* beard; ***~ à papa*** cotton candy, *Br* candy floss
barbecue *m* barbecue
barber F bore rigid F
barbu bearded
barder F: ***ça va ~*** there's going to be trouble
baromètre *m* barometer
barque *f* MAR boat
barrage *m* dam; (*barrière*) barrier
barre *f* bar; MAR helm; (*trait*) line; ***~ des témoins*** JUR witness stand
barreau *m* bar; *d'échelle* rung
barrer (*obstruer*) block, bar; *mot* cross out; ***se ~*** F leave
barrette *f* barrette, *Br* hairslide
barrière *f* barrier; (*clôture*) fence; ***~s douanières*** customs barriers
bar-tabac *m* bar-cum-tobacco store
bas, ~se 1 *adj* low; GÉOGR lower; *instrument* bass; *voix* deep **2** *adv* low; *parler* in a low voice, quietly; ***en ~*** downstairs; ***là-~*** there **3** *m* bottom; (*vêtement*) stocking; ***au ~ de*** at the bottom of
basané weatherbeaten; *naturellement* swarthy
bas-côté *m d'une route* shoulder
basculer topple over
base *f* base; *d'un édifice* foundation; *fig*: *d'une science* basis; ***de ~*** basic; ***à ~ de lait*** milk-based
base *f* **de données** database
base-ball *m* baseball
baser base (***sur*** on); ***se ~ sur*** draw on; *d'une idée* be based on
basilic *m* BOT basil
basket(-ball) *m* basketball; **baskets** *fpl* sneakers, *Br* trainers
basque 1 *adj* Basque **2** *m langue* Basque; **Basque** *m/f* Basque
basse-cour *f* AGR farmyard;

animaux poultry
bassine *f* bowl
bataille *f* battle; ***livrer ~*** give battle; **batailler** *fig* battle
bâtard *m* bastard; *chien* mongrel
bateau *m* boat; ***faire du ~*** go sailing; ***mener qn en ~*** *fig* put s.o. on, *Br* have s.o. on
bâti 1 *adj* built on; ***bien ~*** well-built **2** *m* frame
bâtiment *m* building; *secteur* construction industry; MAR ship
bâtir build
bâton *m* stick; ***parler à ~s rompus*** make small talk; ***~ de rouge*** lipstick; ***~ de ski*** ski pole *ou* stick
battant 1 *adj pluie* driving **2** *m d'une porte* leaf; *personne* fighter
batte *f de base-ball* bat
battement *m de cœur* beat; *de temps* interval
batterie *f* ÉL battery; MUS drums *pl*; *dans un orchestre* percussion; **batteur** *m* CUIS whisk; *électrique* mixer; MUS drummer; *en base-ball* batter; **battre 1** *v/t* beat; *cartes* shuffle **2** *v/i* beat; *d'un volet* bang; ***se ~*** fight
bavard, **~e 1** *adj* talkative **2** *m/f* chatterbox; **bavarder** chatter; (*divulguer un secret*) talk
baver drool, slobber; **bavure** *f fig* blunder, blooper F; ***sans ~*** impeccable
Bd (= ***boulevard***) Blvd (= Boulevard)
B.D. *f* (= ***bande dessinée***) comic strip
béant gaping
béat *péj*: *sourire* silly
beau, **bel**, **belle** (*mpl* beaux) beautiful, lovely; *homme* handsome; ***il fait beau*** (***temps***) it's lovely weather; ***il a beau dire …*** it's no good him saying …
beaucoup a lot; ***~ de*** lots of, a lot of; ***~ de gens*** lots *ou* a lot of people, many people; ***je n'ai pas ~ d'argent*** I don't have a lot of *ou* much money; ***~ trop cher*** much too expensive
beau-fils *m* son-in-law; *d'un remariage* stepson; **beau-frère** *m* brother-in-law; **beau-père** *m* father-in-law; *d'un remariage* stepfather
beauté *f* beauty
beaux-arts *mpl*: ***les ~*** fine art
beaux-parents *mpl* parents-in-law
bébé *m* baby
bec *m d'un oiseau* beak; *d'un récipient* spout; MUS mouthpiece; F mouth
bedaine *f* (beer) belly
bégayer stutter, stammer
béguin *m fig* F: ***avoir le ~ pour*** have a crush on
beige beige
beignet *m* CUIS fritter
belge Belgian; **Belge** *m/f* Belgian; **Belgique**: ***la ~*** Bel-

gium
bélier *m* ZO ram; ASTROL ***Bélier*** Aries
belle → ***beau***
belle-famille *f* in-laws *pl*
belle-fille *f* daughter-in-law; *d'un remariage* stepdaughter; **belle-mère** *f* mother-in-law; *d'un remariage* stepmother; **belle-sœur** *f* sister-in-law
belliqueux, **-euse** warlike
bémol *m* MUS flat
bénédiction *f* blessing
bénéfice *m* benefit; COMM profit; **bénéficier**: ***~ de*** benefit from; **bénéfique** beneficial
Bénélux: ***le ~*** the Benelux countries *pl*
bénévolat voluntary work; **bénévole 1** *adj travail* voluntary **2** *m/f* volunteer
bénin, **-igne** *tumeur* benign; *accident* minor
bénir bless; **bénit** consecrated; ***eau f ~e*** holy water
béquille *f* crutch; *d'une moto* stand
berceau *m* cradle; **bercer** rock; ***se ~ d'illusions*** delude o.s.
béret *m* beret
berger *m* shepherd; *chien* German shepherd, *Br aussi* Alsatian
berline *f* AUTO sedan, *Br* saloon
bermuda(s) *m (pl)* Bermuda shorts *pl*
berner fool
besogne *f* job, task
besoin *m* need; ***avoir ~ de (faire) qch*** need (to do) sth; ***au ~*** if need be
bestial bestial
bétail *m (sans pl)* livestock
bête 1 *adj* stupid **2** *f* animal; (*insecte*) insect; ***chercher la petite ~*** nitpick; **bêtement** stupidly; **bêtise** *f* stupidity; ***dire des ~s*** talk nonsense; ***une ~*** a stupid thing to do/say
béton *m* concrete
betterave *f* beet, *Br* beetroot
beugler *de bœuf* low; F *d'une personne* shout
beurre *m* butter; ***~ de cacahuètes*** peanut butter
bévue *f* blunder
biais 1 *adv*: ***en ~*** diagonally; ***de ~*** *regarder* sideways **2** *m fig* (*aspect*) angle; ***par le ~ de*** through
biberon *m* (baby's) bottle
Bible *f* bible
bibliothèque *f* library; *meuble* bookcase
bic® *m* ballpoint (pen)
bicentenaire *m* bicentennial, *Br* bicentenary
biceps *m* biceps
biche *f* ZO doe
bicyclette *f* bicycle; ***aller en*** *ou* ***à ~*** cycle
bidon *m*: ***~ à essence*** gas *ou Br* petrol can
bidonville *m* shanty town
bidule *m* F gizmo F

bien 1 *m* good; (*possession*) possession; ***le ~*** *ce qui est juste* good; ***faire le ~*** do good; ***faire du ~ à qn*** do s.o. good; ***~s*** (*possessions*) property; (*produits*) goods **2** *adj* good; (*beau, belle*) good-looking; ***être ~*** feel well; (*à l'aise*) be comfortable; ***ce sera très ~ comme ça*** that will do very nicely; ***se sentir ~*** feel well; ***avoir l'air ~*** look good; ***des gens ~*** respectable people **3** *adv* well; (*très*) very; ***~ des fois*** lots of times; ***eh ~*** well; ***oui, je veux ~*** yes please **4** *conj* ***~ que*** (+ *subj*) although
bien-être *m* welfare; *sensation agréable* well-being
bienfait *m* benefit
bien-fondé *m* legitimacy
bienheureux, **-euse** happy; REL blessed
bienséance *f* propriety
bientôt soon; ***à ~!*** see you (soon)!
bienveillance *f* benevolence
bienvenu, **~e 1** *adj* welcome **2** *m/f* ***être le/la ~(e)*** be welcome **3** *f* ***souhaiter la ~e à*** welcome
bière *f* beer; ***~ blanche*** wheat beer; ***~ brune*** dark beer, *Br* bitter; ***~ pression*** draft (beer), *Br* draught (beer)
bifteck *m* steak
bifurquer: ***~ (vers)*** fork (off onto); *fig* branch out (into)
bigame 1 *adj* bigamous **2** *m/f* bigamist; **bigamie** *f* bigamy
bijou *m* jewel; ***~x*** jewelry, *Br* jewellery; **bijouterie** *f* jewelry store, *Br* jeweller's; **bijoutier**, **-ère** *m/f* jeweler, *Br* jeweller
bikini *m* bikini
bilan *m* balance sheet; *fig* (*résultat*) outcome; ***faire le ~ de*** take stock of
bilingue bilingual
billard *m* billiards *sg*; *table* billiard table; ***~ américain*** pool
bille *f* marble; *billard* (billiard) ball; ***stylo*** *m* ***(à) ~*** ball-point (pen)
billet *m* ticket; (*petite lettre*) note; ***~ (de banque)*** bill, *Br* (bank)note; **billeterie** *f* ticket office; *automatique* ticket machine; FIN ATM, *Br aussi* cash dispenser
biochimie *f* biochemistry
biodégradable biodegradable
biodiversité *f* biodiversity
biographie *f* biography
biologie *f* biology; **biologique** biological; *aliments* organic
biotechnologie *f* biotechnology
bis 1 *adj*: ***24 ~*** 24A **2** *m* encore
biscornu *fig* weird
biscotte *f* rusk
biscuit *m* cookie, *Br* biscuit
bise *f*: ***faire la ~ à*** kiss
bisexuel, **~le** bisexual
bisou *m* F kiss

bissextile: ***année*** *f* ~ leap year
bistro(t) *m* bistro
bit *m* INFORM bit
bitume *m* asphalt
bizarre strange, bizarre
blafard wan
blague *f* joke; ***sans ~!*** no kidding!; **blaguer** joke
blaireau *m* badger; *pour se raser* shaving brush
blâme *m* blame; (*sanction*) reprimand
blanc, **blanche 1** *adj* white; *page* blank; ***nuit*** *f* ***blanche*** sleepless night **2** *m* white; *textile* (household) linen; *par opposé aux couleurs* whites *pl*; *dans un texte* blank **3** *m/f* ***Blanc, Blanche*** white, White
blancheur *f* whiteness; **blanchir 1** *v/t* whiten; *mur* whitewash; *linge* launder, wash; *du soleil* bleach; *fig*: *innocenter* clear **2** *v/i* go white
blasé blasé
blasphème *m* blasphemy; **blasphémer** blaspheme
blé *m* wheat, *Br* corn
blêmir turn pale
blesser hurt (*aussi fig*); *dans un accident* injure; *à la guerre* wound; ***se ~*** injure *ou* hurt o.s.; **blessure** *f d'accident* injury; *d'arme* wound
bleu 1 *adj* blue; *viande* very rare **2** *m* blue; *fromage* blue cheese; *sur la peau* bruise; *fig* (*novice*) rookie F
blindage *m* armor, *Br* armour; **blinder** armor, *Br* armour; *fig* F harden
bloc *m* block; POL bloc; *de papier* pad; ***faire ~*** join forces
bloc-notes *m* notepad
blocus *m* blockade
blond, **~e 1** *adj* blonde; *tabac* Virginian; *sable* golden **2** *m/f* blonde **3** *f bière* beer, *Br aussi* lager
bloquer block; *mécanisme* jam; *roues* lock; *compte* freeze
blouson *m* jacket, blouson
bluff *m* bluff; **bluffer** bluff
bobard *m* F tall tale *ou Br* story
bocal *m* (glass) jar
bock *m*: ***un ~*** a (glass of) beer
bœuf *m* steer; *viande* beef
bohémien, **~ne** *m/f* gipsy
boire drink; (*absorber*) soak up
bois *m matière, forêt* wood; ***en ~*** wooden
boisson *f* drink; ***~s alcoolisées*** alcohol
boîte *f* box; *en tôle* can, *Br aussi* tin; F (*entreprise*) company; ~ (***de nuit***) nightclub; ***en ~*** canned, *Br aussi* tinned; ***~ à gants*** glove compartment; ***~ aux lettres*** mailbox, *Br* letterbox
boiter limp; *fig*: *de raisonnement* be shaky; **boiteux**, **-euse** *table etc* wobbly; *fig*: *raisonnement* shaky; ***être ~*** *d'une personne* have a limp

boîtier *m* case, housing
bol *m* bowl
bombardement *m* bombing; *avec obus* bombardment; **bombarder** bomb; *avec obus, questions* bombard; **bombe** *f* bomb; *(atomiseur)* spray; **~ *à retardement*** time bomb; **bombé** bulging
bon, **~ne 1** *adj* good; *route, moment* right; ***de ~ne foi*** *personne* sincere; ***être ~ en qch*** be good at sth; ***à quoi ~?*** what's the use?; witticism; ***~ anniversaire!*** happy birthday!; ***~ voyage!*** have a good trip!, bon voyage!; ***~ne chance!*** good luck!; ***~ne année!*** Happy New Year!; ***~ne nuit!*** good night!; ***ah ~*** really **2** *adv*: ***sentir ~*** smell good; ***tenir ~*** not give in; ***trouver ~ de faire qch*** think it right to do sth **3** *m* COMM voucher; ***avoir du ~*** have its good points; ***~ d'achat*** gift voucher; ***~ du Trésor*** Treasury bond
bonbon *m* candy, *Br* sweet; ***~s*** candy, *Br* sweets
bond *m* leap; *d'une balle* bounce
bondé packed
bondir jump, leap (***de*** with)
bonheur *m* happiness; *(chance)* luck; ***par ~*** luckily; ***au petit ~*** at random
bonhomme *m* F *(type)* guy F
boniment *m battage* spiel F, sales talk; F *(mensonge)* fairy story
bonjour *m* hello
bonne *f* maid
bonnet *m* hat; ***gros ~*** *fig* F big shot F; ***~ de douche*** shower cap
bonsoir *m* hello, good evening
bonté *f* goodness
bonus *m* no-claims bonus
bord *m* edge; *(rive)* bank; *d'une route* side; *d'un verre* brim; ***au ~ de la mer*** at the seaside; ***être au ~ des larmes*** be on the verge of tears; ***monter à ~*** go on board
bordel *m* F brothel; *(désordre)* mess F
bordélique F chaotic
border *(garnir)* edge (***de*** with); *(être le long de)* border; *enfant* tuck in
bordure *f* border, edging; ***en ~ de*** *forêt, ville* on the edge of
borne *f* boundary marker; ÉL terminal; ***~s*** *fig* limits; ***dépasser les ~s*** go too far; **borné** narrow-minded; **borner**: ***se ~ à (faire)*** restrict o.s. to (doing)
bosse *f (enflure)* lump; *d'un bossu, d'un chameau* hump; *du sol* bump
bosser F work hard
bossu, **~e** *m/f* hunchback
botanique 1 *adj* botanical **2** *f* botany
botte *f chaussure* boot

bouc *m* goat; ~ ***émissaire*** *fig* scapegoat
bouche *f* mouth; *de métro* entrance; ~ ***d'aération*** vent; ~ ***d'incendie*** (fire) hydrant
bouché blocked; *temps* overcast
bouche-à-bouche *m* MÉD mouth-to-mouth resuscitation
bouchée *f* mouthful
boucher[1] *v/t* block; *trou* fill (in); ***se*** ~ *d'un évier* get blocked; ***se*** ~ ***le nez*** hold one's nose
boucher[2], **-ère** *m/f* butcher (*aussi fig*)
boucherie *f magasin* butcher's; *fig* slaughter
bouchon *m* top; *de liège* cork; *fig*: *trafic* hold-up
boucle *f* loop; *de ceinture* buckle; *de cheveux* curl; ~ ***d'oreille*** earring; **bouclé** *cheveux* curly; **boucler** *ceinture* fasten; *porte* lock; MIL surround; *en prison* lock away
bouddhisme *m* Buddhism; **bouddhiste** *m* Buddhist
bouder 1 *v/i* sulk **2** *v/t*: ~ ***qn/qc*** give s.o./sth the cold shoulder
boudin *m*: ~ (***noir***) blood sausage, *Br* black pudding
boue *f* mud
bouée *f* MAR buoy
bouffée *f de fumée, vent* puff; *de parfum* whiff
bouffer F eat
bouffi bloated
bouger move; *de prix* change
bougie *f* candle; AUTO spark plug
bouillie *f* baby food
bouillir boil; *fig* be boiling (with rage); ***faire*** ~ boil; **bouilloire** *f* kettle
bouillon *m* (*bulle*) bubble; CUIS stock; **bouillonner** bubble; *fig*: *d'idées* seethe
bouillotte *f* hot water bottle
boulanger, **-ère** *m/f* baker; **boulangerie** *f* bakery
boule *f* ball; ***jeu*** *m* ***de*** ~***s*** bowls *sg*
bouleau *m* BOT birch (tree)
boulevard *m* boulevard
bouleversement *m* upheaval; **bouleverser** (*mettre en désordre*) turn upside down; *traditions* overturn; *émotionnellement* shatter
boulimie *f* bulimia
boulot *m* F work
bouquet *m* bouquet
bouquin *m* F book; **bouquiner** read
bourde *f* blunder, blooper F
bourdon *m* ZO bumblebee; **bourdonner** *d'insectes* buzz; *de moteur* hum; *d'oreilles* ring
bourgeois, ~**e 1** *adj* middle-class **2** *m/f* member of the middle classes
bourgeoisie *f* middle classes *pl*
bourgeon *m* BOT bud
bourrasque *f* gust

bourratif, -ive stodgy
bourré crammed (***de*** with); F (*ivre*) drunk, sozzled F
bourrer *coussin* stuff; *pipe* fill; ***se ~ de qc*** F stuff o.s. with sth
bourru surly
bourse *f d'études* grant; (*porte-monnaie*) coin purse, *Br* purse; ***Bourse*** (***des valeurs***) Stock Exchange
boursouf(f)lé swollen
bousculer (*heurter*) jostle; (*presser*) rush; *fig*: *traditions* overturn
bousiller F *travail* screw up F; (*détruire*) wreck
boussole *f* compass
bout *m* end; (*morceau*) piece; ***au ~ de*** at the end of; ***d'un ~ à l'autre*** right the way through; ***être à ~*** be at an end; ***venir à ~ de*** overcome
bouteille *f* bottle; *de butane* cylinder
boutique *f* store, *Br* shop; *de mode* boutique; ***~ en ligne*** INTERNET on-line store
bouton *m* button; *de porte* handle; ANAT spot, zit F; BOT bud; **bouton-d'or** *m* BOT buttercup; **boutonner** button; BOT bud; **boutonneux, -euse** spotty
bovin 1 *adj* cattle *atr* **2** *mpl* ***~s*** cattle *pl*
bowling *m* bowling, *Br* ten--pin bowling; *lieu* bowling alley
boxe *f* boxing; **boxer** box; **boxeur** *m* boxer
boycott *m* boycott; **boycotter** boycott
B.P. (= ***boîte postale***) PO Box (= Post Office Box)
bracelet *m* bracelet
braconnier *m* poacher
braguette *f* fly
brailler bawl
braiser CUIS braise
brancard *m* (*civière*) stretcher
branche *f* branch; *de céleri* stick
brancher connect up (***sur*** to); *à une prise* plug in; ***branché*** F (*informé*) clued up; (*en vogue*) trendy
brandir brandish
braquer 1 *v/t*: ***~ sur*** aim *ou* point at **2** *v/i* AUTO turn the wheel; ***se ~ contre*** *fig* turn against
bras *m* arm; ***avoir le ~ long*** *fig* have influence
brasse *f* stroke
brasser *bière* brew; **brasserie** *f usine* brewery; *établissement* restaurant
brave 1 *adj* brave; (*before the noun*) good **2** *m*: ***un ~*** a brave man; **braver** (*défier*) defy; **bravoure** *f* bravery
break *m* AUTO station wagon, *Br* estate (car)
brebis *f* ewe
bredouiller mumble
bref, -ève 1 *adj* brief, short **2** *adv* briefly, in short
Brésil: ***le ~*** Brazil; **brésilien, ~ne** Brazilian; **Brésilien,**

~ne *m/f* Brazilian
Bretagne: ***la ~*** Britanny
bretelle *f de lingerie* strap; *d'autoroute* ramp, *Br* slip road; **~*s*** *de pantalon* suspenders, *Br* braces
brevet *m* diploma; *pour invention* patent; **breveter** patent
bric-à-brac *m inv* bric-a-brac
bricolage *m* do-it-yourself, DIY; **bricole** *f* little thing; **bricoler** do odd jobs
brièvement briefly; **brièveté** *f* briefness, brevity
brigade *f* MIL brigade; *de police* squad; *d'ouvriers* gang
brillamment brilliantly; **brillant** shiny; *couleur* bright; *fig* brilliant; **briller** shine (*aussi fig*); ***faire ~*** *meuble* polish
brin *m d'herbe* blade; *de corde* strand
brindille *f* twig
brioche *f* CUIS brioche; F (*ventre*) paunch
brique *f* brick
briquet *m* lighter
brise *f* breeze
brisé broken
briser 1 *v/t* break; *vie, bonheur* destroy; (*fatiguer*) wear out **2** *v/i de la mer* break; ***se ~*** *de verre etc* break; *des espoirs* be shattered
britannique British; **Britannique** *m/f* Briton, Britisher, Brit F; ***les ~s*** the British
broc *m* pitcher
brocante *f magasin* second-hand store
broche *f* CUIS spit; *bijou* brooch
brochet *m* pike
brochette *f* CUIS skewer; *plat* shish kebab
brochure *f* brochure
brocolis *mpl* broccoli *sg*
broncher: ***sans ~*** without batting an eyelid
bronches *fpl* ANAT bronchial tubes
bronchite *f* MÉD bronchitis
bronze *m* bronze
bronzé tanned; **bronzer 1** *v/t peau* tan **2** *v/i* get a tan; ***se ~*** sunbathe
brosse *f* brush; *coiffure* crew-cut; ***~ à dents/cheveux*** toothbrush/hairbrush; **brosser** brush; ***se ~ les dents*** brush one's teeth
brouhaha *m* hubbub
brouillard *m* fog; ***il y a du ~*** it's foggy
brouille *f* quarrel; **brouiller** *œufs* scramble; *cartes* shuffle; *papiers* muddle; *radio* jam; *involontairement* cause interference to; *amis* cause to fall out; ***se ~*** *du ciel* cloud over; *de vitres* mist up; *d'idées* get muddled; *d'amis* fall out
brouillon *m* draft; ***papier*** *m* ***~*** scratch paper, *Br* scrap paper
broussailles *fpl* under-

growth
broyer grind; **~ du noir** *fig* be down
bru *f* daughter-in-law
brugnon *m* BOT nectarine
bruine *f* drizzle
bruit *m* sound; *qui dérange* noise; (*rumeur*) rumor, *Br* rumour; **faire du ~** make a noise; *fig* cause a sensation
brûlant burning (*aussi fig*); (*chaud*) burning hot; *liquide* scalding; **brûlé** burnt; **brûler 1** *v/t* burn; *d'eau bouillante* scald; *électricité* use; **~ un feu rouge** go through a red light **2** *v/i* burn; **se ~** burn o.s.; *d'eau bouillante* scald o.s.; **brûleur** *m* burner; **brûlure** *f sensation* burning; *lésion* burn; **~s d'estomac** heartburn
brume *f* mist
brun, **~e 1** *adj* brown; *cheveux*, *peau* dark **2** *m/f* dark-haired man/woman; **une ~e** a brunette **3** *m couleur* brown
brushing® *m* blow-dry
brusque abrupt, brusque; (*soudain*) abrupt, sudden; **brusquement** abruptly, suddenly; **brusquer** rush
brut, **~e 1** *adj* raw; *poids*, *revenu* gross; *pétrole* crude; *sucre* unrefined; *champagne* very dry **2** *m* crude (petroleum) **3** *f* brute; **brutal** brutal; **brutalement** brutally; **brutaliser** ill-treat; **brutalité** *f* brutality
Bruxelles Brussels
bruyant noisy
buanderie *f* laundry room
bûcher¹ *m* woodpile; (*échafaud*) stake
bûcher² *v/i* work hard; ÉDU F hit the books, *Br* swot
budget *m* budget
buée *f* steam, condensation
buffet *m* buffet; *meuble* sideboard
buisson *m* shrub, bush
bulbe *f* BOT bulb
bulgare 1 *adj* Bulgarian **2** *m langue* Bulgarian; **Bulgare** *m/f* Bulgarian; **Bulgarie**: **la ~** Bulgaria
bulle *f* bubble
bulletin *m* (*formulaire*) form; (*rapport*) bulletin; *à l'école* report card; **~ (de vote)** ballot (paper); **~ de salaire** paystub, *Br* payslip
bureau *m* office; *meuble* desk; **~ de change** exchange office, *Br* bureau de change; **~ de poste** post office; **~ de tabac** tobacco store, *Br* tobacconist's
bureaucratie *f* bureaucracy; **bureautique** *f* office automation
bus *m* bus
buste *m* bust
but *m* (*cible*) target; (*objectif*) aim, goal; *d'un voyage* purpose; SP goal; **sans ~** aimlessly; **buteur** *m* goalscorer
buté stubborn

buter: **~ *contre qch*** bump into sth; **~ *sur un problème*** hit a problem; ***se ~*** *fig* dig one's heels in

butin *m* booty; *de voleurs* haul

butte *f* (*colline*) hillock; ***être en ~ à*** be exposed to

buvable drinkable; **buvette** *f* bar; **buveur**, **-euse** *m/f* drinker

C

c' → ***ce***

ça that; **~ *va?*** how are things?; (*d'accord?*) ok?; ***~ y est*** that's it; ***c'est ~!*** that's right

cabale *f* (*intrigue*) plot

cabane *f* (*baraque*) hut

cabaret *m* (*boîte*) night club

cabine *f* cabin; *d'un camion* cab; **~ *téléphonique*** phone booth

cabinet *m petite pièce* small room; *d'avocat* office; *de médecin* office, *Br* surgery; (*clientèle*) practice; POL Cabinet

câble *m* cable

cabosser dent

cabrer: ***se ~*** *d'un animal* rear

cabriolet *m* AUTO convertible

cacah(o)uète *f* BOT peanut

cacao *m* cocoa; BOT cocoa bean

cache-cache *m*: ***jouer à ~*** play hide-and-seek; **cache-nez** *m* scarf; **cacher** hide; ***se ~ de*** hide from

cachet *m* seal; *fig* (*caractère*) style; PHARM tablet; (*rétribution*) fee; **~ *de la poste*** postmark

cachette *f* hiding place; ***en ~*** secretly

cachotterie *f*: ***faire des ~s*** be secretive; **cachottier**, **-ère** secretive

cactus *m* cactus

cadavre *m* (dead) body, corpse; *d'un animal* carcass

caddie® *m* cart, *Br* trolley

cadeau *m* present, gift; ***faire un ~ à qn*** give s.o. a present

cadenas *m* padlock

cadence *f tempo* rhythm; *de travail* rate

cadet, **~te** *m/f* younger; *de plus de deux* youngest; ***il est mon ~ de trois ans*** he's three years younger than me

cadran *m* dial; **~ *solaire*** sundial

cadre *m* frame; *fig* framework; *d'une entreprise* executive; (*environnement*) surroundings *pl*

cafard *m* ZO cockroach; ***avoir le ~*** F be feeling down

café *m* coffee; *établissement* café; **~ *crème*** coffee with

milk, *Br* white coffee
cafeteria *f* cafeteria
cafetière *f* coffee pot; **~ *électrique*** coffee maker
cage *f* cage
cagibi *m* F box room
cagneux, **-euse** knock-kneed
cagoule *f* hood; (*passe-montagne*) balaclava
cahier *m* notebook; ÉDU exercise book
cahoter jolt
cahoteux, **-euse** bumpy
caille *f* quail
cailler *du lait* curdle; *du sang* clot
caillou *m* pebble, stone
caisse *f* chest; *pour le transport* crate; *de champagne*, *vin* case; (*argent*) cash; (*guichet*) cashdesk; *dans un supermarché* checkout; **caissier**, **-ère** *m/f* cashier
cajoler (*câliner*) cuddle
calamité *f* disaster, calamity
calcium *m* calcium
calcul[1] *m* calculation
calcul[2] *m* MÉD stone; **~ *rénal*** kidney stone
calculatrice *f*: **~ (*de poche*)** (pocket) calculator; **calculer** calculate; **calculette** *f* pocket calculator
calé F: ***être ~ en qch*** be good at sth
caleçon *m* *d'homme* boxer shorts *pl*; *de femme* leggings *pl*
calembour *m* pun
calendrier *m* calendar; *emploi du temps* schedule, *Br* timetable
caler *moteur* stall; TECH wedge
califourchon: ***à ~*** astride
câlin **1** *adj* affectionate **2** *m* (*caresse*) cuddle
calmant **1** *adj* soothing; *contre douleur* painkilling **2** *m* tranquilizer, *Br* tranquillizer; *contre douleur* painkiller
calme **1** *adj* calm; *Bourse*, *vie* quiet **2** *m* calmness; MAR calm; (*silence*) peace and quiet; **calmement** calmly; **calmer** *personne* calm down; *douleur* relieve; ***se ~*** calm down
calomnie *f* slander; *écrite* libel; **calomnier** insult; *par écrit* libel
calorie *f* calorie
calquer trace
calvitie *f* baldness
camarade *m/f* friend; POL comrade
cambriolage *m* break-in, burglary; **cambrioler** burglarize, *Br* burgle
cambrioleur, **-euse** *m/f* house-breaker, burglar
camelote *f* F junk
caméra *f* camera; **~ *de surveillance*** surveillance camera
caméscope *m* camcorder
camion *m* truck, *Br aussi* lorry
camionnette *f* van
camomille *f* BOT camomile

camoufler camouflage; *fig*: *intention* hide; *faute* cover up
camp *m* camp (*aussi* MIL, POL); ***ficher le ~*** F get lost F
campagne *f* country, countryside; MIL, *fig* campaign; ***à la ~*** in the country
camper camp; ***se ~ devant*** plant o.s. in front of; **campeur, -euse** *m/f* camper
camping *m*: (***terrain*** *m* ***de***) ***~*** campground, campsite; ***faire du ~*** go camping
Canada ***le ~*** Canada; **canadien, ~ne** Canadian; **Canadien, ~ne** *m/f* Canadian
canal *m* channel; (*tuyau*) pipe; (*bras d'eau*) canal
canalisation *f* (*tuyauterie*) pipes *pl*, piping; **canaliser** *fig* channel
canapé *m* sofa; GASTR canapé
canapé-lit *m* sofa-bed
canard *m* duck; F newspaper
canari *m* canary
cancans *mpl* gossip
cancer *m* MÉD cancer; ASTROL ***Cancer*** Cancer
candeur *f* ingenuousness
candidat, ~e *m/f* candidate; **candidature** *f* candidacy; *à un poste* application
candide ingenuous
cane *f* (female) duck; **caneton** *m* duckling
canette *f* (*bouteille*) bottle
caniche *m* poodle
canicule *f* heatwave
canif *m* pocket knife
canin dog *atr*, canine
canine *f* canine
canne *f* cane, stick; ***~ à pêche*** fishing rod
cannelle *f* cinammon
canoë *m* canoe; *activité* canoeing
canon *m* MIL gun; HIST cannon; *de fusil* barrel
canot *m* small boat; ***~ pneumatique*** rubber dinghy; ***~ de sauvetage*** lifeboat
cantine *f* canteen
canular *m* hoax
caoutchouc *m* rubber; (*bande élastique*) rubber band
cap *m* GÉOGR cape; AVIAT, NAUT course
capable capable (***de faire*** of doing)
capacité *f* (*compétence*) ability; (*contenance*) capacity
cape *f* cape
capitaine *m* captain
capital **1** *adj* essential **2** *m* capital; ***capitaux*** capital **3** *f* *ville* capital (city); *lettre* capital (letter)
capitalisme *m* capitalism
capituler capitulate
capot *m* AUTO hood, *Br* bonnet
capote *f* *vêtement* greatcoat; AUTO top, *Br* hood; ***~ (anglaise)*** F condom
caprice *m* whim; **capricieux, -euse** capricious
Capricorne *m* ASTROL Capricorn
capter *regard* catch; RAD, TV

pick up; **~ ça ne capte pas** TÉL I can't get a signal
capteur *m*: **~ solaire** solar panel
captif, -ive *m/f & adj* captive; **captivant** *personne* captivating; *lecture* gripping; **captiver** *fig* captivate; **captivité** *f* captivity
capture *f* capture; (*proie*) catch; **capturer** capture
capuche *f* hood
car[1] *m* bus, *Br aussi* coach
car[2] *conj* for
carabine *f* rifle
carabiné F: **un … carabiné** one hell of a … F
caractère *m* character; **avoir bon ~** be good-natured; **caractériel** *troubles* emotional; *personne* emotionally disturbed
caractériser be characteristic of; **caractéristique** *f & adj* characteristic
carambolage *m* AUTO pile-up
caramel *m* caramel
caravane *f* AUTO trailer, *Br* caravan
carboniser burn
carburant *m* fuel
carburateur *m* TECH carburet(t)or
cardiaque MÉD **1** *adj* cardiac, heart *atr* **2** *m/f* heart patient
cardinal: **les quatre points** *mpl* **cardinaux** the four points of the compass
cardiologue *m/f* cardiologist, heart specialist
carême *m* REL Lent
carence *f* (*incompétence*) inadequacy; (*manque*) deficiency
caresse *f* caress; **caresser** caress; *idée* play with; *espoir* cherish
cargaison *f* cargo; *fig* load
caricature caricature
carie *f* MÉD: **une ~** a cavity
carié *dent* bad
caritatif, ~ive charitable
carnage *m* carnage
carnassier, -ère carnivorous
carnaval *m* carnival
carnet *m* notebook; *de tickets, timbres* book
carnivore 1 *adj* carnivorous **2** *m* carnivore
carotte *f* carrot; **poil de ~** ginger
carpe *f* ZO carp
carpette *f* rug
carré 1 *adj* square; *fig*: *réponse* straightforward **2** *m* square
carreau *m de fenêtre* pane; *cartes* diamonds; **à ~x** checked
carrefour *m* crossroads *sg* (*aussi fig*)
carrelage *m* (*carreaux*) tiles *pl*
carrément bluntly, straight out
carrière *f* quarry; *profession* career; **militaire** *m* **de ~** professional soldier
carrosserie *f* AUTO bodywork
carrure *f* build

cartable *m* schoolbag; *à bretelles* satchel
carte *f* card; *dans un restaurant* menu; GÉOGR map; NAUT, *du ciel* chart; **~ *bancaire*** debit card, banker's card; **~ *de crédit*** credit card; **~ *d'embarquement*** boarding pass; **~ *d'identité*** identity card; **~ *postale*** postcard; **~ *téléphonique*** phonecard
carton *m* cardboard; *boîte* cardboard box; **~ *jaune/rouge*** *en football* yellow/red card
cartouche *f* cartridge; *de cigarettes* carton
cas *m* case; ***en aucun* ~** under no circumstances; ***dans ce ~-là*** in that case; ***en tout* ~** in any case; ***en* ~ *de*** in the event of
casanier, -ère *m/f* stay-at-home
cascade *f* waterfall
case *f* (*hutte*) hut; (*compartiment*) compartiment; *dans formulaire* box; *dans mots-croisés, échiquier* square
caser put; (*loger*) put up; ***se* ~** (*se marier*) settle down
caserne *f* barracks; **~ *de pompiers*** fire station
casier *m courrier* pigeonholes *pl*; *bouteilles, livres* rack; **~ *judiciaire*** criminal record
casino *m* casino
casque *m* helmet; *de radio* headphones *pl*; **casquette** *f* cap
cassable breakable
casse-cou *m inv* daredevil; **casse-croûte** *m* snack; **casse-noisettes** *m* nutcrackers *pl*; **casse-pieds** *m/f inv* F pain in the neck F
casser 1 *v/t* break; *noix* crack; JUR quash; **~ *les pieds à qn*** F (*embêter*) get on s.o.'s nerves F; ***se* ~** break **2** *v/i* break
casserole *f* (sauce)pan
casse-tête *m fig*: *problème* headache
cassette *f* cassette; **~ *vidéo*** video
cassis *m* BOT blackcurrant; (***crème*** *f* ***de***) **~** blackcurrant liqueur
castrer castrate
cataclysme *m* disaster
catalogue *m* catalog, *Br* catalogue; **cataloguer** catalog, *Br* catalogue; F *péj* label
catalytique AUTO: ***pot*** *m* **~** catalytic converter
cataracte *f* waterfall; MÉD cataract
catastrophe *f* disaster, catastrophe; ***en* ~** in a rush; **catastrophique** disastrous, catastrophic
catch *m* wrestling
catéchisme *m* catechism
catégorie *f* category; **catégorique** categorical
cathédrale *f* cathedral
catholique 1 *adj* (Roman) Catholic **2** *m/f* Roman Catholic

cauchemar *m* nightmare (*aussi fig*)
cause *f* cause; JUR case; ***à ~ de*** because of; ***être en ~*** *d'honnêteté* be in question
causer **1** *v/t* (*provoquer*) cause **2** *v/i* (*s'entretenir*) chat (***avec qn de*** with s.o. about); **causette** *f* chat; ***faire la ~*** have a chat
caustique CHIM, *fig* caustic
caution *f* security; *pour logement* deposit; JUR bail; *fig* (*appui*) backing; **cautionner** stand surety for; JUR bail; *fig* (*se porter garant de*) vouch for; (*appuyer*) back
cavaler F: ***~ après qn*** chase after s.o.
cavalier, **-ère** **1** *m/f pour cheval* rider; *pour bal* partner **2** *m aux échecs* knight **3** *adj* offhand, cavalier
cave *f* cellar; ***~ (à vin)*** wine cellar
caverne *f* cave
caviar *m* caviar
cavité *f* cavity
CD *m* (= ***compact disc***) CD; **CD-Rom** *m* CD-Rom
ce *m* (**cet** *m*, **cette** *f*, **ces** *pl*) **1** *adj* this, *pl* these; ***~ livre-ci*** this book; ***~ livre-là*** that book; ***ces jours-ci*** these days **2** *pron* ***c'est pourquoi*** that is *ou* that's why; ***c'est triste*** it's sad; ***~ sont mes enfants*** these are my children; ***c'est un acteur*** he is *ou* he's an actor; ***c'est que tu as grandi!*** how you've grown!; ***ce que tu fais*** what you're doing; ***ce qui me plaît*** what I like; ***ce qu'il est gentil!*** isn't he nice!; ***sur ~*** with that
ceci this
cécité *f* blindness
céder **1** *v/t* give up; ***cédez le passage*** AUTO yield, *Br* give way **2** *v/i* give in (***à*** to); (*se casser*) give way
cédille *f* cedilla
cèdre *m* BOT cedar
ceinture *f* belt; ANAT waist; ***~ de sécurité*** seatbelt
cela that; ***à ~ près*** apart from that
célèbre famous
célébrer celebrate
célébrité *f* fame; *personne* celebrity
céleri *m* BOT: ***~ (en branche)*** celery; ***~(-rave)*** celeriac
célibat *m* single life; *d'un prêtre* celibacy; **célibataire** **1** *adj* single, unmarried **2** *m* bachelor **3** *f* single woman
celle, **celles** → ***celui***
cellophane *f* cellophane
cellule *f* cell
cellulose *f* cellulose
Celsius Celsius
celui *m* (**celle** *f*, **ceux** *mpl*, **celles** *fpl*) the one, *pl* those; ***~ qui ...*** *personne* he who ...; *chose* the one which; ***celle de Claude*** Claude's; **celui-ci** this one; **celui-là** that one
cendre *f* ash; ***~s de cigarette***

cigarette ash; **cendrier** *m* ashtray
cène *f* REL: ***la ~*** (Holy) Communion; ***la Cène*** *peinture* the Last Supper
censé: ***il est ~ être malade*** he's supposed to be sick
censure *f* censorship; *organe* board of censors; **censurer** censor
cent 1 *adj* hundred **2** *m* a hundred, one hundred; *monnaie* cent; ***pour ~*** per cent; **centaine** *f*: ***une ~ de*** a hundred or so; ***des ~s de*** hundreds of; **centenaire 1** *adj* hundred-year-old **2** *m fête* centennial, *Br* centenary; **centième** hundredth; **centilitre** *m* centiliter, *Br* centilitre; **centimètre** *m* centimeter, *Br* centimetre; *ruban* tape measure
central, ~e 1 *adj* central **2** *m* TÉL telephone exchange **3** *f* power station; **centraliser** centralize
centre *m* center, *Br* centre; ***~ d'accueil*** temporary accommodations *pl*; **centrer** center, *Br* centre
centre-ville *m* downtown area, *Br* town centre
cep *m* vine stock
cèpe *m* BOT cèpe, boletus
cependant yet, however
cercle *m* circle; ***~ vicieux*** vicious circle
cercueil *m* casket, *Br* coffin
céréales *fpl* (breakfast) cereal
cérébral cerebral
cérémonie *f* ceremony; ***sans ~*** *repas etc* informal; *se présenter etc* informally; *mettre à la porte* unceremoniously
cerf *m* deer
cerf-volant *m* kite
cerise *f* cherry; **cerisier** *m* cherry (-tree)
cerne *m*: ***avoir des ~s*** have bags under one's eyes; **cerner** (*encercler*) surround; *fig*: *problème* define
certain 1 *adj* certain; ***être ~ de qc*** be certain of sth; ***d'un ~ âge*** middle-aged **2** *pron*: **certains, -aines** some (people)
certainement certainly; (*sûrement*) probably
certes certainly
certificat *m* certificate; ***~ de mariage*** marriage certificate; **certifier** guarantee; ***~ qc à qn*** assure s.o. of sth
certitude *f* certainty
cerveau *m* brain
cervelle *f* brains *pl*; ***se brûler la ~*** *fig* blow one's brains out
ces → ***ce***
cesser stop; ***~ de faire qch*** stop doing sth; **cessez-le-feu** *m* ceasefire
cession *f* disposal
c'est-à-dire that is, that is to say
cet, cette → ***ce***
ceux → ***celui***
chacun, ~e each (one); ***c'est ~***

pour soi it's every man for himself
chagrin *m* grief; ***faire du ~ à*** upset
chahut *m* F racket, din; **chahuter** heckle
chaîne *f* chain; *radio*, TV channel; ***~s*** AUTO snow chains; ***~ hi-fi*** hi-fi
chair *f* flesh; ***avoir la ~ de poule*** have goosebumps
chaise *f* chair; ***~ longue*** (*transatlantique*) deck chair
chalet *m* chalet
chaleur *f* heat; *plus modérée* warmth (*aussi fig*); **chaleureusement** warmly
chamailler F: ***se ~*** bicker
chambre *f* (bed)room; JUR, POL chamber; ***~ à air*** *de pneu* inner tube; ***~ à coucher*** bedroom; ***~ à un lit*** single (room); ***~ à deux lits*** twin-bedded room; ***~ d'amis*** spare room
chambré *vin* at room temperature
chameau *m* camel
champ *m* field (*aussi fig*); ***~ de courses*** racecourse
champagne *m* champagne
champêtre country *atr*
champignon *m* fungus; *nourriture* mushroom
champion, **~ne** *m/f* champion; **championnat** *m* championship
chance *f* luck; (*occasion*) chance; ***bonne ~!*** good luck!; ***avoir de la ~*** be lucky; ***c'est une ~ que*** (+ *subj*) it's lucky that
chanceler stagger; *d'un gouvernement* totter
chanceux, **-euse** lucky
chandail *m* sweater
change *m* exchange; ***taux m de ~*** exchange rate; ***donner le ~ à qn*** deceive s.o.; **changeant** changeable; **changement** *m* change; ***~ de vitesse*** AUTO gear shift; **changer** **1** *v/t* change (***en*** into); (*échanger*) exchange (***contre*** for) **2** *v/i* change; ***~ d'avis*** change one's mind; ***se ~*** change
chanson *f* song
chant *m* song; *action de chanter* singing; *d'église* hymn
chantage *m* blackmail
chanter sing; *d'un coq* crow; ***faire ~ qn*** blackmail s.o.
chanteur, **-euse** *m/f* singer
chantier *m* building site; ***~ naval*** shipyard
chaos *m* chaos; **chaotique** chaotic
chaparder F pinch F
chapeau *m* hat; **chapeauter** *fig* head up
chapelet *m* REL rosary
chapelle *f* chapel
chapelure *f* CUIS breadcrumbs *pl*
chapitre *m* chapter; *division de budget* heading; *fig* subject
chaque each
charbon *m* coal; ***~ de bois***

charcoal
charcuterie *f* CUIS cold cuts *pl*, *Br* cold meat; *magasin* pork butcher's; **charcutier** *m* pork butcher
charge *f* load; *fig* burden; ÉL, JUR, MIL charge; (*responsabilité*) responsibility; ***avoir des enfants à ~*** have dependent children; ***~s*** charges; (*impôts*) costs; ***~s fiscales*** taxation
chargement *m* loading; *ce qui est chargé* load; **charger 1** *v/t navire*, *arme* load; *batterie*, JUR charge; (*exagérer*) exaggerate; ***~ qn de qc*** put s.o. in charge of sth; ***se ~ de*** look after **2** *v/i* charge
chariot *m pour bagages*, *achats* cart, *Br* trolley; (*charrette*) cart
charisme *m* charisma
charitable charitable; **charité** *f* charity; ***faire la ~ à qn*** give s.o. money
charmant charming, delightful; **charme** *m* charm; **charmer** charm
charnière *f* hinge
charnu fleshy
charognard *m* scavenger
charpente *f* framework; **charpentier** *m* carpenter
charte *f* charter
charter *m* charter
chasse[1] *f* hunting; (*poursuite*) chase; ***prendre en ~*** chase (after); ***~ privée*** private game reserve
chasse[2] *f*: ***~ d'eau*** flush
chasser *gibier* hunt; (*expulser*) drive away; *employé* dismiss; **chasseur** *m* hunter; AVIAT fighter; *dans un hôtel* bellhop, *Br* bellboy
châssis *m* frame; AUTO chassis
chaste chaste
chat[1] *m* cat
chat[2] *m* INFORM chatroom; *conversation* (online) chat
châtaigne *f* chestnut; **châtaignier** *m* chestnut (tree); **châtain** *inv* chestnut
château *m* castle; ***~ fort*** (fortified) castle; ***~ d'eau*** water tower
châtier punish; **châtiment** *m* punishment
chaton *m* kitten
chatouiller tickle
chatte *f* cat
chatter INFORM chat (online)
chaud 1 *adj* hot; *plus modéré* warm; ***il fait ~*** it's hot/warm **2** *m* heat; *plus modéré* warmth; ***j'ai ~*** I'm hot/warm; **chaudière** *f* boiler
chauffage *m* heating; ***~ central*** central heating
chauffard *m* F roadhog
chauffer 1 *v/t* heat (up), warm (up); *maison* heat; ***se ~*** warm o.s.; *d'un sportif* warm up **2** *v/i* warm *ou* heat up; *d'un moteur* overheat
chauffeur *m* driver; *privé aussi* chauffeur; ***~ de taxi*** taxi *ou* cab driver

chaussée *f* pavement, *Br* roadway
chausser *bottes* put on; ***se ~*** put one's shoes on; **chaussette** *f* sock; **chausson** *m* slipper; **chaussure** *f* shoe; ***~s de marche*** hiking boots; ***~s de ski*** ski boots
chauve bald; **chauve-souris** *f* bat
chauvinisme *m* chauvinism
chef *m* (*meneur*), POL leader; (*patron*) boss; *d'une entreprise* head; *d'une tribu* chief; CUIS chef; ***au premier ~*** first and foremost; ***de propre mon ~*** on my own initiative
chef-d'œuvre *m* masterpiece
chemin *m* way; (*route*) road; (*allée*) path; ***~ de fer*** railroad, *Br* railway
cheminée *f* chimney; (*âtre*) fireplace; (*encadrement*) mantelpiece; *de bateau* funnel
cheminot *m* rail worker
chemise *f* shirt; (*dossier*) folder; ***~ de nuit*** *de femme* nightdress; **chemisier** *m* blouse
chêne *m* BOT oak (tree)
chenil *m* kennels *pl*
chenille *f* ZO caterpillar
chèque *m* COMM check, *Br* cheque; ***~ de voyage*** traveler's check, *Br* traveller's cheque; **chéquier** *m* checkbook, *Br* chequebook
cher, **-ère 1** *adj* dear (***à qn*** to s.o.); *coûteux* dear, expensive **2** *adv*: ***payer qch ~*** pay a high price for sth **3** *m/f* ***mon cher, ma chère*** my dear
chercher look for; ***~ à faire qch*** try to do sth; ***aller ~*** fetch, go for; ***venir ~*** collect, come for; ***envoyer ~*** send for
chéri darling
chétif, **-ive** puny
cheval *m* horse; AUTO horsepower; ***aller à ~*** ride; ***être à ~ sur qch*** straddle sth; **chevalier** *m* HIST knight; **chevalière** *f* signet ring
chevelu *personne* long-haired; **chevelure** *f* hair
chevet *m* bedhead; ***table f de ~*** nightstand, *Br aussi* bedside table
cheveu *m* hair; ***~x*** hair; ***aux ~x courts*** short-haired
cheville *f* ANAT ankle; TECH peg
chèvre *f* goat
chevreau *m* kid
chevreuil *m* deer; CUIS venison
chez: ***~ lui*** at his place; *direction* to his place; ***~ Marcel*** at Marcel's; ***quand nous sommes ~ nous*** when we are at home; ***rentrer ~ soi*** go home; ***aller ~ le coiffeur*** go to the hairdresser *ou Br* hairdresser's; ***~ Molière*** in Molière
chez-soi *m* home
chiant F boring

chic **1** *m* style **2** *adj* chic; (*sympathique*) decent
chicaner quibble (***sur*** over)
chicorée *f* BOT chicory
chien *m* dog; ***temps de ~*** *fig* F filthy weather; ***~ d'aveugle*** seeing-eye dog, *Br* guide dog; **chienne** *f* dog; ***le chien et la ~*** the dog and the bitch
chier V shit; ***ça me fait ~*** P it pisses me off P
chiffon *m* rag; ***~ (à poussière)*** duster; **chiffonner** crumple; *fig* F bother
chiffre *m* number; (*code*) cipher
Chili: ***le ~*** Chili; **chilien**, **~ne** Chilean; **Chilien**, **~ne** *m/f* Chilean
chimie *f* chemistry
chimiothérapie *f* chemotherapy
chimique chemical
Chine: ***la ~*** China; **chinois**, **~e** **1** *adj* Chinese **2** *m langue* Chinese; **Chinois**, **~e** *m/f* Chinese
chiot *m* pup
chips *mpl* chips, *Br* crisps
chirurgie *f* surgery; ***~ esthétique*** plastic surgery; **chirurgien**, **~ne** *m/f* surgeon; ***~ dentiste*** dental surgeon
choc *m* shock; *d'opinions, intérêts* clash
chocolat *m* chocolate
chœur *m* choir ***en ~*** in chorus
choisir choose; ***~ de faire*** decide to do; **choix** *m* choice; (*assortiment*) range; ***de (premier) ~*** choice
cholestérol *m* cholesterol
chômage *m* unemployment; ***être au ~*** be unemployed; ***~ partiel*** short time; **chômeur**, **-euse** *m/f* unemployed person; ***les ~s*** the unemployed *pl*
chope *f* beer mug
choquant shocking; **choquer**: ***~ qc*** knock sth; ***~ qn*** shock s.o.
chorale *f* choir
chose *f* thing; ***autre ~*** something else; ***c'est ~ faite*** it's done
chou *m* BOT cabbage; ***~x de Bruxelles*** Brussels sprouts
chouette **1** *f* owl **2** *adj* F great
chou-fleur *m* cauliflower
chrétien, **~ne** *adj & m/f* Christian
christianisme *m* Christianity
chrome *m* chrome
chronique **1** *adj* chronic **2** *f d'un journal* column; *reportage* report; **chroniqueur** *m pour un journal* columnist
chronologique chronological
chronométrer time
chuchoter whisper
chut: ***~!*** hush
chute *f* fall; ***~ des cheveux*** hair loss
ci: ***à cette heure-~*** at this time; ***comme ~ comme ça*** F so-so; ***par-~ par-là*** here and there
cible *f* target; **cibler** target

ciboulette *f* BOT chives *pl*
cicatrice *f* scar (*aussi fig*); **cicatriser**: **(*se*) ~** heal
ci-contre opposite; **ci-dessous** below; **ci-dessus** above
cidre *m* cider
ciel *m* sky; REL heaven
cigale *f* cicada
cigare *m* cigar
cigarette *f* cigarette
ci-inclus enclosed; **ci-joint** enclosed, attached
cil *m* eyelash
ciment *m* cement
cimetière *m* cemetery
ciné *m* F movie theater, *Br* cinema; **cinéma** *m* movie theater, *Br* cinema; *art* cinema, movies *pl*
cinglé F mad, crazy
cinq five; ***le ~ mai*** May fifth, *Br* the fifth of May; **cinquantaine** *f* about fifty; ***elle approche la ~*** she's getting on for fifty; **cinquante** fifty; **cinquantième** fiftieth **cinquième** fifth
cintre *m* arch; *pour vêtements* coathanger
cirage *m pour parquet* wax, polish; *pour chaussures* polish
circonférence *f* circumference
circonspect circumspect
circonstance *f* circumstance
circuit *m* circuit; *de voyage* tour; SP track
circulaire *adj & f* circular
circulation *f* circulation; *voitures* traffic; **circuler** circulate; ***faire ~*** *nouvelles* spread
cire *f* wax; **cirer** polish; *parquet aussi* wax
cirque *m* circus
cirrhose *f*: **~ *du foie*** cirrhosis of the liver
ciseaux *mpl* scissors *pl*
citadin, **~e 1** *adj* town *atr*, city *atr* **2** *m/f* town-dweller, city-dweller
citation *f* quotation; JUR summons *sg*
cité *f* city; **~ *universitaire*** fraternity house, *Br* hall of residence
citoyen, **~ne** *m/f* citizen; **citoyenneté** *f* citizenship
citron *m* lemon; **~ *vert*** lime; **citronnier** *m* lemon (tree)
civière *f* stretcher
civil 1 *adj* civil; *non militaire* civilian; ***état*** *m* **~** marital status **2** *m* civilian; ***en ~*** in civilian clothes; *policier* in plain clothes; **civilisation** *f* civilization
civique civic
civisme *m* public-spiritedness
clair 1 *adj* clear; *couleur* light; *chambre* bright **2** *adv voir* clearly; *dire*, *parler* plainly **3** *m*: **~ *de lune*** moonlight
clairière *f* clearing
clairvoyant perceptive
clandestin secret, clandestine; ***passager*** *m* **~** stowaway

claque *f* slap; **claquer 1** *v/t porte* slam; *argent* F blow; **~ des doigts** snap one's fingers **2** *v/i d'un fouet* crack; *des dents* chatter; *d'un volet* slam
clarifier clarify
clarinette *f* clarinet
clarté *f* (*lumière*) brightness; (*transparence*) clarity
classe *f* class; ***il a de la ~*** he's got class; ***~ économique*** economy class
classement *m* position, place; BOT, ZO classification; *de lettres* filing; **classer** classify; *actes, dossiers* file; ***~ une affaire*** consider a matter closed
classique 1 *adj* classical; (*traditionnel*) classic **2** *m en littérature* classical author; MUS classical music; *film, livre* classic
clause *f* clause; ***~ pénale*** penalty clause
clavicule *f* collarbone
clavier *m* keyboard
clé *f* key; TECH wrench; ***~ de fa*** MUS bass clef; ***fermer à ~*** lock; ***sous ~*** under lock and key
clef *f* → ***clé***
clément merciful
clergé *m* clergy
clic *m bruit*, INFORM click
client, **~e** *m/f* (*acheteur*) customer; *d'un médecin* patient; *d'un avocat* client; **clientèle** *f* customers *pl*, clientèle; *d'un médecin* patients *pl*; *d'un avocat* clients *pl*
cligner: **~ (*des yeux*)** blink; ***~ de l'œil à qn*** wink at s.o.
clignotant *m* turn signal, *Br* indicator; **clignoter** *d'une lumière* flicker
climat *m* climate (*aussi fig*)
climatisation *f* air conditioning; **climatisé** air conditioned
clin *m*: ***~ d'œil*** wink; ***en un ~ d'œil*** in a flash
clinique 1 *adj* clinical **2** *f* clinic
cliquer INFORM click (***sur*** on)
clochard, **~e** *m/f* hobo, *Br* tramp
cloche *f* bell *f*; F (*idiot*) nitwit F; **clocher 1** *m* steeple **2** *v/i* F: ***ça cloche*** something's not right
cloison *f* partition
cloîtrer *fig*: ***se ~*** shut o.s. away
clonage *m* cloning; **clone** *m* clone; **cloner** clone
clope *m ou f* F cigarette, *Br* F fag; (*mégot*) cigarette end
cloque *f* blister
clôture *f d'un débat* closure; *d'un compte* closing; (*barrière*) fence
clou *m* nail; *fig* main attraction; MÉD boil; **clouer** nail; ***être cloué au lit*** be confined to bed
clown *m* clown
club *m* club; ***~ de gym*** gym
coaguler *du lait* curdle; *du*

sang coagulate
cobaye *m* zo, *fig* guinea pig
coca *m* Coke®
coccinelle *f* ladybug, *Br* ladybird; F AUTO Volkswagen® beetle
cocher *sur une liste* check, *Br aussi* tick off
cochon 1 *m* zo, *fig* pig **2** *adj* **cochon, ~ne** F dirty; **cochonnerie** *f* F: ***des ~s*** filth; *nourriture* junk food
coco *m*: ***noix f de ~*** coconut
cocotte *f* CUIS casserole; F darling; *péj* tart; ***~ minute*** pressure cooker
code *m* code; ***~ confidentiel*** PIN number; ***~ pénal*** penal code; ***se mettre en ~*** switch to low beams; ***~ postal*** zipcode, *Br* postcode
cœur *m* heart; ***de bon ~*** gladly; ***par ~*** by heart; ***j'ai mal au ~*** I feel nauseous
coffre *m meuble* chest; FIN safe; AUTO trunk, *Br* boot; **coffre-fort** *m* safe
cogérer co-manage
cognac *m* brandy, cognac
cogner *d'un moteur* knock; ***~ à*** *ou* ***contre qc*** bang against sth; ***se ~ à*** *ou* ***contre qc*** bump into sth
cohabiter cohabit
cohérent *théorie* consistent, coherent
cohue *f* crowd, rabble
coiffer: ***~ qn*** do s.o.'s hair; ***se ~*** do one's hair; **coiffeur** *m* hairdresser, hair stylist; **coiffeuse** *f* hairdresser, hair stylist; *meuble* dressing table; **coiffure** *f de cheveux* hairstyle
coin *m* corner; *cale* wedge
coincer squeeze; *porte, tiroir* jam; ***coincé dans un embouteillage*** stuck in a traffic jam
coïncidence *f* coincidence
col *m* collar; *d'une bouteille, d'un pull* neck; GÉOGR col; ***~ blanc/bleu*** white-collar/ /blue-collar worker
colère *f* anger; ***se mettre en ~*** get angry
colique *f* colic; (*diarrhée*) diarrhea, *Br* diarrhoea
colis *m* parcel, package
collaborateur, -trice *m/f* collaborator ((*aussi* POL *péj*); **collaboration** *f* collaboration, cooperation; POL *péj* collaboration; **collaborer** collaborate, cooperate (***avec*** with; ***à*** on); POL *péj* collaborate
collant 1 *adj* sticky; *vêtement* close-fitting; F *personne* clingy **2** *m* pantyhose *pl*, *Br* tights *pl*
colle *f* glue; *fig* P *question* tough question; (*retenue*) detention
collecte *f* collection; **collectif, -ive** collective; ***voyage m ~*** group tour
collection *f* collection; **collectionner** collect; **collectionneur, -euse** *m/f* collec-

tor

collège *m école* junior high, *Br* secondary school; **collégien, ~ne** *m/f* junior high student, *Br* secondary school pupil

collègue *m/f* colleague, co-worker

coller 1 *v/t* stick, glue **2** *v/i* stick (*à* to); ***se ~ contre*** *mur* press o.s against; *personne* cling to

collier *m bijou* necklace; *de chien* collar

colline *f* hill

collision *f* collision; ***entrer en ~ avec*** collide with

colocataire *m/f* roommate, *Br* flatmate

colombe *f* dove (*aussi fig*)

Colombie: ***la ~*** Colombia; **colombien, ~ne** Colombian; **Colombien, ~ne** *m/f* Colombian

colonie *f* colony; ***~ de vacances*** summer camp

colonne *f* column

colorant 1 *adj shampoing* color *atr*, *Br* colour *atr* **2** *m* dye; *dans la nourriture* coloring, *Br* colouring; **colorer** color, *Br* colour

coma *m* coma

combat *m* fight; MIL *aussi* battle; ***mettre hors de ~*** put out of action; **combattant 1** *adj* fighting **2** *m* combatant; **combattre** fight

combien 1 *adv quantité* how much; *avec pl* how many **2** *m*: ***tous les ~*** how often; ***on est le ~ aujourd'hui?*** what date is it today?

combinaison *f* combination; (*astuce*) scheme; *de mécanicien* coveralls *pl*, *Br* boiler suit; *lingerie* (full-length) slip; ***~ de plongée*** wet suit

combiner combine; *voyage, projet* plan

comble 1 *m fig: sommet* height; ***~s*** *pl* attic; ***de fond en ~*** from top to bottom **2** *adj* full (to capacity); **combler** *trou* fill in; *déficit* make good; *personne* overwhelm; ***~ qn de qch*** shower s.o. with sth

combustible 1 *adj* combustible **2** *m* fuel

comédie *f* comedy; ***~ musicale*** musical; **comédien, ~ne** *m/f* actor; *qui joue le genre comique* comic actor

comestible 1 *adj* edible **2** *mpl* ***~s*** food

comique 1 *adj* THÉÂT comic; (*drôle*) funny, comical **2** *m* comedian; *acteur* comic (actor); *genre* comedy

comité *m* committee

commande *f* COMM order; TECH control; INFORM command; **commander 1** *v/t* COMM order; (*ordonner*) command, order; MIL be in command of; TECH control **2** *v/i* (*diriger*) be in charge; COMM order

comme 1 *adv* like; ***noir ~ la***

nuit as black as night; ***~ ci ~ ça*** F so-so; ***~ vous voulez*** as you like; ***~ si*** as if; ***il travaillait ~ ...*** he was working as a ...; ***moi, ~ les autres, je ...*** like the others, I ... **2** *conj* as

commencement *m* beginning, start; **commencer** begin, start; ***~ qc par qc*** start sth with sth; ***~ par faire qc*** start by doing sth

comment how; ***~?*** (*qu'avez-vous dit?*) pardon me?, *Br* sorry?; ***~!*** *surpris* what!

commentaire *m* comment; RAD, TV commentary; **commenter** comment on; RAD, TV commentate on

commerçant, **~e 1** *adj*: ***rue f ~e*** shopping street **2** *m/f* merchant, trader

commerce *m* trade, commerce; (*magasin*) store, *Br* shop; *fig* (*rapports*) dealings *pl*; **commercial** commercial; **commercialiser** market

commettre commit; *erreur* make

commis *m*: ***~ voyageur*** commercial traveler *ou Br* traveller

commissaire *m* commission member; *de l'UE* Commissioner; SP steward; **commissariat** *m* commissionership; ***~ (de police)*** police station

commission *f* commission; (*message*) message

commode 1 *adj* handy; *arrangement* convenient; ***pas ~ personne*** awkward **2** *f* chest of drawers; **commodité** *f* convenience

commotion *f* MÉD: ***~ cérébrale*** stroke

commun 1 *adj* common; *œuvre* joint; ***mettre en ~*** *argent* pool **2** *m*: ***hors du ~*** out of the ordinary

communal (*de la commune*) local

communauté *f* community; *de hippies* commune

communication *f* communication; (*message*) message; ***~ téléphonique*** telephone call

communion *f* REL Communion

communiquer 1 *v/t* communicate; *maladie* pass on, give (***à qn*** to s.o.) **2** *v/i* communicate

communisme *m* communism; **communiste** *m/f & adj* Communist

commutateur *m* switch

compact compact

compagne *f* companion; *dans couple* wife

compagnie *f* company; ***~ aérienne*** airline

compagnon *m* companion; *dans couple* husband; *employé* journeyman

comparaison *f* comparison; ***par ~ à*** compared with; **comparer** compare (***à*** to, ***avec*** with)

compartiment *m* compart-

ment; *de train* car, *Br* compartment
compas *m* compass
compassion *f* compassion
compatible compatible
compatir: **~ à** sympathize with
compatriote *m/f* compatriot
compenser compensate for
compétence *f* (*connaissances*) ability, competence; JUR jurisdiction; **compétent** competent, skillful, *Br* skilful; JUR competent
compétitif, **-ive** competitive; **compétition** *f* competition
compiler compile
complaire: ***se ~ dans/à faire*** delight in/in doing
complet, **-ète 1** *adj* complete; *hôtel, description, jeu de cartes* full; *pain* whole wheat, *Br* wholemeal **2** *m* suit; **complètement** completely; **compléter** complete; ***se ~*** complement each other
complexe *adj & m* complex
complication *f* complication
complice 1 *adj* JUR: ***être ~ de*** be an accessory to **2** *m/f* accomplice
compliment *m* compliment; ***mes ~s*** congratulations
compliqué complicated; **compliquer** complicate; ***se ~*** become complicated
comporter (*comprendre*) comprise; (*impliquer*) involve; ***se ~*** behave (o.s)
composer 1 *v/t* (*former*) make up; MUS compose; *livre, poème* write; *numéro* dial **2** *v/i transiger* come to terms (***avec*** with); ***se ~ de*** be consist of
compositeur, **-trice** *m/f* composer
composter *billet* punch
compote *f*: ***~ de pommes*** stewed apples
compréhension *f* understanding
comprendre understand; (*inclure*) include; (*comporter*) comprise
compresse *f* MÉD compress
comprimé *m* tablet
compris (*inclus*) included; ***y ~*** including
compromettre compromise
comptabilité *f* accountancy; (*comptes*) accounts *pl*; **comptable** *m/f* accountant
comptant: ***au ~*** cash
compte *m* account; (*calcul*) calculation; ***~s*** accounts; ***en fin de ~*** when all's said and done; ***se rendre ~ de*** realize; ***tenir ~ de qc*** take sth into account; ***~ courant*** checking account, *Br* current account; ***~ rendu*** report; *de réunion* minutes *pl*; **compter 1** *v/t* count; (*prévoir*) allow; (*inclure*) include; ***~ faire*** plan on doing **2** *v/i* count; ***~ sur*** rely on; ***à ~ de*** starting (from); **compteur** *m* meter
comptoir *m d'un café* bar;

d'un magasin counter
con, ~ne P **1** *adj* damn stupid F **2** *m/f* damn idiot F
concentration *f* concentration; **concentrer** concentrate; ***se ~*** concentrate (***sur*** on)
concept *m* concept
conception *f* (*idée*) concept; (*planification*) design; BIOL conception
concernant concerning, about; **concerner** concern
concert *m* MUS concert; ***de ~ avec*** together with
concession *f* concession; AUTO dealership
concevable conceivable; **concevoir** (*comprendre*) understand, conceive; (*inventer*) design; BIOL, *plan, idée* conceive
concierge *m/f* superintendent, *Br* caretaker; *d'école* janitor, *Br aussi* caretaker; *d'un hôtel* concierge
concis concise
concitoyen, ~ne *m/f* fellow citizen
conclure conclude; ***~ de*** conclude from; **conclusion** *f* conclusion
concombre *m* cucumber
concours *m* competition; (*assistance*) help
concret, -ète concrete
concurrence *f* competition; ***faire ~ à*** compete with; **concurrent, ~e 1** *adj* rival **2** *m/f* competitor
condamnation *f* sentence; *action* sentencing; *fig* condemnation
condamner JUR sentence; *malade* give up; (*réprouver*) condemn; *porte* block up
condescendance *f péj* condescension
condition *f* condition; ***~ préalable*** prerequisite; ***à (la) ~ que*** (+ *subj*) on condition that; **conditionner** (*emballer*) package; PSYCH condition
condoléances *fpl* condolences
conducteur, -trice 1 *m/f* driver **2** *m* PHYS conductor
conduire 1 *v/t* take; (*mener*) lead; *voiture* drive; EL conduct; ***se ~*** behave **2** *v/i* AUTO drive; (*mener*) lead
conduit *m d'eau, de gaz* pipe; ***~ d'aération*** ventilation shaft
conduite *f* (*comportement*) behavior, *Br* behaviour; *direction* management; *d'eau, de gaz* pipe; AUTO driving
cône *m* cone
confection *f* making; *industrie* clothing industry
conférence *f* conference; (*exposé*) lecture; ***être en ~*** be in a meeting
confesser confess; ***~ qn*** REL hear s.o.'s confession; ***se ~*** REL go to confession; **confession** *f* confession; (*croyance*) faith

confiance *f* confidence; ***faire ~ à*** trust; **confiant** confident; (*crédule*) trusting
confidence *f* confidence; ***faire une ~ à*** confide in; **confident**, **~e** *m/f* confidant; **confidentiel**, **~le** confidential
confier: ***~ qc à qn*** (*laisser*) entrust s.o. (with sth); ***se ~ à*** confide in
confirmation *f* confirmation (*aussi* REL); **confirmer** confirm (*aussi* REL)
confiserie *f* confectionery; *magasin* confectioner's; ***~s*** candy , *Br* sweets
confisquer confiscate (***à*** from)
confiture *f* jelly, *Br* jam
conflit *m* conflict; *d'idées* clash
confondre confuse; (*déconcerter*) take aback; ***se ~*** (*se mêler*) merge
conforme: ***~ à*** in accordance with; **conformiste** *m/f* conformist
confort *m* comfort; **confortable** comfortable; *somme* sizeable
confronter confront; (*comparer*) compare
confusion *f* confusion; (*embarras*) embarrassment
congé *m* vacation, *Br* holiday; MIL leave; *avis de départ* notice; ***prendre ~ de*** take one's leave of; ***~ de maladie*** sick leave
congélateur *m* freezer; **congelé** *aliment* frozen; **congeler** freeze
congénital congenital
congestion *f* MÉD congestion; ***~ cérébrale*** stroke; **congestionné** *visage* flushed
congrès *m* convention, conference; ***Congrès*** *aux États-Unis* Congress
conique conical
conjecture *f* conjecture
conjoint, **~e** **1** *adj* joint **2** *m/f* spouse
conjonctivite *f* MÉD conjunctivitis
conjugaison *f* GRAM conjugation
conjugal conjugal; *vie* married
conjuguer *efforts* combine; GRAM conjugate
connaissance *f* knowledge; (*conscience*) consciousness; *personne connue* acquaintance; ***~s*** *d'un sujet* knowledge; **connaisseur** *m* connoisseur; **connaître** know; (*rencontrer*) meet; ***s'y ~ en*** be an expert on
connecter TECH connect; ***se ~*** INFORM log on
connerie *f* V: ***une ~*** a damn stupid thing to do/say
connexion *f* connection; ***hors ~*** INFORM off-line
connu well-known
conquérir conquer
conquête *f* conquest
consacrer REL consecrate;

(*dédier*) dedicate; *temps, argent* spend; ***se ~ à*** dedicate *ou* devote o.s. to
conscience *f moral* conscience; *physique*, PSYCH consciousness; ***prendre ~ de*** become aware of
consécutif, -ive consecutive; ***~ à*** resulting from
conseil *m* advice; (*conseiller*) adviser; (*assemblée*) council; ***un ~*** a piece of advice; ***~ d'administration*** board of directors
conseiller *personne* advise; ***~ qc à qn*** recommend sth to s.o.
consentir 1 *v/i* consent, agree (**à** to) **2** *v/t prêt, délai* agree
conséquence *f* consequence; ***en ~*** consequently
conservation *f* preservation; *des aliments* preserving
conserve *f* preserve; *en boîte* canned food, *Br aussi* tinned food; **conserver** keep; *aliments* preserve
considérable considerable; **considération** *f* consideration; **considérer** consider
consigne *f* orders *pl*; *d'une gare* baggage checkroom, *Br* left luggage office; *pour bouteilles* deposit; ÉDU detention
consistance *f* consistency; **consistant** *liquide, potage* thick; *mets* substantial; **consister**: ***~ en/dans*** consist of; ***~ à faire*** consist in doing
consolation *f* consolation
console *f* console; ***jouer à la ~*** play computer games
consoler consolet; ***se ~ de*** get over
consolider consolidate
consommateur, -trice *m/f* consumer; *dans un café* customer; **consommation** *f* consumption; *dans un café* drink; **consommer 1** *v/t* consume, use **2** *v/i dans un café* drink
consonne *f* consonant
conspiration *f* conspiracy; **conspirer** conspire
constamment constantly
constance *f* (*persévérance*) perseverance; *en amour* constancy
constant constant; *ami* staunch; *efforts* persistent
constater observe
consternation *f* consternation; **consterner** fill with consternation, dismay
constipation *f* MÉD constipation
constituer constitute; *comité, société* form; *rente* settle (**à** on); ***se ~*** *fortune* build up
constitution *f* (*composition*) composition; ANAT, POL constitution; *d'un comité, d'une société* formation
construction *f* construction, building; **construire** construct, build; *théorie, roman* construct
consul *m* consul; **consulat** *m*

consulate
consultation *f* consultation; **consulter 1** *v/t* consult **2** *v/i* be available for consultation
contact *m* contact; ***se mettre en ~ avec*** contact; ***mettre/couper le ~*** AUTO switch the engine on/off
contagieux, **-euse** contagious; *rire* infectious
contaminer contaminate; MÉD *personne* infect
conte *m* story, tale
contempler contemplate
contemporain *m & adj* contemporary
contenir contain; *foule* control; *larmes* hold back; *peine* suppress; ***se ~*** contain o.s.
content pleased, content (***de*** with)
contenu *m* content
contestation *f* discussion; (*opposition*) protest; **contester** challenge
contexte *m* context
continent *m* continent
contingent *m* (*part*) quota
continu continous; ÉL *courant* direct; **continuer 1** *v/t* continue; *rue*, *ligne* extend **2** *v/i* continue, go on; *de route* extend; ***~ à ou de faire*** continue to do, go on doing; **continuité** *f* continuity; *d'une tradition* continuation
contorsion *f* contorsion
contour *m* contour; *d'une fenêtre*, *d'un visage* outline; ***~s*** (*courbes*) twists and turns
contourner get around
contraceptif, **-ive** contraceptive; **contraception** *f* contraception
contracter *dette* incur; *maladie aussi* contract; *obligation*, *engagement* enter into; *assurance* take out; *habitude* acquire
contradiction *f* contradiction
contraindre: ***~ qn à faire qc*** force s.o. to do sth; **contrainte** *f* constraint; ***sans ~*** freely, without restraint
contraire 1 *adj sens* opposite; *principes* conflicting; *vent* contrary **2** *m*: ***le ~ de*** the opposite *ou* contrary of; ***au ~*** on the contrary
contrarier *personne* annoy; *projet* thwart
contraster contrast
contrat *m* contract
contravention *f* infringement; (*procès-verbal*) ticket
contre 1 *prép* against; (*en échange*) (in exchange) for; ***tout ~ qch*** right next to sth; ***par ~*** on the contrary; ***quelque chose ~ la diarrhée*** something for diarrhea **2** *m*: ***le pour et le ~*** the pros and the cons *pl*
contrebande *f* smuggling; *marchandises* contraband; **contrebandier** *m* smuggler
contrebasse *f* double bass
contrecœur: ***à ~*** reluctantly
contrecoup *m* after-effect

contredire contradict
contrée *f* country
contrefaire counterfeit; *signature* forge; *personne, gestes* imitate; *voix* disguise
contre-nature unnatural
contrepartie *f* compensation; ***en ~*** in return
contre-plaqué *m* plywood
contrer counter
contresens *m* misinterpretation; ***prendre une route à ~*** go down a road the wrong way
contretemps *m* hitch
contribuable *m* taxpayer; **contribuer** contribute (***à*** to); ***~ à faire*** help to do
contrôle *m* (*vérification*) check; (*domination*) control; (*maîtrise de soi*) self-control; ***~ douanier*** customs inspection; ***~ radar*** radar speed check; **contrôler** *identité, billets etc* check; (*maîtriser, dominer*) control; ***se ~*** control o.s.
controversé controversial
contusion *f* MÉD bruise
convaincre (*persuader*) convince; ***~ qn de faire qch*** persuade s.o. to do sth
convalescent, **~e** *m/f* convalescent
convenable suitable; (*correct*) *personne* respectable; *salaire* adequate; **convenance** *f*: ***les ~s*** the proprieties
convenir: ***~ à qn*** suit s.o.; ***~à qc*** be suitable for sth; ***~ de qc*** (*décider*) agree on sth; ***~ que*** (*reconnaître que*) admit that; ***comme convenu*** as agreed
convention *f* convention
converger converge
conversation *f* conversation; ***~ téléphonique*** telephone conversation, phonecall
conversion *f* conversion
convertir convert
conviction *f* conviction
convive *m/f* guest; **convivialité** *f* conviviality, friendliness; INFORM user-friendliness
convocation *f d'une assemblée* convening; JUR summons *sg*
convoi *m* convoy
convoquer *assemblée* convene; JUR summons; *candidat* notify; *employé, écolier* call in
convoyer MIL escort
convulsion *f* convulsion
coopération *f* cooperation; **coopérer** cooperate (***à*** in)
coordination *f* coordination
coordonnées *fpl* MATH coordinates *pl*; *de personne* contact details
copain *m* F pal
copie *f* copy; ÉDU paper; **copier** copy (***sur qn*** from s.o.)
copieux, **-euse** copious
copine *f* F pal
copropriétaire *m/f* co-owner, part owner

coq *m* rooster
coquelicot *m* BOT poppy
coquetier *m* eggcup
coquetterie *f* flirtatiousness; (*élégance*) stylishness
coquillage *m* shell; ***des ~s*** shellfish
coquille *f* shell; *erreur* misprint, typo
coquin, **~e 1** *adj enfant* naughty **2** *m/f* rascal
corbeau *m* ZO crow
corbeille *f* basket; *au théâtre* circle
corbillard *m* hearse
corde *f* rope; MUS, *de tennis* string
cordialité *f* cordiality
cordon *m* cord; ***~ littoral*** offshore sand bar
cordonnier *m* shoe repairer
Corée: ***la ~*** Korea; **coréen**, **~ne 1** *adj* Korean **2** *m langue* Korean; **Coréen**, **~ne** *m/f* Korean
corne *f* horn
cornée *f* cornea
corneille *f* crow
corner *m en football* corner
cornet *m sachet* (paper) cone; MUS cornet
cornichon *m* gherkin
corporation *f* body; HIST guild
corporel, **~le** *hygiène* personal; *châtiment* corporal; *art* body *atr*
corps *m* body; *mort aussi* corpse; MIL corps; ***prendre ~*** take shape
corpulence *f* stoutness, corpulence
correct correct; *tenue* suitable; F (*convenable*) acceptable, ok F
correcteur *m*: ***~ orthographique*** spellchecker
correction *f qualité* correctness; (*modification*) correction; (*punition*) beating
correspondance *f* correspondence; *de train etc* connection; **correspondre** correspond; *de salles* communicate; ***~ à*** *réalité* correspond with; *preuves* tally with; *idées* fit in with
corridor *m* corridor
corriger correct; *épreuve* proof-read; (*battre*) beat
corrompre corrupt; (*soudoyer*) bribe
corrosion *f* corrosion
corruption *f* corruption; (*pot-de-vin*) bribery
corsage *m* blouse
corse Corsican; **Corse 1** *m/f* Corsican **2** *f* **la Corse** Corsica
corsé *vin* full-bodied; *sauce* spicy; *café* strong; *facture* stiff; *problème* tough
cortège *m* cortège; (*défilé*) procession
cortisone *f* cortisone
corvée *f* chore; MIL fatigue
cosmétique *m & adj* cosmetic
cosmopolite *m & adj* cosmopolitan

costaud F sturdy
costume *m* costume; *pour homme* suit
cote *f en Bourse* quotation; *d'un document* identification code
côte *f* ANAT rib; (*pente*) slope; *à la mer* coast; *viande* chop; ***~ à ~*** side by side
côté *m* side; ***à ~*** (*près*) nearby; ***à ~ de*** next to; ***de ~*** aside; ***de l'autre ~ de*** on the other side of; ***du ~ de*** in the direction of; ***sur le ~*** on one's/its side; ***mettre de ~*** put aside
côtelette *f* CUIS cutlet
cotisation *f* contribution; *à une organisation* subscription
coton *m* coton
côtoyer rub shoulders with; ***~ qc*** border sth
cottage *m* cottage
cou *m* neck
couchant 1 *m* west **2** *adj*: ***soleil*** *m* ***~*** setting sun
couche *f* layer; *de peinture aussi* coat; *de bébé* diaper, *Br* nappy
coucher 1 *v/t* (*mettre au lit*) put to bed; (*héberger*) put up; (*étendre*) put *ou* lay down **2** *v/i* sleep; ***se ~*** go to bed; (*s'étendre*) lie down; *du soleil* set, go down **3** *m*: ***~ du soleil*** sunset
coucou *m* cuckoo; (*pendule*) cuckoo clock
coude *m* ANAT elbow; *d'une route* turn
coudre sew; *bouton* sew on; *plaie* sew up
couette *f* comforter, *Br* quilt
couler 1 *v/i* flow, run; *d'eau de bain* run; *d'un bateau* sink **2** *v/t liquide* pour; (*mouler*) cast; *bateau* sink
couleur *f* color, *Br* colour
coulisse *f*: ***~s*** THÉÂT wings; ***dans les ~s*** *fig* behind the scenes
couloir *m* passage, corridor; *d'un bus, avion* aisle
coup *m* blow; *dans jeu* move; ***boire un ~*** F have a drink; ***du ~*** and so; ***après ~*** after the event; ***tout d'un ~, tout à ~*** suddenly, all at once; **coup de couteau** stab; **coup de foudre**: ***ce fut le ~*** it was love at first sight; **coup de main**: ***donner un ~ à qn*** give s.o. a hand; **coup d'œil**: ***au premier ~*** at first glance; **coup de pied** kick; **coup de poing** punch; ***donner un ~ à*** punch; **coup de téléphone** (phone) call; **coup de soleil**: ***avoir un ~*** have sun stroke
coupable 1 *adj* guilty **2** *m/f* culprit, guilty party
coupe[1] *f de cheveux, d'une robe* cut
coupe[2] *f* (*verre*) glass; SP cup; *de fruits, glace* dish
coupe-ongles *m inv* nail clippers *pl*
couper 1 *v/t* cut; *morceau, eau* cut off; *robe, chemise*

cut out; *vin* dilute; *animal* castrate **2** *v/i* cut; ***se ~*** cut o.s.; (*se trahir*) give o.s. away
couple *m* couple
coupon *m de tissu* remnant; COMM coupon; (*ticket*) ticket
coupure *f* cut; *de journal* cutting; (*billet de banque*) bill, *Br* note; ***~ de courant*** power outage, *Br* power cut
cour *f* court; ARCH courtyard; ***Cour internationale de justice*** International Court of Justice
courage *m* courage, bravery; **courageux**, **-euse** brave, courageous
couramment fluently
courant 1 *adj* current; *eau* running; *langage* everyday **2** *m* current (*aussi* ÉL); ***~ d'air*** draft, *Br* draught; ***être au ~ de qch*** know about sth
courbature *f* stiffness; ***avoir des ~s*** be stiff
courbe 1 *adj* curved **2** *f* curve; **courber** bend; ***se ~*** (*se baisser*) stoop, bend down
coureur *m* runner; *péj* skirt-chaser
courge *f* BOT squash, *Br* marrow
courgette *f* BOT zucchini, *Br* courgette
courir 1 *v/i* run (*aussi d'eau*); *d'un bruit* go around **2** *v/t risque*, *danger* run; ***~ les magasins*** go around the stores
couronne *f* crown; *de fleurs* wreath; **couronnement** *m* coronation
courrier *m* mail, *Br aussi* post; (*messager*) courier; ***~ électronique*** electronic mail, e-mail
courroie *f* belt
cours *m* course; ÉCON price; *de devises* rate; (*leçon*) lesson; *à l'université* class, *Br aussi* lecture; ***donner libre ~ à*** give free rein to; ***en ~ de route*** on the way
course *f à pied* running; SP race; *en taxi* ride; (*commission*) errand; ***~s*** (*achats*) shopping; ***faire des ~s*** go shopping
court[1] *m* (*aussi **~ de tennis***) (tennis) court
court[2] *adj* short; ***à ~ de*** short of
court-circuit *m* ÉL short circuit
courtier *m* broker
courtiser *femme* court
courtoisie *f* courtesy
cousin, **~e** *m/f* cousin
coussin *m* cushion
coût *m* cost; **coûter 1** *v/t* cost; ***combien ça coûte?*** how much is it?, how much does it cost? **2** *v/i* cost; ***~ cher*** be expensive
couteau *m* knife
coûteux, **-euse** expensive, costly
coutume *f* custom; ***avoir ~ de faire*** be in the habit of doing
couture *f* sewing; *d'un vêtement*, *bas etc* seam

couvée clutch; *fig* brood
couvent *m* convent
couver 1 *v/t* hatch; *personne* pamper **2** *v/i d'un feu* smolder, *Br* smoulder; *d'une révolution* be brewing
couvercle *m* cover
couvert 1 *adj ciel* overcast; **~ de** covered with *ou* in **2** *m à table* place setting; **~s** flatware, *Br* cutlery; ***mettre le ~*** set the table; **couverture** *f* cover; *sur un lit* blanket
couvrir cover (***de*** with *ou* in); **~ *qn*** *fig* (*protéger*) cover (up) for s.o.; ***se ~*** (*s'habiller*) cover o.s. up; *du ciel* cloud over
covoiturage *m* carpooling; ***faire du ~*** carpool
crabe *m* crab
cracher spit
crachin *m* drizzle
craie *f* chalk
craindre fear, be frightened of; **~ *de faire*** be afraid of doing; **~ *que*** (***ne***) (+ *subj*) be afraid that
crainte *f* fear; ***de ~ de*** for fear of
craintif, **-ive** timid
cramoisi crimson
crampe *f* MÉD cramp
crampon *m* crampon
cran *m* notch; ***il a du ~*** F he's got guts F
crâne *m* skull
crâner F (*pavaner*) show off
crapaud *m* ZO toad
crapule *f* villain
craquelé cracked
craquement *m* crackle; **craquer** crack; *d'un parquet* creak; *de feuilles* crackle; *d'une couture* split; *d'une personne* (*s'effondrer*) crack up
crasse 1 *adj ignorance* crass **2** *f* dirt
cravate *f* necktie, *Br* tie
crayon *m* pencil; **~ *à bille*** ballpoint pen; **~ *de couleur*** crayon
créance *f* COMM debt; **créancier**, **-ère** *m/f* creditor
création *f* creation; *de mode, design* design; **créativité** *f* creativity
créature *f* creature
crèche *f* day nursery; *de Noël* crèche, *Br* crib
crédibilité *f* credibility; **crédit** *m* credit; (*prêt*) loan; (*influence*) influence; ***acheter à ~*** buy on credit; ***faire ~ à qn*** give s.o. credit
créditeur, **-trice 1** *m/f* creditor **2** *adj solde* credit *atr*; ***être ~*** be in credit
crédule credulous
créer create; *institution* set up; COMM *produit* design
crématorium *m* crematorium
crème 1 *f* cream; **~ *anglaise*** custard; **~ *dépilatoire*** hair remover; **~ *solaire*** suntan cream **2** *m* coffee with milk, *Br* white coffee **3** *adj inv* cream

créneau *m* AUTO space; COMM niche
crêpe *f* CUIS pancake
crépiter crackle
crépu frizzy
crépuscule *m* twilight
crétin, **~e** *m/f* idiot, cretin
creuser hollow out; *trou* dig; *fig* look into
creux, **-euse 1** *adj* hollow; ***assiette** f **creuse*** soup plate **2** *adv*: ***sonner ~*** ring hollow **3** *m* hollow
crevaison *f* flat, *Br* puncture
crevant F (*épuisant*) exhausting; (*drôle*) hilarious
crevasser crack; ***se ~*** crack
crever 1 *v/t ballon* burst; *pneu* puncture **2** *v/i* burst; F (*mourir*) kick the bucket F; F AUTO have a flat *ou Br* puncture
crevette *f* shrimp
cri *m* shout, cry; ***c'est le dernier ~*** *fig* it's all the rage
cribler sieve; ***criblé de*** *fig* riddled with
cric *m* jack
crier 1 *v/i* shout; ***~ au scandale*** protest **2** *v/t* shout
crime *m* crime; (*assassinat*) murder; **criminel**, **~le 1** *adj* criminal **2** *m/f* criminal; (*assassin*) murderer
crinière *f* mane
criquet *m* ZO cricket
crise *f* crisis; MÉD attack; ***~ cardiaque*** heart attack
crisper *muscles* tense; *visage* contort; *fig* F irritate; ***se ~*** tense up
crisser squeak
cristal *m* crystal
critère *m* criterion
critique 1 *adj* critical **2** *m* critic **3** *f* criticism; *d'un film etc* review; **critiquer** criticize; (*analyser*) look at critically
croc *m* (*dent*) fang; *de boucherie* hook
crochet *m* hook; *ouvrage* crochet; *d'une route* sharp turn; ***~s*** *en typographie* square brackets
crochu *nez* hooked
crocodile *m* crocodile
croire 1 *v/t* believe; (*penser*) think; ***~ qc de qn*** believe sth about s.o. **2** *v/i*: ***~ à qc*** believe in sth; ***~ en Dieu*** believe in God **3**: ***il se croit intelligent*** he thinks he's intelligent
croisade *f* crusade
croisement *m* crossing (*aussi* BIOL); *animal* cross; **croiser 1** *v/t* cross (*aussi* BIOL); ***~ qn dans la rue*** pass s.o. in the street **2** *v/i* MAR cruise; ***se ~*** *de routes* cross; *de personnes* meet
croisière *f* MAR cruise
croissance *f* growth
croissant *m de lune* crescent; CUIS croissant
croître grow
croix *f* cross; ***mettre une ~ sur qc*** *fig* give sth up
croquer 1 *v/t* crunch; (*dessiner*) sketch **2** *v/i* be crunchy
croquis *m* sketch

crotte *f* droppings *pl*
crouler collapse (*aussi fig*)
croupir stagnate (*aussi fig*)
croustillant crusty
croûte *f de pain* crust; *de fromage* rind; MÉD scab
croûton *m* crouton
croyance *f* belief; **croyant, ~e** *m/f* REL believer
cru 1 *adj* raw; *lumière, verité* harsh; *paroles* blunt **2** *m* (*domaine*) vineyard; *de vin* wine
cruauté *f* cruelty
cruche *f* pitcher
crucial crucial
crucifier crucify; **crucifix** *m* crucifix
crudité *f* crudeness; *de paroles* bluntness; *de lumière* harshness; *de couleur* garishness; **~s** CUIS raw vegetables
cruel, ~le cruel
crustacés *mpl* shellfish *pl*
Cuba *f* Cuba; **cubain, ~e** Cuban; **Cubain, ~e** *m/f* Cuban
cube MATH **1** *m* cube **2** *adj* cubic; **cubisme** *m* ART cubism
cueillir pick
cuiller, cuillère *f* spoon; **cuillerée** *f* spoonful
cuir *m* leather; ***~ chevelu*** scalp
cuirasse *f* armor, *Br* armour
cuire cook; *au four* bake; *rôti* roast
cuisine *f* cooking; *pièce* kitchen; ***la ~ italienne*** Italian cooking *ou* cuisine; **cuisiner** cook; **cuisinière** *f* cook; (*fourneau*) stove
cuisse *f* ANAT thigh; CUIS *de poulet* leg
cuisson *f* cooking; *du pain* baking; *d'un rôti* roasting
cuit cooked, done; *rôti, pain* done
cuivre *m* copper; ***~ jaune*** brass; **~s** brasses
cul *m* V ass P, *Br* arse P
cul-de-sac *m* blind alley; *fig* dead end
culminer *fig* peak
culotte *f* short pants *pl*, *Br* short trousers *pl*; *de femme* panties *pl*
culpabilité *f* guilt, culpability
culte *m* worship; (*religion*) religion; (*service*) church service; *fig* cult
cultivateur, -trice *m/f* farmer; **cultiver** cultivate (*aussi fig*); *légumes, tabac* grow; ***se ~*** improve one's mind
culture *f* culture; AGR cultivation; *de légumes, fruits etc* growing
culturel, ~le cultural
cumuler: ***~ des fonctions*** have more than one position
cupidité *f* greed, cupidity
cure *f* MÉD course of treatment; ***~ de repos*** rest cure
curé *m* curate
cure-dent *m* tooth pick
curiosité *f* curiosity; *objet rare* curio
curry *m* curry
curseur *m* INFORM cursor
cuvée *f de vin* vatful; *vin*

wine, vintage; **cuver 1** *v/i* mature **2** *v/t*: **~ *son vin*** *fig* sleep it off
cuvette *f* (*bac*) basin; *de cabinet* bowl
CV *m* (= ***curriculum vitae***) résumé, *Br* CV (= curriculum vitae)
cybercafé *m* Internet café
cycle *m* cycle; **cyclisme** *m* cycling; **cycliste** *m/f* cyclist
cyclone *m* cyclone
cygne *m* swan
cylindre *m* cylinder
cynique 1 *adj* cynical **2** *m/f* cynic
cystite *f* MÉD cystitis

D

dactylo *f* typing; *personne* typist
daigner: **~ *faire qch*** deign to do sth
daim *m* zo deer; *peau* suede
dalle *f* flagstone
daltonien, **~ne** colorblind, *Br* colourblind
dame *f* lady; *aux échecs*, *cartes* queen; ***jeu*** *m* ***de ~s*** checkers *sg*, *Br* draughts *sg*
damner damn
Danemark: ***le ~*** Denmark
danger *m* danger; ***courir un ~*** be in danger
dangereux, **-euse** dangerous
danois, **~e 1** *adj* Danish **2** *m langue* Danish; **Danois**, **~e** *m/f* Dane
dans in; ***boire ~ un verre*** drink from a glass
danse *f* dance; *action* dancing; **~ *folklorique*** folk dance; **danser** dance; **danseur**, **-euse** *m/f* dancer
dard *m d'une abeille* sting
date *f* date; ***de longue ~*** *amitié* long-standing; **~ *limite*** deadline; **~ *limite de conservation*** use-by date; **dater 1** *v/t* date **2** *v/i* **~ *de*** date from; ***à ~ de ce jour*** from today
datte *f* date
davantage more
de 1 *prép origine* from; *possession* of; ***il vient ~ Paris*** he comes from Paris ***la maison ~ mon père*** my father's house; ***un film ~ Godard*** a movie by Godard; **~ *jour*** by day; ***trembler ~ peur*** shake with fear; ***cesser ~ travailler*** stop working **2** *partitif*: ***du pain*** (some) bread; ***des petits pains*** (some) rolls; ***je n'ai pas d'argent*** I don't have any money, I have no money; ***est-ce qu'il y a des disquettes?*** are there any diskettes?
dé *m jeu* dice; **~ (*à coudre*)** thimble
dealer *m* dealer

déambuler stroll
débâcle *f de troupes* rout; *d'une entreprise* collapse
déballer unpack
débandade *f* stampede
débarbouiller: *~ **un enfant*** wash a child's face
débardeur *m vêtement* tank top
débarquement *m de marchandises* unloading; *de passagers* landing, disembarkation; **débarquer 1** *v/t marchandises* unload; *passagers* land, disembark **2** *v/i* land, disembark; *~ **chez qn** fig* F turn up at s.o.'s place
débarrasser *table etc* clear; *~ **qn de qc*** take sth off s.o.; ***se ~ de*** get rid of
débat *m* debate; (*polémique*) argument
débattre: *~ **qc*** discuss *ou* debate sth; ***se ~*** struggle
débauche *f* debauchery; **débaucher** (*licencier*) lay off; F lead astray
débile 1 *adj* weak; F idiotic **2** *m*: *~ **mental*** mental defective
débit *m* (*vente*) sale; *d'un stock* turnover; *d'une usine* output; (*élocution*) delivery; FIN debit; **débiter** *marchandises* sell (retail); *péj*: *fadaises* talk; *texte étudié* deliver, *péj* recite; *d'une pompe* deliver; *d'une usine*, *de produits* output; *bois*, *viande* cut up; FIN debit (***de*** with);
débiteur, -trice 1 *m/f* debtor **2** *adj compte* overdrawn; *solde* debit
déblayer *endroit* clear; *débris* clear (away)
débloquer 1 *v/t* TECH release; *prix*, *compte* unfreeze; *fonds* release **2** *v/i* F be crazy; ***se ~*** *d'une situation* get sorted out
déboguer debug
déboires *mpl* disappointments
déboisement *m* deforestation
déboîter 1 *v/t* MÉD dislocate **2** *v/i* AUTO pull out; ***se ~ l'épaule*** dislocate one's shoulder
débonnaire kindly
débordé snowed under (***de*** with); *~ **par les événements*** overwhelmed by events; **déborder** *d'une rivière* overflow its banks; *du lait*, *de l'eau* overflow
débouché *m d'une vallée* entrance; COMM outlet; ***~s*** *d'une profession* prospects; **déboucher 1** *v/t tuyau* unblock; *bouteille* uncork **2** *v/i*: *~ **de*** emerge from; *~ **sur*** lead to (*aussi fig*)
débourser (*dépenser*) spend
debout standing; *objet* upright, on end; ***être ~*** stand; (*levé*) be up, be out of bed; ***se mettre ~*** stand up, get up
déboutonner unbutton

débraillé untidy
débrancher ÉL unplug
débrayer AUTO declutch; *fig* down tools
débris *mpl* debris *sg*; *fig* remains
débrouillard resourceful; **débrouiller** disentangle; *fig*: *affaire* clear up; ***se ~*** cope
début *m* beginning, start; ***~s*** THÉÂT, POL debut; **débutant, ~e** *m/f* beginner
décacheter *lettre* open
décadent decadent
décaféiné: ***café*** *m* **~** decaffeinated coffee, decaff F
décalage *m dans l'espace* moving; (*différence*) difference; *fig* gap; **décaler** *rendez-vous* change the time of; *dans l'espace* move
décamper F clear out
décaper *surface* clean; *meuble vernis* strip
décapiter decapitate
décapotable *f* (***voiture*** *f*) **~** convertible
décapsuleur *m* bottle opener
décarcasser: ***se ~*** F bust a gut F
décéder die
déceler (*découvrir*) detect; (*montrer*) point to
décembre *m* December
décemment decently; (*raisonnablement*) reasonably
décennie *f* decade
décent decent,
décentralisation *f* decentralization
déception *f* disappointment
décerner *prix* award
décès *m* death
décevoir disappoint
déchaîner *fig* provoke; ***se ~*** *d'une tempête* break; *d'une personne* fly into a rage
décharge *f* JUR acquittal; *dans fusillade* discharge; ***~ électrique*** electric shock; **décharger** unload; *batterie* discharge; *arme* fire; *accusé* acquit; *colère* vent (***contre*** on); ***~ qn de qch*** relieve s.o. of sth
décharné skeletal
déchausser: ***se ~*** take one's shoes off
déchéance *f* decline; JUR forfeiture
déchets *mpl* waste
déchiffrer decipher
déchiqueté *côte* jagged; **déchiqueter** *corps*, *papier* tear to pieces
déchirant heart-breaking; **déchirer** *tissu* tear; *papier* tear up; *fig*: *silence* pierce; ***se ~*** *d'une robe* tear; ***se ~ un muscle*** tear a muscle
décidé (*résolu*) determined (***à faire qc*** to do sth); **décidément** really; **décider 1** *v/t* decide on; *question* settle, decide; ***~ qn à faire qc*** convince s.o. to do sth; ***~ de faire qch*** decide to do sth **2** *v/i* decide; ***se ~*** make one's mind up, decide (***à fai-***

re qch to do sth)
décimal decimal
décimer decimate
décimètre *m*: ***double ~*** ruler
décisif, **-ive** decisive; **décision** *f* decision; (*fermeté*) determination
déclaration *f* declaration, statement; *d'une naissance* registration; *de vol, perte* report; **déclarer** declare; *naissance* register; ***se ~*** declare o.s.; *en amour* declare one's love; *d'un feu, d'une épidémie* break out
déclencher trigger; ***se ~*** be triggered
déclic *m bruit* click
déclin *m* decline
décliner **1** *v/i du soleil* go down; *du jour, des forces, du prestige* wane; *de la santé* decline **2** *v/t offre* decline
décoder decode; **décodeur** *m* decoder
décoiffer *cheveux* ruffle
décollage *m* AVIAT take-off; **décoller** **1** *v/t* peel off **2** *v/i* AVIAT take off; ***se ~*** peel off
décolleté **1** *adj robe* low-cut **2** *m* neckline
décolorer *tissu, cheveux* bleach; ***se ~*** fade
décombres *mpl* rubble
décommander cancel; ***se ~*** cancel
décomposer *produit* break down (***en*** into); CHIM decompose; ***se ~*** *d'un cadavre* decompose; *d'un visage* become contorted
décompresser F unwind, chill out F
décompte *m* deduction; *d'une facture* breakdown
déconcentrer: ***~ qn*** make it hard for s.o. to concentrate
déconcertant disconcerting
déconfit disheartened
déconfiture *f* collapse
décongeler *aliment* thaw out
décongestionner *route* decongest; *nez* clear
déconnecter unplug, disconnect; ***se ~*** INFORM log off, log out
déconner P *actions* fool around; *paroles* talk crap P
déconseiller advise against
décontenancer disconcert
décontracter relax; ***se ~*** relax
décor *m* decor; *fig* (*cadre*) setting; ***~s*** *de théâtre* sets, scenery; **décorateur**, **-trice** *m/f* decorator; THÉÂT set designer; **décorer** decorate (***de*** with)
découler: ***~ de*** arise from
découper cut up; *photo* cut out (***dans*** from); ***se ~ sur*** *fig* stand out against
décourager discourage (***de faire qc*** from doing sth); ***se ~*** lose heart, become discouraged
découvert, **~e** **1** *adj tête, épaules* bare, uncovered; ***à ~*** FIN overdrawn **2** *m* overdraft **3** *f* discovery; **décou-**

vrir uncover; (*trouver*) discover; *ses intentions* reveal; (*comprendre*) find (***que*** that); ***se ~*** *d'une personne* take off a couple of layers; (*enlever son chapeau*) take off one's hat; *du ciel* clear

décret *m* decree

décrire describe; ***~ une orbite autour de*** orbit

décrocher *tableau* take down; *fig* F *prix, bonne situation* land F; ***~ le téléphone*** pick up the receiver; *pour ne pas être dérangé* take the phone off the hook

décroître decrease, decline

déçu disappointed

décupler increase tenfold

dédaigner 1 *v/t* scorn; *personne* treat with scorn **2** *v/i*: ***~ de faire qch*** disdain to do sth; **dédaigneux, -euse** disdainful; **dédain** *m* disdain

dedans inside

dédicace *f* dedication; **dédier** dedicate

dédommager compensate (***de*** for)

dédouanement *m* customs clearance; **dédouaner**: ***~ qch*** clear sth through customs; ***~ qn*** *fig* clear s.o.

dédoublement *m*: ***~ de personnalité*** split personality; **dédoubler** split in two; ***se ~*** split

dédramatiser play down, downplay

déduction *f* deduction; **déduire** COMM deduct; (*conclure*) deduce (***de*** from)

déesse *f* goddess

défaillance *f* weakness; *fig* shortcoming; *technique* failure; **défaillir** weaken; (*se trouver mal*) feel faint

défaire undo; (*démonter*) take down, dismantle; *valise* unpack; ***se ~*** come undone; ***se ~ de qn/qc*** get rid of s.o./sth; **défait** *visage* drawn; *chemise, valise* undone; *armée, personne* defeated; **défaite** *f* defeat; **défaitisme** *m* defeatism

défaut *m* (*imperfection*) defect; *morale* shortcoming, failing; (*manque*) lack; JUR default; ***faire ~*** be lacking; ***par ~*** INFORM default *atr*

défavorable unfavorable, *Br* unfavourable; **défavorisé** disadvantaged; ***les milieux ~s*** the underprivileged classes

défectueux, -euse defective

défendre defend; ***~ à qn de faire qc*** forbid s.o. to do sth

défense *f* defense, *Br* defence *f*; *d'un éléphant* tusk; ***~ de fumer*** no smoking; **défenseur** *m* defender; *d'une cause* supporter; JUR defense attorney, *Br* counsel for the defence; **défensif, -ive** *adj & f* defensive

déférent deferential; **déférer**: ***~ qn à la justice*** prosecute s.o.

défi *m* challenge; (*bravade*) defiance

défiance *f* distrust, mistrust

déficience *f* deficiency; **~ *immunitaire*** immune deficiency

déficit *m* deficit; **déficitaire** *balance* showing a deficit; *compte* in debit

défier (*provoquer*) challenge; (*braver*) defy; **~ *qn de faire qch*** dare s.o. to do sth

défigurer disfigure; *fig*: *réalité* misrepresent

défilé *m* parade; GÉOGR pass; **~ *de mode*** fashion show; **défiler** parade, march

défini definite; ***bien ~*** well defined; **définir** define; **définitif, -ive** definitive; ***en définitive*** in the end; **définition** definition; **définitivement** definitely; (*pour de bon*) for good

déflagration *f* explosion

défoncer *voiture* smash up, total; *porte* break down; *terrain* break up

déformer deform; *chaussures* stretch (out of shape); *visage, fait* distort; *idée* misrepresent; ***se ~*** *de chaussures* lose their shape

défouler: ***se ~*** give vent to one's feelings

défroisser *vêtement* crumple

défunt, ~e 1 *adj* late **2** *m/f*: ***le ~*** the deceased

dégagement *m d'une route* clearing; *de chaleur* release;

dégager (*délivrer*) free; *route* clear; *odeur, chaleur* give off; ***se ~*** free o.s.; *d'une route, du ciel* clear

dégât *m* damage; ***~s*** damage

dégel *m* thaw (*aussi* POL)

dégeler 1 *v/t frigidaire* defrost; *crédits* unfreeze **2** *v/i d'un lac* thaw

dégénérer degenerate (***en*** into)

dégivrer defrost; TECH de-ice

déglutir swallow

dégonfler let the air out of, deflate; ***se ~*** deflate; *fig* F lose one's nerve

dégourdi resourceful; **dégourdir** *membres* loosen up; ***se ~ les jambes*** stretch one's legs

dégoût *m* disgust; **dégoûtant** disgusting; **dégoûter** disgust; ***~ qn de qc*** put s.o. off sth; ***se ~ de qc*** take a dislike to sth

dégrader MIL demote; *édifice* damage; (*avilir*) degrade; ***se ~*** deteriorate; *d'un édifice* fall into disrepair

degré *m* degree; (*échelon*) level

dégressif, -ive *tarif* tapering

dégringoler fall

dégriser sober up

déguerpir clear off

dégueulasse P disgusting; **dégueuler** F vomit

déguisement *m* disguise; *pour bal masqué etc* cos-

tume; **déguiser** disguise; *enfant* dress up (**en** as); **se ~** disguise o.s.; *pour bal masqué etc* dress up
dégustation *f* tasting; **déguster** taste
dehors 1 *adv* outside **2** *prép*: **en ~ de** outside **3** *m* exterior
déjà already; ***c'est qui déjà?*** F who's he again?
déjeuner 1 *v/i midi* (have) lunch; *matin* (have) breakfast **2** *m* lunch; ***petit ~*** breakfast
déjouer thwart
DEL *f* (= ***diode électroluminescente***) LED (= light-emitting diode)
délabré dilapidated
délacer loosen, unlace
délai *m* (*temps imparti*) time allowed; (*date limite*) deadline; (*prolongation*) extension; ***sans ~*** without delay
délaisser (*abandonner*) leave; (*négliger*) neglect
délassement *m* relaxation; **délasser** relax; ***se ~*** relax
délateur, **-trice** *m/f* informer; **délation** *f* denunciation
délayer dilute, water down; *fig*: *discours* pad out
délecter: ***se ~ de*** take delight in
délégué, **~e** *m/f* delegate; **déléguer** delegate
délibération *f* deliberation; (*décision*) resolution; **délibéré** deliberate; **délibérer** deliberate
délicat delicate; *problème* tricky; (*plein de tact*) tactful; **délicatesse** *f* delicacy; (*tact*) tact; **délicatement** delicately
délicieux, **-euse** delicious
délier loosen, untie; ***~ la langue à qn*** loosen s.o.'s tongue
délimiter define
délinquance *f* crime, delinquency
délire *m* delirium; *enthousiasme* frenzy; ***foule en ~*** ecstatic crowd; **délirer** be delirious; F *être fou* be stark raving mad
délit *m* offense, *Br* offence; ***commettre un ~ de fuite*** leave the scene of an accident
délivrance *f* release; (*soulagement*) relief; (*livraison*) delivery; *certificat* issue
délivrer release; (*livrer*) deliver; *certificat* issue
délocaliser relocate
déloyal disloyal; ***concurrence f ~e*** unfair competition
deltaplane *m* hang-glider; ***faire du ~*** go hang-gliding
déluge *m* flood
demain tomorrow; ***à ~!*** see you tomorrow!
demande *f* (*requête*) request; *écrite* application; ÉCON demand; ***sur** ou **à la ~ de*** at the request of; **demandé** popular, in demand; **demander** ask for; *somme*

d'argent ask; (*nécessiter*) call for; **~ *qch à qn*** ask s.o. for sth; (*vouloir savoir*) ask s.o. sth; **~ *à qn de faire qc*** ask s.o. to do sth; ***se ~ si*** wonder if
démanger: ***le dos me démange*** my back itches; ***ça me démange depuis longtemps*** I've been itching to do it for ages
démanteler dismantle
démaquillant *m* cleanser; ***lait*** *m* **~** cleansing milk; **démaquiller**: ***se ~*** take off one's make-up
démarcation *f* demarcation
démarchage *m* selling
démarche *f* step (*aussi fig*); ***faire des ~s*** take steps
démarquer: ***se ~*** stand out (***de*** from)
démarrage *m* start; **démarrer** start (up)
démasquer unmask
démêlé *m* argument; ***avoir des ~s avec la justice*** have problems with the law; **démêler** disentangle; *fig* clear up
déménager move; **déménageurs** *mpl* movers, removal men
démence *f* dementia; **dément** demented; ***c'est ~*** *fig* F it's unbelievable
démener: ***se ~*** struggle; (*s'efforcer*) make an effort
démenti *m* denial
démentir (*nier*) deny; (*infirmer*) belie
démerder: ***se ~*** F manage, sort things out
démesuré enormous; *orgueil* excessive
démettre *poignet* dislocate; ***se ~ de ses fonctions*** resign one's office
demeure *f* residence; **demeurer** (*habiter*) live; (*rester*) stay, remain; **demeuré** retarded
demi 1 *adj* half; ***une heure et ~e*** an hour and a half; ***il est quatre heures et ~e*** it's four thirty, it's half past four **2** *adv* half; ***à ~*** half **3** *m* half; *bière* half a pint; *en football, rugby* halfback
demi-cercle *m* semi-circle
demi-finale *f* semi-final
demi-frère *m* half-brother
demi-heure *f* half-hour
démilitariser demilitarize
demi-litre *m* half liter *ou Br* litre
demi-mot: ***il nous l'a dit à ~*** he hinted at it to us
demi-pension *f* American plan, *Br* half board
demi-pression *f* half-pint of draft *ou Br* draught beer
demi-sel *m* slightly salted butter
demi-sœur *f* half-sister
démission *f* resignation; *fig* renunciation; **démissionner 1** *v/i* resign; *fig* give up **2** *v/t* sack
demi-tarif *m* half price

demi-tour *m* AUTO U-turn; ***faire ~*** *fig* turn back
démocrate democrat; **démocratie** *f* democracy
démodé old-fashioned
démographique demographic; ***poussée*** *f* **~** population growth
demoiselle *f* (*jeune fille*) young lady; ***~ d'honneur*** bridesmaid
démolir demolish (*aussi fig*); **démolition** *f* demolition
démon *m* demon
démonstration *f* demonstration
démonter dismantle; *fig* disconcert
démontrer demonstrate, prove; (*faire ressortir*) show
démoraliser demoralize
démordre: ***il n'en démordra pas*** he won't change his mind
démotiver demotivate
démuni penniless
dénaturer distort
dénicher find
dénier deny
dénigrer denigrate
dénivellation *f* difference in height
dénombrer count
dénomination *f* name
dénoncer denounce; *à la police* report; *contrat* terminate; ***se ~ à la police*** give o.s. up to the police; **dénonciateur, -trice** *m/f* informer; **dénonciation** *f* denunciation
dénoter indicate, denote
dénouement *m* ending; **dénouer** loosen; ***se ~*** *fig d'une scène* end; *d'un mystère* be cleared up
denrée *f*: ***~s*** (***alimentaires***) foodstuffs
dense dense; **densité** *f* density; *du brouillard, d'une forêt* denseness
dent *f* tooth; ***j'ai mal aux ~s*** I've got toothache; ***avoir une ~ contre qn*** have a grudge against s.o.; **dentaire** dental
dentelle *f* lace
dentier *m* false teeth *pl*; **dentifrice** *m* toothpaste; **dentiste** *m/f* dentist
dénuder strip
denué: ***~ de qc*** devoid of sth; ***~ de tout*** deprived of everything; **denuement** *m* destitution
déodorant *m* deodorant
dépannage *m* AUTO *etc* repairs *pl*; (*remorquage*) recovery; **dépanner** repair; (*remorquer*) recover; ***~ qn*** *fig* F help s.o. out; **dépanneur** *m* repairman; *pour voitures* mechanic; **dépanneuse** *f* wrecker, *Br* tow truck
départ *m* departure; SP, *fig* start; ***au ~*** at first
départager decide between
départemental departmental; ***route ~e*** secondary road

dépassé out of date, old-fashioned; **dépasser** *personne* pass; AUTO pass, *Br* overtake; *but etc* overshoot; *fig* exceed; ***se ~*** surpass o.s.

dépaysement *m* disorientation; *changement agréable* change of scene

dépêcher dispatch; ***se ~ de faire qch*** hurry to do sth; ***dépêche-toi!*** hurry up!

dépendance *f* dependence; ***~s*** *bâtiments* outbuildings; ***entraîner une*** (***forte***) ***~*** be (highly) addictive; **dépendre**: ***~ de*** depend on; *moralement* be dependent on

dépens *mpl*: ***aux ~ de*** at the expense of

dépense *f* expenditure; *d'essence, d'électricité* consumption, use; **dépenser** spend; *son énergie, ses forces* use up; *essence* consume, use; ***se ~*** exert o.s., be physically active; **dépensier**, **-ère 1** *adj* extravagant **2** *m/f* spendthrift

dépérir waste away; *fig d'une entreprise* go downhill

dépeuplement *m* depopulation

dépilatoire: ***crème f ~*** hair remover, depilatory cream

dépistage *m d'un criminel* tracking down; MÉD screening

dépit *m* spite; ***en ~ de*** in spite of

dépité crestfallen

déplacé out of place; (*inconvenant*) uncalled for; POL displaced; **déplacer** move; *personnel* transfer; *problème* shift the focus of; ***se ~*** move; (*voyager*) travel

déplaire: ***~ à qn*** (*fâcher*) offend s.o.; ***cela lui déplaît de faire ...*** he dislikes doing ...

déplaisant unpleasant

dépliant *m* leaflet; **déplier** unfold

déploiement *m* MIL deployment; *de forces, courage* display

déplorable deplorable

déporter POL deport; ***se ~*** *d'un véhicule* swing

déposer 1 *v/t* put down; *armes* lay down; *passager* drop; *roi* depose; *argent, boue* deposit; *projet de loi* table; *ordures* dump; *plainte* lodge **2** *v/i d'un liquide* settle; JUR testify; ***se ~*** *de la boue* settle; **dépôt** *m* deposit; *chez le notaire* lodging; *d'un projet de loi* tabling; *des ordures* dumping; (*entrepôt*) depot

dépouiller *animal* skin; (*voler*) rob (***de*** of); (*examiner*) go through; ***~ le scrutin*** *ou* ***les votes*** count the votes

dépourvu: ***~ de*** devoid of; ***prendre qn au ~*** take s.o. by surprise

dépoussiérer dust; *fig* modernize

dépraver deprave
déprécier *chose* decrease the value of; *personne* belittle; ***se ~*** depreciate, lose value; *d'une personne* belittle o.s.
dépression *f* depression; ***faire une ~*** be depressed
déprime *f* depression; **déprimer** depress
dépuceler deflower
depuis **1** *prép* since; *espace* from; ***j'attends ~ une heure*** I have been waiting for an hour; ***~ quand permettent-ils que ...?*** since when do they allow ...? **2** *adv* since **3** *conj*: ***~ que*** since
député *m* POL MP, Member of Parliament; ***~ européen*** *m* Euro MP
déraciner uproot; (*extirper*) root out, eradicate
dérailler go off the rails; *fig* F: *d'un mécanisme* go on the blink; (*déraisonner*) talk nonsense; **dérailleur** *m* *d'un vélo* derailleur
déraisonnable unreasonable
dérangement *m* disturbance; **déranger** disturb
déraper AUTO skid
déréglé *vie* wild
déréglementer deregulate
dérégler *mécanisme* upset
dérision *f* derision; ***tourner en ~*** deride
dérisoire derisory, laughable
dérivatif *m* diversion; **dériver** **1** *v/t* MATH derive; *cours d'eau* divert **2** *v/i* MAR, AVIAT drift; ***~ de*** *d'un mot* be derived from
dermatologue *m/f* dermatologist
dernier, **-ère** last; (*le plus récent*) *mode*, *roman etc* latest; *extrême* utmost; ***ce ~*** the latter; **dernièrement** recently, lately
dérobée: ***à la ~*** furtively; **dérober** steal; ***~ qch à qn*** rob s.o. of sth, steal sth from s.o.; ***se ~ à*** *discussion* shy away from; *obligations* shirk
déroger JUR: ***~ à*** make an exception to, depart from
déroulement *m* unfolding; ***le ~ du projet*** the running of the project; **dérouler** unroll; *bobine*, *câble* unwind; ***se ~*** take place; *d'une cérémonie* go (off)
dérouter (*déconcerter*) disconcert
derrière **1** *adv* behind **2** *prép* behind **3** *m* back; ANAT bottom; ***de ~*** *patte etc* back *atr*
dès from, since; ***~ lors*** from then on; (*par conséquent*) consequently; ***~ lundi*** as of Monday; ***~ que*** as soon as
désabuser disillusion
désaccord *m* disagreement
désaffecté disused; *église* deconsecrated
désagréable unpleasant, disagreeable
désappointement *m* disappointment
désapprobateur, **-trice** dis-

approving
désapprouver disapprove of
désarmement *m* MIL disarmament; **désarmer** disarm (*aussi fig*)
désarroi *m* disarray
désastre *m* disaster
désavantage *m* disadvantage; **désavantager** put at a disadvantage
désaveu *m* disowning; *d'un propos* retraction; **désavouer** disown; *propos* retract
descendance *f* descendants *pl*; **descendant**, **~e** *m/f* descendant
descendre 1 *v/i* go/come down; *d'un bus* get off; *d'une voiture* get out; *de température*, *prix* go down; *d'un chemin* drop; AVIAT descend; ***~ chez qn*** stay with s.o.; ***~ de qn*** be descended from s.o. **2** *v/t* (*porter vers le bas*) bring down; (*emporter*) take down; *passager* drop off; F (*abattre*) shoot down; *vallée*, *rivière* descend; ***~ les escaliers*** come/go downstairs; **descente** *f* descent; (*pente*) slope; *en parachute* jump; ***~ de lit*** bedside rug
description *f* description
désemparé at a loss
déséquilibré PSYCH unbalanced
désert 1 *adj* deserted; ***une île ~e*** a desert island **2** *m* desert; **déserter** desert; **déserteur** *m* MIL deserter
désertification *f* desertification
désertion *f* desertion
désespérant depressing
désespérer 1 *v/t* drive to despair **2** *v/i* despair
désespoir *m* despair; ***en ~ de cause*** in desperation
déshabillé *m* negligee; **déshabiller** undress; ***se ~*** get undressed
déshériter disinherit
déshonorer disgrace, bring dishonor *ou Br* dishonour on
déshydraté *aliments* dessicated; *personne* dehydrated; **déshydrater**: ***se ~*** become dehydrated
design *m*: ***~ d'intérieurs*** interior design
désigner (*montrer*) point to, point out; (*appeler*) call; (*nommer*) appoint (***pour*** to), designate
désillusion *f* disillusionment
désinfectant *m* disinfectant
désintéressé disinterested, impartial; (*altruiste*) selfless; **désintéresser**: ***se ~ de*** lose interest in
désintoxication *f*: ***faire une cure de ~*** go into detox
désinvolture *f* casualness
désir *m* desire; (*souhait*) wish
désirer want; *sexuellement* desire; ***~ faire qch*** want to do sth; **désireux**, **-euse** ea-

ger (***de faire*** to do)
désister POL: ***se ~*** withdraw, stand down
désobéir disobey; ***~ à*** disobey; **désobéissant** disobedient
désobligeant disagreeable
désodorisant *m* deodorant
désolé upset (***de*** about, over); ***je suis ~*** I am so sorry
désopilant hilarious
désordre *m* untidiness; ***en ~*** untidy
désorganisé disorganized
désormais now; *à partir de maintenant* from now on
désosser remove the bones from
despote *m* despot; **despotique** despotic
dessécher dry out; *de fruits* dry
dessein *m* intention; ***à ~*** intentionally; ***dans le ~ de faire qc*** with the intention of doing sth
desserrer loosen
dessert *m* dessert
desservir *des transport publics* serve; (*s'arrêter à*) stop at; *table* clear; ***~ qn*** do s.o. a disservice
dessin *m* drawing; (*motif*) design; **dessiner** draw
dessoûler F sober up
dessous 1 *adv* underneath; ***en ~*** underneath **2** *m* underside; ***ci-~*** below; ***les voisins du ~*** the downstairs neighbors
dessous-de-plat m inv table mat
dessus 1 *adv* on top; ***sens ~ dessous*** upside down; ***en ~*** on top; ***par-~*** over; ***ci-~*** above **2** *m* top; ***les voisins du ~*** the upstairs neighbors; ***avoir le ~*** *fig* have the upper hand; **dessus-de-lit** *m inv* bedspread
déstabilisant unnerving; **déstabiliser** destabilize
destin *m* destiny, fate
destinataire *m* addressee; **destination** *f* destination; **destinée** *f* destiny; **destiner** mean, intend (***à*** for)
destituer dismiss; MIL discharge
destructeur, **-trice** destructive; **destruction** *f* destruction
désuet, **-ète** obsolete; *mode* out of date
détachable detachable; **détacher** detach; *ceinture* undo; *chien* release; *employé* second; (*nettoyer*) clean; ***se ~ sur*** stand out against
détail *m* detail; COMM retail trade; ***vendre au ~*** sell retail; ***prix*** *m* ***de ~*** retail price; ***en ~*** detailed
détaillant *m* retailer
détartrage *m* descaling
détecteur *m* sensor
détective *m* detective
déteindre fade; ***~ sur*** come off on; *fig* rub off on
détendre slacken; ***se ~*** *d'une*

corde slacken; *fig* relax
détenir hold; JUR detain, hold
détente *f d'une arme* trigger; *fig* relaxation; POL détente
détention *f* holding; JUR detention
détenu, **~e** *m/f* inmate
détergent *m* detergent
détériorer damage; ***se ~*** deteriorate
déterminant decisive; **déterminer** establish, determine
déterrer dig up
détester detest, hate
détonation *f* detonation
détour *m* detour; *d'un chemin, fleuve* bend; ***sans ~*** *fig: dire qch* straight out
détourné *fig* indirect; **détourner** *trafic* divert; *avion* hijack; *tête, yeux* turn away; *de l'argent* embezzle; ***se ~*** turn away
détresse *f* distress
détriment *m*: ***au ~ de*** to the detriment of
détritus *m* garbage, *Br* rubbish
détroit *m* strait
détromper put right
détruire destroy; (*tuer*) kill
dette *f* debt
deuil *m* mourning; ***il y a eu un ~ dans sa famille*** there's been a bereavement in his family
deux 1 *adj* two; ***les ~*** both; ***nous ~*** the two of us, both of us; ***~ fois*** twice **2** *m* two; ***en ~*** in two, in half; ***~ à*** *ou* ***par ~*** in twos, two by two;
deuxième second; *étage* third, *Br* second; **deux-pièces** *m inv bikini* two-piece swimsuit; *appartement* two-room apartment; **deux-points** *m inv* colon
dévaliser *banque* rob, raid; *maison* burglarize, *Br* burgle; *personne* rob; *fig: frigo* raid
dévalorisant demeaning; **dévalorisation** *f* drop in value; *fig* belittlement; **dévaloriser** devalue; *fig* belittle
dévaluation *f* devaluation;
dévaluer devalue
devancer be ahead of; *désir, objection* anticipate
devant 1 *adv* in front; ***droit ~*** straight ahead **2** *prép* in front of; ***passer ~ l'église*** go past the church; ***~ Dieu*** before God **3** *m* front
devanture *f* shop window
dévaster devastate
développement *m* development; **développer** develop; ***se ~*** develop
devenir become; ***il devient vieux*** he's getting old; ***que va-t-il ~?*** what's going to become of him?
dévergondé *sexuellement* promiscuous
déverser *ordures* dump; *passagers* disgorge
dévêtir undress
déviation *f d'une route* detour; (*écart*) deviation

dévier 1 *v/t* divert, reroute **2** *v/i* deviate (**de** from)
deviner guess
devis *m* estimate
dévisager stare at
devise *f* FIN currency; (*moto, règle de vie*) motto; **~s étrangères** foreign currency
dévisser unscrew
dévoiler unveil; *secret* reveal, disclose
devoir 1 *v/t de l'argent* owe **2** *v/aux*: ***il doit le faire*** he has to do it, he must do it; ***il aurait dû me le dire*** he should have told me; ***tu devrais l'acheter*** you should buy it; ***ça doit être cuit*** it should be done **3** *m* duty; *pour l'école* homework
dévorer devour
dévouement *m* devotion; **dévouer**: ***se ~ pour*** dedicate one's life to
dextérité *f* dexterity, skill
diabète *m* diabetes *sg*
diable *m* devil; **diabolique** diabolical
diagnostic *m* MÉD diagnosis; **diagnostiquer** MÉD diagnose
diagonal, ~e 1 *adj* diagonal **2** *f* diagonal (line); ***en ~e*** diagonally
diagramme *m* diagram
dialogue *m* dialog, *Br* dialogue
diamant *m* diamond
diamètre *m* diameter
diapositive *f* slide
diarrhée *f* diarrhea, *Br* diarrhoea
dictateur *m* dictator; **dictature** *f* dictatorship
dictée *f* dictation
dictionnaire *m* dictionary
diesel *m* diesel
diète *f* diet
Dieu *m* God; ***~ merci!*** thank God!
diffamer slander
différence *f* difference; **différencier** differentiate
différend *m* dispute
difficile difficult; (*exigeant*) hard to please; **difficulté** *f* difficulty
difformité *f* deformity
diffusion *f* spread; RAD, TV broadcast; *de chaleur etc* diffusion
digérer digest
digestion *f* digestion
digital digital; ***empreinte f ~e*** fingerprint
digne (*plein de dignité*) dignified; ***~ de*** worthy of; **dignité** *f* dignity; (*charge*) office
digue *f* dyke
dilapider squander
dilater expand; *pupille* dilate
dilemme *m* dilemma
diluer dilute
dimanche *m* Sunday
dimension *f* dimension; (*taille*) size; *d'une faute* magnitude
diminuer 1 *v/t nombre, prix* reduce; *joie, forces* diminish; *mérites* detract from;

souffrances lessen, decrease **2** *v/i* decrease
diminutif *m* diminutive; **diminution** *f* decrease, decline; *d'un nombre, prix* reduction
dinde *f* turkey; **dindon** *m* turkey
dîner 1 *v/i* dine **2** *m* dinner
dingue F crazy, nuts F
diplomate *m* diplomat; **diplomatie** *f* diplomacy
diplôme *m* diploma; *universitaire* degree; **diplômé** diploma holder; *de l'université* graduate
dire say; (*informer, réveler, ordonner*) tell; ***~ à qn de faire qch*** tell s.o. to do sth; ***à vrai ~*** to tell the truth; ***cela va sans ~*** that goes without saying
direct direct; ***en ~*** *émission* live; **directement** directly;
directeur, -trice 1 *adj comité* management **2** *m/f* manager; *plus haut dans la hiérarchie* director; ÉDU principal, *Br* head teacher; **direction** *f* (*sens*) direction; (*gestion, directeurs*) management; AUTO steering; ***~ assistée*** power steering; **directive** *f* instruction; *de l'UE* directive
dirigeant *m* leader; **diriger** manage, run; *pays* lead; *orchestre* conduct; *voiture* steer; *arme, critique* aim (***contre*** at); *regard, yeux* turn (***vers*** to); *personne* direct; ***se ~ vers*** head for
discerner make out; ***~ le bon du mauvais*** tell good from bad
discipline *f* discipline
disc-jockey *m* disc jockey, DJ
discontinu *ligne* broken; *effort* intermittent
discorde *f* discord
discothèque *f* (*boîte*) discotheque, disco; *collection* record library
discours *m* speech
discréditer discredit
discret, -ète (*qui n'attire pas l'attention*) unobtrusive; *couleur* quiet; *robe* simple; (*qui garde le secret*) discreet; **discrétion** *f* discretion
discrimination *f* discrimination
disculper clear, exonerate; ***se ~*** clear o.s.
discussion *f* discussion; (*altercation*) argument; **discuter** discuss; (*contester*) question
disjoncter 1 *v/t* ÉL break **2** *v/i* F be crazy; **disjoncteur** *m* circuit breaker
disparaître disappear; (*mourir*) die; *d'une espèce* die out; ***faire ~*** get rid of
disparition *f* disappearance; (*mort*) death; ***espèce en voie de ~*** endangered species
dispenser: ***~ qn de (faire) qc*** excuse s.o. from (doing) sth

disperser disperse; ***se ~*** (*faire trop de choses*) spread o.s. too thin
disponibilité *f* availability; **disponible** available
disposer (*arranger*) arrange; ***~ de qn/qc*** have s.o./sth at one's disposal; ***se ~ à faire qc*** get ready to do sth
dispositif *m* device
disposition *f* (*arrangement*) arrangement; *d'une loi* provision; (*humeur*) mood; (*tendance*) tendency; ***être à la ~ de qn*** be at s.o.'s disposal; ***avoir des ~s pour qch*** have an aptitude for sth
disputer *match* play; ***~ qc à qn*** compete with s.o for sth.; ***se ~*** quarrel, fight
disqualifier disqualify
disque *m* disk; SP discus; ***~ compact*** compact disc; **disquette** *f* diskette, disk; ***~ de sauvegarde*** backup disk
dissertation *f* ÉDU essay
dissimuler conceal, hide (***à*** from)
dissiper dispel; *brouillard* disperse; *fortune* squander; ***se ~*** *du brouillard* clear
dissoudre dissolve
dissuader: ***~ qn de faire qc*** dissuade s.o. from doing sth, persuade s.o. not to do sth; **dissuasion** *f* dissuasion
distance *f* distance; ***prendre ses ~s avec qn*** distance o.s. from s.o.; **distancer** outdistance
distiller distill; **distillerie** *f* distillery
distinct distinct; ***~ de*** different from; **distinctif**, **-ive** distinctive; **distinguer** (*percevoir*) make out; (*différencier*) distinguish (***de*** from); ***se ~*** (*être différent*) stand out (***de*** from)
distraction *f* (*passe-temps*) amusement; (*inattention*) distraction
distraire *du travail, des soucis* distract (***de*** from); (*divertir*) amuse, entertain; ***se ~*** amuse o.s.; **distrait** absent-minded
distribuer distribute; *courrier* deliver; **distributeur** *m* distributor; ***~ automatique*** vending machine
dit (*surnommé*) referred to as; (*fixé*) appointed
divaguer talk nonsense
divan *m* couch
diverger diverge; *d'opinions* differ
divers (*différent*) different, varied; *au pl* (*plusieurs*) various
diversifier diversify
diversion *f* diversion
diversité *f* diversity
divertir amuse, entertain; **divertissement** *m* amusement, entertainment
divin divine; **divinité** *f* divinity
diviser divide; ***se ~*** be divided (***en*** into); **division** *f* divi-

sion

divorce *m* divorce; ***demander le ~*** ask for a divorce; **divorcé, ~e** *m/f* divorcee; **divorcer** get a divorce (***d'avec*** from)

dix ten; **dix-huit** eighteen; **dixième** tenth; **dix-neuf** nineteen; **dix-sept** seventeen; **dizaine** *f*: ***une ~ de*** about ten, ten or so

D.J. *m/f* (= ***disc-jockey***) DJ, deejay (= disc jockey)

docile docile

docteur *m* doctor; **doctorat** *m* doctorate, PhD

doctrine *f* doctrine

document *m* document; **documentation** *f* documentation; **documenter**: ***se ~*** collect information

dodu chubby

dogmatique dogmatic

doigt *m* finger; ***~ de pied*** toe; ***croiser les ~s*** keep one's fingers crossed

dollar *m* dollar

domaine *m* estate; *fig* domain

dôme *m* dome

domestique 1 *adj* domestic **2** *m* servant

domicile *m* place of residence; **domicilié**: ***~ à*** resident at

domination *f* domination; **dominer 1** *v/t* dominate **2** *v/i* (*prédominer*) be predominant; ***se ~*** control o.s.

dommage *m*: (***quel***) ***~!*** what a pity!; ***c'est ~ que*** (+ *subj*) it's a pity (that); ***~s et intérêts*** JUR damages

dompter *animal* tame; *rebelle* subdue; **dompteur** *m* trainer

DOM-TOM *mpl* (= ***départements et territoires d'outre-mer***) overseas departments and territories of France

don *m* donation; (*cadeau, aptitude*) gift; ***~ du ciel*** godsend; **donation** *f* donation

donc *conclusion* so; ***écoutez ~!*** do listen!; ***comment ~?*** how (so)?; ***allons ~!*** come on!

données *fpl* data *sg* (*aussi* INFORM), information; **donner 1** *v/t* give **2** *v/i*: ***~ sur la mer*** look onto the sea

dont whose; ***le film ~ elle parlait*** the movie she was talking about; ***la manière ~ elle me regardait*** the way (in which) she was looking at me

doré *bijou* gilded; *couleur* golden

dorénavant from now on

dorer gild

dormeur, -euse *m/f* sleeper; **dormir** sleep

dortoir *m* dormitory

dos *m* back; ***~ d'âne*** *m* speed bump; *pont* hump-backed bridge

dose *f* MÉD dose; PHARM proportion; **doser** measure out

dossier *m d'une chaise* back

f; *de documents* file, dossier; **~ *médical*** medical record(s)

douane *f* customs *pl*; **douanier, -ère 1** *adj* customs *atr* **2** *m/f* customs officer

double 1 *adj* double **2** *m deuxième exemplaire* duplicate; *au tennis* doubles (match); ***le ~*** double, twice as much; **doubler 1** *v/t* double; AUTO pass, *Br* overtake; *film* dub; *vêtement* line **2** *v/i* double; **doublure** *f d'un vêtement* lining

doucement gently; (*bas*) softly; (*lentement*) slowly; **douceur** *f d'une personne* gentleness; ***~s*** (*jouissance*) pleasures; (*sucreries*) sweet things

douche *f* shower; ***prendre une ~*** shower, take a shower

doué gifted; ***~ de qc*** endowed with sth

douleur *f* pain

douloureux, -euse painful

doute *m* doubt; ***sans ~*** without doubt; ***sans aucun ~*** undoubtedly; **douter**: ***~ de qn/qch*** doubt s.o./sth; ***se ~ de qc*** suspect sth; ***se ~ que*** suspect that; **douteux, -euse** doubtful

doux, douce sweet; *temps* mild; *personne* gentle; *au toucher* soft

douzaine *f* dozen; **douze** twelve; **douzième** twelfth

dragée *f* sugared almond

draguer *rivière* dredge; F *femmes* try to pick up; **dragueur** *m* F ladies' man

dramatique dramatic; **dramatiser** dramatize; **drame** *m* drama

drap *m de lit* sheet

drapeau *m* flag

drap-housse *m* fitted sheet

dresser put up; *contrat* draw up; *animal* train; ***~ qn contre qn*** set s.o. against s.o.; ***se ~*** straighten up; *d'une tour* rise up; *d'un obstacle* arise

drogue *f* drug; ***~ douce*** soft drug; ***~ récréative*** recreational drug; **drogué, ~e** *m/f* drug addict; **droguer** drug; MÉD (*traiter*) give medication to; ***se ~*** take drugs; MÉD *péj* pop pills; **droguerie** *f* hardware store

droit 1 *adj côté* right; *ligne* straight; (*debout*) erect; (*honnête*) upright **2** *adv* ***tout ~*** straight ahead **3** *m* right; (*taxe*) fee; JUR law; ***être en ~ de faire qch*** be entitled to do sth; ***~s d'auteur*** royalties

droite *f* right; *côté* right-hand side; ***à ~*** on the right(-hand side)

drôle funny; ***une ~ d'idée*** a funny idea

dubitatif, -ive doubtful

duc *m* duke

duchesse *f* duchess

duel *m* duel

dûment duly

dune *f* (sand) dune
Dunkerque Dunkirk
duper dupe
duplex *m* duplex
duquel → ***lequel***
dur 1 *adj* hard; *climat* harsh; *viande* tough **2** *adv travailler, frapper* hard
durable durable, lasting; *croissance, utilisation de matières premières* sustainable
durant during; ***des années ~*** for years
durcir 1 *v/t* harden **2** *v/i*: ***se ~*** harden
durée *f* duration; ***~ de vie*** life; *d'une personne* life expectancy
durement harshly; ***être frappé ~ par*** be hard hit by
durer last
duvet *m* down; (*sac de couchage*) sleeping bag
DVD *m* DVD (= digitally versatile disk)
dynamique 1 *adj* dynamic **2** *f* dynamics
dynamo *f* dynamo
dyslexique dyslexic

E

eau *f* water; ***tomber à l'~*** fall in the water; *fig* fall through; ***~ courante*** running water; ***~ gazeuse*** carbonated water, *Br* fizzy water; ***~ de Javel*** bleach
eau-de-vie *f* brandy
ébahi dumbfounded
ébaucher *tableau, roman* rough out; *texte* draft; ***~ un sourire*** smile faintly
ébéniste *m* cabinetmaker
éblouir dazzle (*aussi fig*)
éboueur *m* garbageman, *Br* dustman
éboulement *m* landslide
ébouriffé tousled; **ébouriffer** *cheveux* ruffle
ébranler shake; ***s'~*** move off
ébriété *f* inebriation
ébruiter *nouvelle* spread
ébullition *f* boiling point; ***être en ~*** be boiling
écaille *f de coquillage, tortue* shell; *de poisson* scale; *de peinture, plâtre* flake; *matière* tortoiseshell; **écailler** *poisson* scale; *huître* open; ***s'~*** *de peinture* flake (off); *de vernis à ongles* chip
écart *m* (*intervalle*) gap; (*différence*) difference; *moral* indiscretion; ***à l'~*** at a distance (**de** from)
écarter *jambes* spread; *fig*: *idée* reject; *danger* avert; ***s'~ de*** (*s'éloigner*) stray from
écervelé scatterbrained
échafaudage *m* scaffolding
échancré low-cut
échange *m* exchange; ***~s extérieurs*** foreign trade; ***en ~***

in exchange (**de** for); **échanger** exchange (**contre** for); **échangeur** *m* interchange
échantillon *m* COMM sample
échappement *m* AUTO exhaust; **tuyau** *m* **d'~** tail pipe;
échapper *d'une personne* **~ à qn** escape from s.o.; **~ à qc** escape sth; **l'~ belle** have a narrow escape; **s'~** escape
écharde *f* splinter
écharpe *f* scarf; *de maire* sash; **en ~** MÉD in a sling
échauffer heat; **s'~** SP warm up; **~ les esprits** get people excited
échéance *f d'un contrat* expiration date, *Br* expiry date; *de police* maturity
échec *m* failure; **essuyer un ~** meet with failure
échecs *mpl* chess; **jouer aux ~** play chess
échelle *f* ladder; *d'une carte, des salaires* scale; **à l'~ mondiale** on a global scale
échelonner space out; *paiements* spread, stagger (**sur un an** over a year)
échevelé disheveled, *Br* dishevelled
échiner F: **s'~ à faire qch** go to great lengths to do sth
échiquier *m* chessboard
écho *m* echo
échotier, **-ère** *m/f* gossip columnist
échouer fail; **(s')~** *d'un bateau* run aground
éclabousser spatter
éclair *m* flash of lightning; CUIS eclair; **comme un ~** in a flash; **éclairage** *m* lighting
éclaircie *f* clear spell; **éclaircir** lighten; *fig: mystère* clear up; **s'~** *du ciel* clear
éclairer light; **~ qn** light the way for s.o.; *fig* enlighten s.o.
éclat *m de verre* splinter; *de métal* gleam; *des yeux* sparkle; *de couleurs, fleurs* vividness; **~ de rire** peal of laughter; **un ~ d'obus** a piece of shrapnel; **éclatant** dazzling; *couleur* vivid; *rire* loud; **éclater** *d'une bombe* blow up, explode; *d'un ballon, pneu* burst; *d'un coup de feu* ring out; *d'une guerre, d'un incendie* break out; *fig: d'un groupe, parti* break up; **~ en sanglots** burst into tears
éclipser eclipse (*aussi fig*); **s'~** F vanish, disappear
éclore *d'un oiseau* hatch out; *de fleurs* open
écluse *f* lock
écœurement *m* disgust; (*découragement*) discouragement; **écœurer** disgust, sicken; (*décourager*) dishearten; **~ qn** *d'un aliment* make s.o. feel nauseous
école *f* school; **~ maternelle** nursery school; **~ primaire** elementary school, *Br* primary school **~ publique** state school; **écolier** *m*

schoolboy; **écolière** *f* schoolgirl
écologie *f* ecology; **écologique** ecological
économe economical, thrifty
économie *f* economy; *science* economics *sg*; **~ souterraine** black economy; **~s** savings; **économiser** save; **~ sur qc** save on sth; **économiseur** *m* **d'écran** INFORM screen saver
écorce *f d'un arbre* bark; *d'un fruit* rind
écorcher *animal* skin; (*égratigner*) scrape; *fig*: *nom*, *mot* murder
écossais, **~e** Scottish; **Écossais**, **~e** *m/f* Scot; **Écosse** *f*: **l'~** Scotland
écoulement *m* flow; COMM sale; **écouler** COMM sell; **s'~** flow; *du temps* pass; COMM sell
écourter shorten; *vacances* cut short
écoute *f*: **être à l'~** be always listening out; **aux heures de grande ~** RAD at peak listening times; TV at peak viewing times; **écouter 1** *v/t* listen to **2** *v/i* listen; **écouteur** *m* TÉL receiver; **~s** RAD headphones
écran *m* screen; **porter à l'~** TV adapt for television; **~ tactile** touch screen; **~ plan** flat screen; **~ total** sunblock
écrasant overwhelming; **écraser** crush; *cigarette* stub out; (*renverser*) run over; **s'~ au sol** *d'un avion* crash
écrémé: **lait** *m* **~** skimmed milk
écrevisse *f* crayfish
écrier: **s'~** cry out
écrire write; **comment est-ce que ça s'écrit?** how do you spell it?; **écrit** *m* document; **l'~** *examen* the written exam; **par ~** in writing; **écriteau** *m* notice; **écriture** *f* writing; COMM entry; **les** (**Saintes**) **Écritures** Holy Scripture
écrivain *m* writer
écrou *m* nut
écrouler: **s'~** collapse
écru *couleur* natural
écueil *m* reef; *fig* pitfall
éculé *chaussure* worn-out; *fig* hackneyed
écume *f* foam
écureuil *m* squirrel
écurie *f* stable
édenté toothless
édifice *m* building; **édifier** erect; *fig* build up
éditer *livre* publish; *texte* edit; **éditeur**, **-trice** *m/f* publisher; (*commentateur*) editor; **édition** *f* publishing; *action de commenter* editing; (*tirage*) edition; **maison** *f* **d'~** publishing house; **éditorial** *m* editorial
édredon *m* eiderdown
éducatif, **-ive** educational; **education** *f* education; (*culture*) upbringing
éduquer educate; (*élever*)

bring up

effacer erase; ***s'~*** *d'une inscription* wear away; *d'une personne* fade into the background

effarement *m* fear; **effarer** frighten

effectif, **-ive 1** *adj* effective **2** *m* manpower, personnel; **effectivement** true enough

effectuer carry out

efféminé *péj* effeminate

effervescent effervescent; *fig*: *foule* excited

effet *m* effect; COMM bill; ***en ~*** sure enough; ***faire de l'~*** have an effect; ***~s*** (personal) effects

efficace *remède* effective; *personne* efficient; **efficacité** *f* effectiveness; *d'une personne* efficiency

effleurer brush against; (*aborder*) touch on

effondrement *m* collapse; **effondrer**: ***s'~*** collapse

efforcer: ***s'~ de faire qch*** try very hard to do sth

effort *m* effort; ***faire un ~*** make an effort, try a bit harder

effraction *f* JUR breaking and entering

effrayant frightening; **effrayer** frighten; ***s'~*** be frightened (***de*** at)

effroi *m* fear

effronterie *f* impertinence, effrontery

effroyable terrible, dreadful

égal 1 *adj* equal; *surface* even; *vitesse* steady; ***ça lui est ~*** it's all the same to him **2** *m* equal; ***sans ~*** unequaled, *Br* unequalled; **également** (*pareillement*) equally; (*aussi*) as well, too; **égaler** equal; **égaliser 1** *v/t haies*, *cheveux* even up; *sol* level **2** *v/i* SP tie the game, *Br* equalize; **égalité** *f* equality; *en tennis* deuce; ***être à ~*** be level; *en tennis* be at deuce

égard *m*: ***à cet ~*** in that respect; ***à l'~ de qn*** to(ward) s.o.; ***par ~ pour*** out of consideration for; ***~s*** respect

égarer *personne* lead astray; *chose* lose; ***s'~*** get lost; *du sujet* stray from the point

égayer cheer up

église *f* church

égocentrique egocentric

égoïsme *m* selfishness, egoism; **égoïste 1** *adj* selfish **2** *m/f* egoist

égorger: ***~ qn*** cut s.o.'s throat

égout *m* sewer

égoutter drain

égratignure *f* scratch

Égypte *f*: ***l'~*** Egypt; **égyptien**, **~ne** Egyptian; **Égyptien**, **~ne** *m/f* Egyptian

éjecter eject; F *personne* kick out

élaborer *projet* draw up

élan *m* momentum; SP run-up; *de tendresse* upsurge; *de générosité* fit; (*vivacité*) enthusiasm

élancer *v/i*: ***ma jambe m'élance*** I've got shooting pains in my leg; ***s'~*** dash; SP take a run-up

élargir widen, broaden; *vêtement* let out; *débat* widen

élastique 1 *adj* elastic **2** *m* elastic; *de bureau* rubber band

électeur, -trice *m/f* voter; **élection** *f* election; **électorat** *m droit* franchise; *personnes* electorate

électricien, ~ne *m/f* electrician; **électricité** *f* electricity; ***~ statique*** static (electricity); **électrique** electric; **électriser** electrify

électrocuter electrocute

électroménager: ***appareils*** *mpl* ***~s*** household applicances

électronique 1 *adj* electronic; ***livre ~*** e-book, electronic book **2** *f* electronics

élégance *f* elegance; **élégant** elegant

élément *m* element; (*composante*) component; *d'un puzzle* piece; ***~s*** (*rudiments*) rudiments; **élémentaire** elementary

éléphant *m* elephant

élevage *m* breeding; ***~ (du bétail)*** cattle farming

élève *m/f* pupil

élevé high; *esprit* noble; *style* elevated; ***bien/mal ~*** well/badly brought up; **élever** raise; *prix, température* raise, increase; *statue* put up, erect; *enfants* bring up, raise; *animaux* breed; ***s'~*** rise; *d'une tour* rise up; *d'un cri* go up; ***s'~ contre*** rise up against; ***s'~ à*** amount to; **éleveur, -euse** *m/f* breeder

élimination *f* elimination; *des déchets* disposal; **éliminatoire** *f* qualifying round; **éliminer** eliminate; *difficultés* get rid of

élire elect

elle *f* she; *après prép* her; *chose* it

elle-même herself; *chose* itself

elles *fpl* they; *après prép* them

elles-mêmes themselves

éloigné remote

éloigner move away; *soupçon* remove; ***s'~*** move away (***de*** from); ***s'~ de qn*** distance o.s. from s.o.

éloquence *f* eloquence; **éloquent** eloquent

élu, ~e 1 *adj*: ***le président ~*** the President elect **2** *m/f* POL (elected) representative

élucider *mystère* clear up; *question* clarify

émacié emaciated

e-mail *m* e-mail

émanciper emancipate; ***s'~*** become emancipated

emballage *m* packaging; **emballer** package; *fig* F thrill; ***s'~*** *d'un moteur* race; *fig* F

get excited; ***emballé sous vide*** vacuum packed
embargo *m* embargo
embarquer 1 *v/t* load **2** *v/i ou* ***s'~*** embark; ***s'~ dans*** F get involved in
embarras *m* difficulty; (*gêne*) embarrassment; ***être dans l'~*** be in an embarrassing position; *sans argent* be short of money; **embarrassant** embarrassing; (*encombrant*) cumbersome; **embarrasser** embarrass; (*encombrer*) *escaliers* clutter up
embaucher take on, hire
embellir 1 *v/t* make more attractive; *fig* embellish **2** *v/i* become more attractive
embêtant F annoying; **embêter** F (*ennuyer*) bore; (*contrarier*) annoy; ***s'~*** be bored
emblème *m* emblem
emboîter insert; ***~ le pas à qn*** fall into step with s.o. (*aussi fig*); ***s'~*** fit together
embolie *f* embolism
embonpoint *m* stoutness
embouchure *f* GÉOGR mouth; MUS mouthpiece
embouteillage *m* traffic jam
emboutir crash into
embranchement *m* branch; (*carrefour*) intersection, *Br* junction
embrasser kiss; *période*, *thème* take in, embrace; *métier* take up; ***~ du regard*** take in at a glance
embrayage *m* AUTO clutch; *action* letting in the clutch
embrouiller muddle; ***s'~*** get muddled
embryon *m* embryo
éméché F tipsy
émeraude *f & adj* emerald
émerger emerge
émerveiller amaze; ***s'~*** be amazed (***de*** by)
émetteur *m* RAD, TV transmitter
émettre *radiations etc* give off, emit; RAD, TV broadcast, transmit; *opinion* voice; *action*, *nouveau billet* issue; *emprunt* float
émeute *f* riot
émietter crumble
émigration *f* emigration; **émigré**, **~e** *m/f* emigré; **émigrer** emigrate
émincer cut into thin slices
éminent eminent
émission *f* emission; RAD, TV program, *Br* programme; COMM, FIN issue
emmagasiner store
emmêler *fils* tangle; *fig* muddle
emménager: ***~ dans*** move into
emmener take
emmerder F: ***~ qn*** get on s.o.'s nerves; ***s'~*** be bored rigid
emmitoufler wrap up; ***s'~*** wrap up
émotion *f* emotion; F (*frayeur*) fright
émouvant moving; **émouvoir**

(*toucher*) move; ***s'~*** be moved
emparer: ***s'~ de*** seize; *clés, héritage* grab; *des doutes, de la peur* overcome
empâter: ***s'~*** thicken
empêchement *m*: ***j'ai eu un ~*** something has come up; **empêcher** prevent; ***~ qn de faire qc*** prevent *ou* stop s.o. doing sth; **(*il*) *n'empêche que*** nevertheless
empereur *m* emperor
empiéter: ***~ sur*** encroach on
empiffrer F: ***s'~*** stuff o.s.
empiler pile (up)
empire *m* empire; *fig* (*maîtrise*) control
empirer get worse, deteriorate
emplacement *m* site
emplette *f* purchase; ***faire des ~s*** go shopping
emplir fill; ***s'~*** fill (***de*** with)
emploi *m* (*utilisation*) use; ÉCON employment; ***~ du temps*** schedule, *Br* timetable; ***chercher un ~*** be looking for work *ou* for a job
employé, **~e** *m/f* employee; **employer** use; *personnel* employ; ***s'~ à faire qc*** strive to do sth; **employeur**, **-euse** *m/f* employer
empocher pocket
empoigner grab, seize
empoisonner poison
emporter take; *prisonnier* take away; (*entraîner, arracher*) carry away; *du courant* sweep away; *d'une maladie* carry off; ***l'~ sur qn/qc*** get the better of s.o./sth; ***s'~*** fly into a rage
empreinte *f* impression; *fig* stamp; ***~ génétique*** genetic fingerprint
empresser: ***s'~ de faire qc*** rush to do sth; ***s'~ auprès de qn*** be attentive to s.o.
emprise *f* hold
emprisonnement *m* imprisonment; **emprisonner** imprison
emprunt *m* loan; **emprunter** borrow (***à*** from); *chemin, escalier* take
ému moved, touched
en[1] *prép* in; *direction* to; ***agir ~ ami*** act as a friend; ***~ voiture*** by car; ***~ or*** of gold; *en même temps* while, when; *mode* by
en[2] *pron*: ***qu'~ pensez-vous?*** what do you think about it?; ***il y ~ a deux*** there are two (of them); ***j'~ ai*** I have some; ***j'~ ai cinq*** I have five; ***je n'~ ai pas*** I don't have any; ***il ~ est mort*** he died of it
encadrer *tableau* frame; ***encadré de deux gendarmes*** *fig* flanked by gendarmes
encaisser COMM take; *chèque* cash; *fig* take
en-cas *m* CUIS snack
encastrer build in
enceinte[1] *adj* pregnant
enceinte[2] *f* enclosure; ***~ (acoustique)*** speaker

encens *m* incense
encercler encircle
enchaîner chain up; *fig*: *pensées*, *faits* link (up)
enchanté enchanted; **~!** how do you do?; **enchanter** (*ravir*) delight; (*ensorceler*) enchant
enchère *f* bid; ***vente f aux ~s*** auction
enchevêtrer tangle; *fig*: *situation* confuse; ***s'~*** *de fils* get tangled up; *d'une situation* get muddled
enclin: ***être ~ à faire qch*** be inclined to do sth
encoche *f* notch
encolure *f* neck; *tour de cou* neck (size)
encombrant cumbersome; ***être ~*** *d'une personne* be in the way; **encombrer** *maison* clutter up; *rue*, *passage* block; ***s'~ de*** load o.s. down with
encore *de nouveau* again; (*toujours*) still; ***pas ~*** not yet; ***~ une bière?*** another beer?; ***~ plus rapide*** even faster
encourageant encouraging; **encourager** encourage; *projet*, *entreprise* foster
encrasser dirty; ***s'~*** get dirty
encre *f* ink
encyclopédie *f* encyclopedia
endetter: ***s'~*** get into debt
endeuillé bereaved
endive *f* chicory
endolori painful
endommager damage
endormi asleep; *fig* sleepy; **endormir** send to sleep; *douleur* dull; ***s'~*** fall asleep
endosser *vêtement* put on; *responsabilité* shoulder; *chèque* endorse
endroit *m* (*lieu*) place; *d'une étoffe* right side
enduire: ***~ de*** cover with; **enduit** *m de peinture* coat
endurance *f* endurance
endurcir harden
endurer endure
énergie *f* energy; **énergique** energetic; *protestation* strenuous
énervant irritating; **énerver**: ***~ qn*** (*agacer*) get on s.o.'s nerves; (*agiter*) make s.o. edgy; ***s'~*** get excited
enfance *f* childhood
enfant *m ou f* child
enfer *m* hell (*aussi fig*)
enfermer shut *ou* lock up; *champ* enclose; ***s'~*** shut o.s. up
enfiler *aiguille* thread; *perles* string; *vêtement* slip on; *rue* turn into
enfin (*finalement*) at last; (*en dernier lieu*) lastly, last; (*bref*) in a word
enflammer set light to; *allumette* strike; MÉD inflame; *fig*: *imagination* fire; ***s'~*** catch; MÉD become inflamed; *fig*: *de l'imagination* take flight
enfler swell; **enflure** *f* swell-

ing
enfoncer **1** *v/t clou, pieu* drive in; *couteau* thrust, plunge (**dans** into); *porte* break down **2** *v/i dans sable etc* sink (**dans** into); **s'~** sink
enfreindre infringe
enfuir: **s'~** run away
engagement *m* (*obligation*) commitment; *personnel* recruitment; THÉÂT booking; (*mise en gage*) pawning
engager (*lier*) commit (**à** to); *personnel* hire; TECH (*faire entrer*) insert; *discussion* begin; (*entraîner*) involve (**dans** in); THÉÂT book; (*mettre en gage*) pawn; **s'~** (*se lier*) commit o.s. (***à faire qc*** to doing sth); (*commencer*) begin; MIL enlist
engelure *f* chillblain
engendrer *fig* engender
engin *m* machine; MIL missile; F *péj* thing
englober include
engloutir (*dévorer*) devour, wolf down; *fig* engulf
engouffrer devour, wolf down; **s'~ dans** *de l'eau* pour in; *fig*: *dans un bâtiment* rush into; *dans une foule* be swallowed up by
engourdir numb; **s'~** go numb
engraisser fatten
engrenage *m* gear
engueuler F bawl out; **s'~** have an argument
énigme *f* enigma; (*devinette*) riddle
enivrer intoxicate; *fig* exhilarate
enjamber step across; *d'un pont* span
enjeu *m* stake
enjoliveur *m* AUTO wheel trim, hub cap
enjoué cheerful, good humored, *Br* good-humoured
enlèvement *m* (*rapt*) abduction, kidnap; **enlever** take away, remove; *vêtement* take off, remove; (*kidnapper*) abduct, kidnap; ***~ qc à qn*** take sth away from s.o.
enneigé *route* blocked by snow; *sommet* snow-capped
ennemi, **~e** **1** *m/f* enemy **2** *adj* enemy *atr*
ennui *m* boredom; **~s** problems; **ennuyer** (*contrarier, agacer*) annoy; (*lasser*) bore; **s'~** be bored; **ennuyeux**, **-euse** (*contrariant*) annoying; (*lassant*) boring
énoncé *m* statement; *d'une question* wording; **énoncer** state; ***~ des vérités*** state the obvious
énorme enormous; **énormément** enormously; ***~ de*** F an enormous amount of
énormité *f* enormity
enquête *f* inquiry; *policière aussi* investigation; (*sondage d'opinion*) survey; **enquêter**: ***~ sur*** investigate
enraciné deep-rooted
enregistrement *m* registra-

tion; *de disques* recording; AVIAT check-in; **enregistrer** register; *disques* record; *bagages* check in
enrhumer: ***s'~*** catch (a) cold
enrichir enrich; ***s'~*** get richer
enrouer: ***s'~*** get hoarse
enrouler *tapis* roll up; ***~ qc autour de qch*** wind sth around sth
enseignant, **~e** *m/f* teacher
enseignement *m* education; *d'un sujet* teaching; **enseigner** teach (***qc à qn*** s.o. sth)
ensemble 1 *adv* (*simultanément*) together **2** *m* (*totalité*) whole; (*groupe*) group, set; MUS, *vêtement* ensemble; MATH set; ***dans l'~*** on the whole
ensevelir bury
ensoleillé sunny
ensommeillé sleepy
ensuite then; (*plus tard*) after
entacher smear
entaille *f* cut; (*encoche*) notch; **entailler** notch; ***s'~ la main*** cut one's hand
entamer start; *économies* make
entasser *choses* pile up; *personnes* cram
entendre hear; (*comprendre*) understand; (*vouloir dire*) mean; ***~ faire qc*** intend to do sth; ***~ dire que*** hear that; ***s'~*** (***avec qn***) get on (with s.o.); (*se mettre d'accord*) come to an agreement (with s.o.); **entendu** *regard* knowing; ***bien ~*** of course; **entente** *f* agreement
enterrement *m* burial; *cérémonie* funeral; **enterrer** bury
en-tête *m* heading; INFORM header; COMM letterhead; *d'un journal* headline
entêtement *m* stubbornness; **entêter**: ***s'~*** persist (***dans*** in; ***à faire qc*** in doing sth)
enthousiasme *m* enthusiasm; **enthousiasmer**: ***s'~ pour*** be enthusiastic about
enticher: ***s'~ de*** *personne* become infatuated with; *activité* develop a craze for
entier, **-ère** whole, entire; (*intégral*) intact; *confiance*, *satisfaction* full
entonnoir *m* funnel
entorse *f* MÉD sprain
entortiller (*envelopper*) wrap
entourage *m* entourage; (*bordure*) surround; **entourer**: ***~ de*** surround with; ***s'~ de*** surround o.s. with
entraide *f* mutual assistance; **entraider**: ***s'~*** help each other
entrailles *fpl* intestines
entrain *m* liveliness; **entraînement** *m* SP training; TECH drive; **entraîner** (*charrier*, *emporter*) sweep along; SP train; *fig* result in; *frais* entail; *personne* drag; TECH drive; ***s'~*** train
entrave *f fig* hindrance; **entraver** hinder

entre between; ***le meilleur d'~ nous*** the best of us; **~ *autres*** among other things
entrebâiller half open
entrechoquer: ***s'~*** knock against one another
entrecôte *f* rib steak
entrée *f* entrance, way in; *accès au théâtre, cinéma* admission; (*billet*) ticket; (*vestibule*) entry(way); CUIS starter; INFORM *touche* enter (key); *de données* input; **~ *interdite*** no admittance
entrejambe *m* crotch
entrelacer interlace
entremets *m* CUIS dessert
entremise *f*: ***par l'~ de*** through (the good offices of)
entreposer store; **entrepôt** *m* warehouse
entreprenant enterprising; **entreprendre** undertake; **entrepreneur, -euse** *m/f* entrepreneur; **entreprise** *f* enterprise; (*firme*) company, business
entrer 1 *v/i* come/go in, enter; **~ *dans*** come/go into, enter; *voiture* get into; *pays* enter; *catégorie* fall into; *l'armée, le parti etc* join **2** *v/t* bring in; INFORM input, enter
entre-temps in the meantime
entretenir *maison, machine etc* maintain; *famille* keep, support; *amitié* keep up; ***s'~ de qc*** talk to each other about sth
entretien *m* maintenance, upkeep; (*conversation*) conversation
entrevoir glimpse; *fig* foresee
entrevue *f* interview
entrouvrir half open
énumérer list, enumerate
envahir invade; *d'un sentiment* overwhelm; **envahissant** *personne* intrusive; *sentiments* overwhelming
enveloppe *f d'une lettre* envelope; **envelopper** wrap; ***enveloppé de*** *brume, mystère* enveloped in
envenimer poison (*aussi fig*)
envergure *f d'un oiseau, avion* wingspan; *fig* scope; *d'une personne* caliber, *Br* calibre
envers 1 *prép* toward, *Br* towards **2** *m d'une feuille* reverse; *d'une étoffe*: wrong side; ***à l'~*** *pull* inside out; (*en désordre*) upside down
envie *f* (*convoitise*) envy; (*désir*) desire (***de*** for); ***avoir ~ de (faire) qc*** want (to do) sth; **envier** envy; **~ *qc à qn*** envy s.o. sth
environ 1 *adv* about **2** *mpl*: **~*s*** surrounding area; ***dans les ~s*** in the vicinity
environnement *m* environment
envisager (*considérer*) think about; (*imaginer*) envisage
envoi *m* shipment; *d'un fax* sending

envoler: ***s'~*** fly away; *d'un avion* take off; *fig*: *du temps* fly
envoyé *m* envoy; *d'un journal* correspondent; **envoyer** send; *gifle* give
éolienne *f* wind turbine
épais, **~se** thick; *foule* dense; **épaisseur** *f* thickness; **épaissir** thicken
épancher: ***s'~*** pour out one's heart (***auprès de*** to)
épanouir: ***s'~*** blossom
épargne *f* saving; **~s** (*économies*) savings; **épargner** **1** *v/t* save; *personne* spare; ***~ qc à qn*** spare s.o. sth **2** *v/i* save
éparpiller scatter
épars sparse
épatant F great, terrific; **épater** astonish
épaule *f* shoulder
épave *f* wreck (*aussi fig*)
épée *f* sword
épeler spell
éperdu *besoin* desperate; ***~ de*** beside o.s. with
épi *m* ear
épice *f* spice; **épicer** spice; **épicerie** *f* grocery store, *Br* grocer's; **épicier**, **-ère** *m/f* grocer
épidémie *f* epidemic
épier spy on; *occasion* watch for
épilepsie *f* epilepsy; ***crise*** *f* ***d'~*** epileptic fit
épiler remove the hair from
épinards *mpl* spinach
épine *f d'une rose* thorn; *d'un hérisson* spine, prickle; **épineux**, **-euse** *problème* thorny
épingle *f* pin; ***~ de sûreté*** safety pin; ***tiré à quatre ~s*** *fig* well turned-out
Épiphanie *f* Epiphany
épisode *m* episode
éploré tearful
éplucher peel; *fig* scrutinize; **épluchures** *fpl* peelings
éponge *f* sponge; **éponger** sponge down; *flaque* sponge up; *déficit* mop up
époque *f* age, epoch; ***meubles*** *mpl* ***d'~*** period *ou* antique furniture
époumoner: ***s'~*** F shout o.s. hoarse
épouse *f* wife; **épouser** marry; *principe etc* espouse
épousseter dust
époustouflant F breathtaking
épouvantable dreadful
épouvantail *m* scarecrow
épouvanter horrify; *fig* terrify
époux *m* husband; ***les ~*** the married couple
éprendre: ***s'~ de*** fall in love with
épreuve *f* trial; SP event; *imprimerie* proof; *photographie* print; ***à toute ~*** *confiance etc* never-failing; ***à l'~ du feu*** fireproof
éprouver test, try out; (*ressentir*) experience

épuisé exhausted; *livre* out of print; **épuiser** exhaust; **~ *les ressources*** be a drain on resources; ***s'~*** tire o.s. out (***à faire qch*** doing sth); *d'une source* dry up
épurer purify
équateur *m* equator
équilibre *m* balance, equilibrium; **équilibrer** balance
équipage *m* crew
équipe *f* team; *d'ouvriers* gang; **~ *de nuit*** night shift; **~ *de secours*** rescue party; **équipement** *m* equipment; **équiper** equip (***de*** with)
équitable just, equitable
équitation *f* riding
équivalent 1 *adj* equivalent (***à*** to) **2** *m* equivalent
équivoque 1 *adj* equivocal, ambiguous **2** *f* ambiguity; (*malentendu*) misunderstanding
érable *m* BOT maple
érafler scratch; **éraflure** *f* scratch
ère *f* era
érection *f* erection
éreinter exhaust; ***s'~*** exhaust o.s. (***à faire qch*** doing sth)
ériger erect; ***s'~ en*** set o.s. up as
érosion *f* erosion
érotisme *m* eroticism
errer roam; *des pensées* stray
erreur *f* mistake, error; **~ *de calcul*** miscalculation
érudit erudite; **érudition** *f* erudition
éruption *f* eruption; MÉD rash
escabeau *m* (*tabouret*) stool; (*marchepied*) stepladder
escalade *f* climbing; **~ *de*** *violence etc* escalation in; **escalader** climb
escalator *m* escalator
escale *f* stopover; ***faire ~ à*** MAR call at; AVIAT stop over in
escalier *m* stairs *pl*, staircase; ***dans l'~*** on the stairs; **~ *de secours*** fire escape
escalope *f* escalope
escamoter (*dérober*) make disappear; *antenne* retract; *fig*: *difficulté* get around
escapade *f*: ***faire une ~*** get away from it all
escargot *m* snail
escarpement *m* slope
esclaffer: ***s'~*** guffaw, laugh out loud
esclavage *m* slavery; **esclave** *m/f* slave
escompte *m* discount; **escompter** discount; *fig* expect
escorter escort
escrime *f* fencing; **escrimer**: ***s'~*** fight, struggle (***à*** to)
escroc *m* crook
espace *m* space; **espacer** space out; ***s'~*** become more and more infrequent
Espagne *f* Spain; **espagnol**, **~e 1** *adj* Spanish **2** *m langue* Spanish; **Espagnol**, **~e** *m/f* Spaniard
espèce *f* kind, sort (***de*** of); BIOL species; **~ *d'abruti!*** *péj*

idiot!; ***en ~s*** COMM cash
espérer 1 *v/t* hope for; ***~ que*** hope that; ***~ faire qc*** hope to do sth **2** *v/i* hope; ***~ en*** trust in
espiègle mischievous
espion, **~ne** *m/f* spy; **espionnage** *m* espionage, spying; **espionner** spy on
espoir *m* hope
esprit *m* spirit; (*intellect*) mind; (*humour*) wit
esquisse *f* sketch; *fig*: *d'un roman* outline; **esquisser** sketch; *fig*: *projet* outline
esquiver dodge; ***s'~*** slip away
essai *m* (*test*) test, trial; (*tentative*) attempt, try; *en rugby* try; *en littérature* essay; ***à l'~*** on trial
essaim *m* swarm
essayage *m*: ***cabine** f **d'~*** changing cubicle; **essayer** try; (*mettre à l'épreuve, évaluer*) test; *vêtement* try on; ***~ de faire qc*** try to do sth; ***s'~ à qc*** try one's hand at sth
essence *f* essence; *carburant* gas, *Br* petrol; BOT species *sg*
essentiel, **~le 1** *adj* essential **2** *m*: ***l'~*** the main thing; *de sa vie* the main part
essieu *m* axle
essor *m fig* expansion
essorer wring out; *d'une machine à laver* spin
essoufflé out of breath
essuie-glace *m* (windshield) wiper, *Br* (windscreen) wiper; **essuie-mains** *m* hand-towel; **essuyer** wipe; *fig* suffer
est 1 *m* east ***à l'~ de*** (to the) east of **2** *adj* east, eastern
est-ce que: ***~ c'est vrai?*** is it true?; ***est-ce qu'ils se portent bien?*** are they well?
esthéticienne *f* beautician
esthétique esthetic, *Br* aesthetic
estimatif, **-ive** estimated; ***devis** m **~*** estimate; **estimation** *f* estimation; *des coûts* estimate
estime *f* esteem; **estimer** *valeur* estimate; (*respecter*) have esteem for; (*croire*) feel, think; ***s'~ heureux*** consider o.s. lucky
estival summer *atr*
estomac *m* stomach
Estonie *f* Estonia
estrade *f* podium
estropier cripple
estuaire *m* estuary
et and; ***~ … ~ …*** both … and …
étable *f* cowshed
établi *m* workbench
établir *entreprise* establish, set up; , *contact*, *ordre* establish; *salaires*, *prix* set, fix; *facture*, *liste* draw up; *record* set; *culpabilité* establish, prove; *raisonnement*, *réputation* base (**sur** on); ***s'~*** (*s'installer*) settle; **établissement** *m* establishment; *de salaires*, *prix* setting; *d'une facture*, *liste* drawing

up; *d'un record* setting; *d'une loi, d'un impôt* introduction

étage *m* floor, story, *Br* storey; *d'une fusée* stage

étagère *f meuble* bookcase, shelves *pl*; *planche* shelf

étain *m* pewter

étalage *m* display; ***faire ~ de qch*** show sth off; **étaler** *carte* spread out; *peinture, paiements* spread (***sur*** over); *vacances* stagger; *marchandises* display; *fig* (*exhiber*) show off; ***s'~*** *de peinture* spread; *de paiements* be spread out (***sur*** over); (*se vautrer*) sprawl; *par terre* fall flat

étanche watertight; **étancher** make watertight

étang *m* pond

étape *f lieu* stopover, stopping place; *d'un parcours* stage, leg; *fig* stage

état *m* state; (*liste*) statement, list; ***en tout ~ de cause*** in any case, anyway; ***hors d'~*** out of order

États-Unis *mpl*: ***les ~*** the United States

été *m* summer

éteindre *incendie, cigarette* put out; *électricité, radio, chauffage* turn off; ***s'~*** *de feu, lumière* go out; *de télé etc* go off; *euph* (*mourir*) pass away

étendre *malade, enfant* lay (down); *beurre, enduit* spread; *peinture* apply; *bras* stretch out; *linge* hang up; *vin* dilute; *sauce* thin; *influence* extend; ***s'~*** extend, stretch (***jusqu'à*** as far as, to); *d'une personne* lie down; *d'un incendie, d'une maladie* spread; *d'un tissu* stretch; **étendue** *f* extent; *d'eau* expanse; *de connaissances, d'une catastrophe* extent

éternel, ~le eternal; **éternité** *f* eternity

éternuer sneeze

éthique 1 *adj* ethical **2** *f* ethics

étinceler sparkle; **étincelle** *f* spark

étiqueter label (*aussi fig*)

étiquette *f* label; (*protocole*) etiquette

étirer: ***s'~*** stretch

étoffe *f* material; **étoffer** *fig* flesh out

étoile *f* star (*aussi fig*); ***~ filante*** falling star, *Br* shooting star; ***~ de mer*** starfish

étonnement *m* astonishment, surprise; **étonner** astonish, surprise; ***s'~ de*** be astonished *ou* surprised at; ***s'~ que*** (+ *subj*) be suprised that

étouffant stifling, suffocating; **étouffée** CUIS: ***à l'~*** braised; **étouffer** suffocate; *avec un oreiller* smother, suffocate; *fig*: *bruit* quash; *révolte* put down, suppress; *cri* smother; *scandale* hush

up
étourderie *f* foolishness; *action* foolish thing to do
étourdi foolish, thoughtless; **étourdir** daze; **~ qn** *d'alcool, de succès* go to s.o.'s head; **étourdissement** *m* (*vertige*) dizziness, giddiness
étrange strange
étranger, **-ère** **1** *adj* strange; *de l'étranger* foreign **2** *m/f* stranger; *de l'étranger* foreigner **3** *m*: **à l'~** abroad; *investissement* foreign, outward
étrangler strangle; *fig*: *critique, liberté* stifle
être **1** *v/i* be; ***nous sommes lundi*** it's Monday; ***nous avons été éliminé*** we were eliminated; **~ à qn** *appartenir à* belong to s.o. **2** *v/aux* have; ***elle n'est pas encore arrivée*** she hasn't arrived yet; ***elle est arrivée hier*** she arrived yesterday **3** *m* being; *personne* person
étreindre grasp; *ami* embrace, hug; *de sentiments* grip; **étreinte** *f* hug, embrace; *de la main* grip
étrenner use for the first time
étrennes *fpl* New Year's gift
étroit narrow; *tricot* tight, small; *amitié* close; ***être ~ d'esprit*** be narrow-minded
étroitesse *f* narrowness
étude *f* study; *salle à l'école* study room; *de notaire* office; *activité* practice; ***faire des ~s*** study; **~ *de marché*** market research; **étudiant**, **~e** *m/f* student; **étudier** study
étui *m* case
étuvée CUIS: **à l'~** braised
euphorique euphoric
euro *m* euro
Europe *f*: **l'~** Europe; **européen**, **~ne** European; **Européen**, **~ne** *m/f* European
eux *mpl* they; *après prép* them
eux-mêmes *mpl* themselves
évacuation *f* evacuation
évadé *m* escaped prisoner, escapee; **évader**: **s'~** escape
évaluer (*estimer*) evaluate; *tableau, meuble* value; *coût, nombre* estimate
évanouir: **s'~** faint; *fig* vanish, disappear
évaporer: **s'~** evaporate
évasif, **-ive** evasive; **évasion** *f* escape
éveil *m* awakening; **en ~** alert; **éveiller** wake up; *fig* arouse; **s'~** wake up; *fig* be aroused
événement *m* event
éventail *m* fan; *fig*: *de marchandises* range
éventé *boisson* flat; **éventer** fan; *fig*: *secret* reveal
éventualité *f* eventuality, possibility; **éventuel**, **~le** possible
évêque *m* bishop
évertuer: **s'~ *à faire qc*** try one's hardest to do sth
évident obvious

évier *m* sink

éviter avoid; **~ qc à qn** spare s.o. sth; **~ de faire qc** avoid doing sth

évoluer develop, evolve; **évolution** *f* development; BIOL evolution

évoquer *esprits* conjure up; **~ un problème** bring up a problem

exact *nombre*, *poids* exact, precise; *reportage* accurate; *calcul*, *date*, *solution* right, correct; *personne* punctual; **exactitude** *f* accuracy; (*ponctualité*) punctuality

ex æquo: **être ~** tie, draw

exagération *f* exaggeration; **exagérer** exaggerate

exalter excite; (*vanter*) exalt

examen *m* exam; MÉD examination; **passer un ~** take an exam; **être reçu à un ~** pass an exam; **examiner** examine

exaspérer exasperate

excédent *m* excess; *budgétaire*, *de trésorerie* surplus; **~ de bagages** excess baggage; **excéder** exceed; (*énerver*) irritate

excellence *f* excellence; **Excellence** Excellency; **excellent** excellent; **exceller** excel (**dans** in; **en** in, at; **à faire qch** at doing sth)

excepté 1 *adj*: **la Chine ~e** except for China **2** *prép* except; **~ que** except for the fact that; **~ si** unless, except if; **excepter** exclude, except;

exception *f* exception; **à l'~ de** with the exception of; **exceptionnel, ~le** exceptional

excès *m* excess; **à l'~** to excess, excessively; **~ de vitesse** speeding; **excessif, -ive** excessive

excitation *f* excitement; (*provocation*) incitement (**à** to); *sexuelle* arousal; **exciter** excite; (*provoquer*) incite (**à** to); *sexuellement* arouse; *appétit* whet; *imagination* stir

exclamation *f* exclamation; **exclamer**: **s'~** exclaim

exclure exclude

exclusion *f* expulsion; **à l'~ de** to the exclusion of; (*à l'exception de*) with the exception of

exclusivité *f* COMM exclusivity, sole rights *pl*; **en ~** exclusively

excursion *f* trip, excursion

excuse *f* excuse; **~s** apology; **excuser** excuse; **s'~** apologize (**de** for); **excusez-moi** excuse me

exécuter *ordre*, *projet* carry out; MUS perform; *loi*, *jugement* enforce; *condamné* execute; **exécution** *f d'un ordre*, *projet* carrying out; MUS performance; *d'une loi*, *un jugement* enforcement; *d'un condamné* execution

exemplaire 1 *adj* exemplary **2** *m* copy; (*échantillon*) sample; **en deux ~s** in duplicate

exemple *m* example; ***par ~*** for example; ***donner l'~*** set a good example
exempt exempt (***de*** from); *souci* free (***de*** from); **exempter** exempt (***de*** from); **exemption** *f* exemption
exercer *corps* exercise; *influence* exert, use; *pouvoir* use; *profession* practice, *Br* practise; *mémoire* train; MIL drill; ***s'~*** (*s'entraîner*) practice, *Br* practise; **exercice** *m* exercise (*aussi* ÉDU); *d'une profession* practice; COMM fiscal year, *Br* financial year; MIL drill
exhiber exhibit; *document* produce; ***s'~*** make an exhibition of o.s.; **exhibitionniste** *m* exhibitionist
exigeant demanding; **exigence** *f* demand; **exiger** demand
exigu, **~ë** tiny
exil *m* exile; **exilé**, **~e** *m/f* exile; **exiler** exile; ***s'~*** go into exile
existence *f* existence; **exister** exist
exonérer exempt
exorbitant exorbitant
exotique exotic
expansion *f* expansion
expatrier *argent* move abroad *ou* out of the country; ***s'~*** settle abroad
expédier send; COMM ship, send; *travail* do quickly
expéditeur, **-trice** *m/f* sender; COMM shipper, sender; **expédition** *f* sending; COMM shipment; (*voyage*) expedition
expérience *f* experience; *scientifique* experiment
expérimenté experienced; **expérimenter** (*tester*) test
expert, **~e** *adj & m/f* expert; **expertise** *f* (*estimation*) valuation; JUR expert testimony
expier expiate
expiration *f d'un délai* expiration, *Br* expiry; *de souffle* exhalation; **expirer** *d'un contrat, délai* expire; (*respirer*) exhale; (*mourir*) die, expire *fml*
explication *f* explanation; **expliquer** explain; ***s'~*** explain o.s.; ***s'~ avec qn*** talk things over with s.o.
exploit *m sportif, médical* feat; *amoureux* exploit
exploitant, **~e** *m/f agricole* farmer
exploitation *f d'une ferme, ligne aérienne* running; *du sol* farming; *de richesses naturelles péj: des ouvriers* exploitation; (*entreprise*) operation
exploiter *ferme, ligne aérienne* run; *sol* farm; *richesses naturelles* exploit (*aussi péj*)
explorateur, **-trice** *m/f* explorer; **explorer** explore
exploser explode (*aussi fig*); ***~ de rire*** F crack up F; **explosif**, **-ive** *adj & m* explosive;

explosion *f* explosion (*aussi fig*)
exportateur, **-trice 1** *adj* exporting **2** *m* exporter; **exportation** *f* export; **exporter** export
exposé *m* account, report; ÉDU presentation; **exposer** *art, marchandise* exhibit, show; *problème, programme* explain; *à l'air, à la chaleur* expose (*aussi* PHOT); **exposition** *f d'art, de marchandise* exhibition; *d'un problème* explanation; *au soleil* exposure (*aussi* PHOT)
exprès[1] *adv* (*intentionnellement*) deliberately, on purpose; (*spécialement*) expressly
exprès[2], **-esse 1** *adj* express **2** *adj inv* ***lettre*** *f* ***exprès*** express letter
express 1 *adj inv* express **2** *m train* express; *café* espresso
expressément expressly
expression *f* expression
exprimer express; ***s'~*** express o.s.
expulser expel; *d'un pays* deport; **expulsion** *f* expulsion; *d'un pays* deportation
exquis exquisite
extase *f* ecstasy
extension *f des bras, jambes* stretching; (*prolongement*) extension; *d'une épidémie* spread; INFORM expansion
exténuer exhaust
extérieur 1 *adj* external; *mur aussi* outside **2** *m* (*partie externe*) outside, exterior; ***à l'~ de*** outside; **extérioriser** express, let out; ***s'~*** *d'un sentiment* find expression; *d'une personne* express one's emotions
exterminer exterminate
externaliser COM outsource
externe external
extincteur *m* extinguisher
extinction *f* extinction (*aussi fig*)
extirper *mauvaise herbe* pull up; MÉD remove; *fig renseignement* drag out
extorquer extort
extorsion *f* extortion
extraction *f* extraction
extrader extradite
extraire extract
extrait *m* extract
extraordinaire extraordinary
extraterrestre *m/f* extraterrestrial, alien
extravagance *f* extravagance; *d'une personne, d'une idée* eccentricity
extraverti extrovert
extrême 1 *adj* extreme **2** *m* extreme; ***à l'~*** to extremes
Extrême-Orient *m*: ***l'~*** the Far East
extrémiste *m/f* POL extremist; **extrémité** *f d'une rue* (very) end; *d'un doigt* tip; (*situation désespérée*) extremity; ***~s*** ANAT extremities
exubérant exuberant
exulter exult

F

fable *f* fable
fabricant, **~e** *m/f* manufacturer, maker; **fabrication** *f* making; *industrielle* manufacture; **fabriquer** make; *industriellement aussi* manufacture; *histoire* fabricate
fabuleux, **-euse** fabulous
fac *f* (= ***faculté***) uni, university
façade *f* façade
face *f* face; *d'une pièce* head; ***en ~*** (***de***) opposite; ***faire ~ à*** face up to; **face-à-face** *m inv* face-to-face (debate)
fâché annoyed; **fâcher** annoy; ***se ~*** get annoyed; ***se ~ avec qn*** fall out with s.o.; **fâcheux**, **-euse** annoying; (*déplorable*) unfortunate
facile easy; *personne* easy-going; **facilement** easily; **facilité** *f* easiness; *à faire qch* ease; ***~s de paiement*** easy terms; **faciliter** make easier, facilitate
façon *f* (*manière*) way, method; ***de ~*** (***à ce***) ***que*** (*+subj*) so that; ***de toute ~*** anyway, anyhow; ***de cette ~*** (in) that way; ***à la ~ de*** like, in the style of
facteur *m* mailman, *Br* postman; MATH, *fig* factor
factrice *f* mailwoman, *Br* postwoman
facture *f* bill; COMM invoice; **facturer** invoice
facultatif, **-ive** optional
faculté *f* faculty
fade insipid
faible **1** *adj* weak; *bruit, lumière, espoir* faint; *avantage* slight **2** *m pour personne* soft spot; *pour chocolat etc* weakness; **faiblesse** *f* weakness; **faiblir** weaken
faille *f* GÉOL fault; *dans théorie* flaw
faillible fallible; **faillir**: ***il a failli gagner*** he almost won
faim *f* hunger; ***avoir ~*** be hungry; ***mourir de ~*** starve (*aussi fig*)
fainéant, **~e** **1** *adj* idle, lazy **2** *m/f* idler
faire **1** *v/t* do; *robe, meuble, repas, liste* make; ***~ de la natation/du ski*** swim/ski, go swimming/skiing; ***cinq plus cinq font dix*** five and five are *ou* make ten; ***ça ne fait rien*** it doesn't matter; ***~ rire qn*** make s.o. laugh; ***~ peindre la salle de bain*** have the bathroom painted **2** *v/i*: ***~ vite*** hurry up, be quick **3** *impersonnel*: ***il fait chaud/froid*** it is *ou* it's warm/cold **4**: ***ça ne se fait pas*** it's not done; ***se ~ rare*** become rarer; ***se ~ à qc*** get used to

sth; ***je ne m'en fais pas*** I'm not worrried
faisable feasible
faisan *m* pheasant
faisceau *m* bundle; *de lumière* beam
fait[1] *m* fact; (*action*) act; (*événement*) development; ***au ~*** by the way; ***de ce ~*** consequently; ***en ~*** in fact; ***tout à ~*** absolutely; ***un ~ divers*** a brief news item
fait[2] *adj*: ***être ~ pour qn/qch*** be made for s.o./sth; ***c'est bien ~ pour lui*** serves him right!
falaise *f* cliff
falloir: ***il faut un visa*** you need a visa, you must have a visa; ***il faut l'avertir*** we have to warn him; ***il me faut sortir, il faut que je sorte*** (*subj*) I have to go out, I must go out; ***s'il le faut*** if necessary; ***il aurait fallu prendre le train*** we should have taken the train; ***comme il faut*** respectable; ***il ne faut pas que je sorte*** (*subj*) I mustn't go out
falsifier *argent* forge; *document* falsify; *vérité* misrepresent
famélique starving
fameux, -euse (*célèbre*) famous; (*excellent*) wonderful
familiariser familiarize; **familiarité** *f* familiarity; **familier, -ère** familiar
famille *f* family
famine *f* famine
fanatique **1** *adj* fanatical **2** *m/f* fanatic; **fanatisme** *m* fanaticism
faner: ***se ~*** fade
fanfare *f* (*orchestre*) brass band; (*musique*) fanfare; **fanfaron, ~ne** **1** *adj* boastful **2** *m* boaster
fantaisie *f* imagination; (*caprice*) whim
fantasme *m* fantasy; **fantasmer** fantasize
fantasque strange, weird
fantastique **1** *adj* fantastic; (*imaginaire*) imaginary **2** *m*: ***le ~*** fantasy
fantôme *m* ghost
farce *f au théâtre* farce; (*tour*) joke; CUIS stuffing; **farceur, -euse** *m/f* joker; **farcir** CUIS stuff; *fig* cram
fard *m* make-up; ***~ à paupières*** eye shadow
fardeau *m* burden (*aussi fig*)
farder: ***se ~*** make up
farine *f* flour; ***~ de maïs*** corn starch, *Br* cornflour
farouche (*timide*) shy; *volonté, haine* fierce
fascination *f* fascination; **fasciner** fascinate
faste *m* pomp
fast-food *m* fast food restaurant
fastidieux, -euse tedious
fastueux, -euse lavish
fatal fatal; (*inévitable*) inevitable; **fatalisme** *m* fatalism; **fataliste** **1** *adj* fatalistic **2**

m/f fatalist; **fatalité** *f* fate
fatigant tiring; (*agaçant*) tiresome; **fatigue** *f* tiredness; **fatiguer** tire; (*importuner*) annoy; ***se ~*** get tired
faubourg *m* (working-class) suburb
fauché F broke F; **faucher** *fig* mow down; F (*voler*) pinch F
faufiler: ***se ~ dans une pièce*** slip into a room
faune *f* wildlife, fauna
faussaire *m* forger; **fausser** *calcul, vérité* distort; *clef* bend
faute *f* mistake; (*responsabilité*) fault; ***par sa ~*** because of him; ***~ de*** for lack of; ***sans ~*** without fail
fauteuil *m* armchair; ***~ roulant*** wheelchair
fauve **1** *adj* tawny **2** *m félin* big cat
faux, **fausse** **1** *adj* false; *incorrect aussi* wrong; *bijoux* imitation, fake; ***fausse couche*** *f* miscarriage; ***~ témoignage*** perjury **2** *adv*: ***chanter ~*** sing out of tune **3** *m copie* forgery, fake
faux-filet *m* CUIS sirloin
faux-monnayeur *m* counterfeiter, forger
faux-semblant *m* pretense, *Br* pretence
faveur *f* favor, *Br* favour; ***de ~*** *traitement* preferential; *prix* special; ***en ~ de*** in favor of
favorable favorable, *Br* favourable; **favori**, **~te** *m/f* & *adj* favorite, *Br* favourite; **favoriser** favor, *Br* favour; *faciliter, avantager* promote; **favoritisme** *m* favoritism, *Br* favouritism
fax *m* fax; **faxer** fax
féconder fertilize; **fécondité** *f* fertility
fécule *f* starch
fédéral federal; **fédération** *f* federation
fée *f* fairy
feeling *m* feeling; ***avoir un bon ~ pour qc*** have a good feeling about sth
feindre: ***~ l'étonnement*** pretend to be astonished, feign astonishment; ***~ de faire qch*** pretend to do sth; **feinte** *f* feint
fêler: ***se ~*** crack
félicitations *fpl* congratulations; **féliciter** congratulate (***de*** on)
fêlure *f* crack
femelle *f* & *adj* female
féminin **1** *adj* feminine; *sexe* female; *problèmes, magazines, mode* women's **2** *m* GRAM feminine; **féministe** *m/f* & *adj* feminist; **féminité** *f* femininity
femme *f* woman; (*épouse*) wife; ***~ battue*** battered wife; ***~ au foyer*** homemaker, *Br* housewife
fendre split; (*fissurer*) crack; *cœur* break; ***se ~*** split; (*se fissurer*) crack
fenêtre *f* window

fenouil *m* BOT fennel
fente *f* crack; *d'une boîte à lettres, jupe* slit; *pour pièces de monnaie* slot
fer *m* iron; ~ ***à cheval*** horseshoe; ~ ***à repasser*** iron
férié: ***jour*** *m* ~ (public) holiday
ferme[1] **1** *adj* firm; ***terre*** *f* ~ dry land, terra firma **2** *adv travailler* hard; ***s'ennuyer*** ~ be bored stiff
ferme[2] *f* farm
fermé closed, shut; *robinet* off; *club* exclusive
fermenter ferment
fermer 1 *v/t* close, shut; *eau, gaz, robinet* turn off; *manteau* fasten; ***ferme-la!*** shut up! **2** *v/i* close, shut; *d'un manteau* fasten; ***se*** ~ close, shut
fermeté *f* firmness
fermeture *f* closing; *définitive* closure; *mécanisme* fastener; ~ ***éclair*** zipper, *Br* zip (fastener)
fermier 1 *adj œufs, poulet* free-range **2** *m* farmer
féroce fierce, ferocious; **férocité** *f* fierceness, ferocity
ferré, **~e**: ***voie*** *f* **~e** (railroad *ou Br* railway) track
ferroviaire railroad *atr*, *Br* railway *atr*
fertile fertile; ~ ***en*** full of; **fertilité** *f* fertility
fervent fervent
fesse *f* buttock; **~s** butt, *Br* bottom; **fessée** *f* spanking
festin *m* feast
festival *m* festival
festivités *fpl* festivities
fêtard *m* F reveler, *Br* reveller; **fête** *f* festival; (*soirée*) party; *publique* holiday; REL feast (day), festival; *jour d'un saint* name day; ***les*** **~s** (***de fin d'année***) the holidays, Christmas and New Year; ***faire la*** ~ party; ~ ***foraine*** fun fair; ***Fête des mères*** Mother's Day; ***Fête nationale*** Bastille Day; **fêter** celebrate; (*accueillir*) fête
feu *m* fire; AUTO, MAR light; *de circulation* (traffic) light, *Br* (traffic) lights *pl*; *d'une cuisinière* burner; *fig* (*enthousiasme*) passion; ***coup*** *m* ***de*** ~ shot; ***prendre*** ~ catch fire; ***vous avez du*** **~?** got a light?; ~ ***arrière*** AUTO taillight
feuillage *m* foliage; **feuille** *f* leaf; *de papier* sheet; ~ ***d'impôt*** tax return; ~ ***de paie*** payslip; **feuilleter** *livre etc* leaf through
feuilleton *m* serial; TV soap opera
feutre *m* felt; *stylo* felt-tipped pen; *chapeau* fedora
février *m* February
fiable reliable
fiançailles *fpl* engagement; **fiancé**, **~e** *m/f* fiancé; **fiancer**: ***se*** ~ ***avec*** get engaged to
fibre *f* fiber, *Br* fibre; ***avoir la*** ~ ***paternelle*** *fig* be a born father; ***la*** ~ ***patriotique*** patri-

otic feelings
ficeler tie up; **ficelle** *f* string; *pain* thin French stick
fiche *f pour classement* index card; *formulaire* form; ÉL plug
ficher F (*faire*) do; (*donner*) give; (*mettre*) stick; ***fiche-moi la paix!*** leave me alone!; ***je m'en fiche*** I don't give a damn
fichier *m* INFORM file; ***~ joint*** attachment
fichu F (*inutilisable*) kaput F; (*sale*) filthy; ***être mal ~*** *santé* be feeling rotten
fictif, -ive fictitious; **fiction** *f* fiction
fidèle 1 *adj* faithful **2** *m/f* REL, *fig*: ***les fidèles*** the faithful *pl*; **fidélité** *f* faithfulness
fier[1]: ***se ~ à*** trust
fier[2], **-ère** *adj* proud (***de*** of); **fierté** *f* pride
fièvre *f* fever; ***avoir de la ~*** have a fever; **fiévreux, -euse** feverish
figer congeal; ***se ~*** *fig*: *d'un sourire* become fixed
figue *f* fig; **figuier** *m* fig tree
figurant, ~e *m/f de théâtre* walk-on; *de cinéma* extra; **figure** *f* figure; (*visage*) face; **figuré** figurative; **figurer** figure; ***se ~ qc*** imagine sth
fil *m* thread; *de métal*, ÉL, TÉL wire; ***coup*** *m* ***de ~*** TÉL (phone) call
filature *f* spinning; *usine* mill; ***prendre qn en ~*** *fig* tail s.o.
file *f* line; *d'une route* lane; ***~ (d'attente)*** line, *Br* queue
filer 1 *v/t* spin; F (*donner*) give; (*épier*) tail F **2** *v/i* F (*partir vite*) race off; *du temps* fly past
filet *m d'eau* trickle; *de pêche, tennis* net; CUIS fillet
filial, ~e 1 *adj* filial **2** *f* COMM subsidiary
fille *f* girl; *parenté* daughter; ***vieille ~*** old maid; **fillette** *f* little girl
filleul *m* godson; **filleule** *f* goddaughter
film *m* movie, *Br aussi* film; *couche* film; ***~ policier*** detective movie *ou Br aussi* film; **filmer** film
fils *m* son; ***~ à papa*** (spoilt) rich kid
filtre *m* filter; **filtrer 1** *v/t* filter; *fig* screen **2** *v/i* filter through; *fig* leak
fin[1] *f* end; ***à la ~*** in the end; ***mettre ~ à qc*** put an end to sth; ***sans ~*** endless; *parler* endlessly
fin[2] **1** *adj* fine; (*mince*) thin; *taille, cheville* slender; *esprit* refined; (*rusé, malin*) sharp **2** *adv* fine(ly)
final, ~e 1 *adj* final **2** *m*: **~e** MUS finale **3** *f* SP final; **finale 1** *m* MUS finale **2** *f* SP final; **finaliser** finalize; **finaliste** *m/f* finalist
finance *f* finance; **financer** fund, finance; **financier, -ère 1** *adj* financial **2** *m* fi-

nancier
finesse *f* (*délicatesse*) fineness
fini 1 *adj* finished **2** *m* finish; **finir 1** *v/t* finish **2** *v/i* finish; **~ de faire qc** finish doing sth; **~ par faire qc** finish up doing sth
finlandais, ~e 1 *adj* Finnish **2** *m langue* Finnish; **Finlandais, ~e** *m/f* Finn; **Finlande** *f*: **la ~** Finland
firme *f* firm
fisc *m* tax authorities *pl*
fissure *f* crack
fixe 1 *adj* fixed; *adresse, personnel* permanent **2** *m* basic salary; F landline; **fixer** fasten; (*déterminer*) fix, set; PHOT fix; (*regarder*) stare at; **se ~** (*s'établir*) settle down
flageolet *m* flageolet bean
flagrant flagrant; **en ~ délit** red-handed
flair *m* sense of smell; *fig* intuition; **flairer** smell (*aussi fig*)
flambant: **~ neuf** brand new; **flamber 1** *v/i* blaze **2** *v/t* CUIS flambé
flamme *f* flame; *fig* fervor, *Br* fervour
flan *m* flan
flancher quail
flâner stroll
flanquer flank; F (*jeter*) fling; *coup* give
flaque *f* puddle
flasque flabby
flatter flatter; **se ~ de qc** congratulate o.s. on sth; **flatterie** *f* flattery; **flatteur, -euse 1** *adj* flattering **2** *m/f* flatterer
flèche *f* arrow; *d'un clocher* spire; **monter en ~** *de prix* skyrocket
fléchir 1 *v/t* bend; (*faire céder*) sway **2** *v/i d'une poutre* bend; *fig* (*céder*) give in; (*faiblir*) weaken; *d'un prix, de ventes* fall
flegmatique phlegmatic
flemme *f* F laziness; **j'ai la ~ de le faire** I can't be bothered
flétrir: **se ~** wither
fleur *f* flower; *d'un arbre* blossom; **fleurir** flower, bloom; *fig* flourish; **fleuriste** *m/f* florist
fleuve *m* river
flexibilité *f* flexibility; **flexible** flexible
flic *m* F cop F
flinguer F gun down
flipper 1 *m* pinball machine; *jeu* pinball **2** *v/i* F freak out F
flirter flirt
flocon *m* flake; **~ de neige** snowflake
Floride *f* Florida
florissant *fig* flourishing
flot *m* flood (*aussi fig*); **~s** waves; **remettre à ~** refloat (*aussi fig*)
flottant floating; *vêtements* baggy
flotte *f* fleet; F (*eau*) water; F (*pluie*) rain; **flotter** *d'un bateau* float; *d'un drapeau*

flutter; *d'un sourire, air* hover; *fig* waver

flou blurred, fuzzy; *robe* loose-fitting

fluctuation *f* fluctuation; **fluctuer** COMM fluctuate

fluide 1 *adj* fluid; *circulation* moving freely **2** *m* PHYS fluid; **fluidité** *f* fluidity

fluorescent fluorescent

flûte *f* MUS, *verre* flute; *pain* thin French stick

fluvial river *atr*

flux *m* MAR flow

fœtus *m* fetus, *Br* foetus

foi *f* faith; ***être de bonne/ mauvaise ~*** be sincere/insincere

foie *m* liver; ***une crise de ~*** a stomach upset

foire *f* fair

fois *f* time; ***une ~*** once; ***deux ~*** twice; ***trois ~*** three times; ***il était une ~ …*** once upon a time there was …; ***quatre ~ six*** four times six; ***à la ~*** at the same time

foisonner be abundant

folie *f* madness; ***faire des ~s*** *achats* go on a spending spree

folk *m* folk (music)

folklore folklore

follement madly

fomenter foment

foncé *couleur* dark; **foncer** *de couleurs* darken; AUTO speed along; ***~ sur*** rush at

foncier, **-ère** COMM land

foncièrement fundamentally

fonction *f* function; (*poste*) office; ***faire ~ de*** act as; ***en ~ de*** according to; ***prendre ses ~s*** take up office

fonctionnaire *m/f* public servant

fonctionnement *m* functioning; **fonctionner** work; *du système* function

fond *m* bottom; *d'une salle, armoire* back; *d'une peinture* background; (*contenu*) content; *d'un problème* heart; *d'un pantalon* seat; ***à ~*** thoroughly; ***au ~, dans le ~*** basically

fondamental fundamental

fondateur, **-trice** *m/f* founder; **fondation** *f* foundation;

fondé 1 *adj* well-founded **2** *m*: ***~ de pouvoir*** authorized representative; **fondement** *m fig* basis; ***sans ~*** groundless; **fonder** found; ***~ qch sur*** base sth on; ***se ~ sur*** *d'une personne* base o.s. on; *d'une idée* be based on

fondre 1 *v/t neige* melt; *dans l'eau* dissolve; *métal* melt down **2** *v/i de la neige* melt; *dans l'eau* dissolve; ***~ sur*** *proie* pounce on

fonds *m* **1** *sg* fund; *d'une bibliothèque* collection; ***~ de commerce*** business **2** *pl* (*argent*) funds

fondu melted

fondue *f* CUIS fondue; ***~ bourguignonne*** beef fondue

fontaine *f* fountain; (*source*)

spring

fonte *f métal* cast iron; **~ *des neiges*** spring thaw

football *m* soccer, *Br aussi* football; **~ *américain*** football, *Br* American football; **footballeur**, **-euse** *m/f* soccer player, *Br aussi* footballer

footing *m* jogging; ***faire du ~*** jog, go jogging

force *f* strength; (*violence*) force; ***à ~ de travailler*** by working; ***de ~*** by force; ***~s armées*** armed forces

forcené, **~e** *m/f* maniac

forcer force; ***se ~*** force o.s.

forestier, **-ère 1** *adj* forest *atr* **2** *m* ranger, *Br* forest warden

forêt *f* forest

forfait *m* COMM package; (*prix*) all-in price; **~ *illimité*** TÉL, INFORM flat rate; ***déclarer ~*** withdraw

formaliser: ***se ~ de*** take offense *ou Br* offence at; **formalité** *f* formality

format *m* format; **formater** format

formation *f* formation; (*éducation*) training; **~ *continue*** continuing education

forme *f* form; ***en ~ de*** in the shape of; ***être en ~*** be in form, be in good shape; **formel**, **~le** formal; (*explicite*) categorical; **formellement** *adv*: **~ *interdit*** strictly forbidden; **former** form; (*instruire*) train; ***se ~*** form

formidable enormous; F great F

formulaire *m* form

formulation *f* wording

formule *f* formula; **formuler** formulate; *vœux*, *jugement* express

fort 1 *adj* strong; (*gros*) stout; *coup*, *pluie* heavy; *somme* big; ***être ~ en qch*** be good at sth **2** *adv parler* loudly; *pousser*, *frapper* hard; (*très*) extremely; (*beaucoup*) a lot **3** *m* strong point; MIL fort; **fortement** *pousser* hard; (*beaucoup*) greatly

fortifier strengthen

fortuit chance

fortune *f* luck; ***de ~*** makeshift

fosse *f* pit; (*tombe*) grave; **fossé** *m* ditch; *fig* gulf; **fossette** *f* dimple

fossile *m & adj* fossil

fou, **folle 1** *adj* mad; (*incroyable*) incredible; ***être ~ de qn/qc*** be mad *ou* crazy about s.o./sth; **~ *de*** *joie etc* beside o.s. with **2** *m/f* madman; madwoman

foudre *f* lightning; ***coup*** *m* ***de ~*** *fig* love at first sight

foudroyer strike down; **~ *qn du regard*** give s.o. a withering look

fouet *m* whip; CUIS whisk

fougueux, **-euse** fiery

fouiller 1 *v/i* dig; (*chercher*) search **2** *v/t de police* search; *en archéologie* excavate

fouiner nose around

foulard *m* scarf
foule *f* crowd; ***une ~ de*** masses of
fouler trample; *sol* set foot on; ***se ~ la cheville*** twist one's ankle; **foulure** *f* sprain
four *m* oven; TECH kiln; *fig* F (*insuccès*) flop F
fourchette *f* fork; (*éventail*) bracket; **fourchu** forked; ***cheveux*** *mpl* ***~s*** split ends
fourgon *m* baggage car, *Br* luggage van; *camion* van; **fourgonnette** *f* small van
fourmi *f* ant
fourmillements *mpl* pins and needles; **fourmiller** swarm (***de*** with)
fournaise *f fig* oven; **fourneau** *m* furnace; CUIS stove
fourni: ***bien ~*** well stocked; **fournir** supply (***de***, ***en*** with); *occasion* provide; *effort* make; ***~ qc à qn*** provide s.o. with sth; **fournisseur** *m* supplier; ***~ d'accès*** (***Internet***) Internet service provider, ISP; **fourniture** *f* supply; ***~s scolaires*** school stationery and books
fourré[1] *m* thicket
fourré[2] *adj* CUIS filled; *vêtement* lined
fourrer stick, shove; (*remplir*) fill; ***se ~ dans*** get into
fourrière *f* pound
fourrure *f* fur
fourvoyer: ***se ~*** go astray
foutre F do; (*mettre*) stick; *coup* give; ***se ~ de qn*** make fun of s.o.; *indifférence* not give a damn about s.o.; ***je m'en fous!*** I don't give a damn!
foyer *m* fireplace; *d'une famille* home; *de jeunes* club; (*pension*) hostel; *d'un théâtre* foyer; *d'un incendie* seat; *d'une infection* source
fracas *m* crash; **fracasser** shatter
fractionner divide (up) (***en*** into)
fracture *f* MÉD *m* fracture; **fracturer** *coffre* break open; *jambe* fracture
fragile fragile; *santé* frail; *cœur* weak; **fragiliser** weaken; **fragilité** *f* fragility
fragment *m* fragment
fraîcheur *f* freshness; (*froideur*) coolness (*aussi fig*); **fraîchir** *du vent* freshen; *du temps* get cooler
frais[1], **fraîche** **1** *adj* fresh; (*froid*) cool; *peinture* wet; *nouvelles* recent; ***servir ~*** serve chilled; ***il fait ~*** it's cool **2** *adv* freshly, newly **3** *m*: ***prendre le ~*** get a breath of fresh air
frais[2] *mpl* expenses *pl*; COMM costs *pl*; ***faire des ~*** incur costs; ***à mes ~*** at my (own) expense; ***~ bancaires*** bank charges; ***~ généraux*** overhead, *Br* overheads
fraise *f* strawberry
framboise *f* raspberry
franc[1], **franche** *adj* frank; *re-*

gard open; COMM free
franc[2] *m* franc
français, **~e** **1** *adj* French **2** *m langue* French; **Français**, **~e** *m/f* Frenchman; Frenchwoman; ***les ~*** the French *pl*; **France** *f*: ***la ~*** France
franchir cross; *obstacle* negotiate
franchise *f caractère* frankness; (*exemption*) exemption; COMM franchise; *d'une assurance* deductible, *Br* excess
franco *adv*: **~** (***de port***) carriage free; ***y aller ~*** *fig* F go right ahead
francophone **1** *adj* French-speaking **2** *m/f* French speaker
franc-parler *m* outspokenness
frange *f* bangs *pl*, *Br* fringe
frappant striking; **frappe** *f* INFORM keying; ***faute*** *f* ***de ~*** typo, typing error; **frapper** **1** *v/t* hit, strike; (*impressionner*) strike **2** *v/i* (*agir*) strike; *à la porte* knock (***à*** at); ***~ dans ses mains*** clap (one's hands)
fraternel, **~le** brotherly, fraternal; **fraternité** *f* brotherhood
fraude *f* fraud; ÉDU cheating; ***passer en ~*** smuggle; **frauduleux**, **-euse** fraudulent
frayer: ***se ~*** *chemin* clear
frayeur *f* fright
fredonner hum
frein *m* brake; ***sans ~*** *fig* unbridled; ***~ à main*** parking brake, *Br* hand brake; **freiner** **1** *v/i* brake **2** *v/t fig* curb, check
frêle frail
frelon *m* hornet
frémir shake; *de feuilles* quiver; *de l'eau* simmer; **frémissement** *m* shiver; *de feuilles* quivering
frénésie *f* frenzy; ***avec ~*** frenetically
fréquemment frequently; **fréquence** *f* frequency; ***quelle est la ~ des bus?*** how often do the buses go?; **fréquent** frequent; *situation* common
fréquentation *f d'un théâtre etc* attendance; ***tes ~s*** (*amis*) the company you keep; **fréquenter** *endroit* go to regularly, frequent; *personne* see; *groupe* go around with
frère *m* brother
fret *m* freight
frétiller wriggle
friable crumbly
friand: ***être ~ de qc*** be fond of sth; **friandises** *fpl* sweet things
fric *m* F money, dosh F
friche *f* AGR: ***en ~*** (lying) fallow
friction *f* friction; *de la tête* scalp massage; **frictionner** massage
frigidaire *m* refrigerator
frigide frigid

frigo *m* F icebox, fridge; **frigorifier** refrigerate

frileux, -euse: ***être ~*** feel the cold

frimer show off; **frimeur, -euse** show-off

fringues *fpl* F clothes, gear F

frire 1 *v/i* fry **2** *v/t*: ***faire ~*** fry

frisé curly; **friser** *cheveux* curl; *fig*: *le ridicule* verge on

frissonner shiver

frit fried; **(*pommes*) *frites*** *fpl* (French) fries, *Br aussi* chips; **friteuse** *f* deep fryer; **friture** *f poissons Br* whitebait, *small fried fish*; *huile* oil; *à la radio*, TÉL interference

frivole frivolous; **frivolité** *f* frivolity

froid 1 *adj* cold (*aussi fig*); ***j'ai ~*** I'm cold; ***prendre ~*** catch (a) cold **2** *m* cold; ***humour*** *m* ***à ~*** dry humor; **froidement** *fig* coldly; (*calmement*) coolly; *tuer* in cold blood; **froideur** *f* coldness

froissement *m bruit* rustle; **froisser** crumple; *fig* offend; ***se ~*** crumple; *fig* take offense *ou Br* offence

fromage *m* cheese; ***~ blanc*** fromage frais; ***~ à tartiner*** cheese spread

froncer gather; ***~ les sourcils*** frown

front *m* front; ANAT forehead; ***de ~*** from the front; *fig* head-on; ***marcher de ~*** walk side by side

frontière *f* frontier, border

frotter 1 *v/i* rub **2** *v/t* rub (***de*** with); *meuble* polish; *sol* scrub; *allumette* strike

frousse *f* F fear; ***avoir la ~*** be scared

fructifier BOT bear fruit; *d'un placement* yield a profit

fructueux, -euse fruitful

fruit *m* fruit; ***~s*** fruit; ***~s de mer*** seafood

frustrant frustrating; **frustration** *f* frustration

fugitif, -ive 1 *adj* runaway; *fig* fleeting **2** *m/f* fugitive

fugue *f d'un enfant* escapade; MUS fugue; ***faire une ~*** run away

fuir 1 *v/i* flee; *du temps* fly; *d'un tuyau* leak; *d'un robinet* drip; *d'un liquide* leak out **2** *v/t* shun; *question* avoid; **fuite** *f* flight (***devant*** from); *d'un tuyau etc* leak; ***prendre la ~*** take flight

fulgurant dazzling; *vitesse* lightning

fumé smoked; *verre* tinted

fumée *f* smoke; **fumer** smoke; **fumeur, -euse** *m/f* smoker

funèbre funeral *atr*; (*lugubre*) gloomy

funérailles *fpl* funeral

funeste fatal

fur: ***au ~ et à mesure*** as I/you *etc* go along; ***au ~ et à mesure que*** as

fureter ferret around

fureur *f* fury; ***faire ~*** be all the

rage
furie (*colère*) fury; *femme* shrew; **furieux**, **-euse** furious (**contre qn** with s.o.; **de qch** with *ou* at sth)
furtif, **-ive** furtive, stealthy
fuseau *m*: **~ horaire** time zone
fusée *f* rocket
fusible *m* ÉL fuse
fusil *m* rifle; **~ de chasse** shotgun; **fusiller** execute by firing squad
fusion *f* COMM merger; PHYS fusion; **fusionner** COMM merge
futé cunning, clever
futile futile; *personne* frivolous
futur *m & adj* future
fuyant *menton* receding; *regard* evasive

G

gabarit *m* size; TECH template
gâcher *fig* spoil; *travail* bungle; *temps*, *argent* waste
gâchis *m* (*désordre*) mess; (*gaspillage*) waste
gadget *m* gadget
gaffe *f* F blooper F, blunder; **faire ~ à** F be careful of
gaffer F make a gaffe *ou* blooper F
gage *fig* forfeit; (*preuve*) token; **tueur** *m* **à ~s** hitman; **mettre en ~** pawn
gagnant, **~e** **1** *adj* winning **2** *m/f* winner
gagne-pain *m* livelihood
gagner win; *salaire*, *amitié etc* earn; *place*, *temps* gain; *endroit* reach; *de peur etc* overcome; **~ sa vie** earn one's living
gai cheerful; *un peu ivre* tipsy; **gaieté** *f* cheerfulness
gain *m* gain; (*avantage*) benefit; **~s** profits; *d'un employé* earnings
gaine *f* sheath
galant galant; **homme ~** gentleman
galaxie *f* galaxy
galère *f*: **il est dans la ~** *fig* F he's in a mess; **galérer** F sweat
galerie *f* gallery; AUTO roofrack; **~ d'art** art gallery; **~ marchande** mall
galet *m* pebble
Galles *fpl*: **le pays** *m* **de ~** Wales; **gallois**, **~e** **1** *adj* Welsh **2** *m langue* Welsh; **Gallois**, **~e** *m/f* Welshman; Welsh woman
galop *m* gallop; **galoper** gallop
galopin *m* urchin
galvaniser galvanize
gambader gambol, leap
gamin, **~e** **1** *m/f* kid **2** *adj* childlike
gamme *f* MUS scale; *fig* range;

bas de ~ downscale, *Br* downmarket
gang *m* gang
gangster *m* gangster
gant *m* glove; ***~ de toilette*** washcloth, *Br* facecloth
garage *m* garage; **garagiste** *m* auto mechanic; *propriétaire* garage owner
garant, **~e** *m/f* guarantor; **garantie** *f* guarantee; **garantir** guarantee
garce *f* F bitch
garçon *m* boy; (*serveur*) waiter; ***~ d'honneur*** best man; ***~ manqué*** tomboy; **garçonnière** *f* bachelor apartment *ou Br* flat
garde[1] *f* care (***de*** of); MIL guard; ***prendre ~*** be careful; ***être de ~*** be on duty; ***mettre qn en ~*** put s.o. on their guard; ***~ à vue*** police custody
garde[2] *m* guard; ***~ forestier*** (forest) ranger
garde-boue *m* AUTO fender, *Br* wing
garde-fou *m* railing
garde-malade *m/f* nurse
garder *objet* keep; *vêtement* keep on; (*surveiller*) guard; *malade*, *enfant* look after; ***se ~ de faire qch*** be careful not to do sth
garderie *f* daycare center, *Br* daycare centre
gardien, **~ne** *m/f de prison* guard, *Br* warder; *d'un musée* attendant; *d'immeuble*, *d'école* janitor; *fig* guardian; ***~ (de but)*** goalkeeper ***~ de la paix*** police officer
gare[1] *f* station; ***~ routière*** bus station
gare[2]: ***~ à toi!*** watch out!; *ça va mal se passer* you'll be for it!
garer park; ***se ~*** park; *pour laisser passer* move aside
gargariser: ***se ~*** gargle
gargouiller gurgle; *de l'estomac* rumble
garnement *m* rascal
garnir (*fournir*) fit (***de*** with); (*orner*) trim (***de*** with); **garniture** *f légumes* vegetables *pl*
gars *m* F guy F
gasoil *m* gas oil, *Br* diesel
gaspillage *m* waste; **gaspiller** waste; **gaspilleur**, **-euse** **1** *adj* wasteful **2** *m/f* waster
gastroentérite *f* gastroenteritis
gastronome *m/f* gourmet; **gastronomie** *f* gastronomy
gâteau *m* cake; ***~ sec*** cookie, *Br* biscuit
gâter spoil; ***se ~*** *d'un aliment* spoil; *du temps* deteriorate
gauche **1** *adj* left; *manières* gauche **2** *f* left; ***à ~*** on the left (***de*** of); **gaucher**, **-ère** **1** *adj* left-handed **2** *m/f* left-hander
gaufre *f* waffle; **gaufrette** *f* wafer
gaver *oie* force-feed; ***~ qn de qch*** *fig* stuff s.o. full of sth

gaz *m* gas; ***mettre les ~*** step on the gas; ***~ à effet de serre*** greenhouse gas
gaze *f* gauze
gazeux, **-euse** *boisson* carbonated, *Br* fizzy
gazinière *f* gas cooker
gazole *m* gas oil, *Br* diesel
gazon *m* grass
gazouiller twitter
géant, **~e 1** *adj* gigantic, giant *atr* **2** *m/f* giant
geindre groan
gel *m* frost; *fig*: *des prix* freeze; *cosmétique* gel
gélatine *f* gelatine
gelée *f* frost; CUIS aspic; *confiture* jelly, *Br* jam; **geler 1** *v/t* freeze **2** *v/i d'une personne* freeze; ***il gèle*** there's a frost
Gémeaux *mpl* ASTROL Gemini
gémir groan; **gémissement** *m* groan
gênant (*embarrassant*) embarrassing
gencive *f* gum
gendarme *m* policeman; **gendarmerie** *f* police force; *lieu* police station
gendre *m* son-in-law
gêne *f* (*embarras*) embarrassment; (*dérangement*) inconvenience; *physique* difficulty; ***sans ~*** shameless; **gêner** bother; (*embarrasser*) embarrass; (*encombrer*) be in the way
général, **~e 1** *adj* general; ***en ~*** generally **2** *m* MIL general **3** *f* THÉÂT dress rehearsal; **généraliser** generalize; ***se ~*** spread; **généraliste** *m* MÉD generalist; **généralités** *fpl* generalities
générateur *m* generator; **générer** generate
généreux, **-euse** generous; **générosité** *f* generosity
génétique genetic; **génétiquement** genetically; ***~ modifié*** genetically modified, GM
génétiquement genetically; ***~ modifié*** genetically modified, GM
Genève Geneva
génial of genius; (*formidable*) terrific; **génie** *m* genius; TECH engineering; ***avoir du ~*** be a genius; ***~ civil*** civil engineering
genou *m* knee; ***à ~x*** on one's knees
genre *m* kind, sort; GRAM gender; ***bon chic, bon ~*** preppie *atr*
gens *mpl* people *pl*
gentil, **~le** nice; *enfant* good; **gentillesse** *f* (*amabilité*) kindness
géographie *f* geography
géologie *f* geology; **géologue** *m/f* geologist
géomètre *m/f* geometrician; **géométrie** *f* geometry
gérance *f* management; **gérant**, **~e** *m/f* manager
gerbe *f de blé* sheaf

gercé *lèvres* chapped
gérer manage
gériatrie *f* geriatrics
germain: ***cousin*** *m* **~**, ***cousine*** *f* **~*e*** (first) cousin
germe *m* germ (*aussi fig*); **germer** germinate
gestation *f* gestation
geste *m* gesture; **gesticuler** gesticulate
gestion *f* management; **gestionnaire** *m/f* manager
ghetto *m* ghetto
gibier *m* game
giboulée *f* wintry shower
gicler spurt
gifle *f* slap (in the face); **gifler** slap (in the face)
gigantesque gigantic
gigaoctet *m* gigabyte
gigot *m d'agneau* leg
gigoter F fidget
gilet *m* vest, *Br* waistcoat; (*chandail*) cardigan; **~ *de sauvetage*** lifejacket
gin *m* gin; **~ *tonic*** gin and tonic
gingembre *m* BOT ginger
girafe *f* giraffe
giratoire: ***sens*** *m* **~** traffic circle, *Br* roundabout
gisement *m* GÉOL deposit; **~ *pétrolifère*** *ou* ***de pétrole*** oilfield
gitan, **~e** *m/f* gypsy
gîte *m* holiday home
givre *m* frost; **givré** covered with frost; *avec du sucre* frosted; F (*fou*) crazy
glace *f* ice; (*miroir*) mirror; AUTO window; (*crème glacée*) ice cream; *d'un gâteau* frosting, *Br* icing; *d'une tarte* glaze; **glacer** freeze; (*intimider*) petrify; *gâteau* frost, *Br* ice; *tarte* glaze; ***se*** **~** freeze; *du sang* run cold; **glacial** icy (*aussi fig*); **glacière** *f* cool bag; *fig* icebox; **glaçon** *m* icicle; *artificiel* icecube
glaise *f* (*aussi* ***terre*** *f* **~**) clay
gland *m* acorn
glande *f* gland
glander F hang around F
glaner *fig* glean
glapir shriek
glauque *eau* murky; *couleur* blue-green
glissade *f* slide; *accidentelle* slip; **glissant** slippery; **glissement** *m* **~ *de terrain*** landslide; **glisser 1** *v/t* slip (***dans*** into) **2** *v/i* slide; *sur l'eau* glide (***sur*** over); (*déraper*) slip; *être glissant* be slippery; ***se*** **~ *dans*** slip into
global global; *prix*, *somme* total, overall; **globalisation** *f* globalization; **globe** *m* globe; **~ *oculaire*** eyeball
gloire *f* glory; **glorieux**, **-euse** glorious; **glorifier** glorify
glousser cluck; *rire* giggle
gluant sticky
glycine *f* wisteria
gnangnan F *film*, *livre* sloppy F
goal *m* goalkeeper
gobelet *m* tumbler; *en carton*, *plastique* cup

gober gobble; F *mensonge* swallow
godet *m récipient* pot; *de vêtements* flare
gogo F: ***à ~*** galore
goinfrer: ***se ~*** *péj* stuff o.s.
golf *m* SP golf; *terrain* golf course
golfe *m* GÉOGR gulf
gomme *f* gum; *pour effacer* eraser; **gommer** (*effacer*) erase
gond *m* hinge; ***sortir de ses ~s*** fly off the handle
gondole *f* gondola
gonflable inflatable; **gonfler** **1** *v/i* swell **2** *v/t* blow up; (*exagérer*) exaggerate
gonzesse *f* F *péj* chick F
gorge *f* throat; (*poitrine*) bosom; GÉOGR gorge; ***avoir mal à la ~*** have a sore throat; **gorgée** *f* mouthful; **gorger**: ***se ~*** gorge o.s. (***de*** with)
gosier *m* throat
gosse *m/f* F kid F
goudron *m* tar
gouffre *m* abyss; *fig* depths *pl*
goujat *m* boor
goulot *m* neck; ***boire au ~*** drink from the bottle
goulu greedy
gourd numb (with the cold)
gourde *f récipient* water bottle; *fig* F moron F
gourer F: ***se ~*** goof F, *Br* boob
gourmand, **~e** **1** *adj* greedy **2** *m/f* gourmand; **gourmandise** *f* greediness; ***~s*** *mets* delicacies; **gourmet** *m* gourmet
gourmette *f* chain
gourou *m* guru
gousse *f* pod; ***~ d'ail*** clove of garlic
goût *m* taste; ***de bon ~*** tasteful, in good taste; ***de mauvais ~*** tasteless, in bad taste; ***avoir du ~*** have taste; **goûter** **1** *v/t* taste; *fig* enjoy **2** *v/i prendre un goûter* have an afternoon snack **3** *m* afternoon snack
goutte *f* drop; ***~ de pluie*** raindrop; **goutte-à-goutte** *m* MÉD drip; **goutter** drip; **gouttière** *f* gutter
gouvernement *m* government; **gouverner** *pays* govern; *passions* master, control; MAR steer; **gouverneur** *m* governor
GPS *m* AUTO GPS, *Br* sat nav
grâce *f* grace; (*bienveillance*) favor, *Br* favour; JUR pardon; ***faire ~ à qn de qc*** spare s.o. sth; ***~ à*** thanks to; **gracier** reprieve; **gracieux**, **-euse** graceful; ***à titre ~*** free
grade *m* rank; **gradé** *m* MIL noncommissioned officer
gradins *mpl* SP bleachers, *Br* terraces
graduellement gradually
graduer (*augmenter*) gradually increase; *instrument* graduate
graffitis *mpl* graffiti *sg ou pl*
grain *m* grain; MAR squall; ***~ de beauté*** mole, beauty spot; ***~***

de raisin grape
graine *f* seed
graissage *m* lubrication, greasing; **graisse** *f* fat; TECH grease; **graisser** grease, lubricate; (*salir*) get grease on; **graisseux**, **-euse** greasy
grammaire *f* grammar; **grammatical** grammatical
gramme *m* gram
grand 1 *adj* big; (*haut*) tall; (*adulte*) grown-up; (*long*) long; (*important*, *glorieux*) great; ***il est ~ temps*** it's high time; ***~e surface*** *f* supermarket; ***les ~es vacances*** *fpl* the summer vacation, *Br* the summer holidays; ***~ ensemble*** new development, *Br* (housing) estate **2** *adv ouvrir* wide **3** *m* giant, great man
grand-chose: ***pas ~*** not much
Grande-Bretagne: ***la ~*** Great Britain
grandeur *f* (*taille*) size; ***~ nature*** lifesize
grandiose magnificent
grandir 1 *v/i* grow **2** *v/t*: ***~ qn*** make s.o. look taller; *de l'expérience* strengthen s.o.
grand-mère *f* grandmother
grand-père *m* grandfather
grands-parents *mpl* grandparents *pl*
granit(e) *m* granite
granuleux, **-euse** granular
graphique 1 *adj* graphic **2** *m* chart; MATH graph; INFORM graphic
grappe *f* cluster; ***~ de raisin*** bunch of grapes
grappin *m*: ***mettre le ~ sur qn*** get one's hands on s.o.
gras, **~se 1** *adj* fatty, fat; *personne* fat; *cheveux*, *peau* greasy; ***faire la ~se matinée*** sleep late **2** *m* CUIS fat
gratification *f* (*prime*) bonus; PSYCH gratification; **gratifier**: ***~ qn de qc*** present s.o. with sth
gratiné CUIS with a sprinkling of cheese; *fig* F *addition* colossal
gratitude *f* gratitude
gratte-ciel *m* skyscraper; **gratter** scrape; (*griffer*, *piquer*) scratch; (*enlever*) scrape off; *mot* scratch out; ***se ~*** scratch; **grattoir** *m* scraper
gratuit free; *fig* gratuitous
gravats *mpl* rubble
grave serious; *son* deep; ***ce n'est pas ~*** it's not a problem
graver engrave; *disque* cut
gravier *m* gravel
gravillon *m* grit; ***~s*** gravel, *Br* loose chippings *pl*
gravir climb
gravité *f* seriousness; PHYS gravity
gravure *f* ART engraving; (*reproduction*) print
gré *m*: ***bon ~, mal ~*** like it or not; ***contre mon ~*** against my will; ***de bon ~*** willingly;

de son plein ~ of one's own free will

grec, **~que 1** *adj* Greek **2** *m langue* Greek; **Grec**, **~que** *m/f* Greek; **Grèce**: ***la ~*** Greece

greffe graft; ***~ du cœur*** MÉD heart transplant; **greffer** graft; *cœur, poumon* transplant

greffier *m* clerk of the court

grêle[1] *adj jambes* skinny; *voix* shrill

grêle[2] *f* hail; **grêler**: ***il grêle*** it's hailing; **grêlon** *m* hailstone

grelotter shiver

grenade *f* BOT pomegranate; MIL grenade

grenadine *f* grenadine, pomegranate syrup

grenier *m* attic

grenouille *f* frog

grès *m* sandstone; *poterie* stoneware

grésiller sizzle; RAD crackle

grève[1] *f* strike; ***être en ~, faire ~*** be on strike; ***se mettre en ~*** go on strike; ***~ de la faim*** hunger strike

grève[2] *f* (*plage*) shore

gréviste *m/f* striker

gribouillage *m* scribble; (*dessin*) doodle; **gribouiller** scribble; (*dessiner*) doodle

grief *m* grievance

grièvement *blessé* seriously

griffe *f* claw; COMM label; *fig* (*empreinte*) stamp; **griffer** scratch

griffonner scribble

grignoter 1 *v/t* nibble on; *économies* nibble away at **2** *v/i* nibble

grill *m* broiler, *Br* grill; **grillade** *f* broil, *Br* grill

grillage *m* wire mesh; (*clôture*) fence

grille *f d'une fenêtre* grille; (*clôture*) railings *pl*; *d'un four* rack; (*tableau*) grid; **grille-pain** *m inv* toaster; **griller 1** *v/t viande* broil, *Br* grill; *pain* toast; *café, marrons* roast **2** *v/i d'une ampoule* burn out; ***~ un feu rouge*** go through a red light

grillon *m* cricket

grimace *f* grimace; ***faire des ~s*** pull faces

grimper climb

grincement *m de porte* squeaking; **grincer** *d'une porte* squeak; ***~ des dents*** grind one's teeth

grincheux, **-euse** grouchy

grippe *f* MÉD flu; ***prendre qn en ~*** take a dislike to s.o.; **grippé** MÉD: ***être ~*** have flu

gris gray, *Br* grey; *temps, vie* dull; (*ivre*) tipsy

grisant exhilarating

grisâtre grayish, *Br* greyish

griser: ***~ qn*** go to s.o.'s head; ***se laisser ~ par*** get carried away by

grisonner go gray *ou Br* grey

grognement *m* (*plainte*) grumbling; *d'un cochon etc*

grunt; **grogner** (*se plaindre*) grumble; *d'un cochon* grunt; **grognon**, **~ne**: ***être ~*** be grumpy
grommeler mutter
gronder 1 *v/i* growl; *du tonnerre* rumble; *d'une révolte* brew **2** *v/t* scold
gros, **~se 1** *adj* big; (*corpulent*) fat; *lèvres* thick; *rhume, souliers* heavy; *chaussettes* thick; *plaisanterie* coarse; *vin* rough; ***~ mots*** *mpl* bad language **2** *adv*: ***gagner ~*** win a lot; ***en ~*** (*globalement*) on the whole; COMM wholesale **3** *m personne* fat man; COMM wholesale trade
groseille *f* BOT currant; ***~ à maquereau*** gooseberry
grossesse *f* pregnancy
grosseur *f* (*corpulence*) fatness; (*volume*) size; (*tumeur*) growth
grossier, **-ère** (*rudimentaire*) crude; (*indélicat*) coarse; (*impoli*) rude; *erreur* big
grossir 1 *v/t au microscope* magnify; *nombre, rivière* swell; (*exagérer*) exaggerate; ***~ qn*** *d'une robe etc* make s.o. look fatter **2** *v/i d'une personne* put on weight
grotesque grotesque
grotte *f* cave
grouiller: ***~ de*** be swarming with; ***se ~*** F get a move on
groupe *m* group; ***~ sanguin*** blood group; **grouper** group; ***se ~ autour de qn*** gather around s.o.
grue *f* ZO, TECH crane
grumeleux, **-euse** lumpy
gué *m* ford
guenilles *fpl* rags
guêpe *f* wasp
guère: ***ne ... ~*** hardly
guéridon *m* round table
guérir 1 *v/t* cure (***de*** of) **2** *v/i* heal; *d'un malade* get better; **guérison** *f* (*rétablissement*) recovery
guerre *f* war; ***en ~*** at war; ***faire la ~*** be at war (***à*** with); ***~ civile*** civil war; ***~ des gangs*** gang warfare; **guerrier**, **-ère 1** *adj* warlike **2** *m* warrior
guet *m*: ***faire le ~*** keep watch; **guet-apens** *m* ambush; **guetter** keep an eye open for; (*épier*) watch
gueule *f* F mouth; (*visage*) face; ***ta ~!*** F shut it! F; ***~ de bois*** hangover; **gueuler** F yell
gueuleton *m* F enormous meal
guichet *m de banque, poste* wicket, *Br* window; *de théâtre* box office; ***~ automatique*** ATM, *Br aussi* cash dispenser
guide 1 *m* guide **2** *f* girl scout, *Br* guide **3**: ***~s*** *fpl* guiding reins; **guider** guide
guidon *m de vélo* handlebars *pl*
guillemets *mpl* quote marks
guindé stiff
guirlande *f* garland; ***~s de***

Noël tinsel
guise *f*: ***agir à sa ~*** do as one likes; ***en ~ de*** as, by way of
guitare *f* guitar; **guitariste** *m/f* guitarist
guttural guttural
Guyane: ***la ~*** Guyana
gym *f* gym; **gymnase** *m* SP gym; **gymnaste** *m/f* gymnast; **gymnastique** *f* gymnastics *sg*; *corrective, matinale* exercises *pl*
gynécologue *m/f* MÉD gynecologist, *Br* gynaecologist
gyrophare *m* flashing light

H

habile skillful, *Br* skilful; **habileté** *f* skill; **habilité** JUR authorized
habillé (*élégant*) dressy; **habiller** dress; ***s'~*** get dressed, dress; *élégamment* get dressed up
habit *m*: ***~s*** clothes
habitable inhabitable; **habitant, ~e** *m/f* inhabitant; **habitation** *f* living; (*domicile*) residence; **habiter 1** *v/t* live in **2** *v/i* live
habitude *f* habit, custom; ***d'~*** usually; ***par ~*** out of habit; **habitué, ~e** *m/f* regular; **habituel, ~le** usual; **habituer**: ***~ qn à qch*** get s.o. used to sth; ***s'~ à*** get used to
'hache *f* ax, *Br* axe; **'hacher** chop; ***viande f hachée*** ground beef, *Br* mince
'hachisch *m* hashish
'hachoir *m appareil* meat grinder, *Br* mincer; *couteau* cleaver; *planche* chopping board
haddock *m* smoked haddock
'haie *f* hedge; SP hurdle; *pour chevaux* fence, jump; ***une ~ de policiers*** *fig* a line of police
'haillons *mpl* rags
'haine *f* hatred; **'haineux, -euse** full of hatred
'haïr hate
'hâle *m* (sun)tan
haleine *f* breath; ***hors d'~*** out of breath
'haleter pant
'hall *m d'hôtel, immeuble* foyer; *de gare* concourse
'halle *f* market
halloween *f* Halloween
hallucination *f* hallucination
halogène *m*: (***lampe*** *f*) ***~*** halogen light
'halte *f* stop; ***faire ~*** halt, make a stop
haltère *m* dumbbell; ***faire des ~s*** do weightlifting
haltérophilie *f* weightlifting
'hamac *m* hammock
'hameau *m* hamlet
hameçon *m* hook
'hamster *m* hamster

'hanche *f* hip
'handicap *m* handicap; **'handicapé, ~e 1** *adj* disabled, handicapped **2** *m/f* disabled *ou* handicapped person
'hangar *m* shed; AVIAT hangar
'hanter haunt
'hantise *f* fear, dread
'happer catch; *fig*: *de train, bus* hit
'haras *m* stud farm
'harassant *travail* exhausting
'harceler harass
'hard *m* hardcore; MUS hard rock
'hardi bold
'hareng *m* herring
'hargne *f* bad temper; **'hargneux, -euse** venomous; *chien* vicious
'haricot *m* BOT bean; ***c'est la fin des ~s*** F that's the end
harmonie *f* harmony; **harmoniser** match (up); MUS harmonize; ***s'~*** *de couleurs* go together; ***s'~ avec*** go with
'harpe *f* MUS harp
'harpon *m* harpoon
'hasard *m* chance; ***au ~*** at random; ***par ~*** by chance; **'hasarder** hazard; ***se ~ à faire qc*** venture to do sth
'hâte *f* hurry, haste; ***en ~*** in haste; ***avoir ~ de faire qc*** be eager to do sth; **'hâter** hasten; ***se ~*** hurry
'hausse *f* increase, rise; **'hausser** increase; ***~ les épaules*** shrug (one's shoulders)
'haut 1 *adj* high; *immeuble* tall, high; *cri, voix* loud; *fonctionnaire* high-level **2** *adv* high; ***de ~*** from above; ***de ~ en bas*** from top to bottom; *regarder qn* up and down; ***en ~*** above; ***en ~ de*** at the top of **3** *m* top; ***du ~ de*** from the top of; ***des ~s et des bas*** ups and downs
'hautain haughty
'hauteur *f* height; *fig* haughtiness; ***être à la ~ de qc*** be up to sth
hebdomadaire *m & adj* weekly
hébergement *m* accommodations *pl*, *Br* accommodation; **héberger**: ***~ qn*** put s.o. up; *fig* take s.o. in
hébreu *m*: ***l'~*** Hebrew
hectare *m* hectare (approx 2.5 acres)
'hein F eh?; ***c'est joli, ~?*** it's pretty, isn't it?
'hélas alas
'héler hail
hélice *f* MAR, AVIAT propeller; ***escalier*** *m* ***en ~*** spiral staircase
hélicoptère *m* helicopter
hémisphère *m* hemisphere
hémorragie *f* hemorrhage, *Br* haemorrhage
'hennir neigh
hépatite *f* hepatitis
herbe *f* grass; CUIS herb; ***mauvaise ~*** weed; ***fines ~s*** herbs
héréditaire hereditary; **hérédité** *f* heredity

hérésie *f* heresy; **hérétique 1** *adj* heretical **2** *m/f* heretic
'hérissé ruffled
'hérisson *m* hedgehog
héritage *m* inheritance; **hériter 1** *v/t* inherit **2** *v/i*: ***~ de qc*** inherit sth; ***~ de qn*** receive an inheritance from s.o.; **héritier, -ère** *m/f* heir
'hernie *f* MÉD hernia; ***~ discale*** slipped disc
héroïne[1] *f drogue* heroin
héroïne[2] *f* heroine
héroïque heroic
héroïsme *m* heroism
'héron *m* heron
'héros *m* hero
herpès *m* herpes
hésitation *f* hesitation; **hésiter** hesitate
hétérogène heterogeneous
hétérosexuel, ~le heterosexual
heure *f* hour; ***arriver à l'~*** arrive on time; ***de bonne ~*** early; ***à tout à l'~!*** see you soon!; ***quelle ~ est-il?*** what time is it?; ***il est six ~s*** it's six (o'clock); ***~ locale*** local time; ***~s d'ouverture*** opening hours
heureusement luckily, fortunately; **heureux, -euse** happy; (*chanceux*) fortunate
'heurt *m de deux véhicules* collision; *fig* (*friction*) clash; **'heurter** collide with; *fig* offend; ***se ~*** collide (***à*** with); *fig* (*s'affronter*) clash (***sur*** over)
hiberner hibernate
'hibou *m* owl
'hideux, -euse hideous
hier yesterday
'hiérarchie *f* hierarchy
high-tech *inv* high tech, hi-tech
hilare grinning
hippique SP equestrian; ***concours m ~*** horse show; **hippodrome** *m* race course
hirondelle *f* swallow
hirsute hairy
hispanique Hispanic
'hisser *drapeau, voile* hoist; (*monter*) lift, raise; ***se ~*** pull o.s. up
histoire *f* history; (*récit, conte*) story; ***faire des ~s*** make a fuss
historique 1 *adj* historic **2** *m* chronicle
hiver *m* winter
H.L.M. *m ou f* (= ***habitation à loyer modéré***) low cost housing
'hocher: ***~ la tête*** *approbation* nod (one's head); *désapprobation* shake one's head
'hockey *m sur gazon* field hockey, *Br* hockey; *sur glace* hockey, *Br* ice hockey
'holding *m* holding company
'hold-up *m* holdup
'hollandais, ~e 1 *adj* Dutch **2** *m langue* Dutch; **'Hollandais, ~e** *m/f* Dutchman; Dutchwoman; **'Hollande**: ***la ~*** Holland
'homard *m* lobster

homéopathie *f* homeopathy
homicide *m* homicide; **~ *involontaire*** manslaughter; **~ *volontaire*** murder
hommage *m* homage; ***rendre ~ à*** pay homage to
homme *m* man; **~ *d'affaires*** businessman; **~ *d'État*** statesman
homologue *m* counterpart, opposite number; **homologuer** *record* ratify; *tarif* authorize
homophobe homophobic
homosexuel, **~le** *m/f & adj* homosexual
'Hongrie *f*: ***la ~*** Hungary; **'hongrois**, **~e** **1** *adj* Hungarian **2** *m langue* Hungarian; **Hongrois**, **~e** *m/f* Hungarian
honnête honest; (*convenable*) decent; (*passable*) reasonable; **honnêteté** honesty
honneur *m* honor, *Br* honour; ***en l'~ de*** in honor of; ***faire ~ à qc*** honor sth; **honorable** honorable, *Br* honourable; **honoraire** **1** *adj* honorary **2** **~*s*** *mpl* fees; **honorer** honor, *Br* honour; **honorifique** honorific
'honte *f* shame; ***avoir ~ de*** be ashamed of; **'honteux**, **-euse** (*déshonorant*) shameful; (*déconfit*) ashamed
'hooligan *m* hooligan
hôpital *m* hospital; ***à l'~*** in the hospital, *Br* in hospital
'hoquet *m* hiccup; ***avoir le ~*** have (the) hiccups
horaire **1** *adj* hourly **2** *m emploi du temps* timetable, schedule; *des avions, trains etc* schedule, *Br* timetable
horizon *m* horizon
horizontal horizontal
horloge *f* clock
'hormis but
hormonal hormonal; **hormone** *f* hormone
horodateur *m dans parking* pay and display machine
horoscope *m* horoscope
horreur *f* horror; (*monstruosité*) monstrosity; ***avoir ~ de qc*** detest sth; (***quelle***) **~*!*** how awful!
horrible horrible
horrifiant horrifying
'hors: **~ *de*** (*à l'extérieur de*) outside; **~ *de danger*** out of danger; **~ *sujet*** beside the point; ***être ~ de soi*** be beside o.s.
'hors-bord *m* outboard
'hors-d'œuvre *m* CUIS appetizer, starter
'hors-jeu offside
horticulture *f* horticulture
hospice *m* REL hospice; (*asile*) home
hospitalier, **-ère** hospitable; MÉD hospital *atr*
hospitaliser hospitalize
hospitalité *f* hospitality
hostile hostile; **hostilité** *f* hostility
'hot-dog *m* hot dog
hôte *m* host; (*invité*) guest

hôtel *m* hotel; **~ *de ville*** town hall

hôtellerie *f*: ***l'~*** the hotel business

hôtesse *f* hostess; **~ *de l'air*** air hostess

'houblon *m* BOT hop

'houille *f* coal

'houle *f* MAR swell; **'houleux, -euse** *fig* stormy

'housse *f* protective cover

'houx *m* BOT holly

'hublot *m* NAUT porthole; AVIAT window

'huer boo, jeer

huile *f* oil; **~ *solaire*** suntan oil; **huiler** oil

'huis *m*: ***à ~ clos*** behind closed doors; JUR in camera; **huissier** *m* JUR bailiff

'huit eight; **~ *jours*** a week; ***demain en ~*** a week tomorrow; **'huitaine** *f*: ***une ~ de*** about eight, eight or so; ***une ~*** (***de jours***) a week; **'huitième** eighth

huître *f* oyster

humain human; *traitement* humane; **humaniser** humanize; **humanitaire** humanitarian; **humanité** *f* humanity

humble humble

humecter moisten

'humer breathe in

humeur *f* mood; (*tempérament*) temperament; ***être de bonne/mauvaise ~*** be in a good/bad mood

humide damp; (*chaud et ~*) humid; **humidifier** moisten; *atmosphère* humidify; **humidité** *f* dampness; humidity

humiliation *f* humiliation; **humiliant** humiliating; **humilier** humiliate

humour *m* humor, *Br* humour; ***avoir de l'~*** have a (good) sense of humor

'huppé exclusive

'hurlement *m d'un loup* howl; *d'une personne* scream; **'hurler** *d'un loup* howl; *d'une personne* scream; **~ *de rire*** roar with laughter

hydratant *cosmétique* moisturizing

hydraulique hydraulic

hydroélectrique hydroelectric

hydrogène *m* CHIM hydrogen

hydroglisseur *m* jetfoil

hygiène *f* hygiene; ***avoir une bonne ~ de vie*** have a healthy lifestyle; **hygiénique** hygienic; ***papier ~*** toilet paper; ***serviette ~*** sanitary napkin, *Br* sanitary towel

hymne *m* hymn; **~ *national*** national anthem

hyperactif, -ive hyperactive

hyperlien *m* INTERNET hyperlink

hypersensible hypersensitive

hypertension *f* MÉD high blood pressure

hypertexte: ***lien m ~*** hypertext link

hypnotiser hypnotize
hypocrisie *f* hypocrisy; **hypocrite 1** *adj* hypocritical **2** *m/f* hypocrite
hypothèque *f* COMM mortgage
hypothèse *f* hypothesis; **hypothétique** hypothetical
hystérie *f* hysteria; **hystérique** hysterical

I

ici here; ***jusqu'~*** to here; (*jusqu'à maintenant*) so far; ***par ~*** this way; (*dans le coin*) around about here; ***d'~ là*** by then, by that time
icône *f* icon
idéal *m & adj* ideal; **idéaliser** idealize; **idéalisme** *m* idealism; **idéaliste 1** *adj* idealistic **2** *m/f* idealist
idée *f* idea; (*opinion*) view; ***avoir dans l'~ de faire qch*** be thinking of doing sth; ***tu te fais des ~s*** (*tu te trompes*) you're imagining things; ***~ fixe*** obsession
identifier identify (***avec***, ***à*** with); ***s'~ avec*** *ou* ***à*** identify with
identique identical (***à*** to)
identité *f* identity; ***pièce f d'~*** identity, ID
idéologie *f* ideology
idiomatique idiomatic
idiot, **~e 1** *adj* idiotic **2** *m/f* idiot; **idiotie** *f* idiocy; ***dire des ~s*** talk nonsense
idole *f* idol
idylle *f* romance
ignare *péj* **1** *adj* ignorant **2** *m/f* ignoramus
ignoble vile
ignorance *f* ignorance; **ignorant** ignorant; **ignorer** not know; *personne*, *talent* ignore
il he; *chose* it; *impersonnel* it; ***~ va pleuvoir*** it is *ou* it's going to rain
île *f* island; ***les ~s britanniques*** the British Isles
illégal illegal
illégitime *enfant* illegitimate
illettré illiterate
illicite illicit
illimité unlimited
illisible illegible; *mauvaise littérature* unreadable
illogique illogical
illuminer light up, illuminate; *par projecteur* floodlight
illusion *f* illusion; ***se faire des ~s*** delude o.s.; **illusoire** illusory
illustration *f* illustration; **illustrer** illustrate; ***s'~*** distinguish o.s. (***par*** by)
îlot *m* (small) island; *de maisons* block
ils *mpl* they
image *f* picture; *dans un miroir* reflection, image; (*res-*

semblance) image
imaginaire imaginary; **imagination** *f* imagination; **imaginer** imagine; *(inventer)* devise; ***s'~ que*** imagine that
imbattable unbeatable
imbécile 1 *adj* idiotic **2** *m/f* idiot, imbecile
imbiber soak (***de*** with)
imbu: ***~ de*** *fig* full of
imitation *f* imitation; THÉÂT impersonation; **imiter** imitate; THÉÂT impersonate
immaculé immaculate
immangeable inedible
immatriculation *f* registration; ***plaque*** *f* ***d'~*** AUTO license plate, *Br* number plate; **immatriculer** register
immature immature
immédiat 1 *adj* immediate **2** *m*: ***dans l'~*** for the moment; **immédiatement** immediately
immense immense
immerger immerse; ***s'~*** *d'un sous-marin* submerge
immeuble *m* building
immigrant, **~e** *m/f* immigrant; **immigration** *f* immigration; **immigrer** immigrate
imminent imminent
immiscer: ***s'~ dans qc*** interfere in sth
immobile immobile
immobilier, **-ère 1** *adj*: ***biens mpl ~s*** real estate **2** *m* property
immobiliser immobilize; *train, circulation* bring to a standstill; *capital* tie up; ***s'~*** *(s'arrêter)* come to a standstill
immonde foul
immoral immoral; **immoralité** *f* immorality
immortaliser immortalize; **immortalité** *f* immortality; **immortel**, **~le** immortal
immuniser immunize; ***immunisé contre*** *fig* immune to; **immunité** *f* JUR, MÉD immunity
impact *m* impact
impair 1 *adj* odd **2** *m* blunder
impardonnable unforgiveable
imparfait imperfect
impartial impartial
impasse *f* dead end; *fig* deadlock, impasse
impassible impassive
impatience *f* impatience; **impatient** impatient; **impatienter**: ***s'~*** get impatient
impayé unpaid
impeccable impeccable
impénétrable impenetrable
impératif, **-ive 1** *adj* imperative **2** *m* *(exigence)* requirement; GRAM imperative
impératrice *f* empress
imperceptible imperceptible
imperfection *f* imperfection
impérieux, **-euse** *personne* imperious; *besoin* urgent
impérissable immortal; *souvenir* unforgettable
imperméabiliser water-

proof; **imperméable 1** *adj tissu* waterproof **2** *m* raincoat
impersonnel, **~le** impersonal
impertinence *f* impertinence; **impertinent** impertinent
imperturbable imperturbable
impétueux, **-euse** impetuous
impitoyable pitiless
implacable implacable
implanter *fig* introduce; *usine* set up; ***s'~*** become established; *d'une industrie* set up
implicite implicit
impliquer *personne* implicate; (*entraîner*) mean, involve; (*supposer*) imply
implorer *aide* beg for; ***~ qn de faire qch*** implore *ou* beg s.o. to do sth
impoli rude, impolite
impopulaire unpopular
importance *f* importance; *d'une ville* size; *d'une somme, catastrophe* magnitude; **important 1** *adj* important; *ville, somme* large, sizeable **2** *m*: ***l'~, c'est que ...*** the important thing is that ...
importateur, **-trice 1** *adj* importing **2** *m* importer; **importation** *f* import; **importer 1** *v/t* import; *mode, musique* introduce **2** *v/i* matter, be important (***à*** to); ***n'importe quand*** any time; ***n'importe quoi!*** nonsense!
importun troublesome; **importuner** bother
imposable taxable
imposant imposing; **imposer** impose; *marchandise* tax; ***s'~*** (*être nécessaire*) be essential; (*se faire admettre*) gain recognition
impossible 1 *adj* impossible **2** *m*: ***faire l'~ pour faire qch*** do one's utmost to do sth
imposteur *m* imposter
impôt *m* tax; ***déclaration** f **d'~s*** tax return
impotent crippled
impraticable *projet* impractical; *rue* impassable
imprécis vague, imprecise
imprégner impregnate (***de*** with); ***imprégné de*** *fig* full of
impression *f* impression; *imprimerie* printing; **impressionnant** impressive; (*troublant*) upsetting; **impressionner** impress; (*troubler*) upset; **impressionniste** *m/f & adj* impressionist
imprévisible unpredictable
imprévu 1 *adj* unexpected **2** *m*: ***sauf ~*** all being well
imprimante *f* INFORM printer; ***~ laser*** laser printer; ***~ à jet d'encre*** ink-jet (printer); **imprimé** *m* (*formulaire*) form; *tissu* print; *poste* ***~s*** printed matter; **imprimer** print; INFORM print out; *édition* publish
improbable unlikely, im-

probable
improductif, **-ive** unproductive
impropre *mot*, *outil* inappropriate; **~ à la consommation** unfit for human consumption
improviste: **à l'~** unexpectedly
imprudence *f* imprudence; **imprudent** imprudent
impudence *f* impudence; **impudent** impudent
impudique shameless
impuissance *f* powerlessness; MÉD impotence; **impuissant** powerless; MÉD impotent
impulsif, **-ive** impulsive; **impulsion** *f* impulse; *à l'économie* boost
impuni unpunished
impur *eau* dirty, polluted; (*impudique*) impure
imputer attribute (**à** to); FIN charge (**sur** to)
inabordable *prix* unaffordable
inacceptable unacceptable
inaccessible inaccessible; *personne* unapproachable; *objectif* unattainable
inachevé unfinished
inactif, **-ive** idle; *population* non-working; *remède*, *méthode* ineffective; *marché* slack
inadéquat inadequate; *méthode* unsuitable
inadmissible unacceptable
inadvertance *f*: **par ~** inadvertently
inanimé inanimate; (*mort*) lifeless; (*inconscient*) unconscious
inaperçu: **passer ~** pass unnoticed
inapproprié inappropriate
inapte: **~ à** unsuited to; MÉD, MIL unfit for
inattendu unexpected
inattention *f* inattentiveness; **erreur d'~** careless mistake
inaudible inaudible
inaugurer inaugurate
inavouable shameful
incapable incapable (**de faire** of doing)
incapacité *f* (*inaptitude*) incompetence; *de faire qch* inability
incarcérer imprison
incassable unbreakable
incendiaire incendiary; *discours* inflammatory; **incendie** *m* fire; **~ criminel** arson; **incendier** set fire to
incertain uncertain; *temps* unsettled; (*hésitant*) indecisive; **incertitude** *f* uncertainty
incessamment any minute now
inchangé unchanged
incident *m* incident; **~ de parcours** mishap
incinérer incinerate; *cadavre* cremate
incisif, **-ive** incisive; **incision** *f* incision

inciter encourage (***à faire qch*** to do sth); *péj* egg on, incite
inclinable tilting; **inclinaison** *f* slope
inclination *f fig* inclination (***pour*** for); ***~ de tête*** (*salut*) nod; **incliner** tilt; ***s'~*** bend; *pour saluer* bow; ***s'~ devant qc*** (*céder*) yield to sth; ***s'~ devant qn*** *aussi fig* bow to s.o.
inclure include; *dans une lettre* enclose; **inclus**: ***ci-inclus*** enclosed; ***jusqu'au 30 juin ~*** to 30th June inclusive
incohérence *f de comportement* inconsistency; *de discours* incoherence
incolore colorless, *Br* colourless
incomber: ***il vous incombe de le lui dire*** it is your duty to tell him
incommoder bother
incomparable incomparable
incompatibilité *f* incompatibility; **incompatible** incompatible
incompétence *f* incompetence; **incompétent** incompetent
incomplet, **-ète** incomplete
incompréhensible incomprehensible; **incompréhension** *f* lack of understanding
incompris misunderstood (***de*** by)
inconcevable inconceivable
inconditionnel, **~le 1** *adj* unconditional **2** *m/f* fan, fanatic
inconfortable uncomfortable
inconnu, **~e 1** *adj* (*ignoré*) unknown; (*étranger*) strange **2** *m/f* stranger
inconscient unconscious; (*irréfléchi*) irresponsible
inconsidéré rash, thoughtless
inconsistant inconsistent; *fig*: *raisonnement* flimsy
inconsolable inconsolable
incontestable indisputable
incontesté outright
incontournable: ***être ~*** be a must
inconvénient *m* disadvantage *m*; ***si vous n'y voyez aucun ~*** if you have no objection
incorporer incorporate (***à*** with, into); MIL draft
incorrect wrong, incorrect; *tenue, langage* improper
incorrigible incorrigible
incrédule (*sceptique*) incredulous; **incrédulité** *f* incredulity
incriminer *personne* blame; JUR accuse; *paroles, actions* condemn
incroyable incredible, unbelievable
inculpé, **~e** *m/f*: ***l'~*** the accused, the defendant; **inculper** JUR charge, indict (***de***, ***pour*** with)
inculquer: ***~ qc à qn*** instill *ou Br* instil sth into s.o.

inculte *terre* waste *atr*, uncultivated; (*ignorant*) uneducated
incurable incurable
incursion *f* MIL raid, incursion; *fig*: *dans la politique etc* venture (***dans*** into)
Inde *f*: ***l'~*** India
indécent indecent; (*incorrect*) inappropriate, improper
indécis undecided; *personne, caractère* indecisive
indéfini indefinite; (*imprécis*) undefined
indéfinissable indefinable
indélicat *personne, action* tactless
indemne unhurt; **indemniser** compensate (***de*** for); **indemnité** *f* (*dédommagement*) compensation; (*allocation*) allowance
indéniable undeniable
indépendance *f* independence; **indépendant** independent (***de*** of); *travailleur* freelance; **indépendantiste** (pro-)independence *atr*
indescriptible indescribable
indésirable undesirable
indéterminé unspecified
index *m* index; *doigt* index finger
indicateur, **-trice** *m* (*espion*) informer; TECH gauge, indicator
indicatif *m* TÉL code
indication *f* indication; (*information*) piece of information; ***~s*** instructions
indice *m* (*signe*) sign, indication; JUR clue
indien, **~ne** Indian; *d'Amérique aussi* native American; **Indien** *m/f* Indian; *d'Amérique aussi* native American
indifférence *f* indifference; **indifférent** indifferent
indigène *adj & m/f* native
indigeste indigestible; **indigestion** *f* MÉD indigestion
indignation *f* indignation
indigne unworthy; *parents* unfit
indigner make indignant; ***s'~ de qc/contre qn*** be indignant about sth/with s.o.
indiqué appropriate; ***ce n'est pas ~*** it's not advisable; **indiquer** indicate, show; *d'une pendule* show; (*recommander*) recommend
indirect indirect
indiscipline *f* indiscipline; **indiscipliné** undisciplined; *cheveux* unmanageable
indiscret, **-ète** indiscreet; **indiscrétion** indiscretion
indispensable indispensable
indistinct indistinct
individu *m* individual; **individualisme** *m* individualism; **individuel**, **~le** individual; *secrétaire* private, personal; *liberté* personal; *chambre* single; *maison* detached
indivisible indivisible
indolent lazy, indolent
indolore painless

indomptable *fig* indomitable
indu: ***à une heure ~e*** at some ungodly hour
indubitable indisputable
induire: ***~ qn en erreur*** mislead s.o.
indulgence *f* indulgence; *d'un juge* leniency; **indulgent** indulgent; *juge* lenient
industrialisé industrialized; **industrialiser** industrialize; **industrie** *f* industry; **industriel**, **~le 1** *adj* industrial **2** *m* industrialist
inébranlable solid (as a rock)
inédit (*pas édité*) unpublished; (*nouveau*) original, unique
inégal unequal; *surface* uneven; *rythme* irregular; **inégalité** *f* inequality; *d'une surface* unevenness
inepte inept; **ineptie** *f* ineptitude; ***~s*** nonsense
inépuisable inexhaustible
inerte *corps* lifeless, inert; PHYS inert; **inertie** *f* inertia
inespéré unexpected, unhoped-for
inestimable *tableau* priceless; *aide* invaluable
inévitable inevitable; *accident* unavoidable
inexact inaccurate
inexcusable inexcusable, unforgiveable
inexistant non-existent
inexplicable inexplicable
inexprimable inexpressible
infaillible infallible
infantile *mortalité* infant *atr*; *péj* infantile; *maladie* children's
infarctus *m* MÉD: ***~ du myocarde*** coronary (thrombosis)
infatigable tireless, indefatigable
infect disgusting; *temps* foul; **infecter** infect; *air, eau* pollute; ***s'~*** become infected; **infectieux**, **-euse** infectious; **infection** *f* MÉD infection
inférieur, **~e 1** *adj* lower; *qualité* inferior **2** *m/f* inferior; **infériorité** *f* inferiority
infernal infernal
infidèle unfaithful; REL pagan *atr*; **infidélité** *f* infidelity
infiltrer: ***s'~ dans*** get into; *fig* infiltrate
infime tiny, infinitesimal
infini 1 *adj* infinite **2** *m* infinity
infirme 1 *adj* disabled **2** *m/f* disabled person; **infirmerie** *f* infirmary; ÉDU sickbay; **infirmier**, **-ère** *m/f* nurse; **infirmité** *f* disability
inflammation *f* MÉD inflammation
inflation *f* inflation
inflexible inflexible
infliger *peine* inflict (**à** on); *défaite* impose
influence *f* influence; **influencer** influence; **influent** influential
influer: ***~ sur*** affect
info *f* F RAD, TV news item; ***les***

~s the news *sg*
informaticien, **~ne** *m/f* computer scientist
information *f* information; JUR inquiry; ***une ~*** a piece of information; ***les ~s*** RAD, TV the news *sg*; ***traitement*** *m* ***de l'~*** data processing
informatique **1** *adj* computer *atr* **2** *f* information technology, IT; **informatiser** computerize
informe shapeless
informer inform; ***s'~*** find out (***de qc auprès de qn*** about sth from s.o.)
infraction *f* infringement (***à*** of)
infranchissable impossible to cross; *obstacle* insurmountable
infrarouge infrared
infrastructure *f* infrastructure
infroissable crease-resistant
infructueux, **-euse** unsuccessful
infusion *f* herb tea
ingénierie *f* engineering; **ingénieur** *m* engineer
ingéniosité *f* ingeniousness
ingrat ungrateful; *tâche* thankless; **ingratitude** *f* ingratitude
ingrédient *m* ingredient
ingurgiter gulp down
inhabitable uninhabitable; **inhabité** uninhabited
inhalateur *m* MÉD inhaler; **inhaler** inhale
inhérent inherent (***à*** in)
inhibé inhibited; **inhibition** *f* PSYCH inhibition
inhospitalier, **-ère** inhospitable
inhumain inhuman
ininflammable non-flammable
ininterrompu uninterrupted; *pluie*, *musique* non-stop
initial, **~e** **1** *adj* initial **2** *f* initial (letter)
initiation *f* initiation; ***~ à*** *fig* introduction to
inimitié *f* enmity
initiative *f* initiative
initié, **~e** *m/f* insider; **initier** initiate (***à*** in); *fig* introduce (***à*** to)
injecté: ***~*** (***de sang***) blood-shot; **injecter** inject; **injection** *f* injection
injoignable unreachable, uncontactable
injure *f* insult; ***~s*** abuse; **injurier** insult, abuse
injuste unfair, unjust; **injustice** *f* injustice; *d'une décision aussi* unfairness
inlassable tireless
inné innate
innocence *f* innocence; **innocent** innocent; **innocenter** clear
innombrable countless; *auditoire*, *foule* vast
innovant innovative; **innovation** *f* innovation
inoccupé *personne* idle; *maison* unoccupied

inodore odorless, *Br* odourless
inoffensif, **-ive** harmless; *humour* inoffensive
inondation *f* flood; **inonder** flood; **~ de** *fig* inundate with
inopiné unexpected
inopportun ill-timed
inorganique inorganic
inoubliable unforgettable
inouï unheard-of
inoxydable stainless
inquiet, **-ète** anxious, worried (**de** about); **inquiéter** worry; **s'~** worry (**de** about); **inquiétude** *f* anxiety
insaisissable elusive; *différence* imperceptible
insatiable insatiable
insatisfaisant unsatisfactory; **insatisfait** unsatisfied; *mécontent* dissatisfied
inscription *f* inscription; (*immatriculation*) registration; **inscrire** (*noter*) write down, note; *dans registre* enter; *à examen* register; (*graver*) inscribe; **s'~** put one's name down; *à l'université* register; *à un cours* enroll, *Br* enrol (**à** for)
insecte *m* insect; **insecticide** *m* insecticide
insécurité *f* insecurity; POL security problem
insensé mad, insane
insensibiliser numb; **insensible** ANAT numb; *personne* insensitive (**à** to)
insérer insert; *annonce* put;
insertion *f* insertion
insigne *m* (*emblème*) insignia; (*badge*) badge
insignifiant insignificant
insinuer insinuate; ***s'~ dans*** worm one's way into
insipide insipid
insistance *f* insistence; **insistant** insistent; **insister** insist; F (*persévérer*) persevere; ***~ pour faire qch*** insist on doing sth; ***~ sur qc*** (*souligner*) stress sth
insolation *f* sunstroke
insolence *f* insolence; **insolent** insolent
insolite unusual
insolvable insolvent
insomnie *f* insomnia
insonoriser soundproof
insouciant carefree
insoumis rebellious
insoutenable (*insupportable*) unbearable; *argument* untenable
inspecter inspect; **inspecteur**, **-trice** *m/f* inspector; **inspection** *f* inspection
inspiration *f fig* inspiration; **inspirer 1** *v/i* breathe in, inhale **2** *v/t* inspire; ***s'~ de*** be inspired by
installation *f* installation; ***~ électrique*** wiring; ***~s*** facilities; **installer** install; *appartement*: fit out; (*loger, placer*) put; ***s'~*** (*s'établir*) settle down; *à la campagne etc* settle; *d'un médecin, dentiste* set up

instant *m* instant, moment; ***à l'~*** just this minute; ***dans un ~*** in a minute; ***pour l'~*** for the moment; **instantané 1** *adj* immediate; *café* instant; *mort* instantaneous **2** *m* PHOT snap(shot)

instaurer establish

instinct *m* instinct; **instinctif, -ive** instinctive

instituer introduce; **institut** *m* institute; ***~ de beauté*** beauty salon; **instituteur, -trice** *m/f* (primary) school teacher; **institution** *f* institution

instructeur *m* MIL instructor; **instructif, -ive** instructive; **instruction** *f* (*enseignement, culture*) education; MIL training; JUR preliminary investigation; INFORM instruction; ***~s*** instructions; **instruire** ÉDU educate, teach; MIL train; JUR investigate; **instruit** (well-)educated

instrument *m* instrument

insu: ***à l'~ de*** unbeknownst to

insubordination *f* insubordination

insuffisance *f* deficiency; ***~ respiratoire*** respiratory problem; **insuffisant** *quantité* insufficient; *qualité* inadequate

insulaire 1 *adj* island *atr* **2** *m/f* islander

insuline *f* insulin

insulte *f* insult; **insulter** insult

insupportable unbearable

insurger: ***s'~ contre*** rise up against

insurrection *f* insurrection

intact intact

intégral full, complete; *texte* unabridged

intégration *f* (*assimilation*) integration

intègre of integrity

intégrer (*assimiler*) integrate; (*incorporer*) incorporate; **intégriste** *m/f & adj* fundamentalist

intégrité *f* (*honnêteté*) integrity

intellectuel, ~le *m/f & adj* intellectual

intelligence *f* intelligence; **intelligent** intelligent

intempéries *fpl* bad weather

intempestif, -ive untimely

intenable *situation, froid* unbearable

intense intense; **intensif, -ive** intensive; **intensification** *f* intensification; *d'un conflit* escalation; **intensifier** intensify; ***s'~*** intensify; *d'un conflit* escalate; **intensité** *f* intensity

intenter: ***~ un procès contre*** start proceedings against

intention *f* intention; ***avoir l'~ de faire qch*** intend to do sth; ***à l'~ de*** for; **intentionné**: ***bien ~*** well-meaning; ***mal ~*** ill-intentioned; **intentionnel, ~le** intentional

interactif, -ive interactive

intercéder: **~ *pour qn*** intercede for s.o.
intercepter intercept; *soleil* shut out
interchangeable interchangeable
interdiction *f* ban; **interdire** ban; **~ *à qn de faire qc*** forbid s.o. to do sth; **interdit** forbidden; (*très étonné*) taken aback
intéressant interesting; (*avide*) selfish; *prix* good; *situation* well-paid; **interéssé** interested; (*concerné*) concerned; **intéresser** interest; (*concerner*) concern; ***s'~ à*** be interested in; **intérêt** *m* interest; (*égoïsme*) self-interest; **~s** COMM interest
interface *f* interface
intérieur 1 *adj poche* inside; *porte, vie* inner; *politique, vol* domestic; *mer* inland **2** *m* inside; *d'une auto etc* interior; ***à l'~*** **(*de*)** inside
intérim *m* interim; *travail* temporary work; **intérimaire 1** *adj travail* temporary **2** *m/f* temp
interlocuteur, -trice *m/f*: ***mon/son ~*** the person I/she was talking to
intermédiaire 1 *adj* intermediate **2** *m/f* intermediary; COMM middleman
interminable interminable
intermittence *f*: ***par ~*** intermittently
international, ~e *m/f & adj* international
interne 1 *adj* internal; *oreille* inner; *d'une société* in-house **2** *m/f élève* boarder; *médecin* intern, *Br* houseman; **interner** intern
Internet *m* Internet; ***sur ~*** on the Internet
interpeller call out to; *de la police*, POL question
interphone *m* intercom; *d'un immeuble* entry phone
interposer interpose; ***s'~*** (*intervenir*) intervene
interprète *m/f* interpreter; (*porte-parole*) spokesperson; **interpréter** interpret; *rôle*, MUS play
interrogation *f* question; *d'un suspect* questioning, interrogation; **interrogatoire** *m par police* questioning; *par juge* cross-examination; **interroger** question; *de la police* question, interrogate; *d'un juge* cross-examine
interrompre interrupt; ***s'~*** break off
interrupteur *m* switch; **interruption** *f* interruption; ***sans ~*** without stopping
intersection *f* intersection
intervalle *m* space, gap; *de temps* interval
intervenir intervene; *d'une rencontre* take place; **intervention** *f* intervention; MÉD operation; (*discours*) speech
interview *f* interview; **interviewer** interview

intestin 1 *adj* internal **2** *m* intestin
intime 1 *adj* intimate; *ami* close; *pièce* cozy, *Br* cosy; *vie* private **2** *m/f* close friend
intimider intimidate
intimité *f* intimacy; *vie privée* privacy
intituler call; **s'~** be called
intolérable intolerable; **intolérance** *f* intolerance; **intolérant** intolerant
intoxication *f* poisoning; **~ *alimentaire*** food poisoning; **intoxiquer** poison; *fig* brainwash
intransigeant intransigent
intrépide intrepid
intrigue *f* plot; **~s** scheming, plotting; **intriguer 1** *v/i* scheme, plot **2** *v/t* intrigue
introduction *f* introduction; **introduire** introduce; *visiteur* show in; (*engager*) insert; ***s'~ dans*** gain entry to
introuvable impossible to find
introverti, **~e** *m/f* introvert
intrus, **~e** *m/f* intruder
intuitif, **-ive** intuitive; **intuition** *f* intuition; (*pressentiment*) premonition
inusable hard-wearing
inutile *qui ne sert pas* useless; (*superflu*) pointless, unnecessary; **inutilisable** unuseable
invalide 1 *adj* (*infirme*) disabled **2** *m/f* disabled person; **invalider** JUR, POL invalidate; **invalidité** *f* disability
invariable invariable
invasion *f* invasion
invendable unsellable
inventaire *m* inventory; COMM *opération* stocktaking
inventer invent; *histoire* make up; **inventeur**, **-trice** *m/f* inventor; **invention** *f* invention
inverse 1 *adj* MATH inverse; *sens* opposite; ***dans l'ordre ~*** in reverse order **2** *m* opposite, reverse; **inverser** invert; *rôles* reverse
investigation *f* investigation
investir FIN invest; (*cerner*) surround; **investissement** *m* FIN investment
invétéré inveterate
investisseur, **-euse** *m* investor
invincible invincible; *obstacle* insuperable
invisible invisible
invitation *f* invitation; **invité**, **~e** *m/f* guest; **inviter** invite; ***~ qn à faire qch*** urge s.o. to do sth
invivable unbearable
involontaire unintentional; *témoin* unwilling; *mouvement* involuntary
invoquer *Dieu* call on, invoke; *aide* call on; *texte*, *loi* refer to; *solution* put forward
invraisemblable unlikely, improbable
Iran *m*: ***l'~*** Iran; **iranien**, **~ne**

Iranian; **Iranien**, **~ne** *m/f* Iranian
Iraq *m*: **l'~** Iraq; **iraquien**, **~ne** Iraqi; **Iraquien**, **~ne** *m/f* Iraqi
irascible irascible
irlandais, **~e** **1** *adj* Irish **2** *m langue* Irish (Gaelic); **Irlandais**, **~e** *m/f* Irishman; Irishwoman; **Irlande** *f*: **l'~** Ireland
ironie *f* irony; **ironiser** be ironic
irraisonné irrational
irrationnel, **~le** irrational
irréalisable *projet* impracticable; *rêve* unrealizable
irréaliste unrealistic
irréconciliable irreconcilable
irrécupérable beyond repair; *personne* beyond redemption; *données* irretrievable
irréductible indomitable; *ennemi* implacable
irréel, **~le** unreal
irréfléchi thoughtless, reckless
irréfutable irrefutable
irrégulier, **-ère** irregular; *surface*, *terrain* uneven; *étudiant*, *sportif* erratic
irrémédiable *maladie* incurable; *erreur* irreparable
irremplaçable irreplaceable
irréparable *faute*, *perte* irreparable; *vélo* beyond repair
irréprochable irreproachable
irrésistible irresistible
irrésolu *personne* indecisive; *problème* unresolved
irrespirable unbreathable
irresponsable irresponsible
irrigation *f* AGR irrigation
irritable irritable; **irritation** *f* irritation; **irriter** irritate; **s'~** get irritated
islam, **Islam** *m* REL Islam; **islamique** Islamic; **islamiste** Islamic fundamentalist
islandais, **~e** **1** *adj* Icelandic **2** *m langue* Islandic; **Islandais**, **~e** *m/f* Icelander; **Islande**: **l'~** Iceland
isolation *f* insulation; *contre le bruit* soundproofing; **isolé** isolated; TECH insulated; **isolement** *m* isolation; **isoler** isolate; *prisonnier* place in solitary confinement; ÉL insulate
Israël *m* Israel; **israélien**, **~ne** Israeli; **Israélien**, **~ne** *m/f* Israeli
issu: ***être ~ de*** *parenté* come from; *résultat* stem from
issue *f* way out (*aussi fig*), exit; (*fin*) outcome; ***à l'~ de*** at the end of
Italie *f*: **l'~** Italy; **italien**, **~ne** **1** *adj* Italian **2** *m langue* Italian; **Italien**, **~ne** *m/f* Italian
itinéraire *m* itinerary
itinérance *f* TÉL roaming; ***frais*** *pl* ***d'~*** roaming charges
IVG *f* (= ***interruption volontaire de grossesse***) termination, abortion
ivoire *m* ivory
ivre drunk; ***~ de*** *joie*, *colère* wild with; **ivresse** *f* drunkenness; **ivrogne** *m/f* drunk

J

jacasser chatter
jacinthe *f* BOT hyacinth
jade *m* jade
jaillir shoot out (***de*** from)
jalousie *f* jealousy; (*store*) Venetian blind; **jaloux**, **-ouse** jealous
jamais ◇ *positif* ever; ***à ~*** for ever, for good; ◇ *négatif* never; ***ne … ~*** never; ***je ne lui ai ~ parlé*** I've never spoken to him
jambe *f* leg
jambon *m* ham
jante *f* rim
janvier *m* January
Japon: ***le ~*** Japan; **japonais**, **~e 1** *adj* Japanese **2** *m langue* Japanese; **Japonais**, **~e** *m/f* Japanese
jappement *m* yap
jaquette *f d'un livre* dust jacket
jardin *m* garden; ***~ botanique*** botanical gardens *pl*; ***~ publique*** park; **jardinage** *m* gardening; **jardiner** garden; **jardinier** *m* gardener; **jardinière** *f à fleurs* window box; *femme* gardener
jargon *m* jargon; *péj* (*charabia*) gibberish
jarret *m* back of the knee; CUIS shin
jaser gossip
jatte *f* bowl
jauge *f* gauge; **jauger** gauge
jaunâtre yellowish; **jaune 1** *adj* yellow **2** *m*: ***~ d'œuf*** egg yolk; **jaunir** go yellow; **jaunisse** *f* MÉD jaundice
jazz *m* jazz; **jazzman** *m* jazz musician
je I
jean *m* jeans *pl*; ***veste** m **en ~*** denim jacket
jeep *f* jeep
Jésus-Christ Jesus (Christ)
jet *m* (*lancer*) throw; (*jaillissement*) jet; *de sang* spurt; ***~ d'eau*** fountain
jetable disposable
jetée *f* MAR jetty
jeter throw; (*se défaire de*) throw away; ***~ un coup d'œil à qch*** glance at sth
jeton *m* token; *de jeu* chip
jeu *m* play (*aussi* TECH); *activité*, *en tennis* game; (*série*, *ensemble*) set; *de cartes* deck, *Br* pack; MUS playing; THÉÂT acting; ***le ~*** gambling; ***être en ~*** be at stake; ***~ de mots*** play on words
jeudi *m* Thursday
jeun: ***à ~*** on an empty stomach
jeune 1 *adj* young; ***~s mariés*** newly-weds **2** *m/f*: ***un ~*** a young man; ***les ~s*** young people *pl*, the young *pl*
jeûne *m* fast; **jeûner** fast

jeunesse *f* youth; *caractère jeune* youthfulness
J.O. *mpl* (= ***Jeux Olympiques***) Olympic Games
joaillerie *f magasin* jewelry store, *Br* jeweller's; *articles* jewelry, *Br* jewellery; **joaillier, -ère** *m/f* jeweler, *Br* jeweller
jogging *m* jogging; (*survêtement*) sweats *pl*, *Br* tracksuit; ***faire du ~*** go jogging
joie *f* joy; ***débordant de ~*** jubilant
joindre join; *efforts* combine; *à un courrier* enclose (***à*** with); *personne* contact, get in touch with; *mains* clasp; ***se ~ à qn pour faire qch*** join s.o. in doing sth
joint *m* joint; *d'étanchéité* seal, gasket; *de robinet* washer
joli pretty
joncher strew (***de*** with)
jonction *f* junction
jongler juggle; **jongleur** *m* juggler
joue *f* cheek
jouer 1 *v/t* play; *argent, réputation* gamble; THÉÂT *pièce* perform; *film* show; ***~ la comédie*** put on an act **2** *v/i* play; *d'un acteur* act; *parier* gamble; ***~ au football*** play football; ***~ d'un instrument*** play an instrument; ***~ sur*** *cheval etc* put money on
jouet *m* toy
joueur, -euse *m/f* player; *de jeux d'argent* gambler; ***être beau/mauvais ~*** be a good/bad loser
jouir have an orgasm, come; ***~ de qc*** enjoy sth; (*posséder*) have sth; **jouissance** *f* enjoyment; JUR possession
jour *m* day; (*lumière*) daylight; (*ouverture*) opening; ***au grand ~*** in broad daylight; ***de nos ~s*** these days; ***du ~ au lendemain*** overnight; ***être à ~*** be up to date; ***se faire ~*** *de problèmes* come to light; ***deux ans ~ pour ~*** two years to the day; ***il fait ~*** it's (getting) light; ***au petit ~*** at first light
journal *m* (news)paper; *intime* diary; TV, *à la radio* news *sg*; **journalisme** *m* journalism; **journaliste** *m/f* journalist
journée *f* day
jovial jovial
joyeux, -euse joyful; ***~ Noël!*** Merry Christmas!
jubilation *f* jubilation; **jubiler** be jubilant; *péj* gloat
jucher perch
judiciaire legal
judicieux, -euse sensible, judicious
judo *m* judo
juge *m* judge; ***~ d'instruction*** examining magistrate; ***~ de touche*** SP linesman; **jugement** *m* judg(e)ment; *en matière criminelle* sentence; ***porter un ~ sur*** pass judg(e)-

ment on; **juger 1** *v/t* JUR try; (*évaluer*) judge; ***~ qc/qn intéressant*** consider sth/s.o. interesting; ***~ que*** think that; ***~ de qn/qc*** judge s.o./sth **2** *v/i* judge
juif, **-ive** *adj* Jewish; **Juif**, **-ive** *m/f* Jew
juillet *m* July
juin *m* June
jumeau, **jumelle** *m/f & adj* twin; **jumeler** *villes* twin; **jumelles** *fpl* binoculars
jument *f* mare
jungle *f* jungle
jupe *f* skirt
juré *m* JUR juror; **jurer** swear (***de qch*** to sth)
juridiction *f* jurisdiction
juridique legal
juron *m* curse
jury *m* JUR jury; *d'un concours* panel, judges *pl*; ÉDU board of examiners
jus *m* juice
jusque 1 *prép*: ***jusqu'à*** *lieu* as far as, up to; *temps* until; ***jusqu'où vous allez?*** how far are you going? **2** *adv* even, including **3** *conj*: ***jusqu'à ce qu'il s'endorme*** (*subj*) until he falls asleep
juste 1 *adj* fair, just; *salaire, récompense* fair; (*précis*) right, correct; *vêtement* tight **2** *adv* just; *viser, tirer* accurately; ***chanter ~*** sing in tune; **justesse** *f* accuracy; ***de ~*** only just; **justice** *f* fairness, justice; JUR justice; ***la ~*** the law; ***faire ~ à qn*** do s.o. justice
justification *f* justification; **justifier** justify; ***~ de qc*** prove sth
juteux, **-euse** juicy
juvénile youthful; ***délinquance ~*** juvenile delinquency
juxtaposer juxtapose

K

kaki khaki
kamikaze *m/f* suicide bomber
kangourou *m* kangaroo
kébab *m* kabob, *Br* kebab
kermesse *f* fair
kérosène *m* kerosene
ketchup *m* ketchup
kg (= ***kilogramme***) kg (= kilogram)
kidnapping *m* kidnapping; **kidnapper** kidnap
kilo(gramme) *m* kilo(gram); **kilométrage** *m* mileage; **kilomètre** *m* kilometer, *Br* kilometre; **kilo-octet** *m* kilobyte, k
kinésithérapeute *m/f* physiotherapist
kiosque *m* pavilion; COMM kiosk; ***~ à journaux*** newsstand
kit *m*: ***en ~*** kit

klaxon *m* AUTO horn; **klaxonner** sound one's horn, hoot
km (= ***kilomètre***) km (= kilometer)
knock-out *m* knockout
K-O *m* (= ***knock-out***) KO
Ko *m* (= ***kilo-octet*** *m*) k (= kilobyte)

L

la[1] → ***le***
la[2] *pron personnel* her; *chose* it
là here; *dans un autre lieu qu'ici* there; *causal* hence; ***par*** ~ that way; **là-bas** (over) there
laboratoire *m* laboratory, lab
laborieux, **-euse** laborious; *personne* hardworking
labourer plow, *Br* plough
labyrinthe *m* labyrinth, maze
lac *m* lake
lacer tie
lacérer lacerate
lacet *m de chaussures* lace; *de la route* sharp turn
lâche **1** *adj* loose; *personne* cowardly **2** *m* coward
lâcher **1** *v/t* let go of; (*laisser tomber*) drop; (*libérer*) release; *ceinture* loosen; *juron, vérité* let out; SP leave behind **2** *v/i de freins* fail; *d'une corde* break
lâcheté *f* cowardice
lacrymogène *gaz* tear *atr*; *grenade* tear-gas *atr*
lactose *f* lactose
lacune *f* gap
là-dedans inside; **là-dessous** underneath; *derrière* behind it; **là-dessus** on it, on top; *à ce moment* at that instant; *sur ce point* about it; **là-haut** up there
laid ugly; **laideur** *f* ugliness; (*bassesse*) meanness
lainage *m étoffe* woolen *ou Br* woollen fabric; *vêtement* woolen, *Br* woollen; **laine** *f* wool; **laineux**, **-euse** fleecy
laïque **1** *adj* REL secular; (*sans confession*) State *atr* **2** *m/f* lay person
laisse *f* leash
laisser leave; (*permettre*) let; ***se*** ~ ***aller*** let o.s. go
laisser-aller *m* casualness
laissez-passer *m* pass
lait *m* milk; **laitage** *m* dairy product; **laitier**, **-ère** dairy *atr*
laiton *m* brass
laitue *f* BOT lettuce
lambin, **~e** *m/f* F slowpoke F, *Br* slowcoach F
lambris *m* paneling, *Br* panelling
lame *f* blade; (*plaque*) strip; (*vague*) wave
lamentable deplorable; **lamenter**: ***se*** ~ complain
lampadaire *m* floor lamp;

dans la rue street light
lampe *f* lamp; **~ de poche** flashlight, *Br* torch
lancé established; **lancement** *m* launch; **lancer** throw; *avec force* hurl; *injure* shout, hurl (**à** at); *cri* give; *fusée*, COMM launch; INFORM *programme* run; *moteur* start; **se ~ sur** *marché* enter; *piste de danse* step out onto; **se ~ dans** *des activités* take up; *des explications* launch into; *des discussions* get involved in
langage *m* language
langouste *f* spiny lobster
langue *f* tongue; LING language; **mauvaise ~** gossip; **~ maternelle** mother tongue
languette *f d'une chaussure* tongue
languir languish; *d'une conversation* flag
lanière *f* strap
laper lap up
lapider stone
lapin *m* rabbit
laps *m*: **~ de temps** period of time
laque *f* lacquer
larcin *m* petty theft
lard *m* bacon
lardon *m* lardon, diced bacon
large 1 *adj* wide; *épaules, hanches* broad; *mesure, rôle* large; (*généreux*) generous **2** *adv*: **voir ~** think big **3** *m* MAR open sea; **prendre le ~** *fig* take off; **largesse** *f* generosity; **largeur** *f* width; **~ d'esprit** broad-mindedness
larme *f* tear; **une ~ de** a drop of; **larmoyer** *des yeux* water; (*se plaindre*) complain
laryngite *f* laryngitis
las, **~se** weary
laser *m* laser; **imprimante** *f* **~** laser printer
lasser weary, tire; **se ~ de** tire *ou* weary of
latent latent
latéral lateral, side *atr*
latitude *f* latitude
latte *f* lath; *de plancher* board
lauréat, **~e** *m/f* prizewinner
laurier *m* laurel; **feuille** *f* **de ~** CUIS bayleaf
lavabo *m* (wash)basin; **~s** toilets
lavage *m* washing
lavande *f* lavender
laver wash; *tâche* wash away; **laverie** *f*: **~ automatique** laundromat, *Br* laundrette; **lavette** *f* dishcloth; *fig péj* spineless individual
lave-vaisselle *m* dishwasher
laxatif, **-ive** *adj & m* laxative
laxisme *m* laxness
le *complément d'objet direct* him; *chose* it; **oui, je ~ sais** yes, I know
le, *f* **la**, *pl* **les** *article défini* the; **le garçon/les garçons** the boy/the boys; **je me suis cassé la jambe** I broke my leg; **j'aime le vin** I like wine; **les dinosaures avaient ...** dinosaurs had ...; **le premier**

mai May first, *Br* the first of May; ***ouvert le samedi*** open (on) Saturdays; ***10 euros les 5*** 10 euros for 5; ***tu connais la France?*** do you know France; ***le printemps est là*** spring is here; ***je ne parle pas l'italien*** I don't speak Italian
leader *m* POL leader
lécher lick
leçon *f* lesson
lecteur, **-trice 1** *m/f* reader; *à l'université* foreign language assistant **2** *m* INFORM drive; **~ *de CDs*** CD player; **lecture** *f* reading
ledit, **ladite** the said
légal legal; **légaliser** *signature* authenticate; (*rendre légal*) legalize; **légalité** *f* legality
légende *f* legend; *sous image* caption; *d'une carte* key
léger, **-ère** light; *erreur, retard* slight; *mœurs* loose; (*frivole, irréfléchi*) thoughtless; ***à la légère*** lightly; **légèrement** lightly; (*un peu*) slightly; **légèreté** *f* lightness; (*frivolité, irréflexion*) thoughtlessness
légion *f* legion; **~ *étrangère*** Foreign Legion; **légionnaire** *m* legionnaire
législation *f* legislation
légitime legitimate
legs *m* legacy
léguer bequeath
légume *m* vegetable
lendemain *m*: ***le* ~** the next *ou* following day; ***le ~ de son élection*** the day after he was elected
lent slow; **lentement** slowly; **lenteur** *f* slowness
lentille *f* TECH lens; *légume sec* lentil
léopard *m* leopard
lequel, **laquelle** (*pl* lesquels, lesquelles) *interrogatif* which (one); *relatif, avec personne* who; *avec chose* which
les[1] → ***le***
les[2] *pron personnel* them
lesbien, **~ne** *adj & f* lesbian
léser injure; *intérêts* damage; *droits* infringe
lésiner skimp (***sur*** on)
lésion *f* MÉD lesion
lessive *f produit* laundry detergent, *Br* washing powder; *liquide* detergent; *linge* laundry; ***faire la ~*** do the laundry
leste agile; *propos* crude
léthargie *f* lethargy
lettre *f* letter; ***à la ~, au pied de la ~*** literally; ***en toutes ~s*** in full; *fig* in black and white; **~*s*** literature; *études* arts; **lettré** well-read
leucémie *f* MÉD leukemia, *Br* leukaemia
leur 1 *adj possessif* their **2** *pron personnel*: ***le/la ~, les ~s*** theirs **3** *complément d'objet indirect* (to) them
leurrer *fig* deceive
levé: ***être* ~** be up; **levée** *f* lift-

ing; *d'une séance* adjournment; *du courrier* collection; *aux cartes* trick; **lever** **1** *v/t* raise, lift; *poids*, *interdiction* lift; *impôts* collect **2** *v/i de la pâte* rise; **se ~** get up; *du soleil* rise; *du jour* break **3** *m*: ***~ du jour*** daybreak; ***~ du soleil*** sunrise

levier *m* lever; ***~ de vitesse*** gear shift, *surtout Br* gear lever

lèvre *f* lip

levure *f* yeast; ***~ chimique*** baking powder

lézard *m* lizard

lézarde *f* crack

liaison *f* connection; *amoureuse* affair; *de train* link; LING liaison

liant sociable

libellule *f* dragonfly

libéral liberal; ***profession*** *f* ***~e*** profession; **libéralisme** *m* liberalism

libérateur, -trice 1 *adj* liberating **2** *m/f* liberator; **libération** *f* liberation; *d'un prisonnier* release; ***~ conditionnelle*** parole; **libérer** liberate; *prisonnier* release, free (***de*** from); *gaz*, *d'un engagement* release

liberté *f* freedom, liberty; ***mettre en ~*** set free, release

librairie *f* bookstore, *Br* bookshop

libre free (***de faire*** to do); **libre-service** *m* self-service; *magasin* self-service shop

Libye *f* Libya; **libien, ~ne** Libyan; **Libyen, ~ne** *m/f* Libyan

licence *f* license, *Br* licence; *diplôme* degree

licenciement *m* layoff; (*renvoi*) dismissal; **licencier** lay off; (*renvoyer*) dismiss

lié: ***être ~ par*** be bound by; ***être très ~ avec qn*** be very close to s.o.

lien *m* tie, bond; (*rapport*) connection; INFORM link; ***avoir un ~ de parenté*** be related

lier tie (up); *d'un contrat* be binding on; CUIS thicken; *pensées*, *personnes* connect; ***~ amitié avec qn*** make friends with s.o.

lierre *m* BOT ivy

lieu *m* place; ***~x*** premises; JUR scene; ***au ~ de*** (***faire***) ***qch*** instead of (doing) sth; ***avoir ~*** take place; ***donner ~ à*** give rise to; ***en premier ~*** in the first place; ***s'il y a ~*** if necessary

lièvre *m* hare

ligne *f* line; *d'autobus* number; ***garder la ~*** keep one's figure; ***entrer en ~ de compte*** be taken into consideration; ***pêcher à la ~*** go angling; ***en ~*** INFORM on-line; ***'hors ~*** off-line; ***achats en ~*** on-line shopping

liguer: ***se ~*** join forces (***pour faire*** to do)

lilas *m & adj inv* lilac

limace *f* slug

lime *f* file; **~ *à ongles*** nail file; **limer** file
limitation *f* limitation; **~ *de vitesse*** speed limit; **limite** *f* limit; (*frontière*) boundary; ***à la ~*** if absolutely necessary; ***date*** *f* **~** deadline; ***vitesse*** *f* **~** speed limit; **limiter** limit (***à*** to)
limoger POL dismiss
limonade *f* lemonade
limousine *f* limousine
lin *m* BOT flax; *toile* linen
linéaire linear
linge *m* linen; (*lessive*) washing
lingerie *f* lingerie
linguiste *m/f* linguist
lion *m* lion; ASTROL ***Lion*** Leo; **lionne** *f* lioness
liposuccion *f* liposuction
liqueur *f* liqueur
liquidation *f* liquidation; *vente au rabais* sale
liquide 1 *adj* liquid; ***argent*** *m* **~** cash **2** *m* liquid; **~ *de freins*** brake fluid; **liquider** liquidate; *stock* sell off; *problème* dispose of
lire read
lis *m* BOT lily
lisible legible
lisse smooth; **lisser** smooth
liste *f* list; **~ *d'attente*** waiting list; **~ *de commissions*** shopping list; **lister** list; **listing** *m* printout
lit *m* bed; ***aller au*** **~** go to bed; **~ *de camp*** cot, *Br* camp bed; **literie** *f* bedding
litige *m* dispute
litre *m* liter, *Br* litre
littéraire literary; **littérature** *f* literature
littoral 1 *adj* coastal **2** *m* coastline
livraison *f* delivery
livre[1] *m* book; **~ *de poche*** paperback
livre[2] *f poids, monnaie* pound
livrer *marchandises* deliver; *prisonnier* hand over; *secret* divulge; ***se*** **~** (*se confier*) open up; (*se soumettre*) give o.s. up; ***se ~ à*** (*se confier*) confide in; *activité* indulge in; *l'abattement* give way to
livret *m* booklet; *d'opéra* libretto
livreur *m* delivery man; **~ *de journaux*** paper boy
lobby *m* lobby
lobe *m*: **~ *de l'oreille*** earlobe
local 1 *adj* local **2** *m* (*salle*) premises *pl*; ***locaux*** premises; **localisation** *f* location; *de software etc* localization; **localiser** locate; (*limiter*), *de software* localize
locataire *m/f* tenant; **location** *f par propriétaire* renting out; *par locataire* renting; (*loyer*) rent; *au théâtre* reservation
logement *m* accommodations, *Br* accommodation, *pl*; (*appartement*) apartment, *Br aussi* flat; **loger 1** *v/t* accommodate **2** *v/i* live; **logeur** *m* landlord; **logeuse**

f landlady

logiciel *m* INFORM software

logique 1 *adj* logical **2** *f* logic

loi *f* law

loin far (***de*** from); *dans le passé* long ago; *dans l'avenir* a long way off; ***au ~*** in the distance

lointain 1 *adj* distant **2** *m* distance

loisir *m* leisure; ***~s*** leisure activities

Londres London

long, **longue 1** *adj* long; ***à ~ terme*** in the long term; ***à la longue*** in time; ***être ~*** (***à faire qch***) take a long time (doing sth) **2** *adv*: ***en dire ~*** speak volumes **3** *m*: ***de deux mètres de ~*** two meters long; ***le ~ de*** along

longer follow

longitude *f* longitude

longtemps a long time

longuement for a long time; *parler* at length

longueur *f* length; ***sur la même ~ d'onde*** on the same wavelength

loquace talkative

loque *f* rag

loquet *m* latch

lorgner eye; *héritage*, *poste* have one's eye on

lors: ***dès ~*** from then on; ***~ de*** during

lorsque when

lot *m* (*destin*) fate; *à la loterie* prize; (*portion*) share; COMM batch

loterie *f* lottery

loti: ***bien/mal ~*** well/badly off

lotion *f* lotion

lotissement *m* (*parcelle*) plot; *terrain loti* housing development

louable praiseworthy; **louange** *f* praise

louche[1] *adj* sleazy

louche[2] *f* ladle

loucher squint

louer[1] rent

louer[2] (*vanter*) praise (***de***, ***pour*** for)

loup *m* wolf

loupe *f* magnifying glass

louper F *travail* botch; *bus* miss

lourd heavy; *plaisanterie* clumsy; *temps* oppressive; **lourdaud**, **~e 1** *adj* clumsy **2** *m/f* oaf; **lourdement** heavily

loyal honest; *adversaire* fair-minded; *ami* loyal

loyer *m* rent

lubie *f* whim

lubrifiant *m* lubricant; **lubrifier** lubricate

lucarne *f* skylight

lucide lucid; (*conscient*) conscious; **lucidité** *f* lucidity

lucratif, **-ive** lucrative

lueur *f* faint light; ***une ~ d'espoir*** a glimmer of hope

luge *f* toboggan; ***faire de la ~*** go tobogganing

lugubre gloomy, lugubrious

lui *complément d'objet indirect*, *masculin* (to) him; *fé-*

minin (to) her; *chose*, *animal* (to) it; *après prép*, *masculin* him; *animal* it
lui-même himself; *de chose* itself
luire glint, glisten
lumière *f* light; ***à la ~ de*** in the light of
lumineux, **-euse** luminous; *ciel*, *couleur* bright; *affiche* illuminated; *idée* brilliant
lunaire lunar
lunatique lunatic
lundi *m* Monday
lune *f* moon; ***~ de miel*** honeymoon
lunette *f*: ***~s*** glasses; ***~s de soleil*** sunglasses; ***~s de ski*** ski goggles
lustre *m* (*lampe*) chandelier; *fig* luster, *Br* lustre; **lustrer** polish
lutte *f* fight, struggle; SP wrestling; **lutter** fight, struggle; SP wrestle
luxe *m* luxury; ***de ~*** luxury *atr*
Luxembourg: ***le ~*** Luxemburg; **luxembourgeois**, **~e** of/from Luxemburg, Luxemburg *atr*; **Luxembourgeois**, **~e** *m/f* Luxemburger
luxer: ***se ~ l'épaule*** dislocate one's shoulder
luxueux, **-euse** luxurious
luxuriant luxuriant
lycée *m* senior high, *Br* grammar school; **lycéen**, **~ne** *m/f* student (at a lycée)
lyophilisé freeze-dried
lyrique lyric; *qui a du lyrisme* lyrical; ***artiste ~*** opera singer

M

M. (= ***monsieur***) Mr
ma → ***mon***
macabre macabre
macédoine *f*: ***~ de légumes*** mixed vegetables *pl*; ***~ de fruits*** fruit salad
macérer CUIS: ***faire ~*** marinate
mâcher chew
machin *m* F thing
machinal mechanical
machine *f* machine; NAUT engine; *fig* machinery; ***~ à laver*** washing machine; ***~ à sous*** slot machine
machisme *m* machismo; **macho 1** *adj* male chauvinist **2** *m* macho type
mâchoire *f* jaw; **mâchonner** chew (on); (*marmonner*) mutter
maçon *m* bricklayer; *avec des pierres* mason; **maçonnerie** *f* masonry
maculer spatter
madame *f*: ***Madame Durand*** Mrs Durand; ***mesdames et messieurs*** ladies and gentlemen
mademoiselle *f*: ***Mademoi-***

selle Durand Miss Durand

madone *f* Madonna

magasin *m* (*boutique*) store, *surtout Br* shop; (*dépôt*) store room; ***grand ~*** department store; **magasinier** *m* storeman

magazine *m* magazine

mage *m*: ***les Rois ~s*** the Three Wise Men, the Magi

magicien, **~ne** *m/f* magician; **magie** *f* magic; **magique** magic, magical

magistral *ton* magisterial; *fig* masterly; ***cours m ~*** lecture

magistrat *m* JUR magistrate

magnanime magnanimous

magner: ***se ~*** F move it F

magnétique magnetic

magnétophone *m* tape recorder

magnétoscope *m* video (recorder)

magnifique magnificent

magouille *f* F scheming; ***~s électorales*** election shenanigans F

mai *m* May

maigre thin; *résultat*, *salaire* meager, *Br* meagre; **maigrir** get thin, lose weight

mailing *m* mailshot

maille *f* stitch

maillet *m* mallet

maillot *m* SP shirt, jersey; *de coureur* vest; ***~ (de bain)*** swimsuit

main *f* hand; ***fait à la ~*** handmade; ***prendre qc en ~*** *fig* take sth in hand; ***perdre la ~*** *fig* lose one's touch; ***sous la ~*** to hand, within reach

main-d'œuvre *f inv* manpower, labor, *Br* labour

maint *fml* many; ***à ~es reprises*** time and again

maintenance *f* maintenance

maintenant now; ***~ que*** now that

maintenir keep; *tradition* uphold; (*tenir fermement*) hold; *d'une poutre* hold up; (*soutenir*) maintain; ***se ~*** *d'un prix* hold steady; *d'une tradition*, *de la paix* last; ***se ~ au pouvoir*** stay in power; **maintien** *m* maintenance; ***~ de la paix*** peace keeping

maire *m* mayor; **mairie** *f* town hall

mais 1 *conj* but **2** *adv*: ***~ bien sûr!*** of course!; ***~ non!*** no!

maïs *m* BOT corn, *Br aussi* maize; *en boîte* sweet corn

maison *f* house; (*chez-soi*) home; COMM company; ***à la ~*** at home; ***pâté m ~*** homemade pâté; ***~ de campagne*** country house

maître *m* master; (*professeur*) school teacher; (*peintre*, *écrivain*) maestro; ***~ chanteur*** blackmailer; ***~ d'hôtel*** maitre d', *Br* head waiter; ***~ nageur*** swimming instructor

maîtresse 1 *f* mistress (*aussi amante*); (*professeur*) schoolteacher **2** *adj*: ***idée f***

~ main idea
maîtrise *f* mastery; *diplôme* MA, master's (degree); ***~ de soi*** self-control; **maîtriser** master; *cheval* gain control of; *incendie* bring under control
majestueux, **-euse** majestic
majeur 1 *adj* major; ***être ~*** JUR be of age **2** *m* middle finger; **majorité** *f* majority
majuscule *f & adj*: (***lettre f***) ~ capital (letter)
mal 1 *m* evil; (*maladie*) illness; (*difficulté*) difficulty; ***faire ~*** hurt; ***avoir ~ aux dents*** have toothache; ***se donner du ~*** go to a lot of trouble; ***faire du ~ à qn*** hurt s.o.; ***~ de mer*** seasickness **2** *adv* badly; ***pas ~*** not bad; ***se sentir ~*** feel ill **3** *adj*: ***faire/dire qc de ~*** do/say sth bad
malade ill, sick; ***tomber ~*** fall ill; ***~ mental*** mentally ill; **maladie** *f* illness
maladresse *f* clumsiness; **maladroit** clumsy
malaise *m* discomfort; POL malaise; ***faire un ~*** faint
malavisé ill-advised
malchance *f* bad luck
mâle *m & adj* male
malédiction *f* curse
malencontreux, **-euse** unfortunate
malentendant hard of hearing
malfaiteur *m* malefactor
malgré in spite of
malheur *m* misfortune; (*malchance*) bad luck; ***par ~*** unfortunately; **malheureusement** unfortunately; **malheureux**, **-euse** unfortunate; (*triste*) unhappy; (*insignifiant*) silly little
malhonnête dishonest; **malhonnêteté** *f* dishonesty
malice *f* malice; (*espièglerie*) mischief; **malicieux**, **-euse** malicious; (*coquin*) mischievous
malin, **-igne** (*rusé*) crafty, cunning; (*méchant*) malicious; MÉD malignant
malle *f* trunk; **mallette** *f* little bag
malodorant foul-smelling
malpoli impolite
malpropre dirty
malsain unhealthy
malt *m* malt
Malte *f* Malta; **maltais**, **~e** Maltese; **Maltais**, **~e** *m/f* Maltese
maltraiter mistreat, maltreat
malveillant malevolent
malvoyant, **~e 1** *adj* visually impaired **2** *m/f* visually impaired person
maman *f* Mom, *Br* Mum
mamelle *f de vache* udder; *de chienne* teat
mamie *f* F granny
mammifère *m* mammal
manager *m* manager
manche[1] *m d'outils* handle; *d'un violon* neck
manche[2] *f* sleeve; SP round;

la Manche the English Channel
manchette *f* cuff; *d'un journal* headline
mandarine *f* mandarin (orange)
mandat *m* POL term of office, mandate; (*procuration*) proxy; *de la poste* postal order; **~ d'arrêt** arrest warrant;
mandataire *m/f à une réunion* proxy
manège *m* riding school; (*carrousel*) carousel, *Br* roundabout; *fig* game
mangeable edible, eatable
mangeoire *f* manger
manger eat; *argent, temps* eat up; *mots* swallow
maniable *voiture* easy to handle
maniaque fussy; **manie** *f* mania
manier handle
manière *f* way, manner; **~s** manners; *affectées* airs and graces; **à la ~ de** in the style of; **de cette ~** (in) that way; **de toute ~** anyway; **d'une ~ générale** generally speaking; **de ~ à faire qch** so as to do sth; **maniéré** affected
manifestant, **~e** *m/f* demonstrator; **manifestation** *f de joie etc* expression; POL demonstration; *culturelle, sportive* event
manifeste 1 *adj* obvious **2** *m* POL manifesto; **manifester 1** *v/t* show; **se ~** *de maladie, problèmes* manifest itself/themselves **2** *v/i* demonstrate
manipulateur, **-trice** manipulative; **manipulation** *f d'un appareil* handling; *d'une personne* manipulation; **~ génétique** genetic engineering; **manipuler** handle; *personne* manipulate
mannequin *m dans magasin* dummy; *personne* model
manœuvre 1 *f* maneuver, *Br* manoeuvre; *d'un outil, une machine etc* operation **2** *m* unskilled laborer *ou Br* labourer; **manœuvrer** maneuver, *Br* manoeuvre
manoir *m* manor (house)
manque *m* lack; **par ~ de** for lack of; **manqué** unsuccessful; *rendez-vous* missed;
manquer 1 *v/i* (*être absent*) be missing; (*faire défaut*) be lacking; (*échouer*) fail; **tu me manques** I miss you; **~ à** *promesse* fail to keep; *devoir* fail in **2** *v/t* (*être absent à*) miss; *examen* fail; **elle a manqué (de) se faire écraser** she was almost run over **3** *impersonnel* **il manque des preuves** there's a lack of evidence
manteau *m* coat; *de neige* blanket; **~ de cheminée** mantelpiece
manucure *f* manicure
manuel, **~le** *adj & m* manual; **~ d'utilisation** instruction

manual

manufacturé: ***produits*** *mpl* ***~s*** manufactured goods

manuscrit 1 *adj* handwritten **2** *m* manuscript

maquereau *m* ZO mackerel; F (*souteneur*) pimp

maquette *f* model

maquillage *m* make-up; **maquiller** make up; *crime, vérité* conceal; ***se ~*** put one's make-up on

marais *m* swamp

marathon *m* marathon

marbre *m* marble

marc *m*: ***~ de café*** coffee grounds *pl*

marchand, **~e 1** *adj valeur* market *atr*; *rue* shopping *atr*; *marine* merchant *atr* **2** *m/f* merchant, storekeeper, *Br* shopkeeper; **marchander** haggle, bargain; **marchandise** *f*: ***~s*** merchandise; ***train*** *m* ***de ~s*** freight train

marche *f* walking; *d'escalier* step; MUS, MIL march; *des événements* course; (*démarche*) walk; ***~ arrière*** AUTO reverse; ***mettre en ~*** start (up)

marché *m* market; (*accord*) deal; **(*à*) *bon ~*** cheap; ***par-dessus le ~*** into the bargain; ***~ boursier*** stock market; ***le Marché Commun*** POL the Common Market; ***~ noir*** black market

marcher walk; MIL march; *d'une machine* run, work; F (*réussir*) work; *d'un bus, train* run; ***faire ~ qn*** pull s.o.'s leg

mardi *m* Tuesday; ***Mardi gras*** Mardi Gras, *Br* Shrove Tuesday

mare *f* pond; ***~ de sang*** pool of blood

marécage *m* swamp; **marécageux**, **-euse** swampy

marée *f* tide; ***~ basse/haute*** low/high tide; ***~ noire*** oil slick

margarine *f* margarine

marge *f* margin; ***en ~ de*** on the fringes of

marguerite *f* daisy

mari *m* husband

mariage *m fête* wedding; *état* marriage

marié 1 *adj* married **2** *m* (bride)groom; **mariée** *f* bride; **marier** marry; ***se ~*** get married; ***se ~ avec*** marry, get married to

marijuana *f* marijuana

marin 1 *adj air* sea *atr*; *animaux* marine **2** *m* sailor

marine *f* MIL navy; **(*bleu*) *~*** navy (blue)

marionnette *f* puppet; *avec des ficelles aussi* marionnette

marmelade *f* marmalade

marmite *f* (large) pot

marmonner mutter

maroquinerie *f* leather goods shop; *articles* leather goods *pl*

marquant remarkable

marque *f* mark; COMM brand; *de voiture* make; COMM (*signe*) trademark; *~ déposée* registered trademark; *de ~* COMM branded; *fig*: *personne* distinguished; **marquer** mark; (*noter*) write down; *personnalité* leave its mark on; *d'un baromètre etc* show; (*accentuer*) *taille* emphasize; *~ un but* score (a goal); **marqueur** *m* marker pen
marraine *f* godmother
marrant F funny
marre F: *j'en ai ~* I've had enough
marrer F: *se ~* have a good laugh
marron 1 *m* chestnut **2** *adj inv* brown; **marronnier** *m* chestnut tree
mars *m* March
marteau *m* hammer; *~ piqueur* pneumatic drill; **marteler** hammer
martyr, *~e*[1] *m/f* martyr; **martyre**[2] *m* martyrdom; **martyriser** abuse; *petit frère*, *camarade de classe* bully
masculin male; GRAM masculine
masque *m* mask; **masquer** mask
massacre *m* massacre; **massacrer** massacre
massage *m* massage
masse *f* masse; ÉL ground, *Br* earth,; *en ~* in large numbers, en masse; *manifestation* massive; *une ~ de choses à faire* masses *pl* (of things) to do
massif, **-ive 1** *adj* massif; *or*, *chêne* solid **2** *m* massif; *~ de fleurs* flowerbed
massue *f* club
mastiquer *nourriture* chew
mat[1] matt; *son* dull
mat[2] *inv aux échecs* checkmated
mât *m* mast
match *m* game, *Br aussi* match; *~ nul* tied game, *Br* draw
matelas *m* mattress; *~ pneumatique* air bed
matelot *m* sailor
matérialiser: *se ~* materialize; **matériau** *m* material; **matériel**, *~le* **1** *adj* material **2** *m de camping*, SP equipment; INFORM hardware
maternel, *~le* **1** *adj* maternal; *langue f ~le* mother tongue **2** *f* nursery school; **maternité** *f* motherhood; *établissement* maternity hospital; (*enfantement*) pregnancy
mathématicien, *~ne* *m/f* mathematician; **mathématique 1** *adj* mathematical **2** *fpl*: *~s* mathematics
matière *f* material; PHYS, PHIL matter; (*sujet*) subject; *entrée en ~* introduction; *en ~ de* when it comes to; *~ première* raw material
matin *m* morning; *le ~* in the morning; *tous les lundis ~s* every Monday morning;

matinal morning *atr*; ***être ~*** be an early riser; **matinée** *f* morning; (*spectacle*) matinée; ***faire la grasse ~*** sleep late
matou *m* tom cat
matricule *m* number
matrimonial matrimonial
maturité *f* maturity
maudire curse; **maudit** F damn F
mauvais 1 *adj* bad; (*erroné*) wrong **2** *adv* bad; ***il fait ~*** the weather is bad
mauve mauve
maximum *adj & m* maximum; ***au ~*** at most, at the maximum
mayonnaise *f* mayonnaise, mayo F
me me; *complément d'objet indirect* (to) me; ***je ~ suis coupé*** I've cut myself; ***je ~ lève à …*** I get up at …
mec *m* F guy F
mécanicien *m* mechanic; **mécanique 1** *adj* mechanical **2** *f* mechanics; **mécanisme** *m* mechanism
méchanceté *f* nastiness; *action, parole* nasty thing to do/say; **méchant**, **~e 1** *adj* nasty; *enfant* naughty **2** *m/f* F: ***les gentils et les ~s*** the goodies and the baddies
mèche *f de bougie* wick; *d'explosif* fuse; *de perceuse* bit; *de cheveux* strand
méconnaissable unrecognizable
mécontent unhappy, displeased (***de*** with); **mécontenter** displease
médaille *f* medal; **médaillon** *m* medallion
médecin *m* doctor
médecine *f* medicine; ***les ~s douces*** alternative medicines
média *m* media *pl*
médiateur, **-trice** *m/f* mediator
médiatique media *atr*
médical medical
médicament *m* medicine, drug
médiéval medieval, *Br* mediaeval
médiocre mediocre; ***~ en*** ÉDU poor at
médire: ***~ de qn*** run s.o. down
méditation *f* meditation; **méditer 1** *v/t* think about, reflect on **2** *v/i* meditate (***sur*** on)
Méditerranée: ***la ~*** the Mediterranean; **méditerranéen**, **~ne** Mediterranean; **Méditerranéen**, **~ne** *m/f* Mediterranean *atr*
méduse *f* ZO jellyfish
meeting *m* meeting
méfait *m* JUR misdemeanor, *Br* misdemeanour; ***~s*** *de la drogue* harmful effects
méfiance *f* mistrust, suspicion; **méfiant** suspicious; **méfier**: ***se ~ de*** mistrust, be suspicious of; (*se tenir en garde*) be wary of

mégaoctet *m* INFORM megabyte
mégarde *f*: ***par ~*** inadvertently
mégot *m* cigarette butt
meilleur 1 *adj* better; ***le ~ ...*** the best ... **2** *m*: ***le ~*** the best
mél *m* email
mélancolie *f* gloom, melancholy
mélange *m* mixture; *de thés* blend; *action* mixing; *de thés* blending; **mélanger** mix; *thés* blend; (*brouiller*) jumble up, mix up
mêlée *f* fray, melee; *en rugby* scrum; **mêler** mix; (*réunir*) combine; (*brouiller*) jumble up, mix up; ***~ qn à qc*** *fig* involve s.o. in sth; ***se ~ à qc*** get involved with sth; ***se ~ de qc*** interfere in sth
mélodie *f* tune, melody; **mélodieux**, **-euse** tuneful, melodious; *voix* melodious
mélodramatique melodramatic; **mélodrame** *m* melodrama
melon *m* BOT melon
membre *m* ANAT limb; *fig* member
même 1 *adj*: ***le/la ~, les ~s*** the same; ***la bonté ~*** kindness itself **2** *pron*: ***le/la ~*** the same one; ***les ~s*** the same ones; ***cela revient au ~*** it comes to the same thing **3** *adv* even; ***~ pas*** not even; ***faire de ~*** do the same; ***de ~!*** likewise!; ***être à ~ de faire*** be able to do; ***tout de ~*** all the same; ***quand ~*** all the same; ***moi de ~*** me too
mémoire 1 *f* memory; ***à la ~ de*** in memory of **2** *m* (*exposé*) report; (*dissertation*) thesis; ***~s*** memoirs; **mémorable** memorable; **mémoriser** memorize
menace *f* threat; **menacer** threaten (***de*** with; ***de faire*** to do)
ménage *m* (*famille*) household; (*couple*) (married) couple; ***faire le ~*** clean house, *Br* do the housework; **ménagement** *m* consideration; **ménager**[1] *v/t* treat with consideration; *temps, argent* use sparingly; (*arranger*) arrange; **ménager**[2], **-ère 1** *adj* household *atr* **2** *f* home-maker, housewife
mendiant, **~e** *m/f* beggar; **mendier 1** *v/i* beg **2** *v/t* beg for
mener 1 *v/t* lead; (*amener, transporter*) take **2** *v/i*: ***~ à*** *d'un chemin* lead to; ***ne ~ à rien*** *des efforts* come to nothing; **meneur** *m* leader; *péj* ringleader
mensonge *m* lie; **mensonger**, **-ère** false
mensualité *f somme à payer* monthly payment; **mensuel**, **~le** monthly
mental mental; ***calcul*** *m* ***~*** mental arithmetic; **mentalité** *f* mentality

menteur, **-euse** *m/f* liar
menthe *f* BOT mint
mention *f* mention; *à un examen* grade, *Br aussi* mark; **mentionner** mention
mentir lie (**à** to)
menton *m* chin
menu **1** *adj* slight; *morceaux* small **2** *adv* finely, fine **3** *m* menu (*aussi* INFORM); (*repas*) set meal; ***par le ~*** in minute detail
menuisier *m* carpenter
méprendre: ***se ~*** be mistaken (***sur*** about)
mépris *m* (*indifférence*) disdain; (*dégoût*) scorn; **méprisable** despicable; **méprisant** scornful; **mépriser** *argent, ennemi* despise; *conseil, danger* scorn
mer *f* sea; ***en ~*** at see; ***la Mer du Nord*** the North Sea
mercenaire *m* mercenary
mercerie *f magasin* notions store, *Br* haberdashery; *articles* notions, *Br* haberdashery *pl*
merci **1** *int* thanks, thank you (***de***, ***pour*** for); ***~ bien*** thanks a lot, thank you very much **2** *f* mercy
mercredi *m* Wednesday
merde *f* P shit P; **merder** P screw up P
mère *f* mother
méridional southern
mérite *m* merit; **mériter** deserve; ***~ le détour*** be worth a visit
merle *m* blackbird
merveille *f* wonder, marvel; ***à ~*** wonderfully well; **merveilleux**, **-euse** wonderful
mes → ***mon***
mésaventure *f* mishap
mesquin mean
message *m* message; **messager**, **-ère** *m/f* messenger, courier; **messagerie** *f* parcels service; *électronique* electronic mail; ***~ vocale*** voicemail
messe *f* REL mass
mesure *f* measurement; *disposition* measure, step; MUS (*rythme*) time; ***à ~ que*** as; ***être en ~ de faire qch*** be in a position to do sth; ***outre ~*** excessive; ***sur ~*** *fig* tailor-made; **mesurer** measure; *risque, importance* gauge; *paroles* weigh; ***se ~ avec qn*** pit o.s. against s.o.
métal *m* metal; **métallique** metallic
métamorphoser: ***se ~*** metamorphose
météo *f* weather forecast
météore *m* meteor
météorologie *f* meteorology; *service* weather office
méthode *f* method
méticuleux, **-euse** meticulous
métier *m* profession; *manuel* trade; (*expérience*) experience; *machine* loom
métrage *m d'un film* footage; ***court ~*** short

mètre *m* meter, *Br* metre; (*règle*) tape measure
métrique metric
métro *m* subway, *Br* underground; *à Paris* metro
métropole *f* metropolis; *de colonie* mother country
mettre put; *vêtements, lunettes, chauffage* put on; *réveil* set; *argent dans entreprise* put in; ***~ deux heures à faire qc*** take two hours to do sth; ***se ~ à faire*** start to do
meuble *m* piece of furniture; ***~s*** furniture; **meubler** furnish
meurtre *m* murder; **meurtrier, -ère 1** *adj* deadly **2** *m/f* murderer
meurtrir bruise; **meurtrissure** *f* bruise
meute *f* pack; *fig* mob
mexicain, ~e Mexican; **Mexicain, ~e** *m/f* Mexican; **Mexique**: ***le ~*** Mexico
mi-... half; ***à mi-chemin*** half-way; **(*à la*) *mi-janvier*** mid-January
mi-bas *mpl* knee-highs, pop socks
miche *f* large round loaf
micro *m* mike; INFORM computer, PC; *d'espionnage* bug
microbe *m* microbe
microfilm *m* microfilm
micro-ondes *m* microwave
microphone *m* microphone
microscope *m* microscope
midi *m* noon, twelve o'clock; (*sud*) south; **le Midi** the South of France
mie *f de pain* crumb
miel *m* honey
mien: ***le mien, la mienne, les miens, les miennes*** mine
miette *f* crumb
mieux 1 *adv comparatif de bien* better; *superlatif de bien* best; ***le ~*** best; ***de ~ en ~*** better and better; ***tant ~*** so much the better; ***vous feriez ~ de*** ... you would *ou* you'd do best to ... **2** *m*: (*progrès*) progress; ***j'ai fait de mon ~*** I did my best; ***le ~, c'est de ...*** the best thing is to ...
mièvre insipid
mignon, ~ne (*charmant*) cute; (*gentil*) nice
migraine *f* migraine
migration *f* migration; **migrer** migrate
mijoter CUIS simmer; *fig* hatch
milieu *m* (*centre*) middle; *biologique, social* environment; ***au ~ de*** in the middle of; ***le ~*** the underworld
militaire 1 *adj* military **2** *m* soldier; ***les ~s*** the military *sg ou pl*
militant active
militer: ***~ dans*** be an active member of; ***~ pour/contre*** *fig* militate for/against
mille 1 (a) thousand **2** *m mesure* mile; ***~ marin*** nautical mile
millénaire 1 *adj* thousand-

year old **2** *m* millennium
milliard *m* billion; **milliardaire** *m* billionaire
millième thousandth
millier *m* thousand
milligramme *m* milligram
millimètre millimeter, *Br* millimetre
million *m* million; **millionnaire** *m/f* millionaire
minable mean, shabby; ***un salaire ~*** a pittance
mince thin; *personne* slim; *espoir* slight; *somme, profit* small; *argument* flimsy
mine[1] *f* appearance, look; ***avoir bonne/mauvaise ~*** look/not look well
mine[2] *f* mine (*aussi* MIL); *de crayon* lead; **miner** undermine; MIL mine
minéral *adj & m* mineral
minéralogique AUTO: ***plaque f ~*** license plate, *Br* number plate
mineur[1] *adj* JUR, MUS minor
mineur[2] *m* (*ouvrier*) miner
miniature *f* miniature
minimal minimum; **minime** minimal; *salaire* tiny; **minimiser** minimize; **minimum** *adj & m* minimum; ***au ~*** at the very least; ***un ~ de*** the least little bit of
ministère *m* department; (*gouvernement*) government; REL ministry; **ministre** *m* minister; ***~ des Affaires étrangères*** Secretary of State, *Br* Foreign Secretary; ***~ de l'Intérieur*** Secretary of the Interior, *Br* Home Secretary
minitel *m* small home terminal connected to a number of data banks
minorité *f* JUR, POL minority
minuit *m* midnight
minuscule 1 *adj* tiny, minuscule; *lettre* small, lower case **2** *f* small *ou* lower-case letter
minute *f* minute
minuterie *f* time switch
minutie *f* meticulousness; **minutieux, -euse** meticulous
miracle *m* miracle; **miraculeux, -euse** miraculous
mirage *m* mirage; *fig* illusion
miroir *m* mirror
miroiter sparkle
mise *f au jeu* stake; ***de ~*** acceptable; ***~ en bouteilles*** bottling; ***~ en marche** ou **route*** start-up; **miser** stake (***sur*** on)
misérable wretched; **misère** *f* destitution; (*chose pénible*) misfortune
miséricordieux, -euse merciful
misogyne *m* misogynist
missile *m* MIL missile
mission *f* mission; (*tâche*) task
mite *f* ZO (clothes) moth
mi-temps 1 *f* SP half-time **2** *m* part-time job; ***à ~*** *travail* part-time
mitigé moderate; *sentiments* mixed

mi-voix: ***à ~*** under one's breath
mixer, mixeur *m* CUIS blender; **mixte** mixed; **mixture** *f péj* vile concoction
MM (= ***Messieurs***) Messrs.
Mme (= ***Madame***) Mrs
Mo *m* (= ***mégaoctet***) Mb (= megabyte)
mobile 1 *adj* mobile; (*amovible*) movable; *feuilles* loose; *ombres* moving **2** *m* motive; ART mobile
mobilier, -ère 1 *adj* JUR movable, personal **2** *m* furniture
mobilisation *f* mobilization; **mobilité** *f* mobility
mobylette® *f* moped
moche F ugly; (*méprisable*) mean
mode[1] *m* method; ***~ d'emploi*** instructions (for use); ***~ de vie*** life-style
mode[2] *f* fashion; ***être à la ~*** be fashionable, be in fashion
modèle *m* model; *tricot* pattern; **modeler** model
modem *m* INFORM modem
modération *f* moderation; **modéré** moderate; **modérer** moderate; ***se ~*** control o.s.
moderne modern; **modernisation** *f* modernization; **moderniser** modernize
modeste modest; **modestie** *f* modesty
modification *f* modification; **modifier** modify
modique modest
module *m* TECH module; **moduler** modulate
moelle *f* marrow; ***~ épinière*** spinal cord; **moelleux, -euse** *lit* soft; *chocolat, vin* smooth
mœurs *fpl* morals; (*coutumes*) customs
moi me; ***avec ~*** with me
moi-même myself
moindre lesser; *prix* lower; *quantité* smaller; ***le/la ~*** the least
moine *m* monk
moineau *m* sparrow
moins 1 *adv* less; ***au*** *ou* ***du ~*** at least; ***à ~ que ... ne*** (+ *subj*) unless; ***de ~ en ~*** less and less; ***20 euros de ~*** 20 euros less **2** *m*: ***le ~*** the least **3** *prép* MATH minus; ***dix heures ~ cinq*** it's five of ten , *Br* it's five to ten; ***il fait ~ deux*** it's 2 below zero
mois *m* month
moisi 1 *adj* moldy, *Br* mouldy **2** *m* BOT mold, *Br* mould; **moisir** go moldy *ou Br* mouldy; **moisissure** *f* BOT mold, *Br* mould
moisson *f* harvest; **moissonner** harvest
moite damp, moist
moitié *f* half; ***à ~ vide/endormi*** half-empty/-asleep; ***~ ~*** fifty-fifty
molaire *f* molar
molécule *f* molecule
molester rough up
molette *f de réglage* knob
mollesse *f* softness; *d'une*

personne, *d'actions* lethargy
mollet[1], **~te** *adj* soft; *œuf* soft-boiled
mollet[2] *m* calf
môme *m/f* F kid F
moment *m* moment; ***d'un ~ à l'autre*** at any moment; ***par ~s*** at times, sometimes; ***pour le ~*** for the moment
momentané temporary; **momentanément** for a short while
mon *m*, **ma** *f*, **mes** *pl* my
monarchie *f* monarchy; **monarque** *m* monarch
monastère *m* monastery
monceau *m* mound
mondain *vie* society *atr*; **mondanités** *fpl* social niceties
monde *m* world; *gens* people *pl*; ***tout le ~*** everybody, everyone; ***mettre au ~*** bring into the world
mondial world *atr*, global; **mondialisation** *f* globalization
monétaire monetary; *marché* money *atr*
moniteur, -trice 1 *m/f* instructor **2** *m* INFORM monitor
monnaie *f* money; (*pièces*) change; (*unité monétaire*) currency
monologue *m* monolog, *Br* monologue
monopole *m* monopoly; **monopoliser** monopolize
monospace *m* people carrier, MPV
monotone monotonous; **monotonie** *f* monotony
monsieur *m* (*pl* messieurs) *dans lettre* Dear Sir; ***Monsieur Durand*** Mr Durand; ***bonjour ~*** good morning
monstre 1 *m* monster **2** *adj* colossal
mont *m* mountain
montage *m* TECH assembly; *d'un film* editing; *d'une photographie* montage; ÉL connecting
montagnard, **~e 1** *adj* mountain *atr* **2** *m/f* mountain dweller; **montagne** *f* mountain; ***à la ~*** in the mountains; ***~s russes*** roller coaster; **montagneux**, **-euse** mountainous
montant 1 *adj robe* high-necked; *mouvement* upward **2** *m somme* amount
montée *f sur montagne* ascent; (*pente*) slope; *de prix*, *de température* rise; **monter 1** *v/t* climb, go/come up; *valise* take/bring up; *machine* assemble; *tente* put up; THÉÂT put on; *film* edit; *entreprise* set up; *cheval* ride **2** *v/i* come/go upstairs; *d'avion*, *de route* climb; *des prix* rise, go up; *de baromètre*, *fleuve* rise; ***~ dans*** *avion*, *train* get on; *voiture* get in(to) **3**: ***se ~ à*** *de frais* amount to
montre *f* (wrist)watch
montrer show; ***~ qn/qc du***

doigt point at s.o./sth
monture *f* (*cheval*) mount; *de lunettes* frame; *d'un diamant* setting
monument *m* monument; **monumental** monumental
moquer: ***se ~ de*** (*railler*) make fun of; (*dédaigner*) not care about; (*tromper*) fool; **moquerie** *f* mockery
moquette *f* wall-to-wall carpet
moqueur, **-euse** **1** *adj* mocking **2** *m/f* mocker
moral, **~e** **1** *adj* moral; *souffrance*, *santé* spiritual **2** *m* morale **3** *f* morality, morals *pl*; *d'une histoire* moral
morbide morbid
morceau *m* piece; *d'un livre* passage
morceler divide up
mordant biting; **mordre** bite; *d'un acide* eat into
morfondre: ***se ~*** mope; (*s'ennuyer*) be bored
morgue *f lieu* mortuary, morgue
moribond dying
morne gloomy
morose morose
mors *m* bit
morsure *f* bite
mort[1] *f* death
mort[2], **~e** **1** *adj* dead; *eau* stagnant; *yeux* lifeless; *membre* numb; ***ivre ~*** dead drunk; ***être ~ de rire*** F die laughing **2** *m/f* dead man; dead woman; ***les ~s*** the dead *pl*
mortalité *f* mortality; ***taux*** *m* ***de ~*** death rate, mortality;
mortel, **~le** mortal; *blessure*, *dose*, *maladie* fatal; *péché* deadly
morue *f* cod
morveux, **-euse** *m/f* F squirt F
mosaïque *f* mosaic
Moscou Moscow
mosquée *f* mosque
mot *m* word; (*court message*) note; ***bon ~*** witticism; ***~ clé*** key word; ***~ de passe*** password; ***gros ~*** rude word, swearword; ***~ à ~*** word for word
motard *m* motorcyclist, biker; *de la gendarmerie* motorcycle policeman
moteur, **-trice** **1** *m* engine, motor; *fig*: *personne* driving force (**de** behind) **2** *adj arbre* drive; *force* driving
motif *m* motive, reason; (*forme*) pattern; MUS theme, motif; *en peinture* motif
motion *f* POL motion
motivation *f* motivation; **motiver** motivate; (*expliquer*) be the reason for, prompt; (*justifier par des motifs*) give a reason for
moto *f* motorbike, motorcycle; ***faire de la ~*** ride one's motorbike; **motocycliste** *m/f* motorcyclist
motoriser mechanize; ***je suis motorisé*** F I have a car
mou, **molle** soft; *caractère*, *ré-*

sistance weak
mouche *f* fly
moucher: ***se ~*** blow one's nose
moucheron *m* gnat
mouchoir *m* handkerchief
moudre grind
moue *f* pout; ***faire la ~*** pout
mouette *f* seagull
moufle *f* mitten
mouillé wet; **mouiller 1** *v/t* wet; (*humecter*) dampen; *liquide* water down **2** *v/i* MAR anchor
moule 1 *m* mold, *Br* mould; CUIS tin **2** *f* ZO mussel
mouler mold, *Br* mould
moulin *m* mill; ***~ (à vent)*** windmill; ***~ à café*** coffee grinder
mourir die (***de*** of); ***~ de froid*** freeze to death
mousse *f* foam; BOT moss; CUIS mousse; **mousser** lather; **mousseux**, **-euse 1** *adj* foamy **2** *m* sparkling wine
moustache *f* mustache, *Br* moustache
moustique *m* mosquito
moutarde *f* mustard
mouton *m* sheep; *viande* mutton; *fourrure* sheepskin
mouvement *m* movement; *trafic* traffic; ***en ~*** moving; **mouvementé** eventful; *débat* lively
mouvoir: ***se ~*** move
moyen, **~ne 1** *adj* average; *classe* middle; ***Moyen Âge*** *m* Middle Ages *pl*; ***Moyen-Orient*** *m* Middle East **2** *m* (*façon, méthode*) means *sg*; ***~s*** (*argent*) means *pl*; *intellectuelles* faculties; ***au ~ de, par le ~ de*** by means of **3** *f* average; *statistique* mean; ***en ~ne*** on average; **moyenâgeux**, **-euse** medieval
moyennant for
Mt (= ***Mont***) Mt (= Mount)
muer *d'oiseau* molt, *Br* moult; *de voix* break
muet, **~te** dumb; *fig* silent
mufle *m* muzzle; *fig* F boor
mugir moo; *du vent* moan
muguet *m* BOT lily of the valley
mule *f* mule
multicolore multicolored, *Br* multicoloured
multimédia *m & adj* multimedia
multinational, **~e 1** *adj* multinational **2** *f*: ***multinationale*** multinational
multiplication *f* multiplication; ***la ~ de*** (*augmentation*) the increase in the number of; **multiplier** multiply; ***se ~*** *d'une espèce* multiply
multitude *f*: ***une ~ de*** a host of; ***la ~*** *péj* the masses *pl*
multiusages versatile
municipal town *atr*, municipal; **municipalité** *f* (*commune*) municipality; *conseil* town council
munir: ***~ de*** fit with; *personne* provide with; ***se ~ de qc*** *d'un parapluie, de son passe-*

port take sth
mur *m* wall
mûr ripe
muraille *f* wall
mûre *f* BOT mulberry; *des ronces* blackberry
murer *enclos* wall in; *porte* wall up
mûrier *m* mulberry (tree)
mûrir ripen
murmure *m* murmur; **murmurer** murmur; (*médire*) talk
muscle *m* muscle; **musclé** muscular; **musculation** *f* body-building
museau *m* muzzle
musée *m* museum
museler muzzle (*aussi fig*); **muselière** *f* muzzle
musical musical; **musicien, ~ne 1** *adj* musical **2** *m/f* musician; **musique** *f* music; **~ *de fond*** piped music
must *m* must
musulman, ~e *m/f & adj* Muslim
mutation *f* change; BIOL mutation; *de fonctionnaire* transfer
mutiler mutilate
mutuel, ~le mutual
myope shortsighted
myrtille *f* bilberry
mystère *m* mystery; **mystérieux, -euse** mysterious
mystifier fool, take in
mystique 1 *adj* mystical **2** *m/f* mystic **3** *f* mystique
mythe *m* myth; **mythologie** *f* mythology
mythomane *m/f* pathological liar

N

nabot *m péj* midget
nacre *f* mother-of-pearl
nage *f* swimming; *style* stroke; ***être en* ~** *fig* be dripping with sweat
nageoire *f* fin
nager 1 *v/i* swim **2** *v/t*: **~ *la brasse*** do the breaststroke
naïf, naïve naive
nain, ~e *m/f & adj* dwarf
naissance *f* birth (*aussi fig*)
naître be born (*aussi fig*); ***faire* ~** *sentiment* give rise to
naïveté *f* naivety
nana *f* F chick F, girl
nantir provide (***de*** with)
nappe *f* tablecloth; *de gaz, pétrole* layer
narcotique *m & adj* narcotic
narguer taunt
narine *f* nostril
narquois taunting
narrateur, -trice *m/f* narrator; **narration** *f* narration
nasal nasal
natal *pays etc* of one's birth, native; **natalité** *f*: (***taux*** *m* ***de***) **~** birth rate

natation *f* swimming
natif, **-ive** native
nation *f* nation; **national**, **~e 1** *adj* national **2** *mpl*: ***nationaux*** nationals **3** *f* highway; **nationaliser** nationalize; **nationaliste 1** *adj* nationalist; *péj* nationalistic **2** *m/f* nationalist; **nationalité** *f* nationality
natte *f* (*tapis*) mat; *de cheveux* braid, plait
naturalisation *f* naturalization
nature 1 *adj yaourt* plain; *thé, café* without milk or sugar; *personne* natural **2** *f* nature; ***~ morte*** ART still life; **naturel**, **~le 1** *adj* natural **2** *m* (*caractère*) nature; (*spontanéité*) naturalness; **naturellement** naturally
naufrage *m* shipwreck; ***faire ~*** be shipwrecked
nausée *f* nausea; ***j'ai la ~*** I'm nauseous, *Br* I feel sick; **nauséeux**, **-euse** nauseous
nautique nautical; *ski* water *atr*
nautisme *m* water sports and sailing
naval naval; *construction* ship *atr*
navet *m* rutabaga, *Br* swede; *fig* turkey F, *Br* flop
navette *f* shuttle; ***faire la ~*** shuttle
navigable navigable; **navigation** *f* sailing; (*pilotage*) navigation; ***~ aérienne*** air travel; ***~ spatiale*** space travel; **naviguer** *d'un navire, marin* sail; *d'un avion* fly; (*conduire*), INFORM navigate; ***~ sur Internet*** surf the Net
navire *m* ship
navrant upsetting; **navré**: ***je suis ~*** I am so sorry
ne: ***je ~ comprends pas*** I don't understand, I do not understand; ***ne ... guère*** hardly; ***ne ... jamais*** never; ***ne ... personne*** nobody; ***ne ... plus*** no longer; not any more; ***ne ... que*** only; ***ne ... rien*** nothing, not anything; → *aussi* ***guère, jamais*** *etc*
né born; ***~e Lepic*** nee Lepic
néanmoins nevertheless
néant *m* nothingness
nécessaire 1 *adj* necessary **2** *m* necessary; ***le strict ~*** the bare minimum; ***~ de toilette*** toiletries *pl*; **nécessité** *f* necessity; **nécessiter** require, necessitate
néerlandais, **~e 1** *adj* Dutch **2** *m langue* Dutch; **Néerlandais**, **~e** *m/f* Dutchman; Dutchwoman
néfaste harmful
négatif, **-ive** *adj & m* negative; **négation** *f* negation; GRAM negative
négligé 1 *adj travail* careless; *tenue* untidy; *épouse, enfant* neglected **2** *f* negligee; **négligence** *f* negligence, carelessness; *d'une épouse, d'un*

enfant neglect; (*nonchalance*) casualness; **négligent** careless, negligent; *parent* negligent; *geste* casual; **négliger** neglect; *occasion* miss; *avis* disregard; ***~ de faire*** fail to do

négoce *m* trade; **négociant** *m* merchant; **négociateur, -trice** *m/f* negotiator; **négociation** *f* negotiation; **négocier** negotiate

neige *f* snow; **neiger** snow

néon *m* neon

nerf *m* nerve; (*vigueur*) energy; ***être à bout de ~s*** be at the end of one's tether

nerveux, -euse nervous; (*vigoureux*) full of energy; AUTO responsive; **nervosité** *f* nervousness

n'est-ce pas: ***il fait beau, ~?*** it's a fine day, isn't it?; ***tu la connais, ~?*** you know her, don't you?

net, ~te 1 *adj* (*propre*) clean; (*clair*) clear; *différence* distinct; COMM net **2** *adv* (*aussi* ***nettement***) *tué* outright; *refuser* flatly; *parler* plainly; **netteté** *f* cleanliness; (*clarté*) clarity

nettoyage *m* cleaning; ***~ ethnique*** ethnic cleansing; ***~ à sec*** dry cleaning; **nettoyer** clean; F (*ruiner*) clean out F; ***~ à sec*** dryclean

neuf[1] nine

neuf[2], **neuve** *adj* new; ***refaire à ~*** *maison etc* renovate; *moteur* recondition

neutraliser neutralize; **neutralité** *f* neutrality; **neutre** neutral

neuvième ninth

neveu *m* nephew

névralgie *f* MÉD neuralgia

névrosé, ~e *m/f* neurotic

nez *m* nose

ni neither, nor; ***je n'ai ~ intérêt ~ désir*** I have neither interest nor inclination; ***sans sucre ~ lait*** without sugar or milk, with neither sugar nor milk; ***~ moi non plus*** neither *ou* nor do I, me neither

niais stupid; **niaiserie** *f* stupidity

niche *f dans un mur* niche; *d'un chien* kennel; **nicher** nest; *fig* F live

nicotine *f* nicotine

nid *m* nest; ***~ de poule*** *fig* pothole

nièce *f* niece

nier: ~ (***avoir fait***) deny (doing)

nigaud 1 *adj* silly **2** *m* idiot, fool

niveau *m* level; ÉDU standard; *outil* spirit level; ***~ de vie*** standard of living; **niveler** *terrain* level; *fig*: *différences* even out

noble noble; **noblesse** *f* nobility

noce *f* wedding; ***faire la ~*** F paint the town red

nocif, -ive harmful, noxious

nocturne 1 *adj* night *atr*; zo nocturnal **2** *f*: ***un match joué en ~*** an evening match
Noël *m* Christmas; ***joyeux ~!*** Merry Christmas!; ***le père ~*** Santa Claus, *Br aussi* Father Christmas
nœud *m* knot (*aussi* NAUT); *fig*: *d'un problème* nub; ***~ papillon*** bow tie
noir 1 *adj* black; (*sombre*) dark; ***il fait ~*** it's dark **2** *m* black; (*obscurité*) dark; ***travail*** *m* ***au ~*** moonlighting
Noir *m* black man
noircir blacken
Noire *f* black woman
noisetier *m* hazel; **noisette** *f & adj inv* hazelnut
noix *f* walnut
nom *m* name; GRAM noun; ***au ~ de qn*** in *ou Br* on behalf of s.o.; ***~ de famille*** surname, family name; ***~ de jeune fille*** maiden name
nombre *m* number; ***sans ~*** countless; **nombreux**, **-euse** numerous, many; *famille* large
nombril *m* navel
nomination *f* appointment; *à un prix* nomination
nommer name, call; *à une fonction* appoint; ***se ~*** be called
non no; ***j'espère que ~*** I hope not; ***moi ~ plus*** me neither; ***c'est normal, ~?*** that's normal, isn't it?
non-alcoolisé non-alcoholic
nonchalant nonchalant, casual
non-fumeur *m* nonsmoker; ***espace*** *m* ***~s*** nonsmoking area
nonobstant notwithstanding
non-polluant environmentally friendly, non-polluting
nord 1 *m* north; ***au ~ de*** (to the) north of **2** *adj* north; *hémisphère* northern
nord-américain, **~e** North-American; **Nord-Américain**, **~e** *m/f* North-American
nord-est *m* north-east
nord-ouest *m* north-west
normal, **~e 1** *adj* normal **2** *f*: ***inférieur/supérieur à la ~e*** above/below average; **normalement** normally; **normalisation** *f* normalization; TECH standardization; **normalité** *f* normality
norme *f* norm; TECH standard
Norvège: ***la ~*** Norway; **norvégien**, **~ne 1** *adj* Norwegian **2** *m langue* Norwegian; **Norvégien**, **~ne** *m/f* Norwegian
nos → ***notre***
nostalgie *f* nostalgia; ***avoir la ~ de son pays*** be homesick
notaire *m* notary
notamment particularly
note *f* note; *à l'école* grade, *Br* mark; (*facture*) check, *Br* bill; ***~ de frais*** expense account; ***~ de service*** memo;

noter (*écrire*) write down; (*remarquer*) note
notice *f* note; (*mode d'emploi*) instructions *pl*
notifier *v/t*: **~ *qch à qn*** notify s.o. of sth
notion *f* (*idée*) notion, concept; **~*s*** basics *pl*
notre, *pl* **nos** our
nôtre: ***le/la ~, les ~s*** ours
nouer tie; *relations* establish
nougat *m* nougat
nouilles *fpl* noodles
nounou *f* F nanny
nounours *m* teddy bear
nourrice *f* child minder
nourrir feed; *fig*: *espoir* nurture
nourrisson *m* infant
nourriture *f* food
nous *sujet* we; *complément d'objet direct* us; *complément d'objet indirect* (to) us; ***~ ~ sommes levés tôt*** we got up early; ***~ ~ aimons*** we love each other
nouveau, **nouvelle** (*m* **nouvel** *before a vowel or silent h*; *mpl* **nouveaux**) **1** *adj* new; ***de** ou **à ~*** again; ***Nouvel An*** *m* New Year('s) **2** *m/f* new person
nouveau-né **1** *adj* newborn **2** *m* newborn baby
nouveauté *f* novelty
nouvelle *f* (*récit*) short story; ***une ~*** *dans les médias* a piece of news; **nouvelles** *fpl* news *sg*; **Nouvelle Zélande** *f* New Zealand
novembre *m* November
novice **1** *m/f* novice **2** *adj* inexperienced
noyade *f* drowning
noyau *m* pit, *Br* stone; PHYS nucleus; *fig* (small) group
noyer[1] *v/t* drown; AUTO flood; ***se ~*** drown; *se suicider* drown o.s.
noyer[2] *m arbre, bois* walnut
nu **1** *adj* naked; *arbre, bras, tête etc* bare **2** *m* ART nude
nuage *m* cloud; **nuageux**, **-euse** cloudy
nuance *f* shade; *fig* slight difference; (*subtilité*) nuance; **nuancé** subtle; **nuancer** qualify
nucléaire **1** *adj* nuclear **2** *m*: ***le ~*** nuclear power
nudiste *m/f* & *adj* nudist; **nudité** *f* nudity
nuée *f d'insectes* cloud; *de journalistes* horde
nuire: **~ *à*** hurt, harm
nuit *f* night; ***il fait ~*** it's dark
nul, **~le** **1** *adj* no; (*non valable*) invalid; (*sans valeur*) hopeless; (*inexistant*) nonexistent; ***~le part*** nowhere **2** *pron* no-one; **nullement** not in the least; **nullité** *f* JUR invalidity; *fig* hopelessness; *personne* loser
numérique numerical; INFORM digital
numéro *m* number; ***~ vert*** toll-free number, *Br* Freefone number; **numéroter** **1** *v/t* number **2** *v/i* TÉL dial

nuque *f* nape of the neck
nurse *f* nanny
nutritif, **-ive** nutritional; *aliment* nutritious; **nutrition** *f* nutrition
nylon *m* nylon

O

obéir obey; **~ à** obey; **obéissance** *f* obedience; **obéissant** obedient
obèse obese; **obésité** *f* obesity
objecter: **~ *qch*** *pour ne pas faire qch* give sth as a reason; **~ *que*** object that; **objectif**, **-ive 1** *adj* objective **2** *m* objective; PHOT lens; **objection** *f* objection; **objectivité** *f* objectivity
objet *m* object; *de réflexions, d'une lettre* subject
obligation *f* obligation; COMM bond; **obligatoire** compulsory, obligatory
obligeant obliging; **obliger** oblige; (*forcer*) force; ***être obligé de faire qc*** be obliged to do sth
oblique oblique
oblitérer *timbre* cancel
obscène obscene
obscur obscure; *nuit, rue* dark; **obscurcir** darken; ***s'~*** grow dark; **obscurité** *f* obscurity; *de la nuit, d'une rue* darkness
obséder obsess
obsèques *fpl* funeral
observateur, **-trice** *m/f* observer; **observation** *f* observation; *d'une règle* observance; **observatoire** *m* observatory; **observer** observe; *changement* notice; ***faire ~ qc à qn*** point sth out to s.o.
obsession *f* obsession
obstacle *m* obstacle; SP hurdle; *pour cheval* jump; ***faire ~ à qc*** stand in the way of sth
obstination *f* obstinacy; **obstiné** obstinate; **obstiner**: ***s'~ à faire qc*** persist in doing sth
obstruction *f* obstruction; *dans tuyau* blockage; **obstruer** obstruct, block
obtenir get, obtain
obturer seal; *dent* fill
obtus MATH, *fig* obtuse
obus *m* MIL shell
occasion *f* opportunity; *marché* bargain; ***d'~*** second-hand; ***à l'~*** when the opportunity arises; **occasionner** cause
Occident *m*: ***l'~*** the West; **occidental**, **~e** western; **Occidental**, **~e** *m/f* Westerner
occulte occult
occupant 1 *adj* occupying **2** *m* occupant; **occupation** *f* occupation; **occupé** busy; *pays, appartement* occupied;

chaise taken; TÉL busy; **occuper** occupy; *personnel* employ; ***s'~ de*** *politique etc* take an interest in; *malade, organisation* look after
occurrence *f*: ***en l'~*** as it happens
océan *m* ocean
octet *m* INFORM byte
octobre *m* October
oculaire eye *atr*
oculiste *m/f* eye specialist
odeur *f* smell; ***~ corporelle*** BO
odieux, **-euse** hateful, odious
odorant scented
odorat *m* sense of smell
œil *m* (*pl* yeux) eye; ***à vue d'~*** visibly
œillet *m* BOT carnation
œuf *m* egg; ***~s brouillés*** scrambled eggs; ***~ à la coque*** soft-boiled egg; ***~ sur le plat*** fried egg
œuvre **1** *f* work; ***~ d'art*** work of art; ***mettre en ~*** (*employer*) use; (*exécuter*) carry out **2** *m* ART, *littérature* works *pl*
offense *f* (*insulte*) insult; (*péché*) sin; **offenser** offend; ***s'~ de*** take offense *ou Br* offence at
office *m* office; REL service; ***d'~*** automatically; ***faire ~ de*** act as
officiel, **~le** official
officier *m* officer
officieux, **-euse** semi-official
officinal *plante* medicinal
offre *f* offer; ***~ d'emploi*** job offer; **offrir** offer; *cadeau* give; ***s'~ qc*** treat o.s. to sth
offusquer offend
oie *f* goose
oignon *m* onion; BOT bulb
oiseau *m* bird; ***à vol d'~*** as the crow flies
oiseux, **-euse** idle
oisif, **-ive** idle; **oisiveté** *f* idleness
olive *f* olive; **olivier** *m* olive (tree)
olympique Olympic
ombrage *m* shade; **ombragé** shady; **ombrageux**, **-euse** *cheval* skittish; *personne* touchy; **ombre** *f* shade; (*silhouette*) shadow; *fig* (*anonymat*) obscurity; *de regret* hint
ombrelle *f* sunshade
omelette *f* omelet, *Br* omelette
omettre leave out, omit; ***~ de faire*** fail *ou* omit to do; **omission** *f* omission
omnibus *m*: (***train*** *m*) **~** slow train
on (*après* ***que, et, où, qui, si*** *souvent* **l'on**) (*nous*) we; (*tu, vous, indéterminé*) you; (*quelqu'un*) someone; (*eux, les gens*) they, people; *autorités* they; ***~ m'a dit que…*** I was told that …; ***~ ne sait jamais*** you never know, one never knows *fml*
oncle *m* uncle
onction *f* REL unction; **onc-**

tueux, **-euse** smooth; *fig* smarmy F, unctuous

onde *f* wave; ***sur les ~s*** RAD on the air; ***grandes ~s*** long wave

ondée *f* downpour

on-dit *m* rumor, *Br* rumour

ondoyer *du blés* sway

ondulation *f de terrain* undulation; *de coiffure* wave; **onduler** *d'ondes* undulate; *de cheveux* be wavy

onéreux, **-euse** expensive

ongle *m* nail; zo claw

onguent *m* cream, salve

onze eleven; ***le ~*** the eleventh; **onzième** eleventh

opaque opaque

opéra *m* opera; *bâtiment* opera house

opérable MÉD operable; **opérateur**, **-trice** *m/f* operator; *en cinéma* cameraman; FIN trader; **opération** *f* operation; *action* working; FIN transaction; **opérer** **1** *v/t* MÉD operate on; (*produire*) make; (*exécuter*) implement **2** *v/i* MÉD operate; (*avoir effet*) work; (*procéder*) proceed; ***se faire ~*** have an operation

opiner: ***~ de la tête*** nod in agreement

opiniâtre stubborn; **opiniâtreté** *f* stubbornness

opinion *f* opinion

opium *m* opium

opportun *ou* opportune; *moment* right; **opportuniste** *m/f* opportunist; **opportunité** *f* timeliness; (*occasion*) opportunity

opposant, **~e** **1** *adj* opposing **2** *m/f* opponent; ***les ~s*** the opposition; **opposé** **1** *adj pôles* opposite; *opinions* conflicting; ***être ~ à qc*** be opposed to sth **2** *m* opposite; ***à l'~ de qn*** unlike s.o.; **opposer** bring into conflict; *argument* put forward; ***s'~ à qn/à qc*** oppose s.o./sth; **opposition** *f* opposition; (*contraste*) contrast

oppresser oppress, weigh down; **oppression** *f* oppression

opprimer oppress

opter: ***~ pour*** opt for

opticien, **~ne** *m/f* optician

optimisme *m* optimism; **optimiste** **1** *adj* optimistic **2** *m/f* optimist

option *f* option

optique **1** *adj nerf* optic; *verre* optical **2** *f science* optics; *fig* viewpoint

opulent wealthy; *poitrine* ample

or[1] *m* gold

or[2] *conj* now

orage *m* storm; **orageux**, **-euse** stormy

oraison *f* REL prayer

oral *adj* & *m* oral

orange *f* & *adj inv* orange; **oranger** *m* orange tree

orateur, **-trice** *m/f* orator

orbital orbital

orbite *f* ANAT eyesocket; ASTR orbit (*aussi fig*)
orchestre *m* orchestra; *de théâtre* orchestra, *Br* stalls *pl*
orchidée *f* orchid
ordinaire 1 *adj* ordinary **2** *m essence* regular; ***d'~*** ordinarily
ordinateur *m* computer
ordonnance *f* arrangement, layout; (*ordre*) order (*aussi* JUR); MÉD prescription; **ordonné** tidy; **ordonner** organize; (*commander*) order; MÉD prescribe
ordre *m* order; ***~ du jour*** agenda; ***de premier ~*** first-rate; ***mettre en ~*** tidy
ordures *fpl* (*détritus*) garbage, *Br* rubbish; *fig* filth
oreille *f* ear; *d'un bol* handle; ***dur d'~*** hard of hearing
oreiller *m* pillow
oreillons *mpl* MÉD mumps *sg*
orfèvre *m* goldsmith
organe *m* organ; (*voix, porte-parole*) voice; *d'un mécanisme* part
organisation *f* organization; **organiser** organize; ***s'~*** *d'une personne* get organized; **organiseur** *m* INFORM personal organizer
organisme *m* organism; ANAT system; (*organisation*) organization, body
orgue *m* organ
orgueil *m* pride; **orgueilleux, -euse** proud
Orient *m*: ***l'~*** the East; *Asie* the East, the Orient; **oriental, ~e** east, eastern; *d'Asie* eastern, Oriental; **Oriental, ~e** *m/f* Oriental
orientation *f* direction; *d'une maison* exposure; **orienter** orient, *Br* orientate; (*diriger*) direct; ***s'~*** get one's bearings; ***s'~ vers*** *fig* go in for
orifice *m* opening
originaire original; ***être ~ de*** come from; **original 1** *adj* original; *péj* eccentric **2** *m ouvrage* original; *personne* eccentric; **origine** *f* origin; ***à l'~*** originally; **originel, ~le** original
orme *m* BOT elm
ornement *m* ornament; **ornementer** ornament
orner decorate (***de*** with)
orphelin, ~e *m/f* orphan; **orphelinat** *m* orphanage
orteil *m* toe
orthographe *f* spelling
ortie *f* BOT nettle
os *m* bone
osciller PHYS oscillate; *d'un pendule* swing; ***~ entre*** *fig* waver between
osé daring; **oser**: ***~ faire*** dare to do
osier *m* BOT osier; ***en ~*** wicker
ossements *mpl* bones; **osseux, -euse** ANAT bone *atr*; *visage, mains* bony
ostensible evident
otage *m* hostage
ôter remove; MATH take away

ou or; ~ ***bien*** or (else); ~ ... ~ ... either ... or

où where; ***d'~ vient-il?*** where does he come from?; ***d'~ l'on peut déduire que ...*** from which it can be deduced that ...; ***le jour ~ ...*** the day when ...

ouate *f* absorbent cotton, *Br* cotton wool; **ouater** pad, quilt

oubli *m* forgetting; (*omission*) oversight; ***tomber dans l'~*** sink into oblivion; **oublier** forget; ~ ***de faire*** forget to do

ouest 1 *m* west; ***à l'~ de*** (to the) west of **2** *adj* west, western

oui yes

ouï-dire: ***par*** ~ by hearsay

ouïe *f* hearing; ~***s*** ZO gills

ouragan *m* hurricane

ourler hem; **ourlet** *m* hem

ours *m* bear; **ourse** *f* she-bear; ***la Grande Ourse*** ASTR the Great Bear

oursin *m* ZO sea urchin

outil *m* tool; **outillage** *m* tools *pl*

outrage *m* insult; **outrager** insult

outrance *f* excessiveness; ***à*** ~ excessively

outre 1 *prép* in addition to **2** *adv*: ***en*** ~ besides; ***passer*** ~ ignore

outré: ***être*** ~ ***de*** *ou* ***par*** be outraged by

outre-Atlantique on the other side of the Atlantic

outre-Manche on the other side of the Channel

outre-mer: ***d'~*** overseas *atr*

ouvert open; **ouverture** *f* opening; MUS overture

ouvrable working; ***jour*** *m* ~ workday; **ouvrage** *m* work; **ouvragé** ornate

ouvre-boîtes *m* can opener, *Br aussi* tin opener; **ouvre-bouteilles** *m* bottle opener

ouvrier, **-ère 1** *adj* working-class **2** *m/f* worker

ouvrir 1 *v/t* open; *radio*, *gaz* turn on **2** *v/i d'un magasin* open; ***s'~*** open; *fig* open up

ovale *m & adj* oval

ovni *m* (= ***objet volant non identifié***) UFO (= unidentified flying object)

oxygène *m* oxygen

P

pacifier pacify; **pacifique 1** *adj personne* peace-loving; *coexistence* peaceful **2** *m* ***le Pacifique*** the Pacific; **pacifiste** *m/f & adj* pacifist

PACS *m* (*pacte civil de solidarité*) civil union, *Br* civil partnership

pacte *m* pact; **pactiser**: ~ ***avec*** come to terms with

pagaie *f* paddle
pagaïe, pagaille *f* F mess
page *f* page; **~ *d'accueil*** INFORM home page
paie, paye *f* pay; **paiement** *m* payment
païen, ~ne *m/f & adj* pagan
paillasson *m* doormat
paille *f* straw
pain *m* bread; ***~ au chocolat*** chocolate croissant; ***~ complet*** whole wheat *ou Br* wholemeal bread; ***~ d'épice*** gingerbread; ***petit ~*** roll
pair 1 *adj nombre* even **2** *m*: ***hors ~*** unrivaled, *Br* unrivalled; ***fille f au ~*** au pair
paire *f*: ***une ~ de*** a pair of
paisible peaceful; *personne* quiet
paître graze
paix *f* peace; (*calme*) peace and quiet
Pakistan: ***le ~*** Pakistan; **pakistanais, ~e** Pakistani; **Pakistanais, ~e** *m/f* Pakistani
palais *m* **1** palace; ***~ de justice*** law courts *pl* **2** ANAT palate
pale *f* blade
pâle pale; *fig*: *style* colorless, *Br* colourless; *imitation* pale
Palestine: ***la ~*** Palestine; **palestinien, ~ne** Palestinian; **Palestinien, ~ne** *m/f* Palestinian
palette *f de peinture* palette
pâleur *f* paleness, pallor
palier *m d'un escalier* landing; TECH bearing; (*phase*) stage
pâlir go pale; *de couleurs* fade
palissade *f* fence
pallier alleviate; *manque* make up for
palme *f* BOT palm; *de natation* flipper; **palmier** *m* BOT palm tree
pâlot, ~te pale
palper feel; MÉD palpate
palpitant *fig* exciting, thrilling; **palpitations** *fpl* palpitations; **palpiter** *du cœur* pound
pamplemousse *m* grapefruit
pan *m de vêtement* tail; *de mur* section
panache *m* plume; ***avoir du ~*** have panache; **panaché** *m* shandy-gaff, *Br* shandy
pancarte *f* sign; *de manifestation* placard
pané breaded
panier *m* basket
panique *f* panic; **paniquer** panic
panne *f* breakdown; ***~ en panne*** have a breakdown; ***tomber en ~ sèche*** run out of gas *ou Br* petrol; ***~ d'électricité*** power outage, *Br* power failure
panneau *m* board; TECH panel; ***~ de signalisation*** roadsign
panorama *m* panorama
pansement *m* dressing; **panser** *blessure* dress; *cheval* groom
pantalon *m* pants *pl*, *Br* trou-

sers *pl*; ***un ~*** a pair of pants
pantelant panting
pantois *inv*: ***rester ~*** be speechless
pantoufle *f* slipper
paon *m* peacock
papa *m* dad
papal REL papal; **pape** *m* REL pope
paperasse *f* (*souvent au pl* ***~s***) *péj* papers *pl*
papeterie *f magasin* stationery store, *Br* stationer's
papi, papy *m* F grandpa
papier *m* paper; ***~ (d')aluminium*** kitchen foil; ***~ hygiénique*** toilet tissue; ***~s d'identité*** identification, ID
papillon *m* butterfly; TECH wing nut; F (*contravention*) (parking) ticket
paquebot *m* liner
pâquerette *f* BOT daisy
Pâques *msg ou fpl* Easter; ***joyeuses ~!*** happy Easter
paquet *m* packet; *de sucre, café* bag; *de la poste* parcel
par *lieu* through; *passif, moyen* by; ***~ terre*** on the ground; ***~ beau temps*** in fine weather; ***~ curiosité*** out of curiosity; ***~ hasard*** by chance; ***diviser ~ quatre*** divide by four; ***~ an*** a year; ***finir ~ faire*** finish by doing
parabolique: ***antenne f ~*** satellite dish
paracétamol *m* paracetamol
parachute *m* parachute; **parachutiste** *m/f* parachutist; MIL para(trooper)
parade *f* parade; *en escrime* parry; *à un argument* counter
paradis *m* paradise
paradoxe *m* paradox
parages *mpl*: ; ***dans les ~*** around; ***dans les ~ de*** in the vicinity of
paragraphe *m* paragraph
paraître appear; *d'un livre* come out, be published; ***il paraît que*** it seems that, it would appear that; ***laisser ~*** show
parallèle 1 *adj* parallel (**à** to) **2** *f* MATH parallel (line) **3** *m* GÉOGR parallel (*aussi fig*)
paralyser paralyse; **paralysie** *f* paralysis
paramètre *m* parameter
paranoïaque *m/f & adj* paranoid
parapharmacie *f* (non-dispensing) pharmacy; *produits* toiletries *pl*
paraplégique *m/f & adj* paraplegic
parapluie *m* umbrella
parasite 1 *adj* parasitic **2** *m* parasite; ***~s*** *radio* interference
parasol *m* parasol; *de plage* beach umbrella
paratonnerre *m* lightning rod, *Br* lightning conductor
paravent *m* windbreak
parc *m* park; *pour enfant* playpen
parcelle *f de terrain* parcel

parce que because
par-ci *adv*: **~, par-là** *espace* here and there; *temps* now and then
parcimonie *f*: **avec ~** parcimoniously
parcourir *région* travel through; *distance* cover; *texte* read quickly
parcours *m* route; *course d'automobiles* circuit
par-derrière from behind
par-dessous underneath
pardessus *m* overcoat
par-dessus over
par-devant from the front
pardon *m* forgiveness; **~!** sorry!; **~?** excuse me?; **pardonner**: **~ qc à qn** forgive s.o. sth
pare-brise *m* windshield, *Br* windscreen
pare-chocs *m* bumper
pareil, ~le 1 *adj* similar (**à** to); (*tel*) such; **c'est toujours ~** it's always the same **2** *adv*: **habillés ~** similarly dressed, dressed the same way
parent, ~e 1 *adj* related **2** *m/f* relative; **~s** (*mère et père*) parents; **parenté** *f* relationship
parenthèse *f* parenthesis, *Br* (round) bracket; **entre ~s** *fig* by the way
parer *attaque* ward off; *en escrime* parry
paresse *f* laziness; **paresseux, -euse** lazy
parfait 1 *adj* perfect; *avant le substantif* complete **2** *m* GRAM perfect (tense)
parfois sometimes
parfum *m* perfume; *d'une glace* flavor, *Br* flavour
pari *m* bet; **parier** bet
parisien, ~ne Parisian, of/from Paris; **Parisien, ~ne** *m/f* Parisian
parité *f* ÉCON parity
parking *m* parking lot, *Br* car park; *édifice* parking garage, *Br* car park
parlant *comparaison* striking; *preuves* decisive
Parlement *m* Parliament; **parlementaire 1** *adj* Parliamentary **2** *m/f* Parliamentarian
parler 1 *v/i* speak, talk; **sans ~ de** not to mention **2** *v/t*: **~ affaires** talk business; **~ anglais** speak English
parmi among
parodie *f* parody
paroi *f* partition
paroisse *f* REL parish
parole *f* word; *faculté* speech; **donner la ~ à qn** give s.o. the floor
parquer *bétail* pen; *réfugiés* dump
parquet *m* (parquet) floor; JUR public prosecutor's office
parrain *m* godfather; *dans un club* sponsor
parsemer sprinkle (**de** with)
part *f* share; (*fraction*) part; **faire ~ de qc à qn** inform s.o. of sth; **de la ~ de qn** in

ou Br on behalf of s.o.; ***d'une ~ ... d'autre ~*** on the one hand ... on the other hand; ***autre ~*** elsewhere; ***nulle ~*** nowhere; ***quelque ~*** somewhere; ***à ~*** *traiter etc* separately; ***à ~ cela*** apart from that
partage *m* division; **partager** share; (*couper, diviser*) divide (up)
partenaire *m/f* partner
parterre *m de fleurs* bed; *au théâtre* rear orchestra, *Br* rear stalls *pl*
parti[1] *m* side; POL party; ***prendre ~ pour*** side with; ***tirer ~ de qc*** turn sth to good use; ***~ pris*** preconceived idea
parti[2] *adj* F: ***être ~*** (*ivre*) be tight
partial biassed
participant, **~e** *m/f* participant; **participer**: ***~ à*** participate in, take part in; *bénéfices* share; *frais* contribute to; *douleur, succès* share in
particularité *f* special feature; **particulier**, **-ère 1** *adj* particular, special; *privé* private; ***~ à*** peculiar to **2** *m* (private) individual; **particulièrement** particularly
partie *f* part; *d'un jeu* game; JUR party; *lutte* struggle; ***en ~*** partly; ***faire ~ de qch*** be part of sth
partiel, **~le** partial
partir leave (***à, pour*** for); SP start; *de la saleté* come out; ***~ de qc*** (*provenir de*) come from sth; ***à ~ de*** (starting) from
partisan, **~e** *m/f* supporter; MIL *m* partisan
partition *f* MUS score; POL partition
partout everywhere
parure *f* finery; *de bijoux* set
parvenir arrive; ***faire ~ qc à qn*** forward sth to s.o.; ***~ à faire*** manage to do
parvenu, **~e** *m/f* upstart
pas[1] *m* step, pace; ***faux ~*** stumble; *fig* blunder, faux pas
pas[2] *adv* not; ***ne ... ~*** not; ***il ne pleut ~*** it's not raining; ***il n'a ~ plu*** it didn't rain
passable acceptable
passage *m* passage; *fig* (*changement*) changeover; ***~ à niveau*** grade crossing, *Br* level crossing; ***de ~*** passing
passager, **-ère 1** *adj* passing **2** *m/f* passenger
passant, **~e** *m/f* passerby
passe *f* SP pass
passé 1 *adj* past **2** *prép*: ***~ dix heures*** after ten o'clock **3** *m* past; ***~ composé*** GRAM perfect
passe-partout *m* skeleton key
passe-passe *m*: ***tour*** *m* ***de ~*** conjuring trick
passeport *m* passport
passer 1 *v/i* pass, go past;

d'un film show; **~ chez qn** drop by at s.o.'s place; **~ de mode** go out of fashion; **~ en seconde** AUTO shift into second; **~ pour qc** pass as sth; **faire ~** *personne* let past; *plat*, *journal* pass; **laisser ~** *personne* let past; *lumière* let in; *chance* let slip **2** *v/t frontière* cross; (*omettre*) miss (out); *temps* spend; *examen* take; *vêtement* slip on; *film* show; *contrat* enter into; **~ qc à qn** pass s.o. sth, pass sth to s.o. **3**: **se ~** (*se produire*) happen; **se ~ de qc** do without sth

passerelle *f* footbridge; MAR gangway; AVIAT steps *pl*

passe-temps *m* hobby, pastime

passif, **-ive 1** *adj* passive **2** *m* GRAM passive; COMM liabilities *pl*

passion *f* passion; **passionnant** exciting; **passionné**, **~e 1** *adj* passionate **2** *m/f* enthusiast; **passionner** excite; **se ~ pour** have a passion for

passivité *f* passiveness, passivity

passoire *f* sieve

pastel *m* pastel

pastèque *f* BOT watermelon

pasteur *m* REL pastor

pasteuriser pasteurize

pastille *f* pastille

patate *f* F potato, spud F

patauger flounder

pâte *f* paste; CUIS: *à pain* dough; *à tarte* pastry; **~s** pasta *sg*

pâté *m* paté; **~ de maisons** block of houses

patère *f* coat peg

paternaliste paternalistic

paternel, **~le** paternal

pâteux, **-euse** doughy; *bouche* dry

pathétique touching; F (*mauvais*) pathetic

pathologique pathological

patience *f* patience; **patient**, **~e** *m/f* & *adj* patient; **patienter** wait

patin *m*: **faire du ~** go skating; **~ à roulettes** roller skate; **patinage** *m* skating; **patiner** skate; AUTO skid; *de roues* spin; **patineur**, **-euse** *m/f* skater; **patinoire** *f* skating rink

pâtisserie *f* cake shop; *gâteaux* cakes; **pâtissier**, **-ère** *m/f* pastrycook

patois *m* dialect

patrie *f* homeland

patrimoine *m* heritage

patriote 1 *adj* patriotic **2** *m/f* patriot

patron *m* boss; (*propriétaire*) owner; *d'une auberge* landlord; REL patron saint; *de couture* pattern

patronne *f* boss; (*propriétaire*) owner; *d'une auberge* landlady; REL patron saint

patronner sponsor

patrouille *f* patrol

patte *f* paw; *d'un oiseau* foot;

d'un insecte leg; F hand, paw *péj*
paume *f* palm
paumer F lose
paupière *f* eyelid
pause *f* (*silence*) pause; (*interruption*) break; **~ *café*** coffee break
pauvre 1 *adj* poor **2** *m/f* poor person; ***les ~s*** the poor *pl*; **pauvreté** *f* poverty
pavé *m* paving; (*chaussée*) pavement, *Br* road surface; *pierres rondes* cobbles *pl*; ***un ~*** a paving stone; *rond* a cobblestone; **paver** pave
pavillon *m* (*maisonnette*) small house; MAR flag
pavot *m* BOT poppy
payable payable
payant *spectateur* paying; *parking* which charges; *fig* profitable
payer 1 *v/t* pay; ***~ qc dix euros*** pay ten euros for sth **2** *v/i* pay **3**: ***se ~ qc*** treat o.s. to sth
pays *m* country; ***mal** m **du ~*** homesickness
paysage *m* landscape
paysan, **~ne 1** *m/f* small farmer; HIST peasant **2** *adj mœurs* country *atr*
Pays-Bas *mpl*: ***les ~*** the Netherlands
PC *m* (= ***personal computer***) PC
PDG *m* (= ***président-directeur général***) President, CEO (= Chief Executive Officer),
péage *m d'une autoroute* tollbooth; ***autoroute à ~*** turnpike, toll road
peau *f* skin; *cuir* leather
pêche[1] *f* BOT peach
pêche[2] *f* fishing; *poissons* catch
péché *m* sin; **pécher** sin
pêcher[1] *m* BOT peach tree
pêcher[2] **1** *v/t* fish for; (*attraper*) catch **2** *v/i* fish; ***~ à la ligne*** go angling
pécheur, **-eresse** *m/f* sinner
pêcheur *m* fisherman; ***~ à la ligne*** angler
pédagogie *f* education, teaching; **pédagogique** educational; *méthode* teaching
pédale *f* pedal; **pédaler** *à vélo* pedal
pédéraste *m* homosexual
pédestre: ***sentier** m **~*** footpath; ***randonnée** f **~*** hike
pédiatre *m/f* MÉD pediatrician
pédicure *m/f* podiatrist, *Br* chiropodist
pègre *f* underworld
peigne *m* comb; **peigner** comb; ***se ~*** comb one's hair
peignoir *m* robe, *Br* dressing gown
peindre paint; (*décrire*) depict
peine *f* (*punition*) punishment; (*effort*) trouble; (*difficulté*) difficulty; (*chagrin*) sorrow; ***ce n'est pas la ~*** there's no point, it's not

worth it; ***valoir la ~ de faire qc*** be worth doing sth; ***à ~*** scarcely, hardly
peiner 1 *v/t* upset **2** *v/i* labor, *Br* labour
peintre *m* painter
peinture *f* paint; *action, tableau* painting; *description* depiction
péjoratif, -ive pejorative
pelage *m* coat
peler peel
pèlerin *m* pilgrim
pelle *f* spade
pellicule *f* film; ***~s*** dandruff
pelote *f de fil* ball
peloter F grope, feel up
peloton *m* ball; MIL platoon; SP pack; **pelotonner** wind into a ball; ***se ~ contre qn*** snuggle up to s.o.
pelouse *f* lawn
peluche *f jouet* soft toy; ***ours m en ~*** teddy bear
pelure *f de fruit* peel
pénaliser penalize; **pénalité** *f* penalty
penchant *m* (*inclination*) liking, penchant
pencher 1 *v/t pot* tilt; ***penché*** *écriture* sloping; ***~ la tête en avant*** bend *ou* lean forward **2** *v/i* lean; *d'un plateau* tilt; *d'un bateau* list; ***se ~ sur un problème*** *fig* examine a problem
pendant[1] **1** *prép* during; *avec chiffre* for **2** *conj*: ***~ que*** while
pendant[2] *adj oreilles* pendulous; (*en instance*) pending
penderie *f* armoire, *Br* wardrobe
pendre hang; ***se ~*** hang o.s.
pendule 1 *m* pendulum **2** *f* (*horloge*) clock
pénétrer 1 *v/t* penetrate; *pensées, personne* fathom out **2** *v/i*: ***~ dans*** penetrate; *maison, bureaux* get into
pénible *travail, vie* hard; *nouvelle* painful; *caractère* difficult
pénicilline *f* penicillin
péninsule *f* peninsula
pénis *m* penis
pénitence *f* REL penitence; (*punition*) punishment; **pénitencier** *m* penitentiary, *Br* prison
pénombre *f* semi-darkness
pense-bête *m* reminder
pensée *f* thought; BOT pansy;
penser think; ***~ à*** (*réfléchir à*) think about; ***faire ~ à qn à faire qch*** remind s.o. to do sth; ***~ faire qch*** (*avoir l'intention*) be thinking of doing sth; **penseur** *m* thinker; **pensif, -ive** thoughtful
pension *f* (*allocation*) allowance; *logement* rooming house, *Br* boarding house; *école* boarding school; ***~ complète*** American plan, *Br* full board; **pensionnaire** *m/f d'un hôtel* guest; *écolier* boarder; **pensionnat** *m* boarding school
pente *f* slope; ***en ~*** sloping

Pentecôte: ***la ~*** Pentecost
pénurie *f* shortage
pépin *m de fruit* seed
perçant *regard, froid* piercing
percée *f* breakthrough
percepteur *m* tax collector
perception *f* perception; *des impôts* collection; *bureau* tax office
percer 1 *v/t* make a hole in; *porte* make; *(transpercer)* pierce **2** *v/i du soleil* break through; **perceuse** *f* drill
percevoir perceive; *impôts* collect
perche *f* zo perch; *en bois, métal* pole
percher: **(*se*)** ~ *d'un oiseau* perch; F live; **perchoir** *m* perch
percolateur *m* percolator
percussion *f* MUS percussion
percuter crash into
perdant, **~e 1** *adj* losing **2** *m/f* loser
perdre 1 *v/t* lose; *occasion* miss; *son temps* waste; ***se ~*** *disparaître* disappear; *d'une personne* get lost **2** *v/i*: ***~ au change*** lose out
perdrix *f* partridge
père *m* father (*aussi* REL)
perfection *f* perfection; **perfectionnement** *m* perfecting; **perfectionner** perfect; ***se ~ en anglais*** improve one's English
perfide treacherous
perforer perforate; *cuir* punch
performance *f* performance; **performant** high-performance
péril *m* peril; **périlleux**, **-euse** perilous
périmé out of date
périmètre *m* MATH perimeter
période *f* period; ***en ~ de*** in times of; **périodique 1** *adj* periodic **2** *m* periodical
périphérie *f d'une ville* outskirts *pl*; **périphérique** *m* beltway, *Br* ringroad
périr perish; **périssable** *nourriture* perishable
péritel: ***prise*** *f* **~** scart
perle *f* pearl; *(boule percée)* bead; *fig: personne* gem; *de sang* drop; **perler**: ***la sueur perlait sur son front*** he had beads of sweat on his forehead
permanence *f* permanence; ***être de ~*** be on duty; ***en ~*** constantly; **permanent**, **~e 1** *adj* permanent **2** *f coiffure* perm
perméable permeable
permettre allow, permit; ***~ à qn de faire qch*** allow s.o. to do sth; ***se ~ qc*** allow o.s. sth
permis *m* permit; ***passer son ~*** sit one's driving test; ***~ de conduire*** driver's license, *Br* driving licence; ***~ de séjour*** residence permit
permission *f* permission; MIL leave
perpendiculaire perpendic-

ular (**à** to)
perpétrer JUR perpetrate
perpétuel, ~le perpetual; **perpétuer** perpetuate; **perpétuité** *f*: **à ~** in perpetuity; JUR *condamné* to life imprisonment
perplexe perplexed, puzzled
perron *m* steps *pl*
perroquet *m* parrot
perruque *f* wig
persécuter persecute
persévérance *f* perseverance; **persévérer** persevere (**dans** in)
persienne *f* shutter
persil *m* BOT parsley
persistance *f* persistence; **persister** persist (**à faire** in doing); **~ dans sa décision** stick to one's decision
personnage *m* character; (*dignitaire*) important person
personnalité *f* personality
personne[1] *f* person; **deux ~s** two people; **par ~** per person, each; **les ~s âgées** the old *pl*, old people *pl*
personne[2] *pron* no-one, nobody; **il n'y avait ~** no-one was there, there wasn't anyone there; **je ne vois jamais ~** I never see anyone; *qui que ce soit* anyone, anybody
personnel, ~le 1 *adj* personal; *conversation, courrier* private **2** *m* personnel *pl*, staff *pl*
perspective *f* perspective; *fig*: *pour l'avenir* prospect
perspicace shrewd; **perspicacité** *f* shrewdness
persuader persuade (**de faire** to do); **se ~** convince o.s.
perte *f* loss; *fig* (*destruction*) ruin; **à ~ de vue** as far as the eye can see; **une ~ de temps** a waste of time
pertinent relevant
perturbateur, -trice disruptive; **perturber** *personne* upset; *trafic* disrupt
pervers perverse; **pervertir** pervert
pesant heavy; **pesanteur** *f* PHYS gravity
pèse-personne *f* scales *pl*
peser weigh; *fig* weigh up; *mots* weigh
pessimisme *m* pessimism; **pessimiste 1** *adj* pessimistic **2** *m/f* pessimist
pétale *f* petal
pétard *m* firecracker; F (*bruit*) racket
péter F fart F
pétillant sparkling; **pétiller** *du feu* crackle; *d'une boisson, d'yeux* sparkle
petit, ~e 1 *adj* small, little; **~ à ~** gradually, little by little; **~ ami** *m* boyfriend; **~e amie** *f* girlfriend **2** *m/f* child; **une chatte et ses ~s** a cat and her young; **attendre des ~s** be pregnant
petite-fille *f* granddaughter
petit-fils *m* grandson
pétition *f* petition

pétrifier turn to stone; *fig* petrify
pétrin *m fig* F mess
pétrir knead
pétrole *m* oil, petroleum; ~ ***brut*** crude (oil); **pétrolier, -ère 1** *adj* oil *atr* **2** *m* tanker
peu 1 *adv*: ~ ***gentil*** not very nice; ~ ***après*** a little after; ***j'ai*** ~ ***dormi*** I didn't sleep much; ~ ***de pain*** not much bread; ~ ***de choses à faire*** not many things to do; ~ ***de gens*** few people; ***dans*** ~ ***de temps*** in a little while; ***un*** ~ a little, a bit; ***un tout petit*** ~ just a very little, just a little bit; ***un*** ~ ***de chocolat*** a little chocolate, a bit of chocolate; ***un*** ~ ***plus long*** a bit *ou* little longer; ***de*** ~ *rater le bus etc* only just; ~ ***à*** ~ little by little; ***à*** ~ ***près*** (*plus ou moins*) more or less; (*presque*) almost
peuple *m* people; **peupler** *région* populate; *maison* live in
peuplier *m* BOT poplar
peur *f* fear (***de*** of); ***avoir*** ~ be frightened, be afraid (***de*** of); ***faire*** ~ ***à qn*** frighten s.o.; ***de*** ~ ***que*** (*+subj*) in case; **peureux, -euse** fearful, timid
peut-être perhaps, maybe
phare *m* MAR lighthouse; AVIAT beacon; AUTO headlight; ***se mettre en*** (***pleins***) ~***s*** switch to full beam
pharmacie *f* pharmacy, *Br aussi* chemist's; *science* pharmacy; *médicaments* pharmaceuticals *pl*; **pharmacien, ~ne** *m/f* pharmacist
phénomène *m* phenomenon
philosophe *m* philosopher; **philosophie** *f* philosophy; **philosophique** philosophical
phobie *f* phobia
photo *f* photo; *l'art* photography; ***prendre qn en*** ~ take a photo of s.o.
photocopie *f* photocopy; **photocopier** photocopy; **photocopieur** *m*, **photocopieuse** *f* photocopier
photographe *m/f* photographer; **photographie** *f* photograph; *l'art* photography; **photographier** photograph
phrase *f* GRAM sentence; MUS phrase; ***sans*** ~***s*** straight out
physicien, ~ne *m/f* physicist
physique 1 *adj* physical **2** *m* physique **3** *f* physics
piailler *d'un oiseau* chirp; F *d'un enfant* scream
pianiste *m/f* pianist; **piano** *m* piano; ~ ***à queue*** grand piano
pic *m* pick; *d'une montagne* peak; ***à*** ~ *tomber* steeply
pichet *m* pitcher, *Br* jug
pickpocket *m* pickpocket
pick-up *m* pick-up (truck)
pie *f* ZO magpie
pièce *f* piece; *de machine* part; (*chambre*) room; (*document*) document; *de mon-*

naie coin; *de théâtre* play; ***cinq euros (la) ~*** five euros each; ***mettre en ~s*** smash to smithereens; ***~ jointe*** enclosure

pied *m* foot; *d'un meuble* leg; *d'un champignon* stalk; ***à ~*** on foot; ***~s nus*** barefoot; ***au ~ de*** at the foot of; ***mettre sur ~*** set up

piège *m* trap; **piégé**: ***voiture f ~e*** car bomb; **piéger** trap; *voiture* booby-trap

piercing *m* body piercing

pierre *f* stone; ***~ tombale*** gravestone; **pierreux, -euse** *sol* stony

piétiner 1 *v/t* trample; *fig* trample underfoot **2** *v/i fig* (*ne pas avancer*) mark time

piéton, ~ne 1 *m/f* pedestrian **2** *adj*: ***zone f ~ne*** pedestrianized zone, *Br* pedestrian precinct

pieu *m* stake; F pit F

pieuvre *f* octopus

pieux, -euse pious

pigeon *m* pigeon

piger F understand, get F

pigment *m* pigment

pile[1] *f* (*tas*) pile; ÉL battery; *monnaie* tails

pile[2] *adv*: ***s'arrêter ~*** stop dead; ***à deux heures ~*** at two o'clock on the dot

piler *ail* crush; *amandes* grind

pilier *m* pillar (*aussi fig*)

pillage *m* pillage, plunder; **piller** pillage

pilote 1 *m* pilot; AUTO driver **2** *adj*: ***usine f ~*** pilot plant; **piloter** pilot; AUTO drive

pilule *f* pill

piment *m* pimento; *fig* spice

pimenter spice up

pin *m* BOT pine

pinard *m* F wine

pince *f* pliers *pl*; *d'un crabe* pincer; ***~ à épiler*** tweezers *pl*; ***~ à linge*** clothespin, *Br* clothespeg

pinceau *m* brush

pincer pinch; MUS pluck

ping-pong *m* ping-pong

pinson *m* chaffinch

pintade *f* guinea fowl

pioche *f* pickax, *Br* pickaxe; **piocher** dig

pioncer F sleep, *Br* kip F

pipe *f* pipe

pipi *m* F pee F

pique *m aux cartes* spades

pique-nique *m* picnic

piquer *d'une abeille, des orties* sting; *d'un moustique, serpent* bite; *d'épine* prick; *fig*: *curiosité* excite; *fig* F (*voler*) pinch F; ***se ~*** prick o.s.; *se faire une piqûre* inject o.s.

piquet *m* stake; ***~ de tente*** tent peg; ***~ de grève*** picket line

piquette *f* cheap wine

piqûre *f d'abeille* sting; *de moustique* bite; MÉD injection

pirate *m* pirate; ***~ informatique*** hacker; ***~ de l'air*** hijacker; ***copie f ~*** pirate(d) copy;

pirater pirate
pire worse; ***le/la ~*** the worst
piscine *f* (swimming) pool; ***~ couverte/en plein air*** indoor/outdoor pool
pisser F pee F, piss F
piste *f* track; AVIAT runway; *ski alpin* piste; *ski de fond* trail; ***~ cyclable*** cycle path
pistolet *m* pistol
piston *m* piston; **pistonner** F pull strings for
pitié *f* pity; ***avoir ~ de qn*** take pity on s.o.
pitoyable pitiful
pittoresque picturesque
pivot *m* pivot
pizza *f* pizza
PJ (= ***pièce(s) jointe(s)***) enclosure(s)
placard *m* (*armoire*) cabinet, *Br* cupboard; (*affiche*) poster; **placarder** *avis* stick up
place *f de ville* square; (*lieu*) place; (*siège*) seat; (*espace libre*) room, space; (*emploi*) position; ***sur ~*** on the spot; ***à la ~ de*** instead of; ***~ de place avec*** change places with
placement *m* (*emploi*) placement; FIN investment; ***agence f de ~*** employment agency; **placer** put, place; (*procurer emploi à*) find a job for; *argent* invest; *dans une famille etc* find a place for; ***se ~*** take one's place
plafond *m* ceiling
plage *f* beach; *lieu* seaside resort
plagiat *m* plagiarism
plaider 1 *v/i* JUR plead **2** *v/t*: ***~ la cause de qn*** defend s.o.; *fig* plead s.o.'s cause
plaidoyer *m* JUR speech for the defense *ou Br* defence; *fig* plea
plaie *f* cut; *fig* wound
plaignant, ~e *m/f* JUR plaintiff
plaindre pity; ***se ~*** complain (***de*** about; ***à*** to)
plaine *f* plain
plainte *f* complaint; (*lamentation*) moan
plaire: ***s'il vous plaît, s'il te plaît*** please; ***Paris me plaît*** I like Paris; ***ça me plairait d'aller …*** I would like to go …; ***se ~*** *de personnes* be attracted to each other
plaisance *f*: ***port*** *m* ***de ~*** marina
plaisanter joke; **plaisanterie** *f* joke
plaisir *m* pleasure; ***par ~, pour le ~*** for pleasure; ***faire ~ à*** please
plan 1 *adj* flat, level **2** *m* (*surface*) surface; (*projet, relevé*) plan; ***premier ~*** foreground; ***sur ce ~*** in that respect; ***sur le ~ économique*** in economic terms
planche *f* plank; ***~ à voile*** sailboard
plancher *m* floor
planer hover; *fig* live in another world
planète *f* planet
planeur *m* glider

planifier plan
planning *m*: **~ familial** family planning
planquer F hide; **se ~** hide
plant *m* AGR seedling; (*plantation*) plantation
plante[1] *f* plant
plante[2] *f*: **~ du pied** sole of the foot
planter plant; *jardin* plant up; *poteau* hammer in; *tente* put up
plaque *f* plate; (*inscription*) plaque; **~ électrique** hotplate; **~ tournante** turntable; *fig* hub
plaquer *argent, or* plate; *meuble* veneer; *fig* pin (**contre** to, against); F (*abandonner*) dump F; *au rugby* tackle
plastique *adj & m* plastic
plat 1 *adj* flat; *eau* still **2** *m* dish
plateau *m* tray; *de théâtre* stage; TV, *d'un film* set; GÉOGR plateau; **~ de fromages** cheeseboard
plate-bande *f* flower bed
plate-forme *f* platform; **~ de lancement** launch pad
platine 1 *m* CHIM platinum **2** *f*: **~ laser** *ou* **CD** CD player
platitude *f* dullness; (*lieu commun*) platitude
plâtre *m* plaster; **plâtrer** plaster
plausible plausible
plein 1 *adj* full (**de** of); **en ~ air** in the open (air); **en ~ Paris** in the middle of Paris; **en ~ jour** in broad daylight **2** *adv*: **~ de** F lots of, a whole bunch of F **3** *m*: **faire le ~** AUTO fill up
pleurer 1 *v/i* cry; **~ sur** complain about **2** *v/t* (*regretter*) mourn
pleurnicher F snivel
pleuvoir rain; **il pleut** it's raining
pli *m* fold; *d'une jupe* pleat; *d'un pantalon* crease; (*enveloppe*) envelope; (*lettre*) letter; **plier 1** *v/t* (*rabattre*) fold; (*courber, ployer*) bend **2** *v/i* bend; *fig* (*céder*) give in; **se ~ à** (*se soumettre*) submit to
plomb *m* lead; **sans ~** *essence* unleaded
plombage *m* filling
plomberie *f* plumbing; **plombier** *m* plumber
plongée *f* diving; **plonger 1** *v/i* dive **2** *v/t* plunge; **se ~ dans** bury o.s. in; **plongeur, -euse** *m/f* diver
pluie *f* rain; *fig* shower
plumage *m* plumage; **plume** *f* feather; **plumer** pluck; *fig* fleece
plupart: **la ~ d'entre nous** most of us; **pour la ~** mostly; **la ~ du temps** most of the time
pluriel, **~le** *adj & m* plural
plus 1 *adv* more (**que**, **de** than); **~ grand** bigger; **~ efficace** more efficient; **le ~ grand** the biggest; **le ~ effi-**

cace the most efficient; ***~ il vieillit ~ il dort*** the older he gets the more he sleeps; ***le ~*** the most; ***tu en veux ~?*** do you want some more?; ***20 euros de ~*** 20 euros more; ***nous n'avons ~ d'argent*** we have no more money, we don't have any more money; ***elle n'y habite ~*** she doesn't live there any more, she no longer lives there; ***je ne le reverrai ~ jamais*** I won't see him ever again; ***moi non ~*** me neither **2** *prép* MATH plus
plusieurs several
plutôt rather
pluvieux, -euse rainy
pneu *m* tire, *Br* tyre
pneumonie *f* pneumonia
poche *f* pocket; zo pouch; ***livre*** *m* ***de ~*** paperback; ***argent de ~*** pocket money
pocher *œufs* poach
pochette *f pour photos etc* folder; *d'un disque, CD* sleeve; (*sac*) bag
poêle 1 *m* stove **2** *f* frypan, *Br* frying pan
poème *m* poem
poésie *f* poetry; (*poème*) poem
poète *m* poet; **poétique** poetic; *atmosphère* romantic
poids *m* weight; *fig* (*charge, fardeau*) burden; (*importance*) weight; ***perdre/prendre du ~*** lose/gain weight
poignard *m* dagger; **poignarder** stab
poignée *f petit nombre* handful; *d'une valise etc* handle; ***~ de main*** handshake
poignet *m* wrist
poil *m* hair; ***à ~*** naked; **poilu** hairy
poinçonner *argent* hallmark; *billet* punch
poing *m* fist; ***coup*** *m* ***de ~*** punch
point[1] *m* point; *de couture* stitch; ***deux ~s*** colon; ***être sur le ~ de faire*** be on the point of doing; ***à ~*** *viande* medium; ***à ce ~*** so much; ***~ du jour*** dawn; ***~ de vue*** point of view
point[2] *adv litt*: ***il ne le fera ~*** he will not do it
pointe *f* point; *d'asperge* tip; ***en ~*** pointed; ***de ~*** *technologie* leading-edge; *secteur* high-tech; ***une ~ de*** a touch of
pointer 1 *v/t sur liste* check, *Br* tick off **2** *v/i d'un employé* clock in
pointillé *m*: ***les ~s*** the dotted line
pointilleux, -euse fussy
pointu pointed; *voix* high-pitched
pointure *f* (shoe) size
point-virgule *m* GRAM semi-colon
poire *f* pear
poireau *m* BOT leek
poirier *m* BOT pear (tree)
pois *m* BOT pea; ***petits ~*** gar-

den peas
poison 1 *m* poison **2** *m/f fig* F nuisance, pest
poisson *m* fish; ***Poissons*** *mpl* ASTROL Pisces
poissonnerie *f* fish shop, *Br* fishmonger's
poitrine *f* chest; (*seins*) bosom
poivre *m* pepper; **poivrer** pepper
poivron *m* bell pepper, *Br* pepper
polaire polar; **pôle** *m* pole; *fig* center, *Br* centre, focus; ***~ Nord*** North Pole; ***~ Sud*** South Pole; ***Pôle emploi*** employment office, *Br* job centre
poli (*courtois*) polite; *métal, caillou* polished
police *f* police; ***~ d'assurance*** insurance policy
policier, **-ère 1** *adj* police *atr*; *film, roman* detective *atr* **2** *m* police officer
polir polish
politesse *f* politeness
politicien, **~ne** *m/f* politician
politique 1 *adj* political; ***homme*** *m* **~** politician **2** *f d'un parti etc* policy; (*affaires publiques*) politics *sg*
pollen *m* pollen
polluer pollute; **pollution** *f* pollution; ***~ atmosphérique*** air pollution
Pologne: ***la ~*** Poland; **polonais**, **~e 1** *adj* Polish **2** *m langue* Polish; **Polonais**, **~e** *m/f* Pole
poltron, **~ne** *m/f* coward
polyclinique *f* (general) hospital
polycopié *m* (photocopied) handout
polystyrène *m* polystyrene
polyvalence *f* versatility; **polyvalent** multipurpose; *personne* versatile
pommade *f* MÉD ointment
pomme *f* apple; ***~ de terre*** potato
pommette *f* ANAT cheekbone
pommier *m* BOT apple tree
pompe[1] *f faste* pomp; ***~s funèbres*** funeral director
pompe[2] *f* TECH pump; ***~ à essence*** gas pump, *Br* petrol pump; **pomper** pump; *fig* (*épuiser*) knock out
pompeux, **-euse** pompous
pompier *m* firefighter; ***~s*** fire department, *Br* fire brigade
pomponner F: ***se ~*** get dolled up F
poncer sand
ponctualité *f* punctuality; **ponctuel**, **~le** *personne* punctual; *fig*: *action* one-off
ponctuer punctuate
pondération *f d'une personne* level-headedness; *de forces* balance; ÉCON weighting; **pondéré** *personne* level-headed; *forces* balanced; ÉCON weighted
pondre *œufs* lay; *fig* F come up with; *roman* churn out
poney *m* pony

pont *m* bridge; MAR deck; ***faire le ~*** make a long weekend of it
pontage *m*: ***~ coronarien*** (heart) bypass
pop *f* MUS pop
populaire popular; **populariser** popularize; **popularité** *f* popularity
population *f* population
porc *m* hog, pig; *fig* pig; *viande* pork
porcelaine *f* porcelain
porcherie *f* hog *ou* pig farm
pore *m* pore; **poreux**, **-euse** porous
pornographique pornographic
port[1] *m* port; ***~ de pêche*** fishing port
port[2] *m d'armes* carrying; *courrier* postage
portable 1 *adj* portable **2** *m ordinateur* laptop; *téléphone* cellphone, cell, *Br* mobile
portail *m* ARCH portal; *d'un parc* gate
portant *mur* load-bearing; ***à bout ~*** at point-blank range; ***bien ~*** well; ***mal ~*** not well
portatif, **-ive** portable
porte *f* door; *d'une ville* gate; ***mettre qn à la ~*** show s.o. the door
porte-bagages *m* AUTO roof rack; *filet* luggage rack; **porte-bonheur** *m* lucky charm; **porte-clés** *m* keyring; **porte-documents** *m* briefcase
portée *f* ZO litter; *d'une arme* range; (*importance*) significance; ***être à la ~ de qn*** *fig* be accessible to s.o.
portefeuille *m* portfolio (*aussi* POL, FIN); (*porte-monnaie*) billfold, *Br* wallet
portemanteau *m* coat rack; *sur pied* coatstand
porte-monnaie *m* coin purse, *Br* purse
porte-parole *m* spokesperson
porter 1 *v/t* carry; *un vêtement, des lunettes etc* wear; (*apporter*) take; bring; *yeux, attention* turn (***sur*** to); *toast* drink; *fruits, nom* bear; ***~ plainte*** make a complaint **2** *v/i d'une voix* carry; ***~ sur*** (*appuyer sur*) rest on; (*concerner*) be about **3**: ***il se porte bien*/*mal*** he's well/not well; ***se ~ candidat*** be a candidate, run
porteur *m d'un message* bearer
portier *m* doorman
portière *f de train, voiture* door
portion *f* portion
portrait *m* portrait
portugais, **~e 1** *adj* Portuguese **2** *m langue* Portuguese; **Portugais**, **~e** *m/f* Portuguese; **Portugal**: ***le ~*** Portugal
pose *f d'un radiateur* installation; *de moquette* fitting; *de papier peint, rideaux* hanging; (*attitude*) pose; **posé**

poised, composed; **poser 1** *v/t* (*mettre*) put (down); *compteur, radiateur* install, *Br* instal; *moquette* fit; *papier peint, rideaux* hang; *problème* pose; *question* ask; ***se ~ en*** set o.s. up as **2** *v/i* pose

positif, -ive positive

position *f* position

possédé possessed (**de** by); **posséder** own, possess; **possesseur** *m* owner; **possession** *f* possession, ownership

possibilité *f* possibility; **possible 1** *adj* possible; ***le plus souvent ~*** as often as possible; ***autant que ~*** as far as possible **2** *m*: ***faire tout son ~*** do everything one can

poste[1] *f* mail, *Br aussi* post; (***bureau** m **de***) ~ post office; ***mettre à la ~*** mail, *Br aussi* post

poste[2] *m* post; (*profession*) position; RAD, TV set; TÉL extension; ***~ de secours*** first-aid post; ***~ de travail*** INFORM work station

poster *soldat* post; *lettre* mail, *Br aussi* post

postérieur 1 *adj dans l'espace* back *atr*, rear *atr*; *dans le temps* later; ***~ à qch*** after sth **2** *m* F posterior F

postérité posterity

posthume posthumous

postier, -ère *m/f* post office employee

postillonner splutter

postuler apply for

posture *f* position, posture; *fig* position

pot *m* pot; ***~ à eau*** water jug; ***prendre un ~*** F have a drink; ***avoir du ~*** F be lucky

potable fit to drink; ***eau ~*** drinking water

potage *m* soup; **potager, -ère**: ***jardin** m* ~ kitchen garden

pot-au-feu *m* boiled beef dinner

pot-de-vin *m* F kickback F, bribe

poteau *m* post; ***~ indicateur*** signpost

poterie *f* pottery; *objet* piece of pottery

potion *f* potion

potiron *m* BOT pumpkin

pou *m* louse

poubelle *f* trash can, *Br* dustbin

pouce *m* thumb

poudre *f* powder; ***chocolat** m **en ~*** chocolate powder; **poudrier** *m* powder compact

pouffer: ***~ de rire*** burst out laughing

poulailler *m* henhouse; *au théâtre* gallery, *Br* gods *pl*

poulain *m* ZO foal

poule *f* hen; **poulet** *m* chicken

poulpe *m* octopus

pouls *m* pulse

poumon *m* lung

poupée *f* doll (*aussi fig*)

poupon *m* little baby
pour 1 *prép* for; **~ 20 euros de courses** 20 euros' worth of shopping; ***je l'ai dit ~ te prévenir*** I said that to warn you **2** *conj*: **~ *que*** (+ *subj*) so that; ***il parle trop vite ~ que je le comprenne*** he speaks too fast for me to understand **3** *m*: ***le ~ et le contre*** the pros and the cons *pl*
pourboire *m* tip
pourcentage *m* percentage
pourparlers *mpl* talks
pourpre purple
pourquoi why
pourri rotten (*aussi fig*); **pourrir 1** *v/i* rot; *fig*: *d'une situation* deteriorate **2** *v/t* rot; *fig* (*corrompre*) corrupt; (*gâter*) spoil; **pourriture** *f* rot (*aussi fig*)
poursuite *f* chase, pursuit; *fig* pursuit; **~s** JUR proceedings; **poursuivre** pursue, chase; *fig*: *bonheur* pursue; *de pensées* haunt; JUR sue; *malfaiteur* prosecute; (*continuer*) carry on with
pourtant yet
pourvoir 1 *v/t emploi* fill; **~ *de*** *voiture*, *maison* equip with **2** *v/i*: **~ *à*** *besoins* provide for; ***se ~ de*** provide o.s.
pourvu: **~ *que*** (+ *subj*) provided that; *exprimant désir* hopefully
pousse *f* AGR shoot; **poussée** *f* thrust; MÉD outbreak; *de fièvre* rise; *fig*: *de racisme etc* upsurge; **pousser 1** *v/t* push; *du vent* drive; *cri*, *soupir* give; *fig*: *recherches* pursue; ***se ~*** *d'une foule* push forward; *pour faire de la place* move over **2** *v/i* push; *de cheveux*, *plantes* grow; **poussette** *f pour enfants* stroller, *Br* pushchair
poussière *f* dust; *particule* speck of dust
poussin *m* chick
poutre *f* beam
pouvoir 1 *v/aux* be able to, can; ***je ne peux pas aider*** I can't *ou* cannot help; ***je ne pouvais pas accepter*** I couldn't accept, I wasn't able to accept; ***il se peut que*** (+ *subj*) it's possible that; ***tu aurais pu me prévenir!*** you could have *ou* might have warned me! **2** *m* power; *procuration* power of attorney; ***les ~s publics*** the authorities
prairie *f* meadow; *plaine* prairie
praline *f* praline
praticable *projet* feasible; *route* passable
pratique 1 *adj* practical **2** *f* practice; *expérience* practical experience; **pratiquement** (*presque*) practically; *dans la pratique* in practice; **pratiquer** practice, *Br* practise; *sports* play; *technique* use; TECH *trou*, *passage* make

pré *m* meadow
préado *m/f* pre-teen
préalable 1 *adj* (*antérieur*) prior; (*préliminaire*) preliminary **2** *m* condition; ***au ~*** beforehand
préavis *m* notice
précaire precarious
précaution *f* caution; *mesure* precaution; ***par ~*** as a precaution
précédent 1 *adj* previous **2** *m* precedent; **précéder** precede
prêcher preach
précieux, -euse precious
précipice *m* precipice
précipitamment hastily, in a rush; **précipitation** *f* haste; ***~s*** *temps* precipitation; **précipiter** (*faire tomber*) plunge (***dans*** into); (*pousser*) hurl; (*brusquer*) precipitate; *pas* hasten; ***se ~*** (*se jeter*) throw o.s.; (*se dépêcher*) rush
précis 1 *adj* precise **2** *m* precis, summary; **préciser** specify; ***~ que*** (*souligner*) make it clear that; **précision** *f* accuracy; *d'un geste* preciseness; ***pour plus de ~s*** for further details
précoce early; *enfant* precocious; **précocité** *f* earliness; *d'un enfant* precociousness
préconçu preconceived
précurseur 1 *m* precursor **2** *adj*: ***signe*** *m* ***~*** warning sign
prédateur, -trice 1 *adj* predatory **2** *m/f* predator
prédécesseur *m* predecessor
prédestiner predestine (***à qc*** for sth; ***à faire*** to do)
prédiction *f* prediction
prédilection *f* predilection; ***de ~*** favorite, *Br* favourite
prédire predict
prédominer predominate
préfabriqué prefabricated
préface *f* preface
préférable preferable (***à*** to); **préféré** favorite, *Br* favourite; **préférence** *f* preference; ***de ~*** preferably; **préférer** prefer (***à*** to); ***~ faire qc*** prefer to do sth; ***je préfère que tu viennes*** (*subj*) ***demain*** I would *ou* I'd prefer you to come tomorrow, I'd rather you came tomorrow
préfet *m* prefect; ***~ de police*** chief of police
préfixe *m* prefix
préjudice *m* harm; ***porter ~ à*** harm
préjugé *m* prejudice
prélever *échantillon* take; *montant* deduct (***sur*** from)
préliminaire preliminary
préluder *fig*: ***~ à*** be the prelude to
prématuré premature
préméditer premeditate
premier, -ère 1 *adj* first; *rang* front; *objectif, cause* primary; *nombre* prime; ***au ~ étage*** on the second floor, *Br* on the first floor; ***Premier ministre*** Prime Minister; ***le***

~ ***août*** August first, *Br* the first of August **2** *m/f*: ***partir le*** ~ leave first **3** *m* second floor, *Br* first floor; ***en*** ~ first **4** *f* THÉÂT first night; AUTO first (gear); *en train* first (class)

prémisse *f* premise

prémonition *f* premonition; **prémonitoire** *rêve* prophetic

prendre 1 *v/t* take; (*enlever*) take away; *froid* catch; *poids* put on; ~ ***qch à qn*** take sth (away) from s.o. **2** *v/i* (*durcir*) set; *de mode* catch on; *d'un feu* take hold; ~ ***à droite*** turn right **3**: ***se*** ~ (*se laisser attraper*) get caught; ***se*** ~ ***d'amitié pour qn*** take a liking to s.o.

prénom *m* first name; ***deuxième*** ~ middle name

préoccuper preoccupy; (*inquiéter*) worry; ***se*** ~ ***de*** worry about

préparatifs *mpl* preparations; **préparation** *f* preparation; **préparer** prepare; (*organiser*) arrange; ~ ***qn à qch*** prepare s.o. for sth; ~ ***un examen*** prepare for an exam; ***se*** ~ get ready; *de dispute, d'orage* be brewing

prépondérant predominant

préposé *m* (*facteur*) mailman, *Br* postman; *au vestiaire* attendant; *des douanes* official; **préposée** *f* (*factrice*) mailwoman, *Br* postwoman

préretraite *f* early retirement

près 1 *adv* close, near; ***de*** ~ closely **2** *prép*: ~ ***de qch*** near sth, close to sth; ~ ***de 500*** nearly 500

présage *m* omen

presbyte farsighted, *Br* longsighted

prescription *f* rule; MÉD prescription; **prescrire** stipulate; MÉD prescribe

présence *f* presence; ***en*** ~ ***de*** in the presence of; **présent 1** *adj* present **2** *m* present (*aussi* GRAM); ***les*** ~***s*** those present; ***à*** ~ at present; ***à*** ~ ***que*** now that; ***jusqu'à*** ~ till now

présentateur, -trice *m/f* TV presenter; ~ ***météo*** weatherman; **présentation** *f* presentation; **présenter** present; *chaise* offer; *personne* introduce; *pour un concours* put forward; *billet* show, present; *condoléances, félicitations* offer; *difficultés, dangers* involve; ***se*** ~ introduce o.s.; *pour un poste, un emploi* apply; *aux élections* run; *de difficultés* come up

préservatif *m* condom

préserver protect (***de*** from); *bois, patrimoine* preserve

présidence *f* chairmanship; POL presidency; **président, ~e** *m/f d'une réunion* chair; POL president; **présidentiel, ~le** presidential; **présider** *réunion* chair

présomption *f* presumption; **présomptueux**, **-euse** presumptuous
presque almost, nearly
presqu'île *f* peninsula
pressant *besoin* pressing, urgent; *personne* insistent
presse *f* press; ***mise f sous ~*** going to press
pressé *lettre*, *requête* urgent; *citron* fresh; ***je suis ~*** I'm in a hurry
pressentiment *m* foreboding, presentiment; **pressentir**: ***~ qch*** have a premonition that sth is going to happen; ***~ qn*** *pour un poste* approach s.o., sound s.o. out
presser **1** *v/t* *bouton* push, press; *fruit* squeeze; (*harceler*) press; *pas* quicken; *affaire* speed up; (*étreindre*) press, squeeze; ***se ~ contre*** press (o.s.) against **2** *v/i* be urgent; ***se ~*** hurry up
pressing *m* *magasin* dry cleaner
pression *f* pressure; *bouton* snap fastener, *Br aussi* press-stud fastener; (***bière f***) ~ draft beer, *Br* draught beer; ***faire ~ sur*** pressure, put pressure on
prestance *f* presence
prestation *f* (*allocation*) allowance; ***~s familiales*** child benefit
prestige *m* prestige
présumer **1** *v/t*: ***~ que*** presume *ou* assume that **2** *v/i*: ***~ de*** overrate
prêt[1] *adj* ready (***à*** for; ***à faire*** to do)
prêt[2] *m* loan; ***~ immobilier*** mortgage
prêt-à-porter *m* ready-to-wear clothes *pl*
prétendre **1** *v/t* maintain; ***~ faire qch*** claim to do sth **2** *v/i*: ***~ à*** lay claim to; **prétendu** so-called
prétentieux, **-euse** pretentious
prêter **1** *v/t* lend **2** *v/i*: ***~ à*** give rise to; ***se ~ à*** *d'une chose* lend itself to; *d'une personne* be a party to
prétexte *m* pretext; ***sous ~ de faire*** on the pretext of doing
prêtre *m* priest; **prêtresse** *f* woman priest
preuve *f* proof, evidence; MATH proof; ***faire ~ de courage*** show courage
prévenance *f* consideration
prévenir (*avertir*) warn (***de*** of); (*informer*) inform (***de*** of); *besoin*, *question* anticipate; *crise*, *maladie* avert
préventif, **-ive** preventive; **prévention** *f* prevention; ***~ routière*** road safety
prévision *f* forecast; ***~s météorologiques*** weather forecast
prévoir (*pressentir*) foresee; (*planifier*) plan; ***comme prévu*** as expected; **prévoyance** *f* foresight; **prévoyant** farsighted

prier 1 *v/i* REL pray **2** *v/t* (*supplier*) beg; REL pray to; **~ qn de faire qc** ask s.o. to do sth; **je vous en prie** don't mention it
prière *f* REL prayer; (*demande*) entreaty; **faire sa ~** say one's prayers
primaire primary; *péj* narrow-minded
prime[1]: **de ~ abord** at first sight
prime[2] *f d'assurance* premium; *de fin d'année* bonus; (*cadeau*) free gift
primer 1 *v/i* take precedence **2** *v/t* take precedence over
primeur *f*: **avoir la ~ de** *nouvelle* be the first to hear *objet* have first use of; **~s** early fruit and vegetables
primitif, **-ive** primitive; *couleur, sens* original
primordial essential
prince *m* prince; **princesse** princess
principal, **~e 1** *adj* main, principal **2** *m*: **le ~** the main thing **3** *m/f* principal, *Br* head teacher
principe *m* principle; **par ~** on principle; **en ~** in principle
printemps *m* spring
priorité *f* priority (**sur** over); *sur la route* right of way
pris *place* taken; *personne* busy
prise *f* hold; *d'un pion, une ville etc* capture, taking; *de poissons* catch; ÉL outlet, *Br* socket; *d'un film* take; **être aux ~s avec** be struggling with; **~ de conscience** awareness; **~ de courant** outlet, *Br* socket
prison *f* prison; **prisonnier**, **-ère** *m/f* prisoner
privation *f* deprivation
privatisation *f* privatization; **privatiser** privatize
privé 1 *adj* private **2** *m*: **en ~** in private; **priver**: **~ qn de** deprive s.o. of; **se ~ de** go without
privilège *m* privilege; **privilégier** favor, *Br* favour
prix *m* price; (*valeur*) value; (*récompense*) prize; **à tout ~** at all costs; **hors de ~** prohibitive; **au ~ de** at the cost of; **~ fort** full price; **~ de revient** cost price
probabilité *f* probability; **probable** probable
probant convincing
problème *m* problem
procédé *m* (*méthode*) method; TECH process; **~s** (*comportement*) behavior, *Br* behaviour
procéder proceed; **~ à qc** carry out sth
procès *m* JUR trial
processus *m* process
procès-verbal *m* minutes *pl*; (*contravention*) ticket
prochain, **~e 1** *adj* next **2** *m/f*: **son ~** one's neighbor *ou Br* neighbour

proche 1 *adj* close (***de*** to), near; *ami* close; *événement* recent; **~ *de*** *fig* close to **2** *mpl*: **~*s*** family and friends
proclamer *roi, république* proclaim; *résultats, innocence* declare
procréer procreate
procuration *f* proxy, power of attorney; **procurer** get, procure *fml*
prodigieux, -euse enormous, tremendous
prodigue extravagant; **prodiguer** lavish
producteur, -trice 1 *adj* producing **2** *m/f* producer; **productif, -ive** productive; **production** *f* production; **produire** produce; ***se* ~** happen; **produit** *m* product; *d'un investissement* yield; **~ *d'entretien*** cleaning product; **~ *fini*** end product
profane 1 *adj art, musique* secular **2** *m/f fig* lay person; **profaner** desecrate, profane
proférer *menaces* utter
professeur *m* teacher; *d'université* professor
profession *f* profession; **professionnel, ~le** *m/f & adj* professional
profil *m* profile
profit *m* COMM profit; (*avantage*) benefit; **profitable** beneficial; COMM profitable; **profiter**: **~ *de qc*** take advantage of sth; **~ *à qn*** be to s.o.'s advantage
profond deep; *personne, pensées* deep, profound; *influence* profound; **profondément** deeply, profoundly; **profondeur** *f* depth
programme *m* program, *Br* programme; INFORM program; **~ *télé*** TV program; **programmer** TV schedule; INFORM program; **programmeur, -euse** *m/f* programmer
progrès *m* progress; *d'un incendie, d'une épidémie* spread; **progresser** progress; *d'une incendie, d'une épidémie* spread; **progressif, -ive** progressive; **progression** *f* progress
prohiber ban, prohibit; **prohibition** *f* ban; ***la Prohibition*** HIST Prohibition
proie *f* prey (*aussi fig*); ***en* ~ *à*** prey to
projecteur *m* (*spot*) spotlight; *au cinéma* projector
projection *f* projection
projet *m* project; *personnel* plan; (*ébauche*) draft; **~ *de loi*** bill; **projeter** (*jeter*) throw; *film* screen; *travail, voyage* plan
proliférer proliferate
prologue *m* prologue
prolongation *f* extension; **~*s*** SP overtime, *Br* extra time; **prolonger** prolong; *mur, route* extend; ***se* ~** continue
promenade *f* walk; *en voiture* drive; **promener** take for a

walk; ***se ~*** go for a walk; *en voiture* go for a drive; **promeneur, -euse** *m/f* stroller, walker

promesse *f* promise; **prometteur, -euse** promising; **promettre** promise (***qc à qn*** s.o. sth, sth to s.o., ***de faire*** to do); ***se ~ de faire qc*** make up one's mind to do sth

promiscuité *f* overcrowding; *sexuelle* promiscuity

promontoire *m* promontory

promoteur, -trice 1 *m/f* (*instigateur*) instigator **2** *m*: ***~ immobilier*** property developer; **promotion** *f* promotion; *sociale* advancement; ÉDU class, *Br* year; ***en ~*** on special offer; **promouvoir** promote

prompt swift

pronom *m* GRAM pronoun

prononcé *fig* marked, pronounced; *accent, traits* strong; **prononcer** (*dire*) say, utter; (*articuler*) pronounce; *discours* give; JUR *sentence* pass, pronounce; ***se ~*** *d'un mot* be pronounced; (*se déterminer*) express an opinion; ***se ~ pour/contre qch*** come out in favor *ou Br* favour of /against sth; **prononciation** *f* pronunciation; JUR passing

propager *idée, nouvelle* spread; BIOL propagate; ***se ~*** spread; BIOL reproduce

propension *f* propensity (***à*** for)

propice favorable, *Br* favourable; *moment* right

proportion *f* proportion; ***toutes ~s gardées*** on balance; **proportionnel, ~le** proportional (***à*** to)

propos 1 *mpl* (*paroles*) words **2** *m* (*intention*) intention; ***à ~*** at the right moment; ***mal à ~, hors de ~*** at the wrong moment; ***à ~!*** by the way; ***à ~ de*** (*au sujet de*) about

proposer suggest, propose; (*offrir*) offer; ***se ~ de faire*** propose doing; ***se ~*** offer one's services; **proposition** *f* (*suggestion*) proposal, suggestion; (*offre*) offer; GRAM clause

propre 1 *adj* own; (*net*) clean; (*approprié*) suitable; ***~ à*** (*particulier à*) characteristic of **2** *m*: ***mettre au ~*** make a clean copy of; **propreté** *f* cleanliness

propriétaire *m/f* owner; *qui loue* landlord; *femme* landlady; **propriété** *f* ownership; (*caractéristique*) property

propulser propel; **propulsion** *f* propulsion

proscrire (*interdire*) ban; (*bannir*) banish

prospectus *m* brochure; FIN prospectus

prospère prosperous; **prospérer** prosper; **prospérité** *f* prosperity

prosterner: ***se ~*** prostrate o.s.
prostituée *f* prostitute; **prostitution** *f* prostitution
protecteur, **-trice 1** *adj* protective; *péj*: *ton* patronizing **2** *m/f* protector; (*mécène*) sponsor, patron; **protection** *f* protection; **protéger** protect (***contre***, ***de*** from); *arts*, *artistes* be a patron of
protéine *f* protein
protestant, **~e** REL *m/f & adj* Protestant
protestation *f* (*plainte*) protest; (*déclaration*) protestation; **protester** protest
prothèse *f* prosthesis
protocole *m* protocol
prototype *m* prototype
prouesse *f* prowess
prouver prove
provenance *f* origin; ***en ~ de*** *avion*, *train* from
provenir: ***~ de*** come from
proverbe *m* proverb
providence *f* providence
province *f* province
proviseur *m* principal, *Br* head (teacher)
provision *f* supply; ***~s*** (*vivres*) provisions; (*achats*) shopping; *d'un chèque* funds *pl*; ***chèque*** *m* ***sans ~*** bad check *ou Br* cheque
provisoire provisional
provocant, **provocateur**, **-trice** provocative; **provoquer** provoke; *accident* cause
proximité *f* proximity; ***à ~ de*** near, in the vicinity of
prude prudish
prudence *f* caution, prudence; **prudent** cautious, prudent; *conducteur* careful
prune *f* BOT plum
pruneau *m* prune
prunier *m* plum (tree)
PS *m* (= ***Parti socialiste***) Socialist Party; (= ***Post Scriptum***) PS (= postscript)
psaume *m* psalm
pseudonyme *m* pseudonym
psychanalyser psychoanalyze; **psychanalyste** *m/f* psychoanalyst
psychiatre *m/f* psychiatrist
psychologie *f* psychology; **psychologique** psychological; **psychologue** *m/f* psychologist
psychopathe *m/f* psychopath
puant stinking; *fig* arrogant; **puanteur** *f* stink
pub *f*: ***une ~*** an ad; ***faire de la ~*** do some advertising
public, **publique 1** *adj* public **2** *m* public; *d'un spectacle* audience
publication *f* publication
publicitaire advertising *atr*; **publicité** *f* publicity; COMM advertising; (*affiche*) ad
publier publish
publipostage *m* mailshot
puce *f* ZO flea; INFORM chip
pudeur *f* modesty; **pudique** modest; *discret* discreet
puer 1 *v/i* stink; ***~ des pieds***

have smelly feet **2** *v/t* stink of
puéril childish
puis then
puiser draw (***dans*** from)
puisque since
puissance *f* power; *d'une armée* strength; **puissant** powerful; *musculature, médicament* strong
puits *m* well; *d'une mine* shaft; **~ *de pétrole*** oil well
pull(-over) *m* sweater, *Br aussi* pullover
pulluler swarm
pulsation *f* beat, beating
pulsion *f* drive; **~*s*** *fpl* ***de mort*** death wish
pulvériser *solide* pulverize (*aussi fig*); *liquide* spray
punaise *f* ZO bug; (*clou*) thumbtack, *Br* drawing pin
punir punish; **punition** *f* punishment
pupille 1 *m/f* JUR ward **2** *f* ANAT pupil
pur pure; *whisky* straight
purée *f* puree; **~ (*de pommes de terre*)** mashed potatoes *pl*
pureté *f* purity
purge *f* purge; **purger** TECH bleed; POL purge; JUR *peine* serve
purification *f* purification; **purifier** purify
pur-sang *m* thoroughbred
pus *m* pus
pute *f* F slut
puzzle *m* jigsaw (puzzle)
P.-V. *m* (= ***procès-verbal***) ticket
pyjama *m* pajamas *pl*, *Br* pyjamas *pl*
pyramide *f* pyramid
Pyrénées *fpl* Pyrenees
pyromane *m* pyromaniac; JUR arsonist

Q

quadragénaire *m/f & adj* forty-year old
quadrillé *papier* squared; **quadriller** *fig*: *région* put under surveillance
quadruple quadruple
quai *m d'un port* quay; *d'une gare* platform
qualification *f* qualification; (*appellation*) name; **qualifier** qualify; **~ *qn d'idiot*** describe s.o. as an idiot; ***se* ~** SP qualify
qualité *f* quality; ***de* ~** quality *atr*; ***en* ~ *d'ambassadeur*** as ambassador, in his capacity as ambassador
quand when; **~ *je serai de retour*** when I'm back
quant à as for
quantifier quantify
quantité *f* quantity; ***une* ~ *de*** *grand nombre* a great many; *abondance* a great deal of
quarantaine *f* MÉD quarantine; ***une* ~ *de*** about forty,

forty or so; ***avoir la ~*** be in one's forties; **quarante** forty

quart *m* quarter; *de vin* quarter liter, *Br* quarter litre; ***~ d'heure*** quarter of an hour; ***~ de finale*** quarter-final

quartier *m* (*quart*) quarter; *d'orange* segment; *d'une ville* area; ***~ général*** MIL headquarters *pl*

quasiment virtually

quatorze fourteen

quatre four; **quatre-vingt(s)** eighty; **quatre-vingt-dix** ninety; **quatrième** fourth

quatuor *m* MUS quartet

que 1 *pron relatif personne* who, that; *chose, animal* which, that; ***les étudiants ~ j'ai rencontrés*** the students (who *ou* that) I met **2** *pron interrogatif* what; ***qu'y a-t-il?*** what's the matter?; ***qu'est-ce que c'est?*** what's that? **3** *adv dans exclamations*: ***~ c'est beau!*** it's so beautiful!; ***~ de fleurs!*** what a lot of flowers! **4** *conj* that; ***je croyais ~ ...*** I thought (that) ...; ***plus grand ~ moi*** bigger than me; ***aussi petit ~ cela*** as small as that; ***ne ... ~*** only

quel, **~le** what, which; ***~le femme!*** what a woman!

quelconque (*médiocre*) mediocre; ***un travail ~*** some sort of job

quelque some; ***~s*** some, a few; ***~ ... que*** (+ *subj*) whatever, whichever

quelque chose something; *avec interrogatif, conditionnel aussi* anything

quelquefois sometimes

quelques-uns, quelques-unes a few, some

quelqu'un someone, somebody; *avec interrogatif, conditionnel aussi* anyone, anybody

querelle *f* quarrel; **quereller**: ***se ~*** quarrel; **querelleur, -euse** quarrelsome

question *f* question; **questionnaire** *m* questionnaire; **questionner** question (***sur*** about)

quête *f* search; (*collecte*) collection

queue *f d'un animal* tail; *d'un fruit* stalk; *d'une casserole* handle; *d'un train* rear; *d'une classe* bottom; *d'une file* line, *Br* queue; ***faire la ~*** stand in line, *Br* queue (up); ***à la ~, en ~*** at the rear

qui *interrogatif* who; *relatif, personne* who, that; *relatif, chose, animal* which, that

quiconque whoever; (*n'importe qui*) anyone, anybody

quincaillerie *f* hardware; *magasin* hardware store

quinquagénaire *m/f & adj* fifty-year old

quintal *m* hundred kilos *pl*

quinte *f*: ***~ (de toux)*** coughing fit

quinzaine *f de jours* two

weeks *pl*, *Br aussi* fortnight; ***une ~ de personnes*** about fifteen people *pl*; **quinze** fifteen; ***~ jours*** two weeks, *Br aussi* fortnight

quitte: ***être ~ envers qn*** be quits with s.o.

quitter leave; *vêtement* take off; ***se ~*** part; ***ne quittez pas*** TÉL hold the line please

quoi what; ***après ~, il …*** after which he …; ***à ~ bon?*** what's the point?; ***il n'y a pas de ~!*** don't mention it; ***~ que*** (+ *subj*) whatever

quoique (+ *subj*) although, though

quotidien, ~ne **1** *adj* daily; *de tous les jours* everyday **2** *m* daily

R

rabâcher keep on repeating

rabais *m* discount, reduction; **rabaisser** *prix* reduce; *mérites* belittle

rabattre **1** *v/t siège* pull down; *couvercle* shut; *col* turn down **2** *v/i fig*: ***se ~ sur*** fall back on; *d'une voiture* pull back into

râblé stocky

rabot *m* plane

rabougri stunted

rabrouer snub

racaille *f* rabble

raccommoder mend; *chaussettes* darn

raccompagner: ***je vais vous ~ chez vous*** *à pied* I'll take you home

raccord *m* join; *d'un film* splice; **raccorder** join

raccourci *m* shortcut; ***en ~*** briefly; **raccourcir** **1** *v/t* shorten **2** *v/i* get shorter

raccrocher **1** *v/t* put back up; ***~ le téléphone*** hang up; ***se ~ à*** cling to **2** *v/i* TÉL hang up

race *f* race; (*ascendance*) descent; ZO breed

rachat *m d'un otage* ransoming; *d'une société* buyout; **racheter** buy back; *otage* ransom; *fig*: *faute* make up for; ***se ~*** make amends

racine *f* root

racisme *m* racism; **raciste** *m/f & adj* racist

racler scrape; ***se ~ la gorge*** clear one's throat

raconter tell

radar *m* radar

radeau *m* raft

radiateur *m* radiator

radiation *f* radiation; *d'une liste* deletion

radical *adj & m* radical

radier strike out

radieux, -euse radiant; *temps* glorious

radin F mean, tight

radio *f* radio; (*radiographie*) X-ray

radioactif, **-ive** radioactive
radiocassette *f* radio cassette player
radiographie *f procédé* radiography; *photo* X-ray
radioréveil radio alarm
radis *m* BOT radish
radoter ramble
radoucir make milder; ***se ~** du temps* get milder
rafale *f de vent* gust; MIL burst
raffermir *chair* firm up; *autorité* re-assert
raffinage *m* refining; **raffiné** refined; **raffiner** refine; **raffinerie** *f* refinery
raffoler: **~ *de*** adore
rafraîchir **1** *v/t* cool down; *mémoire* refresh **2** *v/i du vin* chill; ***se ~** de la température* get cooler; *d'une personne* have a drink (in order to cool down); **rafraîchissant** refreshing (*aussi fig*); **rafraîchissement** *m de la température* cooling; **~s** (*boissons*) refreshments
rage *f* rage; MÉD rabies *sg*; **rageur**, **-euse** furious
ragoût *m* CUIS stew
raide *personne, membres* stiff; *pente* steep; *cheveux* straight; (*ivre, drogué*) stoned; **raideur** *f* stiffness; *d'une pente* steepness; **raidir**: ***se ~** de membres* stiffen up
raie *f* (*rayure*) stripe; *des cheveux* part, *Br* parting; ZO skate
rail *m* rail; ***~ de sécurité*** crash barrier
railler mock; **raillerie** *f* mockery
raisin *m* grape; ***~ sec*** raisin
raison *f* reason; ***avoir ~*** be right; ***avoir ~ de*** get the better of; ***à ~ de*** at a rate of; ***à plus forte ~*** all the more so; ***en ~ de*** (*à cause de*) because of; ***~ sociale*** company name; **raisonnable** reasonable; **raisonnement** *m* reasoning; **raisonner** **1** *v/i* reason **2** *v/t*: ***~ qn*** make s.o. see reason
rajeunir **1** *v/t thème* modernize; ***~ qn*** make s.o. look (years) younger **2** *v/i* look younger
rajouter add
rajuster adjust; *coiffure* put straight
ralenti *m* AUTO idle; *dans un film* slow motion; ***au ~*** *fig* at a snail's pace; **ralentir** slow down; **ralentissement** *m* slowing down; **ralentisseur** *m de circulation* speed-bump
râler moan; F beef F; **râleur**, **-euse** F **1** *adj* grumbling **2** *m/f* grumbler
rallier rally; (*s'unir à*) join; ***se ~ à*** rally to
rallonger **1** *v/t* lengthen **2** *v/i* get longer
rallumer *télé, lumière* switch on again; *fig* revive
ramassage *m* collection; *de*

fruits picking; **ramasser** collect; *ce qui est par terre* pick up; *fruits* pick; F *coup* get
rame *f* oar; *de métro* train
rameau *m* branch
ramener take back; (*rapporter*) bring back; *l'ordre* restore; ***se ~ à*** (*se réduire à*) come down to
ramer row; **rameur, -euse** *m/f* rower
ramification *f* ramification
ramollir soften; ***se ~*** soften; *fig* go soft
rampant crawling; BOT creeping; *fig*: *inflation* rampant
rampe *f* ramp; *d'escalier* bannisters *pl*; *au théâtre* footlights *pl*
ramper crawl; BOT creep
rance rancid
rancœur *f* resentment (***contre*** toward)
rançon *f* ransom; ***la ~ de*** *fig* the price of
rancune *f* resentment; **rancunier, -ère** resentful
randonnée *f* walk; *en montagne* hill walk; **randonneur** *m* walker; *en montagne* hillwalker
rang *m* row; (*niveau*) rank; ***être au premier ~*** be in the forefront
rangée *f* row
ranger put away; *chambre* tidy up; *voiture* park; (*classer*) arrange; ***se ~*** (*s'écarter*) move aside; AUTO pull over; *fig* (*assagir*) settle down; ***se ~ à une opinion*** come around to a point of view
ranimer *personne* bring around; *fig*: *force* revive
rap *m* MUS rap
rapace 1 *adj animal* predatory; *personne* greedy **2** *m* bird of prey
rapatrier repatriate
râpe *f* grater; TECH rasp; **râper** CUIS grate; *bois* file; ***râpé*** CUIS grated; *manteau* threadbare
rapide 1 *adj* fast, rapid; *coup d'œil, décision* quick **2** *m dans l'eau* rapid; *train* fast train; **rapidité** *f* speed, rapidity
rapiécer patch
rappel *m* reminder; *d'un ambassadeur, produit* recall; THÉÂT curtain call; MÉD booster; **rappeler** call back; *ambassadeur* recall; ***~ qc/qn à qn*** remind s.o. of sth/s.o.; ***se ~ qc*** remember sth
rapport *m écrit, oral* report; (*lien*) connection; (*proportion*) proportion; COMM return; MIL briefing; ***~s*** (***sexuels***) sexual relations; ***par ~ à*** compared with; ***être en ~ avec*** be in touch with; **rapporter** return, bring/take back; *d'un chien* fetch; COMM bring in; *relater* report; ***se ~ à*** be connected with; **rapporteur** *m* reporter; *enfant* sneak
rapprochement *m fig* recon-

ciliation; POL rapprochement; *analogie* connection; **rapprocher** bring closer (**de** to); *établir un lien* connect; **se ~** come closer
rapt *m* abduction
raquette *f* racket
rare rare; *marchandises* scarce; (*peu dense*) sparse; **raréfier**: **se ~** become rare; *de l'air* become rarefied; **rarement** rarely; **rareté** *f* rarity
ras short; ***rempli à ~ bord*** full to the brim; ***faire table ~e*** make a clean sweep
raser shave; *barbe* shave off; (*démolir*) raze to the ground; *murs* hug; F (*ennuyer*) bore
rasoir *m* razor; **~ *électrique*** electric shaver
rassasier satisfy
rassembler collect, assemble; **se ~** gather
rasseoir replace; **se ~** sit down again
rassis stale; *fig* sedate
rassurer reassure; ***rassurez-vous*** don't be concerned
rat *m* rat
ratatiner: **se ~** shrivel up
rate *f* ANAT spleen
raté, **~e** **1** *adj* unsuccessful; *occasion* missed **2** *m/f personne* failure
râteau *m* rake
rater **1** *v/t* miss; *examen* fail **2** *v/i d'une arme* misfire; *d'un projet* fail
ration *f* ration; *fig* (fair) share
rationaliser rationalize; **rationnel**, **~le** rational; **rationner** ration
ratisser rake; (*fouiller*) search
rattacher *chien* tie up again; *cheveux* put up again; *lacets* do up again; *conduites d'eau* connect; *idées* connect; **se ~ à** be linked to
rattraper recapture; *objet qui tombe* catch; (*rejoindre*) catch up (with); *retard* make up; *imprudence* make up for; **se ~** make up for it; (*se raccrocher*) get caught
rature *f* deletion
rauque hoarse
ravages *mpl* devastation; ***les ~ du temps*** the ravages of time; **ravager** devastate
ravaler swallow; *façade* clean up
rave *f*: ***céléri ~*** celeriac
rave *f* rave
ravi delighted (**de** with; ***de faire*** to do)
ravir (*enchanter*) delight
raviser: **se ~** change one's mind
ravissant delightful
ravisseur, **-euse** *m/f* abductor
ravitaillement *m* supplying; *en carburant* refueling, *Br* refuelling; **ravitailler** supply; *en carburant* refuel
raviver revive
rayé striped; *papier* lined; *verre*, *carrosserie* scratched;

rayer scratch; *mot* score *ou* scratch out
rayon *m* ray; MATH radius; *d'une roue* spoke; (*étagère*) shelf; *de magasin* department; **~ laser** laser beam; **rayonner** *de chaleur* radiate; *d'un visage* shine; **~ de** *fig* radiate
rayure *f* stripe; *sur un meuble, du verre* scratch
raz *m*: **~ de marée** tidal wave
réacteur *m* reactor; AVIAT jet engine; **réaction** *f* reaction; **avion** *m* **à ~** jet (aircraft); **réactionnaire** *m/f* & *adj* reactionary
réagir react (**à** to; **contre** against)
réalisable feasible; **réalisateur, -trice** *m/f* director; **réalisation** *f d'un projet* execution, realization; *création, œuvre* creation; *d'un film* direction; **réaliser** *projet* carry out; *rêve* fulfill, *Br* fulfil; *vente* make; *film* direct; *bien, capital* realize; (*se rendre compte*) realize; **se ~** *d'un rêve* come true; *d'un projet* be carried out
réalisme *m* realism; **réaliste** **1** *adj* realistic **2** *m/f* realist; **réalité** *f* reality
réanimer resuscitate
rébarbatif, -ive off-putting, daunting
rebelle **1** *adj* rebellious **2** *m/f* rebel; **rebeller**: **se ~** rebel; **rébellion** *f* rebellion
rebondir bounce; (*faire un ricochet*) rebound; **faire ~ qch** *fig* get sth going again; **rebondissement** *m fig* unexpected development
rebord *m* edge; *d'une fenêtre* sill
rebours *m*: **compte** *m* **à ~** countdown
rebrousser: **~ chemin** retrace one's footsteps
rebut *m* dregs *pl*; **mettre au ~** get rid of
rebuter (*décourager*) dishearten; (*choquer*) offend
récapituler recap
récemment recently
recenser *population* take a census of
récent recent
récépissé *m* receipt
récepteur *m* receiver
réception *f* reception; *d'une lettre, de marchandises* receipt; **réceptionniste** *m/f* receptionist, desk clerk
récession *f* ÉCON recession
recette *f* COMM takings *pl*; CUIS, *fig* recipe
recevoir receive; **être reçu à un examen** pass an exam
rechange *m*: **de ~** spare *atr*
rechargeable *pile* rechargeable; **recharger** *camion, arme* reload; *accumulateur* recharge; *briquet* refill
réchaud *m* stove
réchauffement *m* warming; **~ de la planète** global warming; **réchauffer** warm up

recherche *f* search (**de** for); *scientifique* research; **~s** *de la police* search; **rechercher** look for, search for; (*prendre*) fetch
rechute *f* MÉD relapse
récif *m* reef
récipient *m* container
réciproque reciprocal
récit *m* account; (*histoire*) story; **réciter** recite
réclamation *f* claim; (*protestation*) complaint
réclame *f* advertisement
réclamer *secours*, *aumône* ask for; *son dû* claim; (*nécessiter*) call for
réclusion *f* imprisonment
récolte *f* harvesting; *de produits* harvest, crop; *fig* crop; **récolter** harvest
recommander recommend; *lettre* register
recommencer start again
récompense *f* reward; **récompenser** reward (**de** for)
réconcilier reconcile
reconduire: **~ qn** *chez lui* take s.o. home; *à la porte* see s.o. out
réconforter console, comfort
reconnaissance *f* recognition; *d'une faute* acknowledg(e)ment; (*gratitude*) gratitude; MIL reconnaissance; **reconnaissant** grateful (**de** for); **reconnaître** recognize; *faute* acknowledge; **se ~** *de deux personnes* recognize each other; **se ~ à** be recognizable by; **reconnu** known
reconstituer reconstitute; *ville*, *maison* restore; *événement* reconstruct
reconstruire rebuild
reconvertir: **se ~** retrain
recopier *notes* copy out
record *m* record; **recordman** *m* record holder; **recordwoman** *f* record holder
recourbé bent
recours *m* recourse, resort; **avoir ~ à** resort to
recouvrer recover; *santé* regain
recouvrir recover; *enfant* cover up again; (*couvrir entièrement*) cover (**de** with); (*cacher*, *embrasser*) cover
récréation *f* relaxation; ÉDU recess, *Br* recreation
récriminations *fpl* recriminations
recrudescence *f* new outbreak
recrue *f* recruit; **recruter** recruit
rectangle *m* rectangle; **rectangulaire** rectangular
rectifier rectify; (*ajuster*) adjust; (*corriger*) correct
recto *m d'une feuille* front
reçu *m* receipt
recueil *m* collection; **recueillir** collect; *personne* take in; **se ~** meditate
recul *m d'un fusil* recoil; *d'une armée* retreat; *de la production* drop; *fig* detachment; **reculer 1** *v/t* push

back; *décision* postpone **2** *v/i* back away, recoil; MIL retreat; *d'une voiture* back, reverse; **~ devant** *fig* back away from; **reculons**: **à ~** backward, *Br* backwards
récupérer 1 *v/t* recover, retrieve; *ses forces* regain; *vieux matériel* salvage; *temps* make up **2** *v/i* recover
recyclable recyclable; **recyclage** *m du personnel* retraining; TECH recycling; **recycler** retrain; TECH recycle
rédacteur, **-trice** *m/f* editor; (*auteur*) writer; **~ en chef** editor-in-chief; **rédaction** *f* editing; (*rédacteurs*) editorial team
redescendre 1 *v/i* come/go down again; **~ d'une voiture** get out of a car again **2** *v/t* bring/take down again; *montagne* come down again
redevable: **être ~ de qc à qn** owe s.o. sth; **redevance** *f d'un auteur* royalty; TV licence fee
rédiger write
redire repeat, say again; (*rapporter*) repeat; **trouver à ~ à** find fault with
redoubler 1 *v/t* double **2** *v/i* ÉDU repeat a class; *d'une tempête* intensify; **~ d'efforts** redouble one's efforts
redoutable formidable; *hiver* harsh; **redouter** dread (**de faire** doing)
redresser *ce qui est courbe* straighten; *ce qui est tombé* set upright; **se ~** *d'un pays* recover
réduction *f* reduction; MÉD setting; **réduire** reduce; *personnel* cut back; **se ~ à** amount to; **réduit 1** *adj* reduced; *possibilités* limited **2** *m* small room
rééducation *f* MÉD rehabilitation
réel, **~le** real
refaire do again; *examen* retake; *erreur* repeat; *remettre en état*: *maison* do up
réfectoire *m* refectory
référence *f* reference; **~s** (*recommandation*) reference
référendum *m* referendum
référer: **en ~ à** consult; **se ~ à** refer to
réfléchir 1 *v/t* reflect **2** *v/i* think (**à**, **sur** about)
reflet *m de lumière* glint; *dans miroir* reflection (*aussi fig*)
réflexe *m* reflex
réflexion *f* reflection; (*remarque*) remark
réforme *f* reform; **la Réforme** REL the Reformation; **réformer** reform; MIL discharge
refouler push back; PSYCH repress
refrain *m* refrain, chorus
réfréner control
réfrigérateur *m* refrigerator
refroidir cool down; *fig* cool; **se ~** *du temps* get colder; MÉD catch a chill; **refroidissement** *m* cooling; MÉD chill

refuge *m* refuge, shelter; *pour piétons* traffic island; *en montagne* (mountain) hut; **réfugié, ~e** *m/f* refugee; **réfugier**: ***se ~*** take shelter

refus *m* refusal; **refuser** refuse; ***~ de*** *ou* ***se ~ à faire*** refuse to do

réfuter refute

regagner win back, regain; *endroit* get back to

régal *m* treat; **régaler** regale (***de*** with)

regard *m* look; **regardant** *avec argent* careful with one's money; ***ne pas être ~ sur*** not be too worried about; **regarder 1** *v/t* look at; *télé* watch; (*concerner*) regard, concern; ***~ qn faire qch*** watch s.o. doing sth **2** *v/i* look; ***se ~*** look at o.s.; *de plusieurs personnes* look at each other

régate *f* regatta

régime *m* POL government, régime; MÉD diet; *fiscal* system

région *f* region; ***~ sinistrée*** disaster area; **régional** regional

régir govern

régisseur *m* THÉÂT stage manager; *dans le film* assistant director

réglage *m* adjustment

règle *f* rule; *instrument* ruler; ***en ~ générale*** as a rule; ***~s*** (*menstruation*) period

réglé *organisé* settled; *vie* well-ordered; *papier* ruled

règlement *m* settlement; (*règles*) regulations *pl*; **réglementaire** in accordance with the rules; *tenue* regulation *atr*; **réglementer** control, regulate

régler *affaire* settle; TECH adjust; COMM pay, settle; *épicier etc* pay, settle up with

règne *m* reign; **régner** reign

régression *f* regression

regret *m* regret (***de*** about); ***à ~*** with regret, reluctantly; ***être au ~ de faire*** regret to do; **regrettable** regrettable; **regretter** regret; *personne absente* miss; ***~ d'avoir fait qc*** regret doing sth, regret having done sth; ***je ne regrette rien*** I have no regrets; ***je regrette mais …*** I'm sorry (but) …

régulariser put in order; *situation* regularize; TECH regulate; **régularité** *f* regularity; *d'élections* legality; **régulier, -ère** regular; *allure, progrès* steady; *écriture* even; (*réglementaire*) lawful; (*correct*) honest; **régulièrement** regularly

réhabiliter rehabilitate; *quartier* renovate, redevelop

rehausser raise; *fig* (*accentuer*) emphasize

rein *m* ANAT kidney; ***~s*** lower back

reine *f* queen

réitérer reiterate

rejaillir spurt
rejeter reject; (*relancer*) throw back; (*vomir*) bring up; *responsabilité*, *faute* lay (***sur*** on)
rejoindre *personne* join, meet; (*rattraper*) catch up with; MIL rejoin; *autoroute* get back onto; ***se ~*** meet
réjouir make happy, delight; ***se ~ de*** be delighted about; **réjouissance** *f* rejoicing
relâche *f*: ***sans ~*** without a break, nonstop
relâcher *corde*, *emprise* loosen; *prisonnier* release; ***se ~*** *d'un élève*, *de la discipline* become slack
relais *m* SP, ÉL relay; ***prendre le ~ de*** take over from
relancer *balle* throw back; *moteur* restart; *fig*: *économie* kickstart; *personne* contact again
relater relate
relatif, **-ive** relative; ***~ à*** relating to; **relation** *f* relationship; (*connaissance*) acquaintance; ***être en ~ avec qn*** be in touch with s.o.; ***~s*** relations; (*connaissances*) contacts; **relativement** relatively; ***~ à*** compared with; (*en ce qui concerne*) relating to; **relativiser** look at in context
relaxer: ***se ~*** relax
relayer take over from; TV, *radio* relay; ***se ~*** take turns
reléguer relegate
relève *f* relief; ***prendre la ~*** take over
relevé 1 *adj manche* turned up; *style* elevated; CUIS spicy **2** *m de compteur* reading; ***~ de compte*** bank statement; **relever 1** *v/t* raise; (*remettre debout*) pick up; *col*, *chauffage* turn up; *manches* roll up; *siège* put up; *économie* improve; (*ramasser*) collect; *défi* take up; *faute* find; *adresse*, *date* copy; (*relayer*) take over from; ***se ~*** get up; *fig* recover **2** *v/i*: ***~ de*** (*dépendre de*) be answerable to; (*ressortir de*) be the responsibility of
relief *m* relief; ***mettre en ~*** *fig* highlight
relier connect (***à*** to); *livre* bind
religieux, **-euse 1** *adj* religious **2** *m* monk **3** *f* nun; **religion** *f* religion
reliure *f* binding
reluire shine
remanier *texte* re-work; POL reshuffle
remarquable remarkable
remarque *f* remark; **remarquer** notice; (*dire*) remark; ***faire ~ qc à qn*** point sth out to s.o.; ***se faire ~*** *d'un acteur etc* get o.s. noticed; *d'un écolier* get into trouble; *se différencier* be conspicuous
rembourrer stuff
remboursement *m* refund; *de dettes* repayment; **rem-**

bourser *frais* refund, reimburse; *dettes*, *emprunt* pay back
remède *m* remedy; **remédier**: **~ à** remedy
remerciement *m*: **~s** thanks; **remercier** thank (**de**, **pour** for); (*congédier*) dismiss
remettre put back; *vêtement* put on again; *peine* remit; *décision* postpone; (*ajouter*) add; **~ qc à qn** give sth to s.o.; **se ~ à qc** take sth up again; **se ~ à faire qc** start doing sth again; **se ~ de qc** recover from sth; **s'en ~ à qn** rely on s.o.
remise *f* (*hangar*) shed; *d'une lettre* delivery; *de peine* remission; COMM discount; *d'une décision* postponement; **~ à neuf** reconditioning; **~ en question** questioning
rémission *f* MÉD remission
remonte-pente *m* ski lift
remonter 1 *v/i* come/go up again; *dans une voiture* get back in; *de prix*, *température* go up again; *d'un avion*, *chemin* climb, rise **2** *v/t choses* bring/take back up; *rue*, *escalier* come/go back up; *montre* wind; TECH reassemble; *col* turn up; *stores* raise
remords *mpl* remorse
remorque *f véhicule* trailer; *câble* towrope; **remorquer** *voiture* tow
remplaçant, **~e** *m/f* replacement; **remplacement** *m* replacement; **remplacer** replace (**par** with)
remplir fill (**de** with); *formulaire* fill out; *conditions* fulfill, *Br* fulfil; *tâche* carry out; **remplissage** *m* filling
remporter take away; *prix* win
remue-ménage *m* (*agitation*) commotion
remuer 1 *v/t* move (*aussi fig*); *sauce* stir; *salade* toss; *terre* turn over **2** *v/i* move; **se ~** move; *fig* F get a move on F
rémunération *f* pay, remuneration; **rémunérer** pay
renaître REL be born again; *fig* be reborn
renard *m* fox
renchérir go up; **~ sur** outdo
rencontre *f* meeting; **aller à la ~ de** go and meet; **rencontrer** meet; *accueil* meet with; *difficulté* encounter; *amour* find; (*heurter*) hit; **se ~** meet
rendement *m* AGR yield; *d'un employé*, *d'une machine* output; *d'un placement* return
rendez-vous *m* appointment; *amoureux* date; *lieu* meeting place; **prendre ~** make an appointment
rendre 1 *v/t* give back; *salut*, *invitation* return; (*donner*) give; (*traduire*) render; (*vomir*) bring up; MIL surrender; **~ visite à** visit **2** *v/i de*

terre, d'un arbre yield; ***se ~** à un endroit* go; MIL surrender; ***se ~ malade*** make o.s. sick

rêne *f* rein

renfermer (*contenir*) contain; ***se ~ dans le silence*** withdraw into silence

renforcer reinforce

renfort *m* reinforcements *pl*; ***à grand ~ de*** with copious amounts of

renier *qn* disown

renifler sniff

renne *m* reindeer

renom *m* (*célébrité*) fame, renown; (*réputation*) reputation; **renommée** *f* fame

renoncement *m* renunciation (***à*** of); **renoncer**: ***~ à qc*** give sth up; ***~ à faire*** give up doing

renouer 1 *v/t amitié etc* renew **2** *v/i*: ***~ avec*** get back in touch with; *après brouille* get back together with

renouveler renew; *demande, promesse* repeat; ***se ~*** (*se reproduire*) happen again; **renouvellement** *m* renewal

rénovation *f* renovation; *fig* (*modernisation*) updating

renseignement *m* piece of information (***sur*** about); ***~s*** information; MIL intelligence; ***prendre des ~s sur*** find out about; **renseigner**: ***~ qn sur qc*** tell *ou* inform s.o. about sth; ***se ~*** find out

rentabilité *f* profitability; **rentable** cost-effective; *entreprise* profitable; ***ce n'est pas ~*** there's no money in it

rente *f revenu d'un bien* private income; (*pension*) annuity; *versée à sa femme etc* allowance

rentrée *f* return; ***~ des classes*** beginning of the new school year; ***~s*** COMM takings

rentrer 1 *v/i* go/come in; *de nouveau* go/come back in; *chez soi* go/come home; *dans un récipient* go in, fit; *de l'argent* come in; ***~ dans*** (*heurter*) collide with; *serrure, sac* go into; *responsabilités* be part of **2** *v/t* bring/take in; *voiture* put away; *ventre* pull in

renversement *m d'un régime* overthrow; **renverser** *image* reverse; (*mettre à l'envers*) upturn; (*faire tomber*) knock over; *liquide* spill; *gouvernement* overthrow

renvoi *m de personnel* dismissal; *d'un élève* expulsion; *d'une lettre* return; *dans un texte* cross-reference (***à*** to); **renvoyer** (*faire retourner*) send back; *ballon* return; *personnel* dismiss; *élève* expel; *rencontre, décision* postpone

repaire *m* den

répandre spread; (*renverser*) spill; ***se ~*** spread; (*être renversé*) spill; **répandu** wide-

spread
réparation *f* repair; (*compensation*) reparation; ***en ~*** being repaired; **réparer** repair; *fig* make up for
repartie *f* retort; ***avoir de la ~*** have a gift for repartee
repartir set off again; ***~ de zéro*** start again from scratch
répartir share out; *chargement* distribute; *en catégories* divide; **répartition** *f* distribution; *en catégories* division
repas *m* meal
repassage *m* ironing; **repasser 1** *v/i* come/go back again **2** *v/t linge* iron; *examen* take again
repentir 1: ***se ~*** REL repent; ***se ~ de*** be sorry for **2** *m* penitence
répercussions *fpl* repercussions
repère *m* mark; (***point*** *m* ***de***) ~ landmark; **repérer** (*situer*) pinpoint; (*trouver*) find; (*marquer*) mark
répertoire *m* directory; THÉÂT repertoire
répéter repeat; THÉÂT rehearse; **répétition** *f* repetition; THÉÂT rehearsal
répit *m* respite
replacer put back, replace
repli *m* fold; *d'une rivière* bend; **replier** fold; *jambes* draw up; *journal* fold up; *manches* roll up; ***se ~ sur soi-même*** retreat into one's shell
répliquer retort; *d'un enfant* answer back
répondeur *m*: ***~ automatique*** answering machine; **répondre 1** *v/t* answer, reply **2** *v/i* answer; (*réagir*) respond; ***~ à*** answer, reply to; (*réagir à*) respond to; *besoin* meet; *attente* come up to; *signalement* match; **réponse** *f* answer; (*réaction*) response
reportage *m* report; **reporter** *m/f* reporter
repos *m* rest; **reposer 1** *v/t* (*remettre*) put back; *question* ask again; (*détendre*) rest; ***se ~*** rest **2** *v/i*: ***~ sur*** rest on
repoussant repulsive; **repousser 1** *v/t* (*dégoûter*) repel; (*différer*) postpone; *pousser en arrière*, MIL push back; (*rejeter*) reject **2** *v/i* grow again
reprendre 1 *v/t* take back; (*prendre davantage de*) take more; *ville* recapture; (*recommencer*) start again; (*corriger*) correct; *entreprise* take over (***à*** from) **2** *v/i* (*recommencer*) start again; ***se ~*** (*se corriger*) correct o.s.; (*se maîtriser*) pull o.s. together
représailles *fpl* reprisals
représentant, **~e** *m/f* representative; **représentation** *f* representation; *au théâtre* performance; **représenter** represent; THÉÂT perform;

se ~ qc imagine sth
répression *f* repression; ***mesures*** *fpl* ***de ~*** crackdown (***contre*** on)
réprimander reprimand
réprimer suppress
reprise *f de ville* recapture; *de marchandise* taking back; *de travail, de lutte* resumption; ***à plusieurs ~s*** on several occasions
repriser darn, mend
reproche *m* reproach; **reprocher** reproach; ***~ qch à qn*** reproach s.o. for sth
reproduction *f* reproduction; **reproduire** reproduce; ***se ~*** happen again; BIOL reproduce
républicain, ***~e*** *m/f & adj* republican; **république** *f* republic
répugnant repugnant; **répugner**: ***~ à*** be repelled by; ***~ à faire*** be reluctant to do
répulsion *f* repulsion
réputation *f* reputation
requérir require
requête *f* request
requin *m* shark
requis necessary
réseau *m* network
réservation *f* booking, reservation
réserve *f* reserve; (*entrepôt*) storeroom; ***sans ~*** unreservedly; ***sous ~ de*** subject to
réserver reserve; *dans hôtel, restaurant* book, reserve; (*mettre de côté*) put aside; ***~ qc à qn*** keep *ou* save sth for s.o.
réservoir *m* tank; *lac etc* reservoir
résidence *f* residence; ***~ universitaire*** dormitory, *Br* hall of residence; **résider** live; ***~ dans*** *fig* lie in
résidu *m* residue; MATH remainder
résigner resign; ***se ~*** resign o.s. (***à*** to)
resilier *contrat* cancel
résistance *f* resistance; (*endurance*) stamina; *d'un matériau* strength; ***la Résistance*** HIST the Resistance; **résister** resist; ***~ à*** *tentation, personne* resist; *sécheresse* withstand
résolu determined (***à faire*** to do); **résolution** *f* (*décision*) resolution; (*fermeté*) determination; *d'un problème* solving
résonner echo, resound
résoudre 1 *v/t problème* solve **2** *v/i*: ***~ de faire, se ~ à faire*** decide to do
respect *m* respect; **respecter** respect; ***~ le(s) délai(s)*** meet the deadline; ***se ~*** have some self-respect; *mutuellement* respect each other; ***se faire ~*** command respect; **respectif**, **-ive** respective; **respectueux**, **-euse** respectful
respiration *f* breathing; ***retenir sa ~*** hold one's breath; ***~***

artificielle MÉD artificial respiration; **respirer** breathe
resplendir glitter
responsabilité *f* responsibility (**de** for); JUR liability; **responsable** responsible (**de** for)
ressaisir: ***se ~*** pull o.s. together
ressemblance *f* resemblance; **ressembler**: ***~ à*** resemble, be like; ***se ~*** resemble each other, be like each other
ressemeler resole
ressentiment *m* resentment
ressentir feel; ***se ~ de*** still feel the effects of
resserrer tighten; *fig*: *amitié* strengthen
ressort *m* TECH spring; *fig* motive; (*énergie*) energy; (*compétence*) province; JUR jurisdiction
ressortir 1 come/go out again **2** (*se détacher*) stand out; ***faire ~*** bring out; ***~ à*** JUR fall within the jurisdiction of
ressource *f* resource
restant 1 *adj* remaining **2** *m* remainder
restaurant *m* restaurant
restauration *f* catering; ART restoration; ***~ rapide*** fast food; **restaurer** restore
reste *m* rest, remainder; ***~s*** CUIS leftovers; ***du ~, au ~*** moreover; **rester** (*subsister*) be left, remain; (*demeurer*) stay, remain; ***on en reste là*** we'll stop there; ***il reste du vin*** there's some wine left
restituer (*rendre*) return; (*reconstituer*) restore; **restitution** *f* restitution
restreindre restrict
restriction *f* restriction; ***sans ~*** unreservedly
résultat *m* result; **résulter** result (**de** from)
résumé *m* summary
rétablir restore; ***se ~*** recover
retard *m* lateness; *dans travail, paiement* delay; ***avoir deux heures de ~*** be two hours late; ***avoir du ~ sur qn*** be behind s.o.; ***être en ~*** be late; **retarder 1** *v/t* delay, hold up; *montre* put back **2** *v/i d'une montre* be slow; ***~ de cinq minutes*** be five minutes slow; ***~ sur son temps*** *fig* be behind the times
retenir *personne* keep; *argent* withhold; (*rappeler*) remember; *proposition* accept; (*réserver*) reserve; ***se ~*** restrain o.s.
retentir sound; *du tonnerre* boom; ***~ sur*** impact on; **retentissant** resounding (*aussi fig*)
retenu (*réservé*) reserved; (*empêché*) delayed
retenue *f sur salaire* deduction; *fig* (*modération*) restraint
réticence *f* (*omission*) omis-

sion; (*hésitation*) hesitation

retirer withdraw; *vêtement* take off; *promesse* take back; *profit* derive; ***~ qch de*** remove sth from; ***se ~*** withdraw; (*prendre sa retraite*) retire

retombées *fpl* fallout; **retomber** fall again; (*tomber*) land; *de cheveux, d'un rideau* fall; ***~ dans qc*** sink back into sth

rétorsion POL: ***mesure f de ~*** retaliatory measure

retoucher *texte, vêtement* alter; *photographie* retouch

retour *m* return; ***être de ~*** be back; ***bon ~!*** have a good trip home!; **retourner 1** *v/i* return, go back; ***~ sur ses pas*** backtrack **2** *v/t matelas, tête* turn; *lettre* return; *vêtement* turn inside out; ***se ~ au lit*** turn over (*aussi* AUTO); (*tourner la tête*) turn (around)

retrait *m* withdrawal; ***en ~*** set back

retraite *f* retirement; (*pension*) retirement pension; MIL retreat; ***prendre sa ~*** retire; **retraité, ~e** *m/f* pensioner, retired person

retrancher (*enlever*) remove, cut (***de*** from); (*déduire*) deduct

rétrécir 1 *v/t* shrink; *fig* narrow **2** *v/i de tissu* shrink; ***se ~*** narrow

rétrograder 1 *v/t* demote **2** *v/i* retreat; AUTO downshift

rétrospectif, -ive 1 *adj* retrospective **2** *f*: ***rétrospective*** retrospective

retrousser *manches* roll up

retrouver (*trouver*) find; *de nouveau* find again; (*rejoindre*) meet; *santé* regain; ***se ~*** meet; ***se ~ seul*** find o.s. alone

rétroviseur *m* AUTO rear-view mirror

réunion *f* meeting; POL reunion; **réunir** bring together; *pays* reunite; *documents* collect; ***se ~*** meet

réussi successful; **réussir 1** *v/i* succeed; ***~ à faire*** manage to do, succeed in doing **2** *v/t vie, projet* make a success of; *examen* be successful in; **réussite** *f* success; *aux cartes* solitaire, *Br aussi* patience

revanche *f* revenge; ***en ~*** on the other hand

rêve *m* dream

réveil *m* awakening; (*pendule*) alarm (clock); **réveiller** wake up; *fig* revive; ***se ~*** wake up

révélation *f* revelation; **révéler** reveal; ***se ~ faux*** prove to be false

revenant *m* ghost

revendeur, -euse *m/f* retailer

revendication *f* claim, demand; **revendiquer** claim

revendre resell

revenir come back, return (***à*** to); ***~ sur*** *thème* go back to;

décision go back on; **~ à qn** *d'une part* be due to s.o.; **~ de** *évanouissement* come around from; *étonnement* get over; *illusion* lose

revenu *m* income; **~s** revenue

rêver dream (**de**, **à** about)

réverbère *m* street lamp

rêverie *f* daydream

revers *m* back; *d'un pantalon* cuff, *Br* turn-up; *fig* (*échec*) reversal

revêtir *vêtement* put on; *forme, caractère* assume; *importance* take on

rêveur, **-euse 1** *adj* dreamy **2** *m/f* dreamer

revirement *m*: **~ d'opinion** sudden change in the public's attitude

réviser *texte* revise; *machine* service; **révision** *f* revision; AUTO service

révocation *f* revocation; *d'un dirigeant etc* dismissal

revoir 1 *v/t* see again; *texte* review; ÉDU review, *Br* revise **2** *m*: **au ~!** goodbye!

révolte *f* revolt; **révolter** revolt; **se ~** rebel, revolt

révolution *f* revolution; **révolutionner** revolutionize

revolver *m* revolver

révoquer *fonctionnaire* dismiss; *contrat* revoke

revue *f* review; **passer en ~** *fig* review

rez-de-chaussée *m* first floor, *Br* ground floor

rhubarbe *f* rhubarb

rhum *m* rum

rhumatismes *mpl* rheumatism

rhume *m* cold; **~ des foins** hay fever

ricaner sneer; *bêtement* snigger

riche rich; *sol* fertile; *décoration* elaborate; **richesse** *f* wealth; *du sol* fertility

rictus *m* grimace

ride *f* wrinkle, line

rideau *m* drape, *Br* curtain

rider *peau* wrinkle; **se ~** become wrinkled

ridicule 1 *adj* ridiculous **2** *m* ridicule; (*absurdité*) ridiculousness; **ridiculiser** ridicule; **se ~** make a fool of o.s.

rien 1 *pron* nothing; *quelque chose* anything; **de ~** *comme réponse* you're welcome; **ne ... ~** nothing, not anything **2** *m* trifle; **en un ~ de temps** in no time

rigide rigid

rigole *f* (*conduit*) channel

rigoler F (*plaisanter*) joke; (*rire*) laugh

rigolo, **~te** F (*amusant*) funny

rigoureux, **-euse** rigorous; **rigueur** *f* rigor, *Br* rigour; **à la ~** if absolutely necessary; **de ~** compulsory

rincer rinse

riposte *f* riposte, response; *avec armes* return of fire; **riposter** reply, response; *avec armes* return fire

rire 1 *v/i* laugh (**de** about, at);

(*s'amuser*) have fun; **~ aux éclats** roar with laughter; **~ de qn** laugh at s.o. **2** *m* laugh; **~s** laughter

risque *m* risk; **à tes ~s et périls** at your own risk; **risqué** risky; *plaisanterie* risqué; **risquer** risk; **~ de faire** risk doing; **se ~ dans** venture into

rituel, **~le** *adj & m* ritual

rivage *m* shore

rival, **~e** *m/f & adj* rival; **rivaliser** compete, vie; **rivalité** *f* rivalry

rive *f d'un fleuve* bank; *d'une mer, d'un lac* shore

riverain, **~e** *m/f* resident

rivet *m* TECH rivet

rivière *f* river

riz *m* BOT rice

robe *f* dress; *d'un juge* robe; **~ de chambre** robe, *Br* dressing gown

robinet *m* faucet, *Br* tap

robuste robust

roche *f* rock

rocher *m* rock; **rocheux**, **-euse** rocky

rôder prowl

rogne *f*: **être en ~** F be in a bad mood

rogner cut, trim

rognon *m* CUIS kidney

roi *m* king

rôle *m* role; (*registre*) roll; **à tour de ~** turn and turn about

roman *m* novel

romancier, **-ère** *m/f* novelist

romantique *m/f & adj* romantic; **romantisme** *m* romanticism

romarin *m* BOT rosemary

rompre 1 *v/i* break; **~ avec** *petit ami* break it off with; *tradition* break with; *habitude* break **2** *v/t* break; *négociations, fiançailles* break off

ronce *f* BOT: **~s** brambles

rond, **~e 1** *adj* round; *joues, personne* plump; F (*ivre*) drunk **2** *adv*: **tourner ~** run smoothly **3** *m figure* circle *m* **4** *f*: **faire sa ronde** do one's rounds; *de soldat, policier* be on patrol; **à la ronde** around

rondelle *f* disk, *Br* disc; *de saucisson* slice; TECH washer

rondement (*promptement*) briskly; (*carrément*) frankly

rond-point *m* traffic circle, *Br* roundabout

ronflement *m* snoring; *d'un moteur* purr; **ronfler** snore; *d'un moteur* purr

ronger gnaw at; *fig* torment; **se ~ les ongles** bite one's nails; **rongeur** *m* ZO rodent

ronronner purr

rosbif *m* CUIS roast beef

rose 1 *f* BOT rose **2** *m couleur* pink **3** *adj* pink

rosé 1 *m* rosé **2** *adj* pinkish

roseau *m* BOT reed

rosée *f* dew

rosier *m* rose bush

rossignol *m* ZO nightingale

rot *m* F belch; **roter** F belch

rôti *m* roast; **rôtir** roast; **rôtisserie** *f* grill-room
rouage *m* cogwheel; **~s** *d'une montre* works; *fig* machinery
roue *f* wheel; ***deux ~s*** *m* two-wheeler; ***quatre ~s motrices*** all-wheel drive
roué crafty
rouer: ***~ qn de coups*** beat s.o. black and blue
rouge 1 *adj* red **2** *adv fig*: ***voir ~*** see red **3** *m* red; ***~ à lèvres*** lipstick
rouge-gorge *m* robin (redbreast)
rougeole *f* MÉD measles *sg*
rougir go red; *d'une personne aussi* blush (**de** with); *de colère* flush (**de** with)
rouille *f* rust; **rouillé** rusty; **rouiller** rust; ***se ~*** rust; *fig* go rusty
rouleau *m* roller; *de pellicule etc* roll; CUIS rolling pin
rouler 1 *v/i* roll; *d'une voiture* travel; ***~ sur qc*** *d'une conversation* be about sth **2** *v/t* roll; ***~ qn*** F cheat s.o.
roulette *f de meubles* caster; *jeu* roulette
roumain, **~e 1** *adj* Romanian **2** *m langue* Romanian; **Roumain**, **~e** *m/f* Romanian; **Roumanie**: ***la ~*** Romania
rouspéter F complain
rousseur *f*: ***taches*** *fpl* ***de ~*** freckles
route *f* road; (*parcours*) route; *fig* (*chemin*) path; ***en ~*** on the way; ***se mettre en ~*** set off; *fig* get under way; ***faire ~ vers*** be heading for
routier, **-ère 1** *adj* road *atr* **2** *m* (*conducteur*) truck driver, *Br* long-distance lorry driver; *restaurant* truck stop, *Br aussi* transport café
routine *f* routine; ***de ~*** routine *atr*
roux, **rousse** *personne* red-haired; *cheveux* red
royal royal; *fig*: *pourboire*, *accueil* superb, right royal
royaume *m* kingdom; **le Royaume-Uni** the United Kingdom
R.-U. (= ***Royaume-Uni***) UK (= United Kingdom)
ruban *m* ribbon; ***~ adhésif*** adhesive tape
rubéole *f* MÉD German measles *sg*
rubrique *f* heading
ruche *f* hive
rude *manières* uncouth; (*sévère*) harsh; *travail*, *lutte* hard
rudimentaire rudimentary; **rudiments** *mpl* rudiments
rue *f* street; ***dans la ~*** on the street
ruée *f* rush
ruelle *f* alley
rugby *m* rugby
rugir roar; *du vent* howl
rugueux, **-euse** rough
ruine *f* ruin; **ruiner** ruin
ruisseau *m* stream; (*caniveau*) gutter
ruisseler run

rumeur *f* hum; *de personnes* murmuring; (*nouvelle*) rumor, *Br* rumour
ruminer **1** *v/i* chew the cud, ruminate **2** *v/t fig*: **~ *qch*** mull sth over
rupture *f* breaking; *fig* split; *de négociations* breakdown; *de relations* breaking off; *de contrat* breach
ruse *f* ruse; ***la ~*** cunning; **rusé** crafty, cunning
russe **1** *adj* Russian **2** *m langue* Russian; **Russe** *m/f* Russian; **Russie**: ***la ~*** Russia
rustique rustic
rustre *péj* **1** *adj* uncouth **2** *m* oaf
rythme *m* rhythm; (*vitesse*) pace; **rythmique** rhythmical

S

sa → ***son***[1]
S.A. *f* (= ***société anonyme***) Inc, *Br* plc
sable *m* sand; **sabler** sand; **~ *le champagne*** break open the champagne
sablier *m* CUIS eggtimer
sabot *m* clog; ZO hoof
sabotage *m* sabotage; **saboter** sabotage; F *travail* make a mess of
sac *m* bag; *de pommes de terre* sack; **~ *de couchage*** sleeping bag; **~ *à dos*** backpack; **~ *à main*** purse, *Br* handbag
saccadé *mouvements* jerky; *voix* breathless
saccager (*piller*) sack; (*détruire*) destroy
saccharine *f* saccharine
sachet *m* sachet; **~ *de thé*** teabag
sacoche *f* bag; *de vélo* saddlebag
sacré sacred; F damn F
sacrement *m* REL sacrament
sacrifice *m* sacrifice; **sacrifier** sacrifice; ***se ~*** sacrifice o.s.
sacrilège **1** *adj* sacrilegious **2** *m* sacrilege
sadique **1** *adj* sadistic **2** *m/f* sadist
safran *m* saffron
sagace shrewd; **sagacité** *f* shrewdness
sage **1** *adj* wise; *enfant* good **2** *m* sage, wise man; **sage-femme** *f* midwife; **sagesse** *f* wisdom; *d'un enfant* goodness
Sagittaire *m* ASTROL Sagittarius
saignant bleeding; CUIS rare; **saigner** **1** *v/i* bleed **2** *v/t fig* bleed dry
saillant *pommettes* prominent; *fig* salient; **saillie** *f* ARCH projection; *fig* quip; **saillir** ARCH project
sain healthy; *gestion* sound; **~**

d'esprit sane
saint, **~e 1** *adj* holy **2** *m/f* saint; **sainteté** *f* holiness; **Saint-Sylvestre**: ***la ~*** New Year's Eve
saisie *f* seizure; ***~ de données*** INFORM data capture; **saisir** seize; *sens*, *intention* grasp; INFORM capture; **saisissant** striking; *froid* penetrating
saison *f* season; **saisonnier**, **-ère 1** *adj* seasonal **2** *m ouvrier* seasonal worker
salade *f* salad; **saladier** *m* salad bowl
salaire *m d'un ouvrier* wages *pl*; *d'un employé* salary; ***~ net*** take-home pay
salarié, **~e 1** *adj travail* paid **2** *m/f ouvrier* wage-earner; *employé* salaried employee
salaud *m* P bastard P
sale *après le substantif* dirty; *devant le substantif* nasty
salé *eau* salt; CUIS salted; *histoire* daring; *prix* steep; **saler** salt
saleté *f* dirtiness; ***~s*** *fig* (*grossièretés*) filthy remarks; F *choses sans valeur, mauvaise nourriture* junk
salière *f* salt cellar
salir: ***~ qch*** get sth dirty
salive *f* saliva
salle *f* room; ***~ d'attente*** waiting room; ***~ d'eau*** shower room; ***~ à manger*** dining room
salon *m* living room; *d'un hôtel* lounge; (*foire*) show; ***~ de l'automobile*** auto show, *Br* motor show; ***~ de thé*** tea room
salope *f* P bitch; **saloperie** *f* F *chose sans valeur* piece of junk; (*bassesse*) dirty trick
salopette *f* dungarees *pl*
salubre healthy
saluer greet; MIL salute; ***~ qn*** (***de la main***) wave to s.o.
salut *m* greeting; MIL salute; (*sauvegarde*) safety; REL salvation; ***~!*** F hi!; (*au revoir*) bye!
salutaire salutary
samedi *m* Saturday
sanction *f* sanction
sanctuaire *m* sanctuary
sandale *f* sandal
sandwich *m* sandwich
sang *m* blood; **sang-froid** *m* composure; ***garder son ~*** keep one's cool; ***tuer qn de ~*** kill s.o. in cold blood; **sanglant** bloodstained; *combat*, *mort* bloody
sanglot *m* sob; **sangloter** sob
sanguin blood *atr*; *tempérament* sanguine; ***groupe*** *m* ***~*** blood group
sanitaire sanitary
sans without; ***~ manger*** without eating; ***~ balcon*** without a balcony
sans-abri *m/f*: ***les ~*** the homeless *pl*
sans-emploi *m*: ***les ~*** the unemployed *pl*
santé *f* health; ***à votre ~!***

cheers!, your very good health!
saper undermine
sapeur-pompier *m* firefighter
saphir *m* sapphire
sapin *m* BOT fir
sarcasme *m* sarcasm; **sarcastique** sarcastic
sardine *f* sardine
sardonique sardonic
S.A.R.L. *f* (= ***société à responsabilité limitée***) Inc, *Br* Ltd
satellite *m* satellite
satin *m* satin
satirique satirical
satisfaction *f* satisfaction; **satisfaire 1** *v/i*: **~ à 2** *v/t* satisfy; *attente* come up to; **satisfaisant** satisfactory; **satisfait** satisfied (***de*** with)
saturer saturate
sauce *f* sauce
saucisse *f* sausage
saucisson *m* (dried) sausage
sauf[1] *prép* except; ***~ avis contraire*** unless you/I / *etc* hear to the contrary
sauf[2], **sauve** *adj* safe
sauf-conduit *m* safe-conduct
saugrenu ridiculous
saule *m* BOT willow; ***~ pleureur*** weeping willow
saumon *m* salmon
sauna *m* sauna
saupoudrer sprinkle (***de*** with)
saut *m* jump; ***faire un ~ chez qn*** *fig* drop in briefly on s.o.; ***~ à l'élastique*** bungee jumping; ***~ en longueur*** broad jump, *Br* long jump; ***~ à la perche*** pole vault
sauter 1 *v/i* jump; (*exploser*) blow up; *d'un fusible* blow; *d'un bouton* come off; ***~ sur*** *personne* pounce on; *occasion, offre* jump at; ***cela saute aux yeux*** it's obvious **2** *v/t fossé* jump (over); *mot, repas* skip
sauterelle *f* grasshopper
sautiller hop
sauvage 1 *adj* wild; (*insociable*) unsociable; (*primitif, barbare*) savage; *pas autorisé* unauthorized **2** *m/f* savage; (*solitaire*) unsociable person
sauvegarde *f* safeguard; INFORM back-up
sauver save; *personne en danger* save, rescue; *navire* salvage; ***se ~*** run away; F (*partir*) be off; (*déborder*) boil over
sauvetage *m* rescue; *de navire* salvaging; **sauveteur** *m* rescuer
sauveur *m* savior, *Br* saviour
savant 1 *adj* (*érudit*) learned; (*habile*) skillful, *Br* skilful **2** *m* scientist
saveur *f* taste
savoir 1 *v/t & v/i* know; ***sais-tu nager?*** can you swim?, do you know how to swim? **2** *m* knowledge
savoir-faire *m* expertise,

knowhow
savoir-vivre *m* good manners *pl*
savon *m* soap
savourer savor, *Br* savour; **savoureux, -euse** tasty; *fig: récit* spicy
saxophone *m* saxophone, sax
scandale *m* scandal; ***faire ~*** cause a scandal; ***faire tout un ~*** make a scene; **scandaliser** scandalize; ***se ~ de*** be shocked by
scanner 1 *v/t* scan **2** *m* scanner
scaphandrier *m* diver
scarlatine *f* scarlet fever
sceau *m* seal; *fig* (*marque, signe*) stamp
scellé *m* official seal; **sceller** seal
scénario *m* scenario; (*script*) screenplay; ***~ catastrophe*** worst-case scenario
scène *f* scene (*aussi fig*); (*plateau*) stage; ***mettre en ~*** *pièce, film* direct; *présenter* stage; ***~ de ménage*** domestic argument
sceptique 1 *adj* skeptical, *Br* sceptical **2** *m* skeptic, *Br* sceptic
schéma *m* diagram; **schématiser** oversimplify
sciatique *f* sciatica
scie *f* saw; *fig* F bore
sciemment knowingly
science *f* science; (*connaissance*) knowledge; **scientifique 1** *adj* scientific **2** *m/f* scientist
scier saw; *branche etc* saw off
scinder *fig* split; ***se ~*** split up
scintiller sparkle
scission *f* split
scolaire school *atr*; *succès, échec* academic; **scolarité** *f* education, schooling
scooter *m* (motor) scooter
score *m* SP score; POL share of the vote
scorpion *m* ZO scorpion; ASTROL ***Scorpion*** Scorpio
scotch® *m* Scotch tape®, *Br* sellotape®
scrupule *m* scruple; **scrupuleux, -euse** scrupulous
scruter scrutinize
scrutin *m* ballot; ***~ majoritaire*** majority vote system; ***~ proportionnel*** proportional representation
sculpter sculpt; *pierre* carve; **sculpteur** *m* sculptor; **sculpture** *f* sculpture
SDF *m/f* (= ***sans domicile fixe***) homeless person
se *réfléchi masculin* himself; *féminin* herself; *chose, animal* itself; *pluriel* themselves; *avec 'one'* oneself; *réciproque* each other; ***cela ne ~ fait pas*** that isn't done; ***ils ~ lèvent à ...*** they get up at ...
séance *f* session; *de cinéma* show, performance; ***~ tenante*** *fig* immediately
seau *m* bucket

sec, **sèche** **1** *adj* dry; *fruits, légumes* dried; (*maigre*) thin; *réponse, ton* curt **2** *m*: ***tenir au ~*** keep in a dry place **3** *adv boire* neat, straight

sèche-cheveux *m* hair dryer; **sèche-linge** *m* clothes dryer; **sécher** dry; *d'un lac* dry up; **sécheresse** *f* dryness; *manque de pluie* drought; *de réponse, ton* curtness

second, **~e** **1** *adj* second **2** *m étage* third floor, *Br* second floor; (*adjoint*) second in command **3** *f* second; *en train* second class; **secondaire** secondary; **seconder** *personne* assist

secouer shake; *poussière* shake off

secouriste *m/f* first-aider; **secours** *m* help; *matériel* aid; ***au ~!*** help!; ***sortie*** *f* ***de ~*** emergency exit; ***premiers ~s*** first aid

secousse *f* jolt; *électrique* shock; *tellurique* tremor

secret, **-ète** **1** *adj* secret **2** *m* secret; (*discrétion*) secrecy; ***en ~*** in secret

secrétaire **1** *m/f* secretary **2** *m* writing desk

secrétariat *m* secretariat; *profession* secretarial work

secte *f* REL sect

secteur *m* sector; (*zone*) area, district; ÉL mains *pl*

section *f* section; **sectionner** (*couper*) sever; *région etc* divide up

séculaire a hundred years old; *très ancien* centuries-old

séculier, **-ère** secular

sécurité *f* security; (*manque de danger*) safety; ***Sécurité sociale*** welfare, *Br* social security; ***être en ~*** be safe

sédatif *m* sedative

sédentaire sedentary; *population* settled

séduction *f* seduction; *fig* (*charme*) attraction; **séduire** seduce; *fig* (*charmer*) appeal to; *d'une personne* charm; **séduisant** appealing; *personne* attractive

ségrégation *f* segregation

seigle *m* AGR rye

seigneur *m* HIST the lord of the manor; REL: ***le Seigneur*** the Lord

sein *m* breast; *fig* bosom; ***au ~ de*** within

seize sixteen; **seizième** sixteenth

séjour *m* stay; (***salle*** *f* ***de***) ***~*** living room; **séjourner** stay

sel *m* salt

sélection *f* selection; **sélectionner** select

selle *f* saddle; MÉD stool

selon according to; ***~ moi*** in my opinion; ***c'est ~*** it all depends

semaine *f* week; ***à la ~*** by the week; ***en ~*** during the week, on weekdays

semblable **1** *adj* similar; *tel*

such; **~ à** like, similar to **2** *m* (*être humain*) fellow human being
semblant *m* semblance; ***faire ~ de faire*** pretend to do
sembler seem
semelle *f* sole; *pièce intérieure* insole
semence *f* AGR seed
semer sow; *fig* (*répandre*) spread; ***~ qn*** F shake s.o. off
semestre *m* half-year
séminaire *m* seminar; REL seminary
semi-remorque *m* semi, *Br* articulated lorry
semonce *f* reproach
semoule *f* CUIS semolina
Sénat *m* POL Senate; **sénateur** *m* senator
sénile senile
sens *m* sense; (*direction*) direction; ***~ interdit*** no entry; ***~ dessus dessous*** upside down; ***~ de l'humour*** sense of humor *ou Br* humour; (***rue f à***) ***~ unique*** one-way street
sensation *f* feeling, sensation; *effet de surprise* sensation; ***faire ~*** cause a sensation; **sensationnel**, **~le** sensational
sensé sensible
sensibilité *f* sensitivity; **sensible** sensitive; (*notable*) appreciable; **sensiblement** appreciably; *plus ou moins* more or less
sensualité *f* sensuality; **sensuel**, **~le** sensual
sentence *f* JUR sentence
sentier *m* path
sentiment *m* feeling; **sentimental** *vie* love *atr*; *péj* sentimental
sentinelle *f* MIL guard
sentir 1 *v/t* feel; (*humer*) smell; (*dégager une odeur de*) smell of; ***se ~ bien*** feel well **2** *v/i*: ***~ bon*** smell good
séparable separable; **séparation** *f* separation; (*cloison*) partition; **séparatisme** *m* POL separatism; **séparé** separate; *époux* separated; **séparément** separately; **séparer** separate; ***se ~*** separate
sept seven
septembre *m* September
septennat *m* term of office (of French President)
septentrional northern
septième seventh
septique septic
séquelles *fpl* MÉD after-effects; *fig* aftermath
séquence *f* sequence
serein calm
sérénité *f* serenity
série *f* series *sg*; *de casseroles*, *timbres* set; SP (*épreuve*) heat; ***hors ~*** *numéro* special; ***fabriquer en ~*** mass-produce
sérieux, **-euse 1** *adj* serious; *entreprise*, *employé* professional; (*consciencieux*) conscientious **2** *m* seriousness; ***prendre au ~*** take seriously

seringue *f* MÉD syringe
serment *m* oath; ***prêter ~*** take the oath
sermon *m* sermon
séropositif, -ive HIV-positive
serpent *m* snake; **serpenter** wind, meander
serpillière *f* floor cloth
serre *f* greenhouse; **~s** ZO talons
serré tight; *pluie* heavy; *personnes* closely packed; *café* strong
serrer 1 *v/t* (*tenir*) clasp; *ceinture* tighten; *d'un vêtement* be too tight for **2** *v/i*: ***se ~*** (*s'entasser*) squeeze up; ***se ~ contre qn*** press against s.o.
serrure *f* lock; **serrurier** *m* locksmith
serveur *m dans un café* bartender, *Br* barman; *dans un restaurant* waiter; INFORM server
serveuse *f dans un café* bartender, *Br* barmaid; *dans un restaurant* server, waitress
serviable helpful
service *m* service; (*faveur*) favor, *Br* favour; *au tennis* service, serve; *d'une entreprise, d'un hôpital* department; ***être de ~*** be on duty; ***rendre ~ à qn*** do s.o. a favor; ***mettre en ~*** put into service; ***hors ~*** out of order
serviette *f* serviette; *de toilette* towel; *pour documents* briefcase; ***~ hygiénique*** sanitary napkin
servile servile
servir serve; (*être utile*) be useful; ***~ à qn*** be of use to s.o.; ***~ à qch/à faire qch*** be used for sth/for doing sth; ***~ de qc*** act as sth; ***se ~*** *à table* help o.s. (***en*** to); ***se ~ de*** (*utiliser*) use
ses → ***son***[1]
seuil *m* doorstep; *fig* threshold
seul 1 *adj* alone; (*solitaire*) lonely; *devant le subst* only, sole **2** *adv* alone; ***faire qch tout ~*** do sth all by o.s. *ou* all on one's own
seulement only; ***non ~ ... mais encore*** *ou* ***mais aussi*** not only … but also
sévère severe; **sévérité** *f* severity
sévices *mpl* abuse
sévir *d'une épidemie* rage; ***~ contre qn*** come down hard on s.o.; ***~ contre qc*** clamp down on sth
sexagénaire *m/f & adj* sixty-year old
sexe *m* sex; *organes* genitals *pl*; **sexiste** *m/f & adj* sexist; **sexualité** *f* sexuality; **sexuel, ~le** sexual
shampo(o)ing *m* shampoo
short *m* shorts *pl*
si 1 *conj* (***s'il, s'ils***) if; ***~ bien que*** with the result that **2** *adv* (*tellement*) so; *après négation* yes; ***de ~ bonnes va-***

cances such a good vacation; **~ *riche qu'il soit*** (*subj*) however rich he may be; ***tu ne veux pas? - mais ~!*** you don't want to? - oh yes, I do
sida *m* MÉD Aids
sidéré F thunderstruck
siècle *m* century; *fig* (*époque*) age
siège *m* seat; *d'une entreprise* headquarters *pl*; MIL siege; **~ *social*** COMM head office; **siéger** sit; **~ *à*** *d'une entreprise* be headquartered in
sien: ***le sien, la sienne, les siens, les siennes*** *d'homme* his; *de femme* hers; *de chose, d'animal* its; *avec 'one'* one's
sieste *f* siesta, nap
sifflement *m* whistle; **siffler** whistle; *d'un serpent* hiss; **sifflet** *m* whistle; ***coup*** *m* ***de ~*** blow on the whistle
signal *m* signal; **~ *d'alarme*** alarm (signal); **signalement** *m* description; **signaler** *par un signal* signal; (*faire remarquer*) point out; (*dénoncer*) report; ***se ~ par*** distinguish o.s. by
signature *f* signature
signe *m* sign; ***faire ~ à*** gesture *ou* signal to s; (*contacter*) get in touch with; **~ *de ponctuation*** punctuation mark; **signer** sign
signet *m* bookmark
signification *f* meaning; **signifier** mean; **~ *qch à qn*** (*faire savoir*) notify s.o. of sth
silence *m* silence; **silencieux, -euse 1** *adj* silent **2** *m d'une arme* muffler, *Br* silencer
silhouette *f* outline, silhouette; (*figure*) figure
sillage *m* wake (*aussi fig*)
sillon *m dans un champ* furrow; *d'un disque* groove; **sillonner** (*parcourir*) criss-cross
similaire similar; **similitude** *f* similarity
simple 1 *adj* simple **2** *m au tennis* singles *pl*; **simplicité** *f* simplicity
simplifier simplify
simulateur, -trice 1 *m/f*: ***c'est un ~*** he's pretending **2** *m* TECH simulator; **simulation** *f* simulation; **simuler** simulate
simultané simultaneous
sincère sincere; **sincérité** *f* sincerity
singe *m* monkey; **singer** ape; **singerie** *f* imitation; **~*s*** F antics
singulier, -ère 1 *adj* odd, strange **2** *m* GRAM singular
sinistre 1 *adj* sinister; (*triste*) gloomy **2** *m* disaster; **sinistré 1** *adj* stricken **2** *m/f* disaster victim
sinon (*autrement*) or else, otherwise; (*sauf*) except; (*si ce n'est*) if not

sinueux, -euse *route* winding; *ligne* squiggly; *explication* complicated
sinus *m* sinus; **sinusite** *f* sinusitis
sirène *f* siren
sirop *m* syrup
siroter sip
sismique seismic
sitcom *m ou f* sitcom
site *m* site; (*paysage*) area; **~ *Web*** website
sitôt 1 *adv*: **~ *parti, il ...*** as soon as he had left he ... **2** *conj*: **~ *que*** as soon as
situation *f* situation; (*emplacement, profession*) position; **situé** situated
six six; **sixième** sixth
skateboard *m* skateboard; *activité* skateboarding
sketch *m* sketch
ski *m* ski; *activité* skiing; **~ *alpin*** downhill (skiing); **~ *de fond*** cross-country (skiing); **~ *nautique*** water-skiing; **skier** ski; **skieur, -euse** *m/f* skier
slip *m de femme* panties *pl*; *d'homme* briefs; **~ *de bain*** swimming trunks *pl*
slogan *m* slogan
slovaque *adj* Slovak(ian); **Slovaque** *m/f* Slovak(ian)
slovène Slovene, Slovenian; **Slovène** *m/f* Slovene, Slovenian
smoking *m* tuxedo, *Br* dinner jacket
smartphone *m* smartphone
SMS *m* text (message)
S.N.C.F. *f* (= ***Societé nationale des chemins de fer français***) French national railroad company
sobre sober; *style* restrained
sociable sociable
social social; COMM company *atr*; **socialiser** socialize; **socialisme** *m* socialism; **socialiste** *m/f & adj* socialist
société *f* society; *firme* company; **~ *anonyme*** corporation, *Br* public limited company, plc
sociologie *f* sociology
socquette *f* anklet, *Br* ankle sock
soda *m* soda, *Br* fizzy drink; ***un whisky* ~** a whiskey and soda
sœur *f* sister; REL nun
sofa *m* sofa
soi oneself; ***avec* ~** with one; ***ça va de* ~** that goes without saying
soi-disant *inv* so-called
soie *f* silk
soif *f* thirst; ***avoir* ~** be thirsty
soigné *personne* well-groomed; *travail* careful; **soigner** look after, take care of; *d'un médecin* treat; ***se* ~** take care of o.s.; **soigneux, -euse** careful (***de*** about)
soi-même oneself
soin *m* care; **~*s*** care; MÉD care, treatment; ***prendre* ~ *de*** look after, take care of; ***être sans* ~** be untidy

soir *m* evening; ***le ~*** in the evening; **soirée** *f* evening; (*fête*) party
soit[1] *adv* very well, so be it
soit[2] *conj* **~ ..., ~ ...** either ..., or ...; (*à savoir*) that is, ie
soixantaine *f* about sixty; **soixante** sixty; **soixante-dix** seventy
soja *m* BOT soy bean, *Br* soya
sol *m* ground; (*plancher*) floor; (*patrie*), GÉOL soil
solaire solar
soldat *m* soldier
solde[1] *f* MIL pay
solde[2] *m* COMM balance; ***~s*** *marchandises* sale goods; *vente au rabais* sale; **solder** *compte* close, balance; *marchandises* sell off
sole *f* ZO sole
soleil *m* sun; ***il y a du ~*** it's sunny; ***coup*** *m* ***de ~*** sunburn
solennel, ~le solemn
solidaire: ***être ~ de qn*** suport s.o.; **solidarité** *f* solidarity
solide 1 *adj* solid; *tissu* strong; *argument* sound; *personne* sturdy **2** *m* PHYS solid; **solidité** *f* solidity; *d'un matériau* strength; *d'un argument* soundness
solitaire 1 *adj* solitary **2** *m/f* loner **3** *m diamant* solitaire; **solitude** *f* solitude
sollicitation *f* plea; **solliciter** request; *attention* attract; *curiosité* arouse; ***~ un emploi*** apply for a job; **sollicitude** *f* solicitude
solstice *m* ASTR solstice
soluble soluble; ***café*** *m* ***~*** instant coffee
solution *f* solution
solvable solvent; *digne de crédit* creditworthy
sombre *couleur, salle* dark; *temps* overcast; *avenir, regard* somber, *Br* sombre
sommaire 1 *adj* brief; *exécution* summary **2** *m* summary
somme[1] *f* sum; (*quantité*) amount; ***en ~, ~ toute*** in short
somme[2] *m* nap, snooze
sommeil *m* sleep; ***avoir ~*** be sleepy; **sommeiller** doze
sommelier *m* wine waiter
sommer: ***~ qn de faire qc*** order s.o. to do sth
sommet *m d'une montagne* summit, top; *d'un arbre, d'une tour* top; *fig* pinnacle; POL summit
sommier *m* mattress
somnambule *m/f* sleepwalker
somnifère *m* sleeping tablet
somnolence *f* drowsiness, sleepiness; **somnoler** doze
somptueux, -euse sumptuous; **somptuosité** *f* sumptuousness
son[1] *m*, **sa** *f*, **ses** *pl d'homme* his; *de femme* her; *de chose, d'animal* its; *avec 'one'* one's
son[2] *m* sound
sondage *m* probe; TECH drilling; **~ (*d'opinion*)** opinion poll, survey

sonde *f* probe; **sonder** MÉD probe; *personne*, *atmosphère* sound out
songe *m litt* dream; **songer**: **~ *à* (*faire*) *qc*** think about (doing) sth; **songeur**, **-euse** thoughtful
sonner 1 *v/i de cloches*, *sonnette* ring; *d'un réveil* go off; *d'un instrument*, *d'une voix* sound; *d'une horloge* strike; ***midi a sonné*** it has struck noon; **~ *creux/faux*** *fig* ring hollow/false **2** *v/t cloches* ring; **sonnerie** *f de cloches* ringing; (*sonnette*) bell; **sonnette** *f* bell
sonore *voix* loud; *rire* resounding; *cuivres* sonorous; *onde*, *film* sound *atr*; **sonorité** *f* sound, tone; *d'une salle* acoustics *pl*
sophistiqué sophisticated
soporifique sleep-inducing, soporific
soprano 1 *f* soprano **2** *m* treble
sorcellerie *f* sorcery, witchcraft
sorcier *m* sorcerer; **sorcière** *f* witch
sordide filthy; *fig* sordid
sort *m* fate; (*condition*) lot; ***tirer au* ~** draw lots; ***jeter un* ~ *à*** *fig* cast a spell on
sorte *f* (*manière*) way; (*espèce*) sort, kind; ***en quelque* ~** in a way; ***de* (*telle*) ~ *que*** and so
sortie *f* exit; (*promenade*, *excursion*) outing; *d'un livre* publication; *d'un disque* release; *d'une voiture* launch; TECH outlet; MIL sortie; **~ (*sur*) *imprimante*** printout
sortir 1 *v/i* come/go out; *pour se distraire* go out (***avec*** with); *d'un livre*, *un disque* come out; *au loto* come up; **~ *de*** *endroit* leave; *accident*, *entretien* emerge from; (*provenir de*) come from **2** *v/t chose* bring/take out; *chien*, *personne* take out; COMM bring out; F *bêtises* come out with **3**: ***s'en* ~** *d'un malade* pull through
sot, **~te 1** *adj* silly, foolish **2** *m/f* fool; **sottise** *f* foolishness; *action/remarque* foolish thing to do/say
sou *m fig* penny; ***être sans le* ~** be penniless
souche *f d'un arbre* stump; *d'un carnet* stub
souci *m* worry, care; ***sans* ~** carefree; **soucier**: ***se* ~ *de*** worry about; **soucieux**, **-euse** anxious, concerned (***de*** about)
soucoupe *f* saucer
soudain 1 *adj* sudden **2** *adv* suddenly
souder TECH weld; *fig* bring closer together
soudoyer bribe
souffle *m* breath; *d'une explosion* blast; ***à bout de* ~** breathless, out of breath; **souffler 1** *v/i du vent* blow;

(*haleter*) puff; (*respirer*) breathe; (*reprendre son souffle*) get one's breath back **2** *v/t chandelle* blow out; ÉDU, *au théâtre* prompt; **~ *qc à qn*** F (*dire*) whisper sth to s.o.; (*enlever*) steal sth from s.o.

souffrance *f* suffering; **souffrant** unwell; **souffrir 1** *v/i* be in pain; **~ *de*** suffer from **2** *v/t* suffer

soufre *m* CHIM sulfur, *Br* sulphur

souhait *m* wish; ***à vos ~s!*** bless you!; **souhaitable** desirable; **souhaiter** wish for; **~ *que*** (+ *subj*) hope that

souiller dirty, soil; *fig*: *réputation* tarnish

soûl drunk

soulagement *m* relief; **soulager** relieve; **~ *qn*** *au travail* help s.o. out

soûler F: **~ *qn*** get s.o. drunk; ***se ~*** get drunk

soulèvement *m* uprising; **soulever** raise; *enthousiasme* arouse; *protestations* generate; ***se ~*** raise o.s.; (*se révolter*) rise up

souligner underline

soumettre *pays*, *peuple* subdue; *à un examen* subject (***à*** to); (*présenter*) submit; ***se ~ à*** submit to; **soumis** *peuple* subject; (*obéissant*) submissive; **soumission** *f* submission; COMM tender

soupçon *m* suspicion; ***un ~ de*** a hint of; **soupçonner** suspect; **soupçonneux, -euse** suspicious

soupe *f* CUIS (thick) soup

souper 1 *v/i* have dinner *ou* supper **2** *m* dinner, supper

soupir *m* sigh; **soupirer** sigh

souple flexible; **souplesse** *f* flexibility

source *f* spring; *fig* source

sourcil *m* eyebrow

sourd deaf; *voix* low; *douleur*, *bruit* dull; *colère* repressed; ***~-muet*** deaf-and-dumb

souriant smiling

souricière *f* mousetrap; *fig* trap

sourire *v/i & m* smile

souris *f* mouse

sournois, **~e 1** *adj* underhanded **2** *m/f* underhanded person

sous under; ***~ peu*** soon; ***~ la pluie*** in the rain

souscription *f* subscription; **souscrire**: **~ *à*** subscribe to (*aussi fig*); *emprunt* approve

sous-entendre imply; **sous-entendu 1** *adj* implied **2** *m* implication

sous-estimer underestimate

sous-jacent underlying

sous-louer sublet

sous-marin 1 *adj* underwater **2** *m* submarine

sous-sol *m d'une maison* basement

sous-titre *m* subtitle

soustraire MATH subtract (***de***

from); *fig*: *au regard de* remove; *à un danger* protect (**à** from)
sous-traitance *f* sub-contracting
sous-vêtements *mpl* underwear
soutane *f* REL cassock
soute *f* MAR , AVIAT hold
soutenir support; *pression* withstand; *conversation* keep going; *opinion* maintain; ***~ que*** maintain that; ***se ~*** support each other; **soutenu** *effort* sustained; *style* elevated
souterrain **1** *adj* underground, subterranean **2** *m* underground passage
soutien *m* support
soutien-gorge *m* brassiere, bra
souvenir **1**: ***se ~ de qn/qch*** remember s.o./sth; ***se ~ que*** remember that **2** *m* memory; *objet* souvenir
souvent often; ***le plus ~*** most of the time
souverain, **~e** *m/f* sovereign
soyeux, **-euse** silky
spacieux, **-euse** spacious
spaghetti *mpl* spaghetti *sg*
spam *m* spam
sparadrap *m* Band-Aid®, *Br* Elastoplast®
spasme *m* MÉD spasm; **spasmodique** spasmodic
spatial spatial; ASTR space *atr*
spécial special; **spécialiser**: ***se ~*** specialize; **spécialiste** *m/f* specialist; **spécialité** *f* speciality
spécifier specify
spécifique specific
spécimen *m* specimen
spectacle *m* spectacle; *théâtre, cinéma* show, performance; **spectaculaire** spectacular; **spectateur**, **-trice** *m/f* (*témoin*) onlooker; SP spectator; *au théâtre* member of the audience
spectre *m* ghost; PHYS spectrum
spéculer speculate
spéléologie *f* caving
spermatozoïde *m* BIOL sperm
sperme *m* BIOL sperm
sphère *f* MATH sphere (*aussi fig*)
spirale *f* spiral
spirituel, **~le** spiritual; (*amusant*) witty
spiritueux *mpl* spirits
splendeur *f* splendor, *Br* splendour, magnificence; **splendide** splendid
sponsor *m* sponsor; **sponsoriser** sponsor
spontané spontaneous
sport **1** *m* sport; ***faire du ~*** do sport **2** *adj vêtements* casual *atr*
sportif, **-ive** **1** *adj résultats*, *association* sports *atr*; *allure* sporty; (*fair-play*) sporting **2** *m* sportsman **3** *f* sportswoman
square *m* public garden

squash *m* SP squash
squatter squat; **squatteur, -euse** *m/f* squatter
squelette *m* skeleton
stabilisateur, -trice 1 *adj* stabilizing **2** *m* stabilizer; **stabiliser** stabilize; **stabilité** *f* stability; **stable** stable
stade *m* SP stadium; *d'un processus* stage
stage *m* training period; (*cours*) training course; *pour professeur* teaching practice; (*expérience professionnelle*) work placement; **stagiaire** *m/f* trainee
stagnant *eau* stagnant
stalle *f d'un cheval* box; **~s** REL stalls
stand *m de foire* booth, *Br* stand; *de kermesse* stall
standard *m* standard; TÉL switchboard
standardiser standardize
standardiste *m/f* TÉL (switchboard) operator
starter *m* AUTO choke
station *f* station; *de bus* stop; *de vacances* resort; ***~ de taxis*** cab stand, *Br* taxi rank; ***~ thermale*** spa
stationnement *m* parking; **stationner** park
station-service *f* gas station, *Br* petrol station
statistique 1 *adj* statistical **2** *f* statistic; *science* statistics *sg*
statue *f* statue
stature *f* stature
statut *m* status; **~s** *d'une société* statutes
stéréo *f* stereo
stéréotype *m* stereotype; **stéréotypé** stereotype
stérile sterile; **stériliser** sterilize; **stérilité** *f* sterility
steward *m* flight attendant, steward
stigmate *m* mark; **~s** REL stigmata
stimuler stimulate
stipulation *f* stipulation; **stipuler** stipulate
stock *m* stock; **stocker** stock; INFORM store
stoïque stoical
stop *m* stop; *écriteau* stop sign; (***feu*** *m*) **~** AUTO brake light; ***faire du* ~** F hitchhike; **stopper** stop
store *m d'une fenêtre* shade, *Br* blind; *d'un magasin, d'une terrasse* awning
strapontin *m* tip-up seat
stratagème *m* stratagem
stratégie *f* strategy
stress *m* stress; **stressant** stressful; **stressé** stressed-out
strict strict; ***le ~ nécessaire*** the bare minimum
strident strident
strip-tease *m* strip(tease)
structure *f* structure
studieux, -euse studious
stupéfait stupefied; **stupéfiant 1** *adj* stupefying **2** *m* drug; **stupéfier** stupefy
stupeur *f* stupor
stupide stupid

style *m* style; **styliste** *m de mode, d'industrie* stylist
stylo *m* pen; ~ ***plume*** fountain pen
suave *voix, goût* sweet
subalterne 1 *adj* junior **2** *m/f* junior, subordinate
subir (*endurer*) suffer; (*se soumettre volontairement à*) undergo
subit sudden
subjectif, **-ive** subjective
subjuguer *fig* captivate
sublime sublime
submerger submerge; ***être submergé de*** *fig* be buried in
subordonné, **~e** *adj & m/f* subordinate; **subordonner** subordinate (**à** to)
subrepticement surreptitiously
subsidiaire subsidiary
subsistance *f* subsistence; **subsister** survive; *d'une personne aussi* live
substance *f* substance; **substantiel**, **~le** substantial
substituer: ~ ***X à Y*** substitute X for Y
subterfuge *m* subterfuge
subtil subtle; **subtilité** *f* subtlety
subvenir: ~ **à** provide for
subvention *f* grant, subsidy; **subventionner** subsidize
subversif, **-ive** subversive
suc *m*: **~*s gastriques*** gastric juices
succéder: ~ **à** follow; *personne* succeed; ***se*** ~ follow each other
succès *m* success
successeur *m* successor; **succession** *f* succession; JUR (*biens dévolus*) inheritance
succomber (*mourir*) die, succumb; ~ **à** succumb to
succulent succulent
succursale *f* COMM branch
sucer suck; **sucette** *f bonbon* lollipop; *de bébé* pacifier, *Br* dummy
sucre *m* sugar; **sucré** sweet; *au sucre* sugared; *péj* sugary; **sucrer** sweeten; *avec sucre* sugar; **sucreries** *fpl* sweet things
sud 1 *m* south; ***au ~ de*** (to the) south of **2** *adj* south; *hémisphère* southern
sud-américain, **~e** South American; **Sud-Américain**, **~e** *m/f* South American
sud-est *m* south-east
sud-ouest *m* south-west
Suède: ***la*** ~ Sweden; **suédois**, **~e 1** *adj* Swedish **2** *m langue* Swedish; **Suédois**, **~e** *m/f* Swede
suer 1 *v/i* sweat **2** *v/t* sweat; *fig* (*dégager*) ooze; **sueur** *f* sweat
suffire be enough; ***il suffit que tu le lui dises*** (*subj*) all you have to do is tell her; ***ça suffit!*** that's enough!
suffisamment sufficiently,

enough; ~ ***intelligent*** sufficiently intelligent, intelligent enough; ~ ***de ...*** enough ..., sufficient ...; **suffisance** *f* arrogance; **suffisant** sufficient, enough; (*arrogant*) arrogant

suffocant suffocating; *fig* breath-taking; **suffocation** *f* suffocation; **suffoquer** suffocate

suffrage *m* vote; ~ ***universel*** universal suffrage

suggérer suggest (***à*** to); **suggestion** *f* suggestion

suicide *m* suicide; **suicider**: ***se*** ~ commit suicide

suinter *d'un mur* ooze

suisse Swiss; **Suisse 1** *m/f* Swiss **2 la Suisse** Switzerland

suite *f* pursuit; (*série*) series *sg*; (*continuation*) continuation; *d'un film, un livre* sequel; MUS, *appartement* suite; ***la ~ de l'histoire*** the rest of the story; ***~s*** (*conséquences*) consequences; *d'un choc, d'une maladie* after-effects; ***trois fois de ~*** three times in a row; ***et ainsi de ~*** and so on; ***par ~ de*** as a result of; ***tout de ~*** immediately

suivant, **~e 1** *adj* next, following **2** *m/f* next person; ***au ~!*** next! **3** *prép* (*selon*) according to **4** *conj*: ~ ***que*** depending on whether

suivi *effort* sustained; *relations* continuous; *argumentation* coherent

suivre 1 *v/t* follow; *cours* take **2** *v/i* follow; *à l'école* keep up; ***faire ~*** *lettre* please forward; ***à ~*** to be continued

sujet, **~te 1** *adj*: ~ ***à*** subject to **2** *m* subject; ***au ~ de*** on the subject of

sulfureux, -euse sultry

super 1 *adj* F great F, neat F **2** *m essence* premium

superbe superb

supercherie *f* hoax

superficie *f fig* surface; (*surface, étendue*) (surface) area; **superficiel**, **~le** superficial

superflu 1 *adj* superfluous **2** *m* surplus

supérieur, **~e 1** *adj* higher; *étages, mâchoire* upper; (*meilleur, dans une hiérarchie*) superior (*aussi péj*) **2** *m/f* superior; **supériorité** *f* superiority

supermarché *m* supermarket

superposer stack; *couches* superimpose; ***lits*** *mpl* ***superposés*** bunk beds

superstitieux, **-euse** superstitious; **superstition** *f* superstition

superviser supervise

supplanter supplant

suppléant, **~e 1** *adj* acting **2** *m/f* stand-in, replacement; **suppléer**: ~ ***à*** make up for

supplément *m* supplement; ***un ~ de ...*** additional *ou* ex-

tra …; **supplémentaire** additional
supplication *f* plea
supplice *m* torture; *fig* agony; **supplicier** torture
supplier: ***~ qn de faire*** beg s.o. to do
support *m* support; **supportable** bearable; **supporter**[1] *v/t* TECH, ARCH support, hold up; *conséquences* take; *frais, douleur, personne* bear; *chaleur, alcool* tolerate; **supporter**[2] *m* SP supporter, fan
supposer suppose; (*impliquer*) presuppose; **supposition** *f* supposition
suppression *f* suppression; **supprimer** *institution, impôt* abolish; *emplois* cut; *mot* delete; *concert* cancel
suprême supreme
sur on; ***prendre qch ~ l'étagère*** take sth off the shelf; ***une fenêtre ~ la rue*** a window looking onto the street; ***tirer ~ qn*** shoot at s.o.; ***un film ~ …*** a movie on *ou* about …; ***un ~ dix*** one out of ten
sûr sure; (*non dangereux*) safe; (*fiable*) reliable; ***bien ~*** of course; ***à coup ~ il sera …*** he's bound to be …
surcharge *f* overloading; (*poids excédentaire*) excess weight
surchauffer overheat
surclasser outclass
surcroît *m*: ***un ~ de travail*** extra work; ***de ~, par ~*** moreover
surdité *f* deafness
surdoué extremely gifted
surélever raise
sûrement surely
surenchère *f dans vente aux enchères* higher bid
surestimer overestimate
sûreté *f* safety; MIL security; *de jugement* soundness
surexciter overexcite
surexposer overexpose
surface *f* surface; ***grande ~*** COMM supermarket
surfait overrated
surfer surf; ***~ sur Internet*** surf the Net
surgelé **1** *adj* deep-frozen **2** *mpl*: ***~s*** frozen food
surgir suddenly appear; *d'un problème* crop up
sur-le-champ at once, straightaway
surlendemain *m* day after tomorrow
surligner highlight
surmener overwork; ***se ~*** overwork, overdo it F
surmonter dominate; *fig* overcome, surmount
surnaturel, ***~le*** supernatural
surnom *m* nickname; **surnommer** nickname
surpasser surpass
surpeuplé *pays* overpopulated; *endroit* overcrowded
surplomber overhang
surplus *m* surplus; ***au ~*** moreover

surprenant surprising; **surprendre** surprise; *voleur* catch (in the act); ***se ~ à faire qch*** catch o.s. doing sth; **surpris** surprised; **surprise** *f* surprise
sursaut *m* jump, start; **sursauter** jump
sursis *m fig* reprieve, stay of execution; ***peine avec ~*** JUR suspended sentence
surtaxe *f* surcharge
surtout especially; (*avant tout*) above all; ***~ que*** F especially since
surveillance *f* supervision; *par la police etc* surveillance; **surveillant, ~e** *m/f* supervisor; *de prison* guard; **surveiller** watch; *élèves*, *employés* supervise; ***se ~*** *comportement* watch one's step; *poids* watch one's figure
survenir *d'une personne* arrive unexpectedly; *d'un événement* happen; *d'un problème* come up, arise
survêtement *m* sweats *pl*, *Br* tracksuit
survie *f* survival; REL afterlife; **survivant, ~e 1** *adj* surviving **2** *m/f* survivor; **survivre**: ***~ à*** survive
susceptible sensitive, touchy; ***~ de faire qch*** likely to do sth
susciter arouse
suspect (*équivoque*) suspicious; (*d'une qualité douteuse*) suspect; ***~ de qc*** suspected of sth; **suspecter** suspect
suspendre suspend; (*accrocher*) hang up; **suspendu** suspended
suspens: ***en ~*** *personne* in suspense; *affaire* outstanding
suspense *m* suspense
suspension *f* suspension
suspicion *f* suspicion
svelte trim, slender
sweat(-shirt) *m* sweatshirt
syllabe *f* syllable
symbole *m* symbol; **symboliser** symbolize
symétrie *f* symmetry
sympathie *f* sympathy; (*amitié, inclination*) liking; **sympathique** nice, friendly; **sympathiser** get on
symphonie *f* symphony
symptôme *m* symptom
synagogue *f* synagogue
synchroniser synchronize
syndical labor *atr*, *Br* (trade) union *atr*
syndicat *m* (labor) union, *Br* (trade) union; ***~ d'initiative*** tourist information office
syndiqué unionized
synonyme 1 *adj* synonymous (***de*** with) **2** *m* synonym
synthèse *f* synthesis; **synthétiseur** *m* MUS synthesizer
systématique systematic; **système** *m* system; ***~ antidémarrage*** immobilizer; ***~ d'exploitation*** INFORM operating system

T

ta → ***ton²***
tabac *m* tobacco; ***bureau*** *m* ***de ~*** tobacco store, *Br* tobacconist's
table *f* table; ***se mettre à ~*** sit down to eat
tableau *m à l'école* board; (*peinture*) painting; *fig* picture; (*liste*) list; (*schéma*) table; ***~ de bord*** AVIAT instrument panel
tablette *f* shelf; ***~ de chocolat*** chocolate bar
tablier *m* apron
tabouret *m* stool
tache *f* stain
tâche *f* task
tacher stain
tâcher: ***~ de faire*** try to do
tacheté stained
tacite tacit
taciturne taciturn
tact *m* tact; ***avoir du ~*** be tactful
tactique 1 *adj* tactical **2** *f* tactics *pl*
taie *f*: ***~ (d'oreiller)*** pillowslip
taille¹ *f* BOT pruning; *de la pierre* cutting
taille² *f* (*hauteur*) height; (*dimension*) size; ANAT waist
taille-crayon(s) *m* pencil sharpener
tailler BOT prune; *vêtement* cut out; *crayon* sharpen; *pierre* cut; **tailleur** *m* (*couturier*) tailor; *vêtement* (woman's) suit
taire: ***se ~*** keep quiet (***sur*** about); *s'arrêter de parler* stop talking; ***tais-toi!*** be quiet!, shut up!
talc *m* talc
talent *m* talent; **talentueux, -euse** talented
talon *m* heel; *d'un chèque* stub; **talonner** (*serrer de près*) follow close behind; (*harceler*) harass
talus *m* bank
tambour *m* MUS, TECH drum; **tambouriner** drum
Tamise: ***la ~*** the Thames
tamiser sieve; *lumière* filter
tampon *m d'ouate* pad; *hygiène féminine* tampon; (*amortisseur*) buffer; (*cachet*) stamp; **tamponnement** *m* AUTO collision; **tamponner** *plaie* clean; (*cacheter*) stamp; AUTO collide with
tandis que while
tangente *f* MATH tangent
tangible tangible
tango *m* tango
tanière *f* lair, den (*aussi fig*)
tanné tanned; *peau* weather-beaten; **tanner** tan; *fig* F pester
tant 1 *adv* so much; ***~ de vin*** so much wine; ***~ d'erreurs*** so many errors; ***~ mieux*** so

much the better; **~ *pis*** too bad, tough **2** *conj*: **~ *que*** *temps* as long as; ***en ~ que Français*** as a Frenchman; **~ ... *que* ...** both ... and ...
tante *f* aunt
tantôt this afternoon; ***à ~*** see you soon; **~ ... ~ ...** now ... now ...
taon *m* horsefly
tapage *m* racket; *fig* fuss; **tapageur, -euse** (*voyant*) flashy, loud; (*bruyant*) noisy
tape *f* pat
taper 1 *v/t personne* hit; *table* bang on; **~ (*à l'ordinateur*)** F key, type **2** *v/i* hit; *à l'ordinateur* key; **~ *sur les nerfs de qn*** F get on s.o.'s nerves
tapir: ***se ~*** crouch
tapis *m* carpet; SP mat; **~ *roulant*** TECH conveyor belt; *pour personnes* traveling *ou Br* travelling walkway; **~ *de souris*** mouse mat
tapisser *avec du papier peint* (wall)paper; **tapisserie** *f* tapestry; (*papier peint*) wallpaper
tapoter tap; *personne* pat
taquiner tease; **taquinerie** *f* teasing
tard 1 *adv* late; ***plus ~*** later (on); ***au plus ~*** at the latest **2** *m*: ***sur le ~*** late in life
tarder delay; **~ *à faire*** take a long time doing; ***il me tarde de te revoir*** I'm longing to see you again
tardif, -ive late
targuer: ***se ~ de qc*** *litt* pride o.s. on sth
tarif *m* rate; **~ *unique*** flat rate
tarir dry up (*aussi fig*); ***se ~*** dry up
tartan *m* tartan
tarte *f* tart; **tartelette** *f* tartlet
tartine *f* slice of bread; **~ *de confiture*** slice of bread and jam
tas *m* heap, pile; ***un ~ de choses*** heaps *pl ou* piles *pl* of things
tasse *f* cup; ***une ~ de café*** a cup of coffee; ***une ~ à café*** a coffee cup
tasser (*bourrer*) cram; ***se ~*** settle
tâter 1 *v/t* feel **2** *v/i* F: **~ *de qc*** try sth
tatillon, ~ne fussy
tâtons: ***avancer à ~*** feel one's way forward
tatouage *m action* tattooing; *signe* tattoo
taudis *m* slum
taupe *f* ZO mole
taureau *m* bull; ASTROL ***Taureau*** Taurus
taux *m* rate; **~ *d'alcoolémie*** blood alcohol level; **~ *de change*** exchange rate; **~ *d'intérêt*** interest rate
taxe *f* duty; (*impôt*) tax; **~ *sur ou à la valeur ajoutée*** sales tax, *Br* value added tax, VAT; **taxer** tax; **~ *qn de qc*** *fig* (*accuser*) tax s.o. with sth
taxi *m* taxi, cab
tchèque 1 *adj* Czech **2** *m lan-*

gue Czech; **Tchèque** *m/f* Czech

te you; *complément d'objet indirect* (to) you; ***tu t'es coupé*** you've cut yourself; ***si tu ~ lèves à …*** if you get up at …

technicien, **~ne** *m/f* technician

technique 1 *adj* technical **2** *f* technique

technologie *f* technology; ***~ informatique*** computer technology; ***~ de pointe*** high-tech; **technologique** technological

tee-shirt *m* T-shirt

teindre dye

teint, **~e 1** *adj* dyed **2** *m* complexion; ***fond*** *m* ***de ~*** foundation (cream) **3** *f* tint; *fig* tinge; **teinter** tint; *bois* stain; **teinture** *f action* dyeing; *produit* dye; PHARM tincture

tel, **~le** such; ***une ~le surprise*** such a surprise; *de ce genre* a surprise like that; ***~(s)*** *ou* ***~le(s) que*** such as, like

télé *f* F TV, tube F, *Br* telly F

télécharger INFORM download

télécommande *f* remote control

télécommunications *f pl* telecommunications

téléconférence *f* teleconference

téléguidage *m* remote control

téléobjectif *m* telephoto lens

télépathie *f* telepathy

téléphone *m* phone, telephone; ***~ portable*** cellphone, *Br* mobile (phone); ***coup*** *m* ***de ~*** (phone) call; ***~ avec appareil photo intégré*** camera phone; **téléphoner 1** *v/i* phone, telephone; ***~ à qn*** call s.o., *Br aussi* phone s.o. **2** *v/t* phone, telephone; **téléphonique** phone *atr*, telephone *atr*; ***appel*** *m* ***~*** phone

téléréalité *f* reality TV

télescope *m* telescope; **télescoper** crash into; ***se ~*** crash

télésiège *m* chair lift

téléski *m* ski lift

téléspectateur, **-trice** *m/f* (TV) viewer

télévision *f* television; ***~ câblée*** cable (TV)

tellement so; *avec verbe* so much; ***pas ~*** not really; ***~ de chance*** so much good luck; ***~ de filles*** so many girls

téméraire reckless; **témérité** *f* recklessness

témoignage *m* JUR testimony, evidence; (*rapport*) account; *fig*: *d'estime* token; **témoigner** JUR testify, give evidence; ***~ de*** (*être le témoignage de*) show; **témoin** *m* witness; ***être (le) ~ de qch*** witness sth

tempe *f* ANAT temple

tempérament *m* temperament; ***à ~*** in installments *ou Br* instalments

température *f* temperature; ***avoir de la ~*** have a fever, *Br aussi* have a temperature
tempérer moderate
tempête *f* storm
temple *m* temple; *protestant* church
temporaire temporary
temporel, **~le** temporal
temporiser stall, play for time
temps *m* time; *atmosphérique* weather; TECH stroke; ***à ~*** in time; ***de ~ en ~*** from time to time; ***il est ~ de partir*** it's time to go; ***il est ~ que tu t'en ailles*** (*subj*) it's time you left; ***en même ~*** at the same time; ***par beau ~*** in good weather; ***quel ~ fait-il?*** what's the weather like?
tenace tenacious
tenailles *fpl* pincers
tendance *f* trend; (*disposition*) tendency; ***avoir ~ à faire*** have a tendency to do, tend to do
tendon *m* ANAT tendon
tendre[1] **1** *v/t filet*, *ailes* spread; *piège* set; *bras*, *main* hold out; *muscles* tense; *corde* tighten; ***~ qch à qn*** hold sth out to s.o.; ***se ~*** *de rapports* become strained **2** *v/i*: ***~ à qc*** strive for sth; ***~ à faire qch*** tend to do sth
tendre[2] *adj* tender; *couleur* soft
tendresse *f* tenderness
tendu *corde* tight; *fig* tense; *relations* strained
ténèbres *fpl* darkness; **ténébreux**, **-euse** dark
teneur *f d'une lettre* contents *pl*; (*concentration*) content
tenir **1** *v/t* hold; (*maintenir*) keep; *registre*, *promesse* keep; *caisse* be in charge of; *restaurant* run; *place* take up; ***~ à qc/qn*** (*donner de l'importance à*) value sth/s.o.; *à un objet* be attached to sth; ***~ à faire qc*** really want to do sth; ***cela ne tient qu'à toi*** (*dépend de*) it's entirely up to you **2** *v/i* hold; ***~ dans*** fit into **3**: ***se ~*** *d'un spectacle* be held; (*être*, *se trouver*) stand; ***se ~ à qch*** hold on to sth; ***s'en ~ à*** confine o.s. to
tennis *m* tennis; *terrain* tennis court; ***~*** *pl* sneakers, *Br* trainers; SP tennis shoes
ténor *m* MUS tenor
tension *f* tension; MÉD blood pressure; ***faire de la ~*** F have high blood pressure
tentacule *m* tentacle
tentant tempting; **tentation** *f* temptation
tentative *f* attempt
tente *f* tent
tenter tempt; (*essayer*) attempt, try (***de faire*** to do)
tenture *f* wallhanging
tenu: ***être ~ de faire qc*** be obliged to do sth; ***bien ~*** well looked after; ***mal ~*** badly kept; *enfant* neglected

ténu fine; *espoir* slim
tenue *f de comptes* keeping; *de ménage* running; (*conduite*) behavior, *Br* behaviour; *du corps* posture; (*vêtements*) clothes *pl*; **~ de soirée** evening wear
tergiverser hum and haw
terme *m* (*fin*) end; (*échéance*) time limit; (*expression*) term; **à court/long ~** in the short/long term; *emprunt, projet* short-/long-term
terminaison *f* GRAM ending; **terminer** finish; **se ~** end; **se ~ par** end with; *d'un mot* end in
terminus *m* terminus
ternir tarnish
terrain *m* ground; GÉOL, MIL terrain; SP field; **un ~** a piece of land; **sur le ~** *essai* field *atr*; *essayer* in the field; **~ d'aviation** airfield; **~ à bâtir** building lot; **~ de jeu** play park; **véhicule** *m* **tout ~** 4x4, off-road vehicle
terrasse *f* terrace; **terrasser** *adversaire* fell
terre *f* (*sol, surface*) ground; *matière* earth, soil; *opposé à mer, propriété* land; (*monde*) earth, world; *pays, région* land, country; ÉL ground, *Br* earth; **~ à ~** *personne* down to earth; **à** *ou* **par ~** on the ground; **tomber par ~** fall down; **sur ~** on earth; **sur la ~** on the ground
terre-plein *m*: **~ central** median strip, *Br* central reservation
terrestre *animaux* land *atr*; REL earthly; TV terrestrial
terreur *f* terror
terrible terrible; F (*extraordinaire*) terrific; **c'est pas ~** it's not that good
terrien, ~ne 1 *adj*: **propriétaire** *m* **~** landowner **2** *m/f* (*habitant de la Terre*) earthling
terrier *m de renard* earth; ZO terrier
terrifier terrify
territoire *m* territory
terroir *m viticulture* soil; **du ~** (*régional*) local
terroriser terrorize; **terrorisme** *m* terrorism; **terroriste** *m/f & adj* terrorist
tertre *m* mound
tes → **ton**[2]
test *m* test; **~ de résistance** endurance test
testament *m* JUR will; **Ancien/Nouveau Testament** REL Old/New Testament
tester test
testicule *m* testicle
tête *f* head; (*cheveux*) hair; (*visage*) face; SP header; **de ~** *calculer* in one's head; *répondre* without looking anything up; **avoir la ~ dure** be stubborn; **se casser la ~** *fig* rack one's brains; **n'en faire qu'à sa ~** do exactly as one likes; **tenir ~ à qn** stand up to s.o.; *péj* defy s.o.; **faire la ~** sulk; **il se paie ta ~** *fig*

he's making a fool of you; ***en ~*** in the lead
tête-à-queue *m* AUTO spin; **tête-à-tête** *m* tête-à-tête; ***en ~*** in private
têtu obstinate
texte *m* text; ***~s choisis*** selected passages
textile *m* textile; ***le ~*** *industrie* the textile industry, textiles *pl*
texto *m* text (message); ***envoyer un ~ à qn*** send s.o. a text, text s.o.
texture *f* texture
T.G.V. *m* (= ***train à grande vitesse***) high-speed train
thé *m* tea
théâtre *m* theater, *Br* theatre; *fig*: *cadre* scene
théière *f* teapot
thème *m* theme; ÉDU translation (into a foreign language)
théorie *f* theory; **théorique** theoretical
thérapeute *m/f* therapist; **thérapeutique 1** *f* (*thérapie*) therapy **2** *adj* therapeutic; **thérapie** *f* therapy
thermal thermal
thermomètre *m* thermometer
thermos *f ou m* thermos®
thèse *f* thesis
thon *m* tuna
thym *m* BOT thyme
tic *m* tic, twitch; *fig* habit
ticket *m* ticket; ***~ de caisse*** receipt
tiède warm; *péj* tepid, lukewarm (*aussi fig*); **tiédir** cool down; *devenir plus chaud* warm up
tien, **~ne**: ***le tien, la tienne, les tiens, les tiennes*** yours
tiers, **tierce 1** *adj* third; ***le ~ monde*** the Third World **2** *m* MATH third; JUR third party
tige *f* BOT stalk; TECH stem
tigre *m* tiger; **tigresse** *f* tigress
tilleul *m* BOT lime (tree); *boisson* lime-blossom tea
timbre *m* stamp; (*sonnette*) bell; (*son*) timbre; (*tampon*) stamp; **timbre-poste** *m* postage stamp
timide timid; *en société* shy
timoré timid
tintement *m* tinkle; *de clochettes* ringing; **tinter** *de verres* clink; *de clochettes* ring
tir *m* fire; *action*, SP shooting; ***~ à l'arc*** archery
tirage *m à la loterie* draw; PHOT print; TYP printing; (*exemplaires de journal*) circulation; *d'un livre* print run; COMM *d'un chèque* drawing; F (*difficultés*) trouble; ***par un ~ au sort*** by drawing lots
tirailler pull; ***tiraillé entre*** *fig* torn between
tire *f* P AUTO car, jeep P; ***vol*** *m* ***à la ~*** pickpocketing
tiré *traits* drawn
tire-bouchon *m* corkscrew
tirelire *f* piggy bank

tirer 1 *v/t* pull; *chèque*, *ligne*, *conclusions* draw; *coup de fusil* fire; *oiseau*, *cible* fire at; PHOT, TYP print; *plaisir*, *satisfaction* derive **2** *v/i* pull (***sur*** on); *avec arme* shoot (***sur*** at); **~ *à sa fin*** draw to a close **3**: ***se ~ de*** *situation difficile* get out of; ***se ~*** F take off
tiret *m* dash; (*trait d'union*) hyphen
tiroir *m* drawer
tisane *f* herbal tea
tisser weave; *d'une araignée* spin; *fig* hatch
tissu *m* fabric, material; BIOL tissue
titre *m* title; *d'un journal* headline; FIN security; ***à ce ~*** therefore; ***à juste ~*** rightly; ***à ~ d'essai*** on a trial basis; ***au même ~*** on the same basis
tituber stagger
titulaire *m/f d'un document*, *d'une charge* holder
toast *m* (*pain grillé*) piece of toast; *de bienvenue* toast
toboggan *m* slide; *rue* flyover
tocsin *m* alarm bell
toi you
toile *f de lin* linen; (*peinture*) canvas; **~ *d'araignée*** spiderweb, *Br* spider's web; **~ *cirée*** oilcloth; **~ *de fond*** backcloth; *fig* backdrop
toilette *f* (*lavage*) washing; (*mise*) outfit; (*vêtements*) clothes *pl*; **~*s*** toilet; ***aller aux ~s*** go to the toilet; ***faire sa ~*** get washed
toi-même yourself
toiser *fig*: **~ *qn*** look s.o. up and down
toison *f de laine* fleece; (*cheveux*) mane of hair
toit *m* roof; **~ *ouvrant*** AUTO sun roof; **toiture** *f* roof
tôle *f* sheet metal; **~ *ondulée*** corrugated iron
tolérance *f aussi* TECH tolerance; **tolérant** tolerant; **tolérer** tolerate
tomate *f* tomato
tombe *f* grave
tombeau *m* tomb
tombée *f*: ***à la ~ de la nuit*** at nightfall
tomber fall; *de cheveux* fall out; *d'une colère* die down; *d'une fièvre*, *d'un prix*, *d'une demande* drop, fall; **~ *malade*** fall sick; ***laisser ~*** drop (*aussi fig*); **~ *sur*** MIL attack; (*rencontrer*) bump into; **~ *d'accord*** reach agreement
tome *m* volume
ton[1] *m* tone; MUS key; ***il est de bon ~*** it's the done thing
ton[2] *m*, **ta** *f*, **tes** *pl* your
tondeuse *f* lawnmower; *de coiffeur* clippers *pl*; AGR shears *pl*; **tondre** *mouton* shear; *haie* clip; *herbe* mow, cut; *cheveux* shave off
tonifier tone up
tonique 1 *m* tonic **2** *adj climat* bracing

tonitruant thunderous
tonne *f* (metric) ton
tonneau *m* barrel; MAR ton
tonner thunder; *fig* rage
tonnerre *m* thunder
tonton *m* F uncle
tonus *m d'un muscle* tone; (*dynamisme*) dynamism
toqué F mad (**de** about)
torche *f* flashlight, *Br* torch
torchon *m* dishtowel
tordre twist; *linge* wring; ***se ~*** twist; ***se ~ le pied*** twist one's ankle
tornade *f* tornado
torpille *f* torpedo; **torpiller** torpedo (*aussi fig*)
torrent *m* torrent; *fig*: *de larmes* flood; *d'injures* torrent
torse *m* torso
tort *m* fault; (*préjudice*) harm; ***à ~*** wrongly; ***à ~ et à travers*** wildly; ***avoir ~*** be wrong (***de faire*** to do); ***donner ~ à qn*** prove s.o. wrong; (*désapprouver*) blame s.o.; ***faire du ~ à*** hurt, harm
torticolis *m* MÉD stiff neck
tortiller twist; ***se ~*** wriggle
tortue *f* tortoise; ***~ de mer*** turtle
tortueux, **-euse** winding; *fig* tortuous; *esprit*, *manœuvres* devious
torture *f* torture; **torturer** torture
tôt early; (*bientôt*) soon; ***le plus ~ possible*** as soon as possible; ***au plus ~*** at the soonest *ou* earliest; ***~ ou tard*** sooner or later
total 1 *adj* total **2** *m* total; ***au ~*** in all; *fig* on the whole; **totalement** totally; **totaliser** total; **totalité** *f*: ***la ~ de*** all of; ***en ~*** in full; **totalitaire** POL totalitarian
touchant touching
touche *f* touch; *de clavier* key; SP touchline; (*remise en jeu*) throw-in; *pêche* bite; ***être mis sur la ~*** *fig* F be sidelined
toucher[1] *v/t* touch; *but* hit; (*émouvoir*) touch, move; (*concerner*) concern; (*contacter*) contact, get in touch with; *argent* get; *réserves* break into; *d'une maison* adjoin; ***~ au but*** near one's goal; ***se ~*** touch; *de maisons*, *terrains* adjoin
toucher[2] *m* touch
touffu dense, thick
toujours always; (*encore*) still; ***pour ~*** for ever
toupet *m* F nerve
tour[1] *f* tower; (*immeuble*) high-rise
tour[2] *m* turn; (*circonférence*) circumference; (*circuit*) lap; (*promenade*) stroll, walk; (*excursion*, *voyage*) tour; (*ruse*) trick; TECH lathe; *de potier* wheel; ***à mon ~***, ***c'est mon ~*** it's my turn; ***en un ~ de main*** in no time at all
tourbe *f matière* peat
tourbillon *m de vent* whirl-

wind; *d'eau* whirlpool
tourelle *f* turret
tourisme *m* tourism; **~ *écologique*** ecotourism; **touriste** *m/f* tourist
tourment *m litt* torture, torment
tourmente *f litt* storm
tourmenter torment; ***se ~*** worry, torment o.s.
tournant 1 *adj* revolving **2** *m* turn; *fig* turning point
tournée *f* round; *d'un artiste* tour
tourner 1 *v/t* turn; *sauce* stir; *salade* toss; *difficulté* get around; *film* shoot; ***bien tourné(e)*** well-put **2** *v/i* turn; *du lait* turn; ***j'ai la tête qui tourne*** my head is spinning; ***faire ~*** *clé* turn; *entreprise* run **3**: ***se ~*** turn; ***se ~ vers*** *fig* turn to
tournesol *m* BOT sunflower
tournevis *m* screwdriver
tournoyer *d'oiseaux* wheel; *de feuilles* swirl
tournure *f* (*expression*) turn of phrase; *des événements* turn
tourterelle *f* turtledove
tous → ***tout***
Toussaint: ***la ~*** All Saints' Day
tousser cough
toussoter have a slight cough
tout *m*, **toute** *f*, **tous** *mpl*, **toutes** *fpl* **1** *adj* all; (*n'importe lequel*) any; ***~ Français*** every Frenchman, all Frenchmen; ***tous les deux jours*** every two days; ***tous les ans*** every year **2** *pron sg* ***tout*** everything; *pl* ***tous, toutes*** all of us/them; ***après ~*** after all; ***facile comme ~*** F as easy as anything; ***nous tous*** all of us; **3** *adv* ***tout*** very, quite; ***c'est ~ comme un …*** it's just like a …; ***~ nu*** completely naked; ***c'est ~ près d'ici*** it's just nearby; ***je suis ~e seule*** I'm all alone; ***~ à fait*** altogether; ***oui, ~ à fait*** yes, absolutely; ***~ de suite*** straight away; ***~ pauvres qu'ils sont*** (*ou* ***soient*** (*subj*) however poor they are **4** *m* ***tout*** the whole lot, everything; ***pas du ~*** not at all
toutefois however
toux *f* cough *m*
toxique 1 *adj* toxic **2** *m* poison
trac *m* nervousness; *pour un acteur* stage fright
traçabilité *f* traceablility
tracas *m*: ***des ~*** worries; **tracasser**: ***~ qn*** *d'une chose* worry s.o.; *d'une personne* pester s.o.; ***se ~*** worry
trace *f* (*piste*) track, trail; (*marque*) mark; *fig* impression; ***~s*** *de sang, poison* traces; ***des ~s de pas*** footprints; **tracer** *plan* draw
trachée *f* windpipe, trachea
tractation *f péj*: ***~s*** horsetrading
tracteur *m* tractor

tradition *f* tradition; **traditionaliste** *m/f & adj* traditionalist; **traditionnel, ~le** traditional

traducteur, -trice *m/f* translator; **traduction** *f* translation; **traduire** translate (***en*** into); *fig* be indicative of; ***se ~ par*** result in

trafic *m* traffic; **trafiquant** *m* trafficker; ***~ de drogue(s)*** drug trafficker; **trafiquer** traffic in; *moteur* tinker with

tragédie *f* tragedy; **tragique 1** *adj* tragic **2** *m* tragedy

trahir betray; **trahison** *f* betrayal; *crime* treason

train *m* train; *fig*: *de lois, décrets etc* series *sg*; ***être en ~ de faire qc*** be doing sth; ***mettre en ~*** set in motion; ***au ~ où vont les choses*** at the rate things are going; ***~ d'atterrissage*** undercarriage, landing gear; ***~ de vie*** lifestyle

traîner 1 *v/t* drag; *d'une voiture* pull, tow **2** *v/i de vêtements, livres* lie around; *d'une discussion* drag on; ***~ dans les rues*** hang around street corners **3**: ***se ~*** drag o.s. along

train-train *m* F: ***le ~ quotidien*** the daily routine

traire milk

trait *m* (*ligne*) line; *du visage* feature; *de caractère* trait; *d'une œuvre, époque* feature, characteristic; ***avoir ~ à*** be about; ***~ d'esprit*** witticism; ***~ d'union*** hyphen

traite *f* COMM draft, bill of exchange; *d'une vache* milking; ***d'une seule ~*** in one go

traité *m* treaty

traitement *m* treatment; (*salaire*) pay; TECH, INFORM processing; **traiter 1** *v/t* treat; TECH, INFORM process; ***~ qn de menteur*** call s.o. a liar **2** *v/i* (*négocier*) negotiate; ***~ de qc*** deal with sth

traître, ~sse 1 *m/f* traitor **2** *adj* treacherous

trajet *m* (*voyage*) journey; (*chemin*) way

trame *f fig*: *d'une histoire* background; *de la vie* fabric

tramway *m* streetcar, *Br* tram

tranchant 1 *adj* cutting **2** *m d'un couteau* cutting edge

tranche *f* (*morceau*) slice; (*bord*) edge; ***~ d'âge*** age bracket

tranché *fig* clear-cut; *couleur* definite

tranchée *f* trench

trancher 1 *v/t* cut; *fig* settle **2** *v/i*: ***~ sur*** stand out against

tranquille quiet; (*sans inquiétude*) easy in one's mind; ***laisse-moi ~!*** leave me alone!; **tranquillisant** *m* tranquilizer, *Br* tranquillizer; **tranquilliser**: ***~ qn*** set s.o.'s mind at rest; **tranquillité** *f* quietness, tranquillity; *du sommeil* peacefulness; (*stabilité morale*) peace of

mind
transaction *f* JUR compromise; COMM transaction
transatlantique 1 *adj* transatlantic **2** *m bateau* transatlantic liner; *chaise* deck chair
transcription *f* transcription; **transcrire** transcribe
transférer transfer; **transfert** *m* transfer; PSYCH transference
transformation *f* transformation; TECH processing; *en rugby* conversion; **transformer** transform; TECH process; *appartement*, *en rugby* convert
transfuge *m* defector
transfusion *f*: **~ (*sanguine*)** (blood) transfusion
transgénique genetically modified
transgresser *loi* break, transgress
transi: **~ (*de froid*)** frozen
transiger come to a compromise
transistor *m* transistor
transit *m*: ***en ~*** in transit
transition *f* transition
transmettre transmit; *message*, *talen*, *maladie* pass on; *tradition*, *titre* hand down; **transmissible**: ***sexuellement ~*** sexually transmitted; **transmission** *f* transmission; *d'un message* passing on; *d'une tradition*, *d'un titre* handing down; RAD, TV broadcast
transparence *f* transparency; **transparent** transparent
transpercer pierce; *de l'eau*, *de la pluie* go right through
transpiration *f* perspiration; **transpirer** perspire
transplant *m* transplant; **transplantation** *f* transplanting; MÉD transplant; **transplanter** transplant
transport *m* transport; ***~s publics*** mass transit, *Br* public transport; **transporter** transport, carry
transposer transpose
transversal cross *atr*
trapèze *m* trapeze
trappe *f* (*ouverture*) trapdoor
trapu stocky
traquer hunt
traumatiser PSYCH traumatize; **traumatisme** *m* MÉD, PSYCH trauma
travail *m* work; ***être sans ~*** be out of work; ***travaux*** (*construction*) construction work; **travailler 1** *v/i* work **2** *v/t* work on; *d'une pensée* trouble; **travailleur**, **-euse 1** *adj* hard-working **2** *m/f* worker
travers 1 *adv*: ***de ~*** crooked; *marcher* not straight; ***en ~*** across **2** *prép*: ***à ~ qc***, ***au ~ de qc*** through sth **3** *m* shortcoming
traversée *f* crossing; **traverser** *rue*, *mer* cross; *forêt*, *crise* go through; (*percer*) go right through

travesti 1 *adj pour fête* fancy-dress **2** *m* (*déguisement*) fancy dress; (*homosexuel*) transvestite; **travestir** *vérité* distort; ***se*** ~ dress up (***en*** as a)
trébucher trip (***sur*** over)
trèfle *m* BOT clover; *aux cartes* clubs *pl*
treize thirteen; **treizième** thirteenth
tremblant trembling, quivering; **tremblement** *m* trembling; ~ ***de terre*** earthquake; **trembler** tremble, shake (***de*** with); *de la terre* shake
trémousser: ***se*** ~ wriggle
trempe *f fig* caliber, *Br* calibre
trempé soaked; *sol* saturated; **tremper** soak; *pain dans café etc* dunk; *pied dans l'eau* dip; *acier* harden; ~ ***dans*** *fig* be involved in
tremplin *m* springboard; *pour ski* ski jump; *fig* stepping stone
trentaine *f*: ***une*** ~ ***de personnes*** about thirty people *pl*; **trente** thirty; **trentième** thirtieth
trépied *m* tripod
trépigner stamp (one's feet)
très very; ~ ***lu***/***visité*** much read/visited
trésor *m* treasure; ***Trésor*** Treasury; **trésorier**, **-ère** *m*/*f* treasurer
tressaillir jump
tresse *f de cheveux* braid, *Br* plait
trêve *f* truce; ~ ***de ...*** that's enough ...; ***sans*** ~ without respite
tri *m* sort; ***faire un*** ~ ***dans qc*** sort sth out
triangle *m* triangle
tribord *m* MAR starboard
tribu *f* tribe
tribulations *fpl* tribulations
tribunal *m* court
tribune *f* platform; (*débat*) discussion; ~***s*** *dans stade* bleachers, *Br* stands
tributaire: ***être*** ~ ***de*** be dependent on
tricher cheat; **tricheur**, **-euse** *m*/*f* cheat
tricolore: ***drapeau*** *m* ~ tricolor *ou Br* tricolour
tricot *m* knitting; *vêtement* sweater; **tricoter** knit
trier (*choisir*) pick through; (*classer*) sort
trimballer F hump F, lug
trimer F work like a dog F
trimestre *m* quarter; ÉDU trimester, *Br* term
trinquer (*porter un toast*) clink glasses; ~ ***à*** *fig* F toast, drink to
triomphe *m* triumph; **triompher** triumph (***de*** over)
tripes *fpl* guts; CUIS tripe
triple triple; **triplés**, **-ées** *mpl*, *fpl* triplets
tripoter F *objet* play around with; *femme* feel up
triste sad; *temps*, *paysage* dreary; **tristesse** *f* sadness

trivial vulgar; *litt* (*banal*) trite
troc *m* barter
trognon *m d'un fruit* core; *d'un chou* stump
trois 1 *adj* three; ***le ~ mai*** May third, *Br* the third of May **2** *m* three; **troisième** third
trombe *f*: ***des ~s d'eau*** sheets of water; ***en ~*** *fig* at top speed
trombone *m* MUS trombone; *pour papiers* paper clip
trompe *f* MUS horn; *d'un éléphant* trunk
tromper deceive; *époux* be unfaithful to; *confiance* abuse; ***se ~*** be mistaken; ***se ~ de numéro*** get the wrong number; **tromperie** *f* deception
trompette 1 *f* trumpet **2** *m* trumpet player
trompeur, -euse deceptive; (*traître*) deceitful
tronc *m* BOT, ANAT trunk; *à l'église* collection box
tronçon *m* section
trône *m* throne
trop too; *avec verbe* too much; ***~ de lait/gens*** too much milk/too many people
tropical tropical; **tropique** *m* tropic
trot *m* trot; ***aller au ~*** trot; **trotter** *d'un cheval* trot; *d'une personne* run around
trottiner scamper
trottinette *f* scooter
trottoir *m* sidewalk, *Br* pavement
trou *m* hole; ***~ de mémoire*** lapse of memory
trouble 1 *adj eau, liquide* cloudy; *explication* unclear; *situation* murky **2** *m* (*désarroi*) trouble; (*émoi*) excitement; MÉD disorder; ***~s*** POL unrest; **trouble-fête** *m* party-pooper F
troubler *liquide* make cloudy; *silence, sommeil* disturb; *réunion* disrupt; (*inquiéter*) bother; ***se ~*** get flustered *d'un liquide* go cloudy
trouée *f* gap; **trouer** make a hole in
troupe *f* troop; *de comédiens* troupe
troupeau *m de vaches* herd; *de moutons* flock
trousse *f* kit; ***être aux ~s de qn*** *fig* be on s.o.'s heels; ***~ de toilette*** toilet bag
trousseau *m d'une mariée* trousseau; ***~ de clés*** bunch of keys
trouver find; *plan* come up with; (*rencontrer*) meet; ***~ que*** think that; ***se ~*** (*être*) be; ***il se trouve que*** it turns out that
truc *m* F (*chose*) thing, thingamajig F; (*astuce*) trick
truffe *f* BOT truffle; *d'un chien* nose; **truffé** with truffles; ***~ de*** *fig*: *citations* peppered with
truie *f* sow
truite *f* trout
truquage *m dans film* special

effect; *d'une photo* faking; **truquer** *élections*, *cartes* rig
tu you
tuba *m* snorkel; MUS tuba
tube *m* tube; F (*chanson*) hit
tuberculose *f* MÉD tuberculosis, TB
tuer kill; *fig* (*épuiser*) exhaust; (*peiner*) bother; ***se ~*** (*se suicider*) kill o.s.; (*trouver la mort*) be killed; **tue-tête**: ***à ~*** at the top of one's voice; **tueur** *m* killer
tulipe *f* tulip
tumeur *f* MÉD tumor, *Br* tumour
tumulte *m* uproar; *fig* (*activité*) hustle and bustle; **tumultueux, -euse** noisy; *passion* tumultuous, stormy
tunique *f* tunic
Tunisie: ***la ~*** Tunisia; **tunisien, ~ne** Tunisian; **Tunisien, ~ne** *m/f* Tunisian
tunnel *m* tunnel
turbo-réacteur *m* AVIAT turbojet
turbulence *f* turbulence; *d'un élève* unruliness; **turbulent** turbulent; *élève* unruly
turc, turque 1 *adj* Turkish **2** *m langue* Turkish; **Turc, Turque** *m/f* Turk
turf *m* SP horseracing; *terrain* racecourse
Turquie: ***la ~*** Turkey
tutelle *f* JUR guardianship; *d'un état, d'une société* supervision, control; *fig* protection
tuteur, -trice 1 *m/f* JUR guardian **2** *m* BOT stake
tutoyer address as 'tu'
tuyau *m* pipe; *flexible* hose; F (*information*) tip; ***~ d'arrosage*** garden hose; **tuyauter** F: ***~ qn*** tip s.o. off
T.V.A. *f* (= ***taxe sur*** *ou* ***à la valeur ajoutée***) sales tax, *Br* VAT (= value added tax)
type *m* type; F (*gars*) guy F; ***contrat*** *m* **~** standard contract
typhon *m* typhoon
typique typical (***de*** of)
tyran *m* tyrant; **tyrannie** *f* tyranny; **tyranniser** tyrannize; *petit frère etc* bully

U

U.E. *f* (= ***Union européenne***) EU (= European Union)
ulcère *m* MÉD ulcer; **ulcérer** *fig* aggrieve
ultérieur later, subsequent
ultimatum *m* ultimatum
ultime last
ultrason *m* PHYS ultrasound
ultraviolet, ~te *adj & m* ultraviolet
un, une 1 *article* a; *devant voyelle* an **2** *pron* one; ***à la une*** on the front page; ***l'un des touristes*** one of the

tourists; ***les uns avaient …*** some (of them) had …; ***elles s'aident les unes les autres*** they help each other; ***l'un et l'autre*** both of them **3** *chiffre* one

unanime unanimous; **unanimité** *f* unanimity; ***à l'~*** unanimously

uni *pays* united; *surface* smooth; *tissu* solid(-colored), *Br* self-coloured; *famille* close-knit

unification *f* unification; **unifier** unite, unify

uniforme 1 *adj* uniform; *existence* unchanging **2** *m* uniform; **uniformité** *f* uniformity

unilatéral unilateral

union *f* union; (*cohésion*) unity; **Union européenne** European Union

unique (*seul*) single; *fils* only; (*extraordinaire*) unique; **uniquement** only

unir POL unite; *par moyen de communication* link; *couple* marry; ***s'~*** unite; (*se marier*) marry

unité *f* unit

univers *m* universe; *fig* world; **universel, ~le** universal

universitaire 1 *adj* university *atr* **2** *m/f* academic; **université** *f* university

uranium *m* CHIM uranium

urbain urban; **urbaniser** urbanize; **urbanisme** *m* town planning

urgence *f* urgency; ***une ~*** an emergency; ***d'~*** emergency *atr*; **urgent** urgent

urine *f* urine; **uriner** urinate

urne *f*: ***aller aux ~s*** go to the polls

usage *m* use; (*coutume*) custom; *linguistique* usage; ***hors d'~*** out of use; ***à l'~ de qn*** for use by s.o.; ***d'~*** customary; **usager** *m* user

USB *m* USB; ***clé*** *f* **~** USB (memory) stick, USB flash drive

usé worn; *vêtement, personne* worn-out; **user** *du gaz, de l'eau* use, consume; *vêtement* wear out; *yeux* ruin; ***s'~*** wear out; *personne* wear o.s. out; ***~ de qc*** use sth

usine *f* plant, factory; **usiner** machine

usité *mot* common

ustensile *m* tool; ***~ de cuisine*** kitchen utensil

usuel, ~le usual; *expression* common

usure *f* (*détérioration*) wear; *du sol* erosion

utérus *m* ANAT womb, uterus

utile useful; ***en temps ~*** in due course

utilisateur, -trice *m/f* user; ***~ final*** end user; **utilisation** *f* use; **utiliser** use

utilitaire utilitarian

utilité *f* usefulness, utility; ***ça n'a aucune ~*** it's no use whatever

V

vacance *f poste* opening, *Br* vacancy; **~s** vacation, *Br* holiday(s); **vacancier, -ère** *m/f* vacationer, *Br* holiday-maker
vacarme *m* din, racket
vaccin *m* vaccine; **vaccination** *f* vaccination; **vacciner** vaccinate
vache 1 *f* cow **2** *adj* F mean
vachement F *bon, content* damn F, *Br* bloody F; *changer, vieillir* one helluva lot F
vaciller *sur ses jambes* sway; *d'une flamme* flicker; (*hésiter*) vacillate
vagabond, ~e 1 *adj* wandering **2** *m/f* hobo, *Br* tramp
vagin *m* vagina
vague[1] *f* wave (*aussi fig*); **~ de froid** cold snap
vague[2] **1** *adj* vague; *regard* faraway; **terrain** *m* **~** waste ground **2** *m* vagueness; **regarder dans le ~** stare into the middle distance
vaillant brave, valiant
vain vain; *mots* empty; **en ~** in vain
vaincre conquer; SP defeat; *fig*: *angoisse* overcome, conquer; *obstacle* overcome; **vaincu 1** *adj* conquered; SP defeated **2** *m* loser; **vainqueur** *m* winner, victor
vaisseau *m* ANAT, *litt* (*bateau*) vessel; **~ spatial** spaceship
vaisselle *f* dishes *pl*; **laver** *ou* **faire la ~** do *ou* wash the dishes
valable valid
valeur *f* value, worth; *d'une personne* worth; **~s** COMM securities; **sans ~** worthless; **mettre en ~** emphasize, highlight
valide (*sain*) fit; *passeport, ticket* valid; **valider** validate; *ticket* stamp; **validité** *f* validity
valise *f* bag, suitcase
vallée *f* valley
valoir be worth; (*coûter*) cost; **~ mieux** be better (**que** than); **faire ~** *droits* assert; *capital* make work; (*mettre en valeur*) emphasize
valoriser enhance the value of; *personne* enhance the image of
valse *f* waltz
vandale *m/f* vandal; **vandaliser** vandalize
vanille *f* vanilla
vanité *f* (*fatuité*) vanity; (*inutilité*) futility; **vaniteux, -euse** vain
vanne *f* sluice gate; F dig F
vantard, ~e 1 *adj* boastful **2** *m/f* boaster; **vanter** praise; **se ~ de qch** pride o.s. on sth
vapeur *f* vapor, *Br* vapour; **~**

(***d'eau***) steam; ***cuire à la ~*** steam
vaporeux, **-euse** *paysage* misty; *tissu* filmy
vaporisateur *m* spray; **vaporiser** spray
varappe *f* rock-climbing
variable variable; *temps*, *humeur* changeable; **variante** *f* variant; **variation** *f* (*changement*) change; (*écart*) variation
varice *f* ANAT varicose vein
varicelle *f* MÉD chickenpox
varié varied; **varier** vary; **variété** *f* variety; ***~s*** *spectacle* vaudeville, *Br* variety show
variole *f* MÉD smallpox
vase[1] *m* vase
vase[2] *f* mud; **vaseux**, **-euse** muddy; F (*nauséeux*) off-color, *Br* off-colour; F *explication* muddled
vasistas *m* fanlight
vaurien, **~ne** *m/f* good-for-nothing
vautour *m* vulture
veau *m* calf; *viande* veal
vedette *f* star; (*bateau*) launch; ***mettre en ~*** highlight
végétal **1** *adj* plant *atr*; *huile* vegetable **2** *m* plant; **végétalien**, **~ne** *m/f & adj* vegan
végétarien, **~ne** *m/f & adj* vegetarian
végétation *f* vegetation; **végéter** vegetate
véhémence *f* vehemence; **véhément** vehement
véhicule *m* vehicle (*aussi fig*)
veille *f* previous day; *absence de sommeil* wakefulness; ***à la ~ de*** on the eve of; **veiller** stay up late; ***~ à faire qch*** see to it that sth is done; ***~ sur qn*** watch over s.o.
veinard, **~e** *m/f* F lucky devil F; **veine** *f* vein; F luck
vélo *m* bike; ***faire du ~*** go cycling; **vélomoteur** *m* moped
velours *m* velvet; ***~ côtelé*** corduroy
velouté velvety; (*soupe*) creamy
velu hairy
venaison *f* venison
vendable saleable
vendange *f* grape harvest
vendeur *m* sales clerk, *Br* shop assistant; **vendeuse** *f* sales clerk, *Br* shop assistant; **vendre** sell; *fig* betray; ***à ~*** for sale
vendredi *m* Friday; ***Vendredi saint*** Good Friday
vendu, **~e** **1** *adj* sold **2** *m/f péj* traitor
vénéneux, **-euse** poisonous
vénérable venerable; **vénération** *f* veneration; **vénérer** revere
vénérien, **~ne**: ***maladie f ~ne*** venereal disease
vengeance *f* vengeance; **venger** avenge (***qn de qc*** s.o. for sth); ***se ~ de qn*** get one's revenge on s.o.; ***se ~ de qc sur qn*** get one's revenge for sth on s.o.

venimeux, **-euse** poisonous; **venin** *m* venom (*aussi fig*)
venir come; ***à ~*** to come; ***où veut-il en ~?*** what's he getting at?; ***~ de*** come from; ***je viens de faire la vaisselle*** I have just washed the dishes; ***faire ~*** *médecin* send for
vent *m* wind; ***coup** m **de ~*** gust of wind; ***il y a du ~*** it's windy
vente *f* sale; *activité* selling; ***~ à crédit*** installment plan, *Br* hire purchase
venteux, **-euse** windy
ventilateur *m* ventilator; *électrique* fan; **ventilation** *f* ventilation; **ventiler** *pièce* air; *montant* break down
ventre *m* stomach; ***~ à bière*** beer belly
ventriloque *m* ventriloquist
venu, **~e 1** *adj*: ***bien/mal ~*** appropriate/inappropriate **2** *m/f*: ***le premier ~, la première ~e*** the first to arrive; (*n'importe qui*) anybody; **venue** *f* arrival
ver *m* worm; ***~ de terre*** earthworm; ***~ à soie*** silkworm
verbal verbal; **verbe** *m* verb
verdâtre greenish
verdict *m* verdict
verdir turn green
verdure *f* (*feuillages*) greenery; (*salade*) greens *pl*
verge *f* ANAT penis; (*baguette*) rod
verger *m* orchard
verglas *m* black ice
vergogne *f*: ***sans ~*** shameless; *avec verbe* shamelessly
véridique truthful
vérification *f* check; **vérifier** check; ***se ~*** turn out to be true
véritable real; *amour* true
vérité *f* truth; ***en ~*** actually; ***à la ~*** to tell the truth
vermeil, **~le** bright red, vermillion
vermine *f* vermin
verni varnished; F lucky; **vernir** varnish; *céramique* glaze; **vernis** *m* varnish; *de céramique* glaze; ***~ à ongle*** nail polish, *Br aussi* nail varnish
verre *m* glass; ***prendre un ~*** have a drink; ***~s de contact*** contact lenses
verrerie *f* glassmaking; *fabrique* glassworks *sg*; *objets* glassware
verrière *f* (*vitrail*) stained-glass window; *toit* glass roof
verrou *m* bolt; **verrouillage** *m*: ***~ central*** AUTO central locking; **verrouiller** bolt; F lock up
verrue *f* wart
vers[1] *m* verse
vers[2] *prép* toward, *Br* towards; (*environ*) around
versant *m* slope
versatile changeable
Verseau *m* ASTROL Aquarius
versement *m* payment; **verser 1** *v/t* pour (out); *sang*,

larmes shed; *argent à un compte* pay in; *intérêts*, *pension* pay **2** *v/i* (*basculer*) overturn
version *f* version; (*traduction*) translation
verso *m d'une feuille* back
vert 1 *adj* green; *fruit* unripe; *vin* too young; *fig*: *personne âgée* spry; *propos* risqué **2** *m* green; ***les ~s*** POL *mpl* the Greens
vertébral vertebral; ***colonne*** *f* ***~e*** spine, spinal column; **vertèbre** *f* vertebra
vertical, **~e 1** *adj* vertical **2** *f* vertical (line)
vertige *m* vertigo, dizziness; *fig* giddiness; ***un ~*** a dizzy spell; ***j'ai le ~*** I feel dizzy
vertu *f* virtue; (*pouvoir*) property; ***en ~ de*** in accordance with; **vertueux**, **-euse** virtuous
verve *f* wit
vésicule *f* ANAT: ***~ biliaire*** gall bladder
vessie *f* ANAT bladder
veste *f* jacket
vestiaire *m de théâtre* checkroom, *Br* cloakroom; *d'un stade* locker room
vestibule *m* hall
vestiges *mpl* traces
veston *m* jacket, coat
vêtement *m* item of clothing, garment; ***~s*** clothes; (***industrie*** *f* ***du***) **~** clothing industry
vétérinaire 1 *adj* veterinary **2** *m/f* veterinarian, vet
vêtu dressed
vétuste *bâtiment* dilapidated, ramshackle
veuf 1 *adj* widowed **2** *m* widower
veuve 1 *adj* widowed **2** *f* widow
vexant humiliating; **vexation** *f* humiliation; **vexer**: ***~ qn*** hurt s.o.'s feelings; ***se ~*** get upset
viable *projet*, BIOL viable
viaduc *m* viaduct
viager, **-ère**: ***rente*** *f* ***viagère*** life annuity
viande *f* meat
vibration *f* vibration; **vibrer** vibrate
vice *m* (*défaut*) defect; (*péché*) vice
vice-président *m* COMM, POL vice-president; *Br* COMM vice-chairman
vicié *air* stale
vicieux, **-euse** lecherous; *cercle* vicious
victime *f* victim
victoire *f* victory; SP win, victory; **victorieux**, **-euse** victorious
vidange *f* emptying, draining; AUTO oil change
vide 1 *adj* empty **2** *m* (*néant*) emptiness; *physique* vacuum; (*espace non occupé*) (empty) space; ***avoir peur du ~*** be afraid of heights
vidéo *adj* & *f* video **~ *amateur*** home movie; **vidéocassette** *f* video cassette

vide-ordures *m* rubbish chute

vider empty (out); F *personne* throw out; CUIS *volaille* draw; *salle* vacate, leave; ***se ~*** empty; **videur** *m* F bouncer

vie *f* life; *moyens matériels* living; ***à ~*** for life; ***être en ~*** be alive; ***coût de la ~*** cost of living; ***gagner sa ~*** earn one's living

vieil → ***vieux***

vieillard *m* old man; ***les ~s*** old people *pl*, the elderly *pl*

vieille → ***vieux***

vieillesse *f* old age

vieillir 1 *v/t*: ***~ qn*** age s.o. **2** *v/i d'une personne* get old, age; *d'un visage* age; *d'une théorie, d'un livre* become dated; *d'un vin* age, mature

viennoiseries *fpl croissants and similar types of bread*

vierge 1 *f* virgin; ***Vierge*** ASTROL Virgo **2** *adj* virgin; *feuille* blank; ***DVD*** *m* ***~*** blank DVD

Viêt-nam: ***le ~*** Vietnam; **vietnamien, ~ne 1** *adj* Vietnamese **2** *m langue* Vietnamese; **Vietnamien, ~ne** *m/f* Vietnamese

vieux, (*m* **vieil** *before a vowel or silent h*), **vieille** (*f*) **1** *adj* old **2** *m/f* old man/old woman; ***les ~*** old people *pl*, the aged *pl*

vif, vive 1 *adj* lively; (*en vie*) alive; *plaisir, satisfaction* great; *critique, douleur* sharp; *air* bracing; *froid* biting; *couleur* bright **2** *m* ***à ~*** *plaie* open; ***piqué au ~*** cut to the quick; ***le ~ du sujet*** the heart of the matter; ***avoir les nerfs à ~*** be on edge

vigilance *f* vigilance; **vigilant** vigilant

vigile *m* (*gardien*) security man, guard

vigne *f* (*arbrisseau*) vine; (*plantation*) vineyard

vigneron, ~ne *m/f* wine grower

vignoble *m plantation* vineyard; *région* wine-growing area

vigoureux, -euse robust, vigorous; **vigueur** *f* vigor, *Br* vigour, robustness; ***entrer en ~*** come into force

V.I.H. *m* (= ***Virus de l'Immunodéficience Humaine***) HIV (= human immunodeficiency virus)

vilain nasty; *enfant* naughty; (*laid*) ugly

villa *f* villa

village *m* village; **villageois, ~e 1** *adj* village *atr* **2** *m/f* villager

ville *f* town; *grande* city; ***aller en ~*** go into town

vin *m* wine; ***~ d'honneur*** reception; ***~ de pays*** regional wine

vinaigre *m* vinegar

vinaigrette *f* salad dressing

vingt twenty; **vingtaine**: ***une ~ de personnes*** about twenty people *pl*; **vingtième** twentieth
viol *m* rape; *d'un lieu saint* violation; **violation** *f d'un traité* violation; *d'une église* desecration
violemment violently; *fig* intensely; **violence** *f* violence; *fig* intensity; **violent** violent; *fig* intense
violer *loi* break, *sexuellement* rape; (*profaner*) desecrate
violet, **~te** violet
violette *f* BOT violet
violon *m* violin; *musicien* violinist
violoncelle *m* cello
virage *m de la route* curve, corner; *d'un véhicule* turn; *fig* change of direction; **virement** *m* COMM transfer; **virer** **1** *v/i* (*changer de couleur*) change color *ou Br* colour; *d'un véhicule* corner **2** *v/t argent* transfer; **~ *qn*** F kick s.o. out
virginité *f* virginity
virgule *f* comma
viril male; (*courageux*) manly; **virilité** *f* manhood; (*vigueur sexuelle*) virility
virtuel, **~le** virtual; (*possible*) potential
virulent virulent
virus *m* MÉD, INFORM virus
vis *f* screw; ***escalier*** *m* ***à ~*** spiral staircase
visa *m* visa
visage *m* face
vis-à-vis **1** *prép*: **~ *de*** opposite; (*envers*) toward, *Br* towards; (*en comparaison de*) compared with **2** *m* person sitting opposite; (*rencontre*) face-to-face meeting
viser **1** *v/t* aim at; (*s'adresser à*) be aimed at **2** *v/i* aim (***à*** at); **~ *à faire*** aim to do
viseur *m d'une arme* sights *pl*; PHOT viewfinder
visibilité *f* visibility; **visible** visible; (*évident*) clear
vision *f* sight; (*conception, apparition*) vision; **visionnaire** *m/f & adj* visionary
visite *f* visit; *d'une ville* tour; ***rendre ~ à qn*** visit s.o.; ***avoir droit de ~*** *d'un parent divorcé* have access; **~ *de douane*** customs inspection; **~ *médicale*** medical (examination); **visiter** visit; (*faire le tour de*) tour; *bagages* inspect; **visiteur**, **-euse** *m/f* visitor
vison *m* mink
visqueux, **-euse** viscous; *péj* slimy
visser screw
visuel, **~le** visual; ***champ*** *m* **~** field of vision
vital vital; **vitalité** *f* vitality
vitamine *f* vitamin
vite fast, quickly; (*sous peu, bientôt*) soon; ***~!*** quick!; **vitesse** *f* speed; AUTO gear; ***à toute ~*** at top speed
viticulture *f* wine-growing
vitrage *m cloison* glass parti-

tion; *action* glazing; *ensemble de vitres* windows *pl*

vitrail *m* stained-glass window

vitre *f* window (pane); *de voiture* window; **vitrer** glaze; **vitrier** *m* glazier

vitrine *f* (*étalage*) (store) window; *meuble* display cabinet

vivace hardy; *haine*, *amour* lasting; **vivacité** *f* liveliness, vivacity

vivant 1 *adj* alive; (*plein de vie*) lively; (*doué de vie*) living; *langue* modern **2** *m* living person; ***de son ~*** in his lifetime

vivement (*d'un ton vif*) sharply; (*vite*) briskly; *ému*, *touché* deeply

vivoter just get by

vivre 1 *v/i* live **2** *v/t* experience **3** *mpl*: ***~s*** supplies

vocabulaire *m* vocabulary

vociférer shout

vodka *f* vodka

vœu *m* REL vow; (*souhait*) wish; ***tous mes ~x!*** best wishes!

voici here is *sg*, here are *pl*; ***me ~!*** here I am!; ***le livre que ~*** this book

voie *f* way; *de chemin de fer* track; *d'autoroute* lane; ***en ~ de développement*** developing; ***être en ~ de guérison*** be on the mend; ***par ~ aérienne*** by air; ***par la ~ hiérarchique*** through channels; ***~ d'eau*** leak; ***~ express*** expressway

voilà there is *sg*, there are *pl*; ***(et) ~!*** there you are!; ***en ~ assez!*** that's enough!; ***~ tout*** that's all

voile 1 *m* veil **2** *f* MAR sail; SP sailing

voiler[1] *v/t* veil; ***se ~*** *d'une femme* wear the veil; *du ciel* cloud over

voiler[2]: ***se ~*** *du bois* warp; *d'une roue* buckle

voir see; ***faire ~*** show; ***se ~*** see each other; ***cela se voit*** that's obvious; ***je ne peux pas le ~*** I can't stand him

voisin, **~e 1** *adj* neighboring, *Br* neighbouring; (*similaire*) similar **2** *m/f* neighbor, *Br* neighbour; **voisinage** *m* neighborhood, *Br* neighbourhood; (*proximité*) vicinity

voiture *f* car; *d'un train* car, *Br* carriage; ***en ~*** by car; ***~ de fonction*** company car

voix *f* voice (*aussi* GRAM); POL vote; ***à haute ~*** in a loud voice, aloud; ***à ~ basse*** in a low voice, quietly

vol[1] *m* theft; ***~ à main armée*** armed robbery

vol[2] *m* flight; ***à ~ d'oiseau*** as the crow flies; ***au ~*** in flight; ***~ à voile*** gliding

volaille *f* poultry; (*poulet etc*) bird

volant *m* AUTO (steering) wheel; SP shuttlecock; *d'un vêtement* flounce

volcan *m* volcano
volée *f d'oiseaux* flock; *en tennis, de coups de feu* volley; ***à la ~*** in mid-air
voler[1] *v/t* steal; ***~ qch à qn*** steal sth from s.o.
voler[2] *v/i* fly
volet *m de fenêtre* shutter; *fig* part; ***trier sur le ~*** *fig* handpick
voleur, **-euse 1** *adj* thieving **2** *m/f* thief; ***~ à l'étalage*** shoplifter
volontaire 1 *adj* voluntary; (*délibéré*) deliberate; (*décidé*) headstrong **2** *m/f* volunteer
volonté *f* will; (*souhait*) wish; (*fermeté*) willpower; ***de l'eau à ~*** as much water as you like; ***faire preuve de bonne ~*** show willing
volontiers willingly, with pleasure
volt *m* ÉL volt; **voltage** *m* ÉL voltage
volte-face *f* about-turn (*aussi fig*)
volubilité *f* volubility
volume *m* volume; **volumineux**, **-euse** bulky
voluptueux, **-euse** voluptuous
vomir 1 *v/i* vomit, throw up **2** *v/t* bring up; *fig* spew out; **vomissement** *m* vomiting
vorace voracious
vos → ***votre***
vote *m* vote; *action* voting; **voter 1** *v/i* vote **2** *v/t loi* pass
votre, *pl* **vos** your
vôtre: ***le/la ~, les ~s*** yours
vouer dedicate (***à*** to); ***se ~ à*** *fig* dedicate o.s. to
vouloir want; ***il veut que tu partes*** (*subj*) he wants you to leave; ***je voudrais*** I would like, I'd like; ***je veux bien*** I'd like to; ***veuillez ne pas fumer*** please do not smoke; ***~ dire*** mean; ***en ~ à qn*** have something against s.o.; ***veux-tu te taire!*** will you shut up!
voulu requisite; *délibéré* deliberate
vous *sg et pl* you; *complément d'objet indirect, sg et pl* (to) you; *avec verbe pronominal* yourself; *pl* yourselves; ***~ ~ êtes coupé*** you've cut yourself; ***si ~ ~ levez à …*** if you get up at …
vous-même, *pl* **vous-mêmes** yourself; *pl* yourselves
voûte *f* ARCH vault; **voûté** *personne* hunched; *dos* bent; ARCH vaulted
vouvoyer adress as 'vous'
voyage *m* trip, journey; *en paquebot* voyage; ***~ d'affaires*** business trip; ***~ de noces*** honeymoon; ***~ organisé*** package holiday; **voyager** travel; **voyageur**, **-euse** *m/f* traveler, *Br* traveller; *par train, avion* passenger; ***~ de commerce*** traveling *ou Br* travelling salesman
voyant, **~e 1** *adj couleur* gar-

ish **2** *m* (*signal*) light) **3** *m/f* (*devin*) clairvoyant
voyelle *f* GRAM vowel
voyou *m jeune* lout
vrac *m*: ***en ~*** COMM loose; *fig* jumbled together
vrai 1 *adj* (*après le subst*) true; (*devant le subst*) real, genuine; *ami* true **2** *m*: ***à ~ dire, à dire ~*** to tell the truth; **vraiment** really
vraisemblable likely, probable; **vraisemblance** *f* likelihood, probability
vrombir throb
VTT *m* (= ***vélo tout terrain***) mountain bike
vu in view of
vue *f* view; *sens, faculté* sight; ***à première ~*** at first sight; ***connaître qn de ~*** know s.o. by sight; ***avoir la ~ basse*** be shortsighted; ***point*** *m* ***de ~*** viewpoint, point of view; ***en ~ de faire*** with a view to doing
vulgaire (*banal*) common; (*grossier*) common, vulgar
vulnérable vulnerable

W

wagon *m* car, *Br* carriage; *de marchandises* car, *Br* wagon; **wagon-lit** *m* sleeping car; **wagon-restaurant** *m* dining car
walkman *m* Walkman®
watt *m* ÉL watt
W.-C. *mpl* WC *sg*
week-end *m* weekend; ***ce ~*** on the weekend
whisky *m* whiskey, *Br* whisky

X, Y

xénophobe xenophobic; **xénophobie** *f* xenophobia
xérès *m* sherry
y there; ***on ~ va!*** let's go!; ***ça ~ est!*** that's it!; ***j'~ suis*** (*je comprends*) now I get it; ***~ compris*** including; ***j'~ travaille*** I'm working on it
yacht *m* yacht; **yachting** *m* yachting
yaourt *m* yoghurt
yeux *pl* → ***œil***

Z

zapper channel-hop, *Br aussi* zap

zèbre *m* zebra

zèle *m* zeal; ***faire du ~*** be overzealous; **zélé** zealous

zéro 1 *m* zero, *Br aussi* nought; SP *Br* nil; *fig* nonentity **2** *adj*: ***~ faute*** no mistakes; ***partir de ~*** start from nothing

zeste *m* peel, zest

zézayer lisp

zigouiller F bump off F

zigzag *m* zigzag; **zigzaguer** zigzag

zinc *m* zinc

zona *m* shingles *sg*

zone *f* area, zone; *péj* slums *pl*; ***~ euro*** euro zone; ***~ industrielle*** industrial park, *Br* industrial estate; ***~ interdite*** prohibited area

zoo *m* zoo

zoologie *f* zoology; **zoologiste** *m/f* zoologist

zut! F blast!

English – French
Anglais – Français

A

a [ə] un(e)
abandon [ə'bændən] abandonner
abbreviate [ə'briːvɪeɪt] abréger; **abbreviation** abréviation *f*
abduct [əb'dʌkt] enlever
ability [ə'bɪlətɪ] capacité *f*; *skill* faculté *f*
able ['eɪbl] (*skillful*) compétent; ***be ~ to do*** pouvoir faire
abnormal [æb'nɔːrml] anormal
aboard [ə'bɔːrd] à bord
abolish [ə'bɑːlɪʃ] abolir; **abolition** abolition *f*
abort [ə'bɔːrt] suspendre; **abortion** MED avortement *m*; ***have an ~*** se faire avorter; **abortive** avorté
about [ə'baʊt] **1** *prep* (*concerning*) à propos de; ***a book ~*** un livre sur; ***talk ~*** parler de; ***what's it ~?*** *of book, movie* de quoi ça parle? **2** *adv* (*roughly*) à peu près; ***~ noon*** aux alentours de midi; ***be ~ to do*** (*be going to*) être sur le point de faire
above [ə'bʌv] au-dessus de; ***on the floor ~*** à l'étage du dessus
abrasive [ə'breɪsɪv] *personality* abrupt
abreast [ə'brest]: ***three ~*** les trois l'un à côté de l'autre; ***keep ~ of*** se tenir au courant de
abridge [ə'brɪdʒ] abréger
abroad [ə'brɒːd] à l'étranger
abrupt [ə'brʌpt] brusque
abscess ['æbsɪs] abcès *m*
absence ['æbsəns] absence *f*; **absent** absent; **absentee** absent(e) *m(f)*; **absenteeism** absentéisme *m*; **absent-minded** distrait
absolute ['æbsəluːt] absolu; **absolution** REL absolution *f*; **absolve** absoudre
absorb [əb'sɔːrb] absorber; **absorbent** absorbant; **absorbent cotton** coton *m* hydrophile; **absorbing** absorbant
abstain [əb'steɪn] *in vote* s'abstenir; **abstention** *in vote* abstention *f*
abstract ['æbstrækt] abstrait
absurd [əb'sɜːrd] absurde; **absurdity** absurdité *f*
abundance [ə'bʌndəns] abondance *f*; **abundant** abondant

abuse[1] [ə'bjuːs] *n verbal* insultes *fpl*; *physical* violences *fpl* physiques; *sexual* sévices *mpl* sexuels; *of power etc* abus *m*

abuse[2] [ə'bjuːz] *v/t verbally* insulter; *physically* maltraiter; *sexually* faire subir des sévices sexuels à; *power etc* abuser de

abysmal [ə'bɪʒml] (*very bad*) lamentable

academic [ækə'demɪk] **1** *n* universitaire *m/f* **2** *adj year*: *at school* scolaire; *at university* universitaire; *interests* intellectuel; **academy** académie *f*

accelerate [ək'seləreɪt] accélérer; **acceleration** accélération *f*; **accelerator** accélérateur *m*

accent ['æksənt] accent *m*; **accentuate** accentuer

accept [ək'sept] accepter; **acceptable** acceptable; **acceptance** acceptation *f*

access ['ækses] **1** *n* accès *m* **2** *v/t also* COMPUT accéder à; **accessible** accessible

accessory [ək'sesərɪ] *for wearing* accessoire *m*; LAW complice *m/f*

accident ['æksɪdənt] accident *m*; **by ~** par hasard; **accidental** accidentel; **accidentally** accidentellement

acclimate, acclimatize [ə'klaɪmət, ə'klaɪmətaɪz] s'acclimater

accommodate [ə'kɑːmədeɪt] loger; *needs* s'adapter à; **accommodations** logement *m*

accompaniment [ə'kʌmpənɪmənt] MUS accompagnement *m*; **accompany** *also* MUS accompagner

accomplice [ə'kʌmplɪs] complice *m/f*

accomplished [ə'kʌmplɪʃt] accompli; **accomplishment** *of task* accomplissement *m*; (*achievement*) réussite *f*; (*talent*) talent *m*

accord [ə'kɔːrd] accord *m*; ***of one's own ~*** de son plein gré

accordance [ə'kɔːrdəns]: ***in ~ with*** conformément à

according [ə'kɔːrdɪŋ]: ***~ to*** selon; **accordingly** (*consequently*) par conséquent; (*appropriately*) en conséquence

account [ə'kaʊnt] *financial* compte *m*; (*report*) récit *m*; ***give an ~ of*** faire le récit de; ***on no ~*** en aucun cas; ***on ~ of*** en raison de; ***take … into ~*** tenir compte de; **accountable**: ***be held ~*** être tenu responsable; **accountant** comptable *m/f*; **accounts** comptabilité *f*

accumulate [ə'kjuːmjʊleɪt] **1** *v/t* accumuler **2** *v/i* s'accumuler; **accumulation** accumulation *f*

accuracy ['ækjʊrəsɪ] justesse *f*; **accurate** juste; **accurately** avec justesse

accusation [ækjuː'zeɪʃn] accusation *f*; **accuse**: **~ *s.o. of doing sth*** accuser qn de faire qch; **accused** LAW accusé(e) *m(f)*; **accusing** accusateur

accustom [ə'kʌstəm]: ***get ~ed to*** s'accoutumer à

ace [eɪs] *in cards* as *m*; *tennis shot* ace *m*

ache [eɪk] **1** *n* douleur *f* **2** *v/i*: ***my arm ~s*** j'ai mal au bras

achieve [ə'ʧiːv] accomplir; **achievement** (*thing achieved*) accomplissement *m*; *of ambition* réalisation *f*

acid ['æsɪd] acide *m*

acknowledge [ək'nɑːlɪdʒ] reconnaître; **~ *receipt of*** accuser réception de; **acknowledg(e)ment** reconnaissance *f*; *of a letter* accusé *m* de réception

acoustics [ə'kuːstɪks] acoustique *f*

acquaint [ə'kweɪnt]: ***be ~ed with*** connaître; **acquaintance** *person* connaissance *f*

acquire [ə'kwaɪr] acquérir; **acquisition** acquisition *f*

acquit [ə'kwɪt] LAW acquitter; **acquittal** LAW acquittement *m*

acre ['eɪkər] acre *m* (*4.047m²*)

across [ə'krɑːs] **1** *prep* de l'autre côté de; ***walk ~ the street*** traverser la rue; **~ *Europe*** *all over* dans toute l'Europe; **~ *from*** en face de **2** *adv*: ***swim ~*** traverser à la nage; ***10m ~*** 10 *m* de large

act [ækt] **1** *v/i* (*take action*) agir; THEA faire du théâtre **2** *n* (*deed*) fait *m*; *of play* acte *m*; *in vaudeville* numéro *m*; (*law*) loi *f*

action ['ækʃn] action *f*; ***take ~*** prendre des mesures

active ['æktɪv] actif; **activist** POL activiste *m/f*; **activity** activité *f*

actor ['æktər] acteur *m*

actress ['æktrɪs] actrice *f*

actual ['ækʧʊəl] véritable; **actually** ['ækʧʊəlɪ] en fait; *expressing surprise* vraiment

acute [ə'kjuːt] *pain* intense; *sense* très développé

AD [eɪ'diː] (= ***anno domini***) apr. J.-C. (= après Jésus Christ)

ad [æd] → ***advertisement***

adamant ['ædəmənt]: ***be ~ that…*** soutenir catégoriquement que …

adapt [ə'dæpt] **1** *v/t* adapter **2** *v/i of person* s'adapter; **adaptability** faculté *f* d'adaptation; **adaptable** adaptable; **adaptation** *of play etc* adaptation *f*; **adapter** ELEC adaptateur *m*

add [æd] **1** *v/t* ajouter; MATH additionner **2** *v/i of person* faire des additions

◆ **add on** *15% etc* ajouter

◆ **add up 1** *v/t* additionner **2** *v/i* avoir du sens

addict ['ædɪkt] (*drug ~*) drogué(e) *m(f)*; *of TV program* *etc* accro *m/f*; **addicted** *to drugs* drogué; *to TV program etc* accro F; **addiction** *to drugs* dépendance *f* (***to*** de); **addictive**: ***be ~*** entraîner une dépendance

addition [ə'dɪʃn] MATH addition *f*; *to list* ajout *m*; *to company* recrue *f*; ***in ~ to*** en plus de; **additional** supplémentaire; **additive** additif *m*; **add-on** accessoire *m*

address [ə'dres] **1** *n* adresse *f* **2** *v/t letter* adresser; *audience* s'adresser à; **addressee** destinataire *m/f*

adequate ['ædɪkwət] (*sufficient*) suffisant; (*satisfactory*) satisfaisant; **adequately** suffisamment

◆ **adhere to** [əd'hɪr] adhérer à

adhesive [əd'hiːsɪv] adhésif *m*

adjacent [ə'dʒeɪsnt] adjacent

adjective ['ædʒɪktɪv] adjectif *m*

adjoining [ə'dʒɔɪnɪŋ] attenant

adjourn [ə'dʒɜːrn] ajourner; **adjournment** ajournement *m*

adjust [ə'dʒʌst] ajuster; **adjustable** ajustable; **adjustment** ajustement *m*

ad lib [æd'lɪb] **1** *adj* improvisé **2** *v/i* improviser

administer [əd'mɪnɪstər] *country* administrer; **administration** administration *f*; (*administrative work*) tâches *fpl* administratives; **administrative** administratif; **administrator** administrateur(-trice) *m(f)*

admirable ['ædmərəbl] admirable; **admiration** admiration *f*; **admire** admirer; **admirer** admirateur(-trice) *m(f)*; **admiring** admiratif; **admiringly** admirativement

admissible [əd'mɪsəbl] admis; **admission** (*confession*) aveu *m*; ***~ free*** entrée *f* gratuite; **admit** *to a place*, (*accept*) admettre; (*confess*) avouer; **admittance**: ***no ~*** entrée *f* interdite

adolescence [ædə'lesns] adolescence *f*; **adolescent** **1** *adj* adolescent **2** *n* adolescent(e) *m(f)*

adopt [ə'dɑːpt] adopter; **adoption** adoption *f*

adorable [ə'dɔːrəbl] adorable; **adoration** adoration *f*; **adore** adorer

adrenalin [ə'drenəlɪn] adrénaline *f*

adult ['ædʌlt] **1** *adj* adulte **2** *n* adulte *m/f*; **adultery** adultère *m*

advance [əd'væns] **1** *n money* avance *f*; *in science etc* avancée *f*; MIL progression *f*; ***in ~*** à l'avance; ***payment in ~*** paiement *m* anticipé; ***make ~s*** (*progress*) faire des progrès; *sexually* faire des avances **2** *v/i* MIL, (*make progress*) avancer **3** *v/t theory*, *sum of money* avancer; *human knowledge*, *cause* faire avancer; **advanced** avancé

advantage [əd'væntɪdʒ] avantage *m*; ***take ~ of*** *opportunity* profiter de; **advantageous** avantageux

adventure [əd'ventʃər] aventure *f*; **adventurous** aventureux

adverb ['ædvɜːrb] adverbe *m*

adversary ['ædvərsərɪ] adversaire *m/f*

adverse ['ædvɜːrs] adverse

advertise ['ædvərtaɪz] *product* faire de la publicité pour; *job* mettre une annonce pour; **advertisement** *for product* publicité *f*, pub *f*; *for job* annonce *f*; **advertiser** annonceur(-euse) *m(f)*; **advertising** publicité *f*

advice [əd'vaɪs] conseils *mpl*; ***a bit of ~*** un conseil; **advisable** conseillé; **advise** conseiller

advocate ['ædvəkeɪt] recommander

aerial ['erɪəl] *Br* antenne *f*; **aerial photograph** photographie *f* aérienne

aerobics [e'roʊbɪks] aérobic *m*

aerodynamic [eroʊdaɪ'næmɪk] aérodynamique

aeroplane ['eroʊpleɪn] avion *m*

aerosol ['erəsɑːl] aérosol *m*

aesthetic *etc* → ***esthetic*** *etc*

affair [ə'fer] (*matter*) affaire *f*; (*love ~*) liaison *f*

affection [ə'fekʃn] affection *f*; **affectionate** affectueux; **affectionately** affectueusement

affirmative [ə'fɜːrmətɪv] affirmatif

affluence ['æfluəns] richesse *f*; **affluent** riche

afford [ə'fɔːrd]: ***be able to ~ sth*** *financially* pouvoir se permettre d'acheter qch

afloat [ə'floʊt] *boat* sur l'eau

afraid [ə'freɪd]: ***be ~*** avoir peur (***of*** de); ***I'm ~*** *expressing regret* je crains

afresh [ə'freʃ]: ***start ~*** recommencer

Africa ['æfrɪkə] Afrique *f*

African ['æfrɪkən] **1** *adj* africain **2** *n* Africain(e) *m(f)*; **African-American 1** *adj* afro--américain(e) **2** *n* Afro-Américain(e) *m(f)*

after ['æftər] **1** *prep* après; ***it's ten ~ two*** il est deux heures dix **2** *adv* (*afterward*) après; ***the day ~*** le lendemain

afternoon [æftər'nuːn] après--midi *m*; ***in the ~*** l'après-midi; ***this ~*** cet après-midi; ***good ~*** bonjour

'after sales service service *m* après-vente; **aftershave** lotion *f* après-rasage; **afterward** ensuite

again [ə'geɪn] encore; ***I never saw him ~*** je ne l'ai jamais revu

against [ə'genst] contre
age [eɪdʒ] âge *m*; ***she's five years of ~*** elle a cinq ans; **aged**: ***~ 16*** âgé de 16 ans; **age group** catégorie *f* d'âge; **age limit** limite *f* d'âge
agency ['eɪdʒənsɪ] agence *f*
agenda [ə'dʒendə] ordre *m* du jour
agent ['eɪdʒənt] COM agent *m*
aggravate ['ægrəveɪt] faire empirer; (*annoy*) agacer
aggression [ə'greʃn] agression *f*; **aggressive** agressif; **aggressively** agressivement
aghast [ə'gæst] horrifié
agile ['ædʒəl] agile; **agility** agilité *f*
agitated ['ædʒɪteɪtɪd] agité; **agitation** agitation *f*; **agitator** agitateur(-trice) *m(f)*
agnostic [æg'nɑːstɪk] agnostique *m/f*
ago [ə'goʊ]: ***two days ~*** il y a deux jours; ***long ~*** il y a longtemps
agonize ['ægənaɪz] se tourmenter (***over*** sur); **agonizing** terrible; **agony** ['ægənɪ] *mental* tourment *m*; *physical* grande douleur *f*
agree [ə'griː] **1** *v/i* être d'accord; *of figures* s'accorder; (*reach agreement*) s'entendre **2** *v/t price* s'entendre sur; **agreeable** (*pleasant*) agréable; **agreement** accord *m*
agricultural [ægrɪ'kʌltʃərəl] agricole; **agriculture** agriculture *f*
ahead [ə'hed] devant; ***plan/think ~*** prévoir/penser à l'avance
aid [eɪd] **1** *n* aide *f* **2** *v/t* aider
aide [eɪd] aide *m/f*
Aids [eɪdz] sida *m*
ailing ['eɪlɪŋ] *economy* mal en point
ailment ['eɪlmənt] mal *m*
aim [eɪm] **1** *n* (*objective*) but *m* **2** *v/i in shooting* viser; ***~ to do sth*** essayer de faire qch **3** *v/t*: ***be ~ed at*** *of remark* viser; *of gun* être pointé sur; **aimless** ['eɪmlɪs] sans but
air [er] **1** *n* air *m*; ***by ~*** par avion; ***in the open ~*** en plein air **2** *v/t room* aérer; *views* exprimer; **airbag** airbag *m*; **air-conditioned** climatisé; **air-conditioning** climatisation *f*; **aircraft** avion *m*; **aircraft carrier** porte-avions *m inv*; **air force** armée *f* de l'air; **air hostess** hôtesse *f* de l'air; **airline** compagnie *f* aérienne; **airliner** avion *m* de ligne; **airmail**: ***by ~*** par avion; **airplane** avion *m*; **airport** aéroport *m*; **air terminal** aérogare *f*; **air-traffic controller** contrôleur(-euse) aérien(ne) *m(f)*
aisle [aɪl] *in airplane* couloir *m*; *in theater* allée *f*
ajar [ə'dʒɑːr]: ***be ~*** être entrouvert
alarm [ə'lɑːrm] **1** *n* (*fear*) inquiétude *f*; *device* alarme *f*;

(~ *clock*) réveil *m* **2** *v/t* alarmer; **alarming** alarmant; **alarmingly** de manière alarmante
album ['ælbəm] album *m*
alcohol ['ælkəhɑːl] alcool *m*; **alcoholic 1** *adj drink* alcoolisé **2** *n* alcoolique *m/f*
alert [ə'lɜːrt] **1** *adj* vigilant **2** *n signal* alerte *f* **3** *v/t* alerter
alibi ['ælɪbaɪ] alibi *m*
alien ['eɪlɪən] **1** *adj* étranger (***to*** à) **2** *n* étranger(-ère) *m(f)*; *from space* extra-terrestre *m/f*; **alienate** s'aliéner
align [ə'laɪn] aligner
alike [ə'laɪk] **1** *adj*: ***be ~*** se ressembler **2** *adv*: ***old and young ~*** les vieux comme les jeunes
alimony ['ælɪmənɪ] pension *f* alimentaire
alive [ə'laɪv]: ***be ~*** être en vie
all [ɒːl] **1** *adj* tout **2** *pron* tout; ***~ of us/them*** nous/eux tous; ***he ate ~ of it*** il l'a mangé en entier; ***for ~ I know*** pour autant que je sache; ***~ but him*** (*except*) tous sauf lui **3** *adv*: ***~ at once*** (*suddenly*) tout d'un coup; (*at the same time*) tous ensemble; ***~ but*** (*nearly*) presque; ***~ the better*** encore mieux; ***they're not at ~ alike*** ils ne se ressemblent pas du tout; ***not at ~!*** pas du tout!; ***two ~*** SP deux à deux
allegation [ælɪ'geɪʃn] allégation *f*; **allege** alléguer; **alleged** supposé; **allegedly**: ***he ~ killed two women*** il aurait assassiné deux femmes
allegiance [ə'liːdʒəns] loyauté *f* (***to*** à)
allergic [ə'lɜːrdʒɪk] allergique (***to*** à)
alleviate [ə'liːvɪeɪt] soulager
alley ['ælɪ] ruelle *f*
alliance [ə'laɪəns] alliance *f*
allocate ['æləkeɪt] assigner; **allocation** [ælə'keɪʃn] *action* assignation *f*; *amount allocated* part *f*
allot [ə'lɑːt] assigner
allow [ə'laʊ] (*permit*) permettre; (*calculate for*) compter
◆ **allow for** prendre en compte
allowance [ə'laʊəns] *money* allocation *f*; (*pocket money*) argent *m* de poche
alloy ['ælɔɪ] alliage *m*
'all-purpose universel; *vehicle* tous usages; **all-round** général; *athlete* complet;
◆ **allude to** [ə'luːd] faire allusion à
alluring [ə'luːrɪŋ] alléchant
all-wheel 'drive quatre roues motrices *fpl*; *vehicle* 4x4 *m*
ally ['ælaɪ] allié(e) *m(f)*
almond ['ɑːmənd] amande *f*
almost ['ɒːlmoʊst] presque
alone [ə'loʊn] seul
along [ə'lɒːŋ] **1** *prep* le long de; ***walk ~ this path*** prenez ce chemin **2** *adv*: ***bring ~*** amener; ***~ with*** *in addition to* ainsi que
alongside [əlɒːŋ'saɪd] *paral-*

lel to à côté de; *in cooperation with* aux côtés de
aloof [ə'lu:f] distant
aloud [ə'laʊd] à haute voix
alphabet ['ælfəbet] alphabet *m*; **alphabetical** alphabétique
already [ɒ:l'redɪ] déjà
alright [ɒ:l'raɪt] (*permitted*) permis; (*acceptable*) convenable; ***be ~*** (*in working order*) fonctionner; ***she's ~*** *not hurt* elle n'est pas blessée; ***everything is ~*** tout va bien
altar ['ɒ:ltər] autel *m*
alter ['ɒ:ltər] modifier; *person* changer; **alteration** modification *f*
alternate 1 ['ɒ:ltərneɪt] *v/i* alterner **2** ['ɒ:ltərnət] *adj*: ***on ~ Mondays*** un lundi sur deux
alternative [ɒ:l'tɜ:rnətɪv] **1** *adj* alternatif **2** *n* alternative *f*; **alternatively** sinon; ***or ~*** ou bien
although [ɒ:l'ðoʊ] bien que (*+subj*), quoique (*+subj*)
altitude ['æltɪtu:d] altitude *f*
altogether [ɒ:ltə'geðər] (*completely*) totalement; (*in all*) en tout
altruism ['æltru:ɪzm] altruisme *m*; **altruistic** altruiste
aluminum [ə'lu:mənəm] **aluminium** [ælju'mɪnɪəm] aluminium *m*
always ['ɒ:lweɪz] toujours
a.m. ['eɪem] (= ***ante meridiem***) du matin
amass [ə'mæs] amasser
amateur ['æmətʃʊr] SP amateur *m/f*; **amateurish** *attempt* d'amateur; *painter* sans talent
amaze [ə'meɪz] étonner; **amazed** étonné; **amazement** étonnement *m*; **amazing** étonnant; (*very good*) impressionnant; **amazingly** étonnamment
ambassador [æm'bæsədər] ambassadeur(-drice) *m(f)*
amber ['æmbər]: ***at ~*** à l'orange
ambience ['æmbɪəns] ambiance *f*
ambiguity [æmbɪ'gju:ətɪ] ambiguïté *f*; **ambiguous** ambigu
ambition [æm'bɪʃn] ambition *f*; **ambitious** ambitieux
ambivalent [æm'bɪvələnt] ambivalent
amble ['æmbl] déambuler
ambulance ['æmbjʊləns] ambulance *f*
ambush ['æmbʊʃ] **1** *n* embuscade *f* **2** *v/t* tendre une embuscade à
amend [ə'mend] modifier; **amendment** modification *f*; **amends**: ***make ~*** se racheter
amenities [ə'mi:nətɪz] facilités *fpl*
America [ə'merɪkə] (*United States*) États-Unis *mpl*; *continent* Amérique *f*; **American 1** *adj* américain **2** *n* Américain(e) *m(f)*

amicable ['æmɪkəbl] à l'amiable; **amicably** à l'amiable
ammunition [æmjʊ'nɪʃn] munitions *fpl*
amnesia [æm'ni:zɪə] amnésie *f*
amnesty ['æmnəstɪ] amnistie *f*
among(st) [ə'mʌŋ(st)] parmi
amoral [eɪ'mɔ:rəl] amoral
amount [ə'maʊnt] quantité *f*; (*sum of money*) somme *f*
◆ **amount to** s'élever à; (*be equivalent to*) revenir à
amphibian [æm'fɪbɪən] amphibien *m*
ample ['æmpl] beaucoup de
amplifier ['æmplɪfaɪr] amplificateur *m*; **amplify** amplifier
amputate ['æmpjʊ:teɪt] amputer; **amputation** amputation *f*
amuse [ə'mju:z] (*make laugh*) amuser; (*entertain*) distraire; **amusement** (*merriment*) amusement *m*; (*entertainment*) divertissement *m*; **amusement park** parc *m* d'attractions; **amusing** amusant
an [æn] → ***a***
anaemia *etc* → ***anemia*** *etc*
anaesthetic *etc* → ***anesthetic*** *etc*
analog ['ænəlɑ:g] analogique; **analogy** analogie *f*
analysis [ə'næləsɪs] PSYCH analyse *f*; **analyst** PSYCH analyste *m/f*; **analytical** analytique; **analyze** *also* PSYCH analyser
anarchy ['ænərkɪ] anarchie *f*
ancestor ['ænsestər] ancêtre *m/f*
anchor ['æŋkər] **1** *n* NAUT ancre *f*; TV présentateur(-trice) principal(e) *m(f)* **2** *v/i* NAUT ancrer
ancient ['eɪnʃənt] ancien; *Rome etc* antique
and [ænd] et
anemia [ə'ni:mɪə] anémie *f*; **anemic** anémique
anesthetic [ænəs'θetɪk] anesthésiant *m*
angel ['eɪndʒl] ange *m*
anger ['æŋgər] **1** *n* colère *f* **2** *v/t* mettre en colère
angle ['æŋgl] angle *m*
angry ['æŋgrɪ] *person* en colère; *mood*, *look* fâché
animal ['ænɪml] animal *m*
animated ['ænɪmeɪtɪd] animé; **animated cartoon** dessin *m* animé; **animation** animation *f*
animosity [ænɪ'mɑ:sətɪ] animosité *f*
ankle ['æŋkl] cheville *f*
annex ['æneks] **1** *n* annexe *f* **2** *v/t state* annexer
annihilate [ə'naɪəleɪt] anéantir; **annihilation** anéantissement *m*
anniversary [ænɪ'vɜ:rsərɪ] anniversaire *m*
announce [ə'naʊns] annoncer; **announcement** annonce *f*; **announcer** [ə'naʊnsər] TV, RAD speaker *m*, speakrine

f

annoy [ə'nɔɪ] agacer; **annoyance** (*anger*) agacement *m*; (*nuisance*) désagrément *m*; **annoying** agaçant

annual ['ænʊəl] annuel

annul [ə'nʌl] annuler; **annulment** annulation *f*

anonymous [ə'nɑːnɪməs] anonyme

anorexia [ænə'reksɪə] anorexie *f*

another [ə'nʌðər] **1** *adj* autre **2** *pron* un(e) autre *m*(*f*); ***they know one ~*** ils se connaissent

answer ['ænsər] **1** *n* réponse *f*; (*solution*) solution *f* (***to*** à) **2** *v/t* répondre à **3** *v/i* répondre; **answerphone** répondeur *m*

ant [ænt] fourmi *f*

antagonism [æn'tægənɪzm] antagonisme *m*; **antagonistic** hostile; **antagonize** provoquer

Antarctic [ænt'ɑːrktɪk]: ***the ~*** l'Antarctique *m*

antenatal [æntɪ'neɪtl] prénatal

antenna [æn'tenə] antenne *f*

antibiotic [æntaɪbaɪ'ɑːtɪk] antibiotique *m*

anticipate [æn'tɪsɪpeɪt] prévoir; **anticipation** prévision *f*

antics ['æntɪks] singeries *fpl*

antidote ['æntɪdoʊt] antidote *m*

antifreeze ['æntaɪfriːz] antigel *m*

antipathy [æn'tɪpəθɪ] antipathie *f*

antiquated ['æntɪkweɪtɪd] antique

antique [æn'tiːk] antiquité *f*

antiseptic [æntaɪ'septɪk] **1** *adj* antiseptique **2** *n* antiseptique *m*

antisocial [æntaɪ'soʊʃl] asocial, antisocial

antivirus program [æntaɪ'vaɪrəs] COMPUT programme *m* antivirus

anxiety [æŋ'zaɪətɪ] inquiétude *f*; **anxious** inquiet; (*eager*) soucieux

any ['enɪ] **1** *adj*: ***are there ~ glasses?*** est-ce qu'il y a des verres?; ***is there ~ bread/improvement?*** est-ce qu'il y a du pain/une amélioration?; ***there isn't/aren't ~ ...*** il n'y a pas de ...; ***have you ~ idea at all?*** est-ce que vous avez une idée? **2** *pron*: ***do you have ~?*** est-ce que vous en avez?; ***there aren't/isn't ~ left*** il n'y en a plus; ***~ of them could be guilty*** ils pourraient tous être coupables

anybody ['enɪbɑːdɪ] quelqu'un; *with negatives* personne; *no matter who* n'importe qui; ***there wasn't ~ there*** il n'y avait personne

anyhow ['enɪhaʊ] (*anyway*) enfin; (*in any way*) de quelque façon que ce soit

anyone ['enɪwʌn] → ***anybody***

anything ['enɪθɪŋ] quelque chose; *with negatives* rien; ***I didn't hear ~*** je n'ai rien entendu **~ *but ...*** tout sauf ...
anyway ['enɪweɪ] → ***anyhow***
anywhere ['enɪwer] quelque part; *with negative* nulle part; ***I can't find it ~*** je ne le trouve nulle part
apart [ə'pɑːrt] séparé; **~ *from*** (*except*) à l'exception de; (*in addition to*) en plus de
apartment [ə'pɑːrtmənt] appartement *m*; **apartment block** immeuble *m*
ape [eɪp] singe *m*
aperitif [ə'perɪtiːf] apéritif *m*
apologize [ə'pɑːlədʒaɪz] s'excuser (***to s.o.*** auprès de qn); **apology** excuses *fpl*
app TELEC appli *f*
appalling [ə'pɒːlɪŋ] scandaleux
apparatus [æpə'reɪtəs] appareils *mpl*
apparent [ə'pærənt] (*obvious*) évident; (*seeming*) apparent; **apparently** apparemment
appeal [ə'piːl] (*charm*) charme *m*; *for funds etc*, LAW appel *m*
◆ **appeal for** *calm etc* appeler à; *funds* demander
◆ **appeal to** (*be attractive to*) plaire à
appealing [ə'piːlɪŋ] séduisant
appear [ə'pɪr] apparaître; *in court* comparaître; (*seem*) paraître; **~ *to be ...*** avoir l'air d'être ...; **appearance** apparition *f*; *in court* comparution *f*; (*look*) apparence *f*
appendicitis [əpendɪ'saɪtɪs] appendicite *f*
appendix [ə'pendɪks] MED, *of book etc* appendice *m*
appetite ['æpɪtaɪt] appétit *m*; **appetizer** *to drink* apéritif *m*; *to eat* amuse-gueule *m*; **appetizing** appétissant
applaud [ə'plɒːd] applaudir; **applause** applaudissements *mpl*
apple ['æpl] pomme *f*
appliance [ə'plaɪəns] appareil *m*
applicable [ə'plɪkəbl] applicable; **applicant** *for job* candidat(e) *m(f)*; **application** *for job* candidature *f*; *for passport etc* demande *f*; COMPUT, TELEC application; **apply 1** *v/t* appliquer **2** *v/i of rule, law* s'appliquer
◆ **apply for** *job* poser sa candidature pour; *passport etc* faire une demande de
◆ **apply to** (*contact*) s'adresser à; *of rules etc* s'appliquer à
appoint [ə'pɔɪnt] *to position* nommer; **appointment** *to position* nomination *f*; (*meeting*) rendez-vous *m*
appraisal [ə'preɪzəl] évaluation *f*
appreciable [ə'priːʃəbl] considérable; **appreciate 1** *v/t* apprécier; (*acknowledge*) re-

connaître **2** *v/i* FIN s'apprécier; **appreciative** *grateful* reconnaissant; *understanding* approbateur; *audience* réceptif
apprehensive [æprɪ'hensɪv] appréhensif
approach [ə'proutʃ] **1** *n* approche *f*; (*proposal*) proposition *f* **2** *v/t* (*get near to*) approcher; (*contact*) faire des propositions à; *problem* aborder; **approachable** *person* d'un abord facile
appropriate [ə'proupriət] approprié
approval [ə'pru:vl] approbation *f*; **approve 1** *v/i* être d'accord **2** *v/t plan* approuver
approximate [ə'prɑ:ksɪmət] approximatif; **approximately** approximativement
apricot ['eɪprɪkɑ:t] abricot *m*
April ['eɪprəl] avril *m*
apt [æpt] *remark* pertinent; **aptitude** aptitude *f*
aquarium [ə'kwerɪəm] aquarium *m*
Arab ['ærəb] **1** *adj* arabe **2** *n* Arabe *m/f*; **Arabic 1** *adj* arabe **2** *n* arabe *m*
arbitrary ['ɑ:rbɪtrərɪ] arbitraire
arbitrate ['ɑ:rbɪtreɪt] arbitrer; **arbitration** arbitrage *m*
arch [ɑ:rtʃ] voûte *f*
archaeology *etc* → ***archeology*** *etc*
archaic [ɑ:r'keɪɪk] archaïque
archeological [ɑ:rkɪə'lɑ:dʒɪkl] archéologique; **archeologist** archéologue *m/f*; **archeology** archéologie *f*
architect ['ɑ:rkɪtekt] architecte *m/f*; **architectural** architectural; **architecture** architecture *f*
archives ['ɑ:rkaɪvz] archives *fpl*
Arctic ['ɑ:rktɪk]: ***the ~*** l'Arctique *m*
ardent ['ɑ:rdənt] fervent
arduous ['ɑ:rdjʊəs] ardu
area ['erɪə] *of city* quartier *m*; *of country* région *f*; *of research* domaine *m*; *of room* surface *f*; GEOM, *of land* superficie *f*; **area code** TELEC indicatif *m* régional
arena [ə'ri:nə] SP arène *f*
Argentina [ɑ:rdʒən'ti:nə] Argentine *f*
Argentinian [ɑ:rdʒən'tɪnɪən] **1** *adj* argentin **2** *n* Argentin(e) *m(f)*
arguably ['ɑ:rgjʊəblɪ]: ***it was ~ ...*** on peut dire que ...; **argue** (*quarrel*) se disputer; (*reason*) argumenter; **argument** (*quarrel*) dispute *f*; (*discussion*) discussion *f*; (*reasoning*) argument *m*
arid ['ærɪd] *land* aride
arise [ə'raɪz] *of situation* survenir
arithmetic [ə'rɪθmətɪk] arithmétique *f*
arm[1] [ɑ:rm] *n* bras *m*
arm[2] [ɑ:rm] *v/t* armer
armaments ['ɑ:rməmənts]

armes *fpl*
'armchair fauteuil *m*
armed [ɑːrmd] armé; **armed forces** forces *fpl* armées; **armed robbery** vol *m* à main armée
'armpit aisselle *f*
arms [ɑːrmz] (*weapons*) armes *fpl*
army ['ɑːrmɪ] armée *f*
around [ə'raʊnd] **1** *prep* (*encircling*) autour de; ***it's ~ the corner*** c'est juste à côté **2** *adv* (*in the area*) dans les parages; (*encircling*) autour; (*roughly*) à peu près; *with expressions of time* à environ
arouse [ə'raʊz] susciter; *sexually* exciter
arrange [ə'reɪndʒ] arranger; *furniture* disposer; *meeting etc* organiser; *time* fixer; *appointment* prendre; ***I've ~d to meet her*** j'ai prévu de la voir; **arrangement** (*agreement*), *music* arrangement *m*; *of furniture* disposition *f*; *flowers* composition *f*
arrears [ə'rɪərz] arriéré *m*
arrest [ə'rest] **1** *n* arrestation *f*; ***be under ~*** être en état d'arrestation **2** *v/t* arrêter
arrival [ə'raɪvl] arrivée *f*; **arrive** arriver
◆ **arrive at** arriver à
arrogance ['ærəgəns] arrogance *f*; **arrogant** arrogant
arrow ['æroʊ] flèche *f*
arson ['ɑːrsn] incendie *m* criminel
art [ɑːrt] art *m*
artery ['ɑːrtərɪ] artère *f*
'art gallery galerie *f* d'art
arthritis [ɑːr'θraɪtɪs] arthrite *f*
artichoke ['ɑːrtɪtʃoʊk] artichaut *m*
article ['ɑːrtɪkl] article *m*
articulate [ɑːr'tɪkjʊlət] *person* qui s'exprime bien
artificial [ɑːrtɪ'fɪʃl] artificiel
artillery [ɑːr'tɪlərɪ] artillerie *f*
artist ['ɑːrtɪst] artiste *m/f*; **artistic** artistique
'arts degree licence *f* de lettres
as [æz] **1** *conj* (*while, when*) alors que; (*because*) comme; (*like*) comme; ***~ if*** comme si; ***~ usual*** comme d'habitude **2** *adv*: ***~ high ~ ...*** aussi haut que ...; ***~ much ~ that?*** autant que ça?; ***~ soon ~ possible*** aussi vite que possible **3** *prep* comme; ***work ~ a teacher*** travailler comme professeur; ***~ for*** quant à; ***~ from** or **of Monday*** à partir de lundi
ash [æʃ] cendres *fpl*
ashamed [ə'ʃeɪmd] honteux; ***be ~ of*** avoir honte de
'ash can poubelle *f*
ashore [ə'ʃɔːr] à terre; ***go ~*** débarquer
ashtray ['æʃtreɪ] cendrier *m*
Asia ['eɪʃə] Asie *f*; **Asian 1** *adj* asiatique **2** *n* Asiatique *m/f*; **Asian-American 1** *adj* américain(e) d'origine asiatique **2** *n* Américain(e) *m*(*f*)

d'origine asiatique
aside [ə'saɪd] de côté; ***move ~ please*** poussez-vous, s'il vous plaît; ***take s.o. ~*** prendre qn à part; ***~ from*** à part
ask [æsk] demander; *question* poser; (*invite*) inviter; ***~ s.o. for sth*** demander qch à qn
◆ **ask after** *person* demander des nouvelles de
◆ **ask for** demander; *person* demander à parler à
◆ **ask out**: ***he's asked me out*** il m'a demandé de sortir avec lui
asleep [ə'sli:p]: ***be*** (***fast***) ***~*** être (bien) endormi; ***fall ~*** s'endormir
asparagus [ə'spærəgəs] asperges *fpl*
aspect ['æspekt] aspect *m*
aspirations [æspə'reɪʃnz] aspirations *fpl*
aspirin ['æsprɪn] aspirine *f*
ass[1] [æs] (*idiot*) idiot(e) *m*(*f*)
ass[2] [æs] (*butt*) cul *m*
assassin [ə'sæsɪn] assassin *m*; **assassinate** assassiner
assassination assassinat *m*
assault [ə'sɒ:lt] **1** *n* agression *f*; MIL attaque *f* (***on*** contre) **2** *v/t* agresser
assemble [ə'sembl] **1** *v/t parts* assembler **2** *v/i of people* se rassembler; **assembly** POL assemblée *f*; *of parts* assemblage *m*; **assembly line** chaîne *f* de montage
assent [ə'sent] consentir
assertive [ə'sɜ:rtɪv] *person* assuré
assess [ə'ses] *situation* évaluer; *value* estimer; **assessment** *of situation* évaluation *f*; *of value* estimation *f*
asset ['æset] FIN actif *m*; atout *m*
assign [ə'saɪn] assigner; **assignment** mission *f*; EDU devoir *m*
assimilate [ə'sɪmɪleɪt] assimiler
assist [ə'sɪst] aider; **assistance** aide *f*; **assistant** assistant(e) *m*(*f*); **assistant manager** sous-directeur *m*, sous-directrice *f*; *of department* assistant(e) *m*(*f*) du/de la responsable
associate 1 *v/t* [ə'souʃɪeɪt] associer **2** *n* [ə'souʃɪət] (*colleague*) collègue *m/f*; **association** association *f*
assortment [ə'sɔ:rtmənt] assortiment *m*
assume [ə'su:m] (*suppose*) supposer; **assumption** supposition *f*
assurance [ə'ʃʊrəns] (*reassurance, confidence*) assurance *f*; **assure** (*reassure*) assurer
asthma ['æsmə] asthme *m*
astonish [ə'stɑ:nɪʃ] étonner; **astonishing** étonnant; **astonishment** étonnement *m*
astound [ə'staʊnd] stupéfier
astride [ə'straɪd] à califourchon sur
astrology [ə'strɑ:lədʒɪ] astro-

logie *f*
astronaut ['æstrənɒːt] astronaute *m/f*
astronomer [ə'strɑːnəmər] astronome *m/f*; **astronomical** *price etc* astronomique; **astronomy** astronomie *f*
astute [ə'stuːt] fin
asylum [ə'saɪləm] *political*, (*mental* ~) asile *m*
at [æt] *with places* à; ~ ***Joe's*** chez Joe; ~ ***10 dollars*** au prix de 10 dollars; ~ ***the age of 18*** à l'âge de 18 ans; ~ ***5 o'clock*** à 5 heures; ***be good/bad*** ~ ... être bon/mauvais en ...
atheist ['eɪθɪɪst] athée *m/f*
athlete ['æθliːt] athlète *m/f*; **athletic** d'athlétisme; (*strong, sporting*) sportif; **athletics** athlétisme *m*
Atlantic [ət'læntɪk]: ***the*** ~ l'Atlantique *m*
atlas ['ætləs] atlas *m*
ATM [eɪtiː'em](= ***automatic teller machine***) distributeur *m* automatique (de billets)
atmosphere ['ætməsfɪr] atmosphère *f*
atom ['ætəm] atome *m*; **atomic** atomique
◆ **atone for** [ə'toʊn] racheter
atrocious [ə'troʊʃəs] atroce; **atrocity** atrocité *f*
at-'seat TV *télévision que l'on regarde à sa place, par exemple en avion*
attach [ə'tætʃ] attacher; **attachment** *to e-mail* fichier *m* joint
attack [ə'tæk] **1** *n* attaque *f* **2** *v/t* attaquer
attempt [ə'tempt] **1** *n* tentative *f* **2** *v/t* essayer
attend [ə'tend] assister à; *school* aller à
◆ **attend to** s'occuper de
attendance [ə'tendəns] présence *f*; **attendant** *in museum etc* gardien(ne) *m(f)*
attention [ə'tenʃn] attention *f*; ***pay*** ~ faire attention; **attentive** attentif
attic ['ætɪk] grenier *m*
attitude ['ætɪtuːd] attitude *f*
attorney [ə'tɜːrnɪ] avocat *m*
attract [ə'trækt] attirer; **attraction** *of job, doing sth* attrait *m*; *romantic* attirance *f*; *touristic* attraction *f*; **attractive** *person* attirant; *idea, city* attrayant
auction ['ɒːkʃn] vente *f* aux enchères
audacity [ɒː'dæsətɪ] audace *f*
audible ['ɒːdəbl] audible
audience ['ɒːdɪəns] public *m*
audio ['ɒːdɪoʊ] audio; **audiovisual** audiovisuel
audit ['ɒːdɪt] **1** *n* audit *m* **2** *v/t* contrôler; *course* suivre en auditeur libre
audition [ɒː'dɪʃn] **1** *n* audition *f* **2** *v/i* passer une audition
auditor ['ɒːdɪtər] FIN auditeur(-trice) *m(f)*
auditorium [ɒːdɪ'tɔːrɪəm] *of theater etc* auditorium *m*
August ['ɒːgəst] août
aunt [ænt] tante *f*

au pair [oʊ'per] jeune fille *f* au pair
aura ['ɒːrə] aura *f*
auspicious [ɒː'spɪʃəs] favorable
austere [ɒː'stiːr] austère; **austerity** austérité *f*
Australia [ɒː'streɪlɪə] Australie *f*; **Australian 1** *adj* australien **2** *n* Australien(ne) *m(f)*
Austria ['ɒːstrɪə] Autriche *f*; **Austrian 1** *adj* autrichien **2** *n* Autrichien(ne) *m(f)*
authentic [ɒː'θentɪk] authentique; **authenticity** authenticité *f*
author ['ɒːtər] auteur *m*
authoritarian [əθɑːrɪ'terɪən] autoritaire; **authoritative** *source* qui fait autorité; *person, manner* autoritaire; **authority** [ə'θɑːrətɪ] autorité *f*; (*permission*) autorisation *f*; **authorization** autorisation *f*; **authorize** autoriser
autistic [ɒː'tɪstɪk] autiste
autobiography [ɒːtəbaɪ'ɑːgrəfɪ] autobiographie *f*
autocratic [ɒːtə'krætɪk] autocratique
autograph ['ɒːtəgræf] autographe *m*
automate ['ɒːtəmeɪt] automatiser; **automatic 1** *adj* automatique **2** *n car* automatique *f*; *gun* automatique *m*; **automatically** automatiquement; **automation** automatisation *f*
automobile ['ɒːtəmoʊbiːl] automobile *f*; **automobile industry** industrie *f* automobile
autonomous [ɒː'tɑːnəməs] autonome
autopilot ['ɒːtoʊpaɪlət] pilotage *m* automatique
autopsy ['ɒːtɑːpsɪ] autopsie *f*
autumn ['ɒːtəm] *Br* automne *m*
auxiliary [ɒːg'zɪljərɪ] auxiliaire
available [ə'veɪləbl] disponible
avalanche ['ævəlænʃ] avalanche *f*
avenue ['ævənuː] avenue *f*; ***explore all ~s*** explorer toutes les possibilités
average ['ævərɪdʒ] **1** *adj* moyen **2** *n* moyenne *f*; ***on ~*** en moyenne
◆ **average out at** faire une moyenne de
averse [ə'vɜːrs]: ***not be ~ to*** ne rien avoir contre; **aversion** aversion *f* (***to*** pour)
avid ['ævɪd] avide
avocado [ɑːvə'kɑːdoʊ] avocat *m*
avoid [ə'vɔɪd] éviter
await [ə'weɪt] attendre
awake [ə'weɪk] éveillé; ***it's keeping me ~*** ça m'empêche de dormir
award [ə'wɔːrd] **1** *n* (*prize*) prix *m* **2** *v/t* décerner; *damages* attribuer; **awards ceremony** cérémonie *f* de remise

des prix; EDU cérémonie *f* de remise des diplômes

aware [ə'wer]: ***be ~ of sth*** avoir conscience de qch; ***become ~ of sth*** prendre conscience de qch; **awareness** conscience *f*

away [ə'weɪ]: ***be ~*** être absent, ne pas être là; ***walk ~*** s'en aller; ***look ~*** tourner la tête; ***it's 2 miles ~*** c'est à 2 miles d'ici; ***take sth ~ from s.o.*** enlever qch à qn; **away game** SP match *m* à l'extérieur

awesome ['ɒːsəm] F (*terrific*) super *inv*

awful ['ɒːfəl] affreux

awkward ['ɒːkwərd] (*clumsy*) maladroit; (*difficult*) difficile; (*embarrassing*) gênant; ***feel ~*** se sentir mal à l'aise

ax, *Br* **axe** [æks] **1** *n* hache *f* **2** *v/t project* abandonner; *budget* faire des coupures dans; *job* supprimer

axle ['æksl] essieu *m*

B

baby ['beɪbɪ] bébé *m*; **baby-sit** faire du baby-sitting

bachelor ['bætʃələr] célibataire *m*

back [bæk] **1** *n of person, clothes* dos *m*; *of chair* dossier *m*; *of drawer* fond *m*; *of house* arrière *m*; SP arrière *m*; ***in ~ (of the car)*** à l'arrière (de la voiture); ***at the ~ of the book*** à la fin du livre; ***~ to front*** à l'envers **2** *adj door* de derrière; *wheels, legs* arrière *inv* **3** *adv*: ***move ~*** se reculer; ***give sth ~ to s.o.*** rendre qch à qn; ***she'll be ~ tomorrow*** elle sera de retour demain **4** *v/t* (*support*) soutenir; *car* faire reculer; *horse* miser sur

◆ **back down** faire marche arrière

◆ **back out** *of commitment* se dégager

◆ **back up 1** *v/t* (*support*) soutenir; *file* sauvegarder **2** *v/i in car* reculer

'**backache** mal *m* de dos; **backbone** colonne *f* vertébrale; **backdate** antidater; **backdoor** porte *f* arrière; **backer** bailleur *m* de fonds; *for artist, show* producteur (-trice) *m(f)*; **background** *of picture* arrière-plan *m*; *social* milieu *m*; *of crime* contexte *m*; ***his work ~*** son expérience professionnelle; **backhand** *in tennis* revers *m*; **backing** (*support*) soutien *m*; MUS accompagnement *m*; **backing group** groupe *m* d'accompagnement; **backlash** répercussion(s) *f*(pl);

backlog retard *m* (***of*** dans); **backpack** sac *m* à dos; **backpacker** randonneur(-euse) *m(f)*; **back seat** siège *m* arrière; **back streets** petites rues *fpl*; *poor area* quartiers *mpl* pauvres; **backstroke** SP dos *m* crawlé; **backtrack** retourner sur ses pas; **backup** (*support*) renfort *m*; COMPUT copie *f* de sauvegarde; **backyard** arrière-cour *f*

bacon ['beɪkn] bacon *m*

bacteria [bæk'tɪrɪə] bactéries *fpl*

bad [bæd] mauvais; *person* méchant; (*rotten*) avarié; ***go ~*** s'avarier; ***it's not ~*** c'est pas mal; ***that's really too ~*** (*shame*) c'est vraiment dommage

badge [bædʒ] insigne *f*

bad 'language grossièretés *fpl*; **badly** mal; *injured* grièvement; *damaged* sérieusement; ***he ~ needs …*** il a grand besoin de …

badminton ['bædmɪntən] badminton *m*

bad-tempered [bæd'tempərd] de mauvaise humeur

baffle ['bæfl] déconcerter; ***be ~d*** être perplexe

bag [bæg] sac *m*; (*piece of baggage*) bagage *m*

baggage ['bægɪdʒ] bagages *mpl*; **baggage check** contrôle *m* des bagages

baggy ['bægɪ] flottant; *fashionably* large

bail [beɪl] LAW caution *f*; ***be out on ~*** être en liberté provisoire sous caution

bait [beɪt] appât *m*

bake [beɪk] cuire au four; **baked potato** pomme *f* de terre au four; **baker** boulanger(-ère) *m(f)*; **bakery** boulangerie *f*

balance ['bæləns] **1** *n* équilibre *m*; (*remainder*) reste *m*; *of bank account* solde *m* **2** *v/t* mettre en équilibre **3** *v/i* rester en équilibre; *of accounts* équilibrer; **balanced** (*fair*) objectif; *diet, personality* équilibré; **balance sheet** bilan *m*

balcony ['bælkənɪ] balcon *m*

bald [bɒːld] chauve; **balding** qui commence à devenir chauve

ball [bɒːl] *for soccer etc* ballon *m*; *for tennis, golf* balle *f*

ballad ['bæləd] ballade *f*

ballet [bæ'leɪ] ballet *m*; **ballet dancer** danceur(-euse) *m(f)* de ballet

'ball game match *m* de baseball

ballistic missile [bə'lɪstɪk] missile *m* balistisque

balloon [bə'luːn] *child's* ballon *m*; *for flight* montgolfière *f*

ballot ['bælət] **1** *n* vote *m* **2** *v/t members* faire voter; **ballot box** urne *f*

'ballpark terrain *m* de base-

ball; **ballpark figure** chiffre *m* en gros; **ballpoint (pen)** stylo *m* bille
balls [bɒːlz] V couilles *fpl*
bamboo [bæm'buː] bambou *m*
ban [bæn] **1** *n* interdiction *f* **2** *v/t* interdire
banal [bə'næl] banal
banana [bə'nænə] banane *f*
band [bænd] MUS orchestre *m*; *pop* groupe *m*; *of material* bande *f*
bandage ['bændɪdʒ] **1** *n* bandage *m* **2** *v/t* faire un bandage à
'**Band-Aid**® sparadrap *m*
bandit ['bændɪt] bandit *m*
bandy ['bændɪ] *legs* arqué
bang [bæŋ] **1** *n noise* boum *m*; (*blow*) coup *m* **2** *v/t door* claquer; (*hit*) cogner
bangle ['bæŋgl] bracelet *m*
bangs [bæŋʒ] frange *f*
banisters ['bænɪstərz] rampe *f*
banjo ['bændʒoʊ] banjo *m*
bank[1] [bæŋk] *of river* bord *m*, rive *f*
bank[2] [bæŋk] FIN banque *f*
◆ **bank on** compter sur
'**bank account** compte *m* en banque; **banker** banquier (-ière) *m*(*f*); **banker's card** carte *f* d'identité bancaire; **banking** banque *f*; **bank loan** emprunt *m* bancaire; **bank manager**♀ directeur (-trice) *m*(*f*) de banque; **bank rate** taux *m* bancaire; **bankroll** financer; **bankrupt** en faillite; ***go ~*** faire faillite; **bankruptcy** faillite *f*
banner ['bænər] bannière *f*
banquet ['bæŋkwɪt] banquet *m*
baptism ['bæptɪzm] baptême *m*; **baptize** baptiser
bar[1] [bɑːr] *n of iron, chocolate* barre *f*; *for drinks, counter* bar *m*
bar[2] [bɑːr] *v/t* exclure
barbaric [bɑːr'bærɪk] barbare
barbecue ['bɑːrbɪkjuː] **1** *n* barbecue *m* **2** *v/t* cuire au barbecue
barbed 'wire [bɑːrbd] fil *m* barbelé
barber ['bɑːrbər] coiffeur *m*
'**bar code** code *m* barre
bare [ber] nu; *room, shelves* vide; **barefoot**: ***be ~*** être pieds nus; **bare-headed** tête nue; **barely** à peine
bargain ['bɑːrgɪn] **1** *n* (*deal*) marché *m*; (*good buy*) bonne affaire *f* **2** *v/i* marchander
barge [bɑːrdʒ] NAUT péniche *f*
◆ **barge into** se heurter contre; (*enter noisily*) faire irruption dans
baritone ['bærɪtoʊn] baryton *m*
bark[1] [bɑːrk] **1** *n of dog* aboiement *m* **2** *v/i* aboyer
bark[2] [bɑːrk] *of tree* écorce *f*
barn [bɑːrn] grange *f*
barometer [bə'rɑːmɪtər] *also fig* baromètre *m*
barracks ['bærəks] MIL caser-

ne *f*
barrel ['bærəl] tonneau *m*
barren ['bærən] *land* stérile
barrette [bə'ret] barrette *f*
barricade [bærɪ'keɪd] barricade *f*
barrier ['bærɪər] barrière *f*
'bar tender barman *m*, barmaid *f*
barter ['bɑːrtər] **1** *n* troc *m* **2** *v/t* troquer (***for*** contre)
base [beɪs] **1** *n* base *f* **2** *v/t* baser (***on*** sur); **baseball** baseball *m*; *ball* ballon *m* de baseball; **baseball cap** casquette *f* de baseball; **baseboard** plinthe *f*; **basement** sous-sol *m*
basic ['beɪsɪk] (*rudimentary*) rudimentaire; (*fundamental*), *salary* de base; **basically** au fond
basin ['beɪsn] *for washing dishes* bassine *f*; *in bathroom* lavabo *m*
basis ['beɪsɪs] base *f*; *of argument* fondement *m*
bask [bæsk] se dorer
basket ['bæskɪt] panier *m*; **basketball** *game* basket (-ball) *m*; *ball* ballon *m* de basket
bass [beɪs] basse *f*; ***double ~*** contrebasse *f*; ***~ guitar*** basse *f*
bastard ['bæstərd] salaud(e) *m(f)*
bat[1] [bæt] **1** *n for baseball* batte *f*; *for table tennis* raquette *f* **2** *v/i in baseball* batter
bat[2] [bæt] *animal* chauve-souris *f*
batch [bætʃ] *of students*, *data* lot *m*; *of bread* fournée *f*
bath [bæθ] (*~tub*) baignoire *f*
bathe [beɪð] (*have a bath*) se baigner
'bathrobe peignoir *m*; **bathroom** salle *f* de bains; *toilet* toilettes *fpl*; **bath towel** serviette *f* de bain; **bathtub** baignoire *f*
batter ['bætər] *for cakes*, *pancakes etc* pâte *f* lisse; *in baseball* batteur *m*; **battered** *wife*, *children* battu
battery ['bætərɪ] pile *f*; MOT batterie *f*
battle ['bætl] **1** *n* bataille *f*; *fig* lutte *f* **2** *v/i against illness etc* se battre, lutter; **battleship** cuirassé *m*
bawl [bɒːl] (*shout*, *weep*) brailler
bay [beɪ] (*inlet*) baie *f*
BC [biː'siː] (= ***before Christ***) av. J.-C.
be [biː] ◇ être; ***~ 15*** avoir 15 ans; ***it's me*** c'est moi; ***how much is…?*** combien coûte …?; ***there is/are*** il y a; ***how are you?*** comment ça va?
◇ ***has the mailman been?*** est-ce que le facteur est passé?; ***I've never been to Japan*** je ne suis jamais allé au Japon
◇ *tags*: ***that's right, isn't it?*** c'est juste, n'est-ce pas?; ***she's American, isn't she?***

elle est américaine, n'est-ce pas?
◇ *passive*: ***he was killed*** il a été tué; ***it hasn't been decided*** on n'a encore rien décidé
beach [biːʧ] plage *f*; **beachwear** vêtements *mpl* de plage
beads [biːdz] collier *m* de perles
beak [biːk] bec *m*
beam [biːm] **1** *n in ceiling etc* poutre *f* **2** *v/i* (*smile*) rayonner
bean [biːn] haricot *m*; *of coffee* grain *m*
bear[1] [ber] *n animal* ours *m*
bear[2] [ber] **1** *v/t weight* porter; *costs* prendre en charge; (*tolerate*) supporter; **bearable** supportable
beard [bɪrd] barbe *f*
beat [biːt] **1** *n of heart* battement *m*; *of music* mesure *f* **2** *v/i of heart* battre; *of rain* s'abattre **3** *v/t in competition*, (*hit*) battre; (*pound*) frapper
◆ **beat up** tabasser
beaten ['biːtən]: ***off the ~ track*** à l'écart; **beating** *physical* raclée *f*; **beat-up** déglingué
beautiful ['bjuːtəfʊl] beau; **beautifully** admirablement; **beauty** beauté *f*
beaver ['biːvər] castor *m*
because [bɪ'kɑːz] parce que; ***~ of*** à cause de
become [bɪ'kʌm] devenir; ***what's ~ of her?*** qu'est-elle devenue?; **becoming** seyant
bed [bed] *also of sea* lit *m*; *of flowers* parterre *m*; ***go to ~*** aller se coucher; **bedding** literie *f*; **bedridden** cloué au lit; **bedroom** chambre *f* (à coucher); **bedtime** heure *f* du coucher
bee [biː] abeille *f*
beech [biːʧ] hêtre *m*
beef [biːf] bœuf *m*; **beefburger** steak *m* hâché
beep [biːp] **1** *n* bip *m* **2** *v/i* faire bip
beer [bɪr] bière *f*
beet [biːt] betterave *f*
beetle ['biːtl] coléoptère *m*, cafard *m*
before [bɪfɔːr] **1** *prep* avant; ***~ signing it*** avant de le signer; ***~ a vowel*** devant une voyelle **2** *adv* auparavant; (*already*) déjà; ***the week/day ~*** la semaine/le jour d'avant **3** *conj* avant que (+*subj*); ***I had a coffee ~ I left*** j'ai pris un café avant de partir; **beforehand** à l'avance
befriend [bɪ'frend] se lier d'amitié avec
beg [beg] **1** *v/i* mendier **2** *v/t*: ***~ s.o. to do sth*** prier qn de faire qch; **beggar** mendiant (e) *m* (*f*)
begin [bɪ'gɪn] **1** *v/i* commencer; **beginner** débutant(e) *m*(*f*); **beginning** début *m*
behalf [bɪ'hɑːf]: ***in*** *or* ***on ~ of*** de la part de
behave [bɪ'heɪv] se compor-

ter; ~ (***yourself***)***!*** sois sage!; **behavior**, *Br* **behaviour** comportement *m*
behind [bɪ'haɪnd] **1** *prep* derrière; ***be*** ~ ... (*responsible for, support*) être derrière ... **2** *adv* (*at the back*) à l'arrière; *leave, stay* derrière; ***be*** ~ *in match* être derrière
beige [beɪʒ] beige
being ['biːɪŋ] (*creature*) être *m*; (*existence*) existence *f*
belated [bɪ'leɪtɪd] tardif
belch [beltʃ] **1** *n* éructation *f*, rot m **2** *v/i* éructer, roter
Belgian ['beldʒən] **1** *adj* belge **2** *n* Belge *m/f*; **Belgium** Belgique *f*
belief [bɪ'liːf] conviction *f*; REL *also* croyance *f*; *in person* foi *f* (***in*** en); **believe** croire
◆ **believe in** *God, person* croire en; *sth* croire à; cacher la vérité aux gens
believer [bɪ'liːvər] *in God* croyant(e) *m(f)*; *in sth* partisan(e) *m(f)* (***in*** de)
bell [bel] *on bike, door* sonnette *f*; *in church* cloche *f*; *in school*: *electric* sonnerie *f*; **bellhop** groom *m*
belligerent [bɪ'lɪdʒərənt] belligérant
bellow ['belou] brailler; *of bull* beugler
belly ['belɪ] *of person* ventre *m*; *fat* bedaine *f*; *of animal* panse *f*
◆ **belong to** *of object* appartenir à; *club, organization* faire partie de
belongings [bɪ'lɒːŋɪŋz] affaires *fpl*
beloved [bɪ'lʌvɪd] bien-aimé
below [bɪ'lou] **1** *prep* au-dessous de **2** *adv* en bas, au-dessous; *in text* en bas; ***10 degrees*** ~ moins dix
belt [belt] ceinture *f*
'**benchmark** référence *f*
bend [bend] **1** *n* tournant *m* **2** *v/t head* baisser; *arm, knees* plier; *metal, plastic* tordre **3** *v/i of road* tourner; *of person* se pencher
◆ **bend down** se pencher
beneath [bɪ'niːθ] **1** *prep* sous **2** *adv* (au-)dessous
benefactor ['benɪfæktər] bienfaiteur(-trice) *m(f)*
beneficial [benɪ'fɪʃl] bénéfique
benefit ['benɪfɪt] **1** *n* bénéfice *m* **2** *v/t* bénéficier à **3** *v/i* bénéficier (***from*** de)
benevolent [bɪ'nevələnt] bienveillant
benign [bɪ'naɪn] doux; MED bénin
bequeath [bɪ'kwiːð] léguer; **bequest** legs *m*
beret [ber'eɪ] béret *m*
berry ['berɪ] baie *f*
berth [bɜːrθ] couchette *f*; *for ship* mouillage *m*
beside [bɪ'saɪd] à côté de; ***be*** ~ ***o.s.*** être hors de soi; ***that's*** ~ ***the point*** c'est hors de propos
besides [bɪ'saɪdz] **1** *adv* d'ail-

leurs **2** *prep* (*apart from*) à part

best [best] **1** *adj* meilleur **2** *adv* le mieux; ***I like her ~*** c'est elle que j'aime le plus **3** *n*: ***do one's ~*** faire de son mieux; ***the ~*** le mieux; ***the ~*** (*outstanding thing or person*) le (la) meilleur(e) *m*(*f*); ***all the ~!*** meilleurs vœux!; **best before date** date *f* limite de consommation; **best man** *at wedding* garçon *m* d'honneur

bet [bet] **1** *n* pari *m* **2** *v/t* & *v/i* parier; ***you ~!*** évidemment!

betray [bɪ'treɪ] trahir; **betrayal** trahison *f*

better ['betər] **1** *adj* meilleur; ***get ~*** s'améliorer; ***he's ~*** *in health* il va mieux **2** *adv* mieux; ***I'd really ~not*** je ne devrais vraiment pas; ***I like her ~*** je l'aime plus; **better-off** (*richer*) plus aisé

between [bɪ'twiːn] entre

beware [bɪ'wer]: ***~ of*** attention à

bewilder [bɪ'wɪldər] confondre; **bewilderment** confusion *f*

beyond [bɪ'jɑːnd] au-delà de

bias ['baɪəs] parti *m* pris, préjugé *m*; **bias(s)ed** partial, subjectif

Bible ['baɪbl] Bible *f*; **biblical** biblique

bicentennial [baɪsen'teniəl] bicentenaire *m*

bicker ['bɪkər] se chamailler

bicycle ['baɪsɪkl] bicyclette *f*

bid [bɪd] **1** *n at auction* enchère *m*; (*attempt*) tentative *f*; *in takeover* offre *f* **2** *v/i at auction* faire une enchère; **bidder** enchérisseur(-euse) *m*(*f*)

biennial [baɪ'enɪəl] biennal

big [bɪg] **1** *adj* grand; *sum of money*, *mistake* gros; ***my ~ brother/sister*** mon grand frère/ma grande sœur **2** *adv*: ***talk ~*** se vanter

bigamist ['bɪgəmɪst] bigame *m/f*

'**bighead** crâneur(-euse) *m*(*f*)

bigot ['bɪgət] fanatique *m/f*, sectaire *m/f*

bike [baɪk] vélo *m*; (*motorbike*) moto *f*; **biker** ['baɪkər] motard(e) *m*(*f*)

bikini [bɪ'kiːnɪ] bikini *m*

bilingual [baɪ'lɪŋgwəl] bilingue

bill [bɪl] facture *f*; *money* billet *m* (de banque); POL projet *m* de loi; (*poster*) affiche *f*; **billboard** panneau *m* d'affichage; **billfold** portefeuille *m*

billion ['bɪljən] milliard *m*

bin [bɪn] *for storage* boîte *f*

bind [baɪnd] (*connect*) unir; (*tie*) attacher; LAW (*oblige*) obliger; **binding** *agreement* obligatoire

binoculars [bɪ'nɑːkjʊlərz] jumelles *fpl*

biodegradable [baɪoʊdɪ'greɪdəbl] biodégradable

biographer [baɪ'ɑːgrəfər] biographe *m/f*; **biography**

biographie *f*
biological [baɪoʊ'lɑːdʒɪkl] biologique; **biology** biologie *f*
bird [bɜːrd] oiseau *m*
biro® ['baɪroʊ] *Br* stylo *m* bille
birth [bɜːrθ] naissance *f*; (*labor*) accouchement *m*; ***give ~ to** child* donner naissance à; ***date of ~*** date *f* de naissance; **birth certificate** acte *m* de naissance; **birth control** contrôle *m* des naissances; **birthday** anniversaire *m* ***happy ~!*** bon anniversaire!
biscuit ['bɪskɪt] biscuit *m*
bisexual ['baɪseksjuəl] **1** *adj* bisexuel **2** *n* bisexuel(le) *m(f)*
bishop ['bɪʃəp] évêque *m*
bit [bɪt] (*piece*) morceau *m*; (*part: of book*) passage *m*; (*part: of garden, road*) partie *f*; COMPUT bit *m*; ***a ~ of*** (*a little*) un peu de
bitch [bɪʧ] **1** *n dog* chienne *f*; F: *woman* garce *f* **2** *v/i* F (*complain*) rouspéter
bite [baɪt] **1** *of dog, snake* morsure *f*; *of flea, mosquito* piqûre *f*; *of food* morceau *m* **2** *v/t & v/i of dog, snake, person* mordre; *of flea, mosquito* piquer
bitter ['bɪtər] *taste, person* amer
black [blæk] **1** *adj* noir; *tea* nature; *future* sombre **2** *n color* noir *m*; *person* Noir(e) *m(f)*
◆ **black out** (*faint*) s'évanouir
'**blackboard** tableau *m* noir; **black coffee** café *m* noir; **black economy** économie *f* souterraine; **black eye** œil *m* poché; **blacklist** liste *f* noire; **blackmail 1** *n* chantage *m* **2** *v/t* faire chanter; **black market** marché *m* noir; **blackness** noirceur *f*; **blackout** ELEC panne *f* d'électricité; MED évanouissement *m*
bladder ['blædər] vessie *f*
blade [bleɪd] *of knife* lame *f*; *of propeller* ailette *f*; *of grass* brin *m*
blame [bleɪm] **1** *n* responsabilité *f* **2** *v/t*: ***~ s.o. for sth*** reprocher qch à qn
bland [blænd] fade
blank [blæŋk] **1** *adj paper, tape* vierge; *look* vide ***~ DVD*** DVD *m* vierge; **2** *n* (*empty space*) espace *m* vide; **blank check**, *Br* **blank cheque** chèque *m* en blanc
blanket ['blæŋkɪt] couverture *f*
blast [blæst] **1** *n* (*explosion*) explosion *f*; (*gust*) rafale *f* **2** *v/t tunnel etc* percer (à l'aide d'explosifs); ***~!*** mince!; **blast-off** lancement *m*
blatant ['bleɪtənt] flagrant; *person* éhonté
blaze [bleɪz] **1** *n* (*fire*) incendie *m* **2** *v/i of fire* flamber
blazer ['bleɪzər] blazer *m*
bleach [bliːʧ] **1** *n for clothes* eau *f* de Javel; *for hair* déco-

lorant *m* **2** *v/t hair* décolorer
bleak [bli:k] *countryside* désolé; *weather* morne; *future* sombre
bleary-eyed ['blɪrɪaɪd] aux yeux troubles
bleat [bli:t] *of sheep* bêler
bleed [bli:d] saigner; **bleeding** saignement *m*
bleep [bli:p] **1** *n* bip *m* **2** *v/i* faire bip
blemish ['blemɪʃ] tache *f*
blend [blend] **1** *n* mélange *m* **2** *v/t* mélanger; **blender** *machine* mixeur *m*
bless [bles] bénir; ***~ you!*** *in response to sneeze* à vos souhaits!; **blessing** bénédiction *f*
blind [blaɪnd] **1** *adj* aveugle; ***~ corner*** virage *m* masqué **2** *v/t of sun* aveugler; **blind alley** impasse *f*; **blind date** rendez-vous *m* arrangé; **blindfold 1** *n* bandeau *m* sur les yeux **2** *v/t* bander les yeux à; **blinding** *light* aveuglant; *headache* terrible; **blindly** sans rien voir; *fig* aveuglément; **blind spot** *in road* angle *m* mort
blink [blɪŋk] *of person* cligner des yeux; *of light* clignoter
blizzard ['blɪzərd] tempête *f* de neige
bloc [blɑ:k] POL bloc *m*
block [blɑ:k] **1** *n* bloc *m*; *buildings* pâté *m* de maisons; (*blockage*) obstruction *f m*; ***it's three ~s away*** c'est à trois rues d'ici **2** *v/t* bloquer; **blockage** obstruction *f*; **blockbuster** *movie* film *m* à grand succès; *novel* roman *m* à succès; **block letters** capitales *fpl*
blond [blɑ:nd] blond; **blonde** *woman* blonde *f*
blood [blʌd] sang *m*; **blood donor** donneur(-euse) *m(f)* de sang; **blood group** groupe *m* sanguin
'**blood poisoning** empoisonnement *m* du sang; **blood pressure** tension *f* (artérielle); **blood sample** prélèvement *m* sanguin; **bloodshed** carnage *m*; ***without ~*** sans effusion de sang; **bloodshot** injecté de sang; **bloodstained** taché de sang; **blood test** test *m* sanguin; **bloodthirsty** sanguinaire
bloom [blu:m] *also fig* fleurir
blossom ['blɑ:səm] **1** *n* fleur *f* **2** *v/i* fleurir; *fig* s'épanouir
blot [blɑ:t] tache *f*
◆ **blot out** effacer
blouse [blaʊz] chemisier *m*
blow[1] [bloʊ] *n also fig* coup *m*
blow[2] [bloʊ] **1** *v/t* souffler; ***~ one's whistle*** donner un coup de sifflet **2** *v/i of wind, person* souffler; *of whistle* retentir; *of fuse* sauter; *of tire* éclater
◆ **blow out 1** *v/t candle* souffler **2** *v/i of candle* s'éteindre
◆ **blow over 1** *v/t* renverser **2** *v/i* se renverser; (*pass*) passer

◆ **blow up 1** *v/t with explosives* faire sauter; *balloon* gonfler; *photograph* agrandir **2** *v/i of boiler etc* sauter, exploser

'blow-dry sécher (au sèche--cheveux); **blow-out** *of tire* éclatement *m*

blue [bluː] bleu; *movie* porno; **blueberry** myrtille *f*; **blue chip** de premier ordre; **blues** MUS blues *m*; ***have the ~*** avoir le cafard

bluff [blʌf] **1** *n* (*deception*) bluff *m* **2** *v/i* bluffer

blunder ['blʌndər] **1** *n* gaffe *f* **2** *v/i* faire une gaffe

blunt [blʌnt] émoussé; *person* franc; **bluntly** franchement

blur [blɜːr] **1** *n* masse *f* confuse **2** *v/t* brouiller

◆ **blurt out** [blɜːrt] lâcher

blush [blʌʃ] **1** *n* rougissement *m* **2** *v/i* rougir; **blusher** *cosmetic* rouge *m*

blustery ['blʌstərɪ] à bourrasques

BO [biː'oʊ] (= ***body odor***) odeur *f* corporelle

board [bɔːrd] **1** *n of wood* planche *f*; *cardboard* carton *m*; *for game* plateau *m* de jeu; *for notices* panneau *m*; **~** (***of directors***) conseil *m* d'administration; ***on ~*** à bord **2** *v/t plane, ship* monter à bord de; *train, bus* monter dans **3** *v/i of passengers* embarquer; *on train, bus* monter (à bord)

◆ **board up** *windows* condamner

boarder ['bɔːrdər] pensionnaire *m/f*; EDU interne *m/f*; **board game** jeu *m* de société; **boarding card** carte *f* d'embarquement; **boarding school** internat *m*, pensionnat *m*; **board meeting** réunion *f* du conseil d'administration; **board room** salle *f* du conseil

boast [boʊst] se vanter (***about*** de)

boat [boʊt] bateau *m*; *small, for leisure* canot *m*

bodily ['bɑːdɪlɪ] **1** *adj* corporel **2** *adv*: ***they ~ ejected him*** ils l'ont saisi à bras-le-corps et l'ont mis dehors **body** corps *m*; *dead* cadavre *m*; **bodyguard** garde *m* du corps; **bodywork** MOT carrosserie *f*

bogus ['boʊgəs] faux

boil[1] [bɔɪl] *n* (*swelling*) furoncle *m*

boil[2] [bɔɪl] **1** *v/t* faire bouillir **2** *v/i* bouillir

◆ **boil down to** se ramener à

boiler ['bɔɪlər] chaudière *f*

boisterous ['bɔɪstərəs] bruyant

bold [boʊld] **1** *adj* courageux; *text* en caractères gras **2** *n print* caractères *mpl* gras

bolster ['boʊlstər] *confidence* soutenir

bolt [boʊlt] **1** *n* (*metal pin*) boulon *m*; *on door* verrou *m* **2** *adv*: **~ *upright*** tout droit

3 *v/t* (*fix with bolts*) boulonner; *close* verrouiller **4** *v/i* (*run off*) décamper; *of horse* s'emballer

bomb [bɑːm] **1** *n* bombe *f* **2** *v/t* MIL bombarder; *of terrorist* faire sauter; **bombard** [bɑːm'bɑːrd] *also fig* bombarder; **bomb attack** attaque *f* à la bombe; **bomber** *airplane* bombardier *m*; *terrorist* poseur *m*(*f*) de bombes; **bomb scare** alerte *f* à la bombe; **bombshell**: ***come as a ~*** faire l'effet d'une bombe

bond [bɑːnd] **1** *n* (*tie*) lien *m*; FIN obligation *f* **2** *v/i of glue* se coller

bone [boʊn] os *m*; *in fish* arête *f*

bonnet ['bɑːnɪt] *Br of car* capot *m*

bonus ['boʊnəs] *money* prime *f*; (*something extra*) plus *m*

boob [buːb] P (*breast*) nichon *m*

booboo ['buːbuː] F bêtise *f*

book [bʊk] **1** *n* livre *m* **2** *v/t seat* réserver; *ticket* prendre; *of policeman* donner un P.V. à; **bookcase** bibliothèque *f*; **booked up** complet; *perso* complètement pris; **bookie** F bookmaker *m*; **booking** réservation *f*; **bookkeeper** comptable *m* '**bookkeeping** comptabilité *f*; **booklet** livret *m*; **bookmaker** bookmaker *m*; **books** (*accounts*) comptes *mpl*; **bookseller** libraire *m*/*f*; **bookstore** librairie *f*

boom[1] [buːm] **1** *n* boum *m* **2** *v/i of business* aller très fort

boom[2] [buːm] *n noise* boum *m*

boost [buːst] **1** *n*: ***give sth a ~*** stimuler qc **2** *v/t* stimuler

boot [buːt] botte *f*; *for climbing, football* chaussure *f*

◆ **boot up** COMPUT **1** *v/i* démarrer **2** *v/t* faire démarrer

booth [buːð] *at market* tente *f* (de marché); *at fair* baraque *f*; *at trade fair* stand *m*; *in restaurant* alcôve *f*

booze [buːz] boisson *f* (alcoolique)

border ['bɔːrdər] **1** *n* frontière *f*; (*edge*) bordure *f* **2** *v/t country* avoir une frontière avec

◆ **border on** avoir une frontière avec; (*be almost*) friser

bore[1] [bɔːr] *v/t hole* percer

bore[2] [bɔːr] **1** *n person* raseur(-euse) *m*(*f*) **2** *v/t* ennuyer

bored [bɔːrd] ennuyé; ***be ~*** s'ennuyer; **boredom** ennui *m*; **boring** ennuyeux, chiant

born [bɔːrn]: ***be ~*** être né

borrow ['bɑːroʊ] emprunter

bosom ['bʊzm] poitrine *f*

boss [bɑːs] patron(-onne) *m*(*f*)

◆ **boss around** donner des ordres à

bossy ['bɑːsɪ] autoritaire

botanical [bə'tænɪkl] botanique

botch [bɑːtʃ] bâcler

both [boʊθ] **1** *adj & pron* les deux; **~ of them** tous(-tes) *m(f)* les deux **2** *adv*: **~ ... and ...** à la fois ... et ...

bother ['bɑːðər] **1** *n* problèmes *mpl* **2** *v/t* (*disturb*) déranger; (*worry*) ennuyer **3** *v/i* s'inquiéter (**with** de)

bottle ['bɑːtl] bouteille *f*; *for medicines* flacon *m*; *for baby* biberon *m*

◆ **bottle up** *feelings* réprimer

'bottle bank conteneur *m* à verre; **bottled water** eau *f* en bouteille; **bottleneck** rétrécissement *m*; *in production* goulet *m* d'étranglement; **bottle-opener** ouvre-bouteilles *m inv*

bottom ['bɑːtəm] **1** *adj* du bas **2** *n of drawer, pan, garden* fond *m*; (*underside*) dessous *m*; (*lowest part*) bas *m*; *of street* bout *m*; (*buttocks*) derrière *m*

◆ **bottom out** se stabiliser

bottom 'line *financial* résultat *m*; (*real issue*) la question principale

boulder ['boʊldər] rocher *m*

bounce [baʊns] **1** *v/t ball* faire rebondir **2** *v/i of ball* rebondir; *on sofa etc* sauter; *of check* être refusé; **bouncer** videur *m*

bound[1] [baʊnd] *adj*: **be ~ to do sth** (*sure to*) aller forcément faire qch

bound[2] [baʊnd] *adj*: **be ~ for** *of ship* être à destination de

bound[3] [baʊnd] *n* (*jump*) bond *m*

boundary ['baʊndərɪ] frontière *f*

bouquet [bʊ'keɪ] bouquet *m*

bourbon ['bɜːrbən] bourbon *m*

bout [baʊt] MED accès *m*; *in boxing* match *m*

bow[1] [baʊ] **1** *n as greeting* révérence *f* **2** *v/i* faire une révérence **3** *v/t head* baisser

bow[2] [boʊ] (*knot*) nœud *m*; MUS archet *m*; *for archery* arc *m*

bow[3] [baʊ] *of ship* avant *m*

bowels ['baʊəlz] intestins *mpl*

bowl[1] [boʊl] *n* bol *m*; *for soup etc* assiette *f* creuse; *for serving salad etc* saladier *m*; *for washing dishes* cuvette *f*

bowl[2] [boʊl] *v/i* jouer au bowling

bowling ['boʊlɪŋ] bowling *m*; **bowling alley** bowling *m*

bow 'tie [boʊ] (nœud *m*) papillon *m*

box[1] [bɑːks] *n container* boîte *f*; *on form* case *f*

box[2] [bɑːks] *v/i* boxer

boxer ['bɑːksər] boxeur *m*; **boxing** boxe *f*; **boxing glove** gant *m* de boxe; **boxing match** match *m* de boxe

'box number boîte *f* postale; **box office** bureau *m* de location

boy [bɔɪ] garçon *m*; (*son*) fils *m*

boycott ['bɔɪkɑːt] **1** *n* boycott *m* **2** *v/t* boycotter

'boyfriend petit ami *m*; *younger* copain *m*

bra [brɑː] soutien-gorge *m*

bracelet ['breɪslɪt] bracelet *m*

bracket ['brækɪt] *for shelf* support *m* (d'étagère)

brag [bræg] se vanter (***about*** de)

braid [breɪd] *in hair* tresse *f*; *trimming* galon *m*

braille [breɪl] braille *m*

brain [breɪn] ANAT cerveau *m*; **brainless** écervelé; **brains** cerveau *m*; **brain surgeon** neurochirurgien(ne) *m*(*f*); **brain tumor**, *Br* **brain tumour** tumeur *f* au cerveau; **brainwash** conditionner

brake [breɪk] **1** *n* frein *m* **2** *v/i* freiner

branch [bræntʃ] *of tree, company* branche *f*

brand [brænd] **1** *n* marque *f* **2** *v/t*: ***be ~ed a liar*** être étiqueté comme voleur; **brand image** image *f* de marque

brandish ['brændɪʃ] brandir

brand 'leader marque *f* dominante; **brand name** nom *m* de marque; **brand-new** flambant neuf

brandy ['brændɪ] brandy *m*

brassière [brə'zɪr] soutien-gorge *m*

brat [bræt] garnement *m*

brave [breɪv] courageux; **bravery** courage *m*

brawl [brɒːl] **1** *n* bagarre *f* **2** *v/i* se bagarrer

Brazil [brə'zɪl] Brésil *m*; **Brazilian 1** *adj* brésilien **2** *n* Brésilien(ne) *m*(*f*)

breach [briːtʃ] (*violation*) violation *f*; *in party* désaccord *m*; **breach of contract** rupture *f* de contrat

bread [bred] pain *m*

breadth [bredθ] largeur *m*; *of knowledge* étendue *f*

'breadwinner soutien *m* de famille

break [breɪk] **1** *n* fracture *f*; (*rest*) repos *m*; *in relationship* séparation *f* **2** *v/t* casser; *rules, law, promise* violer; *news* annoncer; *record* battre **3** *v/i* se casser; *of news, storm* éclater

◆ **break down 1** *v/i of vehicle, machine* tomber en panne; *of talks* échouer; *in tears* s'effondrer; *mentally* faire une dépression **2** *v/t door* défoncer; *figures* détailler

◆ **break even** rentrer dans ses frais

◆ **break in** (*interrupt*) interrompre qn; *of burglar* s'introduire par effraction

◆ **break up 1** *v/t into parts* décomposer; *fight* interrompre **2** *v/i of ice* se briser; *of couple, band* se séparer; *of meeting* se dissoudre

breakable ['breɪkəbl] cassable; **breakage** casse *f*; **break-**

down *of talks* échec *m*; (*nervous* ~) dépression *f* (nerveuse); *of figures* détail *m*

breakfast ['brekfəst] petit déjeuner *m*; ***have*** ~ prendre son petit déjeuner; **break-in** cambriolage *m*; **breakthrough** percée *f*; **breakup** *of partnership* échec *m*

breast [brest] *of woman* sein *m*; **breastfeed** allaiter; **breaststroke** brasse *f*

breath [breθ] souffle *m*; ***out of*** ~ à bout de souffle

breathe [bri:ð] respirer

◆ **breathe in** inspirer

◆ **breathe out** expirer

breathing ['bri:ðɪŋ] respiration *f*

breathtaking ['breθteɪkɪŋ] à vous couper le souffle

breed [bri:d] **1** *n* race *f* **2** *v/t animals* élever; *plants*, *also fig* cultiver **3** *v/i of animals* se reproduire; **breeding** *of animals* élevage *m*; *of person* éducation *f*

breeze [bri:z] brise *f*; **breezy** venteux

brew [bru:] **1** *v/t beer* brasser **2** *v/i* couver; **brewery** brasserie *f*

bribe [braɪb] **1** *n* pot-de-vin *m* **2** *v/t* soudoyer; **bribery** corruption *f*

brick [brɪk] brique *m*

bride [braɪd] *about to be married* (future) mariée *f*; *married* jeune mariée *f*; **bridegroom** *about to be married* (futur) marié *m*; *married* jeune marié *m*; **bridesmaid** demoiselle *f* d'honneur

bridge [brɪdʒ] **1** *n* pont *m*; *of ship* passerelle *f* **2** *v/t gap* combler

bridle ['braɪdl] bride *f*

brief[1] [bri:f] *adj* bref, court

brief[2] [bri:f] **1** *n* (*mission*) instructions *fpl* **2** *v/t*: ~ ***s.o. on sth*** (*give information*) informer qn de qch

'**briefcase** serviette *f*; **briefing** *session* séance *f* d'information; *instructions* instructions *fpl*; **briefly** brièvement; (*to sum up*) en bref; **briefs** slip *m*

bright [braɪt] *color* vif; *smile* radieux; *future* brillant; (*sunny*) clair; (*intelligent*) intelligent; **brightly** *smile* d'un air radieux; *colored* vivement; ***shine*** ~ resplendir

brilliance ['brɪljəns] *of person* esprit *m* lumineux; *of color* vivacité *f*; **brilliant** *sunshine etc* resplendissant; (*very good*) génial; (*very intelligent*) brillant

brim [brɪm] *of container, hat* bord *m*

bring [brɪŋ] *object* apporter; *person, peace* amener; *hope, happiness* donner

◆ **bring back** (*return*) ramener; (*re-introduce*) réintroduire; ***it brought back memories of… childhood*** ça m'a

rappelé …
◆ **bring down** *also fig*: *government* faire tomber; *airplane* abattre; *price* faire baisser
◆ **bring on** *illness* donner
◆ **bring out** (*produce*) sortir
◆ **bring up** *child* élever; *subject* soulever; (*vomit*) vomir
brink [brɪŋk] bord *m*
brisk [brɪsk] vif; (*businesslike*) énergique; *trade* florissant
bristles ['brɪslz] *on chin* poils *mpl* raides; *of brush* poils *mpl*
Britain ['brɪtn] Grande-Bretagne; **British** **1** *adj* britannique **2** *npl*: ***the ~*** les Britanniques
brittle ['brɪtl] fragile
broad [brɒːd] **1** *adj* large; *smile* grand; (*general*) général; ***in ~ daylight*** en plein jour **2** *n* F gonzesse *f*; **broadcast** **1** *n* émission *f* **2** *v/t* transmettre; **broadcaster** présentateur(-trice) *m(f)* (radio/télé); **broad jump** saut *m* en longueur; **broadly**: ***~ speaking*** en gros; **broadminded** large d'esprit
broccoli ['brɑːkəlɪ] brocoli(s) *m(pl)*
brochure ['broʊʃər] brochure *f*
broil [brɔɪl] griller; **broiler** *on stove* grill *m*; *chicken* poulet *m* à rôtir
broke [broʊk] fauché; **broken** cassé; *home* brisé; **broker** courtier *m*
bronchitis [brɑːŋ'kaɪtɪs] bronchite *f*
bronze [brɑːnz] bronze *m*
brooch [broʊʧ] broche *f*
brothel ['brɑːθl] bordel *m*
brother ['brʌðər] frère *m*; **brother-in-law** beau-frère *m*; **brotherly** fraternel
brow [braʊ] (*forehead*) front *m*; *of hill* sommet *m*
brown [braʊn] **1** *adj* marron *inv*; (*tanned*) bronzé **2** *n* marron *m*; **brownie** brownie *m*
brown paper 'bag sac *m* en papier kraft
browse [braʊz] *in store* flâner; COMPUT surfer; ***~ through a book*** feuilleter un livre; **browser** COMPUT navigateur *m*
bruise [bruːz] bleu *m*; *on fruit* meurtrissure *f*
brunette [bruː'net] brune *f*
brush [brʌʃ] **1** *n* brosse *f*; (*conflict*) accrochage *m* **2** *v/t* brosser; (*touch lightly*) effleurer
◆ **brush aside** *person* mépriser; *remark*, *criticism* écarter
◆ **brush up** réviser
brusque [brʊsk] brusque
brutal ['bruːtl] brutal; **brutality** brutalité *f*; **brutally** brutalement; **brute** brute *f*
bubble ['bʌbl] bulle *f*
buck[1] [bʌk] *n* F (*dollar*) dollar *m*
buck[2] [bʌk] *v/i of horse* ruer
bucket ['bʌkɪt] seau *m*

buckle[1] ['bʌkl] **1** *n* boucle *f* **2** *v/t belt* boucler
buckle[2] ['bʌkl] *v/i of metal* déformer
bud [bʌd] BOT bourgeon *m*
buddy ['bʌdɪ] copain *m*, copine *f*; *form of address* mec
budge [bʌdʒ] **1** *v/t* (*move*) déplacer **2** *v/i* (*move*) bouger
budget ['bʌdʒɪt] budget *m*
buff [bʌf] passionné(e) *m*(*f*)
buffalo ['bʌfəloʊ] buffle *m*
buffer ['bʌfər] RAIL, COMPUT, *fig* tampon *m*
buffet ['bʊfeɪ] *meal* buffet *m*
bug [bʌg] **1** *n* (*insect*) insecte *m*; (*virus*) virus *m*; COMPUT bogue *f*; (*spying device*) micro *m* **2** *v/t room, telephone* mettre sur écoute; F (*annoy*) énerver
buggy ['bʌgɪ] *for baby* poussette *f*
build [bɪld] **1** *n of person* carrure *f* **2** *v/t* construire
◆ **build up 1** *v/t strength* développer; *relationship* construire **2** *v/i* s'accumuler; *fig* s'intensifier
builder ['bɪldər] constructeur(-trice) *m*(*f*); **building** bâtiment *m*; *activity* construction *f*
'**building site** chantier *m*; **building society** *Br* caisse *f* d'épargne-logement; **building trade** (industrie *f* du) bâtiment *m*; **build-up** accumulation *f*; ***give s.o./sth a big ~*** faire beaucoup de battage autout de qn/qch; **built-in** encastré; *flash* incorporé
bulb [bʌlb] BOT bulbe *m*; (*light ~*) ampoule *f*
bulge [bʌldʒ] **1** *n* gonflement *m*, saillie *f* **2** *v/i* être gonflé, faire saillie
'**bulky** ['bʌlkɪ] encombrant; *sweater* gros
bull [bʊl] *animal* taureau *m*; **bulldozer** ['bʊldoʊzər] bulldozer *m*
bullet ['bʊlɪt] balle *f*
bulletin ['bʊlɪtɪn] bulletin *m*
'**bulletin board** tableau *m* d'affichage; COMPUT serveur *m* télématique
'**bullet-proof** protégé contre les balles; *vest* pare-balles
'**bull's-eye** mille *m*; ***hit the ~*** *also fig* mettre dans le mille; **bullshit** merde *f* V, conneries *fpl* P
bully ['bʊlɪ] **1** *n* brute *f* **2** *v/t* brimer; **bullying** brimades *fpl*
bum [bʌm] **1** *n* F (*worthless person*) bon à rien *m*; (*tramp*) clochard *m* **2** *v/t*: ***can I ~ a cigarette?*** est-ce que je peux vous taper une cigarette?
bump [bʌmp] **1** *n* bosse *f* **2** *v/t* se cogner; **bumper** MOT pare--chocs *mpl*; **bumpy** *road* cahoteux; ***we had a ~ flight*** nous avons été secoués pendant le vol
bunch [bʌntʃ] *of people* groupe *m*; *of keys* trousseau *m*; *of*

grapes grappe *f*; *of flowers* bouquet *m*; ***thanks a ~*** merci beaucoup

bungle ['bʌŋgl] bousiller

bunk [bʌŋk] couchette *f*

buoy [bɔɪ] NAUT bouée *f*; **buoyant** *mood* jovial; *economy* prospère

burden ['bɜːrdn] **1** *n* fardeau *m* **2** *v/t*: ***~ s.o. with sth*** accabler qn de qch

bureau ['bjʊroʊ] bureau *m*; **bureaucrat** bureaucrate *m/f*; **bureaucratic** bureaucratique

burger ['bɜːrgər] steak *m* hâché; *in roll* hamburger *m*

burglar ['bɜːrglər] cambrioleur(-euse) *m(f)*; **burglar alarm** alarme *f* antivol; **burglarize** cambrioler; **burglary** cambriolage *m*

burial ['berɪəl] enterrement *m*

burn [bɜːrn] **1** *n* brûlure *f* **2** *v/t & v/i* brûler

◆ **burn down 1** *v/t* incendier **2** *v/i* être réduit en cendres

burp [bɜːrp] **1** *n* rot *m* **2** *v/i* roter

burst [bɜːrst] **1** *n in pipe* trou *m* **2** *adj tire* creuvé **3** *v/t & v/i* crever; *of pipe* éclater; ***~ into tears*** fondre en larmes; ***~ out laughing*** éclater de rire

bus [bʌs] (auto)bus *m*; *long distance* (auto)car *m*

bush [bʊʃ] *plant* buisson *m*

bushy ['bʊʃɪ] *beard* touffu

business ['bɪznɪs] commerce *m*; (*company*) entreprise *f*; (*work*) travail *m*; (*sector*) secteur *m*; (*matter*) affaire *f*; ***on ~*** en déplacement (professionnel); ***mind your own ~!*** occupe-toi de tes affaires!; **business card** carte *f* de visite; **business class** classe *f* affaires; **businesslike** sérieux; **businessman** homme *m* d'affaires; **business meeting** réunion *f* d'affaires; **business school** école *f* de commerce; **business studies** *course* études *fpl* de commerce; **business trip** voyage *m* d'affaires; **businesswoman** femme *f* d'affaires

'bus station gare *f* routière; **bus stop** arrêt *m* d'autobus

bust[1] [bʌst] *n of woman* poitrine *f*

bust[2] [bʌst] F (*broken*) cassé

'bust-up F brouille *f*; **busty** à la poitrine plantureuse

busy ['bɪzɪ] *person*, TELEC occupé; *day*, *life* bien rempli; *street*, *shop* plein de monde; **busybody** curieux(-se) *m(f)*

but [bʌt] **1** *conj* mais **2** *prep*: ***all ~ him*** tous sauf lui; ***the last ~ one*** l'avant-dernier; ***~ for you*** si tu n'avais pas été là; ***nothing ~ the best*** rien que le meilleur

butcher ['bʊtʃər] boucher (-ère) *m(f)*

butt [bʌt] **1** *n of cigarette* mégot *m*; F (*backside*) cul *m* **2** *v/t* donner un coup de tête à

butter ['bʌtər] beurre *m*; **but-**

terfly *also swimming* papillon *m*
buttocks ['bʌtəks] fesses *fpl*
button ['bʌtn] bouton *m*; (*badge*) badge *m*
buy [baɪ] acheter
◆ **buy out** COM racheter la part de
buyer ['baɪr] acheteur(-euse) *m* (*f*)
buzz [bʌz] **1** *n* bourdonnement *m* **2** *v/i of insect* bourdonner; **buzzer** sonnerie *f*
by [baɪ] *to show agent* par; (*near, next to*) près de; (*no later than*) pour; *mode of transport* en; **~ bus** en bus; **~ day** le jour; **~ my watch** selon ma montre; **~ o.s.** tout seul
bye(-bye) [baɪ] au revoir
'bypass *road* déviation *f*; MED pontage *m* (coronarien); **by-product** sous-produit *m*; **bystander** spectateur(-trice) *m*(*f*)

C

cab [kæb] taxi *m*; *of truck* cabine *f*; **cab driver** chauffeur *m* de taxi
cabin ['kæbɪn] *of plane, ship* cabine *f*; **cabin attendant** *male* steward *m*; *female* hôtesse *f* (de l'air); **cabin crew** équipage *m*
cabinet ['kæbɪnɪt] *furniture* meuble *m* (de rangement); POL cabinet *m*; **display ~** vitrine *f*
cable ['keɪbl] câble *m*; **cable car** téléphérique *m*; *on rail* funiculaire *m*; **cable television** (télévision *f* par) câble *m*
'cab stand station *f* de taxis
cactus ['kæktəs] cactus *m*
cadaver [kə'dævər] cadavre *m*
caddie ['kædɪ] *in golf* caddie *m*
Caesarean *Br* → ***Cesarean***
café ['kæfeɪ] café *m*; **cafeteria** cafétéria *f*
caffeine ['kæfi:n] caféine *f*
cage [keɪdʒ] cage *f*; **cagey** évasif
cake [keɪk] gâteau *m*
calculate ['kælkjʊleɪt] (*work out*) évaluer; *in arithmetic* calculer; **calculating** calculateur; **calculation** calcul *m*; **calculator** calculatrice *f*
calendar ['kælɪndər] calendrier *m*
calf[1] [kæf] (*young cow*) veau *m*
calf[2] [kæf] *of leg* mollet *m*
caliber, *Br* **calibre** ['kælɪbər] *of gun* calibre *m*
call [kɒ:l] **1** *n* appel *m*; (*phone ~ also*) coup *m* de téléphone **2** *v/t on phone* appeler; **be ~ed ...** s'appeler ... **3** *v/i on*

phone appeler; (*visit*) passer
◆ **call back 1** *v/t* rappeler **2** *v/i on phone* rappeler; (*make another visit*) repasser
◆ **call for** (*collect*) venir chercher; (*demand*) demander
◆ **call off** annuler
caller ['kɒːlər] *on phone* personne *f* qui appelle; (*visitor*) visiteur *m*
callous ['kæləs] dur
calm [kɑːm] **1** *adj* calme, tranquille **2** *n* calme *m*
◆ **calm down 1** *v/t* calmer **2** *v/i* se calmer
calmly ['kɑːmlɪ] calmement
calorie ['kælərɪ] calorie *f*
camcorder ['kæmkɔːrdər] caméscope *m*
camera ['kæmərə] appareil *m* photo; TV caméra *f*; **cameraman** cadreur *m*, caméraman *m*; **camera phone** téléphone *m* avec appareil photo intégré
camouflage ['kæməflɑːʒ] **1** *n* camouflage *m* **2** *v/t* camoufler
camp [kæmp] **1** *n* camp *m* **2** *v/i* camper
campaign [kæm'peɪn] **1** *n* campagne *f* **2** *v/i* faire campagne
camper ['kæmpər] *person* campeur *m*; *vehicle* camping-car *m*; **camping** camping *m*; **campsite** (terrain *m* de) camping *m*
campus ['kæmpəs] campus *m*
can[1] [kæn] *v/aux* pouvoir; ~ ***you hear me?*** tu m'entends?; ~ ***she swim?*** sait-elle nager?; ~ ***I help you?*** est-ce que je peux t'aider?
can[2] [kæn] *n for food* boîte *f*; *for drinks* canette *f*; *of paint* bidon *m*
Canada ['kænədə] Canada *m*; **Canadian 1** *adj* canadien **2** *n* Canadien *m*
canal [kə'næl] canal *m*
cancel ['kænsl] annuler; **cancellation** annulation *f*
cancer ['kænsər] cancer *m*
candid ['kændɪd] franc
candidacy ['kændɪdəsɪ] candidature *f*; **candidate** candidat *m*
candle ['kændl] bougie *f*; *in church* cierge *m*
candor, *Br* **candour** ['kændər] franchise *f*
candy ['kændɪ] (*sweet*) bonbon *m*; (*sweets*) bonbons *mpl*
cane [keɪn] canne *f*
canister ['kænɪstər] boîte *f* (métallique); *for gas, spray* bombe *f*
canned [kænd] en conserve, en boîte; (*recorded*) enregistré
cannot ['kænɑːt] = ***can not***
canny ['kænɪ] (*astute*) rusé
canoe [kə'nuː] canoë *m*
'**can opener** ouvre-boîte *m*
can't [kænt] = ***can not***
canteen [kæn'tiːn] *in factory* cantine *f*
canvas ['kænvəs] toile *f*
canyon ['kænjən] canyon *m*

cap [kæp] *hat* bonnet *m*; *with peak* casquette *f*; *of soldier, policeman* képi *m*

capability [keɪpə'bɪlətɪ] capacité *f*; **capable** capable

capacity [kə'pæsətɪ] capacité *f*

capital ['kæpɪtl] *of country* capitale *f*; *letter* majuscule *f*; *money* capital *m*; **capitalism** capitalisme *m*; **capitalist 1** *adj* capitaliste **2** *n* capitaliste *m/f*; **capital punishment** peine *f* capitale

capsize [kæp'saɪz] chavirer

capsule ['kæpsʊl] *of medicine* gélule *f*; (*space* ~) capsule *f* spatiale

captain ['kæptɪn] capitaine *m*; *of aircraft* commandant *m* de bord

caption ['kæpʃn] légende *f*

captivate ['kæptɪveɪt] captiver, fasciner; **captive** captif; **captivity** captivité *f*; **capture 1** *n of city* prise *f*; *of person, animal* capture *f* **2** *v/t person, animal* capturer; *city, building* prendre; *market share* conquérir

car [kɑːr] voiture *f*, automobile *f*; *of train* wagon *m*, voiture *f*; ***by*** ~ en voiture

carbon monoxide [kɑːrbənmən'ɑːksaɪd] monoxyde *m* de carbone

carbureter, carburetor [kɑːrbʊ'retər] carburateur *m*

carcass ['kɑːrkəs] carcasse *f*

card [kɑːrd] carte *f*; **cardboard box** carton *m*

cardiac ['kɑːrdɪæk] cardiaque

cardinal ['kɑːrdɪnl] REL cardinal *m*

care [ker] **1** *n of baby, pet* garde *f*; *of the elderly, sick* soins *mpl*; (*medical* ~) soins *mpl* médicaux; (*worry*) souci *m* **care of** → ***c/o***; ***take*** ~ (*be cautious*) faire attention; ***take ~ of*** s'occuper de **2** *v/i* se soucier; ***I don't ~!*** ça m'est égal!

◆ **care about** s'intéresser à

◆ **care for** (*look after*) s'occuper de

career [kə'rɪr] carrière *f*

careful ['kerfl] (*cautious*) prudent; (*thorough*) méticuleux; (***be***) ***~!*** (fais) attention!; **carefully** (*with caution*) prudemment; *worded etc* soigneusement; **careless** négligent; *work* négligé; **carelessly** négligemment

caress [kə'res] caresser

'car ferry (car-)ferry *m*, transbordeur

cargo ['kɑːrgoʊ] cargaison *f*

caricature ['kærɪkətʃər] caricature *f*

carnival ['kɑːrnɪvl] fête *f* foraine; *with processions etc* carnaval *m*

carpenter ['kɑːrpɪntər] charpentier *m*; *for smaller objects* menuisier *m*

carpet ['kɑːrpɪt] tapis *m*; *fitted* moquette *f*

'car phone téléphone *m* de voiture; **carpool** faire du co-voiturage; **car rental** location *f* de voitures

carrier ['kærɪər] *company* entreprise *f* de transport; *of disease* porteur(-euse) *m(f)*

carrot ['kærət] carotte *f*

carry ['kærɪ] **1** *v/t* porter; *of ship, bus etc* transporter **2** *v/i of sound* porter

◆ **carry on 1** *v/i* (*continue*) continuer (***with sth*** qch) **2** *v/t business* exercer

◆ **carry out** *survey etc* faire; *orders etc* exécuter

cart [kɑːrt] charrette *f*

carton ['kɑːrtn] carton *m*; *of cigarettes* cartouche *f*

cartoon [kɑːr'tuːn] dessin *m* humoristique; *on TV* dessin *m* animé; (*strip* ~) BD *f*, bande *f* dessinée

carve [kɑːrv] *meat* découper; *wood* sculpter

case[1] [keɪs] *for eyeglasses, camera* étui *m*; *for gadget* pochette *f*; *of wine etc* caisse *f*; *Br* (*suitcase*) valise *f*

case[2] [keɪs] (*instance*), MED cas *m*; *for police* affaire *f*; LAW procès *m*; ***in ~ .*** au cas où …; ***in any ~*** en tout cas

cash [kæʃ] **1** *n* (*money*) argent *m*; (*coins and notes*) (argent *m*) liquide *m* **2** *v/t check* toucher; **cash desk** caisse *f*; **cash flow** COM trésorerie *f*; ***I've got ~ problems*** j'ai des problèmes d'argent; **cashier** *in store etc* caissier(-ère) *m(f)*; **cashpoint** *Br* distributeur *m* automatique (de billets); **cash register** caisse *f* enregistreuse

casino [kə'siːnoʊ] casino *m*

casket ['kæskɪt] (*coffin*) cercueil *m*

casserole ['kæsəroʊl] *meal* ragoût *m*; *container* cocotte *f*

cassette [kə'set] cassette *f*; **cassette player** lecteur *m* de cassettes

cast [kæst] **1** *n of play* distribution *f*; (*mold*) moule *m* **2** *v/t doubt* jeter; *metal* couler

cast 'iron fonte *f*

castle ['kæsl] chateau *m*

casual ['kæʒʊəl] (*chance*) fait au hasard; (*offhand*) désinvolte; (*not formal*) décontracté; **casually** *dressed* de manière décontractée; *say* de manière désinvolte; **casualty** victime *f*

cat [kæt] chat(te) *m(f)*

catalog, *Br* **catalogue** ['kætəlɑːg] catalogue *m*

catalyst ['kætəlɪst] catalyseur *m*

catastrophe [kə'tæstrəfɪ] catastrophe *f*; **catastrophic** catastrophique

catch [kætʃ] **1** *n* prise *f* (au vol); *of fish* pêche *f*; (*lock: on door*) loquet *m*; (*problem*) entourloupette *f* **2** *v/t ball, prisoner, bus, illness* attraper; (*get on: bus, train*) prendre; (*hear*) entendre; **catching** *also fig* contagieux; **catchy** facile à retenir

categoric [kætə'gɑːrɪk] catégorique; **category** catégorie *f*
caterer ['keɪtərər] traiteur *m*
cathedral [kə'θiːdrl] cathédrale *f*
Catholic ['kæθəlɪk] **1** *adj* catholique **2** *n* catholique *m/f*; **Catholicism** catholicisme *m*
catty ['kætɪ] méchant
cause [kɒːz] **1** *n* cause *f*; (*grounds*) raison *f* **2** *v/t* causer
caution ['kɒːʃn] **1** *n* (*carefulness*) prudence *f* **2** *v/t* (*warn*) avertir; **cautious** prudent; **cautiously** prudemment
cave [keɪv] caverne *f*, grotte *f*
cavity ['kævətɪ] cavité *f*
CD [siː'diː] (= ***compact disc***) CD *m* (= compact-disc *m*, disque *m* compact)
C'D player lecteur *m* de CD; **CD-ROM** CD-ROM *m*
cease [siːs] cesser
'cease-fire cessez-le-feu *m*
ceiling ['siːlɪŋ] plafond *m*
celebrate ['selɪbreɪt] **1** *v/i* faire la fête **2** *v/t* fêter; *Christmas, event* célébrer; **celebrated** célèbre; **celebration** fête *f*; *of event, wedding* célébration *f*; **celebrity** célébrité *f*
cell [sel] *for prisoner, of spreadsheet*, BIO cellule *f*
cellar ['selər] cave *f*
cello ['ʧeloʊ] violoncelle *m*
cell phone, cellular phone ['seljuːlər] (téléphone *m*) portable *m*
cement [sɪ'ment] ciment *m*
cemetery ['seməterɪ] cimetière *m*
censor ['sensər] censurer
census ['sensəs] recensement *m*
cent [sent] cent *m*
centenary [sen'tiːnərɪ] centenaire *m*
center ['sentər] **1** *n* centre *m* **2** *v/t* centrer
centigrade ['sentɪgreɪd] centigrade
centimeter, *Br* **centimetre** ['sentɪmiːtər] centimètre *m*
central ['sentrəl] central
central 'heating chauffage *m* central; **centralize** centraliser; **central locking** MOT verrouillage *m* centralisé
centre *Br* → ***center***
century ['senʧərɪ] siècle *m*
CEO [siːiː'oʊ] (= ***Chief Executive Officer***) directeur *m* général
ceramic [sɪ'ræmɪk] en céramique
cereal ['sɪrɪəl] céréale *f*; (*breakfast* ~) céréales *fpl*
ceremonial [serɪ'moʊnɪəl] **1** *adj* de cérémonie **2** *n* cérémonial *m*; **ceremony** cérémonie *f*
certain ['sɜːrtn] (*sure*) certain, sûr; (*particular*) certain; **certainly** certainement; **certainty** certitude *f*
certificate [sər'tɪfɪkət] certificat *m*

certified public accountant ['sɜːrtɪfaɪd] expert *m* comptable; **certify** certifier

Cesarean [sɪ'zerɪən] césarienne *f*

CFO [siːef'oʊ] (= ***chief financial officer***) directeur *m* financier

chain [ʧeɪn] **1** *n also of stores etc* chaîne *f* **2** *v/t*: ***~ sth. to sth*** enchaîner qch à qch

chair [ʧer] **1** *n* chaise *f*; (*arm~*) fauteuil *m*; *at university* chaire *f* **2** *v/t meeting* présider; **chair lift** télésiège *m*; **chairman** président *m*; **chairmanship** présidence *f*; **chairperson** président(e) *m(f)*

chalk [ʧɒːk] craie *f*

challenge ['ʧælɪndʒ] **1** *n* défi *m*, challenge *m* **2** *v/t* (*defy*) défier; (*call into question*) mettre en doute; ***~ s.o. to a game*** proposer à qn de faire une partie; **challenger** challenger *m*; **challenging** *job, undertaking* stimulant

Chamber of 'Commerce Chambre *f* de commerce

champagne [ʃæm'peɪn] champagne *m*

champion ['ʧæmpɪən] **1** *n* SP, *of cause* champion(ne) *m(f)* **2** *v/t cause* être le (la) champion(ne) *m(f)* de; **championship** *event* championnat *m*; *title* titre *m* de champion(-ne)

chance [ʧæns] (*possibility*) chances *fpl*; (*opportunity*) occasion *f*; (*luck*) hasard *m*; ***by ~*** par hasard; ***take a ~*** prendre un risque

change [ʧeɪndʒ] **1** *n* changement *m*; (*money*) monnaie *f*; ***for a ~*** pour changer un peu **2** *v/t* changer; *bankbill* faire la monnaie sur **3** *v/i* changer; (*put on different clothes*) se changer; **changeover** changement *m*; **changing room** SP vestiaire *m*; *in shop* cabine *f* d'essayage

channel ['ʧænl] *on TV, radio* chaîne *f*; (*waterway*) chenal *m*

chant [ʧænt] **1** *n* slogans *mpl* scandés; REL chant *m* **2** *v/i of crowds etc* scander des slogans; REL psalmodier

chaos ['keɪɑːs] chaos *m*; **chaotic** chaotique

chapel ['ʧæpl] chapelle *f*

chapter ['ʧæptər] chapitre *m*

character ['kærɪktər] caractère *m*; (*person*) personne *f*; *in book* personnage *m*; **characteristic 1** *n* caractéristique *f* **2** *adj* caractéristique; **characterize** caractériser

charge [ʧɑːrdʒ] **1** *n* (*fee*) frais *mpl*; LAW accusation *f*; ***free of ~*** gratuit; ***be in ~*** être responsable **2** *v/t sum of money* faire payer; LAW inculper (***with*** de); *battery* charger; ***can you ~ it?*** (*put on account*) pouvez-vous le mettre sur mon compte? **3** *v/i* (*attack*) charger; **charge account**

compte *m*; **charge card** carte *f* de paiement
charitable ['ʧærɪtəbl] charitable; **charity** charité *f*; (*organization*) organisation *f* caritative
charm [ʧɑːrm] **1** *n also on bracelet* charme *m* **2** *v/t* (*delight*) charmer; **charming** charmant
charred [ʧɑːrd] carbonisé
chart [ʧɑːrt] diagramme *m*; (*map*) carte *f*
'**charter flight** (vol *m*) charter *m*
chase [ʧeɪs] **1** *n* poursuite *f* **2** *v/t* poursuivre
◆ **chase away** *v/t* chasser
chassis ['ʃæsɪ] *of car* châssis *m*
chat [ʧæt] **1** *n* causette *f* **2** *v/i* causer; **chatline** chat *m* téléphonique; **chat room** chat *m*
chatter ['ʧætər] **1** *n* bavardage *m* **2** *v/i* (*talk*) bavarder; ***my teeth were ~ing*** je claquais des dents
chauffeur ['ʃoʊfər] chauffeur *m*
chauvinist ['ʃoʊvɪnɪst] (*male ~*) machiste *m*
cheap [ʧiːp] bon marché, pas cher; (*nasty*) méchant; (*mean*) pingre
cheat [ʧiːt] **1** *n person* tricheur(-euse) *m*(*f*) **2** *v/t* tromper **3** *v/i* tricher
check[1] [ʧek] **1** *adj shirt* à carreaux **2** *n* carreaux *m*
check[2] [ʧek] *n* FIN chèque *m*; *in restaurant etc* addition *f*
check[3] [ʧek] **1** *n to verify sth* contrôle *m*, vérification *f* **2** *v/t* vérifier; *with a ~mark* cocher; *coat etc* mettre au vestiaire **3** *v/i* vérifier
◆ **check in** *v/i at airport* se faire enregistrer; *at hotel* s'inscrire
◆ **check out 1** *v/i of hotel* régler sa note **2** *v/t* (*look into*) enquêter sur; *club etc* essayer
◆ **check up on** se renseigner sur
'**checkbook** carnet *m* de chèques; **checked** *material* à carreaux
checkered ['ʧekərd] *pattern* à carreaux; *career* varié
'**check-in** (**counter**) enregistrement *m*; **checking account** compte *m* courant; **checklist** liste *f* (de contrôle); **check mark**: ***put a ~ against sth*** cocher qch; **check-out** caisse *f*; **checkpoint** contrôle *m*; **checkroom** *for coats* vestiaire *m*; *for baggage* consigne *f*; **checkup** *medical* examen *m* médical; *dental* examen *m* dentaire
cheek [ʧiːk] *on face* joue *f*
cheer [ʧɪr] **1** *n* hourra *m* **2** *v/t* acclamer **3** *v/i* pousser des hourras
◆ **cheer up 1** *v/i* reprendre courage; ***cheer up!*** courage! **2** *v/t* remonter le moral à
cheerful ['ʧɪrfəl] gai, joyeux;

cheering acclamations *fpl*; **cheerleader** meneuse *f* de ban
cheese [ʧi:z] fromage *m*
chef [ʃef] chef *m* (de cuisine)
chemical ['kemɪkl] **1** *adj* chimique **2** *n* produit *m* chimique; **chemist** *in laboratory* chimiste *m/f*; *Br* pharmacien(ne) *m(f)*; **chemistry** chimie *f*
chemotherapy [ki:moʊ'θerəpɪ] chimiothérapie *f*
cheque [ʧek] *Br* → ***check²***
chess [ʧes] (jeu *m* d')échecs *mpl*; ***play ~*** jouer aux échecs
chest [ʧest] poitrine *f*; (*box*) coffre *m*, caisse *f*
chew [ʧu:] mâcher; *of rat* ronger; **chewing gum** chewing-gum *m*
chick [ʧɪk] poussin *m*; F *girl* nana
chicken ['ʧɪkɪn] poulet *m*
chief [ʧi:f] **1** *n* chef *m* **2** *adj* principal; **chiefly** principalement
child [ʧaɪld] enfant *m/f*; **childhood** enfance *f*; **childish** puéril; **childlike** enfantin
children ['ʧɪldrən] *pl* → ***child***
Chile ['ʧɪlɪ] Chili *m*; **Chilean** **1** *adj* chilien **2** *n* Chilien(ne) *m(f)*
◆ **chill out** se relaxer
chilly ['ʧɪlɪ] *also fig* froid
chimney ['ʧɪmnɪ] cheminée *f*
chin [ʧɪn] menton *m*
China ['ʧaɪnə] Chine *f*
china ['ʧaɪnə] **1** *n* porcelaine *f* **2** *adj* en porcelaine
Chinese [ʧaɪ'ni:z] **1** *adj* chinois **2** *n language* chinois *m*; *person* Chinois(e) *m(f)*
chip [ʧɪp] **1** *n damage* brèche *f*; *in gambling* jeton *m*; COMPUT puce *f*; ***~s*** (*potato ~s*) chips *mpl*; *Br* pommes frites *fpl* **2** *v/t damage* ébrécher
chipmunk tamia *m* rayé
chisel ['ʧɪzl] ciseau *m*, burin *m*
chlorine ['klɔ:ri:n] chlore *m*
chocolate ['ʧɑ:kələt] chocolat *m*
choice [ʧɔɪs] **1** *n* choix *m*; ***I had no ~*** je n'avais pas le choix **2** *adj* (*top quality*) de choix
choir ['kwaɪr] chœur *m*
choke [ʧoʊk] **1** *v/i* s'étrangler **2** *v/t* (*strangle*) étrangler
cholesterol [kə'lestəroʊl] cholestérol *m*
choose [ʧu:z] choisir; **choosey** difficile
chop [ʧɑ:p] **1** *n of meat* côtelette *f* **2** *v/t* couper
◆ **chop down** *tree* abattre
chore [ʧɔ:r] ***~s*** travaux *mpl* domestiques
choreography [kɔ:rɪ'ɑ:grəfɪ] chorégraphie *f*
chorus ['kɔ:rəs] *singers* chœur *m*; *of song* refrain *m*
Christ [kraɪst] Christ *m*; ***~!*** mon Dieu!
christen ['krɪsn] baptiser
Christian ['krɪsʧən] **1** *n* chré-

tien(ne) *m(f)* **2** *adj* chrétien; **Christianity** christianisme *m*

Christmas ['krɪsməs] Noël *m*; ***Merry ~!*** Joyeux Noël!; **Christmas card** carte *f* de Noël; **Christmas Day** jour *m* de Noël; **Christmas Eve** veille *f* de Noël; **Christmas present** cadeau *m* de Noël; **Christmas tree** arbre *m* de Noël

chronic ['krɑːnɪk] chronique

chubby ['ʧʌbɪ] potelé

chuck [ʧʌk] lancer

chuckle ['ʧʌkl] **1** *n* petit rire *m* **2** *v/i* rire tout bas

chunk [ʧʌŋk] gros morceau *m*

church [ʧɜːrʧ] église *f*; **church service** office *m*; **churchyard** cimetière *m* (autour d'une église)

chute [ʃuːt] *for garbage* vide-ordures *m*; *for escape* toboggan *m*

cigar [sɪ'gɑːr] cigare *m*

cigarette [sɪgə'ret] cigarette *f*; **cigarette lighter** briquet *m*

cinema ['sɪnɪmə] *Br* cinéma *m*

circle ['sɜːrkl] **1** *n* cercle *m* **2** *v/i of plane* tournoyer

circuit ['sɜːrkɪt] circuit *m*; (*lap*) tour *m* (de circuit); **circuit board** COMPUT plaquette *f*; **circular** ['sɜːrkjʊlər] **1** *n* circulaire *f* **2** *adj* circulaire; **circulate** ['sɜːrkjʊleɪt] **1** *v/i* circuler **2** *v/t memo* faire circuler; **circulation** circulation *f*; *of newspaper* tirage *m*

circumstances ['sɜːrkəmstænsɪs] circonstances *fpl*; *financial* situation *f* financière

circus ['sɜːrkəs] cirque *m*

cistern ['sɪstərn] réservoir *m*; *of WC* réservoir *m* de chasse d'eau

citizen ['sɪtɪzn] citoyen(ne) *m(f)*; **citizenship** citoyenneté *f*

city ['sɪtɪ] (grande) ville *f*

city 'center, *Br* **city 'centre** centre-ville *m*; **city hall** hôtel *m* de ville

civic ['sɪvɪk] municipal; *pride, responsibilities* civique

civil ['sɪvl] civil; (*polite*) poli; **civil ceremony** mariage *m* civil; **civil engineer** ingénieur *m* des travaux publics

civilian [sɪ'vɪljən] civil(e) *m(f)*; **civilization** civilisation *f*; **civilize** civiliser; **civil rights** droits *mpl* civils; **civil servant** fonctionnaire *m/f*; **civil service** fonction *f* publique, administration *f*; **civil union** PACS *m* (*pacte civil de solidarité*); **civil war** guerre *f* civile

claim [kleɪm] **1** *n* (*request*) demande *f*; (*assertion*) affirmation *f* **2** *v/t* (*ask for as a right*) demander, réclamer; (*assert*) affirmer; *lost property* réclamer; **claimant** ['kleɪmənt] demandeur(-euse) *m(f)*

clam [klæm] palourde *f*, clam *m*

clammy ['klæmɪ] moite

clamp [klæmp] *fastener* pince *f*, crampon *m*

◆ **clamp down on** sévir contre

clandestine [klæn'destɪn] clandestin

clap [klæp] (*applaud*) applaudir

clarification [klærɪfɪ'keɪʃn] clarification *f*; **clarify** clarifier; **clarity** clarité *f*

clash [klæʃ] **1** *n between people* affrontement *m* **2** *v/i* s'affronter; *of colors* détonner; *of events* tomber en même temps

clasp [klæsp] **1** *n* agrafe *f* **2** *v/t in hand* serrer

class [klæs] **1** *n* (*lesson*) cours *m*; (*group of people, category*) classe *f*; ***the ~ of 2002*** la promo(tion) 2002 **2** *v/t* classer

classic ['klæsɪk] **1** *adj* classique **2** *n* classique *m*; **classical** *music* classique; **classification** classification *f*; **classified** *information* secret; **classified ad(vertisement)** petite annonce *f*; **classify** classifier; **classroom** salle *f* de classe; **classy** F *restaurant etc* chic *inv*; *person* classe

clause [klɒːz] (*in agreement*) clause *f*; GRAM proposition *f*

claustrophobia [klɔːstrə'foʊbɪə] claustrophobie *f*

claw [klɒː] *of cat* griffe *f*; *of lobster* pince *f*

clay [kleɪ] argile *f*, glaise *f*

clean [kliːn] **1** *adj* propre **2** *adv* (*completely*) complètement **3** *v/t* nettoyer; **cleaner** *male* agent *m* de propreté; *female* femme *f* de ménage; (*dry~*) teinturier(-ère) *m*(*f*)

cleanse [klenz] *skin* nettoyer; **cleanser** *for skin* démaquillant *m*

clear [klɪr] **1** *adj voice, photo* net; *to understand, sky, water* clair; *conscience* tranquille **2** *v/t roads etc* dégager; *place* (faire) évacuer; *table* débarrasser; *ball* dégager; (*acquit*) innocenter; (*authorize*) autoriser **3** *v/i of sky* se dégager; *of mist* se dissiper; *of face* s'éclairer

◆ **clear out 1** *v/t closet* vider **2** *v/i* ficher le camp

◆ **clear up 1** *v/i in room etc* ranger; *of weather* s'éclaircir; *of illness* disparaître **2** *v/t* (*tidy*) ranger; *problem* résoudre

clearance ['klɪrəns] (*space*) espace *m* (libre); (*authorization*) autorisation *f*; **clearance sale** liquidation *f*; **clearing** clairière *f*; **clearly** *speak, see* clairement; *hear* distinctement; (*evidently*) manifestement

cleavage ['kliːvɪdʒ] décolleté *m*

clench [klentʃ] serrer

clergy ['klɜːrdʒɪ] clergé *m*; **clergyman** écclésiastique

m; *Protestant* pasteur *m*
clerk [klɜːrk] *administrative* employé(e) *m(f)* de bureau; *in store* vendeur(-euse) *m(f)*
clever ['klevər] intelligent; *gadget* ingénieux; (*skillful*) habile
click [klɪk] **1** *n* COMPUT clic *m* **2** *v/i* cliqueter
◆ **click on** COMPUT cliquer sur
client ['klaɪənt] client(e) *m(f)*; **clientele** clientèle *f*
climate ['klaɪmət] *also fig* climat *m*
climax ['klaɪmæks] point *m* culminant
climb [klaɪm] **1** *n up mountain* ascension *f f* **2** *v/t* monter sur; *mountain* escalader **3** *v/i* monter; **climber** alpiniste *m/f*
clinch [klɪntʃ] *deal* conclure
cling [klɪŋ] *of clothes* coller
◆ **cling to** s'accrocher à
clingy ['klɪŋɪ] *person* collant
clinic ['klɪnɪk] clinique *f*; **clinical** clinique
clip[1] [klɪp] **1** *n fastener* pince *f*; *for hair* barrette *f* **2** *v/t*: **~ sth to sth** attacher qch à qch
clip[2] [klɪp] **1** *n* (*extract*) extrait *m* **2** *v/t hair, grass* couper; **clipping** *from press* coupure *f* (de presse)
clock [klɑːk] horloge *f*; **clock radio** radio-réveil *m*; **clockwise** dans le sens des aiguilles d'une montre
clone [kloʊn] **1** *n* clone *m* **2** *v/t* cloner; **cloning** clonage *m*
close[1] [kloʊs] **1** *adj family, friend* proche **2** *adv* près; **~ at hand, ~ by** tout près; **~ to** près de
close[2] [kloʊz] *v/t* fermer
closed-circuit 'television télévision *f* en circuit fermé; **close-knit** très uni; **closely** *listen* attentivement; *watch* de près; *cooperate* étroitement
closet ['klɑːzɪt] armoire *f*, placard *m*
close-up ['kloʊsʌp] gros plan *m*
closing date ['kloʊzɪŋ] date *f* limite
closure ['kloʊʒər] fermeture *f*
clot [klɑːt] **1** *n of blood* caillot *m* **2** *v/i of blood* coaguler
cloth [klɑːθ] tissu *m*; *for drying* torchon *m*; *for washing* lavette *f*
clothes [kloʊðz] vêtements *mpl*; **clothing** vêtements *mpl*
cloud [klaʊd] nuage *m*; **cloudless** sans nuages; **cloudy** nuageux
clout [klaʊt] *fig* (*influence*) influence *f*
clove of 'garlic [kloʊv] gousse *f* d'ail
clown [klaʊn] *also pej* clown *m*
club [klʌb] club *m*; *weapon* massue *f*
clue [kluː] indice *m*
clumsiness ['klʌmzɪnɪs] maladresse *f*; **clumsy** maladroit
cluster ['klʌstər] groupe *m*

clutch [klʌtʃ] **1** *n* MOT embrayage *m* **2** *v/t* étreindre
◆ **clutch at** s'agripper à
c/o(= ***care of***) chez
Co. (= ***Company***) Cie (= Compagnie)
coach [koutʃ] **1** *n* (*trainer*) entraîneur(-euse) *m*(*f*); *Br* (*bus*) (auto)car *m* **2** *v/t* SP entraîner; **coaching** entraînement *m*
coagulate [koʊ'ægjʊleɪt] *of blood* coaguler
coal [koʊl] charbon *m*
coalition [koʊə'lɪʃn] coalition *f*
'coalmine mine *f* de charbon
coarse [kɔːrs] *fabric* rugueux; *hair* épais; (*vulgar*) grossier; **coarsely** (*vulgarly*), *ground* grossièrement
coast [koʊst] côte *f*; **coastal** côtier; **coastguard** gendarmerie *f* maritime; *person* gendarme *m* maritime; **coastline** littoral *m*
coat [koʊt] **1** *n* veston *m*; (*over*~) pardessus *m*; *of animal* pelage *m*; *of paint etc* couche *f* **2** *v/t* (*cover*) couvrir (**with** de); **coathanger** cintre *m*; **coating** couche *f*
coax [koʊks] cajoler
cocaine [kə'keɪn] cocaïne *f*
cock [kɑːk] *chicken* coq *m*; *any male bird* (oiseau *m*) mâle *m*; **cockpit** *of plane* poste *m* de pilotage, cockpit *m*; **cockroach** cafard *m*; **cocktail** cocktail *m*
cocoa ['koʊkoʊ] cacao *m*
coconut ['koʊkənʌt] noix *m* de coco; **coconut palm** cocotier *m*
code [koʊd] code *m*; ***in*** ~ codé
coeducational [koʊedʊ'keɪʃnl] mixte
coerce [koʊ'ɜːrs] forcer
coexist [koʊɪg'zɪst] coexister; **coexistence** coexistence *f*
coffee ['kɑːfɪ] café *m*; **coffee maker** machine *f* à café; **coffee pot** cafetière *f*; **coffee shop** café *m*
cohabit [koʊ'hæbɪt] cohabiter
coherent [koʊ'hɪrənt] cohérent
coil [kɔɪl] *of rope* rouleau *m*; *of snake* anneau *m*
coin [kɔɪn] pièce *f* (de monnaie)
coincide [koʊɪn'saɪd] coïncider; **coincidence** coïncidence *f*
Coke® [koʊk] coca® *m*
cold [koʊld] **1** *adj* froid; ***I'm*** ~ j'ai froid; ***it's*** ~ *of weather* il fait froid **2** *n* froid *m*; MED rhume *m*; **cold-blooded** à sang froid; *murder* commis de sang-froid; **coldly** froidement; **coldness** froideur *f*; **cold sore** bouton *m* de fièvre
collaborate [kə'læbəreɪt] collaborer; **collaboration** collaboration *f*; **collaborator** collaborateur(-trice) *m*(*f*)
collapse [kə'læps] s'effon-

drer; *of building* s'écrouler; **collapsible** pliant
collar ['kɑːlər] col *m*; *for dog* collier *m*
colleague ['kɑːliːg] collègue *m/f*
collect [kə'lekt] **1** *v/t person, cleaning etc* aller/venir chercher; *as hobby* collectionner; (*gather together*) recueillir **2** *v/i* (*gather together*) s'assembler; **collect call** communication *f* en PCV; **collection** collection *f*; *in church* collecte *f*; **collective** collectif; **collector** collectionneur(-euse) *m(f)*
college ['kɑːlɪdʒ] université *f*
collide [kə'laɪd] se heurter; **collision** collision *f*
colon ['koʊlən] *punctuation* deux-points *mpl*
colonel ['kɜːrnl] colonel *m*
colonial [kə'loʊnɪəl] colonial; **colonize** coloniser; **colony** colonie *f*
color ['kʌlər] couleur *f*; **color-blind** daltonien; **colored person** de couleur; **colorful** *also fig* coloré
colossal [kə'lɑːsl] colossal
colour *Br* → ***color***
colt [koʊlt] poulain *m*
column ['kɑːləm] *architectural, of text* colonne *f*; **columnist** chroniqueur(-euse) *m(f)*
coma ['koʊmə] coma *m*
comb [koʊm] **1** *n* peigne *m* **2** *v/t* peigner; *area* passer au peigne fin
combat ['kɑːmbæt] **1** *n* combat *m* **2** *v/t* combattre
combination [kɑːmbɪ'neɪʃn] *also of safe* combinaison *f*; **combine 1** *v/t* combiner; *ingredients* mélanger **2** *v/i* se combiner
come [kʌm] venir; *of train, bus* arriver
◆ **come across** (*find*) tomber sur
◆ **come along** (*come too*) venir (aussi); (*turn up*) arriver; (*progress*) avancer
◆ **come back** revenir
◆ **come down** descendre; *in price etc* baisser; *of rain, snow* tomber
◆ **come for** (*attack*) attaquer; (*to collect*) venir chercher
◆ **come forward** se présenter
◆ **come from** venir de
◆ **come in** entrer; *of train, in race* arriver; *of tide* monter
◆ **come in for** *criticism* recevoir
◆ **come off** *of handle etc* se détacher
◆ **come out** sortir; *of results* être communiqué; *of sun, product* apparaître; *of stain* partir
◆ **come to 1** *v/t* (*reach*) arriver à; ***that comes to $70*** ça fait 70 $ **2** *v/i* (*regain consciousness*) revenir à soi
◆ **come up** monter; *of sun* se lever
'**comeback** retour *m*, come-

back *m*
comedian [kə'mi:dıən] (*comic*) comique *m/f*; *pej* pitre *m/f*; **comedy** comédie *f*
comfort ['kʌmfərt] **1** *n* confort *m*; (*consolation*) réconfort *m* **2** *v/t* réconforter; **comfortable** confortable; ***be ~*** *of person* être à l'aise
comic ['kɑ:mık] **1** *n to read* bande *f* dessinée; (*comedian*) comique *m/f* **2** *adj* comique; **comical** comique; **comic book** bande *f* dessinée, BD *f*; **comics** bandes *fpl* dessinées; **comic strip** bande *f* dessinée
comma ['kɑ:mə] virgule *f*
command [kə'mænd] **1** *n* (*order*) ordre *m*; MIL commandement *m* **2** *v/t* commander
commandeer [kɑ:mən'dır] réquisitionner
commander [kə'mændər] commandant(e) *m(f)*; **commander-in-chief** commandant(e) *m(f)* en chef
commemorate [kə'meməreıt] commémorer
commence [kə'mens] commencer
commendable [kə'mendəbl] louable; **commendation** *for bravery* éloge *m*
comment ['kɑ:ment] **1** *n* commentaire *m* **2** *v/i*: ***~ on*** commenter; **commentary** commentaire *m*; **commentator** commentateur(-trice) *m(f)*
commerce ['kɑ:mɜ:rs] commerce *m*; **commercial 1** *adj* commercial **2** *n* (*ad*) publicité *f*; **commercial break** page *f* de publicité; **commercialize** commercialiser
commission [kə'mıʃn] (*payment, committee*) commission *f*; (*job*) commande *f*
commit [kə'mıt] *crime* commettre; *money* engager; **commitment** *in relationship* engagement *m*; (*responsibility*) responsabilité *f*; **committee** comité *m*
commodity [kə'mɑ:dətı] marchandise *f*
common ['kɑ:mən] courant; *species etc* commun; (*shared*) commun; ***have sth in ~ with s.o.*** avoir qch en commun; **commonly** communément; **common sense** bon sens *m*
commotion [kə'moʊʃn] agitation *f*
communal [kəm'ju:nl] en commun
communicate [kə'mju:nıkeıt] communiquer; **communication** communication *f*; **communicative** communicatif
Communion [kə'mju:njən] REL communion *f*
Communism ['kɑ:mjʊnızəm] communisme *m*; **Communist 1** *adj* communiste **2** *n* communiste *m/f*
community [kə'mju:nətı] communauté *f*
commute [kə'mju:t] **1** *v/i* fai-

re la navette (pour aller travailler) **2** *v/t* LAW commuer

compact 1 *adj* [kəm'pækt] compact **2** *n* ['kɑːmpækt] MOT petite voiture *f*

companion [kəm'pænjən] compagnon *m*

company ['kʌmpənɪ] COM société *f*; (*companionship*) compagnie *f*; (*guests*) invités *mpl*

comparable ['kɑːmpərəbl] comparable; **comparative** comparativement; **compare** comparer; **comparison** comparaison *f*

compartment [kəm'pɑːrtmənt] compartiment *m*

compass ['kʌmpəs] compas *m*

compassion [kəm'pæʃn] compassion *f*; **compassionate** compatissant

compatibility [kəmpætə'bɪlɪtɪ] compatibilité *f*; **compatible** compatible

compel [kəm'pel] obliger

compensate ['kɑmpənseɪt] **1** *v/t* dédommager **2** *v/i*: **~ for** compenser; **compensation** (*money*) dédommagement *m*; (*reward*) compensation *f*; (*comfort*) consolation *f*

compete [kəm'piːt] être en compétition; (*take part*) participer (***in*** à)

competence ['kɑːmpɪtəns] compétence *f*; **competent** *person* compétent, capable; *piece of work* (très) satisfaisant

competition [kɑːmpə'tɪʃn] (*contest*) concours *m*; SP compétition *f*; (*competing, competitors*) concurrence *f*; **competitive** compétitif; *price, offer* concurrentiel; **competitiveness** COM compétitivité *f*; *of person* esprit *m* de compétition; **competitor** concurrent *m*

complacent [kəm'pleɪsənt] complaisant, suffisant

complain [kəm'pleɪn] se plaindre; **complaint** plainte *f*; IN SHOP réclamation *f*; MED maladie *f*

complementary [kɑːmplɪ'mentərɪ] complémentaire

complete [kəm'pliːt] **1** *adj* complet; (*finished*) terminé **2** *v/t task, building etc* terminer, achever; *form* remplir; **completely** complètement; **completion** achèvement *m*

complex ['kɑːmpleks] **1** *adj* complexe **2** *n building*, PSYSCH complexe *m*; **complexion** *facial* teint *m*; **complexity** complexité *f*

compliance [kəm'plaɪəns] conformité *f*

complicate ['kɑːmplɪkeɪt] compliquer; **complicated** compliqué; **complication** complication *f*

complimentary [kɑːmplɪ'mentərɪ] élogieux, flatteur; (*free*) gratuit

comply [kəm'plaɪ] obéir; **~ *with ...*** se conformer à
component [kəm'poʊnənt] composant *m*
compose [kəm'poʊz] composer; **composed** (*calm*) calme; **composer** MUS compositeur *m*; **composition** composition *f*; **composure** calme *m*
compound ['kɑːmpaʊnd] CHEM composé *m*
comprehend [kɑːmprɪ'hend] comprendre; **comprehension** compréhension *f*; **comprehensive** complet
compress [kəm'pres] comprimer; *information* condenser
comprise [kəm'praɪz] comprendre; (*make up*) constituer; ***be ~d of*** se composer de
compromise ['kɑːmprəmaɪz] **1** *n* compromis *m* **2** *v/i* trouver un compromis **3** *v/t* compromettre
compulsion [kəm'pʌlʃn] PSYCH compulsion *f*; **compulsive** *behavior* compulsif; *reading* captivant; **compulsory** obligatoire
computer [kəm'pjuːtər] ordinateur *m*; **computer game** jeu *m* informatique; **computerize** informatiser; **computer science** informatique *f*; **computing** informatique *f*
comrade ['kɑːmreɪd] camarade *m/f*; **comradeship** camaraderie *f*
conceal [kən'siːl] cacher; **concealment** dissimulation *f*
conceit [kən'siːt] vanité *f*; **conceited** vaniteux
conceivable [kən'siːvəbl] concevable; **conceive** *of woman* concevoir
concentrate ['kɑːnsəntreɪt] **1** *v/i* se concentrer **2** *v/t energies* concentrer; **concentration** concentration *f*
concept ['kɑːnsept] concept *m*; **conception** *of child* conception *f*
concern [kən'sɜːrn] **1** *n* (*anxiety, care*) inquiétude *f*, souci *m*; (*business*) affaire *f*; (*company*) entreprise *f* **2** *v/t* (*involve*) concerner; (*worry*) préoccuper; **concerned** (*anxious*) inquiet; (*caring, involved*) concerné; **concerning** concernant, au sujet de
concert ['kɑːnsərt] concert *m*; **concerted** concerté
concession [kən'seʃn] concession *f*
concise [kən'saɪs] concis
conclude [kən'kluːd] conclure; **~ *sth from sth*** déduire qch de qch; **conclusion** conclusion *f*; **conclusive** concluant
concrete ['kɑːŋkriːt] **1** *n* béton *m* **2** *adj* concret
concussion [kən'kʌʃn] commotion *f* cérébrale

condemn [kən'dem] condamner; **condemnation** condamnation *f*

condescend [kɑːndɪ'send] daigner (***to do*** faire); **condescending** condescendant

condition [kən'dɪʃn] **1** *n* (*state, requirement*) condition *f*; MED maladie *f* **2** *v/t* PSYCH conditionner; **conditioning** PSYCH conditionnement *m*

condo ['kɑːndoʊ] *building* immeuble *m* (en copropriété); *apartment* appart *m*

condolences [kən'doʊlənsɪz] condoléances *fpl*

condom ['kɑːndəm] préservatif *m*

condominium [kɑːndə'mɪnɪəm] → ***condo***

condone [kən'doʊn] excuser

conduct ['kɑːndʌkt] **1** *n* (*behavior*) conduite *f* **2** *v/t* [kən'dʌkt] (*carry out*) mener; ELEC conduire; MUS diriger; **conducted tour** visite *f* guidée; **conductor** MUS chef *m* d'orchestre; *on train* chef *m* de train

cone [koʊn] cône *m*; *for ice cream* cornet *m*; *of pine tree* pomme *f* de pin

conference ['kɑːnfərəns] conférence *f*; *discussion* réunion *f*; **conference room** salle *f* de conférences

confess [kən'fes] **1** *v/t* avouer, confesser **2** *v/i also to police* avouer; REL se confesser; **confession** confession *f*

confide [kən'faɪd] **1** *v/t* confier **2** *v/i*: **~ *in s.o.*** (*trust*) faire confiance à qn; **confidence** confiance *f*; (*in self*) assurance *f*; **confident** (*self-assured*) sûr de soi; (*convinced*) confiant; **confidential** confidentiel; **confidently** avec assurance

confine [kən'faɪn] (*imprison*) enfermer; (*restrict*) limiter; **confined** *space* restreint

confirm [kən'fɜːrm] confirmer; **confirmation** confirmation *f*

confiscate ['kɑːnfɪskeɪt] confisquer

conflict ['kɑːnflɪkt] **1** *n* conflit *m* **2** *v/i* [kən'flɪkt] être en conflit; *of dates* coïncider

confront [kən'frʌnt] (*face*) affronter; (*tackle*) confronter; **confrontation** confrontation *f*; (*clash, dispute*) affrontement *m*

confuse [kən'fjuːz] (*muddle*) compliquer; *person* embrouiller; **~ *s.o. with s.o.*** confondre qn avec qn; **confused** *person* désorienté; *ideas, situation* confus; **confusing** déroutant; **confusion** confusion *f*

congestion [kən'dʒestʃn] *on roads* encombrement *m*

congratulate [kən'grætʊleɪt] féliciter (***on*** pour); **congratulations** félicitations *fpl*

congregate ['kɑːŋgrɪgeɪt] se

rassembler; **congregation** REL assemblée *f*

Congress ['kɑːŋgres] le Congrès; **Congressional** du Congrès; **Congressman** membre *m* du Congrès; **Congresswoman** membre *m* du Congrès

conjecture [kən'dʒektʃər] conjecture *f*

con man ['kɑːnmæn] escroc *m*, arnaqueur *m*

connect [kə'nekt] raccorder, relier; TELEC passer; (*link*) associer; *to power supply* brancher; **connected**: ***be well-~*** avoir des relations; ***be ~ with*** être lié à; **connection** *in wiring* branchement *m*, connexion *f*; *causal etc* rapport *m*; *when traveling* correspondance *f*; (*personal contact*) relation *f*

connoisseur [kɑːnə'sɜːr] connaisseur *m*, connaisseuse *f*

conquer ['kɑːŋkər] conquérir; *fear etc* vaincre; **conqueror** conquérant *m*; **conquest** conquête *f*

conscience ['kɑːnʃəns] conscience *f*; **conscientious** consciencieux; **conscientiousness** conscience *f*

conscious ['kɑːnʃəs] conscient; (*deliberate*) délibéré; **consciously** (*knowingly*) consciemment; (*deliberately*) délibérément; **consciousness** conscience *f*; ***lose/regain ~*** perdre/reprendre connaissance

consecutive [kən'sekjʊtɪv] consécutif

consensus [kən'sensəs] consensus *m*

consent [kən'sent] **1** *n* consentement *m* **2** *v/i* consentir (***to*** à)

consequence ['kɑːnsɪkwəns] conséquence *f*; **consequently** par conséquent

conservation [kɑːnsər'veɪʃn] protection *f*; **conservationist** écologiste *m/f*; **conservative** conservateur; *clothes* classique; *estimate* prudent; **conserve 1** *n* (*jam*) confiture *f* **2** *v/t energy* économiser

consider [kən'sɪdər] considérer; (*show regard for*) prendre en compte; **considerable** considérable; **considerably** considérablement; **considerate** attentionné; **considerately** gentiment; **consideration** (*thought*) réflexion *f*; (*factor*) facteur *m*; (*thoughtfulness, concern*) attention *f*; ***take sth into ~*** prendre qch en considération

◆ **consist of** [kən'sɪst] consister en

consistency [kən'sɪstənsɪ] (*texture*) consistance *f*; (*unchangingness*) constance *f*; (*logic*) cohérence *f*; **consistent** (*unchanging*) constant;

logically etc cohérent
consolidate [kən'sɑːlɪdeɪt] consolider
conspicuous [kən'spɪkjʊəs] voyant; ***look ~*** se faire remarquer
conspiracy [kən'spɪrəsɪ] conspiration *f*; **conspirator** conspirateur(-trice) *m(f)*; **conspire** conspirer
constant ['kɑːnstənt] constant; **constantly** constamment
constipated ['kɑːnstɪpeɪtɪd] constipé; **constipation** constipation *f*
constitute ['kɑːnstɪtuːt] constituer; **constitution** constitution *f*; **constitutional** POL constitutionnel
constraint [kən'streɪnt] (*restriction*) contrainte *f*
construct [kən'strʌkt] construire; **construction** construction *f*; (*trade*) bâtiment *m*; **constructive** constructif
consul ['kɑːnsl] consul *m*; **consulate** consulat *m*
consult [kən'sʌlt] consulter; **consultancy** *company* cabinet-conseil *m*; (*advice*) conseil *m*; **consultant** consultant *m*; **consultation** consultation *f*
consume [kən'suːm] consommer; **consumer** consommateur *m*; **consumption** consommation *f*
contact ['kɑːntækt] **1** *n* contact *m* **2** *v/t* contacter; **contact lens** lentille *f* de contact
contagious [kən'teɪdʒəs] contagieux
contain [kən'teɪn] contenir; **container** récipient *m*; COM conteneur *m*, container *m*
contaminate [kən'tæmɪneɪt] contaminer; **contamination** contamination *f*
contemporary [kən'tempərerɪ] **1** *adj* contemporain **2** *n* contemporain *m*
contempt [kən'tempt] mépris *m*; **contemptible** méprisable; **contemptuous** méprisant
contender [kən'tendər] *in sport* prétendant *m*; *in competition* concurrent *m*; POL candidat *m*
content[1] ['kɑːntent] *n* contenu *m*
content[2] [kən'tent] **1** *adj* content **2** *v/t*: ***~ o.s. with*** se contenter de
contented [kən'tentɪd] satisfait; **contentment** contentement *m*
contents ['kɑːntents] contenu *m*
contest[1] ['kɑːntest] *n* (*competition*) concours *m*; *in sport* compétition *f*; (*struggle for power*) lutte *f*
contest[2] [kən'test] *leadership etc* disputer; (*oppose*) contester; ***~ an election*** se présenter à une élection
contestant [kən'testənt] concurrent *m*

context ['kɑːntekst] contexte *m*

continent ['kɑːntɪnənt] continent *m*; **continental** continental

continual [kən'tɪnʊəl] continuel; **continually** continuellement; **continuation** continuation *f*; *of story* suite *f*; **continue** continuer; **continuous** continu; **continuously** continuellement

contort [kən'tɔːrt] *face* tordre; ~ ***one's body*** se contorsionner

contraception [kɑːntrə'sepʃn] contraception *f*; **contraceptive** contraceptif *m*

contract[1] ['kɑːntrækt] *n* contrat *m*

contract[2] [kən'trækt] **1** *v/i* (*shrink*) se contracter **2** *v/t illness* contracter

contractor [kən'træktər] entrepreneur *m*

contractual [kən'træktʊəl] contractuel

contradict [kɑːntrə'dɪkt] contredire; **contradiction** contradiction *f*; **contradictory** contradictoire

contrary[1] ['kɑːntrərɪ] **1** *adj* contraire; ~ ***to ...*** contrairement à ... **2** *n*: ***on the*** ~ au contraire

contrary[2] [kən'trerɪ] *adj* (*perverse*) contrariant

contrast ['kɑːntræst] **1** *n* contraste *m* **2** *v/t* mettre en contraste **3** *v/i* contraster; **contrasting** contrastant; *views* opposé

contravene [kɑːntrə'viːn] enfreindre

contribute [kən'trɪbjuːt] **1** contribuer (***to*** à); *to magazine* collaborer (***to*** à) **2** *v/t money, suggestion* donner, apporter; **contribution** contribution *f*; *to political party, church* don *m*; **contributor** *of money* donateur *m*; *to magazine* collaborateur(-trice) *m(f)*

control [kən'troʊl] **1** *n* contrôle *m*; ***be in*** ~ ***of*** contrôler **2** *v/t* contrôler; *company* diriger

controversial [kɑːntrə'vɜːrʃl] controversé; **controversy** controverse *f*

convenience [kən'viːnɪəns] commodité *f*; ***at your*** ~ à votre convenance; **convenience store** magasin *m* de proximité; **convenient** commode, pratique

convent ['kɑːnvənt] couvent *m*

convention [kən'venʃn] (*tradition*) conventions *fpl*; (*conference*) convention *f*; **conventional** conventionnel; *person* conformiste

conversation [kɑːnvər'seɪʃn] conversation *f*; **conversational** de conversation

conversion [kən'vɜːrʃn] conversion *f*; *of building* aménagement *m*; **convert 1** *n* converti *m* **2** *v/t* convertir; *build-*

ing aménager; **convertible** *car* (voiture *f*) décapotable *f*
convey [kən'veɪ] (*transmit*) transmettre; (*carry*) transporter; **conveyor belt** convoyeur *m*, tapis *m* roulant
convict 1 ['kɑːnvɪkt] *n* détenu *m* **2** [kən'vɪkt] *v/t* LAW déclarer coupable; **conviction** LAW condamnation *f*; (*belief*) conviction *f*
convince [kən'vɪns] convaincre
convoy ['kɑːnvɔɪ] convoi *m*
cook [kʊk] **1** *n* cuisinier(-ière) *m*(*f*) **2** *v/t meal* préparer; *food* faire cuire **3** *v/i* faire la cuisine; *of food* cuire; **cookbook** livre *m* de cuisine; **cookery** cuisine *f*; **cookie** cookie *m*; **cooking** cuisine *f*
cool [kuːl] **1** *n*: ***keep one's ~*** garder son sang-froid **2** *adj* frais; *dress* léger; (*calm*) calme; (*unfriendly*) froid; P (*great*) cool **3** *v/i* refroidir; *of tempers* se calmer; *of interest* diminuer **4** *v/t* : ***~ it*** on se calme
◆ **cool down 1** *v/i* refroidir; *of weather* se rafraîchir; : *of tempers* se calmer **2** *v/t food* (faire) refroidir; *fig* calmer
cooperate [koʊ'ɑːpəreɪt] coopérer; **cooperation** coopération *f*; **cooperative 1** *n* COM coopérative *f* **2** *adj* coopératif
coordinate [koʊ'ɔːrdɪneɪt] coordonner; **coordination** coordination *f*
cop [kɑːp] F flic *m* F
cope [koʊp] se débrouiller; ***~ with ...*** faire face à ...
copier ['kɑːpɪər] *machine* photocopieuse *f*
copper ['kɑːpər] cuivre *m*
copy ['kɑːpɪ] **1** *n* copie *f*; *of book* exemplaire *m* **2** *v/t* copier; (*photocopy*) photocopier
cord [kɔːrd] (*string*) corde *f*; (*cable*) fil *m*, cordon *m*
cordon ['kɔːrdn] cordon *m*
cords [kɔːrdz] *pants* pantalon *m* en velours (côtelé)
core [kɔːr] **1** *n of fruit*, *problem* cœur *m*; *of party* noyau *m* **2** *adj issue* fondamental
cork [kɔːrk] *in bottle* bouchon *m*; *material* liège *m*; **corkscrew** tire-bouchon *m*
corn [kɔːrn] *grain* maïs *m*
corner ['kɔːrnər] **1** *n* coin *m*; *in road* virage *m*, tournant *m*; *in soccer* corner *m*; ***on the ~*** *of street* au coin **2** *v/t person* coincer; ***~ the market*** accaparer le marché **3** *v/i of driver*, *car* prendre le/les virage(s)
coronary ['kɑːrənerɪ] **1** *adj* coronaire **2** *n* infarctus *m* (du myocarde)
coroner ['kɑːrənər] coroner *m*
corporal ['kɔːrpərəl] caporal *m*; **corporal punishment** châtiment *m* corporel

corporate ['kɔːrpərət] COM d'entreprise; **corporation** (*business*) société *f*, entreprise *f*

corpse [kɔːrps] cadavre *m*, corps *m*

corral [kə'ræl] corral *m*

correct [kə'rekt] **1** *adj* correct; ***the ~ answer*** la bonne réponse; ***that's ~*** c'est exact **2** *v/t* corriger; **correction** correction *f*; **correctly** correctement

correspond [kɑːrɪ'spɑːnd] correspondre (***to*** à); **correspondence** correspondance *f*; **correspondent** correspondant(e) *m(f)*

corridor ['kɔːrɪdər] couloir *m*

corroborate [kə'rɑːbəreɪt] corroborer

corrosion [kə'roʊʒn] corrosion *f*

corrupt [kə'rʌpt] **1** *adj also* COMPUT corrompu; MORALS, YOUTH dépravé **2** *v/t* corrompre; **corruption** corruption *f*

cosmetic [kɑːz'metɪk] cosmétique; *fig* esthétique; **cosmetics** cosmétiques *mpl*; **cosmetic surgery** chirurgie *f* esthétique

cosmopolitan [kɑːzmə'pɑːlɪtən] cosmopolite

cost [kɑːst] **1** *n also fig* coût *m* **2** *v/t* coûter; ***how much does it ~?*** combien ça coûte?

'cost-effective rentable; **cost of living** coût *m* de la vie

costume ['kɑːstuːm] *for actor* costume *m*

cosy *Br* → ***cozy***

cot [kɑːt] (*camp-bed*) lit *m* de camp; *Br for child* lit *m* d'enfant

cottage ['kɑːtɪdʒ] cottage *m*

cotton ['kɑːtn] **1** *n* coton *m* **2** *adj* en coton; **cotton candy** barbe *f* à papa; **cotton wool** *Br* coton *m* hydrophile, ouate *f*

couch [kaʊʧ] canapé *m*; **couch potato** téléphage *m/f*

cough [kɑːf] **1** *n* toux *f* **2** *v/i* tousser; **cough medicine, cough syrup** sirop *m* contre la toux

could [kʊd]: ***~ I have my key?*** pourrais-je avoir ma clef?; ***~ you help me?*** pourrais-tu m'aider?; ***you ~ be right*** vous avez peut-être raison; ***you ~ have warned me!*** tu aurais pu me prévenir!

council ['kaʊnsl] (*assembly*) conseil *m*, assemblée *f*; **councilor** conseiller *m*

counsel ['kaʊnsl] **1** *n* (*advice*) conseil *m*; (*lawyer*) avocat *m* **2** *v/t* conseiller; **counseling**, *Br* **counselling** aide *f* (psychologique); **counselor**, *Br* **counsellor** (*adviser*) conseiller *m*; LAW maître *m*

count [kaʊnt] **1** *n* compte *m* **2** *v/t* & *v/i* compter

◆ **count on** compter sur

'countdown compte *m* à rebours

counter ['kaʊntər] *in shop*,

café comptoir *m*; *in game* pion *m*

'counteract neutraliser, contrecarrer; **counter-attack 1** *n* contre-attaque *f* **2** *v/i* contre-attaquer; **counterclockwise** dans le sens inverse des aiguilles d'une montre; **counterespionage** contre-espionnage *m*; **counterfeit 1** *v/t* contrefaire **2** *adj* faux; **counterpart** *person* homologue *m/f*; **counterproductive** contre-productif

countless ['kaʊntlɪs] innombrable

country ['kʌntrɪ] pays *m*; *as opposed to town* campagne *f*

county ['kaʊntɪ] comté *m*

coup [kuː] POL coup *m* d'État; *fig* beau coup *m*

couple ['kʌpl] (*two people*) couple *m*; ***a ~ of*** (*a pair*) deux; (*a few*) quelques

courage ['kʌrɪdʒ] courage *m*; **courageous** courageux

courier ['kʊrɪər] (*messenger*) coursier *m*; *with tourist party* guide *m/f*

course [kɔːrs] *of lessons* cours *m*(*pl*); *of meal* plat *m*; *of ship, plane* route *f*; *for sports* piste *f*; *for golf* terrain *m*; ***of ~*** bien sûr; ***of ~ not*** bien sûr que non

court [kɔːrt] LAW tribunal *m*, cour *f*; FOR TENNIS court *m*; *for basketball* terrain *m*; ***take s.o. to ~*** faire un procès à qn; **court case** affaire *f*, procès *m*

courtesy ['kɜːrtəsɪ] courtoisie *f*

'courthouse palais *m* de justice, tribunal *m*; **courtroom** salle *f* d'audience; **courtyard** cour *f*

cousin ['kʌzn] cousin(e) *m*(*f*)

cover ['kʌvər] **1** *n protective* housse *f*; *of book, magazine* couverture *f*; (*shelter*) abri *m*; (*insurance*) couverture *f*, assurance *f* **2** *v/t* couvrir

◆ **cover up 1** *v/t* couvrir; *scandal* dissimuler **2** *v/i* cacher la vérité

coverage ['kʌvərɪdʒ] *by media* couverture *f* (médiatique)

covert ['koʊvɜːrt] secret, clandestin

'cover-up black-out *m inv*

cow [kaʊ] vache *f*

coward ['kaʊərd] lâche *m/f*; **cowardice** lâcheté *f*

'cowboy cow-boy *m*

co-worker ['koʊwɜːrkər] collègue *m/f*

cozy ['koʊzɪ] confortable, douillet

crab [kræb] crabe *m*

crack [kræk] **1** *n* fissure *f*; *in cup, glass* fêlure *f*; (*joke*) vanne *f* **2** *v/t cup, glass* fêler; *nut* casser; (*solve*) résoudre; *code* décrypter **3** *v/i* se fêler; **crack** (**cocaine**) crack *m*; **cracked** *cup* fêlé; **cracker** *to eat* cracker *m*

cradle ['kreɪdl] berceau *m*

craft[1] [kræft] NAUT embarcation *f*

craft[2] (*trade*) métier *m*; *weaving, pottery etc* artisanat *m*; (*craftsmanship*) art *m*; **craftsman** (*artisan*) artisan *m*; **crafty** malin, rusé

crag [kræg] (*rock*) rocher *m* escarpé

cram [kræm] fourrer; *food* enfourner; *people* entasser

cramps [kræmps] crampe *f*

crane [kreɪn] **1** *n* (*machine*) grue *f* **2** *v/t*: **~ one's neck** tendre le cou

crank [kræŋk] *person* allumé *m*; **cranky** (*bad-tempered*) grognon

crash [kræʃ] **1** *n noise* fracas *m*; *accident* accident *m*; COM faillite *f*; *of stock exchange* krach *m*; COMPUT plantage *m* **2** *v/i* s'écraser; *of car* avoir un accident; *of market* s'effondrer; COMPUT se planter **3** *v/t car* avoir un accident avec; **crash course** cours *m* intensif; **crash diet** régime *m* intensif; **crash helmet** casque *m*; **crash-land** atterrir en catastrophe

crate [kreɪt] caisse *f*

crater ['kreɪtər] cratère *m*

crave [kreɪv] avoir très envie de; **craving** envie *f* (irrépressible)

crawl [krɒːl] **1** *n in swimming* crawl *m* **2** *v/i on belly* ramper; *on hands and knees* marcher à quatre pattes; (*move slowly*) se traîner

crayon ['kreɪɑːn] crayon *m* de couleur

craze [kreɪz] engouement *m*; ***the latest ~*** la dernière mode; **crazy** fou

creak [kriːk] craquer, grincer; **creaky** qui craque, grinçant

cream [kriːm] **1** *n* crème *f*; *color* crème *m* **2** *adj* crème *inv*

crease [kriːs] **1** *n* pli *m* **2** *v/t accidentally* froisser

create [kriː'eɪt] créer; **creation** création *f*; **creative** créatif; **creator** créateur(-trice) *m*(*f*)

creature ['kriːʧər] animal *m*; (*person*) créature *f*

credibility [kredə'bɪlətɪ] crédibilité *f*; **credible** crédible

credit ['kredɪt] crédit *m*; (*honor*) honneur *m*, mérite *m*; **creditable** honorable; **credit card** carte *f* de crédit; **credit limit** limite *f* de crédit; **creditor** créancier *m*; **creditworthy** solvable

creep [kriːp] **1** *n pej* sale type *m* **2** *v/i* se glisser (en silence); (*move slowly*) avancer lentement; **creepy** F flippant F

cremate [krɪ'meɪt] incinérer; **cremation** incinération *f*, crémation *f*

crest [krest] crête *f*

crevice ['krevɪs] fissure *f*

crew [kruː] *of ship, airplane* équipage *m*; **crew cut** cheveux *mpl* en brosse

crib [krɪb] *for baby* lit *m* d'enfant

crime [kraɪm] crime *m*; **criminal 1** *n* criminel *m* **2** *adj* criminel; (*shameful*) honteux

crimson ['krɪmzn] cramoisi

cripple ['krɪpl] **1** *n* handicapé(e) *m*(*f*) **2** *v/t person* estropier; *fig* paralyser

crisis ['kraɪsɪs] crise *f*

crisp [krɪsp] *weather* vivifiant; *lettuce*, *apple* croquant; *bacon*, *toast* croustillant; **crisps** *Br* chips *fpl*

criterion [kraɪ'tɪrɪən] critère *m*

critic ['krɪtɪk] critique *m*; **critical** critique; **criticism** critique *f*; **criticize** critiquer

crocodile ['krɑːkədaɪl] crocodile *m*

crony ['kroʊnɪ] pote *m* , copain *m*

crook [krʊk] escroc *m*; **crooked** de travers; *streets* tortueux; (*dishonest*) malhonnête

crop [krɑːp] **1** *n* culture *f*; (*harvest*) récolte *f* **2** *v/t hair*, *photo* couper

◆ **crop up** surgir

cross [krɑːs] **1** *adj* (*angry*) fâché **2** *n* croix *f* **3** *v/t* (*go across*) traverser; **~ *o.s.*** REL se signer **4** *v/i* (*go across*) traverser; *of lines* se croiser

◆ **cross off, cross out** rayer

'crosscheck 1 *n* recoupement *m* **2** *v/t* vérifier par recoupement; **cross-examine** LAW faire subir un contre-interrogatoire à; **cross-eyed** qui louche; **crossing** NAUT traversée *f*; **crossroads** *also fig* carrefour *m*; **crosswalk** passage *m* (pour) piétons; **crossword** (**puzzle**) mots *mpl* croisés

crotch [krɑːʧ] entrejambe *m*

crouch [krauʧ] s'accroupir

crowd [kraʊd] foule *f*; *at sports event* public *m*; **crowded** bondé, plein (de monde)

crown [kraʊn] *also on tooth* couronne *f*

crucial ['kruːʃl] crucial

crucifix ['kruːsɪfɪks] crucifix *m*; **crucifixion** *of Christ* crucifixion *f*; **crucify** REL crucifier; *fig* assassiner

crude [kruːd] **1** *adj* (*vulgar*) grossier; (*unsophisticated*) rudimentaire **2** *n*: **~ (*oil*)** pétrole *m* brut

cruel ['kruːəl] cruel; **cruelty** cruauté *f*

cruise [kruːz] **1** *n* croisière *f* **2** *v/i of people* faire une croisière; *of car* rouler (à une vitesse de croisière); *of plane* voler (à une vitesse de croisière)

crumb [krʌm] miette *f*

crumble ['krʌmbl] *of bread* s'émietter; *of stonework* s'effriter; *fig*: *of opposition etc* s'effondrer

crumple ['krʌmpl] **1** *v/t* (*crease*) froisser **2** *v/i* (*col-*

lapse) s'écrouler
crush [krʌʃ] **1** *n* (*crowd*) foule *f* **2** *v/t* écraser; (*crease*) froisser
crust [krʌst] *on bread* croûte *f*
crutch [krʌʧ] *for injured person* béquille *f*
cry [kraɪ] **1** *n* (*call*) cri *m* **2** *v/i* (*weep*) pleurer
◆ **cry out** crier
cryptic ['krɪptɪk] énigmatique
crystal ['krɪstl] cristal *m*
cube [kju:b] cube *m*; **cubic** cubique; **~ *meter*** mètre cube
cubicle ['kju:bɪkl] (*changing room*) cabine *f*
cuddle ['kʌdl] câliner
cue [kju:] *for actor etc* signal *m*; *for pool* queue *f*
cuff [kʌf] *of shirt* poignet *m*; *of pants* revers *m*; (*blow*) gifle *f*
culminate ['kʌlmɪneɪt]: **~ *in*** se terminer par; **culmination** apogée *f*
culprit ['kʌlprɪt] coupable *m/f*
cult [kʌlt] (*sect*) secte *f*
cultivate ['kʌltɪveɪt] *land, person* cultiver; **cultivated** *person* cultivé; **cultivation** *of land* culture *f*
cultural ['kʌlʧərəl] culturel; **culture** culture *f*; **cultured** cultivé
cumulative ['kju:mjʊlətɪv] cumulatif
cunning ['kʌnɪŋ] **1** *n* ruse *f* **2** *adj* rusé
cup [kʌp] tasse *f*; (*trophy*) coupe *f*
cupboard ['kʌbərd] placard *m*
curb [kɜ:rb] **1** *n of street* bord *m* du trottoir; *on powers etc* frein *m* **2** *v/t* réfréner
cure [kjʊr] **1** *n* MED remède *m* **2** *v/t* MED guérir; *meat* saurer
curiosity [kjʊrɪ'ɑ:sətɪ] curiosité *f*; **curious** curieux
curl [kɜ:rl] **1** *n in hair* boucle *f*; *of smoke* volute *f* **2** *v/t hair* boucler; (*wind*) enrouler **3** *v/i of hair* boucler; *of leaf, paper etc* se gondoler
◆ **curl up** se pelotonner
curly ['kɜ:rlɪ] *hair* bouclé; *tail* en tire-bouchon
currency ['kʌrənsɪ] monnaie *f*; ***foreign* ~** devise *f* étrangère; **current 1** *n in sea*, ELEC courant *m* **2** *adj* actuel; **current affairs** actualité *f*
curse [kɜ:rs] **1** *n* (*spell*) malédiction *f*; (*swearword*) juron *m* **2** *v/t* maudire **3** *v/i* (*swear*) jurer
cursor ['kɜ:rsər] COMPUT curseur *m*
cursory ['kɜ:rsərɪ] superficiel
curt [kɜ:rt] abrupt
curtain ['kɜ:rtn] *also* THEA rideau *m*
curve [kɜ:rv] **1** *n* courbe *f* **2** *v/i* (*bend*) s'incurver; *of road* faire une courbe
cushion ['kʊʃn] **1** *n* coussin *m* **2** *v/t blow, fall* amortir
custody ['kʌstədɪ] *of children* garde *f*; ***in* ~** LAW en détention
custom ['kʌstəm] coutume *f*;

COM clientèle *f*; **customer** client *m*; **customer service** service *m* clientèle
customs ['kʌstəmz] douane *f*; **customs officer** douanier *m*
cut [kʌt] **1** *n with knife, scissors* entaille *f*; (*injury*) coupure *f*; *of garment, hair* coupe *f*; (*reduction*) réduction *f* **2** *v/t* couper; (*reduce*) réduire; ***get one's hair ~*** se faire couper les cheveux
◆ **cut down 1** *v/t tree* abattre **2** *v/i on smoking etc* réduire
◆ **cut off** couper; (*isolate*) isoler
◆ **cut up** *meat etc* découper
cutback réduction *f*
cute [kjuːt] *in appearance* mignon; (*clever*) malin
'cutoff date date *f* limite; **cut-price** à prix *m* réduit; **cut-throat** *competition* acharné; **cutting 1** *n from newspaper* coupure *f* **2** *adj remark* blessant
cyber ... ['saɪbər] cyber...
cycle ['saɪkl] **1** *n* vélo *m*; *of events* cycle *m* **2** *v/i* aller en vélo; **cycling** cyclisme *m*; **cyclist** cycliste *m/f*
cylinder ['sɪlɪndər] *in engine* cylindre *m*; **cylindrical** cylindrique
cynic ['sɪnɪk] cynique *m/f*; **cynical** cynique; **cynicism** cynisme *m*
Czech [ʧek] **1** *adj* tchèque; ***the ~ Republic*** la République tchèque **2** *n person* Tchèque *m/f*; *language* tchèque *m*

D

DA [diː'eɪ] (= ***district attorney***) procureur *m*
◆ **dabble in** toucher à
dad [dæd] papa *m*
daily ['deɪlɪ] **1** *n paper* quotidien *m* **2** *adj* quotidien
'dairy products produits *mpl* laitiers
dam [dæm] *for water* barrage *m*
damage ['dæmɪdʒ] **1** *n* dommage(s) *m(pl)*; *to reputation* préjudice *m* **2** *v/t* endommager; *fig*: *reputation* nuire à; **damages** LAW dommages-intérêts *mpl*; **damaging** préjudiciable
damn [dæm] F **1** *interj* zut **2** *adj* sacré **3** *adv* (*very*) vachement F; **damning** *evidence, report* accablant
damp [dæmp] humide
dance [dæns] **1** *n* danse *f*; *social event* bal *m* **2** *v/i* danser; **dancer** danseur(-euse) *m(f)*; **dancing** danse *f*
Dane [deɪn] Danois(e) *m(f)*
danger ['deɪndʒər] danger *m*; **dangerous** dangereux
dangle ['dæŋgl] **1** *v/t* balancer

2 *v/i* pendre
Danish ['deɪnɪʃ] **1** *adj* danois **2** *n language* danois *m*
Danish (pastry) feuilleté *m* (sucré)
dare [der] **1** *v/i* oser; *~ to do sth* oser faire qch **2** *v/t*: *~ s.o. to do sth* défier qn de faire qch; **daring** audacieux
dark [dɑːrk] **1** *n* noir *m* **2** *adj room* sombre, noir; *hair* brun; *eyes, color, clothes* foncé; **dark glasses** lunettes *fpl* noires; **darkness** obscurité *f*
darling ['dɑːrlɪŋ] chéri(e) *m(f)*
dart [dɑːrt] **1** *n for game* fléchette *f* **2** *v/i* se précipiter
dash [dæʃ] **1** *n punctuation* tiret *m*; *a ~ of* un peu de **2** *v/i* se précipiter **3** *v/t hopes* anéantir; **dashboard** tableau *m* de bord
data ['deɪtə] données *fpl*; **database** base *f* de données
date[1] [deɪt] *fruit* datte *f*
date[2] [deɪt] date *f*; *meeting, person* rendez-vous *m*; *out of ~ clothes* démodé; *passport* périmé; *up to ~ information* à jour; *style* à la mode; **dated** démodé
daughter ['dɒːtər] fille *f*; **daughter-in-law** belle-fille *f*
dawn [dɒːn] *also fig* aube *f*
day [deɪ] jour *m*; *stressing duration* journée *f*; *the ~ after* le lendemain; *the ~ after tomorrow* après-demain; *the ~ before* la veille; *the ~ before yesterday* avant-hier; *in those ~s* en ce temps-là, à l'époque; *the other ~* (*recently*) l'autre jour; **daybreak** aube *f*, point *m* du jour; **daydream** **1** *n* rêverie *f* **2** *v/i* rêvasser; **daylight** jour *m*; **day spa** spa *m* urbain
dazed [deɪzd] *by news* hébété; *by blow* étourdi
dazzle ['dæzl] éblouir
dead [ded] **1** *adj* mort; *battery* à plat; *the phone's ~* il n'y a pas de tonalité **2** *adv* F (*very*) très; *~ beat, ~ tired* crevé **3** *npl*: *the ~* les morts *mpl*; **dead end** *street* impasse *f*; **dead heat** arrivée *f* ex æquo; **deadline** date *f* limite; heure *f* limite, délai *m*; *for newspaper* heure *f* de clôture; *meet the ~* respecter le(s) délai(s); **deadlock** *in talks* impasse *f*; **deadly** mortel
deaf [def] sourd; **deafening** assourdissant; **deafness** surdité *f*
deal [diːl] **1** *n* accord *m*, marché *m*; *a great ~ of* beaucoup de **2** *v/t cards* distribuer
◆ **deal in** COM être dans le commerce de; *drugs* dealer
◆ **deal with** (*handle*) s'occuper de; (*do business with*) traiter avec; (*be about*) traiter de
dealer ['diːlər] marchand *m*; (*drug ~*) dealer *m*, dealeuse *f*; *large-scale* trafiquant *m* de drogue; **dealing** (*drug*

~) trafic *m* de drogue; **dealings** (*business*) relations *fpl*
dear [dɪr] cher; ***Dear Sir*** Monsieur
death [deθ] mort *f*; **death toll** nombre *m* de morts
debatable [dɪ'beɪtəbl] discutable; **debate 1** *n* débat *m* **2** *v/i* débattre **3** *v/t* débattre de
debit ['debɪt] **1** *n* débit *m* **2** *v/t account* débiter; *amount* porter au débit; **debit card** carte *f* bancaire
debris [də'bri:] débris *mpl*
debt [det] dette *f*; ***be in ~*** être endetté; **debtor** débiteur *m*
debug [di:'bʌg] COMPUT déboguer
decade ['dekeɪd] décennie *f*
decadent ['dekədənt] décadent
decaffeinated [dɪ'kæfɪneɪtɪd] décaféiné
decay [dɪ'keɪ] **1** *n* détérioration *f*; *in wood, plant* pourriture *f*; *in teeth* carie *f* **2** *v/i of wood, plant* pourrir; *of civilization* tomber en décadence; *of teeth* se carier
deceased [dɪ'si:st]: ***the ~*** le défunt/la défunte
deceit [dɪ'si:t] duplicité *f*; **deceitful** fourbe; **deceive** tromper
December [dɪ'sembər] décembre *m*
decency ['di:sənsɪ] décence *f*; **decent** *person* correct, honnête; *salary* correct, décent; *meal, sleep* bon
deception [dɪ'sepʃn] tromperie *f*; **deceptive** trompeur
decide [dɪ'saɪd] décider; **decided** (*definite*) décidé; *views* arrêté; *improvement* net
decimal ['desɪml] décimale *f*
decipher [dɪ'saɪfər] déchiffrer
decision [dɪ'sɪʒn] décision *f*; **decisive** décidé; (*crucial*) décisif
deck [dek] *of ship* pont *m*; *of cards* jeu *m* (de cartes)
declaration [deklə'reɪʃn] déclaration *f*; **declare** déclarer
decline [dɪ'klaɪn] **1** *n* baisse *f*; *of civilization, health* déclin *m* **2** *v/t invitation* décliner; ***~ to comment*** refuser de commenter **3** *v/i* (*refuse*) refuser; (*decrease*) baisser; *of health* décliner
decode [di:'koʊd] décoder
décor ['deɪkɔ:r] décor *m*
decorate ['dekəreɪt] *room* refaire; *with paint* peindre; *with paper* tapisser; (*adorn*), *soldier* décorer; **decoration** décoration *f*; **decorator** (*interior ~*) décorateur *m* (d'intérieur)
decoy ['di:kɔɪ] appât *m*, leurre *m*
decrease ['di:kri:s] **1** *n* baisse *f*, diminution *f*; *in size* réduction *f* **2** *v/t & v/i* diminuer
dedicate ['dedɪkeɪt] *book etc* dédicacer; **dedicated** dévoué; **dedication** *in book* dé-

dicace *f*; *to cause, work* dévouement *m*
deduce [dɪ'duːs] déduire
deduct [dɪ'dʌkt] déduire (***from*** de); **deduction** *from salary* prélèvement *m*; (*conclusion*) déduction *f*
deed [diːd] (*act*) acte *m*; LAW acte *m* (notarié)
deep [diːp] profond; *voice* grave; *color* intense; **deepen 1** *v/t* creuser **2** *v/i* devenir plus profond; *of mystery* s'épaissir; **deep freeze** congélateur *m*
deer [dɪr] cerf *m*; *female* biche *f*
deface [dɪ'feɪs] abîmer
defamation [defə'meɪʃn] diffamation *f*; **defamatory** diffamatoire
defeat [dɪ'fiːt] **1** *n* défaite *f* **2** *v/t* battre
defect ['diːfekt] défaut *m*; **defective** défectueux
defence *Br* → ***defense***
defend [dɪ'fend] défendre; *decision* justifier; **defendant** défendeur *m*, défenderesse *f*; *in criminal case* accusé(e) *m*(*f*); **defense** défense *f*; **defenseless** sans défense; **Defense Secretary** POL ministre de la Défense; **defensive 1** *n*: ***go on*** (***to***) ***the ~*** se mettre sur la défensive **2** *adj* défensif
deference ['defərəns] déférence *f*
defiance [dɪ'faɪəns] défi *m*; **defiant** [dɪ'faɪənt] provocant; *look* de défi
deficiency [dɪ'fɪʃənsɪ] manque *m*; MED carence *f*
deficit ['defɪsɪt] déficit *m*
define [dɪ'faɪn] définir
definite ['defɪnɪt] définitif; *improvement* net; (*certain*) catégorique; **definitely** sans aucun doute; ***~ not*** certainement pas!
definition [defɪ'nɪʃn] définition *f*
deformity [dɪ'fɔːrmətɪ] difformité *f*
defrost [diː'frɒːst] *food* décongeler; *fridge* dégivrer
defuse [diː'fjuːz] *bomb, situation* désamorcer
defy [dɪ'faɪ] défier; *superiors* braver
degrading [dɪ'greɪdɪŋ] dégradant
degree [dɪ'griː] degré *m*; *from university* diplôme *m*
dehydrated [diːhaɪ'dreɪtɪd] déshydraté
deign [deɪn]: ***~ to*** daigner
dejected [dɪ'dʒektɪd] déprimé
delay [dɪ'leɪ] **1** *n* retard *m* **2** *v/t* retarder; ***be ~ed*** être en retard **3** *v/i* tarder
delegate ['delɪgət] **1** *n* délégué(e) *m*(*f*) **2** *v/t* déléguer; **delegation** délégation *f*
delete [dɪ'liːt] effacer; (*cross out*) rayer; **deletion** *act* effacement *m*; *that deleted* rature *f*

deliberate 1 [dɪ'lɪbərət] *adj* délibéré **2** [dɪ'lɪbəreɪt] *v/i* délibérer; (*reflect*) réfléchir; **deliberately** délibérément, exprès

delicate ['delɪkət] délicat

delicatessen [delɪkə'tesn] traiteur *m*, épicerie *f* fine

delicious [dɪ'lɪʃəs] délicieux

delight [dɪ'laɪt] joie *f*, plaisir *m*; **delighted** ravi; **delightful** charmant

deliver [dɪ'lɪvər] livrer; *letters* distribuer; *parcel etc* remettre; *message* transmettre; *baby* mettre au monde; *speech* faire; **delivery** *of goods* livraison *f*; *of mail* distribution *f*; *of baby* accouchement *m*; *of speech* débit *m*; **delivery date** date *f* de livraison

de luxe [də'lʌks] de luxe; *model* haut de gamme *inv*

demand [dɪ'mænd] **1** *n also* COM demande *f*; *of terrorist, unions etc* revendication *f*; ***in ~*** demandé **2** *v/t* exiger; *pay rise etc* réclamer; **demanding** *job* éprouvant; *person* exigeant

demo ['demoʊ] (*protest*) manif *f*; *of video etc* démo *f*

democracy [dɪ'mɑːkrəsɪ] démocratie *f*; **democrat** démocrate *m/f*; **democratic** démocratique

demolish [dɪ'mɑːlɪʃ] *building, argument* démolir; **demolition** démolition *f*

demonstrate ['demənstreɪt] **1** *v/t* (*prove*) démontrer; *machine etc* faire une démonstration de **2** *v/i politically* manifester; **demonstration** démonstration *f*; (*protest*) manifestation *f*; **demonstrator** (*protester*) manifestant(e) *m(f)*

demoralized [dɪ'mɔːrəlaɪzd] démoralisé; **demoralizing** démoralisant

demote [diː'moʊt] rétrograder

den [den] *room* antre *f*

denial [dɪ'naɪəl] *of accusation* démenti *m*, dénégation *f*; *of request* refus *m*

denim ['denɪm] jean *m*

Denmark ['denmɑːrk] le Danemark

denomination [dɪnɑːmɪ'neɪʃn] *of money* coupure *f*; *religious* confession *f*

dense [dens] (*thick*) dense; **density** ['densɪtɪ] densité *f*

dent [dent] **1** *n* bosse *f* **2** *v/t* bosseler

dental ['dentl] dentaire

dented ['dentɪd] bosselé

dentist ['dentɪst] dentiste *m/f*; **dentures** dentier *m*

Denver boot ['denvər] sabot *m* de Denver

deny [dɪ'naɪ] *charge* nier; *right, request* refuser

deodorant [diː'oʊdərənt] déodorant *m*

department [dɪ'pɑːrtmənt] *of company* service *m*; *of university* département *m*; *of*

government ministère *m*; *of store* rayon *m*; **Department of State** ministère *m* des Affaires étrangères; **department store** grand magasin *m*
departure [dɪ'pɑːrʧər] départ *m*; *from standard etc* entorse *f* (***from*** à); **departure lounge** salle *f* d'embarquement; **departure time** heure *f* de départ
depend [dɪ'pend] dépendre; ***that ~s*** cela dépend; **dependence, dependency** dépendance *f*
depict [dɪ'pɪkt] représenter
deplorable [dɪ'plɔːrəbl] déplorable; **deplore** déplorer
deploy [dɪ'plɔɪ] (*use*) faire usage de; (*position*) déployer
deport [dɪ'pɔːrt] expulser; **deportation** expulsion *f*
deposit [dɪ'pɑːzɪt] **1** *n in bank* dépôt *m*; *on purchase* acompte *m*; *security* caution *f*; *of mineral* gisement *m* **2** *v/t money, object* déposer; **deposition** LAW déposition *f*
depot ['depoʊ] *for storage* dépôt *m*, entrepôt *m*
depreciation [dɪpriːʃɪ'eɪʃn] FIN dépréciation *f*
depress [dɪ'pres] *person* déprimer; **depressed** déprimé; **depressing** déprimant; **depression** MED, *meteorological* dépression *f*; *economic* crise *f*, récession *f*
deprivation [deprɪ'veɪʃn] privation(s) *f(pl)*; **deprive**: ***~ s.o. of sth*** priver qn de qch; **deprived** défavorisé
depth [depθ] profondeur *f*; *of color* intensité *f*; ***in ~*** en profondeur
deputy ['depjʊtɪ] adjoint(e) *m(f)*; *of sheriff* shérif *m* adjoint
derail [dɪ'reɪl]: ***be ~ed*** *of train* dérailler
derelict ['derəlɪkt] délabré
deride [dɪ'raɪd] se moquer de; **derision** dérision *f*; **derisory** dérisoire
derivative [dɪ'rɪvətɪv] (*not original*) dérivé
derive [dɪ'raɪv] tirer (***from*** de); ***be ~d from*** dériver de
dermatologist [dɜːrmə'tɑːlədʒɪst] dermatologue *m/f*
derogatory [dɪ'rɑːgətɔːrɪ] désobligeant; *term* péjoratif
descendant [dɪ'sendənt] descendant(e) *m(f)*; **descent** descente *f*; (*ancestry*) descendance *f*
describe [dɪ'skraɪb] décrire; **description** description *f*; *of criminal* signalement *m*
desegregate [diː'segrəgeɪt] supprimer la ségrégation dans
desert[1] ['dezərt] *n* désert *m*
desert[2] [dɪ'zɜːrt] **1** *v/t* abandonner **2** *v/i of soldier* déserter; **deserted** désert; **deserter** MIL déserteur *m*; **desertion** abandon *m*; MIL désertion *f*

deserve [dɪ'zɜːrv] mériter

design [dɪ'zaɪn] **1** *n* (*subject*) design *m*; (*style*) style *m*; (*drawing, pattern*) dessin *m* **2** *v/t* (*draw*) dessiner; *building, car* concevoir

designate ['dezɪgneɪt] *person* désigner

designer [dɪ'zaɪnər] designer *m/f*; *of car, ship* concepteur(-trice) *m(f)*; *of clothes* styliste *m/f*; **designer clothes** vêtements *mpl* de marque

desirable [dɪ'zaɪrəbl] souhaitable; *sexually, change* désirable; *house* beau; **desire** désir *m*

desk [desk] bureau *m*; *in hotel* réception *f*; **desk clerk** réceptionniste *m/f*; **desktop publishing** publication *f* assistée par ordinateur

desolate ['desələt] *place* désolé

despair [dɪ'sper] **1** *n* désespoir *m*; ***in ~*** désespéré **2** *v/i* désespérer (***of*** de); **desperate** désespéré; ***be ~ for sth*** avoir très envie de qch; **desperation** désespoir *m*; ***in ~*** en désespoir de cause

despicable [dɪs'pɪkəbl] méprisable; **despise** mépriser

despite [dɪ'spaɪt] malgré, en dépit de

dessert [dɪ'zɜːrt] dessert *m*

destination [destɪ'neɪʃn] destination *f*

destroy [dɪ'strɔɪ] détruire; **destroyer** NAUT destroyer *m*; **destruction** destruction *f*; **destructive** *power* destructeur; ***a ~ child*** un enfant qui casse tout

detach [dɪ'tætʃ] détacher; **detached** (*objective*) neutre; **detachment** (*objectivity*) neutralité *f*

detail ['diːteɪl] détail *m*; **detailed** détaillé

detain [dɪ'teɪn] (*hold back*) retenir; *as prisoner* détenir; **detainee** détenu(e) *m(f)*; ***political ~*** prisonnier *m* politique

detect [dɪ'tekt] déceler; *of device* détecter; **detection** *of criminal* découverte *f*; *of smoke etc* détection *f*; **detective** inspecteur *m* de police; **detector** détecteur *m*

détente ['deɪtɑːnt] POL détente *f*

deter [dɪ'tɜːr] dissuader

detergent [dɪ'tɜːrdʒənt] détergent *m*

deteriorate [dɪ'tɪrɪəreɪt] se détériorer

determination [dɪtɜːrmɪ'neɪʃn] (*resolution*) détermination *f*; **determine** (*establish*) déterminer; **determined** déterminé, résolu; *effort* délibéré

detest [dɪ'test] détester; **detestable** détestable

detour ['diːtʊr] détour *m*; (*diversion*) déviation *f*

devaluation [diːvælju'eɪʃn]

dévaluation *f*; **devalue** dévaluer
devastate ['devəsteɪt] dévaster; *fig*: *person* anéantir
develop [dɪ'veləp] **1** *v/t film, business* développer; *site* aménager; *technique, vaccine* mettre au point; *illness* attraper **2** *v/i* (*grow*) se développer; **developing country** pays *m* en voie de développement; **development** *of film, business* développement *m*; *of site* aménagement *m*; (*event*) événement *m*; *of technique, vaccine* mise *f* au point
device [dɪ'vaɪs] (*tool*) appareil *m*
devil ['devl] diable *m*; ***a little*** ~ un petit monstre
devise [dɪ'vaɪz] concevoir
devote [dɪ'vout] consacrer; **devoted** *son etc* dévoué (***to*** à); **devotion** dévouement *m*
devour [dɪ'vauər] dévorer
devout [dɪ'vaut] pieux
diabetes [daɪə'bi:ti:z] diabète *m*; **diabetic** diabétique *m*/*f*
diagnose ['daɪəgnouz] diagnostiquer; **diagnosis** diagnostic *m*
diagonal [daɪ'ægənl] diagonal; **diagonally** en diagonale
diagram ['daɪəgræm] diagramme *m*
dial ['daɪl] **1** *n* cadran *m* **2** *v/i* TELEC faire le numéro **3** *v/t* TELEC *number* composer
dialog, *Br* **dialogue** ['daɪəlɑ:g] dialogue *m*
'**dial tone** tonalité *f*
diameter [daɪ'æmɪtər] diamètre *m*
diamond ['daɪmənd] diamant *m*; *shape* losange *m*
diaper ['daɪpər] couche *f*
diaphragm ['daɪəfræm] diaphragme *m*
diarrhea, *Br* **diarrhoea** [daɪə'ri:ə] diarrhée *f*
diary ['daɪrɪ] journal *m*; *for appointments* agenda *m*
dice [daɪs] dé *m*; *pl* dés *mpl*
dictate [dɪk'teɪt] dicter; **dictator** POL dictateur *m*; **dictatorship** dictature *f*
dictionary ['dɪkʃənerɪ] dictionnaire *m*
die [daɪ] mourir
◆ **die down** *of storm* se calmer; *of excitement* s'apaiser
◆ **die out** disparaître
diet ['daɪət] **1** *n* (*regular food*) alimentation *f*; *to lose weight, for health* régime *m* **2** *v/i* faire un régime
differ ['dɪfər] différer; (*disagree*) différer; **difference** différence *f*; **different** différent; **differently** différemment
difficult ['dɪfɪkəlt] difficile; **difficulty** difficulté *f*
dig [dɪg] creuser
digest [daɪ'dʒest] digérer; *information* assimiler; **digestion** digestion *f*
digit ['dɪdʒɪt] chiffre *m*; **digital** numérique; **digital camera** appareil *m* photo numé-

rique; **digital photo** photo *f* numérique

dignified ['dɪgnɪfaɪd] digne; **dignity** dignité *f*

dilapidated [dɪ'læpɪdeɪtɪd] délabré

dilemma [dɪ'lemə] dilemme *m*

dilute [daɪ'luːt] diluer

dim [dɪm] **1** *adj room, prospects* sombre; *light* faible; *outline* vague; (*stupid*) bête **2** *v/i of lights* baisser

dime [daɪm] (pièce *f* de) dix cents *mpl*

dimension [daɪ'menʃn] dimension *f*

diminish [dɪ'mɪnɪʃ] diminuer

din [dɪn] brouhaha *m*

dine [daɪn] dîner

dinghy ['dɪŋgɪ] *small yacht* dériveur *m*; *rubber boat* canot *m* pneumatique

dining car ['daɪnɪŋ] RAIL wagon-restaurant *m*; **dining room** salle *f* à manger; *in hotel* salle *f* de restaurant

dinner ['dɪnər] dîner *m*; *at midday* déjeuner *f*; *gathering* repas *m*; **dinner party** dîner *m*, repas *m*

dip [dɪp] **1** *n for food* sauce *f* (*dans laquelle on trempe des aliments*); *in road* inclinaison *f* **2** *v/i of road* s'incliner

diploma [dɪ'ploʊmə] diplôme *m*

diplomacy [dɪ'ploʊməsɪ] *also* (*tact*) diplomatie *f*; **diplomat** diplomate *m*/*f*; **diplomatic** diplomatique; (*tactful*) diplomate

direct [daɪ'rekt] **1** *adj* direct **2** *v/t to a place* indiquer (***to sth*** qch); *play* mettre en scène; *movie* réaliser; *attention* diriger

direction [dɪ'rekʃn] direction *f*; *of movie* réalisation *f*; **~s** (*instructions*) indications *fpl*; *for use* mode *m* d'emploi; *for medicine* instructions *fpl*; ***ask for ~s*** *to a place* demander son chemin; **directly** (*straight*) directement; (*soon*) dans très peu de temps; (*immediately*) immédiatement; **director** *of company* directeur(-trice) *m*(*f*); *of movie* réalisateur(-trice) *m*(*f*); *of play* metteur(-euse) *m*(*f*) en scène; **directory** répertoire *m* (d'adresses); TELEC annuaire *m* (des téléphones)

dirt [dɜːrt] saleté *f*; **dirty 1** *adj* sale; (*pornographic*) cochon **2** *v/t* salir

disability [dɪsə'bɪlətɪ] infirmité *f*; **disabled** handicapé

disadvantage [dɪsəd'væntɪdʒ] désavantage *m*; **disadvantaged** défavorisé

disagree [dɪsə'griː] *of person* ne pas être d'accord; **disagreeable** désagréable

disagreement désaccord *m*; (*argument*) dispute *f*

disappear [dɪsə'pɪr] disparaître; **disappearance** dispari-

tion *f*
disappoint [dɪsə'pɔɪnt] décevoir; **disappointing** décevant; **disappointment** déception *f*
disapproval [dɪsə'pruːvl] désapprobation *f*; **disapprove** désapprouver; **~ of** *actions* désapprouver; *s.o.* ne pas aimer; **disapproving** désapprobateur
disarm [dɪs'ɑːrm] désarmer; **disarmament** désarmement *m*
disaster [dɪ'zæstər] désastre *m*; **disastrous** désastreux
disband [dɪs'bænd] **1** *v/t* disperser **2** *v/i* se disperser
disbelief [dɪsbə'liːf] incrédulité *f*
disc [dɪsk] disque *m*; *CD* CD *m*
discard [dɪ'skɑːrd] *old clothes etc* se débarrasser de; *boyfriend* abandonner
disciplinary [dɪsɪ'plɪnərɪ] disciplinaire; **discipline** discipline *f*
'disc jockey disc-jockey *m*
disclaim [dɪs'kleɪm] nier
disclose [dɪs'kloʊz] révéler
disco ['dɪskoʊ] discothèque *f*; *type of dance, music* disco *m*
discomfort [dɪs'kʌmfərt] gêne *f*; **be in ~** être incommodé
disconcert [dɪskən'sɜːrt] déconcerter
disconnect [dɪskə'nekt] *hose* détacher; *electrical appliance* débrancher; *supply, phones* couper
discontent [dɪskən'tent] mécontentement *m*
discontinue [dɪskən'tɪnuː] *product* arrêter; *bus service* supprimer
discotheque ['dɪskətek] discothèque *f*
discount ['dɪskaʊnt] remise *f*
discourage [dɪs'kʌrɪdʒ] décourager
discover [dɪ'skʌvər] découvrir; **discovery** découverte *f*
discredit [dɪs'kredɪt] discréditer
discreet [dɪ'skriːt] discret
discrepancy [dɪ'skrepənsɪ] divergence *f*
discretion [dɪ'skreʃn] discrétion *f*
discriminate [dɪ'skrɪmɪneɪt]: **~ against** pratiquer une discrimination contre; **discriminating** avisé; **discrimination** *sexual etc* discrimination *f*
discuss [dɪ'skʌs] discuter de; *of article* traiter de; **discussion** discussion *f*
disease [dɪ'ziːz] maladie *f*
disembark [dɪsəm'bɑːrk] débarquer
disentangle [dɪsən'tæŋgl] démêler
disfigure [dɪs'fɪgər] défigurer
disgrace [dɪs'greɪs] **1** *n* honte *f* **2** *v/t* faire honte à; **disgraceful** honteux
disguise [dɪs'gaɪz] **1** *n* déguisement *m* **2** *v/t* déguiser; *fear,*

anxiety dissimuler
disgust [dɪs'gʌst] **1** *n* dégoût *m* **2** *v/t* dégoûter; **disgusting** dégoûtant
dish [dɪʃ] plat *m*; **~es** vaisselle *f*
disheartening [dɪs'hɑːrtnɪŋ] décourageant
dishonest [dɪs'ɑːnɪst] malhonnête; **dishonesty** malhonnêteté *f*
dishonor [dɪs'ɑːnər] déshonneur *m*; **dishonorable** déshonorant
dishonour *etc Br* → ***dishonor*** *etc*
disillusion [dɪsɪ'luːʒn] désillusionner; **disillusionment** désillusion *f*
disinfect [dɪsɪn'fekt] désinfecter; **disinfectant** désinfectant *m*
disinherit [dɪsɪn'herɪt] déshériter
disintegrate [dɪs'ɪntəgreɪt] se désintégrer; *of marriage* se désagréger
disjointed [dɪs'dʒɔɪntɪd] décousu
disk [dɪsk] *also* COMPUT disque *m*; *floppy* disquette *f*; **disk drive** COMPUT lecteur *m* de disque/disquette; **diskette** disquette *f*
dislike [dɪs'laɪk] **1** *n* aversion *f* **2** *v/t* ne pas aimer
dislocate ['dɪsləkeɪt] disloquer
disloyalty [dɪs'lɔɪəltɪ] déloyauté *f*
dismal ['dɪzməl] *weather* morne; *prospect* sombre; *person (sad)* triste; *person (negative)* lugubre; *failure* lamentable
dismantle [dɪs'mæntl] *object* démonter; *organization* démanteler
dismay [dɪs'meɪ] consternation *f*
dismiss [dɪs'mɪs] *employee* renvoyer; *suggestion* rejeter; *idea* écarter; **dismissal** *of employee* renvoi *m*
disobedience [dɪsə'biːdɪəns] désobéissance *f*; **disobedient** désobéissant; **disobey** désobéir à
disorganized [dɪs'ɔːrgənaɪzd] désorganisé
disoriented [dɪs'ɔːrɪəntɪd] désorienté
disparaging [dɪ'spærɪdʒɪŋ] désobligeant
disparity [dɪ'spærətɪ] disparité *f*
dispassionate [dɪ'spæʃənət] impartial, objectif
dispatch [dɪ'spætʃ] *(send)* envoyer
disperse [dɪ'spɜːrs] se disperser
display [dɪ'spleɪ] **1** *n of paintings etc* exposition *f*; *of emotion, in store window* étalage *m*; COMPUT affichage *m* **2** *v/t emotion* montrer; *at exhibition, for sale* exposer; COMPUT afficher
displease [dɪs'pliːz] déplaire à; **displeasure** mécontente-

ment *m*
disposable [dɪ'spoʊzəbl] jetable; **disposal** *of waste* élimination *f*; (*sale*) cession *f*; ***put sth at s.o.'s ~*** mettre qch à la disposition de qn
◆ **dispose of** [dɪ'spoʊz] (*get rid of*) se débarrasser de
disprove [dɪs'pru:v] réfuter
dispute [dɪ'spju:t] **1** *n* contestation *f*; *between two countries* conflit *m*; ***industrial ~*** conflit *m* social **2** *v/t* contester; (*fight over*) se disputer
disqualification [dɪskwɑ:lɪfɪ'keɪʃn] disqualification *f*; **disqualify** disqualifier
disregard [dɪsrə'gɑ:rd] **1** *n* indifférence *f* (***for*** à l'égard de) **2** *v/t* ne tenir aucun compte de
disreputable [dɪs'repjʊtəbl] peu recommandable
disrespect [dɪsrə'spekt] manque *m* de respect, irrespect *m*; **disrespectful** irrespectueux
disrupt [dɪs'rʌpt] perturber; **disruption** perturbation *f*
dissatisfaction [dɪssætɪs'fækʃn] mécontentement *m*; **dissatisfied** mécontent
dissident ['dɪsɪdənt] dissident(e) *m*(*f*)
dissolve [dɪ'zɑ:lv] **1** *v/t* dissoudre **2** *v/i* se dissoudre
distance ['dɪstəns] distance *f*; ***in the ~*** au loin; **distant** éloigné; *fig* (*aloof*) distant
distaste [dɪs'teɪst] dégoût *m*; **distasteful** désagréable
distinct [dɪ'stɪŋkt] (*clear*) net; (*different*) distinct; **distinctive** distinctif; **distinctly** distinctement; (*decidedly*) vraiment
distinguish [dɪ'stɪŋgwɪʃ] distinguer; ***~ between X and Y*** distinguer X de Y; **distinguished** distingué
distort [dɪ'stɔ:rt] déformer
distract [dɪ'strækt] *person* distraire; *attention* détourner; **distraught** [dɪ'strɒ:t] angoissé
distress [dɪ'stres] **1** *n* douleur *f* **2** *v/t* (*upset*) affliger; **distressing** pénible
distribute [dɪ'strɪbju:t] *also* COM distribuer; **distribution** *also* COM distribution *f*; *of wealth* répartition *f*; **distributor** COM distributeur *m*
district ['dɪstrɪkt] *of town* quartier *m*; *of country* région *f*; **district attorney** procureur *m*
distrust [dɪs'trʌst] méfiance *f*
disturb [dɪ'stɜ:rb] (*interrupt*) déranger; (*upset*) inquiéter; **disturbance** (*interruption*) dérangement *m*; **~s** (*civil unrest*) troubles *mpl*; **disturbed** perturbé; *mentally* dérangé; **disturbing** perturbant
disused [dɪs'ju:zd] désaffecté
ditch [dɪʧ] **1** *n* fossé *m* **2** *v/t* F (*get rid of*) se débarrasser

de; *boyfriend*, *plan* laisser tomber

dive [daɪv] **1** *n* plongeon *m*; *underwater* plongée *f*; *of plane* (vol *m*) piqué *m*; F *bar etc* bouge *m* **2** *v/i* plonger; *underwater* faire de la plongée sous-marine; *of plane* descendre en piqué; **diver** plongeur(-euse) *m(f)*

diverge [daɪ'vɜːrdʒ] diverger

diversification [daɪvɜːrsɪfɪ'keɪʃn] COM diversification *f*; **diversify** COM se diversifier

diversion [daɪ'vɜːrʃn] *for traffic* déviation *f*; *to distract attention* diversion *f*; **divert** *traffic* dévier; *attention* détourner

divide [dɪ'vaɪd] (*share*) partager; MATH, *country*, *family* diviser

dividend ['dɪvɪdend] FIN dividende *m*

diving ['daɪvɪŋ] *from board* plongeon *m*; *underwater* plongée *f* (sous-marine); **diving board** plongeoir *m*

division [dɪ'vɪʒn] division *f*

divorce [dɪ'vɔːrs] **1** *n* divorce *m* **2** *v/t* divorcer de **3** *v/i* divorcer; **divorced** divorcé; **divorcee** divorcé(e) *m(f)*

divulge [daɪ'vʌldʒ] divulguer

DIY [diːaɪ'waɪ] (= ***do-it-yourself***) bricolage *m*

dizziness ['dɪzɪnɪs] vertige *m*; **dizzy**: ***feel ~*** avoir un vertige des vertiges

DJ ['diːdʒeɪ] (= ***disc jockey***) D.J. *m/f* (= disc-jockey)

DNA [diːen'eɪ] (= ***deoxyribonucleic acid***) AND *m* (= acide *m* désoxyribonucléïque)

do [duː] **1** *v/t* faire; ***~ one's hair*** se coiffer **2** *v/i* (*be suitable, enough*) aller; ***that will ~!*** ça va!; ***~ well*** *in health, of business* aller bien; (*be successful*) réussir; ***well done!*** (*congratulations!*) bien!; ***how ~ you ~?*** enchanté

◆ **do away with** supprimer

◆ **do up** *building* rénover; *street* refaire; (*fasten*), *coat etc* fermer; *laces* faire

◆ **do with**: ***I could do with …*** j'aurais bien besoin de …

◆ **do without 1** *v/i* s'en passer **2** *v/t* se passer de

docile ['doʊsaɪl] docile

dock[1] [dɑːk] **1** *n* NAUT bassin *m* **2** *v/i of ship* entrer au bassin; *of spaceship* s'arrimer

dock[2] [dɑːk] *n* LAW banc *m* des accusés

doctor ['dɑːktər] MED docteur *m*, médecin *m*; *form of address* docteur; **doctorate** doctorat *m*

doctrine ['dɑːktrɪn] doctrine *f*

document ['dɑːkjʊmənt] document *m*; **documentary** documentaire *m*; **documentation** documentation *f*

dodge [dɑːdʒ] *blow*, *person* éviter; *question* éluder

dog [dɒːg] **1** *n* chien *m* **2** *v/t of bad luck* poursuivre

dogma ['dɒːgmə] dogme *m*;

dogmatic dogmatique
'dog tag MIL plaque *f* d'identification; **dog-tired** F crevé
do-it-yourself [du:ɪtjər'self] bricolage *m*
doldrums ['douldrəmz]: ***be in the ~ of economy*** être dans le marasme; *of person* avoir le cafard
doll [dɑ:l] *also* F *woman* poupée *f*
dollar ['dɑ:lər] dollar *m*
dolphin ['dɑ:lfɪn] dauphin *m*
dome [doum] *of building* dôme *m*
domestic [də'mestɪk] *chores* domestique; *news* national; *policy* intérieur; **domestic flight** vol *m* intérieur
dominant ['dɑ:mɪnənt] dominant; **dominate** dominer; **domination** domination *f*; **domineering** dominateur
donate [dou'neɪt] faire don de; **donation** don *m*
donkey ['dɑ:ŋkɪ] âne *m*
donor ['dounər] *of money* donateur(-trice) *m(f)*; MED donneur(-euse) *m(f)*
donut ['dounʌt] beignet *m*
doom [du:m] (*fate*) destin *m*; (*ruin*) ruine *f*; **doomed** *project* voué à l'échec
door [dɔ:r] porte *f*; *of car* portière *f*; **doorbell** sonnette *f*; **doorman** portier *m*; **doorway** embrasure *f* de porte
dope [doup] **1** *n* (*drugs*) drogue *f*; (*idiot*) idiot(e) *m(f)*
dormant ['dɔ:rmənt]: ***~ volcano*** volcan *m* en repos
dormitory ['dɔ:rmɪtɔ:rɪ] résidence *f* universitaire; *Br* dortoir *m*
dose [dous] dose *f*
dot [dɑ:t] point *m*
double ['dʌbl] **1** *n* double *m*; *of film star* doublure *f* **2** *adj* double **3** *adv* deux fois (plus); ***~ the size*** deux fois plus grand **4** *v/t & v/i* doubler; **double bed** grand lit *m*; **doublecheck** revérifier; **double-click** double-cliquer; **doublecross** trahir; **doublepark** stationner en double file; **double room** chambre *f* pour deux personnes; **doubles** *in tennis* double *m*
doubt [daut] **1** *n* doute *m*; ***be in ~*** être incertain; ***no ~*** (*probably*) sans doute **2** *v/t* douter de; **doubtful** *look* douteux; ***be ~ of person*** avoir des doutes; **doubtless** sans aucun doute
dough [dou] pâte *f*
dove [dʌv] colombe *f*
down [daun] **1** *adv* (*downward*) en bas, vers le bas; ***~ there*** là-bas; ***$200 ~*** (*as deposit*) 200 dollars d'acompte; ***~ south*** dans le sud; ***be ~ of*** *price, numbers* être en baisse; (*not working*) être en panne; F (*depressed*) être déprimé **2** *prep* (*along*) le long de; ***run ~ the stairs*** descendre les escaliers en courant; ***it's just ~ the street*** c'est à

deux pas; **down-and-out** clochard(e) *m(f)*; **download** COMPUT **1** *v/t* télécharger **2** *n* fichier *m* teléchargé; **downmarket** *Br* bas de gamme; **down payment** paiement *m* au comptant; **downplay** minimiser; **downpour** averse *f*; **downscale** bas de gamme; **downside** (*disadvantage*) inconvénient *m*; **downsize** *car etc* réduire la taille de; *company* réduire les effectifs de; **downstairs** **1** *adj neighbors etc* d'en bas **2** *adv* en bas; **down-town** **1** *adj* du centre-ville **2** *adv* en ville

doze [douz] sommeiller

dozen ['dʌzn] douzaine *f*

draft [dræft] **1** *n of air* courant *m* d'air; *of document* brouillon *m*; MIL conscription *f*; ~ ***beer*** bière *f* à la pression **2** *v/t document* faire le brouillon de; MIL appeler; **draft dodger** réfractaire *m*; **draftsman** dessinateur(-trice) *m(f)*

drag [dræg] **1** *v/t* traîner, tirer; (*search*) draguer **2** *v/i of time* se traîner; *of show, movie* traîner en longueur

drain [dreɪn] **1** *n pipe* tuyau *m* d'écoulement; *under street* égout *m* **2** *v/t oil* vidanger; *vegetables* égoutter; *land* drainer; *glass, tank* vider; (*exhaust: person*) épuiser; **drainage** (*drains*) système *m* d'écoulement des eaux usées; *of water from soil* drainage *m*; **drainpipe** tuyau *m* d'écoulement

drama ['drɑːmə] drame *m*; **dramatic** dramatique; *scenery* spectaculaire; **dramatist** dramaturge *m/f*; **dramatize** *story* adapter (***for*** pour); *fig* dramatiser

drapes [dreɪps] rideaux *mpl*

drastic ['dræstɪk] radical; *measures also* drastique

draught [dræft] *Br* → ***draft***

draw [drɒː] **1** *n in competition* match *m* nul; *in lottery* tirage *m* (au sort); (*attraction*) attraction *f* **2** *v/t picture* dessiner; (*pull*), *in lottery, gun* tirer; (*attract*) attirer; (*lead*) emmener; *from bank account* retirer **3** *v/i of artist* dessiner; *in competition* faire match nul

◆ **draw back** **1** *v/i* (*recoil*) reculer **2** *v/t* (*pull back*) retirer; *drapes* ouvrir

◆ **draw out** *wallet, from bank* retirer

◆ **draw up** **1** *v/t document* rédiger; *chair* approcher **2** *v/i of vehicle* s'arrêter

'**drawback** désavantage *m*, inconvénient *m*

drawer [drɒːr] *of desk* tiroir *m*

drawing ['drɒːɪŋ] dessin *m*

drawl [drɒːl] voix *f* traînante

dread [dred]: ~ ***doing*** redouter de faire; **dreadful** épouvantable

dream [driːm] **1** *n* rêve *m* **2** *v/i* rêver (***about, of*** de)
◆ **dream up** inventer
dreary ['drɪrɪ] morne
dress [dres] **1** *n for woman* robe *f*; (*clothing*) tenue *f* **2** *v/t person* habiller; *wound* panser; ***get ~ed*** s'habiller **3** *v/i* s'habiller
◆ **dress up** s'habiller chic; (*wear a disguise*) se déguiser (***as*** en)
'**dress circle** premier balcon *m*; **dresser** (*dressing table*) coiffeuse *f*; *in kitchen* buffet *m*; **dressing** *for salad* assaisonnement *m*; *for wound* pansement *m*; **dress rehearsal** (répétition *f*) générale *f*
dribble ['drɪbl] *of person* baver; *of water* dégouliner; SP dribbler
dried [draɪd] *fruit etc* sec
drier ['draɪr] → ***dryer***
drift [drɪft] *of snow* s'amonceler; *of ship* être à la dérive; (*go off course*) dériver; *of person* aller à la dérive; **drifter** personne qui vit au jour le jour
drill [drɪl] **1** *n tool* perceuse *f*; *exercise*, MIL exercice *m* **2** *v/t hole* percer **3** *v/i for oil* forer; MIL faire l'exercice
drily ['draɪlɪ] *say* d'un ton pince-sans-rire
drink [drɪŋk] **1** *n* boisson *f*; ***can I have a ~ of water*** est-ce que je peux avoir de l'eau? **2** *v/t & v/i* boire; ***I don't ~*** je ne bois pas; **drinkable** buvable; *water* potable
drinker ['drɪŋkər] buveur(-euse) *m*(*f*); **drinking water** eau *f* potable
drip [drɪp] **1** *n liquid* goutte *f*; MED goutte-à-goutte *m*, perfusion *f* **2** *v/i* goutter
drive [draɪv] **1** *n outing* promenade *f* (en voiture); (*energy*) dynamisme *m*; COMPUT unité *f*, lecteur *m*; (*campaign*) campagne *f* **2** *v/t vehicle* conduire; (*be owner of*) avoir; (*take in car*) amener; TECH actionner **3** *v/i* conduire; ***~ to work*** aller au travail en voiture; **drive-in** *movie theater* drive-in *m*
drivel ['drɪvl] bêtises *fpl*
driver ['draɪvər] conducteur (-trice) *m*(*f*); *of truck* camionneur(-euse) *m*(*f*); COMPUT pilote *m*; **driver's license** permis *m* de conduire
'**driveway** allée *f*; **drive-thru** drive-in *m inv*
drizzle ['drɪzl] **1** *n* bruine *f* **2** *v/i* bruiner
drop [drɑːp] **1** *n* goutte *f*; *in price, temperature* chute *f* **2** *v/t object* faire tomber; *bomb* lancer; *person from car* déposer; *person from team* écarter; (*stop seeing*), *charges, subject* laisser tomber; (*give up*) arrêter **3** *v/i* tomber
◆ **drop in** (*visit*) passer
◆ **drop off 1** *v/t person, goods*

déposer **2** *v/i* (*fall asleep*) s'endormir; (*decline*) diminuer

◆ **drop out** (*withdraw*) se retirer (***of*** de); *of school* abandonner (***of sth*** qch)

drought [draʊt] sécheresse *f*

drown [draʊn] se noyer

drug [drʌg] **1** *n* MED médicament *m*; *illegal* drogue *f* **2** *v/t* droguer; **drug addict** toxicomane *m/f*; **drug dealer** dealer *m*, dealeuse *f*; *large-scale* trafiquant(e) *m(f)* de drogue; **druggist** pharmacien(ne) *m(f)*; **drugstore** drugstore *m*; **drug trafficking** trafic *m* de drogue

drum [drʌm] MUS tambour *m*; *container* tonneau *m*; **~s** batterie *f*; **drumstick** MUS baguette *f* de tambour

drunk [drʌŋk] **1** *n* ivrogne *m/f*; *habitually* alcoolique *m/f* **2** *adj* ivre, soûl; ***get~*** se soûler; **drunk driving** conduite *f* en état d'ivresse

dry [draɪ] **1** *adj* sec **2** *v/t clothes* faire sécher; *dishes*, *eyes* essuyer **3** *v/i* sécher; **dryclean** nettoyer à sec; **dry cleaner** pressing *m*; **dryer** *machine* sèche-linge *m*

dual ['du:əl] double

dub [dʌb] *movie* doubler

dubious ['du:bɪəs] douteux; ***I'm still ~ about ...*** j'ai encore des doutes quant à …

duck [dʌk] **1** *n* canard *m*; *female* cane *f* **2** *v/i* se baisser

dud [dʌd] F (*false bill*) faux *m*

due [du:] (*owed*) dû; ***the rent is ~ tomorrow*** il faut payer le loyer demain

dull [dʌl] *weather* sombre; *sound*, *pain* sourd; (*boring*) ennuyeux

duly ['du:lɪ] (*as expected*) comme prévu; (*properly*) dûment, comme il se doit

dumb [dʌm] (*mute*) muet; F (*stupid*) bête

dump [dʌmp] **1** *n for garbage* décharge *f*; (*unpleasant place*) trou *m*; *house*, *hotel* taudis *m* **2** *v/t* (*deposit*) déposer; (*throw away*) jeter; (*leave*) laisser; *waste* déverser

dune [du:n] dune *f*

duplex (**apartment**) ['du:pleks] duplex *m*

duplicate ['du:plɪkət] double *m*

durable ['dʊrəbl] *material* résistant

during ['dʊrɪŋ] pendant

dusk [dʌsk] crépuscule *m*

dust [dʌst] **1** *n* poussière *f* **2** *v/t* épousseter; **duster** chiffon *m* (à poussière); **dustpan** pelle *f* à poussière; **dusty** poussiéreux

duty ['du:tɪ] devoir *m*; (*task*) fonction *f*; *on goods* droit(s) *m(pl)*; ***be on ~*** être de service; **dutyfree** hors taxe

DVD [di:vi:'di:] (= ***digital versatile disk***) DVD *m*; **DVD-ROM** DVD-ROM *m*

dwarf [dwɔːrf] **1** *n* nain(e) *m(f)* **2** *v/t* rapetisser
dwindle ['dwɪndl] diminuer
dye [daɪ] **1** *n* teinture *f* **2** *v/t* teindre
dying ['daɪɪŋ] *person* mourant; *industry* moribond; *tradition* qui se perd
dynamic [daɪ'næmɪk] dynamique; **dynamism** dynamisme *m*
dynasty ['daɪnəstɪ] dynastie *f*
dyslexic [dɪs'leksɪk] **1** *adj* dyslexique **2** *n* dyslexique *m/f*

E

each [iːʧ] **1** *adj* chaque **2** *adv* chacun; ***they're $1.50 ~*** ils coûtent $1.50 chacun, ils sont 1,50 $ pièce **3** *pron* chacun(e) *m(f)*; ***~ of them*** chacun(e) d'entre eux(elles) *m(f)*; ***we know ~ other*** nous nous connaissons
eager ['iːgər] désireux; *look* avide; ***be ~ to do sth*** désirer vivement faire qch; **eagerly** avec empressement; *wait* impatiemment; **eagerness** empressement *m*
eagle ['iːgl] aigle *m*; **eagle-eyed**: ***be ~*** avoir des yeux d'aigle
ear[1] [ɪr] oreille *f*
ear[2] [ɪr] *of corn* épi *m*
'earache mal *m* d'oreilles
early ['ɜːrlɪ] **1** *adv* (*not late*) tôt; (*ahead of time*) en avance **2** *adj stages, Romans* premier; *arrival* en avance; *retirement* anticipé; *music* ancien; (*in the near future*) prochain; (***in***) ***~ October*** début octobre; ***have an ~ supper*** dîner tôt *or* de bonne heure; **early bird**: ***be an ~*** (*early riser*) être matinal
earmark ['ɪrmɑːrk] réserver
earn [ɜːrn] gagner; *interest* rapporter
earnest ['ɜːrnɪst] sérieux
earnings ['ɜːrnɪŋz] salaire *m*; *of company* profits *mpl*
'earphones écouteurs *mpl*; **earring** boucle *f* d'oreille
earth [ɜːrθ] terre *f*; **earthenware** poterie *f*; **earthly** terrestre; ***it's no ~ use doing that*** F ça ne sert strictement à rien de faire cela; **earthquake** tremblement *m* de terre; **earth-shattering** stupéfiant
ease [iːz] **1** *n* facilité *f*; ***feel at ~*** se sentir à l'aise **2** *v/t pain, mind* soulager; *suffering, shortage* diminuer **3** *v/i of pain* diminuer
easel ['iːzl] chevalet *m*
easily ['iːzəlɪ] facilement; (*by far*) de loin
east [iːst] **1** *n* est *m* **2** *adj* est

inv; *wind* d'est **3** *adv travel* vers l'est
Easter ['iːstər] Pâques *fpl*; **Easter Day** (jour *m* de) Pâques *m*; **Easter egg** œuf *m* de Pâques
easterly ['iːstərlɪ] *wind* de l'est; *direction* vers l'est
Easter Monday lundi *m* de Pâques
eastern ['iːstərn] de l'est; (*oriental*) oriental; **easterner** habitant(e) *m(f)* de l'Est des États-Unis
Easter Sunday (jour *m* de) Pâques *m*
eastward ['iːstwərd] vers l'est
easy ['iːzɪ] facile; (*relaxed*) tranquille; **easy chair** fauteuil *m*; **easy-going** accommodant
eat [iːt] manger
◆ **eat out** manger au restaurant
eatable ['iːtəbl] mangeable
eavesdrop ['iːvzdrɑːp] écouter de façon indiscrète (***on s.o.*** qn)
ebb [eb] *of tide* descendre
e-book ['iːbʊk] livre *m* électronique; **e-business** commerce *m* électronique
eccentric [ɪk'sentrɪk] **1** *adj* excentrique **2** *n* original(e) *m(f)*; **eccentricity** excentricité *f*
echo ['ekoʊ] **1** *n* écho *m* **2** *v/i* faire écho **3** *v/t words* répéter; *views* se faire l'écho de
eclipse [ɪ'klɪps] **1** *n* éclipse *f* **2** *v/t fig* éclipser
ecological [iːkə'lɑːdʒɪkl] écologique; **ecologically** écologiquement; **ecologically friendly** écologique; **ecologist** écologiste *m/f*; **ecology** écologie *f*
economic [iːkə'nɑːmɪk] économique; **economical** (*cheap*) économique; (*thrifty*) économe; **economics** économie *f*; *financial aspects* aspects *mpl* économiques; **economist** économiste *m/f*; **economize** économiser
◆ **economize on** économiser
economy [ɪ'kɑːnəmɪ] économie *f*; **economy class** classe *f* économique
ecosystem ['iːkoʊsɪstm] écosystème *m*; **ecotourism** tourisme *m* écologique
ecstasy ['ekstəsɪ] extase *f*; **ecstatic** extatique
eczema ['eksmə] eczéma *m*
edge [edʒ] **1** *n* bord *m*; *of knife* tranchant *m*; **on ~** énervé **2** *v/i* (*move slowly*) se faufiler; **edgewise**: ***I couldn't get a word in ~*** je n'ai pas pu en placer une F; **edgy** énervé
edible ['edɪbl] comestible
edit ['edɪt] *text* mettre au point; *book* préparer pour la publication; *newspaper* diriger; *TV program* réaliser; *film* monter; **edition** édition *f*; **editor** *of text, book* rédacteur(-trice) *m(f)*; *of newspa-*

per rédacteur(-trice) *m(f)* en chef; *of TV program* réalisateur(-trice) *m(f)*; *of film* monteur(-euse) *m(f)*; **editorial 1** *adj* de la rédaction **2** *n* éditorial *m*

educate ['edʒəkeɪt] instruire (***about*** sur); ***she was ~d in France*** elle a fait sa scolarité en France; **educated** instruit; **education** éducation f; *as subject* pédagogie *f*; **educational** scolaire; (*informative*) instructif

eerie ['ɪrɪ] inquiétant

effect [ɪ'fekt] effet *m*; **effective** (*efficient*) efficace; (*striking*) frappant

effeminate [ɪ'femɪnət] efféminé

efficiency [ɪ'fɪʃənsɪ] efficacité *f*; *in motel* chambre *f* avec coin-cuisine; **efficient** efficace; **efficiently** efficacement

effort ['efərt] effort *m*; **effortless** aisé, facile

e.g. [iː'dʒiː] ex; *spoken* par example

egg [eg] œuf *m*; **eggcup** coquetier *m*; **egghead** F intello *m/f* F; **eggplant** aubergine *f*

ego ['iːgoʊ] PSYCH ego *m*; **egocentric** égocentrique; **egoism** égoïsme *m*; **egoist** égoïste *m/f*

eiderdown ['aɪdərdaʊn] (*quilt*) édredon *m*

eight [eɪt] huit; **eighteen** dix-huit; **eighteenth** dix-huitième; **eighth** huitième; **eightieth** quatre-vingtième; **eighty** quatre-vingts; ***~-two/four*** *etc* quatre-vingt-deux/-quatre *etc*

either ['iːðər] **1** *adj* l'un ou l'autre; (*both*) chaque **2** *pron* l'un(e) ou l'autre **3** *adv*: ***I won't go ~*** je n'irai pas non plus **4** *conj*: ***~ ... or*** soit ... soit ...; *with negative* ni ... ni ...

eject [ɪ'dʒekt] **1** *v/t* éjecter **2** *v/i from plane* s'éjecter

◆ **eke out** [iːk] suppléer à l'insuffisance de; ***eke out a living*** vivoter

el [el] métro *m* aérien

elaborate [ɪ'læbərət] **1** *adj* compliqué **2** *v/i* [ɪ'læbəreɪt] donner des détails (***on*** sur)

elapse [ɪ'læps] (se) passer

elastic [ɪ'læstɪk] **1** *adj* élastique **2** *n* élastique *m*; **elasticated** élastique

elated [ɪ'leɪtɪd] transporté (de joie); **elation** exultation *f*

elbow ['elboʊ] coude *m*

elder ['eldər] **1** *adj* aîné **2** *n* aîné(e) *m(f)*; **elderly 1** *adj* âgé **2** *npl*: the ~ les personnes *fpl* âgées; **eldest 1** *adj* aîné **2** *n*: ***the ~*** l'aîné(e) *m(f)*

elect [ɪ'lekt] élire; **elected** élu; **election** élection *f*; **election campaign** campagne *f* électorale; **election day** jour *m* des élections; **electorate** électorat *m*

electric [ɪ'lektrɪk] *also fig* électrique; **electrical** électrique; **electric chair** chaise *f* électrique; **electrician** électricien(ne) *m(f)*; **electricity** électricité *f*; **electrify** électrifier; *fig* électriser

electrocute [ɪ'lektrəkjuːt] électrocuter

electron [ɪ'lektrɑːn] électron *m*; **electronic** électronique; **electronics** électronique *f*

elegance ['elɪgəns] élégance *f*; **elegant** élégant

element ['elɪmənt] élément *m*; **elementary** élémentaire; **elementary schoo** école *f* primaire

elephant ['elɪfənt] éléphant *m*

elevate ['elɪveɪt] élever; **elevated railroad** métro *m* aérien; **elevation** (*altitude*) altitude *f*; **elevator** ascenseur *m*

eleven [ɪ'levn] onze; **eleventh** onzième

eligible ['elɪdʒəbl]: ***be ~ to do sth*** avoir le droit de faire qch

eliminate [ɪ'lɪmɪneɪt] éliminer; **elimination** élimination *f*

elite [eɪ'liːt] **1** *n* élite *f* **2** *adj* d'élite

eloquence ['eləkwəns] éloquence *f*; **eloquent** éloquent

else [els]: ***anything ~?*** autre chose?; ***nothing ~*** rien d'autre; ***no one ~*** personne d'autre; ***everyone ~ is going*** tous les autres y vont; ***someone ~*** quelqu'un d'autre; ***something ~*** autre chose; ***let's go somewhere ~*** allons autre part; ***or ~*** sinon; **elsewhere** ailleurs

elude [ɪ'luːd] (*escape from*) échapper à; (*avoid*) éviter; **elusive** insaisissable

emaciated [ɪ'meɪsɪeɪtɪd] émacié

e-mail ['iːmeɪl] **1** *n* e-mail *m*, courrier *m* électronique **2** *v/t person* envoyer un e-mail à; **e-mail address** adresse *f* e-mail, adresse *f* électronique

emancipation [ɪmænsɪ'peɪʃn] émancipation *f*

embalm [ɪm'bɑːm] embaumer

embankment [ɪm'bæŋkmənt] *of river* berge *f*; RAIL remblai *m*

embargo [em'bɑːrgoʊ] embargo *m*

embark [ɪm'bɑːrk] (s')embarquer

embarrass [ɪm'bærəs] gêner, embarrasser; **embarrassed** gêné, embarrassé; **embarrassing** gênant, embarrassant; **embarrassment** gêne *f*, embarras *m*

embassy ['embəsɪ] ambassade *f*

embezzle [ɪm'bezl] détourner; **embezzlement** détournement *m* de fonds

emblem ['embləm] emblème *m*

embodiment [ɪm'bɑːdɪmənt] personnification *f*; **embody** personnifier

embrace [ɪm'breɪs] **1** *n* étreinte *f* **2** *v/t* (*hug*) serrer dans ses bras, étreindre; (*take in*) embrasser **3** *v/i of two people* se serrer dans les bras, s'étreindre

embroider [ɪm'brɔɪdər] broder; *fig* enjoliver

embryo ['embrɪoʊ] embryon *m*; **embryonic** *fig* embryonnaire

emerald ['emərəld] émeraude *f*

emerge [ɪ'mɜːrdʒ] sortir; *from mist*, *of truth* émerger

emergency [ɪ'mɜːrdʒənsɪ] urgence *f*; **emergency exit** sortie *f* de secours; **emergency landing** atterrissage *m* forcé; **emergency services** services *mpl* d'urgence

emigrate ['emɪgreɪt] émigrer; **emigration** émigration *f*

Eminence ['emɪnəns] REL: ***His ~*** son Éminence; **eminent** éminent

emission [ɪ'mɪʃn] *of gases* émission *f*; **emit** émettre

emotion [ɪ'moʊʃn] émotion *f*; **emotional** *problems* émotionnel, affectif; (*full of emotion*) ému; *reunion* émouvant

emphasis ['emfəsɪs] accent *m*; **emphasize** *syllable* accentuer; *fig* souligner; **emphatic** catégorique

empire ['empaɪr] *also fig* empire *m*

employ [ɪm'plɔɪ] employer; **employee** employé(e) *m*(*f*); **employer** employeur(-euse) *m*(*f*); **employment** (*jobs*) emplois *mpl*; (*work*) emploi *m*

emptiness ['emptɪnɪs] vide *m*; **empty 1** *adj* vide; *promises* vain **2** *v/t* vider **3** *v/i of room, street* se vider

emulate ['emjʊleɪt] imiter

enable [ɪ'neɪbl] permettre

enchanting [ɪn'ʧæntɪŋ] ravissant

encircle [ɪn'sɜːrkl] encercler

enclose [ɪn'kloʊz] *in letter* joindre; *area* entourer; **enclosure** *with letter* pièce *f* jointe

encore ['ɑːŋkɔːr] bis *m*

encounter [ɪn'kaʊntər] **1** *n* rencontre *f* **2** *v/t person* rencontrer; *problem, resistance* affronter

encourage [ɪn'kʌrɪdʒ] encourager; **encouragement** encouragement *m*; **encouraging** encourageant

encyclopedia [ɪnsaɪklə'piːdɪə] encyclopédie *f*

end [end] **1** *n* (*conclusion, purpose*) fin *f*; (*extremity*) bout *m*; ***in the ~*** à la fin **2** *v/t* terminer, finir **3** *v/i* se terminer, finir

◆ **end up** finir

endanger [ɪn'deɪndʒər] mettre en danger; **endangered species** espèce *f* en voie de disparition

endeavor, *Br* **endeavour** [ɪn-

'devər] **1** *n* effort *m* **2** *v/t* essayer (***to do sth*** de faire qch)
endemic [ɪn'demɪk] endémique
ending ['endɪŋ] fin *f*; GRAM terminaison *f*; **endless** sans fin
endorse [ɪn'dɔːrs] *candidacy* appuyer; *product* associer son image à; **endorsement** *of candidacy* appui *m*; *of product* association *f* de son image à
end 'product produit *m* fini
endurance [ɪn'durəns] *of person* endurance *f*; *of car* résistance *f*; **endure 1** *v/t* endurer **2** *v/i* (*last*) durer; **enduring** durable
enemy ['enəmɪ] ennemi(e) *m(f)*
energetic [enərdʒetɪk] *also fig* énergique; **energy** énergie *f*; **energy supply** alimentation *f* en énergie
enforce [ɪn'fɔːrs] mettre en vigueur
engage [ɪn'geɪdʒ] **1** *v/t* (*hire*) engager **2** *v/i of machine part* s'engrener; **engaged** *to be married* fiancé; *Br* TELEC occupé; ***get ~*** se fiancer; **engagement** *to be married* fiançailles *fpl*; MIL engagement *m*; **engagement ring** bague *f* de fiançailles
engine ['endʒɪn] moteur *m*; **engineer** ingénieur *m/f*; NAUT, RAIL mécanicien(ne) *m(f)*; **engineering** ingénierie *f*
England ['ɪŋglənd] Angleterre *f*; **English 1** *adj* anglais **2** *n language* anglais *m*; ***the ~*** les Anglais *mpl*; **Englishman** Anglais *m*; **Englishwoman** Anglaise *f*
engrave [ɪn'greɪv] graver; **engraving** gravure *f*
engrossed [ɪn'groʊst]: ***~ in*** absorbé dans
engulf [ɪn'gʌlf] engloutir
enhance [ɪn'hæns] *flavor* rehausser; *reputation* accroître; *performance* améliorer; *enjoyment* augmenter
enigma [ɪ'nɪgmə] énigme *f*
enjoy [ɪn'dʒɔɪ] aimer; ***~ o.s.*** s'amuser; ***~!*** *said to s.o. eating* bon appétit!; **enjoyable** agréable; **enjoyment** plaisir *m*
enlarge [ɪn'lɑːrdʒ] agrandir; **enlargement** agrandissement *m*
enlighten [ɪn'laɪtn] éclairer
enlist [ɪn'lɪst] MIL enrôler
enmity ['enmətɪ] inimitié *f*
enormous [ɪ'nɔːrməs] énorme
enough [ɪ'nʌf] **1** *adj* assez de **2** *pron* assez; ***will $50 be ~?*** est-ce que $50 suffiront?; ***that's ~*** ça suffit **3** *adv* assez; ***big ~*** assez grand
enquire *etc* [ɪn'kwaɪr] → ***inquire*** *etc*
enroll, *Br* **enrol** [ɪn'roʊl] s'inscrire
en suite (bathroom)

['ɑːnswiːt] salle *f* de bains attenante

ensure [ɪn'ʃʊər] assurer; **~ *that ...*** s'assurer que ...

entail [ɪn'teɪl] entraîner

entangle [ɪn'tæŋgl] *in rope* empêtrer

enter ['entər] **1** *v/t room, house* entrer dans; *competition* entrer en; COMPUT entrer **2** *v/i* entrer; *in competition* s'inscrire **3** *n* COMPUT touche *f* entrée

enterprise ['entərpraɪz] (*initiative*) (esprit *m* d')initiative *f*; (*venture*) entreprise *f*; **enterprising** entreprenant

entertain [entər'teɪn] (*amuse*) amuser; (*consider: idea*) envisager; **entertainer** artiste *m/f* de variété; **entertaining** amusant, divertissant; **entertainment** divertissement *m*

enthusiasm [ɪn'θuːzɪæzəm] enthousiasme *m*; **enthusiast** enthousiaste *m/f*; **enthusiastic** enthousiaste; **enthusiastically** avec enthousiasme

entire [ɪn'taɪr] entier; **entirely** entièrement

entitle [ɪn'taɪtl]: **~ *s.o. to sth*** donner à qn droit à qch; ***be ~d to*** avoir droit à

entrance ['entrəns] entrée *f*

entranced [ɪn'trænst] enchanté

'entrance exam(ination) examen *m* d'entrée

entrant ['entrənt] inscrit(e) *m(f)*

entrepreneur [ɑːntrəprə'nɜːr] entrepreneur(-euse) *m(f)*; **entrepreneurial** *skills* d'entrepreneur

entrust [ɪn'trʌst] confier

entry ['entrɪ] entrée *f*; *for competition: person* participant(e) *m(f)*; **entryphone** interphone *m*

envelop [ɪn'veləp] envelopper

envelope ['envəloʊp] enveloppe *f*

enviable ['envɪəbl] enviable; **envious** envieux; ***be ~ of s.o.*** envier qn

environment [ɪn'vaɪrənmənt] environnement *m*; **environmental** écologique; **environmentalist** écologiste *m/f*; **environmentally friendly** écologique; **environs** environs *mpl*

envisage [ɪn'vɪzɪdʒ] envisager

envoy ['envɔɪ] envoyé(e) *m(f)*

envy ['envɪ] **1** *n* envie *f* **2** *v/t*: **~ *s.o. sth*** envier qch à qn

epic ['epɪk] **1** *n* épopée *f*; *movie* film *m* à grand spectacle **2** *adj journey* épique

epicenter, *Br* **epicentre** ['epɪsentər] épicentre *m*

epidemic [epɪ'demɪk] *also fig* épidémie *f*

episode ['epɪsoʊd] épisode *m*

epitaph ['epɪtæf] épitaphe *f*

equal ['iːkwl] **1** *adj* égal; ***be ~ to*** *task* être à la hauteur de **2**

n égal *m* **3** *v/t* égaler; **equality** égalité *f*; **equalize 1** *v/t* égaliser **2** *v/i Br* SP égaliser; **equalizer** *Br* SP but *m* égalisateur; **equally** *divide* de manière égale; *qualified*, *intelligent* tout aussi; **equal rights** égalité *f* des droits
equation [ɪ'kweɪʒn] MATH équation *f*
equator [ɪ'kweɪtər] équateur *m*
equip [ɪ'kwɪp] équiper; **equipment** équipement *m*
equity ['ekwətɪ] FIN capitaux *mpl* propres
equivalent [ɪ'kwɪvələnt] **1** *adj* équivalent **2** *n* équivalent *m*
era ['ɪrə] ère *f*
eradicate [ɪ'rædɪkeɪt] éradiquer
erase [ɪ'reɪz] effacer
erect [ɪ'rekt] **1** *adj* droit **2** *v/t* ériger, élever; **erection** *of building*, *penis* érection *f*
ergonomic [ɜːrgoʊ'nɑːmɪk] ergonomique
erode [ɪ'roʊd] éroder; *fig*: *power* miner; *rights* supprimer progressivement; **erosion** érosion *f*; *fig*: *of rights* suppression *f* progressive
errand ['erənd] commission *f*
erratic [ɪ'rætɪk] *performance*, *course* irrégulier; *driving* capricieux; *behavior* changeant
error ['erər] erreur *f*
erupt [ɪ'rʌpt] *of volcano* entrer en éruption; *of violence* éclater; *of person* exploser F; **eruption** *of volcano* éruption *f*; *of violence* explosion *f*
escalate ['eskəleɪt] s'intensifier; **escalation** intensification *f*; **escalator** escalier *m* mécanique, escalator *m*
escape [ɪ'skeɪp] **1** *n of prisoner* évasion *f*; *of animal*, *gas* fuite *f* **2** *v/i* s'échapper
escort ['eskɔːrt] **1** *n* cavalier (-ière) *m*(*f*); (*guard*) escorte *f* **2** *v/t* [ɪ'skɔːrt] *socially* accompagner; (*act as guard to*) escorter
especially [ɪ'speʃlɪ] particulièrement
espionage ['espɪənɑːʒ] espionnage *m*
espresso (**coffee**) [es'presoʊ] expresso *m*
essay ['eseɪ] *at school* rédaction *f*; *at university* dissertation *f*; *by writer* essai *m*
essential [ɪ'senʃl] essentiel
establish [ɪ'stæblɪʃ] *company* fonder; (*create*, *determine*) établir; **establishment** *firm*, *shop etc* établissement *m*
estate [ɪ'steɪt] *land* propriété *f*; *of dead person* biens *mpl*
esthetic [ɪs'θetɪk] esthétique
estimate ['estɪmət] **1** *n* estimation *f*; *from builder etc* devis *m* **2** *v/t* estimer
estuary ['estʃəwerɪ] estuaire *m*
etc [et'setrə] (= ***et cetera***) etc.
eternal [ɪ'tɜːrnl] éternel; **eternity** éternité *f*
ethical ['eθɪkl] *problem* éthi-

que; (*morally right*) moral; **ethics** éthique *f*

ethnic ['eθnɪk] ethnique

EU [iː'juː] (= ***European Union***) U.E. *f* (= Union *f* européenne)

euphemism ['juːfəmɪzm] euphémisme *m*

euro ['jʊroʊ] FIN euro *m*

Europe ['jʊrəp] Europe *f*; **European 1** *adj* européen **2** *n* Européen(ne) *m*(*f*)

euthanasia [jʊθə'neɪzɪə] euthanasie *f*

evacuate [ɪ'vækjʊeɪt] (*clear people from*) faire évacuer; (*leave*) évacuer

evade [ɪ'veɪd] éviter; *question* éluder

evaluate [ɪ'væljʊeɪt] évaluer; **evaluation** évaluation *f*

evaporate [ɪ'væpəreɪt] *also fig* s'évaporer; **evaporation** évaporation *f*

evasion [ɪ'veɪʒn] fuite *f*; **evasive** évasif

eve [iːv] veille *f*

even ['iːvn] **1** *adj breathing* régulier; *distribution* égal; (*level*) plat; *surface* plan; *number* pair; ***get ~ with ...*** prendre sa revanche sur ... **2** *adv* même; ***~ bigger*** encore plus grand; ***not ~*** pas même; ***~ so*** quand même; ***~ if*** même si **3** *v/t*: ***~ the score*** égaliser

evening ['iːvnɪŋ] soir *m*; ***in the ~*** le soir; ***this ~*** ce soir; ***good ~*** bonsoir; **evening class** cours *m* du soir; **evening dress** *for woman* robe *f* du soir; *for man* tenue *f* de soirée

evenly ['iːvnlɪ] (*regularly*) de manière égale; *breathe* régulièrement

event [ɪ'vent] événement *m*; SP épreuve *f*; **eventful** mouvementé

eventually [ɪ'ventʃʊəlɪ] finalement

ever ['evər] jamais; ***have you ~ been to Japan?*** est-ce que tu es déjà allé au Japon?; ***for ~*** pour toujours; ***~ since*** depuis lors; ***~ since we ...*** depuis le jour où nous ...; **everlasting** éternel

every ['evrɪ]: ***~ day*** tous les jours, chaque jour; ***~ one of ...*** chacun de ...; **everybody** → ***everyone***; **everyday** de tous les jours; **everyone** tout le monde; ***~ who ...*** tous ceux qui ...; **everything** tout; **everywhere** partout; (*wherever*) partout où

evict [ɪ'vɪkt] expulser

evidence ['evɪdəns] preuve(s) *f*(*pl*); LAW témoignage *m*; ***give ~*** témoigner; **evident** évident; **evidently** (*clearly*) à l'évidence; (*apparently*) de toute évidence

evil ['iːvl] **1** *adj* mauvais **2** *n* mal *m*

evolution [iːvə'luːʃn] évolution *f*; **evolve** évoluer

ex [eks] F *wife, husband* ex *m*/*f* F

exact [ɪg'zækt] exact; **exacting** exigeant; **exactly** exactement

exaggerate [ɪg'zædʒəreɪt] exagérer; **exaggeration** exagération *f*

exam [ɪg'zæm] examen *m*; **examination** examen *m*; **examine** examiner

example [ɪg'zæmpl] exemple *m*; ***for ~*** par exemple

excavate ['ekskəveɪt] (*dig*) excaver; *of archeologist* fouiller; **excavation** excavation *f*; *archeological* fouille(s) *f*(*pl*)

exceed [ɪk'si:d] dépasser; *authority* outrepasser; **exceedingly** extrêmement

excel [ɪk'sel] **1** *v/i* exceller (***at*** en) **2** *v/t*: ***~ o.s.*** se surpasser; **excellence** excellence *f*; **excellent** excellent

except [ɪk'sept] sauf; ***~ for*** à l'exception de; **exception** exception *f*; **exceptional** exceptionnel

excerpt ['eksɜ:rpt] extrait *m*

excess [ɪk'ses] **1** *n* excès *m* **2** *adj*: ***~ water*** excédent *m* d'eau; **excessive** excessif

exchange [ɪks'ʧeɪndʒ] **1** *n* échange *m* **2** *v/t* échanger; **exchange rate** FIN cours *m* du change

excite [ɪk'saɪt] (*make enthusiastic*) enthousiasmer; **excited** excité; ***get ~*** s'exciter; **excitement** excitation *f*; **exciting** passionnant

exclaim [ɪk'skleɪm] s'exclamer; **exclamation** exclamation *f*; **exclamation point** point *m* d'exclamation

exclude [ɪk'sklu:d] exclure; **excluding** sauf; **exclusive** *hotel* huppé; *rights*, *interview* exclusif

excuse [ɪk'skju:s] **1** *n* excuse *f* **2** *v/t* [ɪk'skju:z] excuser; (*forgive*) pardonner; ***~ me*** excusez-moi

ex-directory *Br* : ***be ~*** être sur liste rouge

execute ['eksɪkju:t] *criminal*, *plan* exécuter; **execution** *of criminal*, *plan* exécution *f*; **executive** cadre *m*

exempt [ɪg'zempt] exempt

exercise ['eksərsaɪz] **1** *n* exercice *m* **2** *v/t muscle* exercer; *dog* promener; *caution*, *restraint* user de **3** *v/i* prendre de l'exercice

exhale [eks'heɪl] exhaler

exhaust [ɪg'zɒ:st] **1** *n fumes* gaz *m* d'échappement; *pipe* tuyau *m* d'échappement **2** *v/t* (*tire*, *use up*) épuiser; **exhausted** (*tired*) épuisé; **exhausting** épuisant; **exhaustion** épuisement *m*; **exhaustive** exhaustif

exhibit [ɪg'zɪbɪt] **1** *n in exhibition* objet *m* exposé **2** *v/t of artist* exposer; (*give evidence of*) montrer; **exhibition** exposition *f*; *of bad behavior* étalage *m*; *of skill* démonstration *f*

exhilarating [ɪg'zɪləreɪtɪŋ] *weather* vivifiant; *sensation* grisant

exile ['eksaɪl] **1** *n* exil *m*; *person* exilé(e) *m(f)* **2** *v/t* exiler

exist [ɪg'zɪst] exister; **~ on** subsister avec; **existence** existence *f*; **be in ~** exister; **existing** existant

exit ['eksɪt] **1** *n* sortie *f* **2** *v/i* COMPUT sortir

exonerate [ɪg'zɑːnəreɪt] (*clear*) disculper

exotic [ɪg'zɑːtɪk] exotique

expand [ɪk'spænd] **1** *v/t* étendre **2** *v/i of population* s'accroître; *of business*, *city* se développer; *of metal*, *gas* se dilater; **expanse** étendue *f*; **expansion** *of population* accroissement *m*; *of business*, *city* développement *m*; *of metal*, *gas* dilatation *f*

expect [ɪk'spekt] **1** *v/t also baby* attendre; (*suppose*) penser; (*demand*) exiger **2** *v/i*: ***be ~ing*** attendre un bébé; ***I ~ so*** je pense que oui; **expectant mother** future maman *f*; **expectation** attente *f*, espérance *f*

expedition [ekspɪ'dɪʃn] expédition *f*

expel [ɪk'spel] expulser

expendable [ɪk'spendəbl] *person* pas indispensable

expenditure [ɪk'spendɪʧər] dépenses *fpl* (***on*** de)

expense [ɪk'spens] dépense *f*; **expenses** frais *mpl*; **expensive** cher

experience [ɪk'spɪrɪəns] **1** *n* expérience *f* **2** *v/t pain*, *pleasure* éprouver; *difficulty* connaître; **experienced** expérimenté

experiment [ɪk'sperɪmənt] **1** *n* expérience *f* **2** *v/i* faire des expériences; **experimental** expérimental

expert ['ekspɜːrt] **1** *adj* expert **2** *n* expert(e) *m(f)*; **expertise** savoir-faire *m*

expiration date ['ekspɪ'reɪʃn] date *f* d'expiration; **expire** expirer; **expiry** expiration *f*; **expiry date** *Br* date *f* d'expiration

explain [ɪk'spleɪn] expliquer; **explanation** explication *f*; **explanatory** explicatif

explicit [ɪk'splɪsɪt] *instructions* explicite

explode [ɪk'sploud] **1** *v/i of bomb*, *fig* exploser **2** *v/t bomb* faire exploser

exploit[1] ['eksplɔɪt] *n* exploit *m*

exploit[2] [ɪk'splɔɪt] *v/t person*, *resources* exploiter

exploitation [eksplɔɪ'teɪʃn] *of person* exploitation *f*

exploration [eksplə'reɪʃn] exploration *f*; **explore** *country*, *possibility* explorer; **explorer** explorateur(-trice) *m(f)*

explosion [ɪk'sploʊʒn] *also in population* explosion *f*; **explosive** explosif *m*

export ['ekspɔːrt] **1** *n* exportation *f* **2** *v/t also* COMPUT exporter; **exporter** exportateur(-trice) *m(f)*

expose [ɪk'spoʊz] (*uncover*) mettre à nu; *scandal* dévoiler; *person* démasquer; **~ X to Y** exposer X à Y; **exposure** exposition *f*; MED effets *mpl* du froid; *of dishonest behavior* dénonciation *f*; PHOT pose *f*; *in media* couverture *f*

express [ɪk'spres] **1** *adj* (*fast*) express; (*explicit*) explicite **2** *n train* express *m* **3** *v/t* exprimer; **expression** expression *f*; **expressive** expressif; **expressly** (*explicitly*) expressément; (*deliberately*) exprès; **expressway** voie *f* express

expulsion [ɪk'spʌlʃn] expulsion *f*

extend [ɪk'stend] **1** *v/t house, garden* agrandir; *search* étendre (***to*** à); *runway, contract, visa* prolonger **2** *v/i of garden etc* s'étendre; **extension** *to house* agrandissement *m*; *of contract, visa* prolongation *f*; TELEC poste *m*; **extensive** *search, knowledge* vaste, étendu; *damage* considérable; **extent** étendue *f*, ampleur *f*; ***to a certain ~*** jusqu'à un certain point

exterior [ɪk'stɪrɪər] **1** *adj* extérieur **2** *n of building* extérieur *m*; *of person* dehors *mpl*

exterminate [ɪk'stɜːrmɪneɪt] exterminer

external [ɪk'stɜːrnl] extérieur

extinct [ɪk'stɪŋkt] *species* disparu; **extinction** *of species* extinction *f*; **extinguish** *fire, cigarette* éteindre; **extinguisher** extincteur *m*

extortion [ɪk'stɔːrʃn] extortion *f*

extra ['ekstrə] **1** *n* extra *m* **2** *adj* (*spare*) de rechange; (*additional*) en plus; ***be ~*** (*cost more*) être en supplément **3** *adv* ultra-

extract[1] ['ekstrækt] *n* extrait *m*

extract[2] [ɪk'strækt] extraire; *tooth also* arracher; *information* arracher; **extraction** extraction *f*

extradite ['ekstrədaɪt] extrader; **extradition** extradition *f*

extramarital [ekstrə'mærɪtl] extraconjugal

extraordinary [ɪkstrə'ɔːrdɪnerɪ] extraordinaire

extra 'time *Br* SP prolongation(s) *f(pl)*

extravagance [ɪk'strævəgəns] dépenses *fpl* extravagantes; *single act* dépense *f* extravagante; **extravagant** *person* dépensier; *price* exorbitant; *claim* excessif

extreme [ɪk'striːm] **1** *n* extrême *m* **2** *adj* extrême; **extremely** extrêmement; **extremist** extrémiste *m/f*

extrovert ['ekstrəvɜːrt] **1** *n*

extraverti(e) *m(f)* **2** *adj* extraverti

exuberant [ɪg'zu:bərənt] exubérant

eye [aɪ] **1** *n* œil *m* **2** *v/t* regarder; **eye-catching** accrocheur; **eyeglasses** lunettes *fpl*; **eyeliner** eye-liner *m*; **eyeshadow** ombre *f* à paupières; **eyesight** vue *f*; **eyewitness** témoin *m* oculaire

F

fabric ['fæbrɪk] tissu *m*

fabulous ['fæbjʊləs] fabuleux

façade [fə'sɑ:d] façade *f*

face [feɪs] **1** *n* visage *m*, figure *f* **2** *v/t person, sea* faire face à

◆ **face up to** *bully* affronter; *responsibilities* faire face à

'**facecloth** gant *m* de toilette; **facelift** lifting *m*

facial ['feɪʃl] soin *m* du visage

facilitate [fə'sɪlɪteɪt] faciliter; **facilities** *of school, town etc* installations *fpl*; (*equipment*) équipements *mpl*

fact [fækt] fait *m*; ***in ~, as a matter of ~*** en fait

faction ['fækʃn] faction *f*

factor ['fæktər] facteur *m*

faculty ['fækəltɪ] faculté *f*

fad [fæd] lubie *f*

fade [feɪd] *of colors* passer; **faded** *color* passé

fag [fæg] *pej* F (*homosexual*) pédé *m* F

fail [feɪl] **1** *v/i* échouer **2** *v/t exam* être refusé à; **failing** défaut *m*, faiblesse *f*; **failure** échec *m*

faint [feɪnt] **1** *adj* faible, léger **2** *v/i* s'évanouir; **faintly** légèrement

fair[1] [fer] (*fun~*), COM foire *f*

fair[2] [fer] *hair* blond; *complexion* blanc

fairly ['ferlɪ] *treat* équitablement; (*quite*) assez; **fairness** *of treatment* équité *f*

faith [feɪθ] *also* REL foi *f*; **faithful** fidèle; **faithfully** fidèlement

fake [feɪk] **1** *n* (article *m*) faux *m* **2** *adj* faux; *suicide attempt* simulé **3** *v/t* (*forge*) falsifier; (*feign*) feindre; *suicide, kidnap* simuler

fall[1] [fɒ:l] *n season* automne *m*

fall[2] [fɒ:l] **1** *v/i* tomber; *of prices* baisser **2** *n* chute *f*; *in price, temperature* baisse *f*

◆ **fall behind** prendre du retard

◆ **fall for** *person* tomber amoureux de; (*be deceived by*) se laisser prendre à

◆ **fall through** *of plans* tomber à l'eau

fallible ['fæləbl] faillible

false [fɒ:ls] faux; **false start** *in race* faux départ *m*; **false teeth** fausses dents *fpl*; **falsi-**

fy falsifier
fame [feɪm] célébrité *f*
familiar [fə'mɪljər] familier; ***be ~ with sth*** bien connaître qch; **familiarity** *with subject etc* (bonne) connaissance *f* (***with*** de); **familiarize**: ***~ o.s. with*** se familiariser avec
family ['fæməlɪ] famille *f*; **family doctor** médecin *m* de famille; **family planning clinic** centre *m* de planning familial; **family tree** arbre *m* généalogique
famine ['fæmɪn] famine *f*
famous ['feɪməs] célèbre
fan[1] [fæn] *n in sport* fana *m/f* F; *of singer, band* fan *m/f*
fan[2] [fæn] **1** *n electric* ventilateur *m*; *handheld* évantail *m* **2** *v/t*: ***~ o.s.*** s'éventer
fanatical [fə'nætɪkl] fanatique; **fanaticism** fanatisme *m*
fantasize ['fæntəsaɪz] fantasmer (***about*** sur); **fantastic** fantastique; **fantasy** *hopeful* rêve *m*; *unrealistic, sexual* fantasme *m*
fanzine ['fænzi:n] fanzine *m*
far [fɑ:r] loin; (*much*) bien; ***~ away*** très loin; ***as ~ as the corner*** jusqu'au coin
farce [fɑ:rs] farce *f*
fare [fer] *for ticket* prix *m* du billet; *for taxi* prix *m*
Far 'East Extrême-Orient *m*
farewell [fer'wel] adieu *m*
farfetched [fɑ:r'fetʃt] tiré par les cheveux
farm [fɑ:rm] ferme *f*; **farmer** fermier(-ière) *m(f)*; **farming** agriculture *f*; **farmworker** ouvrier(-ière) *m(f)* agricole; **farmyard** cour *f* de ferme
far-'off lointain, éloigné; **far-sighted** prévoyant; *visually* hypermétrope; **farther** plus loin; **farthest** le plus loin
fascinate ['fæsɪneɪt] fasciner; **fascinating** fascinant; **fascination** fascination *f*
fascism ['fæʃɪzm] fascisme *m*; **fascist 1** *n* fasciste *m/f* **2** *adj* fasciste
fashion ['fæʃn] mode *f*; (*manner*) manière *f*, façon *f*; ***in ~*** à la mode; ***out of ~*** démodé; **fashionable** à la mode; **fashionably** à la mode; **fashion-conscious** au courant de la mode; **fashion designer** créateur(-trice) *m(f)* de mode; **fashion show** défilé *m* de mode
fast[1] [fæst] **1** *adj* rapide; ***be ~*** *of clock* avancer **2** *adv* vite; ***be ~ asleep*** dormir à poings fermés
fast[2] [fæst] *n* (*not eating*) jeûne *m*
fasten ['fæsn] **1** *v/t* attacher; *lid, window* fermer **2** *v/i of dress etc* s'attacher; **fastener** ['fæsnər] *for dress* agrafe *f*; *for lid* fermeture *f*
fast 'food fast-food *m*; **fast lane** voie *f* rapide; **fast train** train *m* rapide
fat [fæt] **1** *adj* gros **2** *n on meat* gras *m*; *for baking* graisse *f*

fatal ['feɪtl] *also error* fatal; **fatality** accident *m* mortel; **fatally** fatalement; **~ *injured*** mortellement blessé
fate [feɪt] destin *m*
'fat free sans matières grasses; *yoghurt etc* 0%
father ['fɑːðər] père *m*; **fatherhood** paternité *f*; **father-in-law** beau-père *m*; **fatherly** paternel
fatigue [fə'tiːg] fatigue *f*
fatten ['fætn] *animal* engraisser; **fatty 1** *adj* adipeux **2** *n* F *person* gros(se) *m(f)*
faucet ['fɒːsɪt] robinet *m*
fault [fɒːlt] (*defect*) défaut *m*; ***it's your/my ~*** c'est de ta/ma faute; **faultless** impeccable; **faulty** défectueux
favor ['feɪvər] **1** *n* faveur *f*; ***do s.o. a ~*** rendre (un) service à qn **2** *v/t* (*prefer*) préférer; **favorable** favorable; **favorite 1** *n person* préféré(e) *m(f)*; *food* plat *m* préféré; *in race* **2** *adj* préféré; **favoritism** favoritisme *m*
favour *Br* → ***favor***
fax [fæks] **1** *n* fax *m* **2** *v/t* faxer
fear [fɪr] **1** *n* peur *f* **2** *v/t* avoir peur de; **fearless** sans peur; **fearlessly** sans peur
feasibility study [fiːzə'bɪlətɪ] étude *f* de faisabilité; **feasible** faisable
feast [fiːst] festin *m*
feat [fiːt] exploit *m*
feather ['feðər] plume *f*
feature ['fiːʧər] *on face* trait *m*; *of city, building, style* caractéristique *f*; *article in paper* chronique *f*; **feature film** long métrage *m*
February ['februərɪ] février *m*
federal ['fedərəl] fédéral; **federation** fédération *f*
fed 'up F: ***be ~ with*** en avoir ras-le-bol de F
fee [fiː] *of lawyer, doctor etc* honoraires *mpl*; *for membership* frais *mpl*
feeble ['fiːbl] faible
feed [fiːd] nourrir; **feedback** réactions *fpl*
feel [fiːl] **1** *v/t* (*touch*) toucher; (*sense*) sentir; *pain, pleasure* ressentir; (*think*) penser **2** *v/i*: ***it ~s like silk*** on dirait de la soie; ***do you ~ like a drink?*** est-ce que tu as envie de boire quelque chose?
◆ **feel up to** se sentir capable de
feeler ['fiːlər] *of insect* antenne *f*; **feeling** sentiment *m*; (*sensation*) sensation *f*
fellow 'citizen concitoyen(ne) *m(f)*
felony ['felənɪ] crime *m*
felt [felt] feutre *m*; **felt tip** stylo *m* feutre
female ['fiːmeɪl] **1** *adj* femelle; *relating to people* féminin **2** *n* femelle *f*; *person* femme *f*
feminine ['femɪnɪn] **1** *adj* féminin **2** *n* GRAM féminin *m*; **feminism** féminisme *m*; **feminist 1** *n* féministe *m/f* **2** *adj* féministe

fence [fens] barrière *f*, clôture *f*
fender ['fendər] MOT aile *f*
fermentation [fɜːrmen'teɪʃn] fermentation *f*
ferocious [fə'roʊʃəs] féroce
ferry ['ferɪ] ferry *m*
fertile ['fɜːrtl] fertile; **fertility** fertilité *f*; **fertilize** féconder; **fertilizer** *for soil* engrais *m*
fervent ['fɜːrvənt] fervent
fester ['festər] *of wound* suppurer
festival ['festɪvl] festival *m*; **festive** de fête; **festivities** festivités *fpl*
fetal ['fiːtl] fœtal
fetch [fetʃ] (*go and* ~) aller chercher (***from*** à); (*come and* ~) venir chercher (***from*** à); *price* atteindre
fetus ['fiːtəs] fœtus *m*
feud [fjuːd] querelle *f*
fever ['fiːvər] fièvre *f*; **feverish** *also fig* fiévreux
few [fjuː] **1** *adj* (*not many*) peu de; ***a ~ …*** quelques; ***quite a ~, a good ~*** (*a lot*) beaucoup de **2** *pron* (*not many*) peu; ***a ~*** quelques-un(e)s *m*(*f*); ***quite a ~, a good ~*** beaucoup; **fewer** moins de
fiancé [fɪ'ɑːnseɪ] fiancé *m*; **fiancée** fiancée *f*
fiber ['faɪbər] fibre *f*; **fiberglass** *n* fibre *f* de verre; **fiber optics** fibres *fpl* optiques
fibre *Br* → ***fiber***
fickle ['fɪkl] inconstant
fiction ['fɪkʃn] romans *mpl*; (*made-up story*) fiction *f*; **fictional** de roman; **fictitious** fictif
fiddle ['fɪdl] **1** *n* (*violin*) violon *m* **2** *v/i*: ***~ around with*** tripoter **3** *v/t accounts, results* truquer
fidgety ['fɪdʒɪtɪ] remuant
field [fiːld] champ *m*; *for sport* terrain *m*; (*competitors in race*) concurrent(e)s *m*(*f*)*pl*; **fielder** *in baseball* joueur *m* de champ
fierce [fɪrs] *animal* féroce; *wind, storm* violent; **fiercely** avec férocité
fiery ['faɪrɪ] ardent, fougueux
fifteen [fɪf'tiːn] quinze; **fifteenth** quinzième; **fifth** cinquième; **fiftieth** cinquantième; **fifty** cinquante; **fifty-fifty** moitié-moitié
fight [faɪt] **1** *n* combat *m*; (*argument*) dispute *f*; *for survival etc* lutte *f* **2** *v/t enemy, person* combattre; *in boxing* se battre contre; *injustice* lutter contre **3** *v/i* se battre; (*argue*) se disputer; **fighter** combattant(e) *m*(*f*); *airplane* avion *m* de chasse; (*boxer*) boxeur *m*; **fighting** *physical* combat *m*; *verbal* dispute *f*
figure ['fɪgjər] **1** *n* (*digit*) chiffre *m*; *of person* ligne *f*; (*form, shape*) figure *f* **2** *v/t* F (*think*) penser:
◆ **figure on** F (*plan*) compter
◆ **figure out** comprendre; *calculation* calculer

file[1] [faɪl] **1** *n of documents* dossier *m*; COMPUT fichier *m* **2** *v/t documents* classer

file[2] [faɪl] *for wood etc* lime *f*

'file cabinet classeur *m*

fill [fɪl] remplir; *tooth* plomber; *prescription* préparer

◆ **fill in** *form* remplir; *hole* boucher

◆ **fill out 1** *v/t form* remplir **2** *v/i* (*get fatter*) grossir

fillet ['fɪlɪt] filet *m*

filling ['fɪlɪŋ] **1** *n in sandwich* garniture *f*; *in tooth* plombage *m* **2** *adj food* nourrissant; **filling station** station-service *f*

film [fɪlm] **1** *n* pellicule *f*; (*movie*) film *m* **2** *v/t* filmer; **film-maker** réalisateur(-trice) *m(f)* de films; **film star** star *f* de cinéma

filter ['fɪltər] **1** *n* filtre *m* **2** *v/t* filtrer

filth ['fɪlθ] saleté; **filthy** sale; *language etc* obscène

final ['faɪnl] **1** *adj* dernier; *decision* définitif, irrévocable **2** *n* SP finale *f*; **finale** apothéose *f*; **finalist** finaliste *m/f*; **finalize** finaliser, mettre au point; **finally** finalement, enfin

finance ['faɪnæns] **1** *n* finance *f*; (*funds*) financement *m* **2** *v/t* financer; **financial** financier; **financially** financièrement; **financier** financier (-ière) *m(f)*

find [faɪnd] trouver

◆ **find out** découvrir; (*enquire about*) se renseigner sur

findings ['faɪndɪŋz] *of report* constatations *fpl*

fine[1] [faɪn] *day* beau; (*good*) bon, excellent; *distinction* subtil; *line* fin; ***how's that? – that's ~*** que dites-vous de ça? – c'est bien

fine[2] [faɪn] **1** *n* amende *f* **2** *v/t* condamner à une amende de $5.000

finger ['fɪŋgər] **1** *n* doigt *m* **2** *v/t* toucher; **fingerprint** empreinte *f* digitale

finicky ['fɪnɪkɪ] *person* tatillon; *design* alambiqué

finish ['fɪnɪʃ] **1** *v/t* finir, terminer **2** *v/i* finir **3** *n of product* finition *f*; *of race* arrivée *f*

◆ **finish with** *boyfriend etc* en finir avec

fire ['faɪr] **1** *n* feu *m*; (*blaze*) incendie *m*; (*electric, gas*) radiateur *m*; ***be on ~*** être en feu; ***set ~ to sth*** mettre le feu à qch **2** *v/i* (*shoot*) tirer **3** *v/t* F (*dismiss*) virer F; **fire alarm** signal *m* d'incendie; **firearm** arme *f* à feu; **firecracker** pétard *m*; **fire department** sapeurs-pompiers *mpl*; **fire engine** *esp Br* voiture *f* de pompiers; **fire escape** *ladder* échelle *f* de secours; *stairs* escalier *m* de secours; **fire extinguisher** extincteur *m* (d'incendie); **fire fighter** pompier *m*; **fireplace**

cheminée *f*; **fire station** caserne *f* de pompiers; **fire truck** voiture *f* de pompiers; **firework** pièce *f* d'artifice; **~s** (*display*) feu *m* d'artifice

firm[1] [fɜːrm] *adj* ferme

firm[2] [fɜːrm] *n* COM firme *f*

first [fɜːrst] **1** *adj* premier **2** *n* premier(-ière) *m(f)* **3** *adv arrive, finish* le/la premier(-ière) *m(f)*; (*beforehand*) d'abord; ***at ~*** au début; **first aid** premiers secours *mpl*; **first class 1** *adj ticket* de première classe; (*very good*) de première qualité **2** *adv travel* en première classe; **first floor** rez-de-chaussée *m*; *Br* premier étage *m*; **First Lady** première dame *f*; **firstly** premièrement; **first name** prénom *m*; **first night** première *f*; **first-rate** de premier ordre

fiscal ['fɪskl] fiscal; **fiscal year** année *f* fiscale

fish [fɪʃ] **1** *n* poisson *m* **2** *v/i* pêcher; **fisherman** pêcheur *m*; **fishing** pêche *f*; **fishing boat** bateau *m* de pêche; **fish stick** bâtonnet *m* de poisson; **fishy** F (*suspicious*) louche

fist [fɪst] poing *m*

fit[1] [fɪt] *n* MED crise *f*, attaque *f*

fit[2] [fɪt] *adj physically* en forme; *morally* digne

fit[3] [fɪt] **1** *v/t of clothes* aller à; (*install, attach*) poser; ***it doesn't ~ me any more*** je ne rentre plus dedans **2** *v/i of clothes* aller

fitness ['fɪtnɪs] *physical* (bonne) forme *f*; **fitting** approprié; **fittings** installations *fpl*

five [faɪv] cinq

fix [fɪks] **1** *n* (*solution*) solution *f* **2** *v/t* (*attach*) attacher; (*repair*) réparer; *meeting etc* arranger; *lunch* préparer; *dishonestly*: *match etc* truquer; **fixed** fixe; **fixings** garniture *f*

flab [flæb] *on body* graisse *f*; **flabby** *muscles etc* mou

flag[1] [flæg] *n* drapeau *m*; NAUT pavillon *m*

flag[2] [flæg] *v/i* (*tire*) faiblir

'flagpole mât *m* (de drapeau)

flagrant ['fleɪgrənt] flagrant

flair [fler] (*talent*) flair *m*; ***have a natural ~ for*** avoir un don pour

flake [fleɪk] *of snow* flocon *m*; *of plaster* écaille *f*

flamboyant [flæm'bɔɪənt] extravagant; **flamboyantly** avec extravagance

flame [fleɪm] flamme *f*

flammable ['flæməbl] inflammable

flank [flæŋk] **1** *n* flanc *m* **2** *v/t*: ***be ~ed by*** être flanqué de

flap [flæp] **1** *n of envelope, pocket* rabat *m* **2** *v/t wings* battre **3** *v/i of flag etc* battre

◆ **flare up** [fler] *of violence, rash* éclater; *of fire* s'enflammer; (*get very angry*) s'emporter

flash [flæʃ] **1** *n of light* éclair *m*; PHOT flash *m*; ***in a ~*** F en

un rien de temps; **~ *of lightning*** éclair *m* **2** *v/i of light* clignoter; **flashback** *in movie* flash-back *m*; **flashlight** lampe *f* de poche; PHOT flash *m*; **flashy** *pej* voyant
flask [flæsk] (*hip* ~) fiole *f*
flat[1] [flæt] **1** *adj* plat; *beer* éventé; *battery, tire* à plat; bémol **2** *adv* MUS trop bas **3** *n* pneu *m* crevé
flat[2] [flæt] *n Br* (*apartment*) appartement *m*
flatly ['flætlɪ] *deny* catégoriquement; **flat rate** forfait *m* illimité; **flat screen** écran *m* plat; **flatten** *land, road* aplanir; *by bombing, demolition* raser
flatter ['flætər] flatter; **flatterer** flatteur(-euse) *m(f)*; **flattering** *comments* flatteur; *color, clothes* avantageux; **flattery** flatterie *f*
flavor ['fleɪvər] **1** *n* goût *m*; *of ice cream* parfum *m* **2** *v/t food* assaisonner; **flavoring** arôme *m*
flavour *Br* → ***flavor***
flaw [flɒ:] défaut *m*; **flawless** parfait
flee [fli:] s'enfuir
fleet [fli:t] NAUT flotte *f*; *of vehicles* parc *m*
fleeting ['fli:tɪŋ] *visit etc* très court
flesh [fleʃ] *also of fruit* chair *f*
flex [fleks] *muscles* fléchir; **flexibility** flexibilité *f*; **flexible** flexible; **flextime** horaire *m* à la carte
flicker ['flɪkər] vaciller
flier ['flaɪr] (*circular*) prospectus *m*
flight [flaɪt] *in airplane* vol *m*; (*fleeing*) fuite *f*; **~ (*of stairs*)** escalier *m*; **flight attendant** *male* steward *m*; *female* hôtesse *f* de l'air; **flight path** trajectoire *f* de vol; **flight recorder** enregistreur *m* de vol; **flight time** *departure* heure *f* de vol; *duration* durée *f* de vol; **flighty** frivole
flimsy ['flɪmzɪ] *furniture* fragile; *dress, material* léger; *excuse* faible
flinch [flɪntʃ] tressaillir
flipper ['flɪpər] nageoire *f*
flirt [flɜ:rt] **1** *v/i* flirter **2** *n* flirteur(-euse) *m(f)*; **flirtatious** flirteur
float [floʊt] *also* FIN flotter
flock [flɑ:k] **1** *n of sheep* troupeau *m* **2** *v/i* venir en masse
flood [flʌd] **1** *n* inondation *f* **2** *v/t of river* inonder; **flooding** inondation(s) *f(pl)*
'floodlight projecteur *m*; **flood waters** inondations *fpl*
floor [flɔ:r] sol *m*; *wooden* plancher *m*; (*story*) étage *m*
flop [flɑ:p] **1** *v/i* s'écrouler; F (*fail*) faire un bide F **2** *n* F (*failure*) bide *m* F; **floppy (disk)** disquette *f*
florist ['flɔ:rɪst] fleuriste *m/f*
flour ['flaʊr] farine *f*
flourish ['flʌrɪʃ] *of plants* fleurir; *fig* prospérer; **flour-**

ishing *business* fleurissant, prospère

flow [floʊ] **1** *v/i of river* couler; *of electric current* passer; *of traffic* circuler; *of work* se dérouler **2** *n of river* cours *m*; *of information* circulation *f*; **flowchart** organigramme *m*

flower ['flaʊr] **1** *n* fleur *f* **2** *v/i* fleurir

flu [fluː] grippe *f*

fluctuate ['flʌktʃʊeɪt] fluctuer; **fluctuation** fluctuation *f*

fluency ['fluːənsɪ] *in a language* maîtrise *f* (**in** de); **fluent** *person* qui s'exprime avec aisance; ***he speaks ~ Spanish*** il parle couramment l'espagnol; **fluently** couramment; *in own language* avec aisance

fluid ['fluːɪd] fluide *m*

flunk [flʌŋk] F *subject* rater

flush [flʌʃ] **1** *v/t*: ***~ the toilet*** tirer la chasse d'eau **2** *v/i* (*go red*) rougir

flutter ['flʌtər] *of bird* voleter; *of wings* battre; *of flag* s'agiter; *of heart* palpiter

fly[1] [flaɪ] *n* (*insect*) mouche *f*

fly[2] [flaɪ] *n on pants* braguette *f*

fly[3] [flaɪ] **1** *v/i* voler; *in airplane* prendre l'avion; *of flag* flotter **2** *v/t airplane* piloter, voler; *airline* voyager par; (*transport by air*) envoyer par avion

◆ **fly past** *of time* filer

flying ['flaɪɪŋ]: ***I hate ~*** je déteste prendre l'avion

foam [foʊm] *on sea* écume *f*; *on drink* mousse *f*; **foam rubber** caoutchouc *m* mousse

focus ['foʊkəs] *of attention* centre *m*; PHOT mise *f* au point

◆ **focus on** se concentrer sur; PHOT mettre au point sur

fodder ['fɑːdər] fourrage *m*

fog [fɑːg] brouillard *m*; **foggy** brumeux

foil[1] [fɔɪl] *n silver* feuille *f* d'aluminium

foil[2] [fɔɪl] *v/t* (*thwart*) faire échouer

fold [foʊld] **1** *v/t paper etc* plier; ***~ one's arms*** croiser les bras **2** *v/i of business* fermer (ses portes) **3** *n in cloth etc* pli *m*

◆ **fold up 1** *v/t* plier **2** *v/i of chair, table* se (re)plier

folder ['foʊlder] *for documents* chemise *f*; COMPUT dossier *m*; **folding** pliant

foliage ['foʊlɪɪdʒ] feuillage *m*

folk [foʊk] (*people*) gens *mpl*; **folk music** folk *m*; **folk singer** chanteur(-euse) *m*(*f*) de folk

follow ['fɑːloʊ] **1** *v/t also* (*understand*) suivre **2** *v/i logically* s'ensuivre

◆ **follow up** *inquiry* donner suite à

follower ['fɑːloʊər] *of politi-*

cian etc partisan(e) *m(f)*; *of football team* supporteur (-trice) *m(f)*; **following 1** *adj* suivant **2** *n people* partisans *mpl*

fond [fɑːnd] (*loving*) aimant; *memory* agréable; ***be ~ of*** beaucoup aimer

fondle ['fɑːndl] caresser

fondness ['fɑːndnɪs] *for s.o.* tendresse *f*; *for sth* penchant *m*

font [fɑːnt] *for printing* police *f*; *in church* fonts *mpl* baptismaux

food [fuːd] nourriture *f*; ***French ~*** la cuisine française; **food poisoning** intoxication *f* alimentaire

fool [fuːl] **1** *n* idiot(e) *m(f)* **2** *v/t* berner; **foolhardy** téméraire; **foolish** idiot, bête; **foolproof** à toute épreuve

foot [fʊt] *also measurement* pied *m*; *of animal* patte *f*; ***put one's ~ in it*** F mettre les pieds dans le plat F; **footage** séquences *fpl*; **football** football *m* américain; (*soccer*) football *m* F; (*ball*) ballon *m* de football; **football player** joueur(-euse) *m(f)* de football américain; *soccer* joueur(-euse) *m(f)* de football; **foothills** contreforts *mpl*; **footnote** note *f* (de bas de page); **footpath** sentier *m*; **footprint** trace *f* de pas; **footstep** pas *m*

for [fər], [fɔːr] pour; ***a train ~ …*** un train à destination de …; ***what is this ~?*** pour quoi est-ce que c'est fait?; ***what ~?*** pourquoi?; ***~ three days*** pendant trois jours; ***it lasted ~ three days*** ça a duré trois jours; ***I've been waiting ~ an hour*** j'attends depuis une heure

forbid [fər'bɪd] interdire; **forbidden** interdit; **forbidding** menaçant

force [fɔːrs] **1** *n* force *f*; ***come into ~*** *of law etc* entrer en vigueur **2** *v/t door, lock* forcer; ***~ s.o. to do sth*** forcer qn à faire qch; **forced** forcé; **forced landing** atterrissage *m* forcé; **forceful** *argument, speaker* puissant; *character* énergique

forceps ['fɔːrseps] MED forceps *m*

forcibly ['fɔːrsəblɪ] *restrain* par force

foreboding [fər'boʊdɪŋ] pressentiment *m*; **forecast 1** *n of results* pronostic *m*; *of weather* prévisions *fpl* **2** *v/t result* pronostiquer; *future, weather* prévoir; **forefathers** ancêtres *mpl*; **forefinger** index *m*; **foreground** premier plan *m*; **forehead** front *m*

foreign ['fɑːrən] étranger; **foreign affairs** affaires *fpl* étrangères; **foreign body** corps *m* étranger; **foreign currency** devises *fpl* étrangères; **foreigner** étranger

(-ère) *m(f)*; **foreign exchange** devises *fpl* étrangères
'foreman chef *m* d'équipe;
foremost 1 *adv* (*uppermost*) le plus important **2** *adj* (*leading*) premier
forensic 'medicine [fə'rensɪk] médecine *f* légale; **forensic scientist** expert *m* légiste
'forerunner *person* prédécesseur *m*; *thing* ancêtre *m/f*;
foresee prévoir; **foresight** prévoyance *f*
forest ['fɑːrɪst] forêt *f*; **forestry** sylviculture *f*
fore'tell prédire
forever [fə'revər] toujours
'foreword avant-propos *m*
forfeit ['fɔːrfət] (*lose*) perdre; (*give up*) renoncer à
forge [fɔːrdʒ] contrefaire; **forgery** *bank bill* faux billet *m*; *document* faux *m*; *signature* contrefaçon *f*
forget [fər'get] oublier; **forgetful**: ***you're so ~*** tu as vraiment mauvaise mémoire
forgive [fər'gɪv] **1** *v/t*: **~ *s.o. sth*** pardonner qch à qn **2** *v/i* pardonner; **forgiveness** pardon *m*
fork [fɔːrk] fourchette *f*; *for gardening* fourche *f*; *in road* embranchement *m*
form [fɔːrm] **1** *n* (*shape*) forme *f*; *document* formulaire *m* **2** *v/t* former; *friendship* développer; *opinion* se faire **3** *v/i* (*take shape, develop*) se former; **formal** *language* soutenu; *dress* de soirée; *manner, reception* cérémonieux; *recognition etc* officiel; **formality** *of language* caractère *m* soutenu; *of occasion* cérémonie *f*; ***it's just a ~*** c'est juste une formalité; **formally** *speak* cérémonieusement; *recognized* officiellement
format ['fɔːrmæt] **1** *v/t* formater **2** *n* format *m*
formation [fɔːr'meɪʃn] formation *f*
former ['fɔːrmər] ancien; ***the ~*** le premier, la première; **formerly** autrefois
formidable ['fɔːrmɪdəbl] redoutable
formula ['fɔːrmjʊlə] MATH, CHEM formule *f*; *fig* recette *f*
fort [fɔːrt] MIL fort *m*
forthcoming ['fɔːrθkʌmɪŋ] (*future*) futur; *personality* ouvert
'forthright franc
fortieth ['fɔːrtɪɪθ] quarantième
fortnight ['fɔːrtnaɪt] *Br* quinze jours *mpl*, quinzaine *f*
fortress ['fɔːrtrɪs] MIL forteresse *f*
fortunate ['fɔːrʧnət] *decision* heureux; ***be ~*** avoir de la chance; **fortunately** heureusement; **fortune** (*fate*) destin *m*; (*luck*) chance *f*; (*lot of money*) fortune *f*

forty ['fɔːrtɪ] quarante
forward ['fɔːrwərd] **1** *adv* en avant **2** *adj pej*: *person* effronté **3** *n* SP avant *m* **4** *v/t letter* faire suivre; **forward-looking** moderne
fossil ['fɑːsl] fossile *m*
foster ['fɑːstər] *child* servir de famille d'accueil à; *attitude, belief* encourager
foul [faʊl] **1** *n* SP faute *f* **2** *adj smell* infect; *weather* sale **3** *v/t* SP commettre une faute contre
found [faʊnd] *school etc* fonder; **foundation** *of theory etc* fondement *m*; (*organization*) fondation *f*; **foundations** *of building* fondations *fpl*; **founder** fondateur(-trice) *m*(*f*)
fountain ['faʊntɪn] fontaine *f*; *with vertical spout* jet *m* d'eau
four [fɔːr] quatre; **four-star** quatre étoiles; **fourteen** quatorze; **fourteenth** quatorzième; **fourth** quatrième; **four-wheel drive** MOT quatre-quatre *m*
fox [fɑːks] **1** *n* renard *m* **2** *v/t* (*puzzle*) mystifier
foyer ['fɔɪər] hall *m* d'entrée
fraction ['frækʃn] fraction *f*; **fractionally** très légèrement
fracture ['fræktʃər] **1** *n* fracture *f* **2** *v/t* fracturer
fragile ['frædʒəl] fragile
fragment ['frægmənt] fragment *m*
fragrance ['freɪgrəns] parfum *m*; **fragrant** parfumé
frail [freɪl] frêle, fragile
frame [freɪm] **1** *n of picture, bicycle* cadre *m*; *of window* châssis *m*; *of eyeglasses* monture *f* **2** *v/t picture* encadrer; F *person* monter un coup contre; **framework** structure *f*; ***within the ~ of*** dans le cadre de
France [fræns] France *f*
franchise ['fræntʃaɪz] *for business* franchise *f*
frank [fræŋk] franc; **frankly** franchement; **frankness** franchise *f*
frantic ['fræntɪk] frénétique
fraternal [frə'tɜːrnl] fraternel
fraud [frɒːd] fraude *f*; *person* imposteur *m*; **fraudulent** frauduleux
frayed [freɪd] *cuffs* usé
freak [friːk] **1** *n* (*unusual event*) phénomène *m* étrange; (*two-headed animal etc*) monstre *m*; F (*strange person*) taré(e) *m*(*f*)F **2** *adj storm etc* anormalement violent
free [friː] **1** *adj* libre; *no cost* gratuit **2** *v/t prisoners* libérer; **freedom** liberté *f*; **free enterprise** libre entreprise *f*; **free kick** *in soccer* coup *m* franc; **freelance** indépendant, free-lance *inv*; **freely** *admit* volontiers; **free speech** libre parole *f*; **freeway** autoroute *f*

freeze [friːz] **1** *v/t* congeler; *bank account* bloquer; ***~ a video*** faire un arrêt sur image **2** *v/i of water* geler; **freeze-dried** lyophilisé; **freezer** congélateur *m*; **freezing 1** *adj* glacial **2** *n*: ***10 below ~*** 10 degrés au-dessous de zéro

freight [freɪt] fret *m*; **freighter** *ship*cargo *m*; *airplane* avion-cargo *m*

French [frentʃ] **1** *adj* français **2** *n language* français *m*; ***the ~*** les Français *mpl*; **French fries** frites *fpl*; **Frenchman** Français *m*; **Frenchwoman** Française *f*

frenzied ['frenzɪd] *attack, activity* forcené; *mob* déchaîné; **frenzy** frénésie *f*

frequency ['friːkwənsɪ] *also of radio* fréquence *f*

frequent[1] *adj* fréquent

frequent[2] [frɪ'kwent] *v/t bar etc* fréquenter

frequently ['friːkwəntlɪ] fréquemment

fresh [freʃ] frais; *start* nouveau; *sheets* propre; (*impertinent*) insolent; **fresh air** air *m*

◆ **freshen up 1** *v/i* se rafraîchir **2** *v/t paintwork* rafraîchir

freshly ['freʃlɪ] fraîchement; **freshman** étudiant(e) *m(f)* de première année; **freshwater** d'eau douce

fret [fret] s'inquiéter

friction ['frɪkʃn] friction *f*

Friday ['fraɪdeɪ] vendredi *m*

fridge [frɪdʒ] frigo *m* F

friend [frend] ami(e) *m(f)*; **friendliness** amabilité *f*; **friendly** amical; *hotel, city* sympathique; *argument* entre amis; **friendship** amitié *f*

fries [fraɪz] frites *fpl*

fright [fraɪt] peur *f*; **frighten** faire peur à; ***be ~ed*** avoir peur (***of*** de); **frightening** effrayant

frill [frɪl] *on dress etc*, (*extra*) falbala *m*

fringe [frɪndʒ] frange *f*; *of city* périphérie *f*; *of society* marge *f*; **fringe benefits** avantages *mpl* sociaux

frisk [frɪsk] fouiller

◆ **fritter away** ['frɪtər] *time, fortune* gaspiller

frivolity [frɪ'vɑːlətɪ] frivolité *f*; **frivolous** frivole

frizzy ['frɪzɪ] *hair* crépu

frog [frɑːg] grenouille *f*; **frogman** homme-grenouille *m*

from [frɑːm] de; ***~ 9 to 5*** (***o'clock***) de 9 heures à 5 heures; ***~ the 18th century*** à partir du XVIIIe siècle; ***~ today on*** à partir d'aujourd'hui; ***~ here to there*** d'ici à là(-bas); ***I am ~ New Jersey*** je viens du New Jersey; ***tired ~ the journey*** fatigué par le voyage; ***it's ~ overeating*** c'est d'avoir trop mangé

front [frʌnt] **1** *n of building* façade *f*, devant *m*; *of book* devant *m*; (*cover organization*) façade *f*; MIL, *of weather*

front *m*; ***in ~*** devant; ***in ~*** *in a race* en tête; ***in ~ of*** devant **2** *adj wheel, seat* avant **3** *v/t TV program* présenter; **front door** porte *f* d'entrée
frontier ['frʌntɪr] *also fig* frontière *f*
'**front line** MIL front *m*; **front page** *of newspaper* une *f*; **front-wheel drive** traction *f* avant
frost [frɑːst] gel *m*; **frostbite** gelure *f*; **frosting** *on cake* glaçage *m*; **frosty** *also fig* glacial
froth [frɑːθ] écume *f*, mousse *f*
frown [fraʊn] froncer les sourcils
frozen ['froʊzn] gelé; *food* surgelé
fruit [fruːt] fruit *m*; *collective* fruits *mpl*; **fruitful** *discussions etc* fructueux; **fruit juice** jus *m* de fruit; **fruit salad** salade *f* de fruits
frustrate ['frʌstreɪt] *person* frustrer; *plans* contrarier; **frustrating** frustrant; **frustration** frustration *f*
fry [fraɪ] (faire) frire; **frypan** poêle *f* (à frire)
fuck [fʌk] V baiser V; **~** putain! V
fuel ['fjʊːəl] **1** *n* carburant *m* **2** *v/t fig* entretenir
fugitive ['fjuːdʒətɪv] fugitif (-ive) *m(f)*
fulfill, *Br* **fulfil** [fʊl'fɪl] *dreams* réaliser; *task* accomplir; *contract* remplir; **fulfillment**, *Br* **fulfilment** *of contract etc* exécution *f*; *moral, spiritual* accomplissement *m*
full [fʊl] plein (***of*** de); *hotel, account* complet; ***pay in ~*** tout payer; **full moon** pleine lune *f*; **full stop** *Br* point *m*; **full-time** à plein temps; **fully** complètement; *describe* en détail
fumble ['fʌmbl] *catch* mal attraper
fumes [fjuːmz] *s* fumée *f*
fun [fʌn] **1** *n* amusement *m*; ***it was great ~*** on s'est bien amusé; ***have ~!*** amuse-toi bien! **2** *adj* F marrant F
function ['fʌŋkʃn] **1** *n* fonction *f*; (*reception etc*) réception *f* **2** *v/i* fonctionner; ***~ as*** faire fonction de; **functional** fonctionnel
fund [fʌnd] **1** *n* fonds *m* **2** *v/t project etc* financer
fundamental [fʌndə'mentl] fondamental; **fundamentalist** fondamentaliste *m/f*; **fundamentally** fondamentalement
funding ['fʌndɪŋ] (*money*) financement *m*
funeral ['fjuːnərəl] enterrement *m*; **funeral home** établissement *m* de pompes funèbres
fungus ['fʌŋgəs] champignon *m*; *mold* moisissure *f*
funnies ['fʌnɪz] F pages *fpl* drôles; **funnily** (*oddly*) bizarrement; (*comically*) comi-

quement; *~ enough* chose curieuse; **funny** (*comical*) drôle; (*odd*) bizarre, curieux
fur [fɜːr] fourrure *f*
furious ['fjʊrɪəs] furieux
furnace ['fɜːrnɪs] four(neau) *m*
furnish ['fɜːrnɪʃ] *room* meubler; (*supply*) fournir; **furniture** meubles *mpl*; ***a piece of ~*** un meuble
further ['fɜːrðər] **1** *adj* supplémentaire; (*more distant*) plus éloigné **2** *adv walk, drive* plus loin **3** *v/t cause etc* faire avancer, promouvoir; **furthermore** de plus, en outre
furtive ['fɜːrtɪv] furtif
fury ['fjʊrɪ] fureur *f*
fuse [fjuːz] **1** *n* ELEC fusible *m*, plomb *m* F **2** *v/i* ELEC: ***the lights have ~d*** les plombs ont sauté **3** *v/t* ELEC faire sauter; **fusebox** boîte *f* à fusibles
fusion ['fjuːʒn] fusion *f*
fuss [fʌs] agitation *f*; **fussy** *person* difficile; *design etc* trop compliqué
futile ['fjuːtl] futile; **futility** futilité *f*
future ['fjuːʧər] **1** *n* avenir *f*; GRAM futur *m* **2** *adj* futur; **futuristic** *design* futuriste
fuzzy ['fʌzɪ] *hair* crépu; (*out of focus*) flou

G

gadget ['gædʒɪt] gadget *m*
gag [gæg] **1** *n* bâillon *m*; (*joke*) gag *m* **2** *v/t also fig* bâillonner
gain [geɪn] acquérir; *victory* remporter; *advantage, sympathy* gagner
gala ['gælə] gala *m*
galaxy ['gæləksɪ] galaxie *f*
gale [geɪl] tempête *f*
gallery ['gælərɪ] *for art, in theater* galerie *f*
gallon ['gælən] gallon *m* (*0,785l, en GB 0,546l*)
gallop ['gæləp] galoper
gamble ['gæmbl] jouer; **gambler** joueur(-euse) *m*(*f*); **gambling** jeu *m*
game [geɪm] *also in tennis* jeu *m*; ***have a ~ of tennis*** faire une partie de tennis
gang [gæŋ] gang *m*; *of friends* bande *f*; **gangster** gangster *m*; **gangway** passerelle *f*
gap [gæp] trou *m*; *in time* intervalle *m*; *between personalities* fossé *m*
gape [geɪp] rester bouche bée; **gaping** *hole* béant
garage [gə'rɑːʒ] garage *m*
garbage ['gɑːrbɪdʒ] ordures *fpl*; (*fig : nonsense*) bêtises *fpl*; **garbage can** poubelle *f*; **garbage truck** benne *f* à ordures
garbled ['gɑːrbld] *message*

confus
garden ['gɑːrdn] jardin *m*; **gardening** jardinage *m*
garish ['gerɪʃ] criard
garlic ['gɑːrlɪk] ail *m*
garment ['gɑːrmənt] vêtement *m*
garnish ['gɑːrnɪʃ] garnir (***with*** de)
gas [gæs] gaz *m*; (*gasoline*) essence *f*
gash [gæʃ] entaille *f*
gasket ['gæskɪt] joint *m* d'étanchéité
gasoline ['gæsəliːn] essence *f*
gasp [gæsp] **1** *n in surprise* hoquet *m*; *with exhaustion* halètement *m* **2** *v/i with exhaustion* haleter; ***with surprise*** pousser une exclamation de surprise
'**gas pedal** accélérateur *m*; **gas pump** pompe *f* (à essence); **gas station** station-service *f*
gate [geɪt] *also at airport* porte *f*; **gateway** entrée *f*; *also fig* porte *f*
gather ['gæðər] **1** *v/t facts* recueillir; **~ *speed*** prendre de la vitesse **2** *v/i of crowd* s'assembler; **gathering** (*group of people*) assemblée *f*
gaudy ['gɒːdɪ] voyant
gauge [geɪdʒ] **1** *n* jauge *f* **2** *v/t pressure* jauger; *opinion* mesurer
gaunt [gɒːnt] émacié
gawky ['gɒːkɪ] gauche
gawp [gɒːp] F rester bouche bée (***at*** devant)
gay [geɪ] gay
gaze [geɪz] **1** *n* regard *m* (fixe) **2** *v/i* regarder fixement
gear [gɪr] (*equipment*) équipement *m*; *in vehicles* vitesse *f*; **gearbox** MOT boîte *f* de vitesses; **gear shift** MOT levier *m* de vitesse
gel [dʒel] *for hair, shower* gel *m*
gem [dʒem] pierre *f* précieuse; *fig* perle *f*
gender ['dʒendər] genre *m*
gene [dʒiːn] gène *m*
general ['dʒenrəl] **1** *n* MIL général(e) *m*(*f*) **2** *adj* général; **generalization** généralisation *f*; **generalize** généraliser; **generally** généralement; **~ *speaking*** de manière générale
generate ['dʒenəreɪt] produire; **generation** génération *f*; **generator** générateur *m*
generosity [dʒenə'rɑːsətɪ] générosité *f*; **generous** généreux
genetic [dʒɪ'netɪk] génétique; **genetically** génétiquement; **genetically engineered** transgénique; **genetically modified** génétiquement modifié; **genetic engineering** génie *m* génétique; **genetic fingerprint** empreinte *f* génétique; **genetics** génétique *f*
genial ['dʒiːnjəl] agréable
genitals ['dʒenɪtlz] organes

mpl génitaux

genius ['dʒiːnjəs] génie *m*

genocide ['dʒenəsaɪd] génocide *m*

gentle ['dʒentl] doux; *breeze* léger; **gentleman** monsieur *m*; ***he's a real ~*** c'est un vrai gentleman; **gentleness** douceur *f*; **gently** doucement; *blow* légèrement

genuine ['dʒenʊɪn] authentique; **genuinely** vraiment, sincèrement

geographical [dʒɪə'græfɪkl] géographique; **geography** géographie *f*

geological [dʒɪə'lɑːdʒɪkl] géologique; **geologist** géologue *m/f*; **geology** géologie *f*

geometric, geometrical [dʒɪə'metrɪk(l)] géométrique; **geometry** géométrie *f*

geriatric [dʒerɪ'ætrɪk] **1** *adj* gériatrique **2** *n* patient(e) *m(f)* gériatrique

germ [dʒɜːrm] *also of idea etc* germe *m*

German ['dʒɜːrmən] **1** *adj* allemand **2** *n person* Allemand(e) *m(f)*; *language* allemand *m*; **German shepherd** berger *m* allemand; **Germany** Allemagne *f*

gesture ['dʒestʃər] *also fig* geste *m*

get [get] (*obtain*) obtenir; (*buy*) acheter; (*fetch*) aller chercher; (*receive*: *letter*) recevoir; (*receive*: *knowledge, respect etc*) acquérir; (*catch*: *bus, train etc*) prendre; (*understand*) comprendre; (*become*) devenir; ***when we ~ home*** quand nous arrivons chez nous; ***~ old/tired*** vieillir/se fatiguer; ***~ sth done*** (*by s.o. else*) faire faire qch; ***~ s.o. to do sth*** faire faire qch à qn; ***~ one's hair cut*** se faire couper les cheveux; ***~ sth ready*** préparer qch; ***have got*** avoir; ***have got to*** devoir; ***I have got to study*** je dois étudier, il faut que j'étudie (subj); ***~ to know*** commencer à bien connaître

◆ **get at** (*criticize*) s'en prendre à; (*imply, mean*) vouloir dire

◆ **get by** (*pass*) passer; *financially* s'en sortir

◆ **get down 1** *v/i from ladder etc* descendre; (*duck*) se baisser **2** *v/t* (*depress*) déprimer

◆ **get in 1** *v/i* (*of train, plane*) arriver; (*come home*) rentrer; *to car* entrer **2** *v/t to suitcase etc* rentrer

◆ **get into** *house* entrar dans; *car* monter dans

◆ **get off 1** *v/i from bus etc* descendre; (*finish work*) finir; (*not be punished*) s'en tirer **2** *v/t* (*remove*) enlever

◆ **get on 1** *v/i to bike, bus* monter; (*be friendly*) s'entendre; (*advance*: *of time*)

se faire tard; (*become old*) prendre de l'âge; (*progress*: *of book*) avancer **2** *v/t*: ***get on the bus*** monter dans le bus

◆ **get out 1** *v/i of car, prison etc* sortir; ***get out!*** va-t-en! **2** *v/t nail, stain* enlever; *gun, pen* sortir

◆ **get through** *on telephone* obtenir la communication

◆ **get up 1** *v/i* se lever **2** *v/t* (*climb*: *hill*) monter

'getaway car voiture utilisée pour s'enfuir; **get-together** réunion *f*

ghastly ['gæstlı] horrible

ghetto ['getou] ghetto *m*

ghost [goust] fantôme *m*, spectre *m*; **ghostly** spectral

ghoul [gu:l] personne *f* morbide

giant ['dʒaıənt] **1** *n* géant(e) *m(f)* **2** *adj* géant

gibberish ['dʒıbərıʃ] F charabia *m*

gibe [dʒaıb] moquerie *f*

giddiness ['gıdınıs] vertige *m*; **giddy**: ***feel ~*** avoir le vertige

gift [gıft] cadeau *m*; *talent* don *m*; **gift card** carte *f* cadeau; **gifted** doué; **giftwrap**: ***~ sth*** faire un paquet-cadeau

gig [gıg] F concert *m*

gigabyte ['gıgəbaıt] COMPUT gigaoctet *m*

gigantic [dʒaı'gæntık] gigantesque

giggle ['gıgl] **1** *v/i* glousser **2** *n* gloussement *m*

gimmick ['gımık] truc F

gin [dʒın] gin *m*; ***~ and tonic*** gin *m* tonic

gipsy ['dʒıpsı] gitan(e) *m(f)*

girder ['gɜ:rdər] poutre *f*

girl [gɜ:rl] (jeune) fille *f*; **girlfriend** *of boy* petite amie *f*; *younger also* copine *f*; *of girl* amie *f*, *younger also* copine *f*; **girlish** de jeune fille

gist [dʒıst] essence *f*

give [gıv] donner; *present* offrir; (*supply*: *electricity etc*) fournir; *talk*, *lecture* faire; *cry*, *groan* pousser

◆ **give away** *as present* donner; (*betray*) trahir

◆ **give back** rendre

◆ **give in 1** *v/i* (*surrender*) se rendre **2** *v/t* (*hand in*) remettre

◆ **give onto** (*open onto*) donner sur

◆ **give out 1** *v/t leaflets etc* distribuer **2** *v/i of supplies*, *strength* s'épuiser

◆ **give up 1** *v/t smoking etc* arrêter de **2** *v/i* (*stop making effort*) abandonner

◆ **give way** *of bridge etc* s'écrouler

give-and-'take concessions *fpl* mutuelles

gizmo ['gızmou] F truc *m*

glad [glæd] heureux; **gladly** volontiers, avec plaisir

glamor ['glæmər] éclat *m*, fascination *f*; **glamorize** donner un aspect séduisant à; **glam-**

orous séduisant, fascinant; *job* prestigieux; **glamour** *Br* → ***glamor***
glance [glæns] **1** *n* regard *m* **2** *v/i* jeter un regard, lancer un coup d'œil
gland [glænd] glande *f*
glare [gler] **1** *n of sun, lights* éclat *m* (éblouissant) **2** *v/i of sun, lights* briller d'un éclat éblouissant
◆ **glare at** lancer un regard furieux à
glaring ['glerɪŋ] *mistake* flagrant
glass [glæs] *material, for drink* verre *m*; **glasses** lunettes *fpl*
glazed [gleɪzd] *expression* vitreux
gleam [gliːm] **1** *n* lueur *f* **2** *v/i* luire
glee [gliː] joie *f*; **gleeful** joyeux
glib [glɪb] désinvolte; **glibly** avec désinvolture
glide [glaɪd] glisser; *of bird, plane* planer; **glider** planeur *m*; **gliding** *sport* vol *m* à voile
glimpse [glɪmps] **1** *n*: ***catch a ~ of ...*** entrevoir **2** *v/t* entrevoir
glint [glɪnt] **1** *n* lueur *f* **2** *v/i of light, eyes* luire
glisten ['glɪsn] *of light* luire; *of water* miroiter; *of silk* chatoyer
glitter ['glɪtər] *of light, jewels* briller, scintiller
gloat [gloʊt] jubiler
◆ **gloat over** se réjouir de
global ['gloʊbl] (*worldwide*) mondial; (*without exceptions*) global; **globalization** mondialisation *f*; **global warming** réchauffement *m* de la planète; **globe** globe *m*
gloom [gluːm] (*darkness*) obscurité *f*; *mood* tristesse *f*; **gloomy** sombre
glorious ['glɔːrɪəs] *weather* magnifique; *victory* glorieux; **glory** gloire *f*
gloss [glɑːs] (*shine*) brillant *m*; (*general explanation*) glose *f*; **glossary** glossaire *m*; **glossy 1** *adj paper* glacé **2** *n magazine* magazine *m* de luxe
glove [glʌv] gant *m*; **glove compartment** boîte *f* à gants
glow [gloʊ] **1** *n of light* lueur *f*; *of fire* rougeoiement *m*; *in cheeks* couleurs *fpl* **2** *v/i of light* luire; *of fire* rougeoyer; *of cheeks* être rouge; **glowing** *description* élogieux
glucose ['gluːkoʊs] glucose *m*
glue [gluː] **1** *n* colle *f* **2** *v/t* coller
glum [glʌm] morose
glut [glʌt] surplus *m*
glutton ['glʌtən] glouton(ne) *m(f)*
gnaw [nɒː] *bone* ronger
go [goʊ] aller; (*leave*) partir; (*work, function*) marcher, fonctionner; (*come out: of stain etc*) s'en aller; (*cease:*

of pain etc) partir, disparaître; (*match: of colors etc*) aller ensemble; ***hamburger to ~*** hamburger à emporter

◆ **go away** *of person* s'en aller, partir; *of rain* cesser; *of pain, clouds* partir

◆ **go back** (*return*) retourner; (*date back*) remonter (***to*** à)

◆ **go by** *of car, time* passer

◆ **go down** descendre; *of sun* se coucher

◆ **go in** *to room, house* entrer; *of sun* se cacher; (*fit: of part etc*) s'insérer

◆ **go off** (*leave*) partir; *of bomb* exploser; *of gun* partir; *of alarm* se déclencher

◆ **go on** (*continue*) continuer; (*happen*) se passer

◆ **go out** *of person* sortir; *of light, fire* s'éteindre

◆ **go over** (*check*) revoir

◆ **go through** *hard times* traverser; *illness* subir; (*check*) revoir; (*read through*) lire en entier

◆ **go under** (*sink*) couler; *of company* faire faillite

◆ **go up** (*climb*) monter; *of prices* augmenter

◆ **go without 1** *v/t food etc* se passer de **2** *v/i* s'en passer

'go-ahead 1 *n* feu vert *m* **2** *adj* (*enterprising, dynamic*) entreprenant, dynamique

goal [goul] *in sport*, (*objective*) but *m*; **goalkeeper** gardien *m* de but; **goal kick** remise *f* en jeu; **goalpost** poteau *m* de but

goat [gout] chèvre *m*

gobble ['gɑːbl] dévorer

gobbledygook ['gɑːbldɪguːk] F charabia *m* F

'go-between intermédiaire *m/f*

god [gɑːd] dieu *m*; ***thank God!*** Dieu merci!

'godchild filleul(e) *m(f)*; **godfather** *also in mafia* parrain *m*; **godmother** marraine *m*

gofer ['goufər] F coursier(-ière) *m(f)*

goggles ['gɑːgl] lunettes *fpl*

goings-on [gouɪŋz'ɑːn] activités *fpl*

gold [gould] **1** *n* or *m* **2** *adj* en or; *ingot* d'or; **golden** *sky* doré; *hair also* d'or; **golden wedding** noces *fpl* d'or; **gold medal** médaille *f* d'or; **gold mine** *fig* mine *f* d'or

golf [gɑːlf] golf *m*; **golf ball** balle *f* de golf; **golf club** *organization, stick* club *m* de golf; **golf course** terrain *m* de golf; **golfer** golfeur(-euse) *m(f)*

good [gud] bon; *weather* beau; *child* sage; **goodbye** au revoir; **good-for-nothing** *n* bon(ne) *m(f)* à rien; **Good Friday** Vendredi *m* saint; **good-humored**, *Br* **good-humoured** jovial; **good-looking** beau; **good-natured** bon, au bon naturel; **goodness** *moral* bonté *f*; *of fruit etc* bonnes choses

fpl; **goods** COM marchandises *fpl*; **goodwill** bonne volonté *f*
goof [guːf] F gaffer F
goose [guːs] oie *f*; **goose bumps** chair *f* de poule
gorgeous ['gɔːrdʒəs] magnifique, superbe
gospel ['gɑːspl] évangile *m*
gossip ['gɑːsɪp] **1** *n* potins *mpl*; *malicious* commérages *mpl*; *person* commère *f* **2** *v/i* bavarder; *maliciously* faire des commérages; **gossip column** échos *mpl*
gourmet ['gʊrmeɪ] gourmet *m*
govern ['gʌvərn] gouverner; **government** gouvernement *m*; **governor** gouverneur *m*
gown [gaʊn] robe *f*; *wedding dress* robe *f* de mariée; *of academic, judge* toge *f*; *of surgeon* blouse *f*
GPS MOT GPS *m*
grab [græb] saisir; *food* avaler
grace [greɪs] *of dancer etc* grâce *f*; *before meals* bénédicité *m*; **graceful** gracieux; **gracious** *person* bienveillant; *style* élégant
grade [greɪd] **1** *n* (*quality*) qualité *f*; EDU classe *f*; (*mark*) note *f* **2** *v/t* classer; *school work* noter; **grade crossing** passage *m* à niveau; **grade school** école *f* primaire
gradient ['greɪdɪənt] pente *f*
gradual ['grædʒʊəl] graduel; **gradually** peu à peu, progressivement
graduate 1 ['grædʒʊət] *n* diplômé(e) *m(f)* **2** ['grædʒʊeɪt] *v/i* obtenir son diplôme (***from*** de); **graduation** obtention *f* du diplôme
graffiti [grə'fiːtiː] graffitis *mpl*; *single* graffiti *m*
graft [græft] **1** *n* BOT, MED greffe *f*; F (*corruption*) corruption *f* **2** *v/t* BOT, MED greffer
grain [greɪn] blé *m*; *of rice etc, in wood* grain *m*
gram [græm] gramme *m*
grammar ['græmər] grammaire *f*; **grammatical** grammatical
grand [grænd] **1** *adj* grandiose; F (*very good*) génial F **2** *n* F (*$1000*) mille dollars *mpl*; **grandchild** petit-fils *m*, petite-fille *f*; **granddaughter** petite-fille *f*; **grandeur** grandeur *f*; **grandfather** grand-père *m*; **grand jury** grand jury *m*; **grandmother** grand-mère *f*; **grandparents** grands-parents *mpl*; **grand piano** piano *m* à queue; **grandson** petit-fils *m*
granite ['grænɪt] granit *m*
grant [grænt] **1** *n money* subvention *f* **2** *v/t wish, visa* accorder
granule ['grænuːl] grain *m*
grape [greɪp] (grain *m* de) raisin *m*; ***some ~s*** du raisin; **grapefruit juice** jus *m* de pamplemousse

graph [græf] graphique *m*, courbe *f*; **graphic 1** *adj* (*vivid*) très réaliste **2** *n* COMPUT graphique *m*

◆ **grapple with** ['græpl] *attacker* en venir aux prises avec; *problem etc* s'attaquer à

grasp [græsp] **1** *n physical* prise *f*; *mental* compréhension *f* **2** *v/t physically* saisir; (*understand*) comprendre

grass [græs] herbe *f*; **grasshopper** sauterelle *f*; **grass roots** *people* base *f*; **grassy** ['græsɪ] herbeux, herbu

grate¹ [greɪt] *n metal* grille *f*

grate² [greɪt] **1** *v/t in cooking* râper **2** *v/i*: **~ *on the ear*** faire mal aux oreilles

grateful ['greɪtful] reconnaissant; **gratefully** avec reconnaissance

gratify ['grætɪfaɪ] satisfaire

grating ['greɪtɪŋ] **1** *n* grille *f* **2** *adj sound, voice* grinçant

gratitude ['grætɪtu:d] gratitude *f*, reconnaissance *f*

grave¹ [greɪv] *n* tombe *f*

grave² [greɪv] *adj* grave

gravel ['grævl] gravier *m*

'gravestone pierre *f* tombale; **graveyard** cimetière *m*

gravity ['grævətɪ] PHYS, *of situation* gravité *f*

gray [greɪ] gris; **gray-haired** aux cheveux gris

graze¹ [greɪz] *v/i of cow etc* paître

graze² [greɪz] **1** *v/t arm etc* écorcher **2** *n* écorchure *f*

grease [gri:s] *for cooking* graisse *f*; *for car* lubrifiant *m*; **greasy** gras; (*covered in grease*) graisseux

great [greɪt] grand; *mistake, sum* gros; F (*very good*) super F; **Great Britain** Grande-Bretagne *f*; **greatly** beaucoup; ***not ~ different*** pas très différent; **greatness** grandeur *f*

Greece [gri:s] Grèce *f*

greed [gri:d] *for money* avidité *f*; *for food also* gourmandise *f*; **greedily** avec avidité; **greedy** *for money* avide; *for food also* gourmand

Greek [gri:k] **1** *n* Grec(que) *m*(*f*); *language* grec *m* **2** *adj* grec

green [gri:n] vert; **green beans** haricots *mpl* verts; **green belt** ceinture *f* verte; **green card** (*work permit*) permis *m* de travail; **greenhouse effect** effet *m* de serre; **greens** légumes *mpl* verts

greet [gri:t] saluer; (*welcome*) accueillir; **greeting** salut *m*

grenade [grɪ'neɪd] grenade *f*

grey [greɪ] *Br* → ***gray***

grid [grɪd] grille *f*; **gridiron** SP terrain *m* de football; **gridlock** *in traffic* embouteillage *m*

grief [gri:f] chagrin *m*, douleur *f*; **grief-stricken** affligé; **grievance** grief *m*; **grieve**

être affligé; ~ ***for s.o.*** pleurer qn

grill [grɪl] **1** *n on window* grille *f* **2** *v/t* (*interrogate*) mettre sur la sellette

grille [grɪl] grille *f*

grim [grɪm] sinistre, sombre

grimace ['grɪməs] grimace *f*

grime [graɪm] crasse *f*; **grimy** crasseux

grin [grɪn] **1** *n* (large) sourire *m* **2** *v/i* sourire

grind [graɪnd] *coffee* moudre; *meat* hacher

grip [grɪp] saisir, serrer; **gripping** prenant, captivant

gristle ['grɪsl] cartilage *m*

grit [grɪt] **1** *n for roads* gravillon *m* **2** *v/t*: ~ ***one's teeth*** grincer des dents; **gritty** F réaliste

groan [groʊn] **1** *n* gémissement *m* **2** *v/i* gémir

groceries ['groʊsərɪz] provisions *fpl*; **grocery store** épicerie *f* l'épicerie

groggy ['grɑːgɪ] F groggy F

groin [grɔɪn] ANAT aine *f*

groom [gruːm] **1** *n for bride* marié *m*; *for horse* palefrenier(-ère) *m(f)* **2** *v/t horse* panser; (*train, prepare*) préparer

groove [gruːv] rainure *f*; *on record* sillon *m*

grope [groʊp] **1** *v/i in the dark* tâtonner **2** *v/t sexually* peloter F

gross [groʊs] (*coarse, vulgar*) grossier; *exaggeration* gros; FIN brut

ground [graʊnd] **1** *n* sol *m*, terre *f*; *for football etc, fig* terrain; (*reason*) motif *m*; ELEC terre *f* **2** *v/t* ELEC mettre une prise de terre à; **grounding** *in subject* bases *fpl*; **groundless** sans fondement; **ground meat** viande *f* hachée; **groundwork** travail *m* préparatoire

group [gruːp] **1** *n* groupe *m* **2** *v/t* grouper

groupie ['gruːpɪ] F groupie *f* F

grouse [graʊs] **1** *n* F rouspéter F **2** *v/i* F plainte *f*

grovel ['grɑːvl] *fig* ramper (***to*** devant)

grow [groʊ] **1** *v/i* grandir; *of plants, hair* pousser; *of number* augmenter; *of business* se développer; (*become*) devenir **2** *v/t flowers* faire pousser

◆ **grow up** *of person* devenir adulte; *of city* se développer

growl [graʊl] **1** *n* grognement *m* **2** *v/i* grogner

'grown-up 1 *n* adulte *m/f* **2** *adj* adulte

growth [groʊθ] *of person, company* croissance *f*; (*increase*) augmentation *f*; MED tumeur *f*

grudge [grʌdʒ] rancune *f*; **grudging** accordé à contrecœur; *person* plein de ressentiment; **grudgingly** à contrecœur

grueling, *Br* **gruelling**

['gruːəlɪŋ] épuisant

gruff [grʌf] bourru, revêche

grumble ['grʌmbl] ronchonner; **grumbler** grognon(ne) *m(f)*

grunt [grʌnt] **1** *n* grognement *m* **2** *v/i* grogner

guarantee [gærən'tiː] **1** *n* garantie *f* **2** *v/t* garantir; **guarantor** garant(e) *m(f)*

guard [gɑːrd] **1** *n* gardien(ne) *m(f)*; MIL garde *f* **2** *v/t* garder; **guard dog** chien *m* de garde; **guarded** *reply* prudent; **guardian** LAW tuteur(-trice) *m(f)*

guerrilla [gə'rɪlə] guérillero *m*; **guerrilla warfare** guérilla *f*

guess [ges] **1** *n* conjecture *f* **2** *v/t answer* deviner **2** *v/i* deviner; ***I ~ so*** je crois; **guesswork** conjecture(s) *f(pl)*

guest [gest] invité(e) *m(f)*; *in hotel* hôte *m/f*; **guestroom** chambre *f* d'amis

guidance ['gaɪdəns] conseils *mpl*; **guide 1** *n person* guide *m/f*; *book* guide *m* **2** *v/t* guider; **guidebook** guide *m*; **guided missile** missile *m* téléguidé; **guided tour** visite *f* guidée; **guidelines** directives *fpl*

guilt [gɪlt] culpabilité *f*; **guilty** *also* LAW coupable

guinea pig ['gɪnɪpɪg] *also fig* cobaye *m*

guitar [gɪ'tɑːr] guitare *f*; **guitarist** guitariste *m/f*

gulf [gʌlf] golfe *m*; *fig* gouffre *m*

gull [gʌl] mouette *f*; *bigger* goéland *m*

gullet ['gʌlɪt] ANAT gosier *m*

gullible ['gʌlɪbl] crédule

gulp [gʌlp] **1** *n of drink* gorgée *f* **2** *v/i in surprise* dire en s'étranglant

◆ **gulp down** *drink* avaler à grosses gorgées; *food* avaler à grosses bouchées

gum[1] [gʌm] *in mouth* gencive *f*

gum[2] [gʌm] (*glue*) colle *f*; (*chewing gum*) chewing-gum *m*

gun [gʌn] arme *f* à feu; *pistol* pistolet *m*; *revolver* revolver *m*; *rifle* fusil *m*; *cannon* canon *m*

◆ **gun down** abattre

'**gunfire** coups *mpl* de feu; **gunman** homme *m* armé; **gunshot** coup *m* de feu; **gunshot wound** blessure *f* par balle

gurgle ['gɜːrgl] *of baby* gazouiller; *of drain* gargouiller

guru ['guːruː] *fig* gourou *m*

gush [gʌʃ] *of liquid* jaillir

gust [gʌst] rafale *f*, coup *m* de vent

gusto ['gʌstoʊ]: ***with ~*** avec enthousiasme

gusty ['gʌstɪ] *weather* très venteux

gut [gʌt] **1** *n* intestin *m*; F (*stomach*) bide *m* F **2** *v/t* (*destroy*) ravager; **guts** F (*cour-*

age) cran *m* F; **gutsy** F (*brave*) qui a du cran F
gutter ['gʌtər] *on sidewalk* caniveau *m*; *on roof* gouttière *f*
guy [gaɪ] F type *m* F
guzzle ['gʌzl] *food* engloutir; *drink* avaler
gym [dʒɪm] *sports club* club *m* de gym; *in school* gymnase *m*; *activity* gym(nastique) *f*; **gymnast** gymnaste *m/f*; **gymnastics** gymnastique *f*
gynecology, *Br* **gynaecology** [gaɪnɪ'kɑːlədʒɪ] gynécologie
gypsy ['dʒɪpsɪ] gitan(e) *m(f)*

H

habit ['hæbɪt] habitude *f*
habitable ['hæbɪtəbl] habitable; **habitat** habitat *m*
habitual [hə'bɪtʃʊəl] habituel; *smoker, drinker* invétéré
hacker ['hækər] COMPUT pirate *m* informatique
hackneyed ['hæknɪd] rebattu
haemorrhage *Br* → ***hemorrhage***
haggard ['hægərd] hagard, égaré
haggle ['hægl] chipoter
hail [heɪl] grêle *f*
hair [her] cheveux *mpl*; *single* cheveu *m*; *on body* poils *mpl*; *single* poil *m*; **hairbrush** brosse *f* à cheveux; **haircut** coupe *f* de cheveux; ***have a ~*** se faire couper les cheveux
'**hairdo** coiffure *f*; **hairdresser** coiffeur(-euse) *m(f)*; **hairdryer** sèche-cheveux *m*; **hairpin** épingle *f* à cheveux; **hairpin curve** virage *m* en épingle à cheveux; **hair-raising** horrifique; **hair remover** crème *f* épilatoire; **hair-splitting** ergotage *m*; **hairstyle** coiffure *f*; **hairstylist** coiffeur(-euse) *m(f)*; **hairy** *arm, animal* poilu; F (*frightening*) effrayant
half [hæf] **1** *n* moitié *f*; ***~ past ten*** dix heures et demie; ***~ an hour*** une demi-heure **2** *adj* demi; ***at ~ price*** à moitié prix **3** *adv* à moitié; **half-hearted** tiède; **half time** SP mi-temps *f*; **halfway 1** *adj*: ***reach the ~ point*** être à la moitié **2** *adv in space, distance* à mi-chemin
hall [hɒːl] (*large room*) salle *f*; (*hallway in house*) vestibule *m*
Hallowe'en [hæloʊ'wiːn] halloween *f*
halo ['heɪloʊ] auréole *f*
halt [hɒːlt] **1** *v/i* faire halte, s'arrêter **2** *v/t* arrêter
halve [hæv] couper en deux; *input, costs* réduire de moitié
ham [hæm] jambon *m*; **hamburger** hamburger *m*
hammer ['hæmər] **1** *n* marteau *m* **2** *v/i* marteler; ***~ at***

the door frapper à la porte à coups redoublés

hammock ['hæmək] hamac *m*

hamper[1] ['hæmpər] *n for food* pannier *m*

hamper[2] ['hæmpər] *v/t (obstruct)* entraver, gêner

hand [hænd] **1** *n* main *f*; *of clock* aiguille *f*; (*worker*) ouvrier(-ère) *m(f)*; ***at ~, to ~*** *thing* sous la main; ***at ~*** *person* à disposition; ***on the one ~ ..., on the other ~*** d'une part ..., d'autre part; ***on your right ~*** sur votre droite; ***give s.o. a ~*** donner un coup de main à qn

◆ **hand down** transmettre

◆ **hand out** distribuer

◆ **hand over** donner; *to authorities* livrer

'**handbag** *Br* sac *m* à main; **hand baggage** bagages *mpl* à main; **handcuff** menotter; **handcuffs** menottes *fpl*

handicap ['hændıkæp] handicap *m*; **handicapped** handicapé; **handiwork** *object* ouvrage *m*

handkerchief ['hæŋkərʧıf] mouchoir *m*

handle ['hændl] **1** *n of door, suitcase* poignée *f*; *of knife, pan* manche *m* **2** *v/t goods* manier, manipuler; *case, deal* s'occuper de; **handlebars** guidon *m*

'**hand luggage** bagages *m* à main; **handmade** fait (à la) main; **hands-free** mains libres; **handshake** poignée *f* de main

handsome ['hænsəm] beau

'**handwriting** écriture *f*; **handwritten** écrit à la main; **handy** *device* pratique

hang ['hæŋ] **1** *v/t person* pendre **2** *v/i of dress, hair* tomber

◆ **hang on** (*wait*) attendre

◆ **hang up** TELEC raccrocher

hangar ['hæŋər] hangar *m*

hanger ['hæŋər] *for clothes* cintre *m*

'**hang glider** *person* libériste *m/f*; *device* deltaplane *m*; **hang gliding** deltaplane *m*; **hangover** gueule *f* de bois

hankie, hanky ['hæŋkı] F mouchoir *m*

haphazard [hæp'hæzərd] au hasard

happen ['hæpn] se passer, arriver

happily ['hæpılı] gaiement; *spend* volontiers; (*luckily*) heureusement; **happiness** bonheur *m*; **happy** heureux; **happy-go-lucky** insouciant

harass [hə'ræs] harceler; **harassed** surmené; **harassment** harcèlement *m*

harbor, *Br* **harbour** ['hɑːrbər] **1** *n* port *m* **2** *v/t criminal* héberger; *grudge* entretenir

hard [hɑːrd] **1** *adj* dur; *facts* brut; *evidence* concret **2** *adv work* dur; *rain, pull, push* fort; ***try ~*** faire tout son possible; **hardback** livre

m cartonné; **hard-boiled** *egg* dur; **hard copy** copie *f* sur papier; **hard core** *pornography* (pornographie *f*) hard *m*; **hard currency** monnaie *f* forte; **hard disk** disque *m* dur; **harden 1** *v/t* durcir **2** *v/i of glue, attitude* se durcir; **hard hat** casque *m*; (*construction worker*) ouvrier *m* du bâtiment; **hardheaded** réaliste; **hardhearted** au cœur dur; **hard line** ligne *f* dure; **hardliner** dur(e) *m(f)*
hardly ['hɑːrdlɪ] à peine; *see s.o. etc* presque pas
hardness ['hɑːrdnɪs] dureté *f*; (*difficulty*) difficulté *f*; **hardship** privation *f*; **hardware** COMPUT hardware *m*, matériel *m*; **hardware store** quincaillerie *f*; **hard-working** travailleur; **hardy** robuste
harm [hɑːrm] **1** *n* mal *m* **2** *v/t* faire du mal à; *non-physically* nuire à; **harmful** *substance* nocif; *influence* nuisible; **harmless** inoffensif
harmonious [hɑːr'mounɪəs] harmonieux; **harmonize** s'harmoniser; **harmony** harmonie *f*
harsh [hɑːrʃ] *words* dur; *color* criard; *light* cru; **harshly** durement
harvest ['hɑːrvɪst] moisson *f*
hash browns [hæʃ] pommes de terre *fpl* sautées; **hash mark** caractère *m* #, dièse *f*
haste [heɪst] hâte *f*; **hastily** à la hâte; **hasty** hâtif, précipité
hat [hæt] chapeau *m*
hatch [hætʃ] *for serving* guichet *m*; *on ship* écoutille *f*
◆ **hatch out** éclore
hatchet ['hætʃɪt] hachette *f*; ***bury the ~*** enterrer la hache de guerre
hate [heɪt] **1** *n* haine *f* **2** *v/t* détester, haïr; **hatred** haine *f*
haul [hɒːl] **1** *n of fish* coup *m* de filet **2** *v/t* (*pull*) tirer, traîner; **haulage** transports *mpl* (routiers)
haunch [hɒːntʃ] *of person* hanche *f*; *of animal* arrière-train *m*
haunt [hɒːnt] hanter; ***this place is ~ed*** ce lieu est hanté
have [hæv] **1** *v/t* (*own*) avoir; *breakfast, lunch* prendre; **~** (***got***) ***to*** devoir; ***you don't ~ to do it*** tu n'es pas obligé de le faire; ***do I ~ to pay?*** est-ce qu'il faut payer?; ***I'll ~ it sent to you*** je vous le ferai envoyer; ***I had my hair cut*** je me suis fait couper les cheveux **2** *v/aux* (*past tense*): ***~ you seen her?*** l'as-tu vue?; ***they ~ arrived*** ils sont arrivés
◆ **have on** (*wear*) porter
haven ['heɪvn] *fig* havre *m*
hawk [hɒːk] *also fig* faucon *m*
hay [heɪ] foin *m*; **hay fever** rhume *m* des foins
hazard ['hæzərd] danger *m*; **hazard lights** MOT feux *mpl* de détresse; **hazardous** dan-

gereux
haze [heɪz] brume *f*; **hazy** *view* brumeux; *image* flou; *memories* vague
he [hiː] il; ***there ~ is*** le voilà
head [hed] **1** *n* tête *f*; (*boss, leader*) chef *m/f*; *Br* : *of school* directeur(-trice) *m(f)*; *on beer* mousse *f* **2** *v/t* (*lead*) être à la tête de; *ball* jouer de la tête
◆ **head for** se diriger vers
'**headache** mal *m* de tête; **headband** bandeau *m*; **header** *in soccer* (coup *m* de) tête *f*; *in document* en-tête *m*; **headhunter** COM chasseur *m* de têtes; **heading** *in list* titre *m*; **headlamp** phare *m*; **headline** *in newspaper* (gros) titre *m*; **head office** *of company* bureau *m* central; **head-on** **1** *adv crash* de front **2** *adj* frontal; **headphones** écouteurs *mpl*; **headquarters** quartier *m* général; **headrest** appui-tête *m*; **headroom** *under bridge* hauteur *f* limite; *in car* hauteur *f* au plafond; **headscarf** foulard *m*; **headstrong** entêté; **head waiter** maître *m* d'hôtel; **heady** *wine etc* capiteux
heal [hiːl] guérir
health [helθ] santé *f*; **health food store** magasin *m* d'aliments diététiques; **health insurance** assurance *f* maladie; **healthy** *person* en bonne santé; *food, lifestyle, economy* sain
heap [hiːp] tas *m*
hear [hɪr] entendre
◆ **hear from** (*have news from*) avoir des nouvelles de
hearing ['hɪrɪŋ] ouïe *f*; LAW audience *f*; **hearing aid** appareil *m* acoustique, audiophone *m*
hearse [hɜːrs] corbillard *m*
heart [hɑːrt] *also fig* cœur *m*; ***know sth by ~*** connaître qch par cœur; **heart attack** crise *f* cardiaque; **heartbreaking** navrant; **heartbroken**: ***be ~*** avoir le cœur brisé; **heartburn** brûlures *fpl* d'estomac
hearth [hɑːrθ] foyer *m*, âtre *f*
heartless ['hɑːrtlɪs] insensible, cruel; **hearty** *appetite* gros; *meal* copieux; *person* jovial
heat [hiːt] chaleur *f*
◆ **heat up** réchauffer
heated ['hiːtɪd] *pool* chauffé; *discussion* passionné; **heater** radiateur *m*; *in car* chauffage *m*; **heating** chauffage *m*; **heatproof, heat-resistant** résistant à la chaleur; **heatwave** vague *f* de chaleur
heave [hiːv] (*lift*) soulever
heaven ['hevn] ciel *m*; **heavenly** F divin
heavy ['hevɪ] *also food, loss* lourd; *cold* grand; *rain, accent* fort; *traffic, smoker, bleeding* gros; **heavy-duty** très résistant; **heavyweight**

SP poids lourd
hectic ['hektɪk] agité
hedge [hedʒ] haie *f*
heel [hiːl] talon *m*; **heel bar** talon-minute *m*
hefty ['heftɪ] gros; *person also* costaud
height [haɪt] *of person* taille *f*; *of building* hauteur *f*; *of airplane* altitude *f*; **heighten** *tension* accroître
heir [er] héritier *m*; **heiress** héritière *f*
helicopter ['helɪkɑːptər] hélicoptère *m*
hell [hel] enfer *m*; ***what the ~ are you doing?*** F mais enfin qu'est-ce que tu fais?; ***go to ~!*** F va te faire foutre! P
hello [hə'loʊ] bonjour; TELEC allô
helmet ['helmɪt] casque *m*
help [help] **1** *n* aide *f* **2** *v/t* aider; ***~ o.s.*** *to food* se servir; ***I can't ~ it*** je ne peux pas m'en empêcher; **helper** aide *m/f*, assistant(e) *m(f)*; **helpful** *advice* utile; *person* serviable; **helping** *of food* portion *f*; **helpless** (*unable to cope*) sans défense; (*powerless*) impuissant; **helplessness** impuissance *f*
hem [hem] *of dress etc* ourlet *m*
hemisphere ['hemɪsfɪr] hémisphère *m*
'hemline ourlet *m*
hemorrhage ['hemərɪdʒ] **1** *n* hémorragie *f* **2** *v/i* faire une hémorragie
hen [hen] poule *f*; **hen party** soirée *f* entre femmes
hepatitis [hepə'taɪtɪs] hépatite *f*
her [hɜːr] **1** *adj* son, sa; *pl* ses **2** *pron object* la; *before vowel* l'; *indirect object* lui, à elle; *with prep* elle; ***I know ~*** je la connais; ***I gave ~ a dollar*** je lui ai donné un dollar; ***this is for ~*** c'est pour elle; ***who? – ~*** qui? – elle
herb [ɜːrb] herbe *f*; **herb(al) tea** tisane *f*
herd [hɜːrd] troupeau *m*
here [hɪr] ici; ***in ~, over ~*** ici; ***~'s to you!*** *as toast* à votre santé!; ***~ you are*** *giving sth* voilà
hereditary [hə'redɪterɪ] héréditaire; **heredity** hérédité *f*; **heritage** héritage *m*
hero ['hɪroʊ] héros *m*; **heroic** héroïque; **heroically** héroïquement
heroin ['heroʊɪn] héroïne *f*
heroine ['heroʊɪn] héroïne *f*
heroism ['heroʊɪzm] héroïsme *f*
herpes ['hɜːrpiːz] herpès *m*
hers [hɜːrz] le sien, la sienne; *pl* les siens, les siennes; ***it's ~*** c'est à elle
herself [hɜːr'self] elle-même; *reflexive* se; *after prep* elle; ***she hurt ~*** elle s'est blessée
hesitant ['hezɪtənt] hésitant; **hesitantly** avec hésitation; **hesitate** hésiter; **hesitation**

hésitation *f*
heterosexual [hetərou'sekʃuəl] hétérosexuel
hi [haɪ] salut
hibernate ['haɪbərneɪt] hiberner
hiccup ['hɪkʌp] hoquet *m*; (*minor problem*) hic *m* F
hidden ['hɪdn] caché
hide[1] [haɪd] **1** *v/t* cacher **2** *v/i* se cacher
hide[2] [haɪd] *n of animal* peau *f*; *as product* cuir *m*
hide-and-'seek cache-cache *m*; **hideaway** cachette *f*
hideous ['hɪdɪəs] affreux, horrible
hiding ['haɪdɪŋ] (*beating*) rossée *f*; **hiding place** cachette *f*
hierarchy ['haɪrɑːrkɪ] hiérarchie *f*
high [haɪ] **1** *adj* haut; *salary, price, rent, temperature* élevé; *wind* fort; *speed* grand; *on drugs* défoncé F **2** *n* MOT quatrième *f*; cinquième *f*; *in statistics* pointe *f*; EDU collège *m*, lycée *m*; **highbrow** intellectuel; **highchair** chaise *f* haute; **high-class** de première class; **high-frequency** de haute fréquence; **high-grade** *ore* à haute teneur; **~ gasoline** supercarburant *m*; **high-handed** arbitraire; **high-heeled** à hauts talons; **high jump** saut *m* en hauteur; **high-level** à haut niveau; **highlight 1** *n* (*main event*) point *m* marquant; *in hair* reflets *mpl*, mèches *fpl* **2** *v/t with pen* surligner; COMPUT mettre en relief; **highlighter** *pen* surligneur *m*; **highly** *desirable, likely* fort, très; ***think ~ of s.o.*** penser beaucoup de bien de qn; **high performance** *drill, battery* haute performance; **high-pitched** aigu; **high point** *of career* point *m* culminant; **high-powered** *engine* très puissant; *intellectual* très compétent; **high pressure** *weather* anticyclone *m*; **high-pressure** TECH à haute pression; *salesman* de choc; *job, lifestyle* dynamique; **high school** collège *m*, lycée *m*; **high-strung** nerveux, très sensible; **high tech 1** *n* technologie *f* de pointe, high-tech *m* **2** *adj* de pointe, high-tech; **highway** grande route *f*
hijack ['haɪdʒæk] **1** *v/t* détourner **2** *n* détournement *m*; **hijacker** *of plane* pirate *m* de l'air; *of bus* pirate *m* de la route
hike[1] [haɪk] **1** *n* randonnée *f* à pied **2** *v/i* marcher à pied
hike[2] [haɪk] *n in prices* hausse *f*
hiker ['haɪkər] randonneur (-euse) *m(f)*; **hiking** randonnée *f* (pédestre)
hilarious [hɪ'lerɪəs] hilarant, désopilant
hill [hɪl] colline *f*; (*slope*) côte

f; **hilltop** sommet *m* de la colline; **hilly** montagneux; *road* vallonné
hilt [hɪlt] poignée *f*
him [hɪm] *object* le; *before vowel* l'; *indirect object, with prep* lui; ***I know ~*** je le connais; ***I gave ~ a dollar*** je lui ai donné un dollar; ***this is for ~*** c'est pour lui; ***who? – him*** qui? – lui; **himself** lui-même; *reflexive* se; *after prep* lui; ***he hurt ~*** il s'est blessé
hinder ['hɪndər] gêner, entraver; ***~ s.o. from doing sth*** empêcher qn de faire qch; **hindrance** obstacle *m*
hinge [hɪndʒ] charnière *f*
hint [hɪnt] (*clue*) indice *m*; (*piece of advice*) conseil *m*; (*suggestion*) allusion *f*; *of red, sadness etc* soupçon *m*
hip [hɪp] hanche *f*; **hip pocket** poche *f* revolver
hire ['haɪr] louer
his [hɪz] **1** *adj* son, sa; *pl* ses **2** *pron* le sien, la sienne; *pl* les siens, les siennes; ***it's ~*** c'est à lui
Hispanic [hɪ'spænɪk] **1** *n* Hispano-Américain(e) *m(f)* **2** *adj* hispano-américain
hiss [hɪs] siffler
historian [hɪ'stɔːrɪən] historien(ne) *m(f)*; **historic** historique; **historical** historique; **history** histoire *f*
hit [hɪt] **1** *v/t* frapper; (*collide with*) heurter; ***he was ~ by a bullet*** il a été touché par une balle **2** *n* (*blow*) coup *m*; MUS, (*success*) succès *m*; *on website* visiteur *m*
hitch [hɪtʃ] **1** *n* (*problem*) anicroche *f*, accroc *m* **2** *v/t* attacher; **hitchhike** faire du stop; **hitchhiker** auto-stoppeur (-euse) *m(f)*
hi-'tech **1** *n* technologie *f* de pointe, high-tech *m* **2** *adj* de pointe, high-tech
'hitman tueur *m* à gages; **hit-or-miss** aléatoire
HIV [eɪtʃaɪ'viː] (= ***human immunodeficiency virus***) V.I.H. *m* (= Virus de l'Immunodéficience Humaine); ***people with ~*** les séropositifs
hive [haɪv] *for bees* ruche *f*
HIV-'positive séropositif
hoard [hɔːrd] **1** *n* réserves *fpl* **2** *v/t money* amasser; *in times of shortage* faire des réserves de
hoarse [hɔːrs] rauque
hoax [hoʊks] canular *m*
hobble ['hɑːbl] boitiller
hobby ['hɑːbɪ] hobby *m*
hobo ['hoʊboʊ] F vagabond *m*
hockey ['hɑːkɪ] (*ice hockey*) hockey *m* (sur glace)
hog [hɑːg] (*pig*) cochon *m*
hoist [hɔɪst] **1** *n* palan *m* **2** *v/t* hisser
hold [hoʊld] **1** *v/t in hand* tenir; (*support, keep in place*) soutenir; *passport, license, prisoner* détenir; (*contain*) contenir; *job, post* occuper;

*~ **the line*** TELEC ne quittez pas! **2** *n in ship* cale *f*; *in plane* soute *f*; ***take ~ of sth*** saisir qch

◆ **hold back** *crowds* contenir; *facts* retenir

◆ **hold out 1** *v/t hand* tendre; *prospect* offrir **2** *v/i of supplies* durer; (*survive*) tenir (bon)

◆ **hold up** *hand* lever; *bank etc* attaquer; (*make late*) retenir

holder ['houldər] (*container*) boîtier *m*; *of passport, ticket, record* détenteur(-trice) *m(f)*; **holding company** holding *m*; **holdup** (*robbery*) hold-up *m*; (*delay*) retard *m*

hole [houl] trou *m*

holiday ['hɑːlədeɪ] jour *m* de congé; *Br*: *period* vacances *fpl*

hollow ['hɑːlou] creux; *promise* faux

holocaust ['hɑːləkɒːst] holocauste *m*

hologram ['hɑːləgræm] hologramme *m*

holster ['houlstər] holster *m*

holy ['houlɪ] saint; **Holy Spirit** Saint-Esprit *m*

home [houm] **1** *n* maison *f*; (*native country, town*) patrie *f*; *for old people* maison *f* de retraite; ***at ~*** chez moi/lui *etc*; (*in own country*) dans mon/son *etc* pays; SP à domicile; ***make o.s. at ~*** faire comme chez soi **2** *adv* à la maison, chez soi; (*in own country*) dans son pays; (*in own town*) dans sa ville; ***go ~*** rentrer; **home address** adresse *f* personnelle; **home banking** services *mpl* télématiques (bancaires); **homecoming** retour *m* (à la maison); **home computer** ordinateur *m* familial; **home game** match *m* à domicile; **homeless 1** *adj* sans abri **2** *npl*: ***the ~*** les sans-abri *mpl*, les S.D.F. *mpl* (sans domicile fixe); **homeloving** casanier; **homely** (*homelike*) simple, comme à la maison; (*not good-looking*) sans beauté; **homemade** fait (à la) maison; **home page** COMPUT page *f* d'accueil; **homesick**: ***be ~*** avoir le mal du pays; **home town** ville *f* natale; **homeward** *to own house* vers la maison; *to own country* vers son pays; **homework** EDU devoirs *mpl*

homicide ['hɑːmɪsaɪd] homicide *m*; *department* homicides *mpl*

homophobia [houmə'foubɪə] homophobie *f*

homosexual [houmə'sekʃuəl] **1** *adj* homosexuel **2** *n* homosexuel(le) *m(f)*

honest ['ɑːnɪst] honnête; **honestly** honnêtement; ***~!*** vraiment!; **honesty** honnêteté *f*

honey ['hʌnɪ] miel *m*; F (*darling*) chéri(e) *m(f)*; **honey-**

moon lune *f* de miel
honk [hɑːŋk] *horn* klaxonner
honor ['ɑːnər] **1** *n* honneur *f* **2** *v/t* honorer; **honorable** honorable; **honour** *Br* → ***honor***
hood [hʊd] *over head* capuche *f*; *over cooker* hotte *f*; MOT capot *m*; F (*gangster*) truand *m*
hook [hʊk] *to hang clothes on* patère *f*; *for fishing* hameçon *m*; ***off the ~*** TELEC décroché; **hooked** accro F; ***be ~ on sth*** être accro de qch; **hooker** F putain *f* P; *in rugby* talonneur *m*
hoot [huːt] **1** *v/t horn* donner un coup de **2** *v/i of car* klaxonner; *of owl* huer
hop [hɑːp] sauter, sautiller
hope [hoʊp] **1** *n* espoir *m* **2** *v/i* espérer; ***I ~ so*** je l'espère, j'espère que oui **2** *v/t*: ***~ that*** espérer que; **hopeful** plein d'espoir; (*promising*) prometteur; **hopefully** *say, wait* avec espoir; (*I/we hope*) avec un peu de chance; **hopeless** *position* sans espoir, désespéré; (*useless*: *person*) nul
horizon [hə'raɪzn] horizon *m*; **horizontal** horizontal
hormone ['hɔːrmoʊn] hormone *f*
horn [hɔːrn] *of animal* corne *f*; MOT klaxon *m*
hornet ['hɔːrnɪt] frelon *m*
horny ['hɔːrnɪ] F *sexually* excité
horrible ['hɑːrɪbl] horrible, affreux; **horrify** horrifier; **horrifying** horrifiant; **horror** horreur *f*
horse [hɔːrs] cheval *m*; **horse race** course *f* de chevaux; **horseshoe** fer *m* à cheval
horticulture horticulture *f*
hose [hoʊz] tuyau *m*
hospitable ['hɑːspɪtəbl] hospitalier
hospital ['hɑːspɪtl] hôpital *m*; **hospitality** hospitalité *f*
host [hoʊst] *at party* hôte *m/f*; *of TV program* présentateur(-trice) *m(f)*
hostage ['hɑːstɪdʒ] otage *m*; **hostage taker** preneur(-euse) *m(f)* d'otages
hostel ['hɑːstl] *for students* foyer *m*; (*youth ~*) auberge *f* de jeunesse
hostess ['hoʊstɪs] hôtesse *f*
hostile ['hɑːstl] hostile; **hostility** hostilité *f*; ***hostilities*** hostilités
hot [hɑːt] chaud; (*spicy*) épicé, fort; ***I'm ~*** j'ai chaud; ***it's ~*** *weather* il fait chaud; **hot dog** hot-dog *m*
hotel [hoʊ'tel] hôtel *m*
hour ['aʊr] heure *f*
house [haʊs] maison *f*; ***at your ~*** chez vous; **housebreaking** cambriolage *m*; **household** ménage *m*; **household name** nom *m* connu de tous; **housekeeper** femme *f* de ménage; **House of Representatives** Cham-

bre *f* des Représentants; **housewarming (party)** pendaison *f* de crémaillère; **housewife** femme *f* au foyer; **housework** travaux *mpl* domestiques; **housing** logement *m*; TECH boîtier *m*

hovel ['hɑːvl] taudis *m*

hover ['hɑːvər] planer

how [haʊ] comment; **~ *are you?*** comment allez-vous?; **~ *about a drink?*** et si on allait prendre un pot?; **~ *much?*** combien?; **~ *much is it?*** *cost* combien ça coûte?; **~ *many?*** combien?; **~ *often?*** tous les combien?; **~ *sad!*** comme c'est triste!; **however** cependant; **~ *big they are*** qu'ils soient grands ou non

howl [haʊl] hurler

hub [hʌb] *of wheel* moyeu *m*; **hubcap** enjoliveur *m*

◆ **huddle together** ['hʌdl] se blottir les uns contre les autres

hug [hʌg] serrer dans ses bras

huge [hjuːdʒ] énorme

hull [hʌl] coque *f*

hum [hʌm] fredonner

human ['hjuːmən] **1** *n* être *m* humain **2** *adj* humain; **human being** être *m* humain

humane [hjuː'meɪn] humain, plein d'humanité

humanitarian [hjuːmænɪ'terɪən] humanitaire

humanity [hjuː'mænətɪ] humanité *f*; **human race** race *f* humaine; **human resources** ressources *fpl* humaines

humble ['hʌmbl] modeste

humdrum ['hʌmdrʌm] monotone, banal

humid ['hjuːmɪd] humide; **humidifier** humidificateur *m*; **humidity** humidité *f*

humiliate [hjuː'mɪlɪeɪt] humilier; **humiliating** humiliant; **humiliation** humiliation *f*; **humility** humilité *f*

humor ['hjuːmər] humour *m*; (*mood*) humeur *f*; ***sense of ~*** sens *m* de l'humour; **humorous** drôle; **humour** *Br* → ***humor***

hunch [hʌntʃ] (*idea*) intuition *f*, pressentiment *m*

hundred ['hʌndrəd] cent *m*; **hundredth** centième

hunger ['hʌŋgər] faim *f*

hung-'over: ***be ~*** avoir la gueule de bois F

hungry ['hʌŋgrɪ] affamé; ***I'm ~*** j'ai faim

hunk [hʌŋk] gros morceau *m*; F *man* beau mec F

hunt [hʌnt] **1** *n* chasse *f* (**for** à); *for new leader, missing child etc* recherche *f* (**for** de) **2** *v/t* chasser; **hunter** chasseur (-euse) *m*(*f*); **hunting** chasse *f*

hurdle ['hɜːrdl] SP haie *f*; *fig* obstacle *m*

hurl [hɜːrl] lancer, jeter

hurray [hʊ'reɪ] hourra

hurricane ['hʌrɪkən] ouragan

m

hurried ['hʌrɪd] précipité; **hurry 1** *n* hâte *f*; ***be in a ~*** être pressé **2** *v/i* se dépêcher

◆ **hurry up 1** *v/i* se dépêcher; ***hurry up!*** dépêchez-vous! **2** *v/t* presser

hurt [hɜːrt] **1** *v/i* faire mal **2** *v/t* faire mal à; *emotionally* blesser

husband ['hʌzbənd] mari *m*

hush [hʌʃ] silence *m*

◆ **hush up** *scandal etc* étouffer

husky ['hʌskɪ] *voice* rauque

hut [hʌt] cabane *f*, hutte *f*

hybrid ['haɪbrɪd] hybride *m*

hydrant ['haɪdrənt] prise *f* d'eau; (*fire ~*) bouche *f* d'incendie

hydraulic [haɪ'drɒːlɪk] hydraulique

hydroelectric [haɪdroʊɪ'lektrɪk] hydroélectrique

hydrogen ['haɪdrədʒən] hydrogène *m*

hygiene ['haɪdʒiːn] hygiène *f*; **hygienic** hygiénique

hymn [hɪm] hymne *m*

hype [haɪp] battage *m* publicitaire

hyperactive [haɪpər'æktɪv] hyperactif; **hyperlink** INTERNET hyperlien *m*; **hypersensitive** hypersensible; **hypertext** COMPUT hypertexte *m*

hypnosis [hɪp'noʊsɪs] hypnose *f*; **hypnotize** hypnotiser

hypocrisy [hɪ'pɑːkrəsɪ] hypocrisie *f*; **hypocrite** hypocrite *m/f*; **hypocritical** hypocrite

hypothesis [haɪ'pɑːθəsɪs] hypothèse *f*; **hypothetical** hypothétique

hysterectomy [hɪstə'rektəmɪ] hystérectomie *f*

hysteria [hɪ'stɪrɪə] hystérie *f*; **hysterical** hystérique; F (*very funny*) à mourir de rire F; **hysterics** crise *f* de nerfs; *laughter* fou rire *m*

I

I [aɪ] je; *before vowel* j'; ***here ~ am*** me voici

ice [aɪs] glace *f*; *on road* verglas *m*; **icebox** glacière *f*; **ice cream** glace *f*; **ice cube** glaçon *m*; **iced** *drink* glacé; **ice hockey** hockey *m* sur glace; **ice rink** patinoire *f*; **ice skate** patin *m* (à glace); **ice skating** patinage *m* (sur glace)

icon ['aɪkɑːn] symbole *m*; COMPUT icône *f*

icy ['aɪsɪ] gelé; *welcome* glacial

ID [aɪ'diː] (= ***identity***) identité *f*

idea [aɪ'diːə] idée *f*; **ideal** idéal; **idealistic** idéaliste

identical [aɪ'dentɪkl] identi-

que; **identification** identification *f*; (*papers etc*) papiers *mpl* d'identité; **identify** identifier; **identity** identité *f*; **~ card** carte *f* d'identité
ideological [aɪdɪə'lɑːdʒɪkl] idéologique; **ideology** idéologie *f*
idiomatic [ɪdɪə'mætɪk] (*natural*) idiomatique
idiot ['ɪdɪət] idiot(e) *m(f)*; **idiotic** idiot, bête
idle ['aɪdl] **1** *adj* (*not working*) inoccupé; (*lazy*) paresseux; *threat* oiseux; *machinery* non utilisé **2** *v/i of engine* tourner au ralenti
idol ['aɪdl] idole *f*; **idolize** idolâtrer
if [ɪf] si
ignite [ɪg'naɪt] mettre le feu à; **ignition** *in car* allumage *m*; **~ key** clef *f* de contact
ignorance ['ɪgnərəns] ignorance *f*; **ignorant** ignorant; (*rude*) grossier; **ignore** ignorer
ill [ɪl] malade; ***fall ~, be taken ~*** tomber malade
illegal [ɪ'liːgl] illégal
illegible [ɪ'ledʒəbl] illisible
illegitimate [ɪlɪ'dʒɪtɪmət] *child* illégitime
illicit [ɪ'lɪsɪt] illicite
illiterate [ɪ'lɪtərət] illettré
illness ['ɪlnɪs] maladie *f*
illogical [ɪ'lɑːdʒɪkl] illogique
ill'treat maltraiter
illuminating [ɪ'luːmɪneɪtɪŋ] *remarks etc* éclairant
illusion [ɪ'luːʒn] illusion *f*
illustrate ['ɪləstreɪt] illustrer; **illustration** illustration *f*; **illustrator** illustrateur(-trice) *m(f)*
image ['ɪmɪdʒ] image *f*
imaginary [ɪ'mædʒɪnərɪ] imaginaire; **imagination** imagination *f*; **imaginative** imaginatif; **imagine** imaginer; ***you're imagining things*** tu te fais des idées
IMF [aɪem'ef] (= ***International Monetary Fund***) F.M.I. *m* (= Fonds *m* Monétaire International)
imitate ['ɪmɪteɪt] imiter; **imitation** imitation *f*
immaculate [ɪ'mækjʊlət] impeccable
immature [ɪmə'tur] immature
immediate [ɪ'miːdɪət] immédiat; **immediately** immédiatement
immense [ɪ'mens] immense
immerse [ɪ'mɜːrs] immerger, plonger
immigrant ['ɪmɪgrənt] immigrant(e) *m(f)*; **immigrate** immigrer; **immigration** immigration *f*
imminent ['ɪmɪnənt] imminent
immobilize [ɪ'moʊbɪlaɪz] immobiliser
immoderate [ɪ'mɑːdərət] immodéré
immoral [ɪ'mɒːrəl] immoral; **immorality** immoralité *f*
immortal [ɪ'mɔːrtl] immortel;

immortality immortalité *f*
immune [ɪ'mjuːn] *to illness* immunisé (***to*** contre); *from ruling* exempt (***from*** de); **immune system** MED système *m* immunitaire; **immunity** immunité *f*; *from ruling* exemption *f*
impact ['ɪmpækt] impact *m*
impair [ɪm'per] affaiblir
impartial [ɪm'pɑːrʃl] impartial
impassable [ɪm'pæsəbl] *road* impraticable
impassioned [ɪm'pæʃnd] *speech, plea* passionné
impatience [ɪm'peɪʃəns] impatience *f*; **impatient** impatient
impatiently impatiemment
impeccable [ɪm'pekəbl] impeccable
impede [ɪm'piːd] gêner, empêcher; **impediment** *obstacle* obstacle *m*; ***speech*** ~ défaut *m* d'élocution
impending [ɪm'pendɪŋ] imminent
imperative [ɪm'perətɪv] **1** *adj* impératif **2** *n* GRAM impératif *m*
imperfect [ɪm'pɜːrfekt] **1** *adj* imparfait **2** *n* GRAM imparfait *m*
impersonal [ɪm'pɜːrsənl] impersonnel; **impersonate** *as a joke* imiter; *illegally* se faire passer pour
impertinence [ɪm'pɜːrtɪnəns] impertinence *f*; **impertinent** impertinent
impervious [ɪm'pɜːrvɪəs]: ~ ***to*** insensible à
impetuous [ɪm'petʃʊəs] impétueux
impetus ['ɪmpətəs] *of campaign etc* force *f*, élan *m*
implement ['ɪmplɪmənt] **1** *n* instrument *m*, outil *m* **2** *v/t* ['ɪmplɪment] appliquer
implicate ['ɪmplɪkeɪt] impliquer; **implication** implication *f*
implore [ɪm'plɔːr] implorer
imply [ɪm'plaɪ] impliquer; (*suggest*) suggérer
impolite [ɪmpə'laɪt] impoli
import ['ɪmpɔːrt] **1** *n* importation *f* **2** *v/t* importer
importance [ɪm'pɔː;rtəns] importance *f*; **important** important
importer [ɪm'pɔːrtər] importateur(-trice) *m(f)*
impose [ɪm'poʊz] *tax* imposer; **imposing** imposant
impossibility [ɪmpɑːsɪ'bɪlɪtɪ] impossibilité *f*; **impossible** impossible
impotence ['ɪmpətəns] impuissance *f*; **impotent** impuissant
impractical [ɪm'præktɪkəl] dénué de sens pratique
impress [ɪm'pres] impressionner; **impression** impression *f*; (*impersonation*) imitation *f*; **impressive** impressionnant
imprint ['ɪmprɪnt] *of credit*

card empreinte *f*
imprison [ɪm'prɪzn] emprisonner; **imprisonment** emprisonnement *m*
improbable [ɪm'prɑːbəbəl] improbable
improve [ɪm'pruːv] **1** *v/t* améliorer **2** *v/i* s'améliorer; **improvement** amélioration *f*
improvize ['ɪmprəvaɪz] improviser
impudent ['ɪmpjʊdənt] impudent
impulse ['ɪmpʌls] impulsion *f*; **impulsive** impulsif
in [ɪn] **1** *prep* dans; *with time* en; **~ *Rouen*** à Rouen; **~ *1999*** en 1999; **~ *the morning*** le matin; **~ *the summer*** l'été; **~ *August*** en août, au mois d'août; **~ *two hours*** *from now* dans deux heures; *over period of* en deux heures; **~ *English*** en anglais; **~ *yellow*** en jaune; **~ *crossing the road*** en traversant la route **2** *adv* (*at home*, *in the building etc*) là; (*arrived*: *train*) arrivé; (*in its position*) dedans; **~ *here*** ici **3** *adj* (*fashionable*, *popular*) à la mode
inability [ɪnə'bɪlɪtɪ] incapacité *f*
inaccurate [ɪn'ækjʊrət] inexact
inadequate [ɪn'ædɪkwət] insuffisant, inadéquat
inadvisable [ɪnəd'vaɪzəbl] peu recommandé
inanimate [ɪn'ænɪmət] inanimé
inappropriate [ɪnə'proʊprɪət] peu approprié
inaudible [ɪn'ɒːdəbl] inaudible
inaugural [ɪ'nɒːgjʊrəl] *speech* inaugural; **inaugurate** inaugurer
inborn ['ɪnbɔːrn] inné
inc. (= ***incorporated***) S.A. *f* (= Société *f* Anonyme)
incalculable [ɪn'kælkjʊləbl] *damage* incalculable
incapable [ɪn'keɪpəbl] incapable
incentive [ɪn'sentɪv] encouragement *m*, stimulation *f*
incessant [ɪn'sesnt] incessant; **incessantly** sans arrêt
incest ['ɪnsest] inceste *m*
inch [ɪntʃ] pouce *m*
incident ['ɪnsɪdənt] incident *m*; **incidental** fortuit; **~ *expenses*** frais *mpl* accessoires; **incidentally** soit dit en passant
incision [ɪn'sɪʒn] incision *f*; **incisive** incisif
incite [ɪn'saɪt] inciter
inclination [ɪnklɪ'neɪʃn] (*liking*) penchant *m*; (*tendency*) tendance *f*
inclose, inclosure → ***enclose, enclosure***
include [ɪn'kluːd] inclure, comprendre; **including** y compris; **~ *service*** service compris; **inclusive 1** *adj price* tout compris **2** *prep*: **~ *of*** en incluant **3** *adv* tout

compris; ***from Monday to Thursday*** ~ du lundi au jeudi inclus
incoherent [ɪnkoʊ'hɪrənt] incohérent
income ['ɪnkəm] revenu *m*; **income tax** impôt *m* sur le revenu
incomparable [ɪn'kɑːmpərəbl] incomparable
incompatibility [ɪnkəmpætɪ'bɪlɪtɪ] incompatibilité *f*; **incompatible** incompatible
incompetence [ɪn'kɑːmpɪtəns] incompétence *f*; **incompetent** incompétent
incomplete [ɪnkəm'pliːt] incomplet
incomprehensible [ɪnkɑːmprɪ'hensɪbl] incompréhensible
inconceivable [ɪnkən'siːvəbl] inconcevable
inconsiderate [ɪnkən'sɪdərət] *action* inconsidéré; ***be ~ of person*** manquer d'égards
inconsistent [ɪnkən'sɪstənt] incohérent; *person* inconstant
inconspicuous [ɪnkən'spɪkjʊəs] discret
inconvenience [ɪnkən'viːnɪəns] inconvénient *m*; **inconvenient** *time* inopportun; *place, arrangement* peu commode
incorporate [ɪn'kɔːrpəreɪt] incorporer
incorrect [ɪnkə'rekt] incorrect
increase 1 [ɪn'kriːs] *v/t & v/i* augmenter **2** ['ɪnkriːs] *n* augmentation *f*; **increasing** croissant; **increasingly** de plus en plus
incredible [ɪn'kredɪbl] incroyable
incur [ɪn'kɜːr] *costs* encourir; *debts* contracter; *s.o.'s anger* s'attirer
incurable [ɪn'kjʊrəbl] *also fig* incurable
indecent [ɪn'diːsnt] indécent
indecisive [ɪndɪ'saɪsɪv] *argument* peu concluant; *person* indécis; **indecisiveness** indécision *f*
indeed [ɪn'diːd] (*in fact*) vraiment; (*yes, agreeing*) en effet; ***very much ~*** beaucoup
indefinable [ɪndɪ'faɪnəbl] indéfinissable
indefinite [ɪn'defɪnɪt] indéfini; **indefinitely** indéfiniment
indelicate [ɪn'delɪkət] indélicat
independence [ɪndɪ'pendəns] indépendance *f*; **Independence Day** fête *f* de l'Indépendance; **independent** indépendant
indescribable [ɪndɪ'skraɪbəbl] indescriptible; (*very bad*) inqualifiable
index ['ɪndeks] *for book* index *m*
India ['ɪndɪə] Inde *f*; **Indian 1** *adj* indien **2** *n also American* Indien(ne) *m(f)*

indicate ['ɪndɪkeɪt] **1** *v/t* indiquer **2** *v/i when driving* mettre ses clignotants; **indication** indication *f*, signe *m*

indict [ɪn'daɪt] accuser

indifference [ɪn'dɪfrəns] indifférence *f*; **indifferent** indifférent; (*mediocre*) médiocre

indigestion [ɪndɪ'dʒestʃn] indigestion *f*

indignant [ɪn'dɪgnənt] indigné; **indignation** indignation *f*

indirect [ɪndɪ'rekt] indirect; **indirectly** indirectement

indiscreet [ɪndɪ'skriːt] indiscret

indiscriminate [ɪndɪ'skrɪmɪnət] aveugle; *accusations* à tort et à travers

indispensable [ɪndɪ'spensəbl] indispensable

indisposed [ɪndɪ'spoʊzd] (*not well*) indisposé

indisputable [ɪndɪ'spjuːtəbl] incontestable

indistinct [ɪndɪ'stɪŋkt] indistinct

indistinguishable [ɪndɪ'stɪŋgwɪʃəbl] indifférenciable

individual [ɪndɪ'vɪdʒʊəl] **1** *n* individu *m* **2** *adj* (*separate*) particulier; (*personal*) individuel; **individually** individuellement

indoctrinate [ɪn'dɑːktrɪneɪt] endoctriner

Indonesia [ɪndə'niːʒə] Indonésie *f*; **Indonesian 1** *adj* indonésien **2** *n person* Indonésien(ne) *m*(*f*)

indoor ['ɪndɔːr] *activities, games* d'intérieur; *sport* en salle; *arena* couvert; **indoors** à l'intérieur; (*at home*) à la maison

indorse → ***endorse***

indulgent [ɪn'dʌldʒənt] (*not strict enough*) indulgent

industrial [ɪn'dʌstrɪəl] industriel; **industrial dispute** conflit *m* social; **industrialist** industriel(le) *m*(*f*); **industrious** travailleur; **industry** industrie *f*

ineffective [ɪnɪ'fektɪv] inefficace

inefficient [ɪnɪ'fɪʃənt] inefficace

inept [ɪ'nept] inepte

inequality [ɪnɪ'kwɑːlɪtɪ] inégalité *f*

inescapable [ɪnɪ'skeɪpəbl] inévitable

inevitable [ɪn'evɪtəbl] inévitable; **inevitably** inévitablement

inexcusable [ɪnɪk'skjuːzəbl] inexcusable

inexhaustible [ɪnɪg'zɒːstəbl] inépuisable

inexpensive [ɪnɪk'spensɪv] bon marché, pas cher

inexperienced [ɪnɪk'spɪrɪənst] inexpérimenté

inexplicable [ɪnɪk'splɪkəbl] inexplicable

infallible [ɪn'fælɪbl] infaillible

infamous ['ɪnfəməs] infâme

infancy ['ɪnfənsɪ] *of person* petite enfance *f*; *of state, institution* débuts *mpl*; **infant** petit(e) enfant *m(f)*; **infantile** *pej* infantile

infantry ['ɪnfəntrɪ] infanterie *f*

infect [ɪn'fekt] contaminer; ***become ~ed*** *of wound* s'infecter; **infection** contamination *f*; *(disease), of wound* infection *f*; **infectious** *disease* infectieux; *laughter* contagieux

infer [ɪn'fɜːr]: ***~ X from Y*** déduire X de Y

inferior [ɪn'fɪrɪər] inférieur; **inferiority** infériorité *f*; **inferiority complex** complexe *m* d'infériorité

infertile [ɪn'fɜːrtl] stérile; **infertility** stérilité *f*

infidelity [ɪnfɪ'delɪtɪ] infidélité *f*

infinite ['ɪnfɪnət] infini; **infinitive** infinitif *m*

infinity [ɪn'fɪnətɪ] infinité *f*; MATH infini *m*

inflammable [ɪn'flæməbl] inflammable; **inflammation** MED inflammation *f*

inflatable [ɪn'fleɪtəbl] *dinghy* gonflable; **inflate** *tire, dinghy* gonfler; **inflation** inflation *f*; **inflationary** inflationniste

inflexible [ɪn'fleksɪbl] *attitude, person* inflexible

inflict [ɪn'flɪkt] infliger (***on*** à)

influence ['ɪnfluəns] **1** *n* influence *f* **2** *v/t* influencer; **influential** influent

inform [ɪn'fɔːrm] **1** *v/t* informer **2** *v/i*: ***~ on*** dénoncer

informal [ɪn'fɔːrməl] *meeting, agreement* non-officiel; *form of address* familier; *conversation, dress* simple; **informality** *of meeting, agreement* caractère *m* non officiel; *of form of address* familiarité *f*; *of conversation, dress* simplicité *f*

informant [ɪn'fɔːrmənt] informateur(-trice) *m(f)*; **information** renseignements *mpl*; **information technology** informatique *f*; **informative** instructif; **informer** dénonciateur(-trice) *m(f)*

infra-red [ɪnfrə'red] infrarouge

infrastructure ['ɪnfrəstrʌktʃər] infrastructure *f*

infrequent [ɪn'friːkwənt] rare

infuriate [ɪn'fjʊrɪeɪt] rendre furieux; **infuriating** exaspérant

ingenious [ɪn'dʒiːnɪəs] ingénieux

ingot ['ɪŋgət] lingot *m*

ingratitude [ɪn'grætɪtuːd] ingratitude *f*

ingredient [ɪn'griːdɪənt] *for cooking* ingrédient *m*; *for success* recette *f*

inhabit [ɪn'hæbɪt] habiter; **inhabitant** habitant(e) *m(f)*

inhale [ɪn'heɪl] **1** *v/t* inhaler **2** *v/i when smoking* avaler la fumée

inherit [ɪn'herɪt] hériter; **inheritance** héritage *m*
inhibited [ɪn'hɪbɪtɪd] inhibé; **inhibition** inhibition *f*
inhospitable [ɪnhɑː'spɪtəbl] inhospitalier
inhuman [ɪn'hjuːmən] inhumain
initial [ɪ'nɪʃl] **1** *adj* initial **2** *n* initiale *f* **3** *v/t* (*write initials on*) parapher; **initially** au début; **initiate** *procedure* lancer; *person* initier; **initiation** lancement *m*; *of person* initiation *f*; **initiative** initiative *f*
inject [ɪn'dʒekt] injecter; **injection** injection *f*
injure ['ɪndʒər] blesser; **injury** blessure *f*
injustice [ɪn'dʒʌstɪs] injustice *f*
ink [ɪŋk] encre *f*
inland ['ɪnlənd] intérieur
in-laws ['ɪnlɒːz] belle-famille *f*
inmate ['ɪnmeɪt] *of prison* détenu(e) *m(f)*; *of mental hospital* interné(e) *m(f)*
inn [ɪn] auberge *f*
innate [ɪ'neɪt] inné
inner ['ɪnər] *courtyard* intérieur; *thoughts* intime; *ear* interne
innocence ['ɪnəsəns] innocence *f*; **innocent** innocent
innocuous [ɪ'nɑːkjʊəs] inoffensif
innovation [ɪnə'veɪʃn] innovation *f*; **innovative** innovant; **innovator** innovateur(-trice) *m(f)*
inoculate [ɪ'nɑːkjʊleɪt] inoculer; **inoculation** inoculation *f*
inoffensive [ɪnə'fensɪv] inoffensif
'in-patient patient(e) hospitalisé(e) *m(f)*
input ['ɪnpʊt] **1** *n into project etc* apport *m*, contribution *f*; COMPUT entrée *f* **2** *v/t into project* apporter; COMPUT entrer
inquest ['ɪnkwest] enquête *f* (***into*** sur)
inquire [ɪn'kwaɪr] se renseigner; **inquiry** demande *f* de renseignements; ***government ~*** enquête *f* officielle
inquisitive [ɪn'kwɪzətɪv] curieux
insane [ɪn'seɪn] fou
insanitary [ɪn'sænɪterɪ] insalubre
insanity [ɪn'sænɪtɪ] folie *f*
inscription [ɪn'skrɪpʃn] inscription *f*
insect ['ɪnsekt] insecte *m*; **insecticide** insecticide *m*
insecure [ɪnsɪ'kjʊr]: ***be ~*** *not safe* ne pas se sentir en sécurité; *not sure of self* manquer d'assurance; **insecurity** *psychological* manque *m* d'assurance
insensitive [ɪn'sensɪtɪv] insensible (***to*** à)
insert **1** ['ɪnsɜːrt] *n in magazine etc* encart *m* **2** [ɪn'sɜːrt] *v/t* insérer

inside [ɪn'saɪd] **1** *n* intérieur *m*; **~ *out*** à l'envers **2** *prep* à l'intérieur de; **~ *of 2 hours*** en moins de 2 heures **3** *adv* à l'intérieur **4** *adj*: **~ *information*** informations *fpl* internes; **~ *lane*** SP couloir *m* intérieur

inside pocket poche *f* intérieure; **insider** initié(e) *m(f)*; **insider trading** FIN délit *m* d'initié; **insides** (*stomach*) ventre *m*

insignificant [ɪnsɪg'nɪfɪkənt] insignifiant

insincere [ɪnsɪn'sɪr] peu sincère; **insincerity** manque *f* de sincérité

insinuate [ɪn'sɪnjʊeɪt] insinuer

insist [ɪn'sɪst] insister (***on*** sur); **insistent** insistant

insolent ['ɪnsələnt] insolent

insolvent [ɪn'sɑːlvənt] insolvable

insomnia [ɪn'sɑːmnɪə] insomnie *f*

inspect [ɪn'spekt] *work, tickets, baggage* contrôler; *factory, school* inspecter; **inspection** *of work, tickets, baggage* contrôle *m*; *of factory, school* inspection *f*; **inspector** *in factory* inspecteur(-trice) *m(f)*

inspiration [ɪnspə'reɪʃn] inspiration *f*; **inspire** inspirer

instability [ɪnstə'bɪlɪtɪ] instabilité *f*

install [ɪn'stɒːl] installer; **installation** installation *f*; **installment**, *Br* **instalment** *of story etc* épisode *m*; (*payment*) versement *m*; **installment plan** vente *f* à crédit

instance ['ɪnstəns] (*example*) exemple *m*; ***for* ~** par exemple

instant ['ɪnstənt] **1** *adj* instantané **2** *n* instant *m*; **instantaneous** instantané; **instant coffee** café *m* soluble; **instantly** immédiatement

instead [ɪn'sted] à la place; **~ *of me*** à ma place; **~ *of going home*** au lieu de rentrer à la maison

instinct ['ɪnstɪŋkt] instinct *m*; **instinctive** instinctif

institute ['ɪnstɪtuːt] **1** *n* institut *m*; (*special home*) établissement *m* **2** *v/t new law, inquiry* instituer; **institution** institution *f*

instruct [ɪn'strʌkt] (*order*) ordonner; (*teach*) instruire; **instruction** instruction *f*; **~*s for use*** mode *m* d'emploi; **instructive** instructif; **instructor** moniteur(-trice) *m(f)*

instrument ['ɪnstrumənt] instrument *m*

insubordinate [ɪnsə'bɔːrdɪneɪt] insubordonné

insufficient [ɪnsə'fɪʃnt] insuffisant

insulate ['ɪnsəleɪt] ELEC, *against cold* isoler; **insulation** isolation *f*; *material* iso-

lement *m*
insulin ['ɪnsəlɪn] insuline *f*
insult 1 ['ɪnsʌlt] *n* insulte *f* **2** [ɪn'sʌlt] *v/t* insulter
insurance [ɪn'ʃʊrəns] assurance *f*; **insurance company** compagnie *f* d'assurance; **insurance policy** police *f* d'assurance; **insurance premium** prime *f* d'assurance; **insure** assurer
insurmountable [ɪnsər'maʊntəbl] insurmontable
intact [ɪn'tækt] (*not damaged*) intact
integrate ['ɪntɪgreɪt] intégrer; **integrity** (*honesty*) intégrité *f*
intellect ['ɪntəlekt] intellect *m*; **intellectual 1** *adj* intellectuel **2** *n* intellectuel(le) *m(f)*
intelligence [ɪn'telɪdʒəns] intelligence *f*; (*information*) renseignements *mpl*; **intelligent** intelligent
intelligible [ɪn'telɪdʒəbl] intelligible
intend [ɪn'tend] *v/i*: **~ *to do sth*** avoir l'intention de
intense [ɪn'tens] intense; *personality* passionné; **intensify 1** *v/t* intensifier **2** *v/i of pain, fighting* s'intensifier; **intensity** intensité *f*; **intensive** intensif; **intensive care** MED service *m* de soins intensifs
intention [ɪn'tenʃn] intention *f*; **intentional** intentionnel; **intentionally** délibérément
interaction [ɪntər'ækʃn] interaction *f*; **interactive** interactif
intercept [ɪntər'sept] intercepter
interchange ['ɪntərtʃeɪndʒ] *of highways* échangeur *m*; **interchangeable** interchangeable
intercom ['ɪntərkɑːm] interphone *m*
intercourse ['ɪntərkɔːrs] *sexual* rapports *mpl*
interdependent [ɪntərdɪ'pendənt] interdépendant
interest ['ɪntrəst] **1** *n* intérêt *m*; *financial* intérêt(s) *m(pl)* **2** *v/t* intéresser; **interested** intéressé; **interesting** intéressant; **interest rate** taux *m* d'intérêt
interface ['ɪntərfeɪs] **1** *n* interface *f* **2** *v/i* avoir une interface (***with*** avec)
interfere [ɪntər'fɪr] se mêler (***with*** de); **interference** ingérence *f*; *on radio* interférence *f*
interior [ɪn'tɪrɪər] **1** *adj* intérieur **2** *n* intérieur *m*; **interior design** design *m* d'intérieurs; **interior designer** designer *m/f* d'intérieurs
interlude ['ɪntərluːd] intermède *m*
intermediary [ɪntər'miːdɪerɪ] intermédiaire *m/f*; **intermediate** *level* intermédiaire; *course* (de niveau) moyen
intermission [ɪntər'mɪʃn] *in theater* entracte *m*

internal [ɪn'tɜːrnl] interne; *trade* intérieur; **internally** *in organization* en interne; ***not to be taken ~*** à usage externe; **Internal Revenue (Service)** direction *f* générale des) impôts *mpl*
international [ɪntər'næʃnl] international; **internationally** internationalement
Internet ['ɪntərnet] Internet *m*; ***on the ~*** sur Internet
interpret [ɪn'tɜːrprɪt] interpréter; **interpretation** interprétation *f*; **interpreter** interprète *m/f*
interrogate [ɪn'terəgeɪt] interroger; **interrogation** interrogatoire *m*; **interrogator** interrogateur(-trice) *m(f)*
interrupt [ɪntə'rʌpt] interrompre; **interruption** interruption *f*
intersect [ɪntər'sekt] **1** *v/t* couper, croiser **2** *v/i* s'entrecouper, s'entrecroiser; **intersection** *of roads* carrefour *m*
interstate ['ɪntərsteɪt] autoroute *f*
interval ['ɪntərvl] intervalle *m*; *in theater* entracte *m*
intervene [ɪntər'viːn] intervenir; **intervention** intervention *f*
interview ['ɪntərvjuː] **1** *n* interview *f*; *for job* entretien *m* **2** *v/t* interviewer; *for job* faire passer un entretien à; **interviewer** intervieweur (-euse) *m(f)*; *for job* personne *f* responsable d'un entretien
intimate ['ɪntɪmət] intime
intimidate [ɪn'tɪmɪdeɪt] intimider; **intimidation** intimidation *f*
into ['ɪntʊ] dans; ***translate ~ English*** traduire en anglais; ***be ~ sth*** F (*like*) aimer qch; *politics etc* être engagé dans qch
intolerable [ɪn'tɑːlərəbl] intolérable; **intolerant** intolérant
intoxicated [ɪn'tɑːksɪkeɪtɪd] ivre
intravenous [ɪntrə'viːnəs] intraveineux
intricate ['ɪntrɪkət] compliqué, complexe
intrigue 1 ['ɪntriːg] *n* intrigue *f* **2** [ɪn'triːg] *v/t* intriguer; **intriguing** intrigant
introduce [ɪntrə'duːs] *new technique etc* introduire; ***~ s.o. to s.o.*** présenter qn à qn; **introduction** *to person* présentations *fpl*; *in book*, *of new techniques* introduction *f*
intrude [ɪn'truːd] déranger; **intruder** intrus(e) *m(f)*; **intrusion** intrusion *f*
intuition [ɪntuː'ɪʃn] intuition *f*
invade [ɪn'veɪd] envahir
invalid[1] [ɪn'vælɪd] *adj* non valable
invalid[2] ['ɪnvəlɪd] *n* MED invalide *m/f*
invalidate [ɪn'vælɪdeɪt] *claim*, *theory* invalider

invaluable [ɪn'væljʊbl] inestimable
invariably [ɪn'veɪrɪəblɪ] (*always*) invariablement
invasion [ɪn'veɪʒn] invasion *f*
invent [ɪn'vent] inventer; **invention** invention *f*; **inventive** inventif; **inventor** inventeur(-trice) *m(f)*
inventory ['ɪnvəntoʊrɪ] inventaire *m*
invert [ɪn'vɜːrt] inverser
invest [ɪn'vest] investir
investigate [ɪn'vestɪgeɪt] *crime* enquêter sur; *scientific phenomenon* étudier; **investigation** *of crime* enquête *f*; *in science* étude *f*
investment [ɪn'vestmənt] investissement *m*; **investor** investisseur *m*
invincible [ɪn'vɪnsəbl] invincible
invisible [ɪn'vɪzɪbl] invisible
invitation [ɪnvɪ'teɪʃn] invitation *f*; **invite** inviter
invoice ['ɪnvɔɪs] **1** *n* facture *f* **2** *v/t customer* facturer
involuntary [ɪn'vɑːləntərɪ] involontaire
involve [ɪn'vɑːlv] *work* nécessiter; *expense* entraîner; (*concern*) concerner; ***what does it ~?*** qu'est-ce que cela implique?; **involved** (*complex*) compliqué; **involvement** *in project*, *crime etc* participation *f*; *in politics* engagement *m*
invulnerable [ɪn'vʌlnərəbl] invulnérable
inward ['ɪnwərd] **1** *adj* intérieur **2** *adv* vers l'intérieur; **inwardly** intérieurement
IQ [aɪ'kjuː] (= ***intelligence quotient***) Q.I. *m* (= Quotient *m* intellectuel)
Iran [ɪ'rɑːn] Iran *m*; **Iranian 1** *adj* iranien **2** *n* Iranien(ne) *m(f)*
Iraq [ɪ'ræːk] Iraq *m*; **Iraqi 1** *adj* irakien **2** *n* Irakien(ne) *m(f)*
Ireland ['aɪrlənd] Irlande *f*; **Irish 1** *adj* irlandais **2** *npl*: ***the ~*** les Irlandais
iron ['aɪərn] **1** *n* fer *m*; *for clothes* fer *m* à repasser **2** *v/t shirts etc* repasser
ironic(al) [aɪ'rɑːnɪk(l)] ironique
'**ironing board** planche *f* à repasser
irony ['aɪrənɪ] ironie *f*
irrational [ɪ'ræʃənl] irrationnel
irreconcilable [ɪrekən'saɪləbl] *people* irréconciliable; *positions* inconciliable
irregular [ɪ'regjʊlər] irrégulier
irrelevant [ɪ'reləvənt] hors de propos
irreplaceable [ɪrɪ'pleɪsəbl] irremplaçable
irrepressible [ɪrɪ'presəbl] *sense of humor* à toute épreuve; *person* qui ne se laisse pas abattre
irresistible [ɪrɪ'zɪstəbl] irrésistible

irresponsible [ɪrɪ'spɑːnsəbl] irresponsable
irreverent [ɪ'revərənt] irrévérencieux
irrevocable [ɪ'revəkəbl] irrévocable
irrigate ['ɪrɪgeɪt] irriguer; **irrigation** irrigation *f*
irritable ['ɪrɪtəbl] irritable; **irritate** irriter; **irritating** irritant; **irritation** irritation *f*
Islam ['ɪzlɑːm] *religion* islam *m*; *peoples, civilization* Islam *m*; **Islamic** islamique
island ['aɪlənd] île *f*
isolate ['aɪsəleɪt] isoler; **isolated** isolé; **isolation** isolement *m*
ISP [aɪes'piː] (= ***Internet service provider***) fournisseur *m* Internet
Israel ['ɪzreɪl] Israël *m*; **Israeli** **1** *adj* israélien **2** *n person* Israélien(ne) *m(f)*
issue ['ɪʃuː] **1** *n* (*matter*) question *f*, problème *m*; *of magazine* numéro *m* **2** *v/t supplies* distribuer; *coins, warning* émettre; *passport* délivrer
IT [aɪ'tiː] (= ***information technology***) informatique *f*
it [ɪt] *as subject* il, elle; *as object* le, la; ***~'s through there*** c'est par là; ***give ~ to him*** donne-le lui; ***on top of ~*** dessus; ***let's talk about ~*** parlons-en; ***~'s raining*** il pleut; ***~'s me/him*** c'est moi/lui; ***that's ~!*** (*that's right*) c'est ça!; (*finished*) c'est fini!
Italian [ɪ'tæljən] **1** *adj* italien **2** *n person* Italien(ne) *m(f)*; *language* italien *m*
italics [ɪ'tælɪks] italique *m*
Italy ['ɪtəlɪ] Italie *f*
itch [ɪʧ] **1** *n* démangeaison *f* **2** *v/i*: ***it ~es*** ça me démange
item ['aɪtəm] article *m*; *on agenda* point *m*; ***~ of news*** nouvelle *f*; **itemize** *invoice* détailler
itinerary [aɪ'tɪnərerɪ] itinéraire *m*
its [ɪts] son, sa; *pl* ses
it's [ɪts] → ***it is, it has***
itself [ɪt'self] *reflexive* se; *stressed* lui-même; elle-même; ***by ~*** (*automatically*) tout(e) seul(e)

J

jab [dʒæb]: ***~ a stick into s.o.*** donner un coup de bâton à qn
jack [dʒæk] MOT cric *m*; *in cards* valet *m*
jacket ['dʒækɪt] veste *f*; *of book* couverture *f*
jackpot jackpot *m*
jagged ['dʒægɪd] découpé
jail [dʒeɪl] prison *f*
jam[1] [dʒæm] *n for bread* confiture *f*

jam² [dʒæm] **1** *n* MOT embouteillage *m*; F (*difficulty*) pétrin *m* F **2** *v/t* (*ram*) fourrer; (*cause to stick*) bloquer; *broadcast* brouiller **3** *v/i* (*stick*) se bloquer
janitor ['dʒænɪtər] concierge *m/f*
January ['dʒænjʊerɪ] janvier *m*
Japan [dʒə'pæn] Japon *m*; **Japanese 1** *adj* japonais **2** *n person* Japonais(e) *m(f)*; *language* japonais *m*; ***the ~*** les Japonais *mpl*
jar [dʒɑːr] *container* pot *m*
jargon ['dʒɑːrgən] jargon *m*
jaw [dʒɒː] mâchoire *f*
jaywalker ['dʒeɪwɒːkər] piéton(ne) *m(f)* imprudent(e)
jazz [dʒæz] jazz *m*
jealous ['dʒeləs] jaloux; **jealousy** jalousie *f*
jeans [dʒiːnz] jean *m*
jeep [dʒiːp] jeep *f*
jeer [dʒɪr] **1** *n* raillerie *f*; *of crowd* huée *f* **2** *v/i of crowd* huer
Jello® ['dʒeloʊ] gelée *f*
jelly ['dʒelɪ] *jam* confiture *f*; **jellyfish** méduse *f*
jeopardize ['dʒepərdaɪz] mettre en danger
jerk¹ [dʒɜːrk] **1** *n* saccade *f* **2** *v/t* tirer d'un coup sec
jerk² [dʒɜːrk] *n* F couillon *m* F
jerky ['dʒɜːrkɪ] *movement* saccadé
Jesus ['dʒiːʒəs] Jésus
jet [dʒet] (*airplane*) avion *m* à réaction, jet *m*; *of water* jet *m*; (*nozzle*) bec *m*; **jetlag** (troubles *mpl* dus au) décalage *m* horaire
jettison ['dʒetɪsn] jeter par-dessus bord; *fig* abandonner
jetty ['dʒetɪ] jetée *f*
Jew [dʒuː] Juif(-ive) *m(f)*
jewel ['dʒuːəl] bijou *m*; *fig* : *person* perle *f*; **jeweler**, *Br* **jeweller** bijoutier(-ère) *m(f)*; **jewelry**, *Br* **jewellery** bijoux *mpl*
Jewish ['dʒuːɪʃ] juif
jigsaw (puzzle) ['dʒɪgsɒː] puzzle *m*
jilt [dʒɪlt] laisser tomber
jingle ['dʒɪŋgl] **1** *n song* jingle *m* **2** *v/i of keys, coins* cliqueter
jinx [dʒɪŋks] *person* porte-malheur *m/f*; ***there's a ~ on this project*** ce projet porte malheur
jittery ['dʒɪtərɪ] F nerveux
job [dʒɑːb] travail *m*; **jobless** sans travail
jockey ['dʒɑːkɪ] jockey *m*
jog [dʒɑːg] *as exercise* faire du footing *or* jogging; **jogger** *person* joggeur(-euse) *m(f)*; **jogging** jogging *m*
john [dʒɑːn] F (*toilet*) petit coin *m* F
join [dʒɔɪn] **1** *n* joint *m* **2** *v/i of roads, rivers* se rejoindre; (*become a member*) devenir membre **3** *v/t* (*connect*) relier; *person, of road* rejoindre; *club* devenir membre de

◆ **join in** participer
joint [dʒɔɪnt] ANAT articulation *f*; *in woodwork* joint *m*; *of meat* rôti *m*; **joint account** compte *m* joint; **joint venture** entreprise *f* commune
joke [ʒoʊk] **1** *n* plaisanterie *f*, blague *f* F; (*practical* ~) tour *m* **2** *v/i* plaisanter; **joker** farceur(-euse) *m(f)*, blagueur (-euse) *m(f)* F; *in cards* joker *m*; **jokingly** en plaisantant
jostle ['dʒɑːsl] bousculer
journal ['dʒɜːrnl] (*magazine*) revue *f*; (*diary*) journal *m*; **journalism** journalisme *m*; **journalist** journaliste *m/f*
journey ['dʒɜːrnɪ] voyage *m*; *across town etc* trajet *m*
joy [dʒɔɪ] joie *f*
jubilant ['dʒuːbɪlənt] débordant de joie; **jubilation** jubilation *f*
judge [dʒʌdʒ] **1** *n* juge *m/f* **2** *v/t* juger; *measurement, age* estimer **3** *v/i* juger; **judg(e)ment** jugement *m*; (*opinion*) avis *m*; **Judg(e)ment Day** le Jugement dernier
judicial [dʒuː'dɪʃl] judiciaire
juggle ['dʒʌgl] *also fig* jongler avec
juice [dʒuːs] jus *m*; **juicy** juteux; *gossip* croustillant
July [dʒʊ'laɪ] juillet *m*
jumbo (jet) ['dʒʌmboʊ] jumbo-jet *m*; **jumbo-sized** F géant
jump [dʒʌmp] **1** *n* saut *m*; (*increase*) bond *m* **2** *v/i* sauter; *in surprise* sursauter; (*increase*) faire un bond **3** *v/t fence etc* sauter; F (*attack*) attaquer; ~ ***the lights*** griller un feu (rouge)
◆ **jump at** *opportunity* sauter sur
jumper ['dʒʌmpər] *dress* robe-chasuble *f*; **jumpy** nerveux
June [dʒuːn] juin *m*
jungle ['dʒʌŋgl] jungle *f*
junior ['dʒuːnjər] **1** *adj* subalterne; (*younger*) plus jeune **2** *n in rank* subalterne *m/f*; ***she is ten years my*** ~ elle est ma cadette de dix ans; **junior high** collège *m*
junk [dʒʌŋk] camelote *f* F; **junk food** cochonneries *fpl*; **junkie** F drogué(e) *m(f)*; **junk mail** prospectus *mpl*
jurisdiction [dʒʊrɪs'dɪkʃn] LAW juridiction *f*
juror ['dʒʊrər] juré(e) *m(f)*; **jury** jury *m*
just [dʒʌst] **1** *adj cause* juste **2** *adv* (*barely, only*) juste; ~ ***as intelligent*** tout aussi intelligent; ***I've ~ seen her*** je viens de la voir; ~ ***about*** (*almost*) presque; ***I was ~ about to leave when …*** j'étais sur le point de partir quand …; ~ ***now*** (*a few moments ago*) tout à l'heure; (*at this moment*) en ce moment
justice ['dʒʌstɪs] justice *f*
justifiable [dʒʌstɪ'faɪəbl] jus-

tifiable; **justifiably** à juste titre; **justification** justification *f*; **justify** *also text* justifier
justly ['dʒʌstlɪ] (*fairly*) de manière juste; (*rightly*) à juste titre

◆ **jut out** [dʒʌt] être en saillie
juvenile ['dʒuːvənəl] *crime* juvénile; *court* pour enfants; *pej* puéril; **juvenile delinquent** mineur(e) délinquant(e) *m(f)*

K

k [keɪ] (= ***kilobyte***) Ko *m* (= kilo-octet *m*); (= ***thousand***) mille
keel [kiːl] NAUT quille *f*
keen [kiːn] (*intense*) vif
keep [kiːp] **1** *v/t* garder; (*detain*) retenir; *in specific place* mettre; *family* entretenir; *dog etc* avoir; *bees, cattle* élever; *promise* tenir; ***~ sth from s.o.*** cacher qch à qn; ***~ s.o. from doing sth*** empêcher qn de faire qch; ***~ trying!*** essaie encore!; ***don't ~ interrupting!*** arrête de m'interrompre tout le temps! **2** *v/i* (*remain*) rester; *of food, milk* se conserver
◆ **keep back** (*hold in check*) retenir; *information* cacher
◆ **keep down** *costs etc* réduire; *food* garder
◆ **keep to** *path* rester sur; *rules* s'en tenir à
◆ **keep up 1** *v/i when walking, running etc* suivre; ***keep up with*** aller au même rythme que **2** *v/t pace, payments* continuer; *bridge, pants* soutenir

'**keepsake** souvenir *m*
kennel ['kenl] niche *f*; **kennels** chenil *m*
kerosene ['kerəsiːn] AVIA kérosène *m*; *for lamps* pétrole *m* (lampant)
ketchup ['ketʃʌp] ketchup *m*
kettle ['ketl] bouilloire *f*
key [kiː] **1** *n* clef *f*, clé *f*; COMPUT, MUS touche *f* **2** *adj* (*vital*) clef *inv*, clé *inv* **3** *v/t & v/i* COMPUT taper
◆ **key in** *data* taper
'**keyboard** COMPUT, MUS clavier *m*; **keyboarder** COMPUT claviste *m/f*; **keycard** carte-clef *f*; **keyed-up** tendu; **keyring** porte-clefs *m*
kick [kɪk] **1** *n* coup *m* de pied **2** *v/t* donner un coup de pied dans **3** *v/i of horse* ruer
◆ **kick around** *ball* taper dans; F (*discuss*) débattre
◆ **kick off** donner le coup d'envoi; F (*start*) démarrer F
◆ **kick out** mettre à la porte; ***be kicked out of the company*** être mis à la porte de la société
'**kickback** F (*bribe*) dessous-

de-table *m* F

'**kickoff** SP coup *m* d'envoi

kid [kɪd] **1** *n* F (*child*) gamin(e) *m*(*f*) **2** *v/t* F taquiner **3** *v/i* F plaisanter

kidnap ['kɪdnæp] kidnapper; **kidnap(p)er** kidnappeur (-euse) *m*(*f*); **kidnap(p)ing** kidnapping *m*

kidney ['kɪdnɪ] ANAT rein *m*; *in cooking* rognon *m*

kill [kɪl] *also time* tuer; **killer** (*murderer*) tueur(-euse) *m*(*f*); **killing** meurtre *m*

kiln [kɪln] four *m*

kilo ['kiːloʊ] kilo *m*; **kilobyte** kilo-octet *m*; **kilogram** kilogramme *m*; **kilometer**, *Br* **kilometre** kilomètre *m*

kind[1] [kaɪnd] *adj* gentil

kind[2] [kaɪnd] *n* (*sort*) sorte *f*, genre *m*; (*make, brand*) marque *f*; **~ of sad/strange** F plutôt triste/bizarre

kind-hearted [kaɪnd'hɑːrtɪd] bienveillant, bon; **kindly** gentil, bon; **kindness** bonté *f*, gentillesse *f*

king [kɪŋ] roi *m*; **kingdom** royaume *m*

kinky ['kɪŋkɪ] F bizarre

kiosk ['kiːɑːsk] kiosque *m*

kiss [kɪs] **1** *n* baiser *m* **2** *v/t* embrasser **3** *v/i* s'embrasser

kit [kɪt] (*equipment*) trousse *f*; *for assembly* kit *m*

kitchen ['kɪʧɪn] cuisine *f*

kitten ['kɪtn] chaton(ne) *m*(*f*)

kitty ['kɪtɪ] *money* cagnotte *f*

klutz [klʌts] F (*clumsy person*) empoté(e) *m*(*f*) F

knack [næk]: ***have the ~ of doing*** avoir le chic pour faire; ***there's a ~ to it*** il y a un truc F

knee [niː] genou *m*; **kneecap** rotule *f*

kneel [niːl] s'agenouiller

'**knee-length** à la hauteur du genou

knife [naɪf] couteau *m*

knit [nɪt] tricoter; **knitwear** tricot *m*

knob [nɑːb] *on door* bouton *m*; *of butter* noix *f*

knock [nɑːk] **1** *n on door*, (*blow*) coup *m* **2** *v/t* (*hit*) frapper; *knee etc* se cogner; F (*criticize*) débiner F **3** *v/i on door* frapper

◆ **knock down** renverser; *wall, building* abattre; F (*reduce the price of*) solder

◆ **knock out** assommer; *boxer* mettre knock-out; *power lines etc* détruire; (*eliminate*) éliminer

◆ **knock over** renverser

'**knockout** *in boxing* knock-out *m*

knot [nɑːt] **1** *n* nœud *m* **2** *v/t* nouer

know [noʊ] **1** *v/t* savoir; *person, place, language* connaître; (*recognize*) reconnaître **2** *v/i* savoir; **~ *about sth*** être au courant de qch; **know-how** F savoir-faire *m*; **knowing** *smile* entendu; **knowingly** (*wittingly*) sciemment;

smile etc d'un air entendu; **know-it-all** F je-sais-tout *m/f*; **knowledge** savoir *m*; *of a subject* connaissance(s) *f(pl)*; ***to the best of my ~*** autant que je sache
knuckle ['nʌkl] articulation *f* du doigt
Koran [kə'ræn] Coran *m*
Korea [kə'ri:ə] Corée *f*; **Korean 1** *adj* coréen **2** *n* Coréen(ne) *m(f)*; *language* coréen *m*
kosher ['koʊʃər] REL casher *inv*; F réglo *inv* F
kudos ['kju:dɑ:s] prestige *m*

L

lab [læb] labo *m*
label ['leɪbl] **1** *n* étiquette *f* **2** *v/t also fig* étiqueter
labor ['leɪbər] *also in pregnancy* travail *m*
laboratory ['læbrətɔ:rɪ] laboratoire *m*
labored ['leɪbərd] *style, speech* laborieux; **laborer** travailleur *m* manuel; **laborious** laborieux; **labor union** syndicat *m*
labour *Br* → ***labor***
lace [leɪs] dentelle *f*; *for shoe* lacet *m*
lack [læk] **1** *n* manque *m* **2** *v/t* manquer de **3** *v/i*: ***be ~ing*** manquer
lacquer ['lækər] laque *f*
lactose lactose *f*
ladder ['lædər] échelle *f*
laden ['leɪdn] chargé (***with*** de)
ladies room ['leɪdi:z] toilettes *fpl* (pour dames)
lady ['leɪdɪ] dame *f*; **ladybug** coccinelle *f*; **ladylike** distingué
lager ['lɑ:gər] *Br* bière *f* blonde
laidback [leɪd'bæk] relax F
lake [leɪk] lac *m*
lamb [læm] agneau *m*
lame [leɪm] boîteux; *excuse* mauvais,
laminated ['læmɪneɪtɪd] *flooring, paper* stratifié; *wood* contreplaqué; *with plastic* plastifié; ***~ glass*** verre *m* feuilleté
lamp [læmp] lampe *f*; **lamppost** réverbère *m*; **lampshade** abat-jour *m inv*
land [lænd] **1** *n* terre *f*; (*country*) pays *m*; ***by ~*** par (voie de) terre **2** *v/t airplane* faire atterrir; *job* décrocher F **3** *v/i of airplane* atterrir; *of ball* tomber; **landing** *of airplane* atterrissage *m*; (*top of staircase*) palier *m*; **landing strip** piste *f* d'atterrissage; **landlady** propriétaire *f*; *of rented room* logeuse *f*; *Br of bar* patronne *f*; **landline** fixe *m* F; **landlord** propriétaire *m*; *of rented room* logeur *m*; *Br*

of bar patron *m*; **landmark** point *m* de repère; ***be a ~ in*** *fig* faire date dans; **land owner** propriétaire *m* foncier; **landscape 1** *n* paysage *m* **2** *adv print* en format paysage; **landslide** glissement *m* de terrain; **landslide victory** victoire *f* écrasante

lane [leɪn] *in country* petite route *f* (de campagne); (*alley*) ruelle *f*; MOT voie *f*

language ['læŋgwɪdʒ] langue *f*; (*style, code etc*) langage *m*; **language lab** laboratoire *m* de langues

lap[1] [læp] *of track* tour *m*

lap[2] [læp] *of water* clapotis *m*

lap[3] [læp] *of person* genoux *mpl*

lapel [lə'pel] revers *m*

lapse [læps] **1** *n* (*mistake*) erreur *f*; *in behavior* écart *m* (de conduite); *of time* intervalle *m* **2** *v/i* expirer

laptop ['læptɑːp] COMPUT portable *m*

larceny ['lɑːrsənɪ] vol *m*

larder ['lɑːrdər] garde-manger *m inv*

large [lɑːrdʒ] grand; *sum of money, head* gros; **largely** (*mainly*) en grande partie

laryngitis [lærɪn'dʒaɪtɪs] laryngite *f*

laser ['leɪzər] laser *m*; **laser printer** imprimante *f* laser

lash[1] [læʃ] *v/t with whip* fouetter

lash[2] [læʃ] *n* (*eyelash*) cil *m*

last[1] [læst] **1** *adj* dernier; ***~ night*** hier soir **2** *adv arrive, leave* en dernier; ***at ~*** enfin

last[2] [læst] *v/i* durer; **lasting** durable; **lastly** pour finir

late [leɪt] **1** *adj* (*behind time*) en retard; *in day* tard; ***it's getting ~*** il se fait tard **2** *adv arrive, leave* tard; **lately** récemment; **later** plus tard; **latest** dernier

Latin A'merica Amérique *f* latine; **Latin American 1** *n* Latino-Américain *m* **2** *adj* latino-américain

latitude ['lætɪtuːd] *also* (*freedom*) latitude *f*

latter ['lætər] dernier

laugh [læf] **1** *n* rire *m* **2** *v/i* rire

◆ **laugh at** rire de; (*mock*) se moquer de

laughter ['læftər] rires *mpl*

launch [lɒːntʃ] **1** *n boat* vedette *f*; *of rocket, product* lancement *m*; *of ship* mise *f* à l'eau **2** *v/t rocket, product* lancer; *ship* mettre à l'eau

launder ['lɒːndər] *clothes, money* blanchir; **laundromat** laverie *f* automatique; **laundry** *place* blanchisserie *f*; *clothes* lessive *f*

lavatory ['lævətərɪ] W.-C. *mpl*

lavish ['lævɪʃ] somptueux

law [lɒː] loi *f*; *subject* droit *m*; ***be against the ~*** être contraire à la loi; **law-abiding** respectueux des lois; **law court** tribunal *m*; **lawful** légal; *wife, child* légitime; **lawless** anarchique

lawn [lɒːn] pelouse *f*; **lawn mower** tondeuse *f* (à gazon)

'lawsuit procès *m*; **lawyer** avocat *m*

lax [læks] laxiste; *security* relâché

laxative ['læksətɪv] laxatif *m*

lay [leɪ] (*put down*) poser; *eggs* pondre; V *sexually* s'envoyer V

◆ **lay off** *workers* licencier; *temporarily* mettre au chômage technique

◆ **lay out** *objects* disposer; *page* faire la mise en page de

layer ['leɪr] couche *f*

'layman REL laïc *m*; *fig* profane *m*

'lay-out agencement *m*; *of page* mise *f* en page

lazy ['leɪzɪ] *person* paresseux; *day* tranquille

lb (= ***pound***) livre *f*

lead[1] [liːd] **1** *v/t* mener; *company* être à la tête de **2** *v/i in race, competition* mener; (*provide leadership*) diriger

lead[2] [liːd] *for dog* laisse *f*

lead[3] [led] *substance* plomb *m*; **leaded** *gas* au plomb

leader ['liːdər] *of state* dirigeant *m*; *in race* leader *m*; *of group* chef *m*; **leadership** *of party etc* direction *f*

lead-free ['ledfriː] *gas* sans plomb

leading ['liːdɪŋ] *runner* en tête (de la course); *company, product* premier; **leading-edge** *company, technology* de pointe

leaf [liːf] feuille *f*

◆ **leaf through** feuilleter

leaflet ['liːflət] dépliant *m*

league [liːg] ligue *f*

leak [liːk] **1** *n also of information* fuite *f* **2** *v/i of pipe* fuir; *of boat* faire eau **3** *v/t information* divulguer

lean[1] [liːn] **1** *v/i* (*be at an angle*) pencher; ~ ***against sth*** s'appuyer contre qch **2** *v/t* appuyer

lean[2] [liːn] *adj meat* maigre

leap [liːp] **1** *n* saut *m* **2** *v/i* sauter; **leap year** année *f* bissextile

learn [lɜːrn] apprendre; **learner** apprenant(e) *m*(*f*); **learning** (*knowledge*) savoir *m*; *act* apprentissage *m*

lease [liːs] **1** *n for apartment* bail *m*; *for equipment* location *f* **2** *v/t* louer

◆ **lease out** louer

leash [liːʃ] *for dog* laisse *f*

least [liːst] **1** *adj* (*slightest*) (le ou la) moindre; *smallest quantity of* le moins de **2** *adv* (le) moins **3** *n* le moins; ***at*** ~ au moins

leather ['leðər] **1** *n* cuir *m* **2** *adj* de cuir

leave [liːv] **1** *n* (*vacation*) congé *m* **2** *v/t* quitter; *food, scar, memory* laisser; (*forget, leave behind*) oublier; ~ ***sth alone*** ne pas toucher à qch;

~ ***s.o. alone*** laisser qn tranquille; ***be left*** rester **2** *v/i of person, plane etc* partir

◆ **leave behind** *intentionally* laisser; (*forget*) oublier

◆ **leave out** omettre; (*not put away*) ne pas ranger

leaving party ['li:vɪŋ] soirée *f* d'adieu

lecture ['lektʃər] **1** *n* conférence *f*; *at university* cours *m* **2** *v/i at university* donner des cours; **lecturer** conférencier *m*; *at university* maître *m* de conférences

ledge [ledʒ] *of window* rebord *m*; *on rock face* saillie *f*; **ledger** COM registre *m* de comptes

left [left] **1** *adj* gauche **2** *n also* POL gauche *f*; ***on/to the*** ~ à gauche **3** *adv turn, look* à gauche; **left-hand** gauche; **left-handed** gaucher; **left luggage (office)** *Br* consigne *f*; **left-overs** *food* restes *mpl*; **left-wing** POL de gauche

leg [leg] jambe *f*; *of animal* patte *f*; *of table etc* pied *m*

legacy ['legəsɪ] héritage *m*, legs *m*

legal ['li:gl] (*allowed*) légal; *relating to the law* juridique; **legal adviser** conseiller (-ère) *m(f)* juridique; **legality** légalité *f*; **legalize** légaliser

legend ['ledʒənd] légende *f*; **legendary** légendaire

legible ['ledʒəbl] lisible

legislate ['ledʒɪsleɪt] légiférer; **legislation** (*laws*) législation *f*; **legislative** législatif; **legislature** POL corps *m* législatif

legitimate [lɪ'dʒɪtɪmət] légitime

'**leg room** place *f* pour les jambes

leisure ['li:ʒər] loisir *m*; (*free time*) temps *m* libre; **leisurely** tranquille

lemon ['lemən] citron *m*; **lemonade** citronnade *f*; *carbonated* limonade *f*

lend [lend] prêter

length [leŋθ] longueur *f*; (*piece: of material*) pièce *f*; *of piping, road* tronçon *m*; ***at*** ~ *describe, explain* en détail; (*eventually*) finalement; **lengthen** *sleeve etc* allonger; *contract* prolonger; **lengthy** long

lenient ['li:nɪənt] indulgent

lens [lenz] *of microscope etc* lentille *f*; *of eyeglasses* verre *m*; *of camera* objectif *m*; *of eye* cristallin *m*

Lent [lent] REL Carême *m*

leotard ['li:outɑ:rd] justaucorps *m*

lesbian ['lezbɪən] **1** *n* lesbienne *f* **2** *adj* lesbien

less [les] **1** *adv* moins; ~ ***than $200*** moins de 200 dollars **2** *adj money, salt* moins de; **lessen 1** *v/t* réduire **2** *v/i* diminuer

lesson ['lesn] leçon *f*; *at*

school cours *m*

let [let] (*allow*) laisser; *Br house* louer; **~*'s stay here*** restons ici; **~ *go of sth*** lâcher qch

◆ **let down** *hair* détacher; *blinds* baisser; (*disappoint*) décevoir

◆ **let in** *to house* laisser entrer

◆ **let out** *from room, building* laisser sortir; *jacket etc* agrandir; *groan,yell* laisser échapper; *Br* (*rent*) louer

◆ **let up** (*stop*) s'arrêter

lethal ['li:θl] mortel

lethargic [lɪ'θɑ:rdʒɪk] léthargique; **lethargy** léthargie *f*

letter ['letər] *of alphabet, in mail* lettre *f*; **letterbox** *Br* boîte *f* aux lettres; **letterhead** (*heading*) en-tête *m*; (*headed paper*) papier *m* à en-tête

lettuce ['letɪs] laitue *f*

leukemia [lu:'ki:mɪə] leucémie *f*

level ['levl] **1** *adj surface* plat; *in competition* à égalité **2** *n* niveau *m*; *on scale, in hierarchy* échelon *m*; ***on the ~*** F (*honest*) réglo F; **level-headed** pondéré

lever ['levər] levier *m*; **leverage** effet *m* de levier; (*influence*) poids *m*

levy ['levɪ] *taxes* lever

liability [laɪə'bɪlətɪ] (*responsibility*) responsabilité *f*; (*likeliness*) disposition *f* (***to*** à); **liable** responsable (***for*** de); ***be ~ to*** (*likely*) être susceptible de

◆ **liaise with** [lɪ'eɪz] assurer la liaison avec

liaison [lɪ'eɪzɑ:n] (*contacts*) communication(s) *f*

liar [laɪr] menteur(-euse) *m*(*f*)

libel ['laɪbl] **1** *n* diffamation *f* **2** *v/t* diffamer

liberal ['lɪbərəl] large d'esprit; *portion etc* généreux; POL libéral

liberate ['lɪbəreɪt] libérer; **liberated** libéré; **liberation** libération *f*; **liberty** liberté *f*

librarian [laɪ'brerɪən] bibliothécaire *m/f*; **library** bibliothèque *f*

Libya ['lɪbɪə] Libye *f*; **Libyan** **1** *adj* libyen **2** *n* Libyen(ne) *m*(*f*)

lice [laɪs] *pl* → ***louse***

licence ['laɪsns] *Br* → ***license* 1** *n*

license ['laɪsns] **1** *n* permis *m* **2** *v/t company* accorder une licence à (***to do*** pour faire); ***be ~d*** *equipment* être autorisé; **license number** numéro *m* d'immatriculation; **license plate** *of car* plaque *f* d'immatriculation

lick [lɪk] lécher

lid [lɪd] couvercle *m*

lie[1] [laɪ] **1** *n* (*untruth*) mensonge *m* **2** *v/i* mentir

lie[2] [laɪ] *v/i of person* (*lie down*) s'allonger; (*be lying down*) être allongé; *of object* être; (*be situated*) être, se trouver

◆ **lie down** se coucher
lieutenant [lʊ'tenənt] lieutenant *m*
life [laɪf] vie *f*; **life expectancy** espérance *f* de vie; **lifeguard** maître nageur *m*; **life imprisonment** emprisonnement *m* à vie; **life insurance** assurance-vie *f*; **life jacket** gilet *m* de sauvetage; **lifeless** *body* inanimé; *personality* mou; *town* mort; **lifelike** réaliste; **lifelong** de toute une vie; **life-sized** grandeur nature; **life support** (équipement *m* de) maintien *m* artificiel; **life-threatening** *illness* extrêmement grave; **lifetime** vie *f*; ***in my ~*** de mon vivant
lift [lɪft] **1** *v/t* soulever **2** *v/i of fog* se lever **3** *n Br* (*elevator*) ascenseur *m*; **give s.o. a ~** *in car* emmener qn en voiture; **lift-off** *of rocket* décollage *m*
ligament ['lɪgəmənt] ligament *m*
light[1] [laɪt] **1** *n* lumière *f*; ***do you have a ~?*** vous avez du feu? **2** *v/t fire, cigarette* allumer; (*illuminate*) éclairer **3** *adj* (*not dark*) clair
light[2] [laɪt] *adj* (*not heavy*) léger
◆ **light up 1** *v/t* éclairer **2** *v/i* (*start to smoke*) s'allumer une cigarette
'light bulb ampoule *f*
lighten[1] ['laɪtn] *color* éclaircir
lighten[2] ['laɪtn] *load* alléger
lighter ['laɪtər] *for cigarettes* briquet *m*; **light-headed** étourdi; **lighting** éclairage *m*
lightness *of room, color* clarté *f*; *in weight* légèreté *f*; **lightning** éclair *m*, foudre *f*; **lightweight** *in boxing* poids *m* léger; **light year** année-lumière *f*
like[1] [laɪk] **1** *prep* comme; ***be ~ s.o./sth*** ressembler à qn/qch; ***what is she ~?*** comment est-elle?; ***it's not ~ him*** *not his character* ça ne lui ressemble pas **2** *conj* F (*as*) comme; ***~ I said*** comme je l'ai dit
like[2] [laɪk] *v/t* aimer; ***I ~ it*** ça me plaît (bien); ***I ~ Susie*** j'aime bien Susie; *romantically* Susie me plaît (bien); ***I would ~ ...*** je voudrais, j'aimerais ...; ***I would ~ to leave*** je voudrais *or* j'aimerais partir; ***would you ~ ...?*** voulez-vous...?; ***would you ~ to ...?*** as-tu envie de ...?; ***~ to do sth*** aimer faire qch; ***if you ~*** si vous voulez; **likeable** agréable, plaisant; **likelihood** probabilité *f*; **likely** probable; **likeness** ressemblance *f*; **likewise** de même, aussi; **liking** *for person* affection *f*; *for sth* penchant *m*
limb [lɪm] membre *m*
lime[1] [laɪm] *fruit* citron *m* vert; *tree* limettier *m*
lime[2] [laɪm] *substance* chaux *f*
limit ['lɪmɪt] **1** *n* limite *f* **2** *v/t* limiter; **limitation** limitation

f; **limited company** *Br* société *f* à responsabilité limitée
limousine ['lɪməziːn] limousine *f*
limp[1] [lɪmp] *adj* mou
limp[2] [lɪmp] **1** *n* claudication *f*; ***he has a ~*** il boite **2** *v/i* boiter
line[1] [laɪn] *n* ligne *f*; RAIL voie *f*; *of people* file *f*; *of trees* rangée *f*; *of poem* vers *m*; ***stand in ~*** faire la queue
line[2] [laɪn] *v/t with material* recouvrir, garnir; *clothes* doubler
linear ['lɪnɪər] linéaire
linen ['lɪnɪn] *material* lin *m*; (*sheets etc*) linge *m*
liner ['laɪnər] *ship* paquebot *m* de grande ligne
linesman ['laɪnzmən] SP juge *m* de touche; *tennis* juge *m* de ligne
linger ['lɪŋgər] *of person* s'attarder; *of pain* persister
lingerie ['lænʒəriː] lingerie *f*
linguist ['lɪŋgwɪst] linguiste *m*; **linguistic** linguistique
lining ['laɪnɪŋ] *of clothes* doublure *f*; *of brakes, pipes* garniture *f*
link [lɪŋk] **1** *n* lien *m*; *in chain* maillon *m* **2** *v/t* lier, relier
lion ['laɪən] lion *m*
lip [lɪp] lèvre *f*
liposuction ['lɪpoʊsʌkʃən] liposuccion *f*
'lipread lire sur les lèvres; **lipstick** rouge *m* à lèvres
liqueur [lɪ'kjʊr] liqueur *f*
liquid ['lɪkwɪd] **1** *n* liquide *m* **2** *adj* liquide; **liquidate** liquider; **liquidation** liquidation *f*; ***go into ~*** entrer en liquidation; **liquidity** FIN liquidité *f*; **liquidize** passer au mixeur; **liquidizer** mixeur *m*
liquor ['lɪkər] alcool *m*; **liquor store** magasin *m* de vins et spiritueux
lisp [lɪsp] **1** *n* zézaiement *m* **2** *v/i* zézayer
list [lɪst] **1** *n* liste *f* **2** *v/t* faire la liste de; (*enumerate*) énumérer
listen ['lɪsn] écouter
◆ **listen to** écouter
listener ['lɪsnər] *to radio* auditeur(-trice) *m*(*f*)
listless ['lɪstlɪs] amorphe
liter ['liːtər] litre *m*
literal ['lɪtərəl] littéral; **literally** littéralement
literary ['lɪtərerɪ] littéraire; **literature** littérature *f*; *about a product* documentation *f*
litre ['liːtər] *Br* → ***liter***
litter ['lɪtər] détritus *mpl*, ordures *fpl*; *of animal* portée *f*
little ['lɪtl] **1** *adj* petit **2** *n* peu *m*; ***a ~ wine*** un peu de vin **3** *adv* peu; ***a ~ bigger*** un peu plus gros
live[1] [lɪv] *v/i* vivre
live[2] [laɪv] *adj broadcast* en direct; *bomb* non désamorcé
◆ **live up to** être à la hauteur de
livelihood ['laɪvlɪhʊd] gagne-pain *m inv*; **liveliness** vivaci-

té *f*; **lively** *person, city* plein de vie; *party* animé; *music* entraînant

liver ['lɪvər] foie *m*

livestock ['laɪvstɑːk] bétail *m*

livid ['lɪvɪd] (*angry*) furieux

living ['lɪvɪŋ] **1** *adj* vivant **2** *n* vie *f*; **living room** salle *f* de séjour

lizard ['lɪzərd] lézard *m*

load [loud] **1** *n* charge *f* **2** *v/t* charger

loaf [louf]: ***a ~ of bread*** un pain

◆ **loaf around** F traîner

loafer ['loufər] *shoe* mocassin *m*

loan [loun] **1** *n* prêt *m* **2** *v/t*: ***~ s.o. sth*** prêter qch à qn

loathe [louð] détester; **loathing** dégoût *m*

lobby ['lɑːbɪ] *in hotel* hall *m*; *in theater* vestibule *m*; POL lobby *m*

lobe [loub] *of ear* lobe *m*

lobster ['lɑːbstər] homard *m*

local ['loukl] **1** *adj* local **2** *n* habitant *m* de la région/du quartier; **local call** TELEC appel *m* local; **local elections** élections *fpl* locales; **local government** autorités *f* locales; **locality** endroit *m*; **localize** localiser; **locally** *live, work* dans le quartier, dans la région; **local time** heure *f* locale

locate [lou'keɪt] *new factory etc* établir; (*identify position of*) localiser; ***be ~d*** se trouver; **location** (*siting*) emplacement *m*; (*identifying position of*) localisation *f*; ***on ~*** *movie* en extérieur

lock[1] [lɑːk] *n of hair* mèche *f*

lock[2] [lɑːk] **1** *n on door* serrure *f* **2** *v/t door* fermer à clef

◆ **lock up** *in prison* mettre sous les verrous

locker ['lɑːkər] casier *m*; **locker room** vestiaire *m*

locust ['loukəst] locuste *f*, sauterelle *f*

lodge [lɑːdʒ] **1** *v/t complaint* déposer **2** *v/i of bullet* se loger

lofty ['lɑːftɪ] *heights* haut; *ideals* élevé

log [lɑːg] bûche *f*; (*written record*) journal *m* de bord

◆ **log in** se connecter (***to*** à)

◆ **log off** se déconnecter

◆ **log on** se connecter (***to*** à)

◆ **log out** se déconnecter

log 'cabin cabane *f* en rondins

logic ['lɑːdʒɪk] logique *f*; **logical** logique; **logically** logiquement

logistics [lə'dʒɪstɪks] logistique *f*

logo ['lougou] logo *m*, sigle *m*

loiter ['lɔɪtər] traîner

lollipop ['lɑːlɪpɑːp] sucette *f*

London ['lʌndən] Londres

loneliness ['lounlɪnɪs] *of person* solitude *f*; *of place* isolement *m*; **lonely** *person* seul, solitaire; *place* isolé; **loner** solitaire *m/f*

long[1] [lɑːŋ] **1** *adj* long; ***it's a ~***

way c'est loin **2** *adv* longtemps; ***how ~ will it take?*** combien de temps cela va-t-il prendre?; ***he no ~er works here*** il ne travaille plus ici; ***so ~ as*** (*provided*) pourvu que; ***so ~!*** à bientôt!

long² [lɑːŋ] *v/i*: ***~ for sth*** avoir très envie de qch; ***be ~ing to do sth*** avoir très envie de faire qch

long-'distance *phonecall* longue distance; *race* de fond; *flight* long-courrier; **longevity** longévité *f*; **longing** désir *m*, envie *f*; **longitude** longitude *f*; **long jump** saut *m* en longueur; **long-range** *missile* à longue portée; *forecast* à long terme; **long-sleeved** à manches longues; **long-standing** de longue date; **long-term** à long terme; *unemployment* de longue durée

loo [luː] *Br* F toilettes *fpl*

look [luk] **1** *n* (*appearance*) air *m*; (*glance*) coup *m* d'œil, regard *m*; ***~s*** (*beauty*) beauté *f* **2** *v/i* regarder; (*search*) chercher, regarder; (*seem*) avoir l'air

◆ **look after** s'occuper de

◆ **look ahead** *fig* regarder en avant

◆ **look around** jeter un coup d'œil

◆ **look at** regarder; (*examine*) examiner; (*consider*) envisager

◆ **look back** regarder derrière soi

◆ **look down on** mépriser

◆ **look for** chercher

◆ **look into** (*investigate*) examiner

◆ **look onto** *garden etc* donner sur

◆ **look out** *of window etc* regarder dehors; (*pay attention*) faire attention

◆ **look over** *house*, *translation* examiner

◆ **look through** *magazine*, *notes* parcourir, feuilleter

◆ **look up 1** *v/i from paper etc* lever les yeux; (*improve*) s'améliorer **2** *v/t word*, *phone number* chercher; (*visit*) passer voir

◆ **look up to** (*respect*) respecter

'lookout *person* sentinelle *f*; ***be on the ~ for*** être à l'affût de

loop [luːp] boucle *f*; **loophole** *in law etc* lacune *f*

loose [luːs] *knot* lâche; *connection*, *screw* desserré; *clothes* ample; *morals* relâché; *wording* vague; ***~ change*** petite monnaie *f*; **loosely** *worded* de manière approximative; **loosen** desserrer

loot [luːt] **1** *n* butin *m* **2** *v/i* se livrer au pillage; **looter** pilleur(-euse) *m*(*f*)

lop-sided [lɑːp'saɪdɪd] déséquilibré, disproportionné

Lord [lɔːrd] (*god*) Seigneur *m*
lorry ['lɑːrɪ] *Br* camion *m*
lose [luːz] **1** *v/t* perdre **2** *v/i* SP perdre; *of clock* retarder; **loser** perdant(e) *m*(*f*)
loss [lɑːs] perte *f*
lost [lɑːst] perdu; **lost-and-found**, *Br* **lost property** (**office**) (bureau *m* des) objets *mpl* trouvés
lot [lɑːt]: ***a* ~ (*of*), ~*s* (*of*)** beaucoup (de)
lotion ['loʊʃn] lotion *f*
lottery ['lɑːtərɪ] loterie *f*
loud [laʊd] *music, voice* fort; *noise* grand; *color* criard; **loudspeaker** haut-parleur *m*
louse [laʊs] pou *m*; **lousy** F minable F, mauvais
lout [laʊt] rustre *m*
lovable ['lʌvəbl] sympathique, adorable; **love 1** *n* amour *m*; *in tennis* zéro *m*; ***fall in ~*** tomber amoureux (***with*** de); ***make ~*** faire l'amour (***to*** avec) **2** *v/t* aimer; *wine, music* adorer; **love affair** aventure *f*; **lovely** beau; *house, wife* ravissant; *character* charmant; *meal* délicieux; **lover** *man* amant *m*; *woman* maîtresse *f*; *person in love* amoureux(-euse) *m*(*f*); **loving** affectueux; **lovingly** avec amour
low [loʊ] **1** *adj* bas; *quality* mauvais **2** *n in weather* dépression *f*; *in statistics* niveau *m* bas; **lowbrow** peu intellectuel; **low-calorie** hypocalorique; **low-cut** *dress* décolleté; **lower** baisser; *to the ground* faire descendre; **low-fat** allégé; **lowkey** discret, mesuré
loyal ['lɔɪəl] fidèle, loyal; **loyally** fidèlement; **loyalty** loyauté *f*
lozenge ['lɑːzɪndʒ] *shape* losange *m*; *tablet* pastille *f*
Ltd (= ***limited***) *company* à responsabilité limitée
lubricant ['luːbrɪkənt] lubrifiant *m*; **lubricate** lubrifier; **lubrication** lubrification *f*
lucid ['luːsɪd] (*clear*) clair; (*sane*) lucide
luck [lʌk] chance *f*; ***good ~!*** bonne chance!; **luckily** heureusement; **lucky** *person* chanceux; *number* porte-bonheur *inv*; *coincidence* heureux; ***you were ~*** tu as eu de la chance
lucrative ['luːkrətɪv] lucratif
ludicrous ['luːdɪkrəs] ridicule
lug [lʌg] F traîner
luggage ['lʌgɪdʒ] bagages *mpl*
lukewarm ['luːkwɔːrm] *also fig* tiède
lull [lʌl] *in storm, fighting* accalmie *f*; *in conversation* pause *f*
lumber ['lʌmbər] (*timber*) bois *m* de construction
luminous ['luːmɪnəs] lumineux
lump [lʌmp] *of sugar* morceau *m*; (*swelling*) grosseur *f*; **lump sum** forfait *m*; **lumpy**

liquid, sauce grumeleux; *mattress* défoncé
lunacy ['luːnəsɪ] folie *f*
lunar ['luːnər] lunaire
lunatic ['luːnətɪk] fou *m*, folle *f*
lunch [lʌntʃ] déjeuner *m*; ***have ~*** déjeuner; **lunch box** panier-repas *m*; **lunch break** pause-déjeuner *f*; **lunchtime** heure *f* du déjeuner, midi *m*
lung [lʌŋ] poumon *m*
lurch [lɜːrtʃ] *of person* tituber; *of ship* tanguer
lure [lʊr] **1** *n* appât *m* **2** *v/t* attirer
lurid ['lʊrɪd] *color* cru; *details* choquant
lurk [lɜːrk] *of person* se cacher
lush [lʌʃ] *vegetation* luxuriant
lust [lʌst] désir *m*
luxurious [lʌg'ʒʊrɪəs] luxueux; **luxuriously** luxueusement; **luxury 1** *n* luxe *m* **2** *adj* de luxe
lynch [lɪntʃ] lyncher
lyrics ['lɪrɪks] paroles *fpl*

M

ma'am [mæm] madame
machine [mə'ʃiːn] machine *f*; **machine gun** mitrailleuse *f*; **machinery** machines *fpl*
machismo [mə'kɪzmoʊ] machisme *m*
macho ['mætʃoʊ] macho *inv*; ***~ type*** macho *m*
macro ['mækroʊ] COMPUT macro *f*
mad [mæd] (*insane*) fou; F (*angry*) furieux; **madden** (*infuriate*) exaspérer; **maddening** exaspérant; **madhouse** *fig* maison *f* de fous; **madman** fou *m*; **madness** folie *f*
Madonna [mə'dɑːnə] Madone *f*
Mafia ['mɑːfɪə]: ***the ~*** la Mafia
magazine [mægə'ziːn] *printed* magazine *m*
Magi ['meɪdʒaɪ] REL: ***the ~*** les Rois *mpl* mages
magic ['mædʒɪk] **1** *adj* magique **2** *n* magie *f*; **magical** magique; **magician** *performer* prestidigitateur(-trice) *m(f)*
magnanimous [mæg'nænɪməs] magnanime
magnet ['mægnɪt] aimant *m*; **magnetic** *also fig* magnétique; **magnetism** *also fig* magnétisme *m*
magnificence [mæg'nɪfɪsəns] magnificence *f*; **magnificent** magnifique
magnify ['mægnɪfaɪ] grossir; *difficulties* exagérer; **magnifying glass** loupe *f*
magnitude ['mægnɪtuːd] ampleur *f*
maid [meɪd] *servant* domestique *f*; *in hotel* femme *f* de chambre

maiden name ['meɪdn] nom *m* de jeune fille

mail [meɪl] **1** *n* courrier *m*, poste *f* **2** *v/t letter* poster; **mailbox** boîte *f* aux lettres; **mailing list** fichier *m* d'adresses; **mailman** facteur *m*; **mailshot** mailing *m*, publipostage *m*

maim [meɪm] estropier, mutiler

main [meɪn] principal; **main course** plat *m* principal; **mainframe** ordinateur *m* central; **mainly** principalement; **main road** route *f* principale; **main street** rue *f* principale

maintain [meɪn'teɪn] *peace, law and order* maintenir; *speed* soutenir; *relationship, machine, building* entretenir; *innocence, guilt* affirmer; **maintenance** *of machine, building* entretien *m*; *Br money* pension *f* alimentaire; *of law and order* maintien *m*

majestic [mə'dʒestɪk] majestueux

major ['meɪdʒər] **1** *adj (significant)* important, majeur **2** *n* MIL commandant *m*

◆ **major in** se spécialiser en

majority [mə'dʒɑːrətɪ] *also* POL majorité *f*

make [meɪk] **1** *n (brand)* marque *f* **2** *v/t* faire; *(manufacture)* fabriquer; *(earn)* gagner; *decision* prendre; ***3 and 3 ~ 6*** 3 et 3 font 6; ***~ it*** *(catch bus, train)* arriver à temps; *(come)* venir; *(succeed)* réussir; *(survive)* s'en sortir; ***what time do you ~ it?*** quelle heure as-tu?; ***~ believe*** prétendre; ***~ do with*** se contenter de, faire avec; ***what do you ~ of it?*** qu'en dis-tu?; :***~ s.o. do sth*** *(force to)* forcer qn à faire qch; *(cause to)* faire faire qch à qn; ***~ s.o. happy/angry*** rendre qn heureux/furieux

◆ **make out** *list, check* faire; *(see)* distinguer; *(imply)* prétendre

◆ **make up 1** *v/i of woman, actor* se maquiller; *after quarrel* se réconcilier **2** *v/t story* inventer; *face* maquiller; *(constitute)* constituer

◆ **make up for** compenser

'make-believe: ***it's just ~*** c'est juste pour faire semblant

maker ['meɪkər] *(manufacturer)* fabricant *m*; **makeshift** de fortune; **make-up** *(cosmetics)* maquillage *m*

maladjusted [mælə'dʒʌstɪd] inadapté

male [meɪl] **1** *adj* masculin; *animal* mâle **2** *n (man)* homme *m*; *animal, bird* mâle *m*; **male chauvinism** machisme *m*; **male chauvinist pig** macho *m*

malevolent [mə'levələnt] malveillant

malfunction [mæl'fʌŋkʃn] **1** *n*

mauvais fonctionnement *m*, défaillance *f* **2** *v/i* mal fonctionner

malice ['mælɪs] méchanceté *f*, malveillance *f*; **malicious** méchant, malveillant

malignant [mə'lɪgnənt] *tumor* malin

mall [mɒːl] (*shopping* ~) centre *m* commercial

malnutrition [mælnuː'trɪʃn] malnutrition *f*

maltreat [mæl'triːt] maltraiter; **maltreatment** mauvais traitement *m*

mammal ['mæml] mammifère *m*

man [mæn] **1** *n* (*pl* ***men*** [men]) homme *m*; (*humanity*) l'homme *m*; *in checkers* pion *m* **2** *v/t telephones* être de permanence à; *front desk* être de service à

manage ['mænɪdʒ] **1** *v/t business* diriger; *money* gérer; *bags* porter; ~ ***to*** … réussir à … **2** *v/i* (*cope*) se débrouiller; **manageable** gérable; *vehicle* maniable; *task* faisable; **management** (*managing*) gestion *f*, direction *f*; (*managers*) direction *f*; **management consultant** conseiller(-ère) *m(f)* en gestion; **manager** directeur(-trice) *m(f)*; *of store*, *restaurant*, *hotel* gérant(e) *m(f)*; *of department* responsable *m/f*; *of singer*, *band*, *team* manageur(-euse) *m(f)*; **managerial** de directeur, de gestionnaire; **managing director** directeur(-trice) *m(f)* général(e)

mandate ['mændeɪt] mandat *m*; **mandatory** obligatoire

maneuver [mə'nuːvər] **1** *n* manœuvre *f* **2** *v/t* manœuvrer

mangle ['mæŋgl] (*crush*) broyer

manhandle ['mænhændl] *person* malmener; *object* déplacer manuellement

manhood ['mænhʊd] (*maturity*) âge *m* d'homme; (*virility*) virilité *f*; **manhunt** chasse *f* à l'homme

mania ['meɪnɪə] (*craze*) manie *f*; **maniac** F fou *m*, folle *f*

manicure ['mænɪkjʊr] manucure *f*

manifest ['mænɪfest] **1** *adj* manifeste **2** *v/t* manifester

manipulate [mə'nɪpjəleɪt] manipuler; **manipulation** manipulation *f*; **manipulative** manipulateur

mankind humanité *f*; **manly** viril; **man-made** synthétique

manner ['mænər] *of doing sth* manière *f*, façon *f*; (*attitude*) comportement *m*; **manners** manières *fpl*

manoeuvre [mə'nuːvər] *Br* → ***maneuver***

'manpower main-d'œuvre *f*

manual ['mænjʊəl] **1** *adj* manuel **2** *n* manuel *m*; **manually** manuellement

manufacture

[mænjʊ'fæktʃər] **1** *n* fabrication *f* **2** *v/t equipment* fabriquer; **manufacturer** fabricant *m*; **manufacturing** *industry* industrie *f*

manure [mə'nʊr] fumier *m*

manuscript ['mænjʊskrɪpt] manuscrit *m*

many ['menɪ] **1** *adj* beaucoup de; **~ *times*** bien des fois; ***too ~ problems*** trop de problèmes; ***as ~ as possible*** autant que possible **2** *pron* beaucoup; ***a great ~, a good ~*** un bon nombre; ***how ~ do you need?*** combien en veux-tu?

map [mæp] carte *f*; *of town* plan *m*

maple ['meɪpl] érable *m*

mar [mɑːr] gâcher

marathon ['mærəθɑːn] *race* marathon *m*

marble ['mɑːrbl] *material* marbre *m*

March [mɑːrtʃ] mars *m*

march [mɑːrtʃ] **1** *n also* (*demonstration*) marche *f* **2** *v/i* marcher au pas; *in protest* défiler; **marcher** manifestant(e) *m(f)*

Mardi Gras ['mɑːrdɪgrɑː] mardi *m* gras

margin ['mɑːrdʒɪn] *of page*, COM marge *f*; **marginal** (*slight*) léger; **marginally** (*slightly*) légèrement

marihuana, marijuana [mærɪ'hwɑːnə] marijuana *f*

marina [mə'riːnə] port *m* de plaisance

marine [mə'riːn] **1** *adj* marin **2** *n* MIL marine *m*

marital ['mærɪtl] conjugal; **marital status** situation *f* de famille

maritime ['mærɪtaɪm] maritime

mark [mɑːrk] **1** *n* marque *f*; (*stain*) tache *f*; (*sign, token*) signe *m*; (*trace*) trace *f*; *Br* EDU note *f* **2** *v/t* marquer; (*stain*) tacher; *Br* EDU noter **3** *v/i of fabric* se tacher; **marked** (*definite*) marqué; **marker** (*highlighter*) marqueur *m*

market ['mɑːrkɪt] **1** *n* marché *m* **2** *v/t* commercialiser; **marketable** commercialisable; **market economy** économie *f* de marché; **marketing** marketing *m*; **market leader** *product* produit *m* vedette; *company* leader *m* du marché; **market place** *in town* place *f* du marché; *for commodities* marché *m*; **market research** étude *f* de marché; **market share** part *f* du marché

mark-up ['mɑːrkʌp] majoration *f*

marriage ['mærɪdʒ] mariage *m*; **marriage certificate** acte *m* de mariage; **married** marié; ***be ~ to*** être marié à; **married life** vie *f* conjugale; **marry** épouser, se marier avec; *of priest* marier; ***get married*** se

marier
marsh [mɑːrʃ] *Br* marais *m*
marshal [ˈmɑːrʃl] *in police* chef *m* de la police; *in security service* membre *m* du service d'ordre
martial 'law loi *f* martiale
martyr [ˈmɑːrtər] *also fig* martyr(e) *m(f)*
marvel [ˈmɑːrvl] merveille *f*; **marvelous**, *Br* **marvellous** merveilleux
Marxism [ˈmɑːrksɪzm] marxisme *m*; **Marxist 1** *adj* marxiste **2** *n* marxiste *m/f*
mascara [mæˈskærə] mascara *m*
mascot [ˈmæskət] mascotte *f*
masculine [ˈmæskjʊlɪn] *also* GRAM masculin; **masculinity** masculinité *f*
mash [mæʃ] réduire en purée
mask [mæsk] **1** *n* masque *m* **2** *v/t feelings* masquer
masochism [ˈmæsəkɪzm] masochisme *m*; **masochist** masochiste *m/f*
mass[1] [mæs] **1** *n* (*great amount*) masse *f*; **~es of** F des tas de F **2** *v/i* se masser
mass[2] [mæs] *n* REL messe *f*
massacre [ˈmæsəkər] **1** *n also fig* F massacre *m* **2** *v/t also fig* F massacrer
massage [ˈmæsɑːʒ] **1** *n* massage *m* **2** *v/t* masser; *figures* manipuler
massive [ˈmæsɪv] énorme; *heart attack* grave
mass 'media médias *mpl*;
mass-produce fabriquer en série; **mass production** fabrication *f* en série
mast [mæst] *of ship* mât *m*; *for radio signal* pylône *m*
master [ˈmæstər] **1** *n of dog* maître *m*; *of ship* capitaine *m* **2** *v/t* maîtriser; **master bedroom** chambre *f* principale; **master key** passe-partout *m inv*; **masterly** magistral; **mastermind 1** *n* cerveau *m* **2** *v/t* organiser; **masterpiece** chef-d'œuvre *m*; **master's (degree)** maîtrise *f*; **mastery** maîtrise *f*
mat [mæt] *for floor* tapis *m*; *for table* napperon *m*
match[1] [mætʃ] *n for cigarette* allumette *f*
match[2] [mætʃ] **1** *n* (*competition*) match *m*, partie *f* **2** *v/t* (*be the same as*) être assorti à; (*equal*) égaler **3** *v/i of colors, patterns* aller ensemble; **matching** assorti; **match stick** allumette *f*
mate [meɪt] **1** *n of animal* mâle *m*, femelle *f*; NAUT second *m* **2** *v/i* s'accoupler
material [məˈtɪrɪəl] **1** *n* (*fabric*) tissu *m*; (*substance*) matériau *m*, matière *f* **2** *adj* matériel; **materialism** matérialisme *m*; **materialist** matérialiste *m/f*; **materialistic** matérialiste; **materialize** (*appear*) apparaître; (*happen*) se concrétiser
maternal [məˈtɜːrnl] mater-

nel; **maternity** maternité *f*; **maternity leave** congé *m* de maternité
math [mæθ] maths *fpl*; **mathematical** mathématique; **mathematician** mathématicien(ne) *m(f)*; **maths** *Br* → ***math***
matinée ['mætɪneɪ] matinée *f*
matriarch ['meɪtrɪɑːrk] femme *f* chef de famille
matrimony ['mætrəmoʊnɪ] mariage *m*
matt [mæt] mat
matter ['mætər] **1** *n* (*affair*) affaire *f*, question *f*; PHYS matière *f*; ***what's the ~?*** qu'est-ce qu'il y a? **2** *v/i* importer; ***it doesn't ~*** cela ne fait rien; **matter-of-fact** impassible
mattress ['mætrɪs] matelas *m*
mature [mə'tjʊr] **1** *adj* mûr **2** *v/i of person* mûrir; *of insurance policy* arriver à échéance; **maturity** maturité *f*
maximize ['mæksɪmaɪz] maximiser; **maximum** **1** *adj* maximal, maximum **2** *n* maximum *m*
May [meɪ] mai *m*
may [meɪ] ◇ *possibility*: ***it ~ rain*** il va peut-être pleuvoir; ***it ~ not happen*** cela n'arrivera peut-être pas
◇ *permission*: pouvoir; ***~ I help?*** puis-je aider?
maybe ['meɪbiː] peut-être
mayo, mayonnaise ['meɪoʊ, meɪə'neɪz] mayonnaise *f*
mayor ['meɪər] maire *m*
maze [meɪz] labyrinthe *m*
MB (= ***megabyte***) Mo (= mégaoctet)
MBA [embiː'eɪ] (= ***master of business administration***) MBA *m*
MD [em'diː] (= ***Doctor of Medicine***) docteur *m* en médecine; (= ***managing director***) DG *m* (= directeur général)
me [miː] me; *before vowel* m'; *after prep* moi; ***he knows ~*** il me connaît; ***she gave ~ a dollar*** elle m'a donné un dollar; ***it's for ~*** c'est pour moi; ***it's ~*** c'est moi
meadow ['medoʊ] pré *m*
meager, *Br* **meagre** ['miːgər] maigre
meal [miːl] repas *m*; ***enjoy your ~!*** bon appétit!
mean[1] [miːn] *adj with money* avare; (*nasty*) mesquin
mean[2] [miːn] *v/t* (*signify*) signifier, vouloir dire; ***be ~t for*** être destiné à; *of remark* être adressé à; **meaning** *of word* sens *m*; **meaningful** (*comprehensible*) compréhensible; (*constructive*) significatif; *glance* éloquent; **meaningless** *sentence etc* dénué de sens; *gesture* insignifiant
means [miːnz] *financial* moyens *mpl*; (*way*) moyen *m*; ***by all ~*** (*certainly*) bien sûr; ***by ~ of*** au moyen de
meantime ['miːntaɪm] entre-

temps
measles ['mi:zlz] rougeole *f*
measure ['meʒər] **1** *n* (*step*) mesure *f* **2** *v/t & v/i* mesurer
◆ **measure up to** être à la hauteur de
measurement ['meʒərmənt] *action* mesure *f*; (*dimension*) dimension *f*; **measuring tape** mètre *m* ruban
meat [mi:t] viande *f*; **meatball** boulette *f* de viande
mechanic [mɪ'kænɪk] mécanicien(ne) *m(f)*; **mechanical** *device* mécanique; *gesture etc also* machinal; **mechanical engineer** ingénieur *m* mécanicien; **mechanically** mécaniquement; *do sth* machinalement; **mechanism** mécanisme *m*; **mechanize** mécaniser
medal ['medl] médaille *f*; **medalist**, *Br* **medallist** médaillé *m*
meddle ['medl] se mêler (*in* de)
media ['mi:dɪə]: ***the ~*** les médias *mpl*; **media coverage** couverture *f* médiatique
median strip [mi:dɪən'strɪp] terre-plein *m* central
'media studies études *fpl* de communication
mediate ['mi:dɪeɪt] arbitrer; **mediation** médiation *f*; **mediator** médiateur(-trice) *m(f)*
medical ['medɪkl] **1** *adj* médical **2** *n* visite *f* médicale;
medicated pharmaceutique, traitant; **medication** médicaments *mpl*; **medicinal** médicinal
medicine *science* médecine *f*; (*medication*) médicament *m*
medieval [medɪ'i:vl] médiéval
mediocre [mi:dɪ'oʊkər] médiocre; **mediocrity** *of work etc* médiocrité *f*; *person* médiocre *m/f*
meditate ['medɪteɪt] méditer; **meditation** méditation *f*
Mediterranean [medɪtə'reɪnɪən] **1** *adj* méditerranéen **2** *n*: ***the ~*** la Méditerranée
medium ['mi:dɪəm] **1** *adj* (*average*) moyen; *steak* à point **2** *n in size* taille *f* moyenne; (*vehicle*) moyen *m*; (*spiritualist*) médium *m*
medley ['medlɪ] (*assortment*) mélange *m*
meet [mi:t] **1** *v/t* rencontrer; (*be introduced to*) faire la connaissance de; (*collect*) (aller/venir) chercher; *in competition* affronter; *of eyes* croiser; (*satisfy*) satisfaire **2** *v/i* se rencontrer; *by appointment* se retrouver; *of committee etc* se réunir **3** *n* SP rencontre *f*; **meeting** *by accident* rencontre *f*; *in business, of committee* réunion *f*; ***he's in a ~*** il est en réunion
megabyte ['megəbaɪt] COMPUT méga-octet *m*
mellow ['meloʊ] **1** *adj* doux **2**

v/i of person s'adoucir
melodious [mɪ'loʊdɪəs] mélodieux
melodramatic [melədrə'mætɪk] mélodramatique
melody ['melədɪ] mélodie *f*
melon ['melən] melon *m*
melt [melt] **1** *v/i* fondre **2** *v/t* faire fondre; **melting pot** *fig* creuset *m*
member ['membər] membre *m*; **Member of Congress** membre *m* du Congrès; **membership** adhésion *f*; *number of members* membres *mpl*
membrane ['membreɪn] membrane *f*
memento [me'mentoʊ] souvenir *m*
memo ['memoʊ] note *f* (de service)
memoirs ['memwɑːrz] mémoires *fpl*
memorable ['memərəbl] mémorable
memorial [mɪ'mɔːrɪəl] **1** *adj* commémoratif **2** *n* mémorial *m*; **Memorial Day** *jour commémoration des soldats américains morts à la guerre*
memorize ['meməraɪz] apprendre par cœur; **memory** mémoire *f*; *sth remembered* souvenir *m*
men [men] *pl* → ***man***
menace ['menɪs] **1** *n* menace *f*; *person* danger *m* **2** *v/t* menacer; **menacing** menaçant
mend [mend] réparer; *clothes* raccommoder
menial ['miːnɪəl] subalterne
menopause ['menoʊpɒːz] ménopause *f*
'men's room toilettes *fpl* pour hommes
menstruate ['menstrʊeɪt] avoir ses règles
mental ['mentl] mental; *ability, powers* intellectuel; *health, suffering* moral; F (*crazy*) malade F; **mental hospital** hôpital *m* psychiatrique; **mental illness** maladie *f* mentale; **mentality** mentalité *f*; **mentally** (*inwardly*) intérieurement; *calculate etc* mentalement
mention ['menʃn] **1** *n* mention *f* **2** *v/t* mentionner; ***don't ~ it*** (*you're welcome*) il n'y a pas de quoi!
mentor ['mentɔːr] mentor *m*
menu ['menjuː] *also* COMPUT menu *m*
mercenary ['mɜːrsɪnerɪ] **1** *adj* intéressé **2** *n* MIL mercenaire *m*
merchandise ['mɜːrʧəndaɪz] marchandises *fpl*
merchant ['mɜːrʧənt] négociant *m*, commerçant *m*
merciful ['mɜːrsɪfl] clément; *God* miséricordieux; **mercifully** (*thankfully*) heureusement; **merciless** impitoyable; **mercy** clémence *f*, pitié *f*
mere [mɪr] simple; **merely** simplement, seulement

merge [mɜːrdʒ] *of two lines etc* se rejoindre; *of companies* fusionner; **merger** COM fusion *f*
merit ['merɪt] **1** *n* mérite *m* **2** *v/t* mériter
mesh [meʃ] *of net* maille(s) *f(pl)*; *of grid* grillage *m*
mess [mes] (*untidiness*) désordre *m*, pagaille *f*; (*trouble*) gâchis *m*
message ['mesɪdʒ] *also of movie etc* message *m*
messenger ['mesɪndʒər] (*courier*) messager *m*
messy ['mesɪ] *room* en désordre; *person* désordonné; *job* salissant; *divorce* pénible
metabolism [mə'tæbəlɪzm] métabolisme *m*
metal ['metl] **1** *adj* en métal **2** *n* métal *m*; **metallic** métallique; *paint* métallisé
metaphor ['metəfər] métaphore *f*
meteor ['miːtɪɔːr] météore *m*; **meteoric** *fig* fulgurant; **meteorite** météorite *m* or *f*
meteorological [miːtɪərə'lɑːdʒɪkl] météorologique; **meteorologist** météorologiste *m/f*; **meteorology** météorologie *f*
meter[1] ['miːtər] *for gas, electricity* compteur *m*; (*parking* ~) parcmètre *m*
meter[2] ['miːtər] *unit of length* mètre *m*
method ['meθəd] méthode *f*; **methodical** méthodique
meticulous [mə'tɪkjʊləs] méticuleux
metre ['miːtə(r)] *Br* → ***meter***[2]
metropolis [mə'trɑːpəlɪs] métropole *f*; **metropolitan** citadin; *area* urbain
mew [mjuː] → ***miaow***
Mexican ['meksɪkən] **1** *adj* mexicain **2** *n* Mexicain(e) *m(f)*; **Mexico** Mexique *m*
miaow [mɪaʊ] **1** *n* miaou *m* **2** *v/i* miauler
mice [maɪs] *pl* → ***mouse***
'**microchip** puce *f*; **microclimate** microclimat *m*; **microcosm** microcosme *m*; **microorganism** micro-organisme *m*; **microphone** microphone *m*; **microprocessor** microprocesseur *m*; **microscope** microscope *m*; **microscopic** microscopique; **microwave** *oven* micro-ondes *m inv*
midday [mɪd'deɪ] midi *m*
middle ['mɪdl] **1** *adj* du milieu **2** *n* milieu *m*; ***be in the ~ of doing sth*** être en train de faire qch; **middle-aged** entre deux âges; **middle-class** bourgeois; **middle class(es)** classe(s) moyenne(s) *f(pl)*; **Middle East** Moyen-Orient *m*; **middleman** intermédiaire *m*; **middle name** deuxième prénom *m*; **middleweight** *boxer* poids moyen *m*
midfielder [mɪd'fiːldər] *in soccer* milieu *m* de terrain
midget ['mɪdʒɪt] miniature
'**midnight** minuit *m*; **midsum-**

mer milieu *m* de l'été; **midweek** en milieu de semaine; **Midwest** Middle West *m*; **midwife** sage-femme *f*; **midwinter** milieu *m* de l'hiver

might[1] [maɪt] *v/aux*: ***I ~ be late*** je serai peut-être en retard; ***you ~ have told me!*** vous auriez pu m'avertir!

might[2] [maɪt] *n* (*power*) puissance *f*

mighty ['maɪtɪ] **1** *adj* puissant **2** *adv* F (*extremely*) vachement F, très

migraine ['miːgreɪn] migraine *f*

migrant worker ['maɪgrənt] travailleur *m* itinérant; **migrate** migrer; **migration** migration *f*

mike [maɪk] F micro *m*

mild [maɪld] doux; *taste* léger; **mildly** doucement; *spicy* légèrement; **mildness** douceur *f*; *of taste* légèreté *f*

mile [maɪl] mile *m*; **milestone** *fig* événement *m* marquant, jalon *m*

militant ['mɪlɪtənt] **1** *adj* militant **2** *n* militant(e) *m(f)*

military ['mɪlɪterɪ] **1** *adj* militaire **2** *n*: ***the ~*** l'armée *f*

militia [mɪ'lɪʃə] milice *f*

milk [mɪlk] **1** *n* lait *m* **2** *v/t* traire; **milk chocolate** chocolat *m* au lait; **milkshake** milk-shake *m*

mill [mɪl] *for grain* moulin *m*; *for textiles* usine *f*

millennium [mɪ'lenɪəm] millénaire *m*

milligram ['mɪlɪgræm] milligramme *m*

millimeter, *Br* **millimetre** ['mɪlɪmiːtər] millimètre *m*

million ['mɪljən] million *m*

millionaire [mɪljə'ner] millionnaire *m/f*

mime [maɪm] mimer

mimic ['mɪmɪk] **1** *n* imitateur(-trice) *m(f)* **2** *v/t* imiter

mince [mɪns] hacher

mind [maɪnd] **1** *n* esprit *m*; ***bear*** *or* ***keep sth in ~*** ne pas oublier qch; ***change one's ~*** changer d'avis; ***make up one's ~*** se décider; ***have sth on one's ~*** être préoccupé par qch; ***keep one's ~ on sth*** se concentrer sur qch **2** *v/t* (*look after*) surveiller; (*heed*) faire attention à; ***I don't ~ what he thinks*** il peut penser ce qu'il veut, cela m'est égal; ***do you ~ if I smoke?*** cela ne vous dérange pas si je fume?; ***~ the step!*** attention à la marche! **3** *v/i*: ***~!*** (*be careful*) fais attention!; ***never ~!*** peu importe!; ***I don't ~*** cela m'est égal; **mind-boggling** ahurissant; **mindless** *violence* gratuit

mine[1] [maɪn] *pron* le mien *m*, la mienne *f*; *pl* les miens, les miennes; ***it's ~*** c'est à moi

mine[2] [maɪn] *n for coal etc* mine *f*

mine[3] [maɪn] **1** *n explosive* mi-

ne *f* **2** *v/t* miner; **minefield** MIL champ *m* de mines; *fig* poudrière *f*; **miner** mineur *m*
mineral ['mɪnərəl] minéral *m*; **mineral water** eau *f* minérale
'minesweeper NAUT dragueur *m* de mines
mingle ['mɪŋgl] *of sounds* se mélanger; *at party* se mêler (aux gens)
mini ['mɪnɪ] *skirt* minijupe *f*
miniature ['mɪnɪtʃər] miniature
minimal ['mɪnɪməl] minime; **minimalism** minimalisme *m*; **minimize** réduire au minimum; (*downplay*) minimiser; **minimum 1** *adj* minimal, minimum **2** *n* minimum *m*
mining ['maɪnɪŋ] exploitation *f* minière
'miniskirt minijupe *f*
minister ['mɪnɪstər] POL, REL ministre *m*; **ministerial** ministériel
mink [mɪŋk] vison *m*
minor ['maɪnər] **1** *adj* mineur; *pain* léger **2** *n* LAW mineur(e) *m(f)*; **minority** minorité *f*
mint [mɪnt] *herb* menthe *f*; *chocolate* chocolat *m* à la menthe; *hard candy* bonbon *m* à la menthe
minus ['maɪnəs] **1** *n* (~ *sign*) moins *m* **2** *prep* moins
minuscule ['mɪnəskju:l] minuscule
minute[1] ['mɪnɪt] *n of time* minute *f*
minute[2] [maɪ'nu:t] *adj* (*tiny*) minuscule; (*detailed*) minutieux
'minute hand ['mɪnɪt] grande aiguille *f*
minutely [maɪ'nu:tlɪ] (*in detail*) minutieusement; (*very slightly*) très légèrement
minutes ['mɪnɪts] *of meeting* procès-verbal *m*
miracle ['mɪrəkl] miracle *m*; **miraculous** miraculeux; **miraculously** par miracle
mirror ['mɪrər] **1** *n* miroir *m*; MOT rétroviseur *m* **2** *v/t* refléter
misanthropist [mɪ'zænθrəpɪst] misanthrope *m/f*
misbehave [mɪsbə'heɪv] se conduire mal
misbehavior, *Br* **misbehaviour** mauvaise conduite *f*
miscalculate [mɪs'kælkjʊleɪt] mal calculer; **miscalculation** erreur *f* de calcul; *fig* mauvais calcul *m*
miscarriage ['mɪskærɪdʒ] MED fausse couche *f*
miscellaneous [mɪsə'leɪnɪəs] divers; *collection* varié
mischief ['mɪstʃɪf] (*naughtiness*) bêtises *fpl*; **mischievous** (*naughty*) espiègle; (*malicious*) malveillant
misconception [mɪskən'sepʃn] idée *f* fausse
misconduct [mɪs'kɑ:ndʌkt] mauvaise conduite *f*
misconstrue [mɪskən'stru:] mal interpréter
misdemeanor, *Br* **misde-**

meanour [mɪsdə'miːnər] délit *m*
miser ['maɪzər] avare *m/f*
miserable ['mɪzrəbl] (*unhappy*) malheureux; *weather, performance* épouvantable
miserly ['maɪzərlɪ] avare; *sum* dérisoire
misery ['mɪzərɪ] (*unhappiness*) tristesse *f*; (*wretchedness*) misère *f*
misfire [mɪs'faɪr] *of scheme* rater; *of joke* tomber à plat
misfit ['mɪsfɪt] *in society* marginal(e) *m(f)*
misfortune [mɪs'fɔːrtʃən] malheur *m*, malchance *f*
misguided [mɪs'gaɪdɪd] malavisé, imprudent
mishandle [mɪs'hændl] *situation* mal gérer
misinform [mɪsɪn'fɔːrm] mal informer
misinterpret [mɪsɪn'tɜːrprɪt] mal interpréter; **misinterpretation** mauvaise interprétation *f*
misjudge [mɪs'dʒʌdʒ] mal juger
mislay [mɪs'leɪ] égarer
mislead [mɪs'liːd] induire en erreur, tromper; **misleading** trompeur
mismanage [mɪs'mænɪdʒ] mal gérer; **mismanagement** mauvaise gestion *f*
misprint ['mɪsprɪnt] faute *f* typographique
mispronounce [mɪsprə'naʊns] mal prononcer; **mispronunciation** mauvaise prononciation *f*
misread [mɪs'riːd] *word, figures* mal lire; *situation* mal interpréter
misrepresent [mɪsreprɪ'zent] présenter sous un faux jour
miss[1] [mɪs]: ***Miss Smith*** mademoiselle Smith; ***~!*** mademoiselle!
miss[2] [mɪs] **1** *n* SP coup *m* manqué **2** *v/t* manquer, rater; *bus, train etc*, (*not notice*) rater; ***I ~ you*** tu me manques **3** *v/i* rater son coup
misshapen [mɪs'ʃeɪpən] déformé; *person, limb* difforme
missile ['mɪsəl] *mil* missile *m*; *stone etc* projectile *m*
missing ['mɪsɪŋ]: ***be ~*** *have disappeared* avoir disparu; *member of school party, one of a set etc* ne pas être là
mission ['mɪʃn] mission *f*
misspell [mɪs'spel] mal orthographier
mist [mɪst] brume *f*
mistake [mɪ'steɪk] **1** *n* erreur *f*, faute *f*; ***make a ~*** faire une erreur, se tromper **2** *v/t* se tromper de; ***~ s.o./sth for s.o./sth*** prendre qn/qch pour qn/qch d'autre; **mistaken** erroné, faux; ***be ~*** faire erreur, se tromper
mister ['mɪstər] → ***Mr***
mistress ['mɪstrɪs] maîtresse *f*
mistrust [mɪs'trʌst] **1** *n* méfiance *f* **2** *v/t* se méfier de

misunderstand [mɪsʌndər'stænd] mal comprendre; **misunderstanding** malentendu *m*

misuse 1 [mɪs'ju:s] *n* mauvais usage *m* **2** [mɪs'ju:z] *v/t* faire mauvais usage de; *word* employer à tort

mitigating circumstances ['mɪtɪgeɪtɪŋ] circonstances *fpl* atténuantes

mitt [mɪt] *in baseball* gant *m*; **mitten** moufle *f*

mix [mɪks] **1** *n* mélange *m*; *in cooking: ready to use* préparation *f* **2** *v/t* mélanger; *cement* malaxer **3** *v/i socially* être sociable

◆ **mix up** confondre; *get out of order* mélanger; ***be mixed up in*** être mêlé à; **mixed** *economy, school, races* mixte; *reactions* mitigé; **mixer** *for food* mixeur *m*; *drink* boisson non-alcoolisée que l'on mélange avec certains alcools; **mixture** mélange *m*; *medicine* mixture *f*; **mix-up** confusion *f*

moan [moʊn] **1** *n of pain* gémissement *m* **2** *v/i in pain* gémir

mob [mɑ:b] **1** *n* foule *f* **2** *v/t* assaillir

mobile ['moʊbəl] **1** *adj* mobile; ***be ~*** *have car* être motorisé **2** *n for decoration* mobile *m*; *Br phone* portable *m*; **mobile home** mobile home *m*; **mobile phone** *Br* téléphone *m* portable; **mobility** mobilité *f*

mobster ['mɑ:bstər] gangster *m*

mock [mɑ:k] **1** *adj* faux, feint **2** *v/t* se moquer de; **mockery** (*derision*) moquerie *f*; (*travesty*) parodie *f*

mode [moʊd] mode *m*

model ['mɑ:dl] **1** *adj employee, husband* modèle; *boat, plane* modèle réduit *inv* **2** *n* (*miniature*) maquette *f*; (*pattern*) modèle *m*; (*fashion ~*) mannequin *m* **3** *v/i for designer* être mannequin; *for artist, photographer* poser

modem ['moʊdem] modem *m*

moderate 1 ['mɑ:dərət] *adj also* POL modéré **2** ['mɑ:dərət] *n* POL modéré *m* **3** ['mɑ:dəreɪt] *v/t* modérer; **moderately** modérément; **moderation** (*restraint*) modération *f*

modern ['mɑ:dərn] moderne; **modernization** modernisation *f*; **modernize 1** *v/t* moderniser **2** *v/i* se moderniser

modest ['mɑ:dɪst] modeste; *wage, amount* modique; **modesty** *of apartment* simplicité *f*; *of wage* modicité *f*; (*lack of conceit*) modestie *f*

modification [mɑ:dɪfɪ'keɪʃn] modification *f*; **modify** modifier

module ['mɑ:dʒu:l] module *m*

moist [mɔɪst] humide;

moisten humidifier; **moisture** humidité *f*; **moisturizer** *for skin* produit *m* hydratant
molasses [mə'læsɪz] mélasse *f*
mold[1] [mould] *n on food* moisi *m*, moisissure(s) *f(pl)*
mold[2] [mould] **1** *n* moule *m* **2** *v/t clay* modeler; *character* façonner
moldy ['mouldɪ] *food* moisi
molecule ['mɑːlɪkjuːl] molécule *f*
molest [mə'lest] *child, woman* agresser (sexuellement)
mollycoddle ['mɑːlɪkɑːdl] F dorloter
molten ['moultən] en fusion
mom [mɑːm] F maman *f*
moment ['moumənt] instant *m*, moment *m*; ***at the ~*** en ce moment; **momentarily** (*for a moment*) momentanément; (*in a moment*) dans un instant; **momentary** momentané; **momentous** capital
momentum [mə'mentəm] élan *m*
monarch ['mɑːnərk] monarque *m*
monastery ['mɑːnəstrɪ] monastère *m*; **monastic** monastique
Monday ['mʌndeɪ] lundi *m*
monetary ['mɑːnəterɪ] monétaire
money ['mʌnɪ] argent *m*; **money belt** sac *m* banane; **money market** marché *m* monétaire; **money order** mandat *m* postal
mongrel ['mʌŋgrəl] bâtard *m*
monitor ['mɑːnɪtər] **1** *n* COMPUT moniteur *m* **2** *v/t* surveiller, contrôler
monk [mʌŋk] moine *m*
monkey ['mʌŋkɪ] singe *m*; F *child* polisson *m*; **monkey wrench** clef *f* anglaise
monolog, *Br* **monologue** ['mɑːnəlɑːg] monologue *m*
monopolize [mə'nɑːpəlaɪz] exercer un monopole sur; *fig* monopoliser; **monopoly** monopole *m*
monotonous [mə'nɑːtənəs] monotone; **monotony** monotonie *f*
monster ['mɑːnstər] monstre *m*; **monstrosity** horreur *f*
month [mʌnθ] mois *m*; **monthly 1** *adj* mensuel **2** *adv* mensuellement **3** *n magazine* mensuel *m*
monument ['mɑːnjumənt] monument *m*
mood [muːd] (*frame of mind*) humeur *f*; (*bad ~*) mauvaise humeur *f*; *of meeting, country* état *m* d'esprit; **moody** *changing moods* lunatique; (*bad-tempered*) maussade
moon [muːn] lune *f*; **moonlight** clair *m* de lune; **moonlit** éclairé par la lune
moor [mur] *boat* amarrer
moose [muːs] orignal *m*
mop [mɑːp] **1** *n for floor* balai *m* lave-sol; *for dishes* éponge

f à manche **2** *v/t floor* laver; *eyes*, *face* éponger, essuyer
◆ **mop up** éponger; MIL balayer
moral ['mɔːrəl] **1** *adj* moral **2** *n of story* morale *f*; **~s** moralité *f*
morale [mə'ræl] moral *m*
morality [mə'rælətɪ] moralité *f*
morbid ['mɔːrbɪd] morbide
more [mɔːr] **1** *adj* plus de; ***some ~ tea?*** encore un peu de thé?; ***there's no ~ coffee*** il n'y a plus de café; ***~ and ~ students*** de plus en plus d'étudiants **2** *adv* plus; ***~ important*** plus important; ***~ and ~*** de plus en plus; ***~ or less*** plus ou moins; ***once ~*** une fois de plus; ***I don't live there any ~*** je n'habite plus là-bas **3** *pron* plus; ***do you want some ~?*** est-ce que tu en veux encore *or* davantage?; ***a little ~*** un peu plus; **moreover** de plus
morgue [mɔːrg] morgue *f*
morning ['mɔːrnɪŋ] matin *m*; ***in the ~*** le matin; (*tomorrow*) demain matin; ***tomorrow ~*** demain matin; ***good ~*** bonjour
moron ['mɔːrɑːn] F crétin *m*
morphine ['mɔːrfiːn] morphine *f*
mortal ['mɔːrtl] **1** *adj* mortel **2** *n* mortel *m*; **mortality** condition *f* mortelle; (*death rate*) mortalité *f*
mortar ['mɔːrtər] MIL, *cement* mortier *m*
mortgage ['mɔːrgɪdʒ] **1** *n* prêt *m* immobilier; *on own property* hypothèque *f* **2** *v/t* hypothéquer
mosaic [moʊ'zeɪk] mosaïque *f*
Moscow ['mɑːskaʊ] Moscou
Moslem ['mʊzlɪm] **1** *adj* musulman **2** *n* Musulman(e) *m(f)*
mosque [mɒsk] mosquée *f*
mosquito [mɑːs'kiːtoʊ] moustique *m*
moss [mɑːs] mousse *f*
most [moʊst] **1** *adj* la plupart de **2** *adv* (*very*) extrêmement, très; *play*, *swim*, *eat etc* le plus; ***the ~ beautiful*** le plus beau; ***~ of all*** surtout **3** *pron*: ***~ of*** la plupart de; ***at (the) ~*** au maximum; ***make the ~ of*** profiter au maximum de; **mostly** surtout
motel [moʊ'tel] motel *m*
moth [mɑːθ] papillon *m* de nuit
mother ['mʌðər] **1** *n* mère *f* **2** *v/t* materner; **motherhood** maternité *f*; **Mothering Sunday** → ***Mother's Day***; **mother-in-law** belle-mère *f*; **motherly** maternel; **Mother's Day** la fête des Mères; **mother tongue** langue *f* maternelle
motif [moʊ'tiːf] motif *m*
motion ['moʊʃn] **1** *n* (*movement*) mouvement *m*; (*pro-*

posal) motion *f*; **motionless** immobile

motivate ['moʊtɪveɪt] motiver; **motivation** motivation *f*; **motive** *for crime* mobile *m*

motor ['moʊtər] moteur *m*; **motorbike** moto *f*; **motorcycle** moto *f*; **motorcyclist** motocycliste *m/f*; **motor home** camping-car *m*; **motor mechanic** mécanicien(ne) *m(f)*; **motor racing** course *f* automobile; **motor vehicle** véhicule *m* à moteur

motto ['mɑːtoʊ] devise *f*

mould *etc Br* → ***mold*** *etc*

mound [maʊnd] (*hillock*) monticule *m*; (*pile*) tas *m*

mount [maʊnt] **1** *n* (*mountain*) mont *m*; (*horse*) monture *f* **2** *v/t steps, photo* monter; *horse, bicycle* monter sur; *campaign* organiser **3** *v/i* monter

◆ **mount up** s'accumuler

mountain ['maʊntɪn] montagne *f*; **mountaineer** alpiniste *m/f*; **mountaineering** alpinisme *m*; **mountainous** montagneux

mourn [mɔːrn] pleurer; **mourner** parent/ami *m* du défunt; **mournful** triste, mélancolique

mouse [maʊs] (*pl* ***mice*** [maɪs]) *also* COMPUT souris *f*; **mouse mat** tapis *m* de souris

moustache *Br* → ***mustache***

mouth [maʊθ] bouche *f*; *of animal* gueule *f*; *of river* embouchure *f*; **mouthful** *of food* bouchée *f*; *of drink* gorgée *f*; **mouthpiece** *of instrument* embouchure *f*; (*spokesperson*) porte-parole *m inv*; **mouthwash** bain *m* de bouche; **mouthwatering** alléchant

move [muːv] **1** *n* mouvement *m*; *in chess etc* coup *m*; (*step, action*) action *f*; (*change of house*) déménagement *m* **2** *v/t object* déplacer; *limbs* bouger; (*transfer*) transférer; *emotionally* émouvoir; ~ ***house*** déménager **3** *v/i* bouger; (*transfer*) être transféré

◆ **move around** bouger, remuer; *from place to place* bouger, déménager

◆ **move in** emménager

movement ['muːvmənt] *also organization*, MUS mouvement *m*; **movers** déménageurs *mpl*

movie ['muːvɪ] film *m*; ***go to a/the ~s*** aller au cinéma; **moviegoer** amateur *m* de cinéma, cinéphile *m/f*; **movie theater** cinéma *m*

moving ['muːvɪŋ] *parts* mobile; *emotionally* émouvant

mow [moʊ] *grass* tondre; **mower** tondeuse *f* (à gazon)

mph [empiː'eɪtʃ] (= ***miles per hour***) miles à l'heure

Mr ['mɪstər] Monsieur, M.

Mrs ['mɪsɪz] Madame, Mme

Ms [mɪz] Madame, Mme

much [mʌʧ] **1** *adj* beaucoup de; ***so ~ money*** tant d'argent; ***as ~ ... as ...*** autant (de)... que... **2** *adv* beaucoup; ***very ~*** beaucoup; ***too ~*** trop **3** *pron* beaucoup; ***nothing ~*** pas grand-chose; ***as ~ as ...*** autant que...
mud [mʌd] boue *f*
muddle ['mʌdl] **1** *n* (*mess*) désordre *m*; (*confusion*) confusion *f* **2** *v/t* embrouiller
muddy ['mʌdɪ] boueux
muffin ['mʌfɪn] muffin *m*
muffle ['mʌfl] étouffer; **muffler** MOT silencieux *m*
mug[1] [mʌg] *n for coffee* chope *f*; F (*face*) gueule *f* F
mug[2] *v/t* (*attack*) agresser
mugger ['mʌgər] agresseur *m*; **mugging** agression *f*; **muggy** lourd, moite
mule [mjuːl] *animal* mulet *m*, mule *f*; *slipper* mule *f*
multicultural [mʌltɪ'kʌlʧərəl] multiculturel; **multilateral** POL multilatéral; **multimedia 1** *adj* multimédia **2** *n* multimédia *m*; **multinational 1** *adj* multinational **2** *n* COM multinationale *f*
multiple ['mʌltɪpl] multiple; **multiple sclerosis** sclérose *f* en plaques
multiplex ['mʌltɪpleks] (cinéma *m*) multiplex *m*
multiplication [mʌltɪplɪ'keɪʃn] multiplication *f*; **multiply 1** *v/t* multiplier **2** *v/i* se multiplier
multitasking [mʌltɪ'tæskɪŋ] multitâche *m*; *for persons* multiplicité *f* des tâches
mumble ['mʌmbl] **1** *n* marmonnement *m* **2** *v/t & v/i* marmonner
munch [mʌnʧ] mâcher
municipal [mjuː'nɪsɪpl] municipal
mural ['mjʊrəl] peinture *f* murale
murder ['mɜːrdər] **1** *n* meurtre *m* **2** *v/t person* assassiner; *song* massacrer; **murderer** meurtrier(-ière) *m(f)*
murky ['mɜːrkɪ] *also fig* trouble
murmur ['mɜːrmər] **1** *n* murmure *m* **2** *v/t* murmurer
muscle ['mʌsl] muscle *m*; **muscular** *pain* musculaire; *person* musclé
museum [mjuː'zɪəm] musée *m*
mushroom ['mʌʃrʊm] **1** *n* champignon *m* **2** *v/i fig* proliférer
music ['mjuːzɪk] musique *f*; *in written form* partition *f*; **musical 1** *adj* musical; *person* musicien **2** *n* comédie *f* musicale; **musician** musicien(ne) *m(f)*
mussel ['mʌsl] moule *f*
must [mʌst] **1** *v/aux* ◇ *necessity* devoir; ***I ~ be on time*** je dois être à l'heure, il faut que je sois (subj) à l'heure; ***I ~n't be late*** je ne dois pas être en retard, il ne faut pas que je

sois en retard
◇ *probability* devoir; ***it ~ be about 6 o'clock*** il doit être environ six heures
mustache [mə'stæʃ] moustache *f*
mustard ['mʌstərd] moutarde *f*
musty ['mʌstɪ] *room* qui sent le renfermé; *smell* de renfermé
mutilate ['mju:tɪleɪt] mutiler
mutiny ['mju:tɪnɪ] **1** *n* mutinerie *f* **2** *v/i* se mutiner
mutter ['mʌtər] marmonner
mutual ['mju:ʧʊəl] (*reciprocal*) mutuel; (*common*) commun
muzzle ['mʌzl] **1** *n of animal* museau *m*; *for dog* muselière *f* **2** *v/t*: ***~ the press*** bâillonner la presse
my [maɪ] mon *m*, ma *f*; *pl* mes; **myself** moi-même; *reflexive* me; *before vowel* m'; *after prep* moi; ***I hurt ~*** je me suis blessé
mysterious [mɪ'stɪrɪəs] mystérieux; **mysteriously** mystérieusement; **mystery** mystère *m*; **mystify** rendre perplexe; *of tricks* mystifier
myth [mɪθ] *also fig* mythe *m*; **mythical** mythique

N

nag [næg] **1** *v/i of person* faire des remarques continuelles **2** *v/t* harceler; **nagging** *pain* obsédant; ***I have this ~ doubt that ...*** je n'arrive pas à m'empêcher de penser que ...
nail [neɪl] *for wood* clou *m*; *on finger, toe* ongle *m*; **nail polish** vernis *m* à ongles; **nail polish remover** dissolvant *m*
naive [naɪ'i:v] naïf
naked ['neɪkɪd] nu
name [neɪm] **1** *n* nom *m*; ***what's your ~?*** comment vous appelez-vous? **2** *v/t* appeler; **namely** à savoir; **namesake** homonyme *m/f*
nanny ['nænɪ] nurse *f*
nap [næp] sieste *f*
napkin ['næpkɪn] (*table ~*) serviette *f* (de table); (*sanitary ~*) serviette *f* hygiénique
narcotic [nɑ:r'kɑ:tɪk] stupéfiant *m*
narrate ['næreɪt] raconter; **narrative 1** *adj poem, style* narratif **2** *n* (*story*) récit *m*; **narrator** narrateur(-trice) *m(f)*
narrow ['næroʊ] étroit; *victory* serré; **narrowly** *win* de justesse; *escape* de peu; **narrow-minded** étroit d'esprit
nasty ['næstɪ] *person, thing to say* méchant; *smell* nauséabond; *weather, cut, wound, disease* mauvais

nation ['neɪʃn] nation *f*; **national 1** *adj* national **2** *n* national *m*, ressortissant *m*; **national anthem** hymne *m* national; **national debt** dette *f* publique; **nationalism** nationalisme *m*; **nationality** nationalité *f*; **nationalize** *industry etc* nationaliser

native ['neɪtɪv] **1** *adj* natal **2** *n* natif(-ive) *m(f)*; (*tribesman*) indigène *m*; **Native American 1** *adj* amérindien **2** *n* Amérindien(ne) *m(f)*

NATO ['neɪtou] (= ***North Atlantic Treaty Organization***) OTAN *f* (= Organisation du traité de l'Atlantique Nord)

natural ['nætʃrəl] naturel; **naturalist** naturaliste *m/f*; **naturalize**: ***become ~d*** se faire naturaliser; **naturally** (*of course*) bien entendu; *behave, speak* naturellement, avec naturel; (*by nature*) de nature; **nature** nature *f*; **nature reserve** réserve *f* naturelle

naughty ['nɒːtɪ] vilain; *photograph , word etc* coquin

nausea ['nɒːzɪə] nausée *f*; **nauseate** *fig* écœurer; **nauseating** écœurant; **nauseous**: ***feel ~*** avoir la nausée

nautical ['nɒːtɪkl] nautique, marin

naval ['neɪvl] naval, maritime; *history* de la marine

navel ['neɪvl] nombril *m*

navigate ['nævɪgeɪt] *also* COMPUT naviguer; *in car* diriger; **navigation** navigation *f*; *in car* indications *fpl*; **navigator** navigateur *m*

navy ['neɪvɪ] marine *f*; **navy blue 1** *adj* bleu marine *inv* **2** *n* bleu *m* marine

near [nɪr] **1** *adv* près; ***come ~er*** approche-toi **2** *prep* près de **3** *adj* proche; ***in the ~ future*** dans un proche avenir; **nearby** tout près; **nearly** presque; ***I ~ lost it*** j'ai failli le perdre; **near-sighted** myope

neat [niːt] *room, desk* bien rangé; *person* ordonné; *in appearance* soigné; *whiskey etc* sec; *solution* ingénieux; F (*terrific*) super *inv* F

necessarily ['nesəserəlɪ] nécessairement, forcément; **necessary** nécessaire; ***it is ~ to ...*** il faut ...; **necessity** nécessité *f*

neck [nek] cou *m*; *of clothing* col *m*; **necklace** collier *m*; **neckline** *of dress* encolure *f*; **necktie** cravate *f*

née [neɪ] née

need [niːd] **1** *n* besoin *m*; ***if ~ be*** si besoin est; ***in ~*** dans le besoin **2** *v/t* avoir besoin de; ***you don't ~ to wait*** vous n'êtes pas obligés d'attendre; ***I ~ to talk to you*** il faut que je te parle

needle ['niːdl] aiguille *f*; **needlework** travaux *mpl* d'ai-

guille
needy ['ni:dɪ] nécessiteux
negative ['negətɪv] négatif
neglect [nɪ'glekt] **1** *n* négligence *f*; *state* abandon *m* **2** *v/t* négliger; **neglected** négligé
negligence ['neglɪdʒəns] négligence *f*; **negligent** négligent; **negligible** *quantity* négligeable
negotiable [nɪ'goʊʃəbl] négociable; **negotiate 1** *v/i* négocier **2** *v/t deal* négocier; *obstacles* franchir; *bend in road* négocier, prendre; **negotiation** négociation *f*; **negotiator** négociateur(-trice) *m(f)*
neighbor ['neɪbər] voisin(e) *m(f)*; **neighborhood** *in town* quartier *m*; **neighboring** *house, state* voisin; **neighborly** aimable
neighbour *etc Br* → ***neighbor*** *etc*
neither ['ni:ðər] **1** *adj*: ***~ player*** aucun(e) des deux joueurs **2** *pron* ni l'un ni l'autre **3** *adv*: ***~ ... nor ...*** ni ... ni ... **4** *conj*: ***~ do/can I*** moi non plus
neon light ['ni:ɑ:n] néon *m*
nephew ['nefju:] neveu *m*
nerve [nɜ:rv] nerf *m*; (*courage*) courage *m*; (*impudence*) culot *m* F; **nerve-racking** angoissant, éprouvant; **nervous** nerveux; **nervous breakdown** dépression *f* nerveuse; **nervousness** nervosité *f*; **nervy** (*fresh*) effronté, culotté F
nest [nest] nid *m*
net[1] [net] *n for fishing, tennis etc* filet *m*; *Internet* Net *m*
net[2] [net] *adj price etc* net
nettle ['netl] ortie *f*
'network *also* COMPUT réseau *m*
neurologist [nʊ'rɑ:lədʒɪst] neurologue *m/f*
neurosis [nʊ'roʊsɪs] névrose *f*; **neurotic** névrosé, obsédé
neuter ['nu:tər] *animal* castrer; **neutral 1** *adj* neutre **2** *n gear* point *m* mort; **neutrality** neutralité *f*; **neutralize** neutraliser
never ['nevər] jamais; ***I've ~ been to New York*** je ne suis jamais allé à New York; **nevertheless** néanmoins
new [nu:] nouveau; (*not used*) neuf; **newborn** nouveau-né; **newcomer** nouveau venu *m*, nouvelle venue *f*; **newly** (*recently*) récemment, nouvellement; **newly-weds** jeunes mariés *mpl*
news [nu:z] nouvelle(s) *f(pl)*; *on TV, radio* informations *fpl*; **newscast** TV journal *m* télévisé; **newscaster** TV présentateur(-trice) *m(f)*; **news flash** flash *m* d'information; **newspaper** journal *m*; **newsreader** TV *etc* présentateur(-trice) *m(f)*; **news report** reportage *m*; **newsstand** kiosque *m* à journaux; **newsvendor** vendeur(-euse)

m(*f*) de journaux

'New Year nouvel an *m*; ***Happy ~!*** Bonne année!; **New Year's Day** jour *m* de l'an; **New Year's Eve** la Saint-Sylvestre

next [nekst] **1** *adj* prochain; ***the ~ month*** le mois suivant **2** *adv* (*after*) ensuite, après; ***~ to*** à côté de; **next-door 1** *adj neighbor* d'à côté **2** *adv live* à côté; **next of kin** parent *m* le plus proche

nibble ['nɪbl] *cheese* grignoter; *ear* mordiller

nice [naɪs] agréable; *person also* sympathique; *house, hair* beau; ***that's very ~ of you*** c'est très gentil de votre part; **nicely** *written, presented* bien; (*pleasantly*) agréablement

niche [niːʃ] *in market* créneau *m*; (*special position*) place *f*

nick [nɪk] (*cut*) coupure *f*

nickel ['nɪkl] MIN nickel *m*; *coin* pièce *f* de cinq cents

'nickname surnom n

niece [niːs] nièce *f*

night [naɪt] nuit *f*; (*evening*) soir *m*; ***11 o'clock at ~*** onze heures du soir; ***during the ~*** pendant la nuit; ***good ~*** *going to bed* bonne nuit; *leaving office, friends' house etc* bonsoir; **nightcap** *drink* boisson *f* du soir; **nightclub** boîte *f* de nuit; **nightdress** chemise *f* de nuit; **night flight** vol *m* de nuit; **nightlife** vie *f* nocturne; **nightly 1** *adj* de toutes les nuits; *in evening* de tous les soirs **2** *adv* toutes les nuits; *in evening* tous les soirs; **nightmare** *also fig* cauchemar *m*; **night porter** gardien *m* de nuit; **night school** cours *mpl* du soir; **night shift** équipe *f* de nuit; **nightshirt** chemise *f* de nuit (d'homme); **nightspot** boîte *f* (de nuit); **nighttime**: ***at ~, in the ~*** la nuit

nimble ['nɪmbl] agile; *mind* vif

nine [naɪn] neuf; **nineteen** dix-neuf; **nineteenth** dix-neuvième; **ninetieth** quatre-vingt-dixième; **ninety** quatre-vingt-dix; **ninth** neuvième

nip [nɪp] (*pinch*) pincement *m*; (*bite*) morsure *f*

nipple ['nɪpl] mamelon *m*

nitrogen ['naɪtrədʒn] azote *m*

no [noʊ] **1** *adv* non **2** *adj* aucun, pas de; ***there's ~ coffee left*** il ne reste plus de café; ***I have ~ money*** je n'ai pas d'argent; ***~ smoking*** défense de fumer

noble ['noʊbl] noble

nobody ['noʊbədɪ] personne; ***~ knows*** personne ne le sait; ***there was ~ at home*** il n'y avait personne

no-brainer [noʊ'breɪnər] jeu *m* d'enfant; ***the math test was a ~*** le devoir de maths était super facile

nod [nɑːd] **1** *n* signe *m* de tête **2** *v/i* faire un signe de tête
noise [nɔɪz] bruit *m*; **noisy** bruyant; ***be ~*** *of person* faire du bruit
nominal ['nɑːmɪnl] nominal; (*token*) symbolique
nominate ['nɑːmɪneɪt] (*appoint*) nommer; **nomination** (*appointment*) nomination *f*; (*person proposed*) candidat *m*; **nominee** candidat *m*
nonalco'holic non alcoolisé
noncommissioned 'officer ['nɑːnkəmɪʃnd] sous-officier *m*
noncommittal [nɑːnkə'mɪtl] évasif
nondescript ['nɑːndɪskrɪpt] quelconque; *color* indéfinissable
none [nʌn] aucun(e); ***there is/are ~ left*** il n'en reste plus
nonentity [nɑːn'entətɪ] être *m* insignifiant
none'xistent inexistant
non'fiction ouvrages *mpl* non littéraires
noninter'ference non-ingérence *f*
noninter'vention non-intervention *f*
no-'nonsense *approach* pragmatique
non'payment non-paiement *m*
nonpol'luting non polluant
non'resident non-résident *m*; *in hotel* client *m* de passage
nonre'turnable non remboursable
nonsense ['nɑːnsəns] absurdité(s) *f(pl)*; ***don't talk ~*** ne raconte pas n'importe quoi
non'smoker non-fumeur (-euse) *m(f)*; **nonsmoking area** espace *m* non-fumeurs
non'standard non standard *inv*; *use of word* impropre
non'stop 1 *adj flight, train* direct; *chatter* incessant **2** *adv fly, travel* sans escale; *chatter, argue* sans arrêt
non'union non syndiqué
non'violence non-violence *f*; **nonviolent** non-violent
noodles ['nuːdlz] nouilles *fpl*
noon [nuːn] midi *m*
no-one → ***nobody***
noose [nuːs] nœud *m* coulant
nor [nɔːr] ni; ***~ do I*** moi non plus
norm [nɔːrm] norme *f*; **normal** normal; **normality** normalité *f*; **normally** normalement
north [nɔːrθ] **1** *n* nord *m* **2** *adj* nord *inv*; *wind* du nord **3** *adv travel* vers le nord; **North America** Amérique *f* du Nord; **North American 1** *adj* nord-américain **2** *n* Nord-Américain(e) *m(f)*; **northeast** nord-est *m*; **northerly** *wind* du nord; *direction* vers le nord; **northern** du nord; **northerner** habitant *m* du Nord; **North Korea** Corée *f* du Nord; **North Korean 1** *adj* nord-coréen **2**

n Nord-Coréen(ne) *m(f)*; **North Pole** pôle *m* Nord; **northward** *travel* vers le nord; **northwest** nord-ouest *m*

nose [nouz] nez *m*

◆ **nose around** F fouiner

nostalgia [nɑː'stældʒə] nostalgie *f*; **nostalgic** nostalgique

nostril ['nɑːstrəl] narine *f*

nosy ['nouzi] F curieux

not [nɑːt] pas; *~ now* pas maintenant; *~ there* pas là; *~ a lot* pas beaucoup *with verbs* ne … pas; ***it's ~ allowed*** ce n'est pas permis; ***he didn't help*** il n'a pas aidé

notable ['noutəbl] notable

notch [nɑːtʃ] entaille *f*

note [nout] MUS, *written* note *f*; (*short letter*) mot *m*; **notebook** carnet *m*; COMPUT ordinateur *m* bloc-notes; **noted** célèbre; **notepad** bloc-notes *m*; **notepaper** papier *m* à lettres

nothing ['nʌθɪŋ] rien; ***she said ~*** elle n'a rien dit; ***~ but*** rien que; ***~ much*** pas grand-chose; ***for ~*** (*for free*) gratuitement; (*for no reason*) pour un rien

notice ['noutɪs] **1** *n on bulletin board, in street* affiche *f*; (*advance warning*) préavis *m*; *in newspaper* avis *m*; *to leave job* démission *f*; *to leave house* préavis *m*; ***at short ~*** dans un délai très court; ***until further ~*** jusqu'à nouvel ordre; ***hand in one's ~*** *to employer* donner sa démission; ***take no ~ of*** ne pas faire attention à **2** *v/t* remarquer; **noticeable** visible

notify ['noutɪfaɪ]: ***~ s.o. of sth*** signaler qch à qn

notion ['nouʃn] idée *f*

notorious [nou'tɔːrɪəs] notoire

noun [naun] substantif *m*, nom *m*

nourishing ['nʌrɪʃɪŋ] nourrissant; **nourishment** nourriture *f*

novel ['nɑːvl] roman *m*; **novelist** romancier(-ière) *m(f)*; **novelty** nouveauté *f*

November [nou'vembər] novembre *m*

novice ['nɑːvɪs] (*beginner*) novice *m*, débutant *m*

now [nau] maintenant; ***~ and again, ~ and then*** de temps à autre; ***by ~*** maintenant; **nowadays** aujourd'hui, de nos jours

nowhere ['nouwer] nulle part; ***it's ~ near finished*** c'est loin d'être fini

nuclear ['nuːklɪər] nucléaire; **nuclear energy** énergie *f* nucléaire; **nuclear power** énergie *f* nucléaire; POL puissance *f* nucléaire; **nuclear power station** centrale *f* nucléaire; **nuclear reactor** réacteur *m* nucléaire; **nude** [nuːd] **1** *adj* nu **2** *n painting* nu *m*;

in the ~ tout nu
nudge [nʌdʒ] *person* donner un coup de coude à; *parked car* pousser (un peu)
nudist ['nuːdɪst] nudiste *m/f*
nuisance ['nuːsns] peste *f*, plaie *f* F; *event, task* ennui *m*; ***make a ~ of o.s.*** être embêtant F
null and 'void [nʌl] nul et non avenu
numb [nʌm] engourdi; *emotionally* insensible
number ['nʌmbər] **1** *n* nombre *m*; *symbol* chiffre *m*; *of hotel room, phone ~ etc* numéro *m* **2** *v/t* (*put a ~ on*) numéroter
numeral ['nuːmərəl] chiffre *m*
numerous ['nuːmərəs] nombreux
nun [nʌn] religieuse *f*
nurse [nɜːrs] infirmier(-ière) *m(f)*; **nursery** maternelle *f*; *for plants* pépinière *f*; **nursery rhyme** comptine *f*; **nursery school** école *f* maternelle; **nursing** profession *f* d'infirmier; **nursing home** *for old people* maison *f* de retraite
nut [nʌt] (*walnut*) noix *f*; (*Brazil*) noix *f* du Brésil; (*hazelnut*) noisette *f*; (*peanut*) cacahuète *f*; *for bolt* écrou *m*; **nutcrackers** casse-noisettes *m inv*
nutrient ['nuːtrɪənt] élément *m* nutritif; **nutrition** nutrition *f*; **nutritious** nutritif
nuts [nʌts] F (*crazy*) fou

O

oar [ɔːr] aviron *m*, rame *f*
oasis [oʊ'eɪsɪs] *also fig* oasis *f*
oath [oʊθ] LAW serment *m*; (*swearword*) juron *m*
oats [oʊts] *npl* avoine *f*
obedience [oʊ'biːdɪəns] obéissance *f*; **obedient** obéissant; **obediently** docilement
obese [oʊ'biːs] obèse; **obesity** obésité *f*
obey [oʊ'beɪ] obéir à
obituary [oʊ'bɪtʃuerɪ] nécrologie *f*
object[1] ['ɑːbdʒɪkt] *n* (*thing*) objet *m*; (*aim*) objectif *m*; GRAM complément *m* d'objet
object[2] [əb'dʒekt] *v/i* protester; ***if nobody ~s*** si personne n'y voit d'objection
objection [əb'dʒekʃn] objection *f*; **objectionable** (*unpleasant*) désagréable; **objective** **1** *adj* objectif **2** *n* objectif *m*; **objectively** objectivement; **objectivity** objectivité *f*
obligation [ɑːblɪ'geɪʃn] obligation *f*; **obligatory** obligatoire; **obliging** serviable,

obligeant
oblique [ə'bli:k] **1** *adj reference* indirect; *line* oblique **2** *n in punctuation* barre *f* oblique
obliterate [ə'blɪtəreɪt] *city* détruire; *memory* effacer
oblivion [ə'blɪvɪən] oubli *m*
oblong ['ɑ:blɑ:ŋ] **1** *adj* oblong **2** *n* rectangle *m*
obscene [ɑ:b'si:n] obscène; *salary, poverty* scandaleux; **obscenity** obscénité *f*
obscure [əb'skjʊr] obscur; *village* inconnu; **obscurity** obscurité *f*
observant [əb'zɜ:rvnt] observateur; **observation** observation *f*; **observe** observer; **observer** observateur(-trice) *m(f)*
obsess [ɑ:b'ses]: ***be ~ed with*** être obsédé par; **obsession** obsession *f* (**with** de)
obsolete ['ɑ:bsəli:t] obsolète
obstacle ['ɑ:bstəkl] *also fig* obstacle *m*
obstetrician [ɑ:bstə'trɪʃn] obstétricien(ne) *m(f)*; **obstetrics** obstétrique *f*
obstinacy ['ɑ:bstɪnəsɪ] entêtement *m*, obstination *f*; **obstinate** obstiné
obstruct [ɑ:b'strʌkt] *road* bloquer, obstruer; *investigation* entraver; *police* gêner; **obstruction** *on road etc* obstacle *m*; **obstructive** *behavior* qui met des bâtons dans les roues; *tactics* obstructionniste
obtain [əb'teɪn] obtenir; **obtainable** *products* disponible
obtuse [əb'tu:s] *fig* obtus
obvious ['ɑ:bvɪəs] évident, manifeste; **obviously** manifestement; ***~!*** évidemment!
occasion [ə'keɪʒn] occasion *f*; **occasional** occasionnel; **occasionally** de temps en temps, occasionnellement
occupant ['ɑ:kjʊpənt] occupant(e) *m(f)*; **occupation** (*job*) métier *m*; *of country* occupation *f*; **occupy** occuper
occur [ə'kɜ:r] avoir lieu, se produire; **occurrence** (*event*) fait *m*
ocean ['oʊʃn] océan *m*
o'clock [ə'klɑ:k]: ***at five ~*** à cinq heures
October [ɑ:k'toʊbər] octobre *m*
odd [ɑ:d] (*strange*) bizarre; (*not even*) impair; **oddball** F original *m*; **odds and ends** petites choses *fpl*, bricoles *fpl*; **odds-on**: ***the ~ favorite*** le grand favori
odometer [oʊ'dɑ:mətər] odomètre *m*
odor, *Br* **odour** ['oʊdər] odeur *f*
of [ɑ:v] de; ***the name ~ the street/hotel*** le nom de la rue/de l'hôtel; ***the color ~ the paper*** la couleur du papier; ***five minutes ~ ten*** dix heures moins cinq; ***die ~ can-***

cer mourir d'un cancer; ***love ~ money*** l'amour de l'argent

off [ɑːf] **1** *prep*: ***~ the main road*** *away from* en retrait de la route principale; *near* près de la route principale; ***$20 ~ the price*** 20 dollars de réduction **2** *adv*: ***be ~*** *of light, TV, machine* être éteint; *of brake* être desserré; *of lid* ne pas être mis; *not at work* ne pas être là; *canceled* être annulé; ***we're ~ tomorrow*** *leaving* nous partons demain; ***take a day ~*** prendre un jour de congé; ***it's 3 miles ~*** c'est à 3 miles; ***it's a long way ~*** c'est loin **3** *adj*: ***the ~ switch*** le bouton d'arrêt

offence *Br* → ***offense***

offend [ə'fend] (*insult*) offenser; **offender** LAW délinquant(e) *m(f)*; **offense** LAW *minor* infraction *f*; *serious* délit *m*; ***take ~ at sth*** s'offenser de qch; **offensive 1** *adj behavior, remark* offensant; *smell* repoussant **2** *n* MIL offensive *f*

offer ['ɑːfər] **1** *n* offre *f* **2** *v/t* offrir

off'hand *attitude* désinvolte

office ['ɑːfɪs] bureau *m*; (*position*) fonction *f*; **officer** MIL officier *m*; *in police* agent *m* de police; **official 1** *adj* officiel **2** *n civil servant etc* fonctionnaire *m/f*; **officially** officiellement; (*strictly speaking*) en théorie; **officious** trop zélé

'off-line *work* hors connexion; ***go ~*** se déconnecter

'off-peak *rates* en période creuse

'off-season basse saison *f*

'offset *losses* compenser

'offshore offshore

'offside SP hors jeu

'offspring progéniture *f*

'off-the-record officieux

often ['ɑːfn] souvent; ***how ~ do you go there?*** vous y allez tous les combien?

oil [ɔɪl] **1** *n* huile *f*; *petroleum* pétrole *m* **2** *v/t* lubrifier, huiler; **oil change** vidange *f*; **oil company** compagnie *f* pétrolière; **oilfield** champ *m* pétrolifère; **oil painting** peinture *f* à l'huile; **oil refinery** raffinerie *f* de pétrole; **oil rig** *at sea* plate-forme *f* de forage; *on land* tour *f* de forage; **oil slick** marée *f* noire; **oil tanker** *ship* pétrolier *m*; **oil well** puits *m* de pétrole; **oily** graisseux

ointment ['ɔɪntmənt] pommade *f*

ok [oʊ'keɪ]: ***can I? – ~*** je peux? – d'accord; ***is it ~ with you if …?*** ça te dérange si …?; ***does that look ~?*** est-ce que ça va?; ***that's ~ by me*** ça me va; ***are you ~?*** (*well, not hurt*) ça va?

old [oʊld] vieux; (*previous*) ancien; ***how ~ is he?*** quel

âge a-t-il?; **old age** vieillesse *f*; **old-fashioned** démodé
olive ['ɑːlɪv] olive *f*; **olive oil** huile *f* d'olive
Olympic Games [ə'lɪmpɪk] Jeux *mpl* Olympiques
omelet, *Br* **omelette** ['ɑːmlət] omelette *f*
ominous ['ɑːmɪnəs] inquiétant
omission [oʊ'mɪʃn] omission *f*; **omit** [oʊ'mɪt] omettre
on [ɑːn] **1** *prep* sur; **~ the table** sur la table; **~ the bus** dans le bus; **~ the third floor** au deuxième étage; **~ TV** à la télé; **~ Sunday** dimanche; **~ Sundays** le dimanche; **~ the 1st of ...** le premier...; **this is ~ me** (*I'm paying*) c'est moi qui paie; **have you any money ~ you?** as-tu de l'argent sur toi?; **~ his arrival** à son arrivée; **~ his departure** au moment de son départ; **~ hearing this** en entendant ceci **2** *adv*: **be ~** *of light, TV, computer etc* être allumé; *of brake* être serré; *of lid* être mis; *of program*: *being broadcast* passer; *of meeting etc*: *be scheduled to happen* avoir lieu; **what's ~ tonight?** *on TV etc* qu'est-ce qu'il y a ce soir?; (*what's planned?*) qu'est-ce qu'on fait ce soir?; **you're ~** (*I accept*) c'est d'accord; **~ you go** (*go ahead*) vas-y; **talk ~** continuer à parler; **and so ~** et ainsi de suite; **~ and ~** *talk etc* pendant des heures **3** *adj*: **the ~ switch** le bouton marche
once [wʌns] **1** *adv* (*one time*) une fois; (*formerly*) autrefois; **~ again, ~ more** encore une fois; **at ~** (*immediately*) tout de suite **2** *conj* une fois que; **~ you have finished** une fois que tu auras terminé
one [wʌn] **1** *n number* un *m* **2** *adj* un(e); **~ day** un jour **3** *pron*: **~ is bigger than the other** l'un(e) est plus grand(e) que l'autre; **which ~?** lequel/laquelle?; **~ by ~** *enter, deal with* un(e) à la fois; **the little ~s** les petits *mpl*; **I for ~** pour ma part; **what can ~ say?** qu'est-ce qu'on peut dire?; **one-parent family** famille *f* monoparentale; **oneself**: **hurt ~** se faire mal; **for ~** pour soi *or* soi-même; **do sth by ~** faire qch tout seul; **one-way street** rue *f* à sens unique; **one-way ticket** aller *m* simple
onion ['ʌnjən] oignon *m*
'on-line en ligne; **go ~ to** se connecter à; **on-line banking** (services *mpl* de) banque *f* en ligne; **on-line dating** rencontres *fpl* en ligne; **on-line shopping** shopping *m* en ligne; **on-line store** boutique *f* en ligne
onlooker ['ɑːnlʊkər] spectateur(-trice) *m*(*f*)

only ['ounlı] **1** *adv* seulement; ***he's ~ six*** il n'a que six ans **2** *adj* unique
'onset début *m*
on-the-job 'training formation *f* sur le tas
opaque [ou'peık] *glass* opaque
open ['oupən] **1** *adj* ouvert; ***in the ~ air*** en plein air **2** *v/t* ouvrir **3** *v/i of shop, flower* s'ouvrir; **open-air** *meeting, concert* en plein air; *pool* découvert; **open day** journée *f* portes ouvertes; **open-ended** *contract etc* flexible; **opening** *in wall etc* ouverture *f*; *of film, novel etc* début *m*; (*job*) poste *m* (vacant); **openly** (*honestly, frankly*) ouvertement; **open-minded** à l'esprit ouvert, ouvert; **open ticket** billet *m* open
opera ['ɑːpərə] opéra *m*; **opera house** opéra *m*; **opera singer** chanteur(-euse) *m(f)* d'opéra
operate ['ɑːpəreıt] **1** *v/i of company* opérer; *of airline, bus service* circuler; *of machine* fonctionner; MED opérer **2** *v/t machine* faire marcher
◆ **operate on** MED opérer
'operating room MED salle *f* d'opération; **operating system** COMPUT système *m* d'exploitation; **operation** MED opération *f* (chirurgicale); *of machine* fonctionnement *m*; ***have an ~*** MED se faire opérer; **operator** *of machine* opérateur(-trice) *m(f)*; (*tour ~*) tour-opérateur *m*, voyagiste *m*; TELEC standardiste *m/f*
opinion [ə'pınjən] opinion *f*; **opinion poll** sondage *m* d'opinion
opponent [ə'pounənt] adversaire *m/f*
opportunist [ɑːpər'tuːnıst] opportuniste *m/f*; **opportunity** occasion *f*
oppose [ə'pouz] s'opposer à; ***be ~d to*** être opposé à
opposite ['ɑːpəzıt] **1** *adj* opposé; *meaning* contraire **2** *adv* en face; ***the house ~*** la maison d'en face **3** *prep* en face de; **opposite 'number** homologue *m/f*
opposition [ɑːpə'zıʃn] opposition *f*
oppress [ə'pres] *people* opprimer; **oppressive** *rule* oppressif; *weather* oppressant
optician [ɑːp'tıʃn] opticien (-ne) *m(f)*
optimism ['ɑːptımızəm] optimisme *m*; **optimist** optimiste *m/f*; **optimistic** optimiste; **optimistically** avec optimisme
optimum ['ɑːptıməm] optimal
option ['ɑːpʃn] option *f*; **optional** facultatif
or [ɔːr] ou; ***~ else!*** sinon …
oral ['ɔːrəl] *exam* oral; *hygiene*

dentaire
orange ['ɔːrɪndʒ] **1** *adj color* orange *inv* **2** *n fruit* orange *f*; *color* orange *m*; **orange juice** jus *m* d'orange
orator ['ɔːrətər] orateur(-trice) *m(f)*
orbit ['ɔːrbɪt] **1** *n of earth* orbite *f* **2** *v/t the earth* décrire une orbite autour de
orchard ['ɔːrʧərd] verger *m*
orchestra ['ɔːrkəstrə] orchestre *m*
orchid ['ɔːrkɪd] orchidée *f*
ordain [ɔːr'deɪn] ordonner
ordeal [ɔːr'diːl] épreuve *f*
order ['ɔːrdər] **1** *n* ordre *m*; *for goods, in restaurant* commande *f*; ***an ~ of fries*** une portion de frites; ***in ~ to*** pour; ***out of ~*** (*not functioning*) hors service; ***out of ~*** (*not in sequence*) pas dans l'ordre **2** *v/t* (*put in sequence, proper layout*) ranger; *goods, meal* commander; ***~ s.o. to do sth*** ordonner à qn de faire qch **3** *v/i in restaurant* commander; **orderly 1** *adj lifestyle* bien réglé **2** *n in hospital* aide-soignant *m*
ordinarily [ɔːrdɪ'nerɪlɪ] (*as a rule*) d'habitude; **ordinary** ordinaire
ore [ɔːr] minerai *m*
organ ['ɔːrgən] ANAT organe *m*; MUS orgue *m*; **organic** *food, fertilizer* biologique; **organically** *grown* biologiquement; **organism** organisme *m*
organization [ɔːrgənaɪ'zeɪʃn] organisation *f*; **organize** organiser; **organizer** *person* organisateur(-trice) *m(f)*
Orient ['ɔːrɪənt] Orient *m*; **Oriental** oriental
origin ['ɑːrɪdʒɪn] origine *f*; **original 1** *adj* (*not copied*) original; (*first*) d'origine, initial **2** *n painting etc* original *m*; **originality** originalité *f*; **originally** à l'origine; (*at first*) au départ; **originate 1** *v/t idea* être à l'origine de **2** *v/i of idea, belief* émaner (***from*** de); *of family* être originaire (***from*** de)
ornamental [ɔːrnə'mentl] décoratif
ornate [ɔːr'neɪt] *architecture* chargé; *prose style* fleuri
orphan ['ɔːrfn] orphelin(e) *m(f)*
orthodox ['ɔːrθədɑːks] orthodoxe
orthopedic [ɔːrθə'piːdɪk] orthopédique
ostensibly [ɑː'stensəblɪ] en apparence
ostentatious [ɑːsten'teɪʃəs] prétentieux, tape-à-l'œil *inv*
ostracize ['ɑːstrəsaɪz] frapper d'ostracisme
other ['ʌðər] **1** *adj* autre; ***the ~ day*** (*recently*) l'autre jour; ***every ~ day*** un jour sur deux; ***~ people*** d'autres **2** *n*: ***the ~*** l'autre *m/f*
otherwise ['ʌðərwaɪz] **1** *conj*

sinon **2** *adv* (*differently*) autrement
ought [ɒːt]: ***I/you ~ to know*** je/tu devrais le savoir; ***you ~ to have done it*** tu aurais dû le faire
ounce [aʊns] once *f*
our ['aʊər] notre; *pl* nos; **ours** le nôtre, la nôtre; *pl* les nôtres; ***it's ~*** c'est à nous; **ourselves** nous-mêmes; *reflexive* nous; *after prep* nous; ***we enjoyed*** nous nous sommes amusé(e)s
oust [aʊst] *from office* évincer
out [aʊt]: ***be ~*** *of light, fire* être éteint; *of flower* être en fleur; *of sun* briller; (*not at home, not in building*) être sorti; *of calculations* être faux; (*be published*) être sorti; *of secret* être connu; (*no longer in competition*) être éliminé; (*no longer in fashion*) être passé de mode; ***~ here in Dallas*** ici à Dallas; (***get***) ***~!*** dehors!; (***get***) ***~ of my room!*** sors de ma chambre!; ***that's ~!*** (*~ of the question*) hors de question!; ***he's ~ to win*** (*fully intends to*) il est bien décidé à gagner; **outbreak** *of war* déclenchement *m*; *of violence* éruption *f*
'outcast exclu(e) *m(f)*
'outcome résultat *m*
'outcry tollé *m*
out'dated démodé
out'do surpasser
out'door *activities* de plein air; *life* au grand air; *toilet* extérieur; **outdoors** dehors
outer ['aʊtər] *wall etc* extérieur
'outfit (*clothes*) tenue *f*, ensemble *m*; (*company, organization*) boîte *f* F
out'last durer plus longtemps que
'outlet *of pipe* sortie *f*; *for sales* point *m* de vente; ELEC prise *f* de courant
'outline 1 *n* silhouette *f*; *of plan, novel* esquisse *f* **2** *v/t plans* ébaucher
out'live survivre à
'outlook (*prospects*) perspective *f*
out'number être plus nombreux que
out of ◇ *motion* de, hors de; ***run ~ the house*** sortir de la maison en courant
◇ *position*: ***20 miles ~ Detroit*** à 32 kilomètres de Détroit
◇ *cause* par; ***~ jealousy*** par jalousie
◇ *without*: ***we're ~ gas*** nous n'avons plus d'essence
◇ *from a group* sur; ***5 ~ 10*** 5 sur 10
out-of-'date dépassé; (*expired*) périmé
'output 1 *n of factory* production *f*, rendement *m*; COMPUT sortie *f* **2** *v/t* (*produce*) produire
'outrage 1 *n feeling* indigna-

tion *f*; *act* outrage *m* **2** *v/t* faire outrage à; **outrageous** *acts* révoltant; *prices* scandaleux

'outright 1 *adj winner* incontesté **2** *adv kill* sur le coup; *refuse* catégoriquement

'outset début *m*

out'shine éclipser

'outside 1 *adj* extérieur **2** *adv* dehors, à l'extérieur **3** *prep* à l'extérieur de; (*apart from*) en dehors de **4** *n of building, case etc* extérieur *m*

'outsize *clothing* grande taille

'outskirts *of town* banlieue *f*

out'smart → ***outwit***

'outsource externaliser

out'standing exceptionnel, remarquable; FIN impayé

outstretched ['autstretʃt] *hands* tendu

outward ['autwərd] *appearance* extérieur; **~ *journey*** voyage *m* aller; **outwardly** en apparence

out'weigh l'emporter sur

out'wit se montrer plus malin que

oval ['ouvl] ovale

oven ['ʌvn] four *m*

over ['ouvər] **1** *prep* (*above*) au-dessus de; (*across*) de l'autre côté de; (*more than*) plus de; (*during*) pendant; ***she walked ~ the street*** elle traversa la rue; ***travel all ~ Brazil*** voyager à travers le Brésil; ***we're ~ the worst*** le pire est passé; ***~ and above*** en plus de **2** *adv*: **be ~** (*finished*) être fini; (*left*) rester; ***there were just 6 ~*** il n'en restait que 6; ***~ in Japan*** au Japon; ***~ here*** ici; ***~ there*** là-bas; ***it hurts all ~*** ça fait mal partout; ***painted white all ~*** peint tout en blanc; ***it's all ~*** c'est fini; ***~ and ~ again*** maintes et maintes fois; ***do sth ~ (again)*** refaire qch; **overall** *measure* en tout; (*in general*) dans l'ensemble; **overalls** bleu *m* de travail

over'awe impressionner, intimider

over'balance *of person* perdre l'équilibre

over'bearing dominateur

'overcast *sky* couvert

over'charge faire payer trop cher à

'overcoat pardessus *m*

over'come *difficulties* surmonter

over'crowded *city* surpeuplé; *train* bondé

over'do (*exaggerate*) exagérer; *in cooking* trop cuire; **over'done** *meat* trop cuit

'overdose overdose *f*

'overdraft découvert *m*; ***have an ~*** être à découvert; **over'draw** *account* mettre à découvert

overdressed trop habillé

over'estimate surestimer

overex'pose surexposer

'overflow[1] *n pipe* trop-plein *m inv*

over'flow[2] *v/i of water* déborder
over'haul *engine etc* remettre à neuf; *plans* remanier
'overhead 1 *adj* au-dessus *m* **2** *n* FIN frais *mpl* généraux
over'hear entendre (par hasard)
over'heated *room* surchauffé; *engine* qui chauffe
overjoyed [oʊvər'dʒɔɪd] ravi, enchanté
'overland 1 *adj transport* par terre **2** *adv travel* par voie de terre
over'lap *of tiles, periods etc* se chevaucher; *of theories* se recouper
over'load surcharger
over'look *of tall building etc* surplomber, dominer; *of window* donner sur; (*not see*) laisser passer
overly ['oʊvərlɪ] trop
'overnight *travel* la nuit; *fig: change etc* du jour au lendemain
'overpass pont *m*
over'power *physically* maîtriser
overpriced [oʊvər'praɪst] trop cher
overrated [oʊvə'reɪtɪd] surfait
over'ride *decision etc* annuler; *technically* forcer; **overriding** *concern* principal
over'rule *decision* annuler
over'seas à l'étranger
over'see superviser
over'shadow *fig* éclipser
'oversight omission *f*
over'sleep se réveiller en retard
over'state exagérer; **overstatement** exagération *f*
over'take *also Br* MOT dépasser
over'throw[1] *v/t government* renverser
'overthrow[2] *n of government* renversement *m*
'overtime 1 *n* SP temps *m* supplémentaire **2** *adv*: ***work ~*** faire des heures supplémentaires
over'turn 1 *v/t also government* renverser **2** *v/i of vehicle* se retourner
'overview vue *f* d'ensemble
overwhelming [oʊvər'welmɪŋ] *feeling* irrépressible; *relief* énorme; *majority* écrasant
over'work 1 *n* surmenage *m* **2** *v/i* se surmener
owe [oʊ] devoir (***s.o.*** à qn); **owing to** à cause de
owl [aʊl] hibou *m*, chouette *f*
own[1] [oʊn] *v/t* posséder
own[2] [oʊn] *pron*: ***an apartment of my ~*** un appartement à moi; ***on my/his ~*** tout seul
◆ **own up** avouer
owner ['oʊnər] propriétaire *m/f*; **ownership** possession *f*, propriété *f*
oxygen ['ɑːksɪdʒən] oxygène *m*

oyster ['ɔɪstər] huître *f*
ozone ['oʊzoʊn] ozone *m*; **ozone layer** couche *f* d'ozone

P

PA [piː'eɪ] (= ***personal assistant***) secrétaire *m/f*
pace [peɪs] (*step*) pas *m*; (*speed*) allure *f*; **pacemaker** MED stimulateur *m* cardiaque, pacemaker *m*; SP lièvre *m*
Pacific [pə'sɪfɪk]: ***the ~ (Ocean)*** le Pacifique, l'océan *m* Pacifique
pacifier ['pæsɪfaɪər] *for baby* sucette *f*; **pacifism** pacifisme *m*; **pacifist** pacifiste *m/f*; **pacify** calmer, apaiser
pack [pæk] **1** *n* (*back~*) sac *m* à dos; *of cereal, cigarettes etc* paquet *m*; *of cards* jeu *m* **2** *v/t item of clothing etc* mettre dans ses bagages; *goods* emballer; ***~ one's bag*** faire sa valise **3** *v/i* faire ses bagages; **package 1** *n* (*parcel*) paquet *m*; *of offers etc* forfait *m* **2** *v/t in packs* conditionner; *idea, project* présenter; **packaging** *of product* conditionnement *m*; *material* emballage *m*; *of idea* présentation *f*; **packet** paquet *m*
pact [pækt] pacte *m*
pad[1] [pæd] **1** *n protective* tampon *m* de protection; *over wound* tampon *m*; *for writing* bloc *m* **2** *v/t with material* rembourrer; *speech, report* délayer
pad[2] [pæd] *v/i* (*move quietly*) marcher à pas feutrés
padding ['pædɪŋ] *material* rembourrage *m*; *in speech etc* remplissage *m*
paddle ['pædl] **1** *n for canoe* pagaie *f* **2** *v/i in canoe* pagayer
paddock ['pædək] paddock *m*
padlock ['pædlɑːk] cadenas *m*
page[1] [peɪdʒ] *n of book etc* page *f*
page[2] [peɪdʒ] (*call*) (faire) appeler
pager ['peɪdʒər] pager *m*, radiomessageur *m*; *for doctor* bip *m*
paid em'ployment travail *m* rémunéré
pain [peɪn] douleur *f*; ***be in ~*** souffrir; **painful** *arm, leg etc* douloureux; (*distressing*) pénible; (*laborious*) difficile; **painfully** (*extremely, acutely*) terriblement; **painkiller** analgésique *m*; **painstaking** minutieux
paint [peɪnt] **1** *n* peinture *f* **2** *v/t* peindre; **paintbrush** pinceau *m*; **painter** peintre *m*; **painting** *activity* peinture *f*; *picture* tableau *m*; **paintwork**

peinture *f*
pair [per] paire *f*; *of people, animals* couple *m*; ***a ~ of pants*** un pantalon
pajamas [pəˈdʒɑːməz] pyjama *m*
Pakistan [pækɪˈstɑːn] Pakistan *m*; **Pakistani 1** *adj* pakistanais **2** *n* Pakistanais(e) *m(f)*
pal [pæl] F (*friend*) copain *m*, copine *f*
palace [ˈpælɪs] palais *m*
palate [ˈpælət] ANAT, *fig* palais *m*
palatial [pəˈleɪʃl] somptueux
pale [peɪl] pâle; ***go ~*** pâlir
Palestine [ˈpæləstaɪn] Palestine *f*; **Palestinian 1** *adj* palestinien **2** *n* Palestinien(ne) *m(f)*
pallet [ˈpælɪt] palette *f*
pallor [ˈpælər] pâleur *f*
palm [pɑːm] *of hand* paume *f*
palm tree palmier *m*
paltry [ˈpɒːltrɪ] dérisoire
pamper [ˈpæmpər] gâter
pamphlet [ˈpæmflɪt] *for information* brochure *f*; *political* tract *m*
pan [pæn] casserole *f*; *for frying* poêle *f*
pancake [ˈpænkeɪk] crêpe *f*
pandemonium [pændɪˈmoʊnɪəm] désordre *m*
pane [peɪn]: ***a ~ of glass*** un carreau
panel [ˈpænl] panneau *m*; *people* comité *m*; *on TV program* invités *mpl*
paneling, *Br* **panelling** lambris *m*
panic [ˈpænɪk] **1** *n* panique *f* **2** *v/i* paniquer; **panic-stricken** affolé, pris de panique
panorama [pænəˈrɑːmə] panorama *m*; **panoramic** panoramique
pant [pænt] *of person* haleter
panties [ˈpæntɪz] culotte *f*
pantihose → ***pantyhose***
pants [pænts] pantalon *m*
pantyhose [ˈpæntɪhoʊz] collant *m*
papal [ˈpeɪpəl] papal
paparazzi [pæpəˈrætsiː] paparazzi *m/f*
paper [ˈpeɪpər] **1** *n* papier *m*; (*news~*) journal *m*; (*wall~*) papier *m* peint; *academic* article *m*, exposé *m*; (*examination ~*) épreuve *f*; ***~s*** (*documents*) documents *mpl*; (*identity ~s*) papiers *mpl* **2** *adj* (*made of ~*) en papier **3** *v/t room* tapisser; **paperback** livre *m* de poche; **paper clip** trombone *m*; **paperwork** tâches *fpl* administratives
parachute [ˈpærəʃuːt] **1** *n* parachute *m* **2** *v/i* sauter en parachute **3** *v/t troops, supplies* parachuter
parade [pəˈreɪd] **1** *n* (*procession*) défilé *m* **2** *v/i of soldiers* défiler; *showing off* parader
paradise [ˈpærədaɪs] REL, *fig* paradis *m*
paradox [ˈpærədɑːks] para-

doxe *m*; **paradoxical** paradoxal; **paradoxically** paradoxalement

paragraph ['pærəgræf] paragraphe *m*

parallel ['pærəlel] **1** *n* parallèle *f*; GEOG, *fig* parallèle *m* **2** *adj also fig* parallèle **3** *v/t* (*match*) égaler

paralysis [pə'ræləsɪs] *also fig* paralysie *f*; **paralyze** paralyser

paramedic [pærə'medɪk] auxiliaire *m/f* médical(e)

parameter [pə'ræmɪtər] paramètre *m*

paramilitary [pærə'mɪlɪterɪ] **1** *adj* paramilitaire **2** *n* membre *m* d'une organisation paramilitaire

paranoia [pærə'nɔɪə] paranoïa *f*; **paranoid** paranoïaque

paraphrase ['pærəfreɪz] paraphraser

parasite ['pærəsaɪt] *also fig* parasite *m*

parasol ['pærəsɑːl] parasol *m*

paratrooper ['pærətruːpər] parachutiste *m*, para *m* F

parcel ['pɑːrsl] colis *m*, paquet *m*

pardon ['pɑːrdn] **1** *n* LAW grâce *f*; ***I beg your ~?*** (*what did you say?*) comment?; (*I'm sorry*) je vous demande pardon **2** *v/t* pardonner; LAW gracier; ***~ me?*** pardon?

parent ['perənt] père *m*; mère *f*; ***my ~s*** mes parents; **parental** parental; **parent company** société *f* mère

parent-'teacher association association *f* de parents d'élèves

parish ['pærɪʃ] paroisse *f*

park[1] [pɑːrk] *n* parc *m*

park[2] [pɑːrk] MOT **1** *v/t* garer **2** *v/i* stationner, se garer; **parking** MOT stationnement *m*; **parking brake** frein *m* à main; **parking garage** parking *m* couvert; **parking lot** parking *m*; **parking meter** parcmètre *m*; **parking ticket** contravention *f*

parliament ['pɑːrləmənt] parlement *m*

parole [pə'roʊl] **1** *n* libération *f* conditionnelle **2** *v/t* mettre en liberté conditionnelle

parrot ['pærət] perroquet *m*

part [pɑːrt] **1** *n* partie *f*; *of machine* pièce *f*; *in movie* rôle *m*; *in hair* raie *f*; ***take ~ in*** participer à, prendre part à **2** *adv* (*partly*) en partie **3** *v/i of two people* se quitter, se séparer; **partial** (*incomplete*) partiel; **partially** partiellement

participant [pɑːr'tɪsɪpənt] participant(e) *m(f)*; **participate** participer (***in*** à); **participation** participation *f*

particular [pər'tɪkjələr] particulier; (*fussy*) à cheval (***about*** sur), exigeant; **particularly** particulièrement

partition [pɑːr'tɪʃn] (*screen*)

cloison *f*; *of country* partage *m*, division *f*
partly ['pɑːrtlɪ] en partie
partner ['pɑːrtnər] partenaire *m*; COM associé *m*; *in relationship* compagnon(ne) *m(f)*; **partnership** COM, *in relationship* association *f*; *in particular activity* partenariat *m*
'part-time à temps partiel
party ['pɑːrtɪ] **1** *n* (*celebration*) fête *f*; *for adults in the evening also* soirée *f*; POL parti *m*; (*group of people*) groupe *m* **2** *v/i* F faire la fête
pass [pæs] **1** *n for entry* laissez-passer *m inv*; SP passe *f*; *in mountains* col *m* **2** *v/t* (*go past*) passer devant; *another car* doubler, dépasser; *competitor* dépasser; (*go beyond*); (*approve*) approuver; ***~ an exam*** réussir (à) un examen **3** *v/i of time* passer; *in exam* être reçu; SP faire une passe; (*go away*) passer
◆ **pass away** (*euph: die*) s'éteindre
◆ **pass on 1** *v/t information, book* passer **2** *v/i* (*euph: die*) s'éteindre
◆ **pass out** (*faint*) s'évanouir
◆ **pass up** *opportunity* laisser passer
passable ['pæsəbl] *road* praticable; (*acceptable*) passable
passage ['pæsɪdʒ] (*corridor*) couloir *m*; *from book, of time* passage *m*
passenger ['pæsɪndʒər] passager(-ère) *m(f)*
passer-by [pæsər'baɪ] passant(e) *m(f)*
passion ['pæʃn] passion *f*; **passionate** *lover* passionné; (*fervent*) fervent, véhément
passive ['pæsɪv] **1** *adj* passif **2** *n* GRAM passif *m*; **passive smoking** tabagisme *m* passif
'passport passeport *m*; **passport control** contrôle *m* des passeport; **password** mot *m* de passe
past [pæst] **1** *adj* (*former*) passé; ***the ~ few days*** ces derniers jours **2** *n* passé *m*; ***in the ~*** autrefois **3** *prep* après; ***it's ~ 7 o'clock*** il est plus de 7 heures; ***it's half ~ two*** il est deux heures et demie **4** *adv*: ***run ~*** passer en courant
pasta ['pæstə] pâtes *fpl*
paste [peɪst] **1** *n* (*adhesive*) colle *f* **2** *v/t* (*stick*) coller
pastime ['pæstaɪm] passe-temps *m inv*
past par'ticiple GRAM participe *m* passé
pastry ['peɪstrɪ] *for pie* pâte *f*; *small cake* pâtisserie *f*
'past tense GRAM passé *m*
pasty ['peɪstɪ] *complexion* blafard
pat [pæt] **1** *n* petite tape *f* **2** *v/t* tapoter
patch [pætʃ] **1** *n on clothing* pièce *f*; (*period of time*) période *f*; (*area*) tache *f*; ***go through a bad ~*** traverser

une mauvaise passe **2** *v/t clothing* rapiécer

◆ **patch up** (*repair*) rafistoler F; *quarrel* régler

patchy ['pætʃɪ] inégal

patent ['peɪtnt] **1** *adj* (*obvious*) manifeste **2** *n for invention* brevet *m* **3** *v/t invention* breveter

paternal [pə'tɜːrnl] paternel; **paternalism** paternalisme *m*; **paternalistic** paternaliste; **paternity** paternité *f*

path [pæθ] chemin *m*; *surfaced* allée *f*; *fig* voie *f*

pathetic [pə'θetɪk] touchant; F (*very bad*) pathétique

pathological [pæθə'lɑːdʒɪkl] pathologique

patience ['peɪʃns] patience *f*; **patient 1** *adj* patient **2** *n* patient *m*; **patiently** patiemment

patio ['pætɪoʊ] *Br* patio *m*

patriot ['peɪtrɪət] patriote *m/f*; **patriotic** *person* patriote; *song* patriotique; **patriotism** patriotisme *m*

patrol [pə'troʊl] **1** *n* patrouille *f* **2** *v/t streets, border* patrouiller dans/à; **patrol car** voiture *f* de police; **patrolman** agent *m* de police; **patrol wagon** fourgon *m* cellulaire

patron ['peɪtrən] *of store, movie theater* client(e) *m(f)*; *of artist, charity etc* protecteur(-trice) *m(f)*; **patronize** *person* traiter avec condescendance; **patronizing** condescendant; **patron saint** patron(ne) *m(f)*

pattern ['pætərn] *on fabric* motif *m*; *for sewing* patron *m*; (*model*) modèle *m*; *in events* scénario *m*

paunch [pɒːntʃ] ventre *m*

pause [pɒːz] **1** *n* pause *f* **2** *v/i* faire une pause **3** *v/t tape* mettre en mode pause

pave [peɪv] paver; **pavement** (*roadway*) chaussée *f*; *Br* (*sidewalk*) trottoir *m*

paw [pɒː] **1** *n* patte *f* **2** *v/t* F tripoter

pawn [pɒːn] *in chess, fig* pion *m*

pay [peɪ] **1** *n* paye *f*, salaire *m* **2** *v/t* payer; **~ *attention*** faire attention **3** *v/i* payer; (*be profitable*) être rentable; **~ *for*** *purchase* payer

◆ **pay back** rembourser; (*get revenge on*) faire payer à

◆ **pay off 1** *v/t debt* rembourser; *corrupt official* acheter **2** *v/i* (*be profitable*) être rentable

◆ **pay up** payer

payable ['peɪəbl] payable; **pay check**, *Br* **pay cheque** chèque *m* de paie; **payday** jour *m* de paie; **payee** bénéficiaire *m/f*; **payment** paiement *m*; **pay phone** téléphone *m* public

PC [piː'siː] (= ***personal computer***) P.C. *m*; (= ***politically correct***) politiquement correct

pea [piː] petit pois *m*
peace [piːs] paix *f*; **peaceful** paisible, tranquille; *demonstration* pacifique; **peacefully** paisiblement
peach [piːtʃ] pêche *f*
peak [piːk] **1** *n of mountain* pic *m*; *fig* apogée *f* **2** *v/i* culminer; **peak hours** *of electricity consumption* heures *fpl* pleines; *of traffic* heures *fpl* de pointe
peanut ['piːnʌt] cacahuète *f*; ***get paid ~s*** F être payé trois fois rien; **peanut butter** beurre *m* de cacahuètes
pear [per] poire *f*
pearl [pɜːrl] perle *f*
pecan ['piːkən] pécan *m*
peck [pek] **1** *n* (*bite*) coup *m* de bec; (*kiss*) bise *f* (rapide) **2** *v/t* (*bite*) donner un coup de bec à; (*kiss*) embrasser rapidement
peculiar [pɪ'kjuːljər] (*strange*) bizarre; **peculiarity** bizarrerie *f*; (*special feature*) particularité *f*
pedal ['pedl] **1** *n of bike* pédale *f* **2** *v/i* pédaler; ***he ~ed off home*** il est rentré chez lui à vélo
peddle ['pedl] *drugs* faire du trafic de
pedestrian [pɪ'destrɪən] piéton(ne) *m*(*f*)
pediatric [piːdɪ'ætrɪk] pédiatrique; **pediatrician** pédiatre *m*/*f*; **pediatrics** pédiatrie *f*
pedicure ['pedɪkjʊr] soins *mpl* des pieds
pedigree ['pedɪgriː] **1** *adj* avec pedigree **2** *n of dog, racehorse* pedigree *m*; *of person* arbre *m* généalogique
pee [piː] F faire pipi F
peek [piːk] **1** *n* coup *m* d'œil (furtif) **2** *v/i* jeter un coup d'œil, regarder furtivement
peel [piːl] **1** *n* peau *f* **2** *v/t fruit, vegetables* éplucher, peler **3** *v/i of nose, shoulders* peler; *of paint* s'écailler
peep [piːp] → ***peek***
'**peephole** judas *m*
peer[1] [pɪr] *n* (*equal*) pair *m*; *of same age group* personne *f* du même âge
peer[2] [pɪr] *v/i* regarder
peg [peg] *for hat, coat* patère *f*; *for tent* piquet *m*; ***off the ~*** de confection
pejorative [pɪ'dʒɑːrətɪv] péjoratif
pellet ['pelɪt] boulette *f*; *for gun* plomb *m*
pen[1] [pen] stylo *m*
pen[2] [pen] (*enclosure*) enclos *m*
pen[3] [pen] → ***penitentiary***
penalize ['piːnəlaɪz] pénaliser
penalty ['penəltɪ] sanction *f*; JUR peine *f*; *fine* amende *f*; SP pénalisation *f*; *soccer* penalty *m*; **penalty area** *soccer* surface *f* de réparation; **penalty clause** LAW clause *f* pénale; **penalty kick** *soccer* penalty *m*
pencil ['pensɪl] crayon *m* (de

bois); **pencil sharpener** taille-crayon *m inv*

pendant ['pendənt] *necklace* pendentif *m*

penetrate ['penɪtreɪt] pénétrer; **penetration** pénétration *f*

penguin ['peŋgwɪn] manchot *m*

penicillin [penɪ'sɪlɪn] pénicilline *f*

peninsula [pə'nɪnsʊlə] presqu'île *f*

penitence ['penɪtəns] pénitence *f*, repentir *m*; **penitentiary** pénitencier *m*

'pen name nom *m* de plume

pennant ['penənt] fanion *m*

penniless ['penɪlɪs] sans le sou

'pen pal correspondant(e) *m(f)*

pension ['penʃn] retraite *f*, pension *f*

◆ **pension off** mettre à la retraite

pensive ['pensɪv] pensif

Pentagon ['pentəgɑːn]: ***the ~*** le Pentagone

pentathlon [pen'tæθlən] pentathlon *m*

penthouse ['penthaʊs] penthouse *m*, appartement *m* luxueux (édifié sur le toit d'un immeuble)

pent-up ['pentʌp] refoulé

penultimate [pe'nʌltɪmət] avant-dernier

people ['piːpl] gens *mpl*; (*race*, *tribe*) peuple *m*; ***10 ~*** 10 personnes; ***the ~*** le peuple; ***~ say ...*** on dit…

pepper ['pepər] *spice* poivre *m*; *vegetable* poivron *m*; **peppermint** *candy* bonbon *m* à la menthe; *flavoring* menthe *f* poivrée

per [pɜːr] par; ***~ annum*** par an

perceive [pər'siːv] percevoir

percent [pər'sent] pour cent; **percentage** pourcentage *m*

perceptible [pər'septəbl] perceptible; **perceptibly** sensiblement; **perception** perception *f*; (*insight*) perspicacité *f*; **perceptive** perspicace

percolate ['pɜːrkəleɪt] *of coffee* passer; **percolator** cafetière *f* à pression

perfect **1** ['pɜːrfɪkt] *adj* parfait **2** ['pɜːrfɪkt] *n* GRAM passé *m* composé **3** [pər'fekt] *v/t* perfectionner; **perfection** perfection *f*; **perfectionist** perfectionniste *m/f*; **perfectly** parfaitement; (*totally*) tout à fait

perforated ['pɜːrfəreɪtɪd] perforé; ***~ line*** pointillé *m*

perform [pər'fɔːrm] **1** *v/t* (*carry out*) exécuter; *of actor etc* jouer **2** *v/i of actor, musician, dancer* jouer; *of machine* fonctionner; **performance** *by actor, musician etc* interprétation *f*; (*event*) représentation *f*; *of employee, company etc* résultats *mpl*; *of machine* performances *fpl*, rendement *m*; **performer** inter-

prète *m/f*
perfume ['pɜːrfjuːm] parfum *m*
perfunctory [pər'fʌŋktərɪ] sommaire
perhaps [pər'hæps] peut-être
peril ['perəl] péril *m*
perimeter [pə'rɪmɪtər] périmètre *m*
period ['pɪrɪəd] période *f*; (*menstruation*) règles *fpl*; *punctuation mark* point *m*; **periodic** périodique; **periodical** périodique *m*
peripheral [pə'rɪfərəl] **1** *adj* (*not crucial*) secondaire **2** *n* COMPUT périphérique *m*; **periphery** périphérie *f*
perish ['perɪʃ] *of rubber* se détériorer; *of person* périr; **perishable** *food* périssable
perjure ['pɜːrdʒər]: **~ *o.s.*** faire un faux témoignage; **perjury** faux témoignage *m*
perm [pɜːrm] **1** *n* permanente *f* **2** *v/t*: ***have one's hair ~ed*** se faire faire une permanente
permanent ['pɜːrmənənt] permanent; *address* fixe; **permanently** en permanence
permeate ['pɜːrmɪeɪt] *also fig* imprégner
permissible [pər'mɪsəbl] permis; **permission** permission *f*; **permissive** permissif; **permit** **1** *n* permis *m* **2** *v/t* permettre (***s.o. to do*** à qn de faire)
perpendicular [pɜːrpən'dɪkjʊlər] perpendiculaire
perpetual [pər'petʃʊəl] perpétuel; **perpetually** perpétuellement
perplex [pər'pleks] laisser perplexe; **perplexity** perplexité *f*
persecute ['pɜːrsɪkjuːt] persécuter; **persecution** persécution *f*; **persecutor** persécuteur(-trice) *m(f)*
perseverance [pɜːrsɪ'vɪrəns] persévérance *f*; **persevere** persévérer
persist [pər'sɪst] persister; **persistent** *person* tenace, têtu; *questions* incessant; *rain, unemployment etc* persistant; **persistently** (*continually*) continuellement
person ['pɜːrsn] personne *f*; **personal** personnel; **personal computer** ordinateur *m* individuel; **personality** personnalité *f*; **personally** personnellement; *come, intervene* en personne; **personal organizer** organiseur *m*, agenda *m* électronique; *in book form* agenda *m*; **personal stereo** baladeur *m*; **personify** *of person* personnifier
personnel [pɜːrsə'nel] (*employees*) personnel *m*; *department* service *m* du personnel
perspective [pər'spektɪv] *in art* perspective *f*; ***get sth into ~*** relativiser qch

perspiration [pɜːrspɪ'reɪʃn] transpiration *f*; **perspire** transpirer
persuade [pər'sweɪd] *person* persuader; **persuasion** persuasion *f*; **persuasive** *person* persuasif; *argument* convaincant
perturb [pər'tɜːrb] perturber; **perturbing** perturbant
pervasive [pər'veɪsɪv] *influence, ideas* envahissant
perversion [pər'vɜːrʃn] *sexual* perversion *f*; **pervert** *sexual* pervers(e) *m(f)*
pessimism ['pesɪmɪzm] pessimisme *m*; **pessimist** pessimiste *m/f*; **pessimistic** pessimiste
pest [pest] parasite *m*; F *person* peste *f*
pester ['pestər] harceler
pesticide ['pestɪsaɪd] pesticide *m*
pet [pet] **1** *n animal* animal *m* domestique; (*favorite*) chouchou *m* F **2** *adj* préféré, favori **3** *v/t animal* caresser **4** *v/i of couple* se peloter F
petite [pə'tiːt] menu
petition [pə'tɪʃn] pétition *f*
petrify ['petrɪfaɪ] pétrifier
petrochemical [petroʊ'kemɪkl] pétrochimique
petrol ['petrl] *Br* essence *f*
petroleum [pɪ'troʊlɪəm] pétrole *m*
petting ['petɪŋ] pelotage *m* F
petty ['petɪ] *person, behavior* mesquin; *details* insignifiant
pew [pjuː] banc *m* d'église
pharmaceutical [fɑːrmə'suːtɪkl] pharmaceutique; **pharmaceuticals** produits *mpl* pharmaceutiques
pharmacist ['fɑːrməsɪst] pharmacien(ne) *m(f)*; **pharmacy** *store* pharmacie *f*
phase [feɪz] phase *f*
phenomenal [fə'nɑːmɪnl] phénoménal; **phenomenon** phénomène *m*
philanthropic [fɪlən'θrɑːpɪk] *person* philanthrope; *action* philanthropique; **philanthropist** philanthrope *m/f*; **philanthropy** philanthropie *f*
Philippines ['fɪlɪpiːnz]: ***the ~*** les Philippines *fpl*
philosopher [fɪ'lɑːsəfər] philosophe *m/f*; **philosophical** philosophique; *attitude etc* philosophe; **philosophy** philosophie *f*
phobia ['foʊbɪə] phobie *f* (***about*** de)
phone [foʊn] **1** *n* téléphone *m* **2** *v/t* téléphoner à **3** *v/i* téléphoner; **phone book** annuaire *m*; **phone booth** cabine *f* téléphonique; **phonecall** coup *m* de fil *or* de téléphone; **phone card** télécarte *f*; **phone number** numéro *m* de téléphone
phon(e)y ['foʊnɪ] F faux
photo ['foʊtoʊ] photo *f*; **photocopier** photocopieuse *f*; **photocopy** **1** *n* photocopie

f **2** *v/t* photocopier; **photogenic** photogénique; **photograph 1** *n* photographie *f* **2** *v/t* photographier; **photographer** photographe *m/f*; **photography** photographie *f*

phrase [freɪz] **1** *n* expression *f*; *in grammar* syntagme *m* **2** *v/t* formuler

physical ['fɪzɪkl] **1** *adj* physique **2** *n* MED visite *f* médicale; **physically** physiquement

physician [fɪ'zɪʃn] médecin *m*

physicist ['fɪzɪsɪst] physicien(ne) *m(f)*; **physics** physique *f*

physiotherapist [fɪzɪoʊ'θerəpɪst] kinésithérapeute *m/f*; **physiotherapy** kinésithérapie *f*

physique [fɪ'ziːk] physique *m*

pianist ['pɪənɪst] pianiste *m/f*; **piano** piano *m*

pick [pɪk] (*choose*) choisir; *flowers, fruit* cueillir

◆ **pick up 1** *v/t* prendre; *phone* décrocher; *from ground* ramasser; (*collect*) passer prendre; *information* recueillir; *in car* prendre; *in sexual sense* lever F; *language, skill* apprendre; *illness* attraper; (*buy*) acheter **2** *v/i of business, economy* reprendre; *of weather* s'améliorer

picket ['pɪkɪt] **1** *n of strikers* piquet *m* de grève **2** *v/t*: ***~ a factory*** faire le piquet de grève devant une usine

'pickpocket voleur *m* à la tire, pickpocket *m*

pick-up (truck) ['pɪkʌp] pick-up *m*, camionnette *f*

picky ['pɪkɪ] F difficile

picnic ['pɪknɪk] **1** *n* pique-nique *m* **2** *v/i* pique-niquer

picture ['pɪktʃər] **1** *n* (*photo*) photo *f*; (*painting*) tableau *m*; (*illustration*) image *f*; (*movie*) film *m* **2** *v/t* imaginer

picturesque [pɪktʃə'resk] pittoresque

pie [paɪ] tarte *f*; *with top* tourte *f*

piece [piːs] morceau *m*; (*component*) pièce *f*; *in board game* pion *m*; ***a ~ of advice*** un conseil; ***take to ~s*** démonter

◆ **piece together** *broken plate* recoller; *evidence* regrouper

piecemeal ['piːsmiːl] petit à petit

pier [pɪr] *Br at seaside* jetée *f*

pierce [pɪrs] (*penetrate*) transpercer; *ears* percer; **piercing** *noise, eyes* perçant; *wind* pénétrant

pig [pɪg] cochon *m*, porc *m*; (*unpleasant person*) porc *m*

pigeon ['pɪdʒɪn] pigeon *m*; **pigeonhole** casier *m*

pigheaded ['pɪghedɪd] obstiné; **pigpen** *also fig* porcherie *f*

pile [paɪl] *of books, plates etc* pile *f*; *of sand etc* tas *m*; ***a ~ of work*** F un tas de boulot F

◆ **pile up 1** *v/i of work, bills* s'accumuler **2** *v/t* empiler

'pile-up MOT carambolage *m*

pilfering ['pɪlfərɪŋ] chapardage *m* F

pill [pɪl] pilule *f*

pillar ['pɪlər] pilier *m*

pillow ['pɪloʊ] oreiller *m*; **pillowcase** taie *f* d'oreiller

pilot ['paɪlət] **1** *n* AVIA, NAUT pilote *m* **2** *v/t airplane* piloter

pimp [pɪmp] maquereau *m*, proxénète *m*

pimple ['pɪmpl] bouton *m*

PIN [pɪn] (= ***personal identification number***) code *m* confidentiel

pin [pɪn] **1** *n for sewing* épingle *f*; *in bowling* quille *f*; (*badge*) badge *m*; fiche *f* **2** *v/t* (*hold down*) clouer; (*attach*) épingler

◆ **pin up** *notice* accrocher

pincers ['pɪnsərz] *of crab* pinces *fpl*; *tool* tenailles *fpl*

pinch [pɪntʃ] **1** *n* pincement *m*; *of salt etc* pincée *f* **2** *v/t* pincer **3** *v/i of shoes* serrer

pine [paɪn] *tree, wood* pin *m*; **pineapple** ananas *m*

pink [pɪŋk] rose

pinnacle ['pɪnəkl] *fig* apogée *f*

'pinpoint indiquer précisément; *find* identifier; **pins and needles** fourmillements *mpl*; **pin-up** (**girl**) pin-up *f inv*

pioneer [paɪə'nɪr] **1** *n fig* pionnier(-ière) *m*(*f*) **2** *v/t* lancer; **pioneering** *work* innovateur

pious ['paɪəs] pieux

pip [pɪp] *Br of fruit* pépin *m*

pipe [paɪp] **1** *n* tuyau *m*; *for smoking* pipe *f* **2** *v/t* transporter par tuyau; **pipeline** *for oil* oléoduc *m*; *for gas* gazoduc *m*

pirate ['paɪrət] **1** *n* pirate *m* **2** *v/t software* pirater; ***~(d) copy*** copie *f* pirate

pissed [pɪst] P (*annoyed*) en rogne F; *Br* P (*drunk*) bourré

pistol ['pɪstl] pistolet *m*

piston ['pɪstən] piston *m*

pit [pɪt] (*hole*) fosse *f*; (*coalmine*) mine *f*

pitch¹ [pɪtʃ] *n* ton *m*

pitch² [pɪtʃ] **1** *v/i in baseball* lancer **2** *v/t tent* planter; *ball* lancer

pitcher¹ ['pɪtʃər] *in baseball* lanceur *m*

pitcher² ['pɪtʃər] *container* pichet *m*

pitfall ['pɪtfɒːl] piège *m*

pitiful ['pɪtɪfl] pitoyable; **pitiless** impitoyable

pittance ['pɪtns] somme *f* dérisoire

pity ['pɪtɪ] **1** *n* pitié *f*; ***what a ~!*** quel dommage! **2** *v/t person* avoir pitié de

pizza ['piːtsə] pizza *f*

placard ['plækɑːrd] pancarte *f*

place [pleɪs] **1** *n* endroit *m*; *in race, competition* place *f*;

(*seat*) place *f*; **at my/his ~** chez moi/lui; **in ~ of** à la place de; **take ~** avoir lieu **2** *v/t* (*put*) mettre, poser; *order* passer

placid ['plæsɪd] placide

plagiarism ['pleɪdʒərɪzm] plagiat *m*; **plagiarize** plagier

plain[1] [pleɪn] *n* plaine *f*

plain[2] [pleɪn] **1** *adj* (*clear, obvious*) clair, évident; (*not ornate*) simple; (*not patterned*) uni; (*not pretty*) ordinaire; (*blunt*) franc **2** *adv* tout simplement; **plainly** (*clearly*) manifestement; (*bluntly*) franchement; (*simply*) simplement; **plain-spoken** direct

plaintive ['pleɪntɪv] plaintif

plan [plæn] **1** *n* plan *m*, projet *m*; (*drawing*) plan *m* **2** *v/t* (*prepare*) organiser, planifier; (*design*) concevoir **3** *v/i* faire des projets

plane[1] [pleɪn] AVIA avion *m*

plane[2] [pleɪn] *tool* rabot *m*

planet ['plænɪt] planète *f*

plank [plæŋk] *of wood* planche *f*; *fig*: *of policy* point *m*

planning ['plænɪŋ] organisation *f*, planification *f*

plant[1] [plænt] **1** *n* BOT plante *f* **2** *v/t* planter

plant[2] [plænt] (*factory*) usine *f*; (*equipment*) installation *f*, matériel *m*

plantation [plæn'teɪʃn] plantation *f*

plaque [plæk] *on wall* plaque *f*; *on teeth* plaque *f* dentaire

plaster ['plæstər] **1** *n* plâtre *m* **2** *v/t wall, ceiling* plâtrer

plastic ['plæstɪk] **1** *adj* en plastique **2** *n* plastique *m*; **plastic money** cartes *fpl* de crédit; **plastic surgeon** spécialiste *m* en chirurgie esthétique; **plastic surgery** chirurgie *f* esthétique

plate [pleɪt] *for food* assiette *f*; (*sheet of metal*) plaque *f*

plateau ['plætoʊ] plateau *m*

platform ['plætfɔːrm] (*stage*) estrade *f*; *of railroad station* quai *m*; *fig*: *political* plate-forme *f*

platinum ['plætɪnəm] **1** *adj* en platine **2** *n* platine *m*

platonic [plə'tɑːnɪk] platonique

platoon [plə'tuːn] *of soldiers* section *f*

plausible ['plɒːzəbl] plausible

play [pleɪ] **1** *n* jeu *m*; *in theater, on TV* pièce *f* **2** *v/i* jouer **3** *v/t musical instrument* jouer de; *piece of music* jouer; *game* jouer à; *opponent* jouer contre; (*perform*: *Macbeth etc*) jouer

◆ **play around** F (*be unfaithful*) coucher à droite et à gauche

◆ **play down** minimiser

player ['pleɪr] SP joueur(-euse) *m*(*f*); (*musician*) musicien (-ne) *m*(*f*); (*actor*) acteur (-trice) *m*(*f*); **playful** enjoué; **playground** aire *f* de jeu;

playing card carte *f* à jouer; **playwright** dramaturge *m/f*
plaza ['plɑːzə] *for shopping* centre *m* commercial
plc [piːel'siː] *Br* (= ***public limited company***) S.A. *f* (= société anonyme)
plea [pliː] appel
plead [pliːd]: ~ ***guilty/not guilty*** plaider coupable/non coupable; ~ ***with*** supplier
pleasant ['pleznt] agréable
please [pliːz] **1** *adv* s'il vous plaît, s'il te plaît; ~ ***do*** je vous en prie **2** *v/t* plaire à; ~ ***yourself*** comme tu veux; **pleased** content, heureux; ~ ***to meet you*** enchanté; **pleasing** agréable; **pleasure** plaisir *m*; ***with*** ~ avec plaisir
pleat [pliːt] *in skirt* pli *m*
pledge [pledʒ] **1** *n* (*promise*) promesse *f*; *as guarantee* gage *m*; ***Pledge of Allegiance*** serment *m* d'allégeance **2** *v/t* (*promise*) promettre; *money* mettre en gage
plentiful ['plentɪfl] abondant; ***be*** ~ abonder; **plenty** (*abundance*) abondance *f*; ~ ***of*** beaucoup de
pliable ['plaɪəbl] flexible
pliers ['plaɪərz] pinces *fpl*
plight [plaɪt] détresse *f*
plod [plɑːd] (*walk*) marcher d'un pas lourd
plot[1] [plɑːt] *of land* parcelle *f*
plot[2] [plɑːt] **1** *n* (*conspiracy*) complot *m*; *of novel* intrigue *f* **2** *v/t* & *v/i* comploter
plotter ['plɑːtər] conspirateur(-trice) *m*(*f*); COMPUT traceur *m*
plow, *Br* **plough** [plaʊ] **1** *n* charrue *f* **2** *v/t* & *v/i* labourer
◆ **plow back** *profits* réinvestir
pluck [plʌk] *chicken* plumer; ~ ***one's eyebrows*** s'épiler les sourcils
plug [plʌg] **1** *n for sink*, *bath* bouchon *m*; *electrical* prise *f*; (*spark* ~) bougie *f* **2** *v/t hole* boucher; *new book etc* faire de la pub pour F
◆ **plug in** brancher
plumage ['pluːmɪdʒ] plumage *m*
plumber ['plʌmər] plombier *m*; **plumbing** plomberie *f*
plummet ['plʌmɪt] *of airplane* plonger, piquer; *of share prices* dégringoler
plump [plʌmp] *person*, *chicken* dodu; *hands*, *feet* potelé; *face*, *cheek* rond
plunge [plʌndʒ] **1** *n* plongeon *m*; *in prices* chute *f* **2** *v/i* tomber; *of prices* chuter **3** *v/t* plonger; *knife* enfoncer; **plunging** *neckline* plongeant
plural ['plʊrəl] pluriel *m*
plus [plʌs] **1** *prep* plus **2** *adj* plus de **3** *n sign* signe *m* plus; (*advantage*) plus *m* **4** *conj* (*moreover*, *in addition*) en plus
plush [plʌʃ] luxueux
plywood ['plaɪwʊd] contreplaqué *m*

PM [piːˈem] *Br* (= ***Prime Minister***) Premier ministre

p.m. [piːˈem] (= ***post meridiem***) *afternoon* de l'après-midi; *evening* du soir

pneumonia [nuːˈmoʊnɪə] pneumonie *f*

poach[1] [poʊʧ] *cook* pocher

poach[2] [poʊʧ] *salmon etc* braconner

poached egg [poʊʧtˈeg] œuf *m* poché

P.O. Box [piːˈoʊbɑːks] boîte *f* postale, B. P. *f*

pocket [ˈpɑːkɪt] **1** *n* poche *f* **2** *adj* (*miniature*) de poche **3** *v/t* empocher; **pocketbook** *purse* pochette *f*; (*billfold*) portefeuille *m*; *book* livre *m* de poche; **pocket calculator** calculatrice *f* de poche

podium [ˈpoʊdɪəm] estrade *f*; *for winner* podium *m*

poem [ˈpoʊɪm] poème *m*; **poet** poète *m*, poétesse *f*; **poetic** poétique; **poetry** poésie *f*

poignant [ˈpɔɪnjənt] poignant

point [pɔɪnt] **1** *n of pencil, knife* pointe *f*; *in competition, exam* point *m*; (*purpose*) objet *m*; (*moment*) moment *m*; *in argument, discussion* point *m*; *in decimals* virgule *f*; ***that's beside the ~*** là n'est pas la question; ***be on the ~ of doing sth*** être sur le point de faire qch; ***get to the ~*** en venir au fait; ***the ~ is ...*** le fait est (que)...; ***there's no ~ in waiting*** ça ne sert à rien d'attendre **2** *v/i* montrer (du doigt)

◆ **point out** *sights* montrer; *advantages etc* faire remarquer

◆ **point to** *with finger* montrer du doig; *fig* (*indicate*) indiquer

pointed [ˈpɔɪntɪd] *remark* acerbe, mordant; **pointer** *for teacher* baguette *f*; (*hint*) conseil *m*; (*sign, indication*) indice *m*; **pointless** inutile; **point of view** point *m* de vue

poise [pɔɪz] assurance *f*, aplomb *m*; **poised** *person* posé

poison [ˈpɔɪzn] **1** *n* poison *m* **2** *v/t* empoisonner; **poisonous** *snake, spider* venimeux; *plant* vénéneux

poke [poʊk] **1** *n* coup *m* **2** *v/t* (*prod*) pousser; (*stick*) enfoncer

◆ **poke around** F fouiner F

poker [ˈpoʊkər] *card game* poker *m*

polar [ˈpoʊlər] polaire

pole[1] [poʊl] *of wood, metal* perche *f*

pole[2] [poʊl] *of earth* pôle *m*

police [pəˈliːs] police *f*; **police car** voiture *f* de police; **policeman** gendarme *m*; *criminal* policier *m*; **police state** État *m* policier; **police station** gendarmerie *f*; *for criminal matters* commissariat *m*; **policewoman** femme *f* gendarme; *criminal* femme *f* po-

licier
policy[1] ['pɑːləsɪ] politique *f*
policy[2] ['pɑːləsɪ] (*insurance* ~) police *f* (d'assurance)
polio ['poʊlɪoʊ] polio *f*
polish ['pɑːlɪʃ] **1** *n for furniture* cire *f*; *for shoes* cirage *m*; *for metal* produit *m* lustrant; (*nail* ~) vernis *m* (à ongles) **2** *v/t* faire briller, lustrer; *shoes* cirer; *speech* parfaire; **polished** *performance* impeccable
polite [pə'laɪt] poli; **politely** poliment; **politeness** politesse *f*
political [pə'lɪtɪkl] politique; **politically correct** politiquement correct; **politician** politicien *m*, homme *m*/femme *f* politique; **politics** politique *f*
poll [poʊl] **1** *n* (*survey*) sondage *m*; ***go to the*** ~***s*** (*vote*) aller aux urnes **2** *v/t people* faire un sondage auprès de; *votes* obtenir
pollen ['pɑːlən] pollen *m*
pollster ['pɑːlstər] sondeur *m*
pollutant [pə'luːtənt] polluant *m*; **pollute** polluer; **pollution** pollution *f*
'polo shirt polo *m*
polyester [pɑːlɪ'estər] polyester *m*
polystyrene [pɑːlɪ'staɪriːn] polystyrène *m*
polyunsaturated [pɑːlɪʌn'sætʃəreɪtɪd] polyinsaturé
pond [pɑːnd] étang *m*; *artificial* bassin *m*
pontiff ['pɑːntɪf] pontife *m*
pony ['poʊnɪ] poney *m*; **ponytail** queue *f* de cheval
pool[1] [puːl] (*swimming* ~) piscine *f*; *of water, blood* flaque *f*
pool[2] [puːl] *game* billard *m* américain
pool[3] [puːl] **1** *n* (*common fund*) caisse *f* commune **2** *v/t resources* mettre en commun
'pool hall salle *f* de billard; **pool table** table *f* de billard
poop [puːp] F caca *m* F
pooped [puːpt] F crevé F
poor [pʊr] **1** *adj* pauvre; *quality etc* médiocre, mauvais **2** *npl*: ***the*** ~ les pauvres *mpl*; **poorly 1** *adj* (*unwell*) malade **2** *adv* mal
pop[1] [pɑːp] MUS pop *f*
pop[2] [pɑːp] F (*father*) papa *m*
'popcorn pop-corn *m*
pope [poʊp] pape *m*
Popsicle® ['pɑːpsɪkl] glace *f* à l'eau
popular ['pɑːpjələr] populaire; **popularity** popularité *f*
populate ['pɑːpjəleɪt] peupler; **population** population *f*
porch [pɔːrtʃ] porche *m*
pork [pɔːrk] porc *m*
porn [pɔːrn] F porno F; **pornographic** pornographique; **pornography** pornographie *f*
port[1] [pɔːrt] *n* port *m*

port[2] [pɔːrt] *adj* (*left-hand*) de bâbord

portable ['pɔːrtəbl] **1** *adj* portable, portatif **2** *n* COMPUT portable *m*; *TV* téléviseur *m* portable *or* portatif

porter ['pɔːrtər] (*doorman*) portier *m*

portion ['pɔːrʃn] partie *f*, part *f*; *of food* portion *f*

portrait ['pɔːrtreɪt] **1** *n* portrait *m* **2** *adv print* en mode portrait, à la française; **portray** *of artist* représenter; *of actor* interpréter; *of author* décrire

Portugal ['pɔːrʧəgl] le Portugal; **Portuguese 1** *adj* portugais **2** *n person* Portugais(e) *m(f)*; *language* portugais *m*

pose [poʊz] **1** *n* attitude *f* **2** *v/i for artist* poser; **~ *as*** se faire passer pour **3** *v/t problem* poser; *threat* constituer

position [pə'zɪʃn] **1** *n* position *f* **2** *v/t* placer

positive ['pɑːzətɪv] positif; ***be* ~** (*sure*) être sûr; **positively** vraiment

possess [pə'zes] posséder; **possession** possession *f*; **possessive** possessif

possibility [pɑːsə'bɪlətɪ] possibilité *f*; **possible** possible; **possibly** (*perhaps*) peut-être

post[1] [poʊst] **1** *n of wood, metal* poteau *m* **2** *v/t notice* afficher; *profits* enregistrer

post[2] [poʊst] **1** *n* (*place of duty*) poste *m* **2** *v/t soldier, employee* affecter; *guards* poster

post[3] [poʊst] *Br* **1** *n* (*mail*) courrier *m* **2** *v/t letter* poster

postage ['poʊstɪdʒ] affranchissement *m*; **postage stamp** *fml* timbre *m*; **postal** postal; **postcard** carte *f* postale; **postdate** postdater

poster ['poʊstər] poster *m*, affiche *f*

postgraduate ['poʊstgrædʒʊət] étudiant(e) *m(f)* de troisième cycle

posthumous ['pɑːsʧəməs] posthume

posting ['poʊstɪŋ] (*assignment*) affectation *f*

'**postmark** cachet *m* de la poste

post-mortem [poʊst'mɔːrtəm] autopsie *f*

'**post office** poste *f*

postpone [poʊst'poʊn] remettre (à plus tard), reporter; **postponement** report *m*

pot[1] [pɑːt] *for cooking* casserole *f*; *for coffee* cafetière *f*; *for tea* théière *f*; *for plant* pot *m*

pot[2] [pɑːt] F (*marijuana*) herbe *f*

potato [pə'teɪtoʊ] pomme *f* de terre; **potato chips**, *Br* **potato crisps** chips *fpl*

potent ['poʊtənt] puissant

potential [pə'tenʃl] **1** *adj* potentiel **2** *n* potentiel *m*; **potentially** potentiellement

'**pothole** *in road* nid-de-poule

m

potter ['pɑːtər] potier(-ière) *m(f)*; **pottery** poterie *f*; *items* poteries *fpl*

pouch [paʊʧ] *bag* petit sac *m*

poultry ['poʊltrɪ] volaille *f*

pound[1] [paʊnd] *weight* livre *f* (0,453kg)

pound[2] [paʊnd] *n for strays, cars* fourrière *f*

pound[3] [paʊnd] *v/i of heart* battre (la chamade)

pour [pɔːr] **1** *v/t liquid* verser **2** *v/i*: ***it's ~ing* (*with rain*)** il pleut à verse

◆ **pour out** *liquid* verser; *troubles* déballer F

poverty ['pɑːvərtɪ] pauvreté *f*

powder ['paʊdər] **1** *n* poudre *f* **2** *v/t*: **~ *one's face*** se poudrer le visage

power ['paʊər] **1** *n* (*strength*) puissance *f*, force *f*; (*authority*) pouvoir *m*; (*energy*) énergie *f*; (*electricity*) courant *m*; **power drill** perceuse *f*; **power failure** panne *f* d'électricité; **powerful** puissant; **powerless** impuissant; **power line** ligne *f* électrique; **power outage** coupure *f* de courant; **power station** centrale *f* électrique; **power steering** direction *f* assistée

PR [piː'ɑːr] (= ***public relations***) relations *fpl* publiques

practical ['præktɪkl] pratique; **practically** d'une manière pratique; (*almost*) pratiquement

practice ['præktɪs] **1** *n* pratique *f*; *training also* entraînement *m*; (*rehearsal*) répétition *f*; (*custom*) coutume *f* **2** *v/i* s'entraîner **3** *v/t* travailler; *law, medicine* exercer

practise *Br* → ***practice*** *v/i & v/t*

prairie ['prerɪ] prairie *f*

praise [preɪz] **1** *n* louange *f*, éloge *m* **2** *v/t* louer; **praiseworthy** méritoire, louable

pray [preɪ] prier; **prayer** prière *f*

preach [priːʧ] prêcher; **preacher** pasteur *m*

precaution [prɪ'kɒːʃn] précaution *f*; **precautionary** *measure* préventif, de précaution

precede [prɪ'siːd] précéder; **precedent** précédent *m*; **preceding** précédent

precious ['preʃəs] précieux

precise [prɪ'saɪs] précis; **precisely** précisément; **precision** précision *f*

preconceived ['prɪkənsiːvd] *idea* préconçu

precondition [prɪkən'dɪʃn] condition *f* requise

predator ['predətər] prédateur *m*; **predatory** prédateur

predecessor ['priːdɪsesər] prédécesseur *m*

predicament [prɪ'dɪkəmənt] situation *f* délicate

predict [prɪ'dɪkt] prédire, prévoir; **prediction** prédiction *f*

predominant [prɪ'dɑːmɪnənt]

prédominant; **predominantly** principalement
prefabricated [pri:'fæbrɪkeɪtɪd] préfabriqué
preface ['prefɪs] préface *f*
prefer [prɪ'fɜ:r] préférer; **preferable** préférable; **preferably** de préférence; **preference** préférence *f*; **preferential** préférentiel
pregnancy ['pregnənsɪ] grossesse *f*; **pregnant** enceinte; *animal* pleine
prehistoric [pri:hɪs'tɑ:rɪk] *also fig* préhistorique
prejudice ['predʒʊdɪs] **1** *n* (*bias*) préjugé *m* **2** *v/t person* influencer; *chances* compromettre; **prejudiced** partial
preliminary [prɪ'lɪmɪnerɪ] préliminaire
premarital [pri:'mærɪtl] *sex* avant le mariage
premature [pri:mə'tʊr] prématuré
premier ['premɪr] POL Premier ministre *m*
première ['premɪer] première *f*
premises ['premɪsɪz] locaux *mpl*
premium ['pri:mɪəm] *in insurance* prime *f*
prenatal [pri:'neɪtl] prénatal
preoccupied [prɪ'ɑ:kjʊpaɪd] préoccupé
preparation [prepə'reɪʃn] préparation *f*; **~s** préparatifs *mpl*; **prepare** [prɪ'per] **1** *v/t* préparer; **be ~d to do sth** *willing, ready* être prêt à faire qch **2** *v/i* se préparer
preposition [prepə'zɪʃn] préposition *f*
prerequisite [pri:'rekwɪzɪt] condition *f* préalable
prescribe [prɪ'skraɪb] *of doctor* prescrire; **prescription** MED ordonnance *f*
presence ['prezns] présence *f*; **in the ~ of** en présence de
present[1] ['preznt] **1** *adj* (*current*) actuel; **be ~** être présent **2** *n*: **the ~** *also* GRAM le présent
present[2] ['preznt] *n* (*gift*) cadeau *m*
present[3] [prɪ'zent] *v/t award, bouquet* remettre; *program* présenter
presentation [prezn'teɪʃn] présentation *f*; **present-day** actuel; **presenter** présentateur(-trice) *m*(*f*); **presently** (*at the moment*) à présent; (*soon*) bientôt
preservative [prɪ'zɜ:rvətɪv] conservateur *m*; **preserve** **1** *n* (*domain*) domaine *m* **2** *v/t standards, peace etc* maintenir; *wood etc* préserver; *food* conserver
preside [prɪ'zaɪd] *at meeting* présider; **presidency** présidence *f*; **president** POL président(e) *m*(*f*); *of company* président-directeur *m* général, PDG *m*; **presidential** présidentiel
press [pres] **1** *n*: **the ~** la pres-

se **2** *v/t button* appuyer sur; *hand* serrer; *grapes, olives* presser; *clothes* repasser; **pressing** pressant; **pressure 1** *n* pression *f* **2** *v/t* faire pression sur

prestige [pre'stiːʒ] prestige *m*; **prestigious** prestigieux

presumably [prɪ'zuːməblɪ] sans doute; **presume** présumer; **presumption** *of innocence, guilt* présomption *f*

presuppose [priːsə'poʊz] présupposer

pre-tax ['priːtæks] avant impôts

pretence *Br* → ***pretense***

pretend [prɪ'tend] **1** *v/t* prétendre **2** *v/i* faire semblant; **pretense** semblant *m*; ***under the ~ of cooperation*** sous prétexte de coopération; **pretentious** prétentieux

pretext ['priːtekst] prétexte *m*

pretty ['prɪtɪ] **1** *adj* joli **2** *adv* (*quite*) assez

prevail [prɪ'veɪl] (*triumph*) prévaloir, l'emporter; **prevailing** *wind* dominant; *opinion* prédominant; (*current*) actuel

prevent [prɪ'vent] empêcher; *disease* prévenir; ***~ s.o. (from) doing sth*** empêcher qn de faire qch; **prevention** prévention *f*; **preventive** préventif

preview ['priːvjuː] **1** *n* avant-première *f* **2** *v/t* voir en avant-première

previous ['priːvɪəs] (*earlier*) antérieur; (*the one before*) précédent; **previously** auparavant, avant

prey [preɪ] proie *f*

price [praɪs] **1** *n* prix *m* **2** *v/t* COM fixer le prix de; **priceless** sans prix

prick[1] [prɪk] **1** *n pain* piqûre *f* **2** *v/t* (*jab*) piquer

prick[2] [prɪk] V (*penis*) bite *f* V; *person* con *m* F

prickle ['prɪkl] *on plant* épine *f*, piquant *m*; **prickly** *beard, plant* piquant; (*irritable*) irritable

pride [praɪd] fierté *f*; (*self-respect*) amour-propre *m*, orgueil *m*

priest [priːst] prêtre *m*

primarily [praɪ'merɪlɪ] principalement; **primary 1** *adj* principal **2** *n* POL (élection *f*) primaire *f*

prime 'minister Premier ministre *m*

primitive ['prɪmɪtɪv] primitif; *conditions* rudimentaire

prince [prɪns] prince *m*; **princess** princesse *f*

principal ['prɪnsəpl] **1** *adj* principal **2** *n of school* directeur(-trice) *m(f)*; **principally** principalement

principle ['prɪnsəpl] principe *m*; ***on ~*** par principe; ***in ~*** en principe

print [prɪnt] **1** *n in book etc* texte *m*; (*photograph*) épreuve *f*; ***out of ~*** épuisé **2** *v/t* imprimer; (*use block capitals*) écrire en majuscules; **printer** ['prɪntər] *person* imprimeur *m*; *machine* imprimante *f*; **printout** impression *f*

prior ['praɪr] **1** *adj* préalable, antérieur **2** *prep*: **~ to** avant

prioritize (*put in order of priority*) donner un ordre de priorité à; (*give priority to*) donner la priorité à; **priority** priorité *f*

prison ['prɪzn] prison *f*; **prisoner** prisonnier(-ière) *m(f)*; **take s.o. ~** faire qn prisonnier; **prisoner of war** prisonnier(-ière) *m(f)* de guerre

privacy ['prɪvəsɪ] intimité *f*; **private 1** *adj* privé; *letter* personnel; *secretary* particulier **2** *n* MIL simple soldat *m*; **privately** *talk to s.o.* en privé; (*inwardly*) intérieurement; **~ owned** privé

privilege ['prɪvəlɪdʒ] privilège *m*; **privileged** privilégié

prize [praɪz] **1** *n* prix *m* **2** *v/t* priser, faire (grand) cas de; **prizewinner** gagnant *m*; **prizewinning** gagnant

probability [prɑːbə'bɪlətɪ] probabilité *f*; **probable** probable; **probably** probablement

probation [prə'beɪʃn] *in job* période *f* d'essai; LAW probation *f*

probe [proʊb] **1** *n* (*investigation*) enquête *f*; *scientific* sonde *f* **2** *v/t* sonder; (*investigate*) enquêter sur

problem ['prɑːbləm] problème *m*; **no ~** pas de problème; *it doesn't worry me* c'est pas grave

procedure [prə'siːdʒər] procédure *f*; **proceed** (*go*: *of people*) se rendre; *of work etc* avancer, se dérouler; **proceedings** (*events*) événements *mpl*; **proceeds** bénéfices *mpl*

process ['prɑːses] **1** *n* processus *m* **2** *v/t food, raw materials* transformer; *data, application* traiter; **procession** procession *f*; **processor** processeur *m*

prod [prɑːd] **1** *n* (petit) coup *m* **2** *v/t* donner un (petit) coup à, pousser

prodigy ['prɑːdɪdʒɪ]: prodige *m*; (**child**) **~** enfant *m/f* prodige

produce[1] ['prɑːduːs] *n* produits *mpl* (agricoles)

produce[2] [prə'duːs] *v/t* produire; (*bring about*) provoquer; (*bring out*) sortir

producer [prə'duːsər] producteur *m*; *of play, movie, TV program* producteur *m*; **product** produit *m*; **production** production *f*; **productive** productif; **productivity** productivité *f*

profess [prə'fes] prétendre; **profession** profession *f*; **professional 1** *adj* professionnel **2** *n* (*doctor, lawyer* *etc*) personne *f* qui exerce une profession libérale; *not amateur* professionnel(le) *m*(*f*); **professionally** *play sport* professionnellement; (*well, skillfully*) de manière professionnelle

professor [prə'fesər] professeur *m*

proficient [prə'fɪʃnt] excellent, compétent

profile ['proʊfaɪl] profil *m*

profit ['prɑːfɪt] **1** *n* bénéfice *m*, profit *m* **2** *v/i*: *~ from* profiter de; **profitability** rentabilité *f*; **profitable** rentable

profound [prə'faʊnd] profond

prognosis [prɑːg'noʊsɪs] MED pronostic *m*

program ['proʊgræm] **1** *n* programme *m*; *on radio, TV* émission *f* **2** *v/t* programmer; **programme** *Br* → ***program***; **programmer** programmeur(-euse) *m*(*f*)

progress **1** ['prɑːgres] *n* progrès *m*(*pl*) **2** [prə'gres] *v/i* (*in time*) avancer; (*move on*) passer à; (*make ~*) faire des progrès, progresser; **progressive** (*enlightened*) progressiste; (*which progresses*) progressif; **progressively** progressivement

prohibit [prə'hɪbɪt] défendre, interdire; **prohibitive** *prices* prohibitif

project[1] ['prɑːdʒekt] *n* projet *m*; EDU étude *f*; (*housing area*) cité *f* (H.L.M.)

project[2] [prə'dʒekt] **1** *v/t figures, sales* prévoir; *movie* projeter **2** *v/i* (*stick out*) faire saillie

projection [prə'dʒekʃn] (*forecast*) projection *f*, prévision *f*;

projector *for slides* projecteur *m*

prolog, *Br* **prologue** ['proʊlɑːg] prologue *m*

prolong [prə'lɒːŋ] prolonger

prominent ['prɑːmɪnənt] *nose, chin* proéminent; *visually* voyant; (*significant*) important

promiscuity [prɑːmɪ'skjuːətɪ] promiscuité *f*; **promiscuous** dévergondé

promise ['prɑːmɪs] **1** *n* promesse *f* **2** *v/t & v/i* promettre; **promising** prometteur

promote [prə'moʊt] *employee, idea* promouvoir; COM *also* faire la promotion de; **promoter** *of sports event* organisateur *m*; **promotion** promotion *f*

prompt [prɑːmpt] **1** *adj* (*on time*) ponctuel; (*speedy*) prompt **2** *v/t* (*cause*) provoquer; *actor* souffler à; **promptly** (*on time*) ponctuellement; (*immediately*) immédiatement

prone [proʊn]: ***be ~ to*** être sujet à

pronoun ['proʊnaʊn] pronom *m*

pronounce [prə'naʊns] pro-

noncer
pronto ['prɑːntoʊ] F illico (presto) F
pronunciation [prənʌnsɪ'eɪʃn] prononciation *f*
proof [pruːf] preuve *f*; *of book* épreuve *f*
prop [prɑːp] THEA accessoire *m*
◆ **prop up** soutenir
propaganda [prɑːpə'gændə] propagande *f*
propel [prə'pel] propulser; **propeller** hélice *f*
proper ['prɑːpər] (*real*) vrai; (*correct*) bon, correct; (*fitting*) convenable; **properly** (*correctly*) correctement; (*fittingly also*) convenablement; **property** propriété *f*
proportion [prə'pɔːrʃn] proportion *f*; **proportional** proportionnel
proposal [prə'poʊzl] proposition *f*; *of marriage* demande *f* en mariage; **propose 1** *v/t* (*suggest*) proposer; ~ ***to do sth*** (*plan*) se proposer de faire qch **2** *v/i* (*make offer of marriage*) faire sa demande en mariage (***to*** à); **proposition 1** *n* proposition *f* **2** *v/t woman* faire des avances à
proprietor [prə'praɪətər] propriétaire *m*
prosecute ['prɑːsɪkjuːt] LAW poursuivre (en justice); **prosecution** LAW poursuites *fpl* (judiciaires); *lawyers* accusation *f*
prospect ['prɑːspekt] (*chance, likelihood*) chance(s) *f(pl)*; (*thought of something in the future*) perspective *f*; ~**s** perspectives *fpl* (d'avenir); **prospective** potentiel
prosper ['prɑːspər] prospérer; **prosperity** prospérité *f*; **prosperous** prospère
prostitute ['prɑːstɪtuːt] prostituée *f*; ***male*** ~ prostitué *m*; **prostitution** prostitution *f*
protect [prə'tekt] protéger; **protection** protection *f*; **protective** protecteur; **protector** protecteur(-trice) *m(f)*
protein ['proʊtiːn] protéine *f*
protest ['proʊtest] **1** ['proʊtest] *n* protestation *f*; (*demonstration*) manifestation *f* **2** [prə'test] *v/t* (*object to*) protester contre **3** [prə'test] *v/i* protester; (*demonstrate*) manifester
Protestant ['prɑːtɪstənt] **1** *adj* protestant **2** *n* protestant(e) *m(f)*
protester [prə'testər] manifestant(e) *m(f)*
prototype ['proʊtətaɪp] prototype *m*
protrude [prə'truːd] *of eyes, ear* être saillant; *from pocket etc* sortir; **protruding** saillant; *ears* décollé; *chin* avancé; *teeth* en avant
proud [praʊd] fier; **proudly** fièrement, avec fierté

prove [pruːv] prouver
proverb ['prɑːvɜːrb] proverbe *m*
provide [prə'vaɪd] fournir; **~d that** (*on condition that*) pourvu que (*+subj*), à condition que (*+subj*)
province ['prɑːvɪns] province *f*; **provincial** *also pej* provincial; *city* de province
provision [prə'vɪʒn] (*supply*) fourniture *f*; *of services* prestation *f*; *in a law, contract* disposition *f*; **provisional** provisoire
provocation [prɑːvə'keɪʃn] provocation *f*; **provocative** provocant; **provoke** provoquer
prowl [praʊl] *of tiger etc* chasser; *of burglar* rôder; **prowler** rôdeur(-euse) *m(f)*
proximity [prɑːk'sɪmətɪ] proximité *f*
proxy ['prɑːksɪ] (*authority*) procuration *f*; *person* mandataire *m*/*f*
prudence ['pruːdns] prudence *f*; **prudent** prudent
pry [praɪ] être indiscret
PS ['piːes] (= ***postscript***) P.-S. *m*
pseudonym ['suːdənɪm] pseudonyme *m*
psychiatric [saɪkɪ'ætrɪk] psychiatrique; **psychiatrist** psychiatre *m*/*f*; **psychiatry** psychiatrie *f*
psychoanalysis [saɪkoʊən'æləsɪs] psychanalyse *f*; **psychoanalyst** psychanalyste *m*/*f*; **psychoanalyze** psychanalyser
psychological [saɪkə'lɑːdʒɪkl] psychologique; **psychologist** psychologue *m*/*f*
psychology psychologie *f*
psychopath ['saɪkoʊpæθ] psychopathe *m*/*f*
psychosomatic [saɪkoʊsə'mætɪk] psychosomatique
pub [pʌb] *Br* pub *m*
public ['pʌblɪk] **1** *adj* public **2** *n*: ***the ~*** le public
publication [pʌblɪ'keɪʃn] publication *f*
public 'holiday jour *m* férié
publicity [pʌb'lɪsətɪ] publicité *f*; **publicize** (*make known*) faire connaître, rendre public; COM faire de la publicité pour
publicly ['pʌblɪklɪ] en public, publiquement
'public school école *f* publique; *Br* école privée (du secondaire)
publish ['pʌblɪʃ] publier; **publisher** éditeur(-trice) *m(f)*; maison *f* d'édition; **publishing** édition *f*; **publishing company** maison *f* d'édition
puff [pʌf] **1** *n of wind* bourrasque *f*; *of smoke* bouffée *f* **2** *v/i* (*pant*) souffler, haleter; **puffy** *eyes, face* bouffi
pull [pʊl] **1** *n on rope* coup *m*; F (*appeal*) attrait *m*; F (*influ-*

ence) influence *f* **2** *v/t* tirer; *tooth* arracher; *muscle* se déchirer **3** *v/i* tirer

◆ **pull ahead** *in race, competition* prendre la tête

◆ **pull down** (*lower*) baisser; (*demolish*) démolir

◆ **pull in** *of bus, train* arriver

◆ **pull up 1** *v/t* (*raise*) remonter; *plant* arracher **2** *v/i of car etc* s'arrêter

pulley ['pʊlɪ] poulie *f*

pulsate [pʌl'seɪt] *of heart, blood* battre; *of rhythm* vibrer

pulse [pʌls] pouls *m*

pulverize ['pʌlvəraɪz] pulvériser

pump [pʌmp] **1** *n* pompe *f* **2** *v/t* pomper

pumpkin ['pʌmpkɪn] potiron *m*

pun [pʌn] jeu *m* de mots

punch [pʌntʃ] **1** *n blow* coup *m* de poing; *implement* perforeuse *f* **2** *v/t with fist* donner un coup de poing à; *hole* percer; *ticket* composter

punctual ['pʌŋktʃʊəl] ponctuel; **punctuality** ponctualité *f*

punctuation [pʌŋktʃʊ'eɪʃn] ponctuation *f*

puncture ['pʌŋktʃər] **1** *n* piqûre *f* **2** *v/t* percer, perforer

punish ['pʌnɪʃ] punir; **punishing** *pace, schedule* éprouvant, épuisant; **punishment** punition *f*

puny ['pju:nɪ] *person* chétif

pup [pʌp] chiot *m*

pupil[1] ['pju:pl] *of eye* pupille *f*

pupil[2] ['pju:pl] (*student*) élève *m/f*

puppet ['pʌpɪt] *also fig* marionnette *f*

purchase[1] ['pɜ:rtʃəs] **1** *n* achat *m* **2** *v/t* acheter

purchase[2] ['pɜ:rtʃəs] *n* (*grip*) prise *f*

purchaser ['pɜ:rtʃəsər] acheteur(-euse) *m(f)*

pure [pjʊr] pur; *white* immaculé; **purely** purement

purge [pɜ:rdʒ] **1** *n* POL purge *f* **2** *v/t* POL épurer

purify ['pjʊrɪfaɪ] *water* épurer

puritan ['pjʊrɪtən] puritain(e) *m(f)*

purity ['pjʊrɪtɪ] pureté *f*

purpose ['pɜ:rpəs] (*aim, object*) but *m*; ***on ~*** exprès; **purposely** exprès

purr [pɜ:r] *of cat* ronronner

purse [pɜ:rs] (*pocketbook*) sac *m* à main; *Br for money* porte-monnaie *m inv*

pursue [pər'su:] poursuivre; **pursuer** poursuivant(e) *m(f)*; **pursuit** poursuite *f*; (*activity*) activité *f*

push [pʊʃ] **1** *n* (*shove*) poussée *f* **2** *v/t* (*shove, pressure*) pousser; *button* appuyer sur; F *drugs* revendre, trafiquer **3** *v/i* pousser; **pusher** F *of drugs* dealer(-euse) *m(f)*; **push-up**: ***do ~s*** faire des pompes; **pushy** F qui se met en avant

puss, pussy (*cat*) [pʊs, 'pʊsɪ (kæt)] F minou *m*

put [pʊt] mettre; *question* poser; ~ ***the cost at*** estimer le prix à

◆ **put across** *idea etc* faire comprendre

◆ **put aside** *money, work* mettre de côté

◆ **put away** *in closet etc* ranger; *in institution* enfermer; *in prison* emprisonner; F (*consume*) s'enfiler F; *animal* faire piquer

◆ **put back** (*replace*) remettre

◆ **put down** poser; *deposit* verser; *rebellion* réprimer; (*belittle*) rabaisser

◆ **put forward** *idea etc* soumettre, suggérer

◆ **put in for** (*apply for*) demander

◆ **put off** *light, TV* éteindre; (*postpone*) repousser; (*deter*) dissuader; (*repel*) dégoûter

◆ **put on** *light, TV* allumer; *music, jacket etc* mettre; (*perform*) monter; *accent etc* prendre

◆ **put out** *hand* tendre; *fire, light* éteindre

◆ **put together** (*assemble*) monter; (*organize*) organiser

◆ **put up** *hand* lever; *person* héberger; (*erect*) ériger; *prices* augmenter; *poster* accrocher; *money* fournir

◆ **put up with** supporter, tolérer

putty ['pʌtɪ] mastic *m*

puzzle ['pʌzl] **1** *n* (*mystery*) énigme *f*, mystère *m*; *game* jeu *m*, casse-tête *m*; (*jigsaw* ~) puzzle *m* **2** *v/t* laisser perplexe; **puzzling** curieux

PVC [piːviː'siː] (= ***polyvinyl chloride***) P.V.C. *m* (= polychlorure de vinyle)

pyjamas *Br* → ***pajamas***

pylon ['paɪlən] pylône *m*

Q

quadrangle ['kwɑːdræŋgl] *figure* quadrilatère *m*; *courtyard* cour *f*

quadruped ['kwɑːdrʊped] quadrupède *m*

quail [kweɪl] flancher

quaint [kweɪnt] *cottage* pittoresque; (*eccentric: ideas etc*) curieux

quake [kweɪk] **1** *n* (*earthquake*) tremblement *m* de terre **2** *v/i of earth, with fear* trembler

qualification [kwɑːlɪfɪ'keɪʃn] *from university etc* diplôme *m*; **qualified** *doctor, engineer etc* qualifié; (*restricted*) restreint; **qualify 1** *v/t of degree, course etc* qualifier; *remark etc* nuancer **2** *v/i* (*get degree etc*) obtenir son diplôme; *in competition* se qualifier

quality ['kwɑːlətɪ] qualité *f*; **quality control** contrôle *m* de qualité
quandary ['kwɑːndərɪ] dilemme *m*
quantify ['kwɑːntɪfaɪ] quantifier
quantity ['kwɑːntətɪ] quantité *f*
quarantine ['kwɑːrəntiːn] quarantaine *f*
quarrel ['kwɑːrəl] **1** *n* dispute *f*, querelle *f* **2** *v/i* se disputer
quarry[1] ['kwɑːrɪ] *in hunt* gibier *m*
quarry[2] ['kwɑːrɪ] *for mining* carrière *f*
quart [kwɔːrt] quart *m* de gallon (*0,946 litre*)
quarter ['kwɔːrtər] quart *m*; *25 cents* vingt-cinq cents *mpl*; *part of town* quartier *m*; ***a ~ of an hour*** un quart d'heure; ***a ~ of 5*** cinq heures moins le quart; ***a ~ after 5*** cinq heures et quart; **quarterfinal** quart *m* de finale; **quarterfinalist** quart de finaliste *m*, quart-finaliste *m*; **quarterly 1** *adj* trimestriel **2** *adv* trimestriellement; **quarters** MIL quartiers *mpl*; **quartet** MUS quatuor *m*
quartz [kwɑːrts] quartz *m*
quash [kwɑːʃ] *rebellion* réprimer, écraser; *court decision* casser, annuler
quaver ['kweɪvər] **1** *n in voice* tremblement *m* **2** *v/i of voice* trembler
queasy ['kwiːzɪ] nauséeux; ***feel ~*** avoir la nausée
queen [kwiːn] reine *f*
queer [kwɪr] (*peculiar*) bizarre
quell [kwel] réprimer
quench [kwenʧ] *thirst* étancher, assouvir; *flames* éteindre
query ['kwɪrɪ] **1** *n* question *f* **2** *v/t* (*express doubt about*) mettre en doute; (*check*) vérifier
quest [kwest] quête *f*
question ['kwesʧn] **1** *n* question *f* **2** *v/t person* questionner, interroger; (*doubt*) mettre en question; **questionable** contestable; **questioning 1** *adj look* interrogateur **2** *n* interrogatoire *m*; **question mark** point *m* d'interrogation; **questionnaire** questionnaire *m*
queue [kjuː] *Br* **1** *n* queue *f* **2** *v/i* faire la queue
quibble ['kwɪbl] chipoter, chercher la petite bête
quick [kwɪk] rapide; ***be ~!*** fais vite!; **quickly** vite, rapidement; **quickwitted** à l'esprit vif
quiet ['kwaɪət] *street, life* tranquille; *music* doux; *engine* silencieux; *voice* bas; ***~!*** silence!; **quietly** doucement, sans bruit; (*unassumingly, peacefully*) tranquillement; **quietness** calme *m*, tranquillité *f*
quilt [kwɪlt] *on bed* couette *f*

quinine ['kwɪniːn] quinine *f*
quip [kwɪp] **1** *n* trait *m* d'esprit **2** *v/i* plaisanter
quirk [kwɜːrk] manie *f*, lubie *f*; **quirky** bizarre, excentrique
quit [kwɪt] **1** *v/t job* quitter **2** *v/i* (*leave job*) démissionner; COMPUT quitter
quite [kwaɪt] (*fairly*) assez; (*completely*) tout à fait; **~ *a lot*** pas mal, beaucoup
quiver ['kwɪvər] trembler
quiz [kwɪz] **1** *n on TV* jeu *m* télévisé; *on radio* jeu *m* radiophonique; *at school* interrogation *f* **2** *v/t* interroger
quota ['kwoʊtə] quota *m*
quotation [kwoʊ'teɪʃn] *from author* citation *f*; *price* devis *m*; **quotation marks** guillemets *mpl*; **quote 1** *n from author* citation *f*; *price* devis *m*; (*quotation mark*) guillemet *m*; ***in ~s*** entre guillemets **2** *v/t text* citer; *price* proposer

R

rabbit ['ræbɪt] lapin *m*
rabble ['ræbl] cohue *f*, foule *f*; **rabble-rouser** agitateur(-trice) *m*(*f*)
rabies ['reɪbiːz] rage *f*
raccoon [rə'kuːn] raton *m* laveur
race¹ [reɪs] *n of people* race *f*
race² [reɪs] **1** *n* SP course *f* **2** *v/i* (*run fast*) courir à toute vitesse **3** *v/t*: ***I'll ~ you*** le premier arrivé a gagné
'racecourse champ *m* de courses, hippodrome *m*; **racehorse** cheval *m* de course; **race riot** émeute *f* raciale; **racetrack** *for cars* circuit *m*, piste *f*; *for horses* hippodrome *m*
racial ['reɪʃl] racial
racing ['reɪsɪŋ] course *f*
racism ['reɪsɪzm] racisme *m*; **racist 1** *adj* raciste **2** *n* raciste *m/f*
rack [ræk] **1** *n for bags on train* porte-bagages *m inv*; *for CDs* range-CD *m inv* **2** *v/t*: ***~ one's brains*** se creuser la tête
racket¹ ['rækɪt] SP raquette *f*
racket² ['rækɪt] (*noise*) vacarme *m*; *criminal activity* escroquerie *f*
radar ['reɪdɑːr] radar *m*
radiance ['reɪdɪəns] éclat *m*; **radiant** *smile* radieux; **radiate** *of heat*, *light* irradier, rayonner; **radiation** *nuclear* radiation *f*; **radiator** radiateur *m*
radical ['rædɪkl] **1** *adj* radical **2** *n* POL radical(e) *m*(*f*); **radicalism** POL radicalisme *m*; **radically** radicalement
radio ['reɪdɪoʊ] radio *f*; **radioactive** radioactif; **radioac-**

tivity radioactivité *f*; **radio alarm** radio-réveil *m*; **radiographer** radiologue *m/f*; **radiography** radiographie *f*; **radio station** station *f* de radio

radius ['reɪdɪəs] rayon *m*

raft [ræft] radeau *m*

rafter ['ræftər] chevron *m*

rag [ræg] *for cleaning etc* chiffon *m*

rage [reɪdʒ] **1** *n* colère *f*, rage *f* **2** *v/i of storm* faire rage

ragged ['rægɪd] *edge* irrégulier; *appearance* négligé; *clothes* en loques

raid [reɪd] **1** *n by troops*, FIN raid *m*; *by police* descente *f*; *by robbers* hold-up *m* **2** *v/t of troops* attaquer; *of police* faire une descente dans; *of robbers* attaquer; *fridge* faire une razzia dans; **raider** (*robber*) voleur *m*

rail [reɪl] *on track* rail *m*; (*hand~*) rampe *f*; *for towel* porte-serviettes *m inv*; ***by ~*** en train; **railings** *around park etc* grille *f*; **railroad** chemin *m* de fer; *track* voie *f* ferrée; **railroad station** gare *f*; **railway** *Br* chemin *m* de fer; *track* voie *f* ferrée

rain [reɪn] **1** *n* pluie *f* **2** *v/i* pleuvoir; ***it's ~ing*** il pleut; **rainbow** arc-en-ciel *m*; **raincheck**: ***can I take a ~ on that?*** F peut-on remettre cela à plus tard?; **raincoat** imperméable *m*; **raindrop** goutte *f* de pluie; **rainfall** précipitations *fpl*; **rain forest** forêt *f* tropicale (humide); **rainproof** *fabric* imperméable; **rainstorm** pluie *f* torrentielle; **rainy** pluvieux

raise [reɪz] **1** *n in salary* augmentation *f* (de salaire) **2** *v/t shelf etc* surélever; *offer* augmenter; *children* élever; *question* soulever; *money* rassembler

rake [reɪk] *for garden* râteau *m*

rally ['rælɪ] (*meeting*, *reunion*) rassemblement *m*; MOT rallye *m*; *in tennis* échange *m*

RAM [ræm] COMPUT (= ***random access memory***) RAM *f*, mémoire *f* vive

ram [ræm] **1** *n* bélier *m* **2** *v/t ship*, *car* heurter, percuter

ramble ['ræmbl] **1** *n walk* randonnée *f* **2** *v/i walk* faire de la randonnée; *when speaking* discourir; (*talk incoherently*) divaguer; **rambling** **1** *adj speech* décousu **2** *n walking* randonnée *f*; *in speech* digression *f*

ramp [ræmp] rampe *f* (d'accès), passerelle *f*; *for raising vehicle* pont *m* élévateur

rampant ['ræmpənt] *inflation* galopant

rampart ['ræmpɑːrt] rempart *m*

ramshackle ['ræmʃækl] délabré

ranch [ræntʃ] ranch *m*; **ranch-**

er propriétaire *m/f* de ranch; **ranchhand** employé *m* de ranch
rancid ['rænsɪd] rance
rancor, *Br* **rancour** ['ræŋkər] rancœur *f*
R & D [ɑːrən'diː] (= ***research and development***) R&D *f* (= recherche et développement)
random ['rændəm] **1** *adj* aléatoire, au hasard; **~ *sample*** échantillon *m* pris au hasard **2** *n*: ***at* ~** au hasard
range [reɪndʒ] **1** *n of products* gamme *f*; *of gun* portée *f*; *of airplane* autonomie *f*; *of voice, instrument* registre *m*; *of mountains* chaîne *f*; ***at close* ~** de très près **2** *v/i*: **~ *from X to Y*** aller de X à Y; **ranger** garde *m* forestier
rank [ræŋk] **1** *n* MIL grade *m*; *in society* rang *m* **2** *v/t* classer
◆ **rank among** compter parmi
ransack ['rænsæk] *searching* fouiller; *plundering* saccager
ransom ['rænsəm] *money* rançon *f*
rap [ræp] **1** *n at door etc* petit coup *m* sec; MUS rap *m* **2** *v/t table etc* taper sur
rape[1] [reɪp] **1** *n* viol *m* **2** *v/t* violer
rape[2] [reɪp] *n* BOT colza *m*
rapid ['ræpɪd] rapide; **rapidity** rapidité *f*; **rapidly** rapidement; **rapids** rapides *mpl*
rapist ['reɪpɪst] violeur *m*
rare [rer] rare; *steak* saignant, bleu; **rarely** rarement; **rarity** rareté *f*
rash[1] [ræʃ] *n* MED éruption *f* (cutanée)
rash[2] [ræʃ] *adj action*, imprudent, impétueux; **rashly** sans réfléchir
rat [ræt] rat *m*
rate [reɪt] taux *m*; (*price*) tarif *m*; (*speed*) rythme *m*; ***at this* ~** (*at this speed*) à ce rythme; (*carrying on like this*) si ça continue comme ça; ***at any* ~** en tout cas
rather ['ræðər] (*fairly, quite*) plutôt; ***I would* ~ *stay here*** je préfèrerais rester ici
ratification [rætɪfɪ'keɪʃn] *of treaty* ratification *f*; **ratify** ratifier
ratings ['reɪtɪŋz] indice *m* d'écoute
ratio ['reɪʃɪoʊ] rapport *m*, proportion *f*
ration ['ræʃn] **1** *n* ration *f* **2** *v/t supplies* rationner
rational ['ræʃənl] rationnel; **rationality** rationalité *f*; **rationalization** rationalisation *f*; **rationalize 1** *v/t* rationaliser **2** *v/i* (se) chercher des excuses; **rationally** rationnellement
rattle ['rætl] **1** *n of bottles, chains* cliquetis *m*; *in engine* bruit *m* de ferraille; *toy* hochet *m* **2** *v/t chains etc* entrechoquer **3** *v/i* faire du bruit; *of engine* faire un bruit de

ferraille; *of crates* s'entrechoquer; *of chains* cliqueter; **rattlesnake** serpent *m* à sonnette
raucous ['rɒːkəs] bruyant
rave [reɪv] **1** *n party* rave *f*, rave-party *f* **2** *v/i* délirer; **~ *about sth*** (*be very enthusiastic*) s'emballer pour qch
ravenous ['rævənəs] affamé
ravine [rə'viːn] ravin *m*
raw [rɒː] *meat, vegetable* cru; *sugar, iron* brut; **raw materials** matières *fpl* premières
ray [reɪ] rayon *m*
razor ['reɪzər] rasoir *m*; **razor blade** lame *f* de rasoir
re [riː] COM en référence à
reach [riːtʃ] **1** *n*: ***within*~** à portée; ***out of*~** hors de portée **2** *v/t* atteindre; *destination* arriver à; *decision* parvenir à
react [rɪ'ækt] réagir; **reaction** réaction *f*; **reactionary 1** *adj* POL réactionnaire **2** *n* POL réactionnaire *m/f*; **reactor** *nuclear* réacteur *m*
read [riːd] lire
◆ **read out** *aloud* lire à haute voix
readable ['riːdəbl] lisible; **reader** *person* lecteur(-trice) *m(f)*
readily ['redɪlɪ] *admit, agree* volontiers, de bon cœur
reading ['riːdɪŋ] *activity* lecture *f*; *from meter etc* relevé *m*
readjust [riːə'dʒʌst] **1** *v/t* régler (de nouveau) **2** *v/i to conditions* se réadapter (***to*** à)
ready ['redɪ] (*prepared, willing*) prêt; ***get sth*~** préparer qch; **ready cash** (argent *m*) liquide *m*; **ready-made** *stew etc* cuisiné; *solution* tout trouvé; **ready-to-wear** de confection; **~ *clothing*** prêt-à-porter *m*
real [riːl] *not imaginary* réel; *not fake* vrai; **real estate** immobilier *m*, biens *mpl* immobiliers; **real estate agent** agent *m* immobilier; **realism** réalisme *m*; **realist** réaliste *m/f*; **realistic** réaliste; **realistically** de façon réaliste; **reality** réalité *f*; **realize** se rendre compte de; FIN réaliser; **really** vraiment; **real time** COMPUT temps *m* réel; **real-time** COMPUT en temps réel
realtor ['riːltər] agent *m* immobilier; **realty** immobilier *m*
reappear [riːə'pɪr] réapparaître
reappearance réapparition *f*
rear [rɪr] **1** *adj* arrière *inv*, de derrière **2** *n* arrière *m*
rearm [riː'ɑːrm] réarmer
rearrange [riːə'reɪndʒ] *flowers* réarranger; *furniture* déplacer; *schedule, meetings* réorganiser
rear-view 'mirror rétroviseur *m*, rétro *m* F
reason ['riːzn] **1** *n* (*cause*), *faculty* raison *f*; **reasonable** raisonnable; **reasonably**

act, *behave* raisonnablement; (*quite*) relativement; **reasoning** raisonnement *m*
reassure [riːə'ʃʊr] rassurer; **reassuring** rassurant
rebate ['riːbeɪt] (*refund*) remboursement *m*
rebel 1 ['rebl] *n* rebelle *m/f* **2** [rɪ'bel] *v/i* se rebeller; **rebellion** rébellion *f*; **rebellious** rebelle; **rebelliousness** esprit *m* de rébellion
rebound [rɪ'baʊnd] *of ball etc* rebondir
rebuild ['riːbɪld] reconstruire
recall [rɪ'kɒːl] *goods*, *ambassador* rappeler; (*remember*) se rappeler
recap ['riːkæp] récapituler
recapture [riː'kæptʃər] reprendre
recede [rɪ'siːd] *of flood waters* baisser
receipt [rɪ'siːt] *for purchase* reçu *m* (**for** de), ticket *m* de caisse; **~s** FIN recette(s) *f(pl)*; **receive** recevoir; **receiver** TELEC combiné *m*; *for radio* (poste *m*) récepteur *m*; **receivership**: ***be in ~*** être en liquidation judiciaire
recent ['riːsnt] récent; **recently** récemment
reception [rɪ'sepʃn] réception *f*; (*welcome*) accueil *m*; **reception desk** réception *f*; **receptionist** réceptionniste *m/f*; **receptive**: ***be ~ to sth*** être réceptif à qch
recess ['riːses] *in wall etc* renfoncement *m*, recoin *m*; EDU récréation *f*; *of legislature* vacances *fpl* judiciaires; **recession** *economic* récession *f*
recharge [riː'tʃɑːrdʒ] *battery* recharger
recipe ['resəpɪ] recette *f*
recipient [rɪ'sɪpɪənt] *of parcel etc* destinataire *m/f*; *of payment* bénéficiaire *m/f*
reciprocal [rɪ'sɪprəkl] réciproque
recite [rɪ'saɪt] *poem* réciter; *details*, *facts* énumérer
reckless ['reklɪs] imprudent; **recklessly** imprudemment
reckon ['rekən] (*think*, *consider*) penser
◆ **reckon on** compter sur
reclaim [rɪ'kleɪm] *land from sea* gagner sur la mer; *lost property* récupérer
recline [rɪ'klaɪn] s'allonger; **recliner** *chair* chaise *f* longue, relax *m*
recluse [rɪ'kluːs] reclus *m*
recognition [rekəg'nɪʃn] reconnaissance *f*; **recognizable** reconnaissable; **recognize** reconnaître
recoil [rɪ'kɔɪl] reculer
recollect [rekə'lekt] se souvenir de; **recollection** souvenir *m*
recommend [rekə'mend] recommander; **recommendation** recommandation *f*
recompense ['rekəmpens] compensation *f*, dédommagement *m*

reconcile ['rekənsaɪl] réconcilier; *differences* concilier; *facts* faire concorder; **reconciliation** réconciliation *f*; *of differences, facts* conciliation *f*

recondition [riːkən'dɪʃn] refaire, remettre à neuf

reconnaissance [rɪ'kɑːnɪsəns] MIL reconnaissance *f*

reconsider [riːkən'sɪdər] **1** *v/t* reconsidérer **2** *v/i* reconsidérer la question

reconstruct [riːkən'strʌkt] reconstruire; *crime* reconstituer

record[1] ['rekərd] *n* MUS disque *m*; SP *etc* record *m*; *written document etc* rapport *m*; *in database* article *m*, enregistrement *m*; **~s** (*archives*) archives *fpl*, dossiers *mpl*; ***have a criminal ~*** avoir un casier judiciaire

record[2] [rɪ'kɔːrd] *v/t electronically* enregistrer; *in writing* consigner

'record-breaking qui bat tous les records; **record holder** recordman *m*, recordwoman *f*

recording [rɪ'kɔːrdɪŋ] enregistrement *m*

recount [rɪ'kaʊnt] (*tell*) raconter

re-count ['riːkaʊnt] **1** *n of votes* recompte *m* **2** *v/t* recompter

recoup [rɪ'kuːp] *financial losses* récupérer

recover [rɪ'kʌvər] **1** *v/t* retrouver **2** *v/i from illness* se remettre; *of business* reprendre; **recovery** *of sth lost* récupération *f*; *from illness* rétablissement *m*

recreation [rekrɪ'eɪʃn] récréation *f*; **recreational** *done for pleasure* de loisirs

recruit [rɪ'kruːt] **1** *n* recrue *f* **2** *v/t* recruter; **recruitment** recrutement *m*

rectangle ['rektæŋgl] rectangle *m*; **rectangular** rectangulaire

rectify ['rektɪfaɪ] rectifier

recuperate [rɪ'kuːpəreɪt] récupérer

recur [rɪ'kɜːr] *of error, event* se reproduire; *of symptoms* réapparaître; **recurrent** récurrent

recycle [riː'saɪkl] recycler; **recycling** recyclage *m*

red [red] **1** *adj* rouge **2** *n*: ***in the ~*** FIN dans le rouge; **Red Cross** Croix-Rouge *f*

redecorate [riː'dekəreɪt] refaire

redeem [rɪ'diːm] *debt* rembourser; *sinners* racheter

redevelop [riːdɪ'veləp] *part of town* réaménager

'redhead roux *m*, rousse *f*; **red light** *for traffic* feu *m* rouge; **red light district** quartier *m* chaud; **red meat** viande *f* rouge; **redneck** F plouc *m* F; **red tape** F paperasserie *f*

reduce [rɪ'duːs] réduire; **re-**

duction réduction *f*
reek [riːk] empester (***of sth*** qch)
reel [riːl] *of film, thread* bobine *f*
re-e'lect réélire; **re-election** réélection *f*
re-'entry *of spacecraft* rentrée *f*
ref [ref] F arbitre *m*
◆ **refer to** faire allusion à; *dictionary etc* se reporter à
referee [refə'riː] SP arbitre *m*; *for job*: *personne qui fournit des références*; **reference** (*allusion*) allusion *f*; *for job* référence *f*; (~ *number*) (numéro *m* de) référence *f*; **reference book** ouvrage *m* de référence; **reference number** numéro *m* de référence
referendum [refə'rendəm] référendum *m*
refill ['riːfɪl] remplir
refine [rɪ'faɪn] *oil, sugar* raffiner; *technique* affiner; **refinement** *to process, machine* perfectionnement *m*; **refinery** raffinerie *f*
reflect [rɪ'flekt] **1** *v/t* refléter **2** *v/i* (*think*) réfléchir; **reflection** *also fig* reflet *m*; (*consideration*) réflexion *f*
reflex ['riːfleks] *in body* réflexe *m*
reform [rɪ'fɔːrm] **1** *n* réforme *f* **2** *v/t* réformer; **reformer** réformateur(-trice) *m(f)*
refresh [rɪ'freʃ] rafraîchir; *of sleep, rest* reposer; *of meal* redonner des forces à; **refreshing** *drink* rafraîchissant; *experience* agréable; **refreshments** rafraîchissements *mpl*
refrigerate [rɪ'frɪdʒəreɪt] réfrigérer; **refrigerator** réfrigérateur *m*
refuel [riː'fjuəl] **1** *v/t airplane* ravitailler **2** *v/i of airplane* se ravitailler (en carburant)
refuge ['refjuːdʒ] refuge *m*; ***take*** ~ *from storm etc* se réfugier; **refugee** réfugié(e) *m(f)*
refund 1 ['riːfʌnd] *n* remboursement *m* **2** [rɪ'fʌnd] *v/t* rembourser
refusal [rɪ'fjuːzl] refus *m*; **refuse** refuser; ~ ***to do sth*** refuser de faire qch
regain [rɪ'geɪn] *control, territory, the lead* reprendre; *composure* retrouver
regard [rɪ'gɑːrd] **1** *n*: ***with*** ~ ***to*** en ce qui concerne; **(*kind*)** ~***s*** cordialement; ***with no*** ~ ***for*** sans égard pour **2** *v/t*: ~ ***as*** considérer comme; **regarding** en ce qui concerne; **regardless** quand même; ~ ***of*** sans se soucier de
regime [reɪ'ʒiːm] (*government*) régime *m*
regiment ['redʒɪmənt] régiment *m*
region ['riːdʒən] région *f*; **regional** régional
register ['redʒɪstər] **1** *n* registre *m* **2** *v/t birth, death* déclarer; *vehicle* immatriculer;

letter recommander; *emotion* exprimer **3** *v/i for a course* s'inscrire; *with police* se déclarer (***with*** à); **registered letter** lettre *f* recommandée; **registration** *of birth, death* déclaration *f*; *of vehicle* immatriculation *f*; *for a course* inscription *f*
regret [rɪ'gret] **1** *v/t* regretter **2** *n* regret *m*; **regretful** plein de regrets; **regrettable** regrettable
regular ['regjʊlər] **1** *adj* régulier; (*normal*) normal **2** *n at bar etc* habitué(e) *m(f)*; **regularity** régularité *f*; **regularly** régulièrement
regulate ['regjʊleɪt] régler; *expenditure* contrôler; **regulation** (*rule*) règlement *m*
rehabilitate [riːhə'bɪlɪteɪt] *ex-criminal* réinsérer; *disabled person* rééduquer
rehearsal [rɪ'hɜːrsl] répétition *f*; **rehearse** répéter
reign [reɪn] **1** *n* règne *m* **2** *v/i* régner
reimburse [riːɪm'bɜːrs] rembourser
reinforce [riːɪn'fɔːrs] renforcer; *argument* étayer; **reinforced concrete** béton *m* armé; **reinforcements** MIL renforts *mpl*
reinstate [riːɪn'steɪt] *person in office* réintégrer, rétablir dans ses fonctions; *paragraph etc* réintroduire
reject [rɪ'dʒekt] rejeter; **rejection** rejet *m*
relapse ['riːlæps] MED rechute *f*
related [rɪ'leɪtɪd] *by family* apparenté; *events, ideas etc* associé; **relation** *in family* parent(e) *m(f)*; (*connection*) rapport *m*, relation *f*; **relationship** relation *f*; *sexual* liaison *f*; **relative 1** *adj* relatif **2** *n* parent(e) *m(f)*; **relatively** relativement
relax [rɪ'læks] **1** *v/i* se détendre; **~!** du calme! **2** *v/t muscle* relâcher; **relaxation** détente *f*, relaxation *f*; **relaxed** détendu, décontracté; **relaxing** reposant, relaxant
relay 1 *v/t* [riː'leɪ] *message* transmettre; *radio, TV signals* relayer, retransmettre **2** *n* ['riːleɪ]: **~ (*race*)** (course *f* de) relais *m*
release [rɪ'liːs] **1** *n from prison* libération *f*; *of CD, movie etc* sortie *f*; *CD, record* nouveauté *f* **2** *v/t prisoner* libérer; *CD, record, movie* sortir; *parking brake* desserrer; *information* communiquer
relegate ['relɪgeɪt] reléguer
relent [rɪ'lent] se calmer; *of person* s'adoucir; **relentless** (*determined*) acharné; *rain etc* incessant
relevance ['reləvəns] pertinence *f*; **relevant** pertinent
reliability [rɪlaɪə'bɪlətɪ] fiabilité *f*; **reliable** fiable; **reliance** [rɪ'laɪəns] confiance *f*

(**on** en); *on equipment* dépendance *f* (**on** vis-à-vis de)
relic ['relɪk] relique *f*
relief [rɪ'liːf] soulagement *m*; **relieve** *pain* soulager; (*take over from*) relayer, relever
religion [rɪ'lɪdʒən] religion *f*; **religious** religieux; *person* croyant
relinquish [rɪ'lɪŋkwɪʃ] abandonner
relish ['relɪʃ] **1** *n sauce* relish *f*; (*enjoyment*) délectation *f* **2** *v/t idea, prospect* se réjouir de
relive [riː'lɪv] *event* revivre
relocate [riːlə'keɪt] *of business* se réimplanter; *of employee* être muté
reluctance [rɪ'lʌktəns] réticence *f*; **reluctant** réticent; ***be ~ to do sth*** hésiter à faire qch
◆ **rely on** [rɪ'laɪ] compter sur; ***rely on s.o. to do sth*** compter sur qn pour faire qch
remain [rɪ'meɪn] rester; ***~ silent*** garder le silence; **remainder** *also* MATH reste *m*; **remaining** restant; ***the ~ refugees*** le reste des réfugiés; **remains** *of body* restes *mpl*
remake ['riːmeɪk] *of movie* remake *m*, nouvelle version *f*
remark [rɪ'mɑːrk] **1** *n* remarque *f* **2** *v/t* (*comment*) faire remarquer; **remarkable** remarquable; **remarkably** remarquablement
remarry [riː'mærɪ] se remarier
remedy ['remədɪ] MED, *fig* remède *m*
remember [rɪ'membər] **1** *v/t* se souvenir de, se rappeler **2** *v/i* se souvenir
remind [rɪ'maɪnd]: ***~ s.o. to do sth*** rappeler à qn de faire qch; ***~ X of Y*** rappeler Y à X; ***~ s.o. of sth*** (*bring to their attention*) rappeler qch à qn; **reminder** rappel *m*
reminisce [remɪ'nɪs] évoquer le passé
remission [rɪ'mɪʃn] MED rémission *f*; ***go into ~*** *of patient* être en sursis
remnant ['remnənt] vestige *m*, reste *m*
remorse [rɪ'mɔːrs] remords *m*; **remorseless** impitoyable; *demands* incessant
remote [rɪ'moʊt] *village* isolé; *possibility* vague; *ancestor* lointain; **remote control** télécommande *f*; **remotely** *related, connected* vaguement
removable [rɪ'muːvəbl] amovible; **removal** enlèvement *m*; *of demonstrators* expulsion *f*; *of doubt* dissipation *f*; **remove** enlever; *demonstrators* expulser; *doubt* dissiper
rename [riː'neɪm] rebaptiser; *file* renommer
rendez-vous ['rɑːndeɪvuː] rendez-vous *m*
renew [rɪ'nuː] *contract* renouveler; *discussion* reprendre; **renewal** *of contract etc* re-

nouvellement *m*; *of discussion* reprise *f*
renounce [rɪ'naʊns] renoncer à
renovate ['renəveɪt] rénover; **renovation** rénovation *f*
rent [rent] **1** *n* loyer *m*; ***for*** ~ à louer **2** *v/t* louer; **rental** *for apartment* loyer *m*; *for TV, car* location *f*; **rental car** voiture *f* de location; **rent-free** sans payer de loyer
reopen [riː'oʊpn] **1** *v/t* rouvrir; *negotiations* reprendre **2** *v/i of store etc* rouvrir
reorganization [riːɔːrgənaɪ'zeɪʃn] réorganisation *f*; **reorganize** réorganiser
repaint [riː'peɪnt] repeindre
repair [rɪ'per] **1** *v/t* réparer **2** *n* réparation *f*; **repairman** réparateur *m*
repatriate [riː'pætrɪeɪt] rapatrier; **repatriation** rapatriement *m*
repay [riː'peɪ] rembourser; **repayment** remboursement *m*
repeal [rɪ'piːl] *law* abroger
repeat [rɪ'piːt] **1** *v/t* répéter **2** *n TV program etc* rediffusion *f*; **repeatedly** à plusieurs reprises
repel [rɪ'pel] repousser; (*disgust*) dégoûter; **repellent** **1** *adj* repoussant, répugnant **2** *n* (*insect* ~) répulsif *m*
repercussions [riːpər'kʌʃnz] répercussions *fpl*
repertoire ['repərtwɑːr] répertoire *m*
repetition [repɪ'tɪʃn] répétition *f*; **repetitive** répétitif
replace [rɪ'pleɪs] (*put back*) remettre; (*take the place of*) remplacer; **replacement** *person* remplaçant *m*; *product* produit *m* de remplacement; **replacement part** pièce *f* de rechange
replay ['riːpleɪ] **1** *n recording* relecture *f*, replay *m*; *match* nouvelle rencontre *f*, replay *m* **2** *v/t match* rejouer
replenish [rɪ'plenɪʃ] *container* remplir (de nouveau); *supplies* refaire
replica ['replɪkə] réplique *f*
reply [rɪ'plaɪ] **1** *n* réponse *f* **2** *v/t & v/i* répondre
report [rɪ'pɔːrt] **1** *n* (*account*) rapport *m*, compte-rendu *m*; *in newspaper* bulletin *m* **2** *v/t facts* rapporter; *to authorities* déclarer **3** *v/i* (*present o.s.*) se présenter; **reporter** reporter *m/f*
repossess [riːpə'zes] COM reprendre possession de
represent [reprɪ'zent] représenter; **representative** **1** *adj* (*typical*) représentatif **2** *n* représentant(e) *m(f)*
repress [rɪ'pres] réprimer; **repression** POL répression *f*; **repressive** POL répressif
reprieve [rɪ'priːv] **1** *n* LAW sursis *m*; *fig also* répit *m* **2** *v/t prisoner* accorder un sursis à
reprimand ['reprɪmænd] ré-

primander

reprint ['ri:prɪnt] **1** *n* réimpression *f* **2** *v/t* réimprimer

reprisal [rɪ'praɪzl] représailles *fpl*

reproach [rɪ'proʊʧ] **1** *n* reproche *m* **2** *v/t*: **~ *s.o. for sth*** reprocher qch à qn; **reproachful** réprobateur

reproduce [ri:prə'du:s] **1** *v/t* reproduire **2** *v/i* BIO se reproduire; **reproduction** reproduction *f*

reproductive reproducteur

reptile ['reptaɪl] reptile *m*

republic [rɪ'pʌblɪk] république *f*; **Republican 1** *adj* républicain **2** *n* Républicain(e) *m(f)*

repulsive [rɪ'pʌlsɪv] repoussant

reputable ['repjʊtəbl] de bonne réputation; **reputation** réputation *f*

request [rɪ'kwest] **1** *n* demande *f*; ***on* ~** sur demande **2** *v/t* demander

require [rɪ'kwaɪr] (*need*) avoir besoin de; **required** (*necessary*) requis; **requirement** (*need*) besoin *m*, exigence *f*; (*condition*) condition *f* (requise)

requisition [rekwɪ'zɪʃn] réquisitionner

re-route [ri:'ru:t] *airplane etc* dérouter

rerun ['ri:rʌn] **1** *n of TV program* rediffusion *f* **2** *v/t tape* repasser

reschedule [ri:'skedju:l] changer l'heure/la date de

rescue ['reskju:] **1** *n* sauvetage *m* **2** *v/t* sauver, secourir

research [rɪ's3:rʧ] recherche *f*; **research and development** recherche *f* et développement; **researcher** chercheur(-euse) *m(f)*

resemblance [rɪ'zembləns] ressemblance *f*; **resemble** ressembler à

resent [rɪ'zent] ne pas aimer; *person also* en vouloir à; **resentful** plein de ressentiment; **resentment** ressentiment *m* (***of*** par rapport à)

reservation [rezər'veɪʃn] réservation *f*; *mental*, (*special area*) réserve *f*; **reserve 1** *n* (*store*, *aloofness*) réserve *f*; SP remplaçant(e) *m(f)* **2** *v/t seat*, *judgment* réserver; **reserved** *table*, *manner* réservé

reservoir ['rezərvwɑ:r] *for water* réservoir *m*

residence ['rezɪdəns] *fml*: *house etc* résidence *f*; (*stay*) séjour *m*; **resident** résident(e) *m(f)*; *on street* riverain(e) *m(f)*; *in hotel* client(e) *m(f)*; **residential** résidentiel

residue ['rezɪdu:] résidu *m*

resign [rɪ'zaɪn] **1** *v/t position* démissionner de; **~ *o.s. to*** se résigner à **2** *v/i from job* démissionner; **resignation** *from job* démission *f*; *mental* résignation *f*

resilient [rɪ'zɪlɪənt] *personali-*

ty fort; *material* résistant
resist [rɪ'zɪst] **1** *v/t* résister à; *new measures* s'opposer à **2** *v/i* résister; **resistance** résistance *f*; **resistant** *material* résistant
resolution [rezə'lu:ʃn] résolution *f*
resort [rɪ'zɔ:rt] *place* lieu *m* de vacances; *at seaside* station *f* balnéaire; *for health cures* station *f* thermale; ***as a last ~*** en dernier ressort
◆ **resort to** avoir recours à, recourir à
◆ **resound with** [rɪ'zaʊnd] résonner de
resounding [rɪ'zaʊndɪŋ] *success, victory* retentissant
resource [rɪ'sɔ:rs] ressource *f*; **resourceful** ingénieux
respect [rɪ'spekt] **1** *n* respect *m*; ***in this/that ~*** à cet égard; ***in many ~s*** à bien des égards **2** *v/t* respecter; **respectability** respectabilité *f*; **respectable** respectable; **respectful** respectueux; **respective** respectif; **respectively** respectivement
respiration [respɪ'reɪʃn] respiration *f*; **respirator** MED respirateur *m*
respond [rɪ'spɑ:nd] répondre; (*react also*) réagir; **response** réponse *f*; (*reaction also*) réaction *f*,
responsibility [rɪspɑ:nsɪ'bɪlətɪ] responsabilité *f*; **responsible** responsable (***for*** de); ***a ~ job*** un poste à responsabilités
rest[1] [rest] **1** *n* repos *m*; *during walk, work* pause *f* **2** *v/i* se reposer **3** *v/t* (*lean, balance*) poser
rest[2] [rest]: ***the ~*** *objects* le reste; *people* les autres
restaurant ['restərɑ:nt] restaurant *m*
restful ['restfl] reposant; **rest home** maison *f* de retraite; **restless** agité; **restlessly** nerveusement
restoration [restə'reɪʃn] *of building* restauration *f*; **restore** *building etc* restaurer; (*bring back*) restituer; *confidence* redonner
restrain [rɪ'streɪn] retenir; **restraint** (*moderation*) retenue *f*
restrict [rɪ'strɪkt] restreindre; ***I'll ~ myself to ...*** je me limiterai à ...; **restriction** restriction *f*
'**rest room** toilettes *fpl*
result [rɪ'zʌlt] résultat *m*; ***as a ~ of this*** par conséquent
resume [rɪ'zu:m] reprendre
résumé ['rezʊmeɪ] *of career* curriculum vitæ *m inv*, C.V. *m inv*
resumption [rɪ'zʌmpʃn] reprise *f*
resurface [ri:'sɜ:rfɪs] **1** *v/t* *roads* refaire (le revêtement de) **2** *v/i* (*reappear*) refaire surface
Resurrection [rezə'rekʃn]

REL Résurrection *f*
retail ['ri:teɪl] **1** *adv*: ***sell sth ~*** vendre qch au détail **2** *v/i*: ***~ at*** se vendre à; **retailer** détaillant(e) *m(f)*
retain [rɪ'teɪn] conserver; **retainer** FIN provision *f*
retaliate [rɪ'tælɪeɪt] riposter, se venger; **retaliation** riposte *f*
rethink [ri:'θɪŋk] repenser
reticence ['retɪsns] réserve *f*; **reticent** réservé
retire [rɪ'taɪr] *from work* prendre sa retraite; **retired** à la retraite; **retirement** retraite *f*; **retiring** réservé
retort [rɪ'tɔːrt] **1** *n* réplique *f* **2** *v/t* répliquer
retract [rɪ'trækt] *claws, undercarriage* rentrer; *statement* retirer
're-train se recycler
retreat [rɪ'tri:t] **1** *v/i also* MIL battre en retraite **2** *n* MIL, *place* retraite *f*
retrieve [rɪ'tri:v] récupérer
retroactive [retroʊ'æktɪv] *law etc* rétroactif; **retroactively** rétroactivement, par rétroaction
retrograde ['retrəgreɪd] rétrograde
retrospective [retrə'spektɪv] rétrospective *f*
return [rɪ'tɜːrn] **1** *n* retour *m*; (*profit*) bénéfice *m*; **~ (*ticket*)** *Br* aller *m* retour; ***many happy ~s (of the day)*** bon anniversaire; ***in ~ for*** en échange de; contre **2** *v/t* (*give back*) rendre; (*send back*) renvoyer; (*put back*) remettre **3** *v/i* (*go back*) retourner; (*come back*) revenir
reunification [ri:ju:nɪfɪ'keɪʃn] réunification *f*
reunion [ri:'ju:njən] réunion *f*; **reunite** réunir; *country* réunifier
reusable [ri:'ju:zəbl] réutilisable; **reuse** réutiliser
◆ **rev up** [rev] *engine* emballer
revaluation [ri:væljʊ'eɪʃn] réévaluation *f*
reveal [rɪ'vi:l] révéler; (*make visible*) dévoiler; **revealing** *remark* révélateur; *dress* suggestif; **revelation** révélation *f*
revenge [rɪ'vendʒ] vengeance *f*; ***take one's ~*** se venger
revenue ['revənu:] revenu *m*
reverberate [rɪ'vɜːrbəreɪt] *of sound* retentir, résonner
revere [rɪ'vɪr] révérer; **reverence** déférence *f*, respect *m*; **reverent** respectueux
reverse [rɪ'vɜːrs] **1** *adj sequence* inverse **2** *n* (*opposite*) contraire *m*; (*back*) verso *m*; MOT *gear* marche *f* arrière **3** *v/i* MOT faire marche arrière
review [rɪ'vju:] **1** *n of book, movie* critique *f*; *of troops* revue *f*; *of situation etc* bilan *m* **2** *v/t book, movie* faire la critique de; *troops* passer en revue; *situation etc* faire le bi-

lan de; EDU réviser; **reviewer** *of book, movie* critique *m*
revise [rɪ'vaɪz] *opinion* revenir sur; *text* réviser; **revision** *of text* révision *f*
revival [rɪ'vaɪvl] *of custom, old style* renouveau *m*; *of patient* rétablissement *m*; **revive 1** *v/t custom, old style* faire renaître; *patient* ranimer **2** *v/i of business* reprendre
revoke [rɪ'vouk] *law* abroger; *license* retirer
revolt [rɪ'voult] **1** *n* révolte *f* **2** *v/i* se révolter; **revolting** répugnant; **revolution** révolution *f*; **revolutionary 1** *adj* révolutionnaire **2** *n* révolutionnaire *m/f*; **revolutionize** révolutionner
revolve [rɪ'vɑːlv] tourner (***around*** autour de); **revolver** revolver *m*
revulsion [rɪ'vʌlʃn] répugnance *f*
reward [rɪ'wɔːrd] **1** *n financial* récompense *f*; *(benefit derived)* gratification *f* **2** *v/t financially* récompenser; **rewarding** *experience* gratifiant, valorisant
rewind [riː'waɪnd] *film, tape* rembobiner
rewrite [riː'raɪt] réécrire
rhetoric ['retərɪk] rhétorique *f*
rhyme [raɪm] **1** *n* rime *f* **2** *v/i* rimer (***with*** avec)
rhythm ['rɪðm] rythme *m*
rib [rɪb] ANAT côte *f*
ribbon ['rɪbən] ruban *m*
rice [raɪs] riz *m*
rich [rɪʧ] **1** *adj person, food* riche **2** *npl*: ***the ~*** les riches *mpl*
ricochet ['rɪkəʃeɪ] ricocher (***off*** sur)
rid [rɪd]: ***get ~ of*** se débarrasser de
ride [raɪd] **1** *n on horse* promenade *f* (à cheval); *excursion in vehicle* tour *m*; *(journey)* trajet *m*; ***do you want a ~ into town?*** est-ce que tu veux que je t'emmène en ville? **2** *v/t horse* monter; *bike* se déplacer en; ***can I ~ your bike?*** est-ce que je peux monter sur ton vélo? **3** *v/i on horse* monter à cheval; *on bike* rouler (à vélo); **rider** *on horse* cavalier(-ière) *m(f)*; *on bike* cycliste *m/f*
ridge [rɪdʒ] *(raised strip)* arête *f* (saillante); *of mountain* crête *f*; *of roof* arête *f*
ridicule ['rɪdɪkjuːl] **1** *n* ridicule *m* **2** *v/t* ridiculiser; **ridiculous** ridicule; **ridiculously** ridiculement
riding ['raɪdɪŋ] *on horseback* équitation *f*
rifle ['raɪfl] fusil *m*, carabine *f*
rift [rɪft] *in earth* fissure *f*; *in party etc* scission *f*
rig [rɪg] **1** *n (oil ~)* tour *f* de forage; *at sea* plateforme *f* de forage; *(truck)* semi-remorque *m* **2** *v/t elections* truquer
right [raɪt] **1** *adj* bon; *(not left)*

droit; ***be ~*** *of answer* être juste; *of person* avoir raison; *of clock* être à l'heure; ***it's not ~ to ...*** ce n'est pas bien de ...; ***put things ~*** arranger les choses; ***that's ~!*** c'est ça!; ***that's all ~*** (*doesn't matter*) ce n'est pas grave; *when s.o. says thank you* je vous en prie; ***it's all ~*** (*is acceptable*) ça me va; ***I'm all ~*** *not hurt* je vais bien; *have enough* ça ira pour moi **2** *adv* (*directly*) directement, juste; (*correctly*) correctement, bien; (*not left*) à droite; ***~ now*** (*immediately*) tout de suite; (*at the moment*) en ce moment; ***it's ~ here*** c'est juste là **3** *n civil*, *legal* droit *m*; (*not left*), POL droite *f*; ***be in the ~*** avoir raison; **right-angle** angle *m* droit; **rightful** *owner etc* légitime; **right-handed** *person* droitier; **right-hand man** bras *m* droit; **right of way** *in traffic* priorité *f*; *across land* droit *m* de passage; **right wing** POL droite *f*; SP ailier *m* droit; **right-wing** POL de droite

rigid ['rɪdʒɪd] *also fig* rigide

rigor ['rɪgər] *of discipline* rigueur *f*; **rigorous** rigoureux; **rigorously** *check* rigoureusement

rigour *Br* → ***rigor***

rile [raɪl] F agacer

rim [rɪm] *of wheel* jante *f*; *of cup* bord *m*; *of eyeglasses* monture *f*

ring[1] [rɪŋ] *n* (*circle*) cercle *m*; *on finger* anneau *m*; *in boxing* ring *m*; *at circus* piste *f*

ring[2] [rɪŋ] **1** *n of bell* sonnerie *f*; *of voice* son *m* **2** *v/t bell* (faire) sonner; *Br* TELEC téléphoner à **3** *v/i of bell* sonner, retentir

'ringleader meneur(-euse) *m(f)*; **ring-pull** anneau *m* (d'ouverture)

rink [rɪŋk] patinoire *f*

rinse [rɪns] **1** *n for hair color* rinçage *m* **2** *v/t* rincer

riot ['raɪət] **1** *n* émeute *f* **2** *v/i* participer à une émeute; *start to ~* créer une émeute; **rioter** émeutier(-ière) *m(f)*; **riot police** police *f* anti-émeute

rip [rɪp] **1** *n in cloth etc* accroc *m* **2** *v/t cloth etc* déchirer

◆ **rip-off** F *customers* arnaquer F

ripe [raɪp] *fruit* mûr; **ripen** *of fruit* mûrir; **ripeness** *of fruit* maturité *f*

'rip-off F arnaque *f* F

ripple ['rɪpl] *on water* ride *f*

rise [raɪz] **1** *v/i from chair, bed, of sun* se lever; *of rocket, price, temperature* monter **2** *n in price, temperature* hausse *f*; *in water level* élévation *f*; *Br*: *in salary* augmentation *f*

risk [rɪsk] **1** *n* risque *m*; ***take a ~*** prendre un risque **2** *v/t* ris-

quer; **risky** risqué
ritual ['rɪtʊəl] **1** *adj* rituel **2** *n* rituel *m*
rival ['raɪvl] **1** *n* rival(e) *m(f)* **2** *v/t* (*match*) égaler; (*compete with*) rivaliser avec; **rivalry** rivalité *f*
river ['rɪvər] rivière *f*; *bigger* fleuve *m*; **riverbank** rive *f*; **riverbed** lit *m* de la rivière/du fleuve; **riverside 1** *adj* en bord de rivière **2** *n* berge *f*, bord *m* de l'eau
riveting ['rɪvɪtɪŋ] fascinant
road [roʊd] route *f*; *in city* rue *f*; **roadblock** barrage *m* routier; **road-holding** *of vehicle* tenue *f* de route; **road map** carte *f* routière; **road safety** sécurité *f* routière; **roadsign** panneau *m* (de signalisation); **roadway** chaussée *f*; **roadworthy** en état de marche
roam [roʊm] errer; **roaming** TELEC itinérance; **~ charges** *pl* frais d'itinérance
roar [rɔːr] **1** *n* rugissement *m*; *of traffic* grondement *m*; *of engine* vrombissement *m* **2** *v/i* rugir; *of traffic* gronder; *of engine* vrombir
roast [roʊst] **1** *n of beef etc* rôti *m* **2** *v/t* rôtir **3** *v/i of food* rôtir; **roast beef** rosbif *m*
rob [rɑːb] *person* voler, dévaliser; *bank* cambrioler, dévaliser; **robber** voleur(-euse) *m(f)*; **robbery** vol *m*
robe [roʊb] *of judge, priest* robe *f*; (*bath~*) peignoir *m*; (*dressing gown*) robe *f* de chambre
robot ['roʊbɑːt] robot *m*
robust [roʊ'bʌst] robuste
rock [rɑːk] **1** *n* rocher *m*; MUS rock *m* **2** *v/t baby* bercer; *cradle* balancer; (*surprise*) secouer **3** *v/i on chair, of boat* se balancer; **rock-bottom** *price* le plus bas possible; **rock climber** varappeur(-euse) *m(f)*; **rock climbing** varappe *f*
rocket ['rɑːkɪt] **1** *n* fusée *f* **2** *v/i of prices etc* monter en flèche
rocking chair ['rɑːkɪŋ] rocking-chair *m*; **rock 'n' roll** rock-and-roll *m inv*; **rocky** *beach* rocheux
rod [rɑːd] baguette *f*; *for fishing* canne *f* à pêche
rodent ['roʊdnt] rongeur *m*
rogue [roʊg] vaurien *m*
role [roʊl] rôle *m*; **role model** modèle *m*
roll [roʊl] **1** *n* (*bread ~*) petit pain *m*; *of film* pellicule *f*; (*list, register*) liste *f* **2** *v/i of ball, boat* rouler
◆ **roll over 1** *v/i* se retourner **2** *v/t person, object* tourner; (*renew*) renouveler; (*extend*) prolonger
'roll call appel *m*; **roller** *for hair* rouleau *m*; **roller blade®** roller *m* (en ligne); **roller coaster** montagnes *fpl* russes; **roller skate** patin *m* à roulettes

ROM [rɑːm] COMPUT (= ***read only memory***) ROM *f*, mémoire *f* morte

Roman 'Catholic 1 *adj* REL catholique **2** *n* catholique *m/f*

romance ['roumæns] (*affair*) idylle *f*; *novel*, *movie* histoire *f* d'amour; **romantic** romantique

roof [ruːf] toit *m*; **roof-rack** MOT galerie *f*

rookie ['rʊkɪ] F bleu *m* F

room [ruːm] pièce *f*, salle *f*; (*bed~*) chambre *f*; (*space*) place *f*; **room clerk** réceptionniste *m/f*; **roommate** *in apartment* colocataire *m/f*; *in room* camarade *m/f* de chambre; **room service** service *m* en chambre; **room temperature** température *f* ambiante; **roomy** spacieux; *clothes* ample

root [ruːt] racine *f*

rope [roʊp] corde *f*

rosary ['roʊzərɪ] REL rosaire *m*, chapelet *m*

rose [roʊz] BOT rose *f*

roster ['rɑːstər] tableau *m* de service

rostrum ['rɑːstrəm] estrade *f*

rosy ['roʊzɪ] *also fig* rose

rot [rɑːt] **1** *n* pourriture *f* **2** *v/i* pourrir

rotate [roʊ'teɪt] **1** *v/i* tourner **2** *v/t* (*turn*) (faire) tourner; *crops* alterner; **rotation** rotation *f*

rotten ['rɑːtn] *also* F *weather*, *luck* pourri

rough [rʌf] **1** *adj surface* rugueux; *hands*, *skin* rêche; *voice* rude; (*violent*) brutal; *crossing*, *seas* agité; (*approximate*) approximatif; ***~ draft*** brouillon *m* **2** *n in golf* rough *m*; **roughage** *in food* fibres *fpl*; **roughly** (*approximately*) environ; (*harshly*) brutalement

roulette [ruː'let] roulette *f*

round [raʊnd] **1** *adj* rond **2** *n of mailman*, *doctor*, *drinks* tournée *f*; *of competition* manche *f*, tour *m*; *in boxing* round *m* **3** *v/t corner* tourner **4** *adv & prep* → ***around***

◆ **round up** *figure* arrondir; *suspects* ramasser

roundabout ['raʊndəbaʊt] **1** *adj* détourné, indirect **2** *n Br*: *on road* rond-point *m*; **round-the-world** autour du monde; **round trip** aller-retour *m*; **round-up** *of cattle* rassemblement *m*; *of suspects* rafle *f*; *of news* résumé *m*

rouse [raʊz] *from sleep* réveiller; *emotions* soulever; **rousing** exaltant

route [raʊt] itinéraire *m*

routine [ruː'tiːn] **1** *adj* de routine; *behavior* routinier **2** *n* routine *f*

row[1] [roʊ] *n* (*line*) rangée *f*; *of troops* rang *m*; ***5 days in a ~*** 5 jours de suite

row[2] [roʊ] *v/i in boat* ramer

rowboat ['roʊboʊt] bateau *m*

à rames

rowdy ['raʊdɪ] tapageur, bruyant

royal ['rɔɪəl] royal; **royalty** (membres *mpl* de) la famille royale; *on book, recording* droits *mpl* d'auteur

rub [rʌb] frotter

rubber ['rʌbər] **1** *n material* caoutchouc *m* **2** *adj* en caoutchouc; **rubber band** élastique *m*

rubble ['rʌbl] *from building* gravats *mpl*, décombres *mpl*

ruby ['ru:bɪ] *jewel* rubis *m*

rudder ['rʌdər] gouvernail *m*

ruddy ['rʌdɪ] *complexion* coloré

rude [ru:d] impoli; *language, gesture* grossier; **rudely** (*impolitely*) impoliment; **rudeness** impolitesse *f*

rudimentary [ru:dɪ'mentərɪ] rudimentaire; **rudiments** rudiments *mpl*

rueful ['ru:fl] contrit, résigné; **ruefully** avec regret; *smile* d'un air contrit

ruffian ['rʌfɪən] voyou *m*, brute *f*

ruffle ['rʌfl] **1** *n on dress* ruche *f* **2** *v/t hair* ébouriffer; *person* énerver

rug [rʌg] tapis *m*; *blanket* couverture *f*

rugby ['rʌgbɪ] rugby *m*

rugged ['rʌgɪd] *scenery, cliffs* escarpé; *face* aux traits rudes; *resistance* acharné

ruin ['ru:ɪn] **1** *n* ruine *f* **2** *v/t* ruiner; *party, plans* gâcher

rule [ru:l] **1** *n* règle *f*; *of monarch* règne *m*; ***as a ~*** en règle générale **2** *v/t country* gouverner **3** *v/i of monarch* régner; **ruler** *for measuring* règle *f*; *of state* dirigeant(e) *m(f)*; **ruling** **1** *n* décision *f* **2** *adj party* dirigeant, au pouvoir

rum [rʌm] *drink* rhum *m*

rumble ['rʌmbl] *of stomach* gargouiller; *of thunder* gronder

rumor, *Br* **rumour** ['ru:mər] **1** *n* bruit *m*, rumeur *f* **2** *v/t*: ***it is ~ed that …*** le bruit court que …

rump [rʌmp] *of animal* croupe *f*

rumple ['rʌmpl] *clothes, paper* froisser

'rumpsteak rumsteck *m*

run [rʌn] **1** *n on foot* course *f*; *in pantyhose* échelle *f*; ***go for a ~*** *for exercise* aller courir; ***in the short/long ~*** à court/long terme **2** *v/i* courir; *of river, paint, makeup* couler; *of trains, buses* passer, circuler; *of play* être à l'affiche; *of engine, machine* marcher, tourner; *of software* fonctionner; *in election* se présenter; ***~ for President*** être candidat à la présidence **3** *v/t race* courir; *business, hotel etc* diriger; *software* exécuter, faire tourner; *car* entretenir

◆ **run away** s'enfuir; *from home for a while* faire une fugue; *for good* s'enfuir de chez soi

◆ **run down 1** *v/t* (*knock down*) renverser; (*criticize*) critiquer; *stocks* diminuer **2** *v/i of battery* se décharger

◆ **run off 1** *v/i* s'enfuir **2** *v/t* (*print off*) tirer

◆ **run out** *of contract* expirer; *of time* s'écouler; *of supplies* s'épuiser

◆ **run out of** ne plus avoir de

◆ **run over 1** *v/t* (*knock down*) renverser **2** *v/i of water etc* déborder

◆ **run up** *debts* accumuler

'runaway fugueur(-euse) *m(f)*; **run-down** *person* épuisé; *area* délabré

rung [rʌŋ] *of ladder* barreau *m*

runner ['rʌnər] *athlete* coureur(-euse) *m(f)*; **runner beans** haricots *mpl* d'Espagne; **runner-up** second(e) *m(f)*; **running 1** *n* SP course *f*; *of business* gestion *f* **2** *adj*: ***for two days ~*** pendant deux jours de suite; **running water** eau *f* courante; **runny** *substance* liquide; *nose* qui coule; **run-up** SP élan *m*; ***in the ~ to*** pendant la période qui précède; **runway** AVIA piste *f*

rupture ['rʌptʃər] **1** *n also fig* rupture *f* **2** *v/i of pipe* éclater

rural ['rʊrəl] rural

ruse [ru:z] ruse *f*

rush [rʌʃ] **1** *n* ruée *f*; ***do sth in a ~*** faire qch à la hâte; ***be in a ~*** être pressé **2** *v/t person* presser; *meal* avaler (à toute vitesse) **3** *v/i* se presser; **rush hour** heures *fpl* de pointe

Russia ['rʌʃə] Russie *f*; **Russian** ['rʌʃən] **1** *adj* russe **2** *n* Russe *m/f*; *language* russe *m*

rust [rʌst] **1** *n* rouille *f* **2** *v/i* se rouiller; **rust-proof** antirouille *inv*; **rusty** *also fig* rouillé

rut [rʌt] *in road* ornière *f*; ***be in a ~*** *fig* être tombé dans la routine

ruthless ['ru:θlɪs] impitoyable, sans pitié; **ruthlessly** impitoyablement; **ruthlessness** dureté *f* (impitoyable)

rye [raɪ] seigle *m*; **rye bread** pain *m* de seigle

S

sabotage ['sæbətɑːʒ] **1** *n* sabotage *m* **2** *v/t* saboter; **saboteur** saboteur(-euse) *m(f)*
sachet ['sæʃeɪ] sachet *m*
sack [sæk] **1** *n bag* sac *m* **2** *v/t* F virer F
sacred ['seɪkrɪd] sacré
sacrifice ['sækrɪfaɪs] **1** *n* sacrifice *m* **2** *v/t also fig* sacrifier
sacrilege ['sækrɪlɪdʒ] REL, *fig* sacrilège *m*
sad [sæd] triste
saddle ['sædl] **1** *n* selle *f* **2** *v/t horse* seller
sadism ['seɪdɪzm] sadisme *m*; **sadist** sadique *m/f*; **sadistic** sadique
sadly ['sædlɪ] tristement; (*regrettably*) malheureusement; **sadness** tristesse *f*
safe [seɪf] **1** *adj* (*not dangerous*) pas dangereux; *driver* prudent; (*not in danger*) en sécurité **2** *n* coffre-fort *m*; **safeguard 1** *n*: ***as a ~ against*** par mesure de protection contre **2** *v/t* protéger; **safely** *arrive, drive, assume* sans risque; **safety** sécurité *f*; *of investment, prediction* sûreté *f*; **safety pin** épingle *f* de nourrice
sag [sæg] *of ceiling* s'affaisser; *of rope* se détendre; *fig*: *of output* fléchir
saga ['sɑːgə] saga *f*
sage [seɪdʒ] *herb* sauge *f*
sail [seɪl] **1** *n of boat* voile *f*; *trip* voyage *m* (en mer) **2** *v/i* faire de la voile; (*depart*) partir; **sailboard 1** *n* planche *f* à voile **2** *v/i* faire de la planche à voile; **sailboarding** planche *f* à voile; **sailboat** bateau *m* à voiles; **sailing** SP voile *f*; **sailor** marin *m*
saint [seɪnt] saint(e) *m(f)*
sake [seɪk]: ***for my ~*** pour moi
salad ['sæləd] salade *f*
salary ['sælərɪ] salaire *m*
sale [seɪl] vente *f*; *reduced prices* soldes *mpl*; ***for ~*** *sign* à vendre; ***be on ~*** être en vente; *at reduced prices* être en solde; **sales** *department* vente *f*; **sales clerk** *in store* vendeur(-euse) *m(f)*; **sales figures** chiffre *m* d'affaires; **salesman** vendeur *m*; (*rep*) représentant *m*; **saleswoman** vendeuse *f*
salient ['seɪlɪənt] marquant
saliva [sə'laɪvə] salive *f*
salmon ['sæmən] saumon *m*
saloon [sə'luːn] (*bar*) bar *m* *Br* MOT berline *f*
salt [sɒːlt] sel *m*; **salty** salé
salute [sə'luːt] **1** *n* MIL salut *m* **2** *v/t* MIL saluer **3** *v/i* MIL faire un salut
salvage ['sælvɪdʒ] *from*

wreck sauver
salvation [sæl'veɪʃn] *also fig* salut *m*
same [seɪm] **1** *adj* même **2** *pron*: ***the ~*** le/la même; *pl* ***the ~*** les mêmes; ***Happy New Year – the ~ to you*** Bonne année – à vous aussi; ***all the ~*** (*even so*) quand même **3** *adv*: ***look/sound the ~*** se ressembler, être pareil
sample ['sæmpl] *of work, cloth* échantillon *m*; *of blood* prélèvement *m*
sanction ['sæŋkʃn] **1** *n* (*approval*) approbation *f*; (*penalty*) sanction *f* **2** *v/t* (*approve*) approuver
sand [sænd] **1** *n* sable *m* **2** *v/t* *with sandpaper* poncer au papier de verre
sandal ['sændl] sandale *f*
'sandbag sac *m* de sable; **sand dune** dune *f*; **sander** *tool* ponçeuse *f*; **sandpaper** **1** *n* papier *m* de verre **2** *v/t* poncer au papier de verre
sandwich ['sænwɪʧ] sandwich *m*
sandy ['sændɪ] *beach* de sable; *soil* sablonneux; *feet, towel* plein de sable; *hair* blond roux
sane [seɪn] sain (d'esprit)
sanitarium [sænɪ'terɪəm] sanatorium *m*
sanitary ['sænɪterɪ] sanitaire; (*clean*) hygiénique; **sanitary napkin** serviette *f* hygiénique; **sanitation** installations *fpl* sanitaires; (*removal of waste*) système *m* sanitaire
sanity ['sænətɪ] santé *f* mentale
Santa Claus ['sæntəklɒːz] le Père Noël
sap [sæp] **1** *n in tree* sève *f* **2** *v/t s.o.'s energy* saper
sapphire ['sæfaɪr] saphir *m*
sarcasm ['sɑːrkæzm] sarcasme *m*; **sarcastic** sarcastique; **sarcastically** sarcastiquement
sardine [sɑːr'diːn] sardine *f*
sardonic [sɑːr'dɑːnɪk] sardonique
satellite ['sætəlaɪt] satellite *m*; **satellite dish** antenne *f* parabolique; **satellite TV** télévision *f* par satellite
satin ['sætɪn] satin *m*
satire ['sætaɪr] satire *f*; **satirical** satirique; **satirize** satiriser
satisfaction [sætɪs'fækʃn] satisfaction *f*; **satisfactory** satisfaisant; (*just good enough*) convenable; **satisfy** satisfaire; *conditions* remplir
sat nav *Br* MOT GPS *m*
Saturday ['sætərdeɪ] samedi *m*
sauce [sɒːs] sauce *f*; **saucepan** casserole *f*; **saucer** soucoupe *f*
Saudi Arabia [saʊdɪə'reɪbɪə] Arabie *f* saoudite; **Saudi Arabian** **1** *adj* saoudien **2** *n* Saoudien(ne) *m*(*f*)
sausage ['sɒːsɪdʒ] saucisse *f*;

dried saucisson *m*
savage ['sævɪdʒ] **1** *adj* féroce **2** *n* sauvage *m/f*; **savagery** férocité *f*
save [seɪv] **1** *v/t* (*rescue*), SP sauver; (*economize, put aside*) économiser; (*collect*) faire collection de; COMPUT sauvegarder **2** *v/i* (*put money aside*) faire des économies; SP arrêter le ballon **3** *n* SP arrêt *m*; **saver** *person* épargneur (-euse) *m(f)*; **savings** économies *fpl*; **savings account** compte *m* d'épargne; **savings and loan** caisse *f* d'épargne-logement; **savings bank** caisse *f* d'épargne
savior, *Br* **saviour** ['seɪvjər] REL sauveur *m*
savor ['seɪvər] savourer; **savory** *not sweet* salé
savour *etc Br* → ***savor*** *etc*
saw [sɒː] **1** *n tool* scie *f* **2** *v/t* scier; **sawdust** sciure *f*
saxophone ['sæksəfoun] saxophone *m*
say [seɪ] dire; ***that is to ~*** c'est-à-dire; **saying** dicton *m*
scab [skæb] *on wound* croûte *f*
scaffolding ['skæfəldɪŋ] échafaudage *m*
scald [skɒːld] ébouillanter
scale¹ [skeɪl] *n on fish* écaille *f*
scale² [skeɪl] **1** *n of project, map etc, on thermometer* échelle *f*; MUS gamme *f* **2** *v/t cliffs etc* escalader
scales [skeɪlz] *for weighing* balance *f*
scallop ['skæləp] *shellfish* coquille *f* Saint-Jacques
scalp [skælp] cuir *m* chevelu
scalpel ['skælpl] scalpel *m*
scam [skæm] F arnaque *m* F
scampi ['skæmpɪ] scampi *m*
scan [skæn] **1** *n* MED scanner *m*; *during pregnancy* échographie *f* **2** *v/t horizon, page* parcourir du regard; MED faire un scanner de; COMPUT scanner
◆ **scan in** COMPUT scanner
scandal ['skændl] scandale *m*; **scandalize** scandaliser; **scandalous** scandaleux
scanner ['skænər] MED, COMPUT scanner *m*
scanty ['skæntɪ] *dress* réduit au minimum
scapegoat ['skeɪpgout] bouc *m* émissaire
scar [skɑːr] **1** *n* cicatrice *f* **2** *v/t* marquer d'une cicatrice
scarce [skers] rare; **scarcely** ['skerslɪ] à peine; ***~ anything*** presque rien; **scarcity** manque *m*
scare [sker] **1** *v/t* faire peur à; ***be ~d of*** avoir peur de **2** *n* (*panic, alarm*) rumeurs *fpl* alarmantes; **scaremonger** alarmiste *m/f*
scarf [skɑːrf] *around neck* écharpe *f*; *over head* foulard *m*
scarlet ['skɑːrlət] écarlate
scary ['skerɪ] effrayant

scathing ['skeɪðɪŋ] cinglant

scatter ['skætər] **1** *v/t leaflets, seed* éparpiller **2** *v/i of people* se disperser; **scattered** *showers* intermittent; *villages* éparpillé

scavenge ['skævɪndʒ]: *~ for sth* fouiller pour trouver qch; **scavenger** charognard *m*; *person* fouilleur(euse) *m(f)*

scenario [sɪ'nɑːrɪoʊ] scénario *m*

scene [siːn] scène *f*; *of accident, crime etc* lieu *m*; ***make a ~*** faire une scène; ***behind the ~s*** dans les coulisses; **scenery** paysage *m*; THEA décor(s) *m*(pl)

scent [sent] odeur *f*; *Br* (*perfume*) parfum *m*

sceptic *etc Br* → ***skeptic*** *etc*

schedule ['skedjuːl] **1** *n of events* calendrier *m*; *for trains* horaire *m*; *of lessons, work* programme *m*; ***be on ~*** *of work, workers* être dans les temps; *of train* être à l'heure; ***be behind ~*** être en retard **2** *v/t* (*put on ~*) prévoir; **scheduled flight** vol *m* régulier

scheme [skiːm] **1** *n* plan *m* **2** *v/i* (*plot*) comploter; **scheming** intrigant

schizophrenia [skɪtsə'friːnɪə] schizophrénie *f*; **schizophrenic** **1** *adj* schizophrène **2** *n* schizophrène *m/f*

scholar ['skɑːlər] érudit(e) *m(f)*; **scholarly** savant, érudit; **scholarship** (*learning*) érudition *f*; *financial award* bourse *f*

school [skuːl] école *f*; (*university*) université *f*; **school bag** cartable *m*; **schoolchildren** écoliers *mpl*

science ['saɪəns] science *f*; **scientific** scientifique; **scientist** scientifique *m/f*

scissors ['sɪzərz] ciseaux *mpl*

scoff[1] [skɑːf] *food* engloutir

scoff[2] [skɑːf] (*mock*) se moquer

scold [skoʊld] réprimander

scoop [skuːp] *for ice-cream* cuiller *f* à glace; *of ice cream* boule *f*; *story* scoop *m*

scooter ['skuːtər] *with motor* scooter *m*; *child's* trottinette *f*

scope [skoʊp] ampleur *f*; (*freedom, opportunity*) possibilités *fpl*

scorch [skɔːrʧ] brûler; **scorching** très chaud

score [skɔːr] **1** *n* SP score *m*; (*written music*) partition *f*; *of movie etc* musique *f* **2** *v/t goal, point* marquer; (*cut: line*) rayer **3** *v/i* SP marquer; (*keep the ~*) marquer les points; **scoreboard** tableau *m* des scores; **scorer** marqueur(-euse) *m(f)*

scorn [skɔːrn] **1** *n* mépris *m* **2** *v/t idea* mépriser; **scornful** méprisant; **scornfully** avec mépris

Scot [skɑːt] Écossais(e) *m(f)*; **Scotch** *whiskey* scotch *m*; **Scotch tape**® scotch *m*; **Scotland** Écosse *f*; **Scottish** écossais

scoundrel ['skaʊndrəl] gredin *m*

scour ['skaʊər] (*search*) fouiller

scowl [skaʊl] **1** *n* air *m* renfrogné **2** *v/i* se renfrogner

scramble ['skræmbl] **1** *n* (*rush*) course *f* folle **2** *v/t message* brouiller **3** *v/i*: ***he ~d to his feet*** il se releva d'un bond; **scrambled eggs** œufs *mpl* brouillés

scrap [skræp] **1** *n metal* ferraille *f*; (*fight*) bagarre *f*; *of food, paper* bout *m* **2** *v/t idea, plan* abandonner

scrape [skreɪp] **1** *n on paint, skin* éraflure *f* **2** *v/t paintwork, arm etc* érafler

'scrap metal ferraille *f*

scrappy ['skræpɪ] *work, essay* décousu

scratch [skrætʃ] **1** *n mark* égratignure *f*; ***start from ~*** partir de zéro; ***not up to ~*** pas à la hauteur **2** *v/t* (*mark: skin, paint*) égratigner; *of cat* griffer; *because of itch* se gratter **3** *v/i of cat* griffer

scrawl [skrɒːl] **1** *n* gribouillis *m* **2** *v/t* gribouiller

scrawny ['skrɒːnɪ] décharné

scream [skriːm] **1** *n* cri *m* **2** *v/i* pousser un cri

screech [skriːtʃ] **1** *n of tires* crissement *m*; (*scream*) cri *m* strident **2** *v/i of tires* crisser; (*scream*) pousser un cri strident

screen [skriːn] **1** *n in room, hospital* paravent *m*; *in movie theater, of TV, computer* écran *m* **2** *v/t* (*protect, hide*) cacher; *movie* projeter; *for security reasons* passer au crible; **screenplay** scénario *m*; **screen saver** COMPUT économiseur *m* d'écran; **screen test** *for movie* bout *m* d'essai

screw [skruː] **1** *n* vis *m* **2** *v/t attach* visser (***to*** à); F (*cheat*) rouler F; V (*have sex with*) baiser V; **screwdriver** tournevis *m*; **screwed up** F *psychologically* paumé F; **screwy** F déjanté F

scribble ['skrɪbl] **1** *n* griffonnage *m* **2** *v/t* (*write quickly*) griffonner **3** *v/i* gribouiller

script [skrɪpt] *for movie* scénario *m*; *for play* texte *m*; *form of writing* script *m*; **Scripture**: ***the*** (***Holy***) ***~s*** les Saintes Écritures *fpl*; **scriptwriter** scénariste *m/f*

◆ **scroll down** [skroʊl] COMPUT faire défiler vers le bas

◆ **scroll up** COMPUT faire défiler vers le haut

scrounge [skraʊndʒ] se faire offrir; **scrounger** profiteur(-euse) *m(f)*

scrub [skrʌb] *floor* laver à la brosse

scruples ['skru:plz] scrupules *mpl*; **scrupulous** *morally*, (*thorough*) scrupuleux; **scrupulously** (*meticulously*) scrupuleusement

scrutinize ['skru:tɪnaɪz] (*examine closely*) scruter; **scrutiny** examen *m* minutieux

scuba diving ['sku:bə] plongée *f* sous-marine autonome

scuffle ['skʌfl] bagarre *f*

sculptor ['skʌlptər] sculpteur(-trice) *m(f)*; **sculpture** sculpture *f*

scum [skʌm] *on liquid* écume *f*; *pej*: *people* bande *f* d'ordures F

sea [si:] mer *f*; **seabird** oiseau *m* de mer; **seafood** fruits *mpl* de mer; **seagull** mouette *f*

seal[1] [si:l] *n animal* phoque *m*

seal[2] [si:l] **1** *n on document* sceau *m*; TECH étanchéité *f* **2** *v/t container* sceller

'**sea level**: ***above/below*** ~ au-dessus/au-dessous du niveau de la mer

seam [si:m] *on garment* couture *f*; *of ore* veine *f*

'**seaman** marin *m*; **seaport** port *m* maritime

search [sɜ:rʧ] **1** *n* recherche *f* (***for*** de) **2** *v/t* chercher dans

◆ **search for** chercher

searching ['sɜ:rʧɪŋ] *look, question* pénétrant; **searchlight** projecteur *m*

'**seashore** plage *f*; **seasick**: ***get*** ~ avoir le mal de mer;

seaside: ***at the*** ~ au bord de la mer

season ['si:zn] saison *f*; **seasonal** *vegetables, employment* saisonnier; **seasoned** *wood* sec; *traveler, campaigner* expérimenté; **seasoning** assaisonnement *m*; **season ticket** carte *f* d'abonnement

seat [si:t] place *f*; *chair* siège *m*; *of pants* fond *m*; ***please take a*** ~ veuillez vous asseoir; **seat belt** ceinture *f* de sécurité

'**seaweed** algues *fpl*

secluded [sɪ'klu:dɪd] retiré

second ['sekənd] **1** *n of time* seconde *f* **2** *adj* deuxième **3** *adv come in* deuxième **4** *v/t motion* appuyer; **secondary** secondaire; **second floor** premier étage *m*, *Br* deuxième étage *m*; **second-hand** d'occasion; **secondly** deuxièmement; **second-rate** de second ordre

secrecy ['si:krəsɪ] secret *m*; **secret 1** *n* secret *m* **2** *adj* secret

secretarial [sekrə'terɪəl] *job* de secrétariat; **secretary** secrétaire *m/f*; POL ministre *m/f*; **Secretary of State** secrétaire *m/f* d'État

secretive ['si:krətɪv] secret; **secretly** en secret

sect [sekt] secte *f*

section ['sekʃn] section *f*

sector ['sektər] secteur *m*

secular ['sekjʊlər] séculier
secure [sɪ'kjʊr] **1** *adj shelf etc* bien fixé; *job*, *contract* sûr **2** *v/t shelf etc* fixer; *s.o.'s help*, *finances* se procurer; **securities market** FIN marché *m* des valeurs; **security** sécurité *f*; *for investment* garantie *f*; **security alert** alerte *f* de sécurité; **security forces** forces *fpl* de sécurité; **security guard** garde *m* de sécurité; **security risk** *menace potentielle à la sécurité de l'État ou d'une organisation*
sedan [sɪ'dæn] MOT berline *f*
sedate [sɪ'deɪt] donner un calmant à; **sedative** calmant *m*
sedentary ['sedənterɪ] *job* sédentaire
sediment ['sedɪmənt] sédiment *m*
seduce [sɪ'du:s] séduire; **seduction** séduction *f*; **seductive** *dress*, *offer* séduisant
see [si:] *with eyes*, (*understand*) voir; **~ *you!*** F à plus! F
◆ **see off** *at airport etc* raccompagner; (*chase away*) chasser
seed [si:d] *single* graine *f*; *collective* graines *fpl*; *of fruit* pépin *m*; *in tennis* tête *f* de série; **seedy** miteux
seeing 'eye dog chien *m* d'aveugle; **seeing (that)** étant donné que
seek [si:k] chercher
seem [si:m] sembler; **seemingly** apparemment
seesaw ['si:sɒ:] bascule *f*
'see-through transparent
segment ['segmənt] segment *m*; *of orange* morceau *m*
segregate ['segrɪgeɪt] séparer; **segregation** ségrégation *f*; *of sexes* séparation *f*
seismology [saɪz'mɑ:lədʒɪ] sismologie *f*
seize [si:z] *opportunity*, *arm*, *of police etc* saisir; *power* s'emparer de; **seizure** MED crise *f*; *of drugs etc* saisie *f*
seldom ['seldəm] rarement
select [sɪ'lekt] **1** *v/t* sélectionner **2** *adj group of people* choisi; *hotel etc* chic *inv*; **selection** sélection *f*; **selective** sélectif
self [self] moi *m*; **self-assurance** confiance *f* en soi; **self-assured** sûr de soi; **self-centered**, *Br* **self-centred** égocentrique; **self-confidence** confiance en soi; **self-confident** sûr de soi; **self-conscious** intimidé; *about sth* gêné (***about*** par); **self-consciousness** timidité *f*; *about sth* gêne *f* (***about*** par rapport à); **self-control** contrôle *m* de soi; **self-defense**, *Br* **self-defence** autodéfense *f*; LAW légitime défense *f*; **self-employed** indépendant; **self-evident** évident; **self-expression** expression *f*; **self-government** autonomie *f*; **self-interest**

intérêt *m* (personnel); **selfish** égoïste; **selfless** désintéressé; **self-made man** self-made man *m*; **self-pity** apitoiement *m* sur soi-même; **self-portrait** autoportrait *m*; **self-reliant** autonome; **self-respect** respect *m* de soi; **self-satisfied** *pej* suffisant; **self-service** libre-service; **self-service restaurant** self *m*; **self-taught** autodidacte

sell [sel] **1** *v/t* vendre **2** *v/i of products* se vendre; **sell-by date** date *f* limite de vente; **seller** vendeur(-euse) *m(f)*; **selling** COM vente *f*; **selling point** COM point *m* fort

Sellotape® ['seləteɪp] *Br* scotch *m*

semester [sɪ'mestər] semestre *m*

semi ['semɪ] *truck* semi-remorque *f*; **semicircle** demi-cercle *m*; **semiconductor** ELEC semi-conducteur *m*; **semifinal** demi-finale *f*; **semifinalist** demi-finaliste *m/f*

seminar ['semɪnɑːr] séminaire *m*

semi'skilled *worker* spécialisé

senate ['senət] Sénat *m*; **senator** sénateur(-trice) *m(f)*

send [send] envoyer (***to*** a)

◆ **send back** renvoyer

◆ **send for** *doctor* faire venir; *help* envoyer chercher

sender ['sendər] *of letter* expéditeur(-trice) *m(f)*

senile ['siːnaɪl] sénile; **senility** sénilité *f*

senior ['siːnjər] (*older*) plus âgé; *in rank* supérieur; **senior citizen** personne *f* âgée; **seniority** *in job* ancienneté *f*

sensation [sen'seɪʃn] sensation *f*; **sensational** sensationnel

sense [sens] **1** *n* sens *m*; (*common* **~**) bon sens *m*; (*feeling*) sentiment *m*; ***come to one's ~s*** revenir à la raison; ***it doesn't make ~*** cela n'a pas de sens **2** *v/t* sentir; **senseless** (*pointless*) stupide

sensible ['sensəbl] sensé; *clothes, shoes* pratique; **sensibly** raisonnablement

sensitive ['sensətɪv] sensible; **sensitivity** sensibilité *f*

sensor ['sensər] détecteur *m*

sensual ['senʃʊəl] sensuel; **sensuality** sensualité *f*

sensuous ['senʃʊəs] voluptueux

sentence ['sentəns] **1** *n* GRAM phrase *f*; LAW peine *f* **2** *v/t* LAW condamner

sentiment ['sentɪmənt] (*sentimentality*) sentimentalité *f*; (*opinion*) sentiment *m*; **sentimental** sentimental; **sentimentality** sentimentalité *f*

sentry ['sentrɪ] sentinelle *f*

separate 1 ['sepərət] *adj* séparé **2** ['sepəreɪt] *v/t* séparer (***from*** de) **3** *v/i of couple* se séparer; **separated** *couple* séparé; **separately** séparément; **separation** séparation *f*

September [sep'tembər] septembre *m*

septic ['septɪk] septique

sequel ['siːkwəl] suite *f*

sequence ['siːkwəns] ordre *m*

serene [sɪ'riːn] serein

sergeant ['sɑːrdʒənt] sergent *m*

serial ['sɪrɪəl] feuilleton *m*; **serialize** *novel on TV* adapter en feuilleton; **serial number** *of product* numéro *m* de série

series ['sɪriːz] série *f*

serious ['sɪrɪəs] *person, company* sérieux; *illness, situation, damage* grave; **seriously** *injured* gravement; *understaffed* sérieusement; ***take s.o. ~*** prendre qn au sérieux; **seriousness** *of person, situation, illness etc* gravité *f*

sermon ['sɜːrmən] sermon *m*

servant ['sɜːrvənt] domestique *m/f*

serve [sɜːrv] **1** *n in tennis* service *m* **2** *v/t & v/i* servir; **server** *in tennis* serveur(-euse) *m(f)*; COMPUT serveur *m*; **service 1** *n also in tennis* service *m*; *for vehicle, machine* entretien *m*; **~s** services *mpl* **2** *v/t vehicle, machine* entretenir; **service charge** service *m*; **serviceman** MIL militaire *m*; **service station** station-service *f*; **serving** *of food* portion *f*

session ['seʃn] session *f*; *meeting, talk* discussion *f*

set [set] **1** *n* (*collection*) série *f*; (*group of people*) groupe *m*; MATH ensemble *m*; THEA (*scenery*) décor *m*; *for movie* plateau *m*; *in tennis* set *m* **2** *v/t* (*place*) poser; *movie, novel etc* situer; *date, time, limit* fixer; *alarm* mettre; *broken limb* remettre en place; *jewel* sertir; **~ *the table*** mettre la table **3** *v/i of sun* se coucher; *of glue* durcir **4** *adj ideas* arrêté; (*ready*) prêt

◆ **set off 1** *v/i on journey* partir **2** *v/t alarm etc* déclencher

◆ **set out 1** *v/i on journey* partir **2** *v/t ideas, goods* exposer

◆ **set up 1** *v/t company, equipment, machine* monter; *market stall* installer; *meeting* arranger; F (*frame*) faire un coup à **2** *v/i in business* s'établir

'setback revers *m*

settee [se'tiː] *Br* (*couch, sofa*) canapé *m*

setting ['setɪŋ] *of novel, play, house* cadre *m*

settle ['setl] **1** *v/i of bird* se poser; *of dust* se déposer; *of building* se tasser; *to live* s'installer **2** *v/t dispute, issue, debts* régler; *nerves, stomach* calmer; ***that ~s it!*** ça règle la question!

◆ **settle down** (*stop being noisy*) se calmer; (*stop wild living*) se ranger; *in an area* s'installer
◆ **settle for** (*accept*) accepter
settled ['setld] *weather* stable; **settlement** *of claim, debt, dispute,* (*payment*) règlement *m*; *of building* tassement *m*; **settler** *in new country* colon *m*
'**set-up** (*structure*) organisation *f*; (*relationship*) relation *f*; F (*frame-up*) coup *m* monté
seven ['sevn] sept; **seventeen** dix-sept; **seventeenth** dix-septième; **seventh** septième; **seventieth** soixante-dixième; **seventy** soixante-dix
sever ['sevər] sectionner; *relations* rompre
several ['sevrl] plusieurs
severe [sɪ'vɪr] *illness* grave; *penalty* lourd; *winter, weather* rigoureux; *teacher* sévère; **severely** *punish, speak* sévèrement; *injured* grièvement; *disrupted* fortement; **severity** *of illness* gravité *f*; *of penalty* lourdeur *f*; *of winter* rigueur *f*; *of teacher* sévérité *f*
sew [soʊ] coudre
sewage ['su:ɪdʒ] eaux *fpl* d'égouts; **sewer** égout *m*
sewing ['soʊɪŋ] *skill* couture *f*; (*that being sewn*) ouvrage *m*
sex [seks] sexe *m*; ***have ~ with*** coucher avec; **sexist** **1** *adj* sexiste **2** *n* sexiste *m/f*; **sexual** sexuel; **sexuality** sexualité *f*; **sexually** sexuellement; **sexy** sexy *inv*
shabbily ['ʃæbɪlɪ] *dressed* pauvrement; *treat* mesquinement; **shabby** *coat etc* usé; *treatment* mesquin
shack [ʃæk] cabane *f*
shade [ʃeɪd] **1** *n for lamp* abat-jour *m*; *of color* nuance *f*; *on window* store *m*; ***in the ~*** à l'ombre **2** *v/t from sun* protéger du soleil; *from light* protéger de la lumière
shadow ['ʃædoʊ] ombre *f*
shady ['ʃeɪdɪ] *spot* ombragé; *character* louche
shaft [ʃæft] *of axle* arbre *m*; *of mine* puits *m*
shake [ʃeɪk] **1** *n*: ***give sth a good ~*** bien agiter qch **2** *v/t bottle* agiter; *emotionally* bouleverser; ***~ one's head*** *in refusal* dire non de la tête; ***~ hands with s.o.*** serrer la main à qn **3** *v/i of hands, voice, building* trembler; **shaken** *emotionally* bouleversé; **shake-up** remaniement *m*; **shaky** *table etc* branlant; *after illness, shock* faible; *voice, hand* tremblant; *grasp of sth, grammar etc* incertain
shall [ʃæl] ◇ *future*: ***I ~ do my best*** je ferai de mon mieux ◇ *suggesting*: ***~ we go now?*** si nous y allions maintenant?

shallow ['ʃæloʊ] *water* peu profond; *person* superficiel

shame [ʃeɪm] **1** *n* honte *f*; ***what a ~!*** quel dommage! **2** *v/t* faire honte à; **shameful** honteux; **shameless** effronté

shampoo [ʃæm'puː] shampo(o)ing *m*

shape [ʃeɪp] **1** *n* forme *f* **2** *v/t clay, character* façonner; *the future* influencer; **shapeless** *dress etc* informe; **shapely** *figure* bien fait

share [ʃer] **1** *n* part *f*; FIN action *f* **2** *v/t & v/i* partager; **shareholder** actionnaire *m/f*

shark [ʃɑːrk] requin *m*

sharp [ʃɑːrp] **1** *adj knife* tranchant; *mind, pain* vif; *taste* piquant **2** *adv* MUS trop haut; ***at 3 o'clock ~*** à 3 heures pile; **sharpen** *knife, skills* aiguiser

shatter ['ʃætər] **1** *v/t glass, illusions* briser **2** *v/i of glass* se briser; **shattered** ['ʃætərd] F (*exhausted*) crevé F; F (*very upset*) bouleversé; **shattering** *news* bouleversant

shave [ʃeɪv] **1** *v/t* raser **2** *v/i* se raser **3** *n*: ***have a ~*** se raser; **shaven** *head* rasé; **shaver** rasoir *m* électrique

shawl [ʃɒːl] châle *m*

she [ʃiː] elle; ***there ~ is*** la voilà

sheath [ʃiːθ] *for knife* étui *m*; *contraceptive* préservatif *m*

shed[1] [ʃed] *v/t blood, tears* verser; *leaves* perdre

shed[2] [ʃed] *n* abri *m*

sheep [ʃiːp] mouton *m*; **sheepdog** chien *m* de berger; **sheepish** penaud

sheer [ʃɪr] pur; *cliffs* abrupt

sheet [ʃiːt] drap *m*; *of paper, metal, glass* feuille *f*

shelf [ʃelf] étagère *f*; ***shelves*** *set of shelves* étagère(s) *f*(pl)

shell [ʃel] **1** *n of mussel, egg* coquille *f*; *of tortoise* carapace *f*; MIL obus *m* **2** *v/t peas* écosser; MIL bombarder; **shellfire** bombardements *mpl*; **shellfish** fruits *mpl* de mer

shelter ['ʃeltər] **1** *n* abri *m* **2** *v/i* s'abriter (***from*** de) **3** *v/t* (*protect*) protéger; **sheltered** *place* protégé; ***lead a ~ life*** mener une vie protégée

shelve [ʃelv] *fig* mettre en suspens

shepherd ['ʃepərd] berger (-ère) *m*(*f*)

sheriff ['ʃerɪf] shérif *m*

shield [ʃiːld] **1** *n* MIL bouclier *m*; *sports trophy* plaque *f*; *badge*: *of policeman* plaque *f* **2** *v/t* (*protect*) protéger

shift [ʃɪft] **1** *n* (*change*) changement *m*; (*move, switchover*) passage *m* (***to*** à); *at work* poste *m*; *people* équipe *f* **2** *v/t* (*move*) déplacer; *production, employee* transférer; *stains etc* faire partir **3** *v/i* (*move*) se déplacer; *in attitude* virer; **shifty** *pej*: *person* louche; *eyes* fuyant

shin [ʃɪn] tibia *m*
shine [ʃaɪn] **1** *v/i* briller; *fig*: *of student etc* être brillant (***at, in*** en) **2** *n on shoes etc* brillant *m*; **shiny** brillant
ship [ʃɪp] **1** *n* bateau *m*, navire *m* **2** *v/t* (*send*) expédier **3** *v/i of new product* être lancé (sur le marché); **shipment** envoi *m*; **shipowner** armateur *m*; **shipping** (*sea traffic*) navigation *f*; (*sending*) expédition *f*; **shipwreck** naufrage *m*; **shipyard** chantier *m* naval
shirt [ʃɜːrt] chemise *f*
shit [ʃɪt] **1** *n* P merde *f* P **2** *v/i* P chier P **3** *int* P merde P; **shitty** F dégueulasse F
shiver ['ʃɪvər] trembler
shock [ʃɑːk] **1** *n* choc *m*; ELEC décharge *f*; ***be in ~*** MED être en état de choc **2** *v/t* choquer; **shock absorber** MOT amortisseur *m*; **shocking** choquant; F (*very bad*) épouvantable
shoddy ['ʃɑːdɪ] *goods* de mauvaise qualité; *behavior* mesquin
shoe [ʃuː] chaussure *f*, soulier *m*; **shoelace** lacet *m*; **shoemaker** cordonnier(-ière) *m(f)*; **shoe mender** cordonnier(-ière) *m(f)*; **shoestore** magasin *m* de chaussures
shoot [ʃuːt] **1** *n* BOT pousse *f* **2** *v/t* tirer sur; *and kill* tuer d'un coup de feu; *movie* tourner **3** *v/i* tirer
◆ **shoot down** *airplane* abattre; *fig*: *suggestion* descendre
◆ **shoot up** *of prices* monter en flèche; *of children*, *new buildings etc* pousser
shooting star ['ʃuːtɪŋ] étoile *f* filante
shop [ʃɑːp] **1** *n* magasin *m* **2** *v/i* faire ses courses; ***go ~ping*** faire les courses; **shopkeeper** commerçant *m*,-ante *f*; **shoplifter** voleur(-euse) *m(f)* à l'étalage; **shoplifting** vol *m* à l'étalage
shopping *items* courses *fpl*; ***go ~*** faire des courses; **shopping bag** sac *m* à provisions; **shopping list** liste *f* de commissions; **shopping mall** centre *m* commercial
shore [ʃɔːr] rivage *m*; ***on ~*** *not at sea* à terre
short [ʃɔːrt] **1** *adj* court; *in height* petit; ***be ~ of*** manquer de **2** *adv*: ***cut ~*** abréger; ***go ~ of*** se priver de; ***in ~*** bref; **shortage** manque *m*; **shortcoming** défaut *m*; **shortcut** raccourci *m*; **shorten** raccourcir; **shortfall** déficit *m*; **short-lived** de courte durée; **shortly** (*soon*) bientôt; ***~ before/after that*** peu avant/après; **shortness** *of visit* brièveté *f*; *in height* petite taille *f*; **shorts** short *m*; *underwear* caleçon *m*; **shortsighted** myope; *fig* peu perspicace; **short-sleeved** à manches courtes; **short-tem-**

pered *by nature* d'un caractère emporté; *at a particular time* de mauvaise humeur; **short-term** à court terme

shot [ʃɑːt] *from gun* coup *m* de feu; (*photograph*) photo *f*; (*injection*) piqûre *f*; **shotgun** fusil *m* de chasse

should [ʃʊd]: ***what ~ I do?*** que dois-je faire?; ***you ~n't do that*** tu ne devrais pas faire ça; ***you ~ have heard him*** tu aurais dû l'entendre

shoulder ['ʃoʊldər] épaule *f*

shout [ʃaʊt] **1** *n* cri *m* **2** *v/t & v/i* crier; **shouting** cris *mpl*

shove [ʃʌv] **1** *n*: ***give s.o. a ~*** pousser qn **2** *v/t & v/i* pousser

shovel ['ʃʌvl] pelle *f*

show [ʃoʊ] **1** *n* THEA, TV spectacle *m*; (*display*) démonstration *f* **2** *v/t* montrer; *at exhibition* présenter; *movie* projeter **3** *v/i* (*be visible*) se voir; *of movie* passer

◆ **show in** faire entrer

◆ **show off 1** *v/t skills* faire étalage de **2** *v/i pej* crâner

◆ **show up 1** *v/t shortcomings etc* faire ressortir **2** *v/i* F (*arrive, turn up*) se pointer F; (*be visible*) se voir

'**show business** monde *m* du spectacle; **showcase** *also fig* vitrine *f*; **showdown** confrontation *f*

shower ['ʃaʊər] **1** *n of rain* averse *f*; *to wash* douche *f*; *party: petite fête avant un mariage ou un accouchement à laquelle tout le monde apporte un cadeau*; ***take a ~*** prendre une douche **2** *v/i* prendre une douche

'**show-off** *pej* prétentieux (-euse) *m(f)*; **showroom** salle *f* d'exposition; **showy** voyant

shred [ʃred] **1** *n of paper etc* lambeau *m*; *of meat etc* morceau *m* **2** *v/t documents* déchiqueter; *in cooking* râper; **shredder** *for documents* déchiqueteuse *f*

shrewd [ʃruːd] perspicace; **shrewdness** perspicacité *f*

shriek [ʃriːk] **1** *n* cri *m* aigu **2** *v/i* pousser un cri aigu

shrill [ʃrɪl] perçant

shrimp [ʃrɪmp] crevette *f*

shrine [ʃraɪn] lieu *m* saint

shrink[1] [ʃrɪŋk] *v/i of material* rétrécir; *of support* diminuer

shrink[2] [ʃrɪŋk] *n* F (*psychiatrist*) psy *m* F

shrivel ['ʃrɪvl] se flétrir

shrub [ʃrʌb] arbuste *m*; **shrubbery** massif *m* d'arbustes

shrug [ʃrʌg]: **~** (***one's shoulders***) hausser les épaules

shudder ['ʃʌdər] **1** *n of fear, disgust* frisson *m*; *of earth* vibration *f* **2** *v/i with fear, disgust* frissonner; *of earth* vibrer

shuffle ['ʃʌfl] *v/t cards* battre

shun [ʃʌn] fuir

shut [ʃʌt] **1** *v/t* fermer **2** *v/i of door, box* se fermer; *of store* fermer

◆ **shut down 1** *v/t business* fermer; *computer* éteindre **2** *v/i of business* fermer ses portes; *of computer* s'éteindre

◆ **shut up** F (*be quiet*) se taire; ***shut up!*** tais-toi!

shutter ['ʃʌtər] *on window* volet *m*; PHOT obturateur *m*

shuttle bus ['ʃʌtl] *at airport* navette *f*

shy [ʃaɪ] timide; **shyness** timidité *f*

sick [sɪk] malade; *sense of humor* noir; ***be ~*** *Br* (*vomit*) vomir; **sicken 1** *v/t* (*disgust*) écœurer; (*make ill*) rendre malade **2** *v/i*: ***be ~ing for*** couver; **sickening** écœurant; **sick leave** congé *m* de maladie; **sickness** maladie *f*; (*vomiting*) vomissements *mpl*

side [saɪd] côté *m*; SP équipe *f*; ***take ~s*** (*favor one ~*) prendre parti; ***~ by ~*** côte à côte; **side effect** effet *m* secondaire; **sidestep** éviter; *fig also* contourner; **side street** rue *f* transversale; **sidewalk** trottoir *m*; **sideways** de côté

siege [siːdʒ] siège *m*

sieve [sɪv] *for flour* tamis *m*

sift [sɪft] tamiser; *data* passer en revue

sigh [saɪ] **1** *n* soupir *m* **2** *v/i* soupirer

sight [saɪt] spectacle *m*; (*power of seeing*) vue *f*; ***~s*** *of city* monuments *mpl*; ***know by ~*** connaître de vue; **sightseeing**: ***go ~*** faire du tourisme; **sightseer** touriste *m/f*

sign [saɪn] **1** *n* signe *m*; (*road~*) panneau *m*; *outside shop* enseigne *f* **2** *v/t & v/i* signer

signal ['sɪgnl] **1** *n* signal *m*; ***I can't get a ~*** TELEC ça ne capte pas **2** *v/i of driver* mettre son clignotant

signatory ['sɪgnətɔːrɪ] signataire *m/f*

signature ['sɪgnətʃər] signature *f*

significance [sɪg'nɪfɪkəns] importance *f*; **significant** *event, sum of money, improvement etc* important; **significantly** *larger, more expensive* nettement

signify ['sɪgnɪfaɪ] signifier

'**sign language** langage *m* des signes; **signpost** poteau *m* indicateur

silence ['saɪləns] **1** *n* silence *m* **2** *v/t* faire taire; **silent** silencieux

silhouette [sɪluː'et] silhouette *f*

silicon ['sɪlɪkən] silicium *m*

silk [sɪlk] **1** *adj shirt etc* en soie **2** *n* soie *f*; **silky** soyeux

silliness ['sɪlɪnɪs] stupidité *f*; **silly** bête

silo ['saɪloʊ] silo *m*

silver ['sɪlvər] **1** *adj ring* en argent; *hair* argenté **2** *n* argent *m*; **silverware** argenterie *f*

similar ['sɪmɪlər] semblable (***to*** à); **similarity** ressemblance *f*; **similarly** de la même façon

simple ['sɪmpl] simple; **simple-minded** *pej* simple, simplet; **simplicity** simplicité *f*; **simplify** simplifier; **simplistic** simpliste; **simply** (*absolutely*) absolument; (*in a simple way*) simplement

simultaneous [saɪməl'teɪnɪəs] simultané; **simultaneously** simultanément

sin [sɪn] **1** *n* péché *m* **2** *v/i* pécher

since [sɪns] **1** *prep & adv* depuis; ***I've been here ~ last week*** je suis là depuis la semaine dernière **2** *conj in expressions of time* depuis que; (*seeing that*) puisque

sincere [sɪn'sɪr] sincère; **sincerely** sincèrement; ***Sincerely yours*** Je vous prie d'agréer, Madame/Monsieur, l'expression de mes sentiments les meilleurs; **sincerity** sincérité *f*

sinful ['sɪnfʊl] *deeds* honteux; ***~ person*** pécheur *m*, pécheresse *f*

sing [sɪŋ] chanter

singe [sɪndʒ] brûler légèrement

singer ['sɪŋər] chanteur(-euse) *m*(*f*)

single ['sɪŋgl] **1** *adj* (*sole*) seul; (*not double*) simple; *bed* à une place; (*not married*) célibataire **2** *n* MUS single *m*; (*~ room*) chambre *f* à un lit; *person* personne *f* seule; ***~s*** *in tennis* simple *m*; **single-handed** tout seul; **single-minded** résolu; **single parent** mère/père qui élève ses enfants tout seul; **single parent family** famille *f* monoparentale; **single room** chambre *f* à un lit

singular ['sɪŋgjʊlər] GRAM **1** *adj* au singulier **2** *n* singulier *m*

sinister ['sɪnɪstər] sinistre

sink [sɪŋk] **1** *n* évier *m* **2** *v/i of ship*, *object* couler; *of sun* descendre; *of interest rates etc* baisser **3** *v/t ship* couler; *money* investir

sinner ['sɪnər] pécheur *m*, pécheresse *f*

sip [sɪp] **1** *n* petite gorgée *f* **2** *v/t* boire à petites gorgées

sir [sɜːr] monsieur *m*

siren ['saɪrən] sirène *f*

sirloin ['sɜːrlɔɪn] aloyau *m*

sister ['sɪstər] sœur *f*; **sister-in-law** belle-sœur *f*

sit [sɪt] (*~ down*) s'asseoir; ***she was sitting*** elle était assise

◆ **sit down** s'asseoir

sitcom ['sɪtkɑːm] sitcom *m*

site [saɪt] **1** *n* emplacement *m*; *of battle* site *m* **2** *v/t new offices etc* situer

sitting ['sɪtɪŋ] *of committee*,

court, *for artist* séance *f*; *for meals* service *m*; **sitting room** salon *m*
situated ['sɪtʊeɪtɪd] situé; **situation** situation *f*; *of building etc* emplacement *m*
six [sɪks] six; **sixteen** seize; **sixteenth** seizième; **sixth** sixième; **sixtieth** soixantième; **sixty** soixante
size [saɪz] *of room, jacket* taille *f*; *of project* envergure *f*; *of loan* montant *m*; *of shoes* pointure *f*; **sizeable** *meal, house* assez grand; *order, amount* assez important
skate [skeɪt] **1** *n* patin *m* **2** *v/i* patiner; **skateboard** skateboard *m*; **skateboarding** skateboard *m*; **skater** patineur(-euse) *m(f)*; **skating** patinage *f*; **skating rink** patinoire *f*
skeleton ['skelɪtn] squelette *m*
skeptic ['skeptɪk] sceptique *m/f*; **skeptical** sceptique; **skepticism** scepticisme *m*
sketch [sketʃ] **1** *n* croquis *m*; THEA sketch *m* **2** *v/t* esquisser; **sketchy** *knowledge etc* sommaire
ski [skiː] **1** *n* ski *m* **2** *v/i* faire du ski
skid [skɪd] **1** *n* dérapage *m* **2** *v/i* déraper
skier ['skiːər] skieur(-euse) *m(f)*; **skiing** ski *m*
skilful *etc Br* → ***skillful***
skill [skɪl] technique *f*; **~s** compétences *fpl*; **skilled** habile; **skillful** habile; **skillfully** habilement
skim [skɪm] *surface* effleurer
skimpy ['skɪmpɪ] *account etc* sommaire; *dress* étriqué
skin [skɪn] **1** *n* peau *f* **2** *v/t animal* écorcher; *tomato* peler; **skin diving** plongée *f* sous-marine autonome; **skinny** maigre; **skin-tight** moulant
skip [skɪp] **1** *n* (*little jump*) saut *m* **2** *v/i* sautiller **3** *v/t* (*omit*) sauter; **skipper** capitaine *m/f*
skirt [skɜːrt] jupe *f*
skull [skʌl] crâne *m*
skunk [skʌŋk] mouffette *f*
sky [skaɪ] ciel *m*; **skylight** lucarne *f*; **skyline** silhouette *f*; **skyscraper** gratte-ciel *m inv*
slab [slæb] *of stone, butter* plaque *f*; *of cake* grosse tranche *f*
slack [slæk] *rope* mal tendu; *work* négligé; *period* creux; **slacken** *rope* détendre; *pace* ralentir; **slacks** pantalon *m*
slam [slæm] claquer
slander ['slændər] **1** *n* calomnie *f* **2** *v/t* calomnier; **slanderous** calomnieux
slang [slæŋ] *also of a specific group* argot *m*
slant [slænt] **1** *v/i* pencher **2** *n* inclinaison *f*; *given to a story* perspective *f*; **slanting** *roof* en pente; *eyes* bridé
slap [slæp] **1** *n* (*blow*) claque *f* **2** *v/t* donner une claque à

slash [slæʃ] **1** *n cut* entaille *f*; *in punctuation* barre *f* oblique **2** *v/t painting, skin* entailler; *prices* réduire radicalement

slaughter ['slɒːtər] **1** *n of animals* abattage *m*; *of people, troops* massacre *m* **2** *v/t animals* abattre; *people, troops* massacrer; **slaughterhouse** abattoir *m*

slave [sleɪv] esclave *m/f*

slay [sleɪ] tuer; **slaying** (*murder*) meurtre *m*

sleaze [sliːz] POL corruption *f*; **sleazy** *bar, character* louche

sleep [sliːp] **1** *n* sommeil *m*; ***go to ~*** s'endormir **2** *v/i* dormir

◆ **sleep with** (*have sex with*) coucher avec

'**sleeping bag** sac *m* de couchage; **sleeping car** RAIL wagon-lit *m*; **sleeping pill** somnifère *m*; **sleepwalker** somnambule *m/f*; **sleepwalking** somnambulisme *m*; **sleepy** *person* qui a envie de dormir; *yawn, town* endormi; ***I'm ~*** j'ai sommeil

sleet [sliːt] neige *f* fondue

sleeve [sliːv] *of jacket etc* manche *f*; **sleeveless** sans manches

slender ['slendər] mince; *chance, margin* faible

slice [slaɪs] **1** *n of bread, pie* tranche *f*; *fig: of profits* part *f* **2** *v/t loaf etc* couper en tranches

slick [slɪk] **1** *adj performance* habile; *pej* (*cunning*) rusé **2** *n of oil* marée *f* noire

slide [slaɪd] **1** *n for kids* toboggan *m*; PHOT diapositive *f* **2** *v/i* glisser; *of exchange rate etc* baisser **3** *v/t item of furniture* faire glisser

slight [slaɪt] *person, figure* frêle; (*small*) léger; ***no, not in the ~est*** non, pas le moins du monde; **slightly** légèrement

slim [slɪm] *person* mince; *chance* faible

slime [slaɪm] (*mud*) vase *f*; *of slug etc* bave *f*; **slimy** *liquid etc* vaseux

sling [slɪŋ] **1** *n for arm* écharpe *f* **2** *v/t* F (*throw*) lancer

slip [slɪp] **1** *n* (*mistake*) erreur *f* **2** *v/i* glisser; *in quality, quantity* baisser

◆ **slip up** (*make a mistake*) faire une gaffe

slipped 'disc [slɪpt] hernie *f* discale

slipper ['slɪpər] chausson *m*

slippery ['slɪpərɪ] glissant

'**slip-up** (*mistake*) gaffe *f*

slit [slɪt] **1** *n* (*tear*) déchirure *f*; (*hole*), *in skirt* fente *f* **2** *v/t* ouvrir, fendre

sliver ['slɪvər] petit morceau *m*; *of wood, glass* éclat *m*

slob [slɑːb] *pej* rustaud(e) *m*(*f*)

slog [slɑːg] *long walk* trajet *m* pénible; *hard work* corvée *f*

slogan ['slougən] slogan *m*

slop [slɑːp] (*spill*) renverser
slope [sloʊp] **1** *n* inclinaison *f*; *of mountain* côté *m* **2** *v/i* être incliné
sloppy ['slɑːpɪ] F *work, in dress* négligé; (*too sentimental*) gnangnan F
slot [slɑːt] fente *f*; *in schedule* créneau *m*; **slot machine** *for vending* distributeur *m* (automatique); *for gambling* machine *f* à sous
slovenly ['slʌvnlɪ] négligé
slow [sloʊ] lent; ***be ~*** *of clock* retarder
◆ **slow down 1** *v/t* ralentir **2** *v/i* ralentir; *in life* faire moins de choses
'**slowdown** *in production* ralentissement *m*; **slowly** lentement; **slowness** lenteur *f*
sluggish ['slʌgɪʃ] lent; *river* à cours lent
slum [slʌm] *area* quartier *m* pauvre; *house* taudis *m*
slump [slʌmp] **1** *n in trade* effondrement *m* **2** *v/i of economy* s'effondrer; *of person* s'affaisser
slur [slɜːr] **1** *n on character* tache *f* **2** *v/t words* mal articuler
slush [slʌʃ] neige *f* fondue; *pej* (*sentimental stuff*) sensiblerie *f*; **slush fund** caisse *f* noire
slut [slʌt] *pej* pute *f* F
sly [slaɪ] (*furtive*) sournois; (*crafty*) rusé
small [smɒːl] petit
smart[1] [smɑːrt] *adj* élégant; (*intelligent*) intelligent; *pace* vif
smart[2] [smɑːrt] *v/i* (*hurt*) brûler
'**smart card** carte *f* à puce; **smartly** *dressed* avec élégance; **smartphone** smartphone *m*
smash [smæʃ] **1** *n noise* fracas *m*; (*car crash*) accident *m*; *in tennis* smash *m* **2** *v/t break* fracasser; (*hit hard*) frapper **3** *v/i break* se fracasser
smattering ['smætərɪŋ]: ***have a ~ of Chinese*** savoir un peu de chinois
smear [smɪr] **1** *n of ink etc* tache *f*; *Br* MED frottis *m*; *on character* diffamation *f* **2** *v/t character* entacher
smell [smel] **1** *n* odeur *f*; ***sense of ~*** sens *m* de l'odorat **2** *v/t* sentir **3** *v/i unpleasantly* sentir mauvais; (*sniff*) renifler; **smelly** qui sent mauvais
smile [smaɪl] **1** *n* sourire *m* **2** *v/i* sourire
smirk [smɜːrk] petit sourire *m* narquois
smoke [smoʊk] **1** *n* fumée *f* **2** *v/t also food* fumer **3** *v/i of person* fumer; **smoker** fumeur(-euse) *m*(*f*); **smoke-free** non-fumeur *inv*; **smoking**: ***no ~*** défense de fumer; **smoky** enfumé
smolder ['smoʊldər] *of fire* couver
smooth [smuːð] **1** *adj surface, skin, sea* lisse; *ride, flight,*

crossing bon; *pej*: *person* mielleux **2** *v/t hair* lisser; **smoothly** *without any problems* sans problème
smother ['smʌðər] *person, flames* étouffer
smoulder *Br* → ***smolder***
smudge [smʌdʒ] **1** *n* tache *f* **2** *v/t paint* faire des traces sur; *ink, mascara* étaler
smug [smʌg] suffisant
smuggle ['smʌgl] passer en contrebande; **smuggler** contrebandier(-ière) *m(f)*; **smuggling** contrebande *f*
smutty ['smʌtɪ] *joke* grossier
snack [snæk] en-cas *m*
snag [snæg] (*problem*) hic *m* F
snake [sneɪk] serpent *m*
snap [snæp] **1** *n sound* bruit *m* sec; PHOT instantané *m* **2** *v/t break* casser **3** *v/i break* se casser net **4** *adj decision, judgement* rapide, subit; **snappy** *person, mood* cassant; *decision* prompt; ***be a ~ dresser*** s'habiller chic; **snapshot** photo *f*
snarl [snɑːrl] **1** *n of dog* grondement **2** *v/i of dog* gronder en montrant les dents
snatch [snætʃ] (*grab*) saisir; F (*steal*) voler; F (*kidnap*) enlever
snazzy ['snæzɪ] F *necktie etc* qui tape F
sneakers ['sniːkərz] tennis *mpl*
sneaky ['sniːkɪ] F (*underhanded*) sournois
sneer [sniːr] **1** *n* ricanement *m* **2** *v/i* ricaner
sneeze [sniːz] **1** *n* éternuement *m* **2** *v/i* éternuer
snicker ['snɪkər] pouffer de rire
sniff [snɪf] renifler
sniper ['snaɪpər] tireur *m* embusqué
snitch [snɪtʃ] **1** *n* (*telltale*) mouchard(e) *m(f)* F **2** *v/i* (*tell tales*) vendre la mèche
snivel ['snɪvl] pleurnicher
snob [snɑːb] snob *m/f*; **snobbery** snobisme *m*; **snobbish** snob *inv*
◆ **snoop around** [snuːp] fourrer le nez partout
snooty ['snuːtɪ] arrogant
snooze [snuːz] **1** *n* petit somme *m* **2** *v/i* roupiller F
snore [snɔːr] ronfler; **snoring** ronflement *m*
snorkel ['snɔːrkl] tuba *m*
snort [snɔːrt] *of bull, horse* s'ébrouer; *of person* grogner
snow [snoʊ] **1** *n* neige *f* **2** *v/i* neiger; **snowball** boule *f* de neige; **snowdrift** amoncellement *m* de neige; **snowman** bonhomme *m* de neige; **snowplow** chasse-neige *m inv*; **snowstorm** tempête *f* de neige; **snowy** *weather* neigeux; *roads, hills* enneigé
snub [snʌb] **1** *n* rebuffade *f* **2** *v/t* snober; **snub-nosed** au nez retroussé
snug [snʌg] bien au chaud;

(*tight-fitting*) bien ajusté
so [soʊ] **1** *adv* si, tellement; **~ *kind*** tellement gentil; ***not* ~ *much for me*** pas autant pour moi; **~ *much easier*** tellement plus facile; ***drink* ~ *much*** tellement boire; **~ *many people*** tellement de gens; ***I miss you* ~** tu me manques tellement; **~ *am/do I*** moi aussi; **~ *is/does she*** elle aussi; ***and* ~ *on*** et ainsi de suite **2** *pron*: ***I hope* ~** je l'espère bien; ***I think* ~** je pense que oui; ***50 or* ~** une cinquantaine, à peu près cinquante **3** *conj* (*for that reason*) donc; (*in order that*) pour que (+*subj*); **~ (*that*) *I could come too*** pour que je puisse moi aussi venir; **~ *what?*** F et alors?
soak [soʊk] (*steep*) faire tremper; *of water* tremper; **soaked** trempé
soap [soʊp] *for washing* savon *m*; **soap (opera)** feuilleton *m*; **soapy** savonneux
soar [sɔːr] *of rocket, prices etc* monter en flèche
sob [sɑːb] **1** *n* sanglot *m* **2** *v/i* sangloter
sober ['soʊbər] en état de sobriété; (*serious*) sérieux
so-'called (*referred to as*) comme on le/la/les appelle; (*incorrectly referred to as*) soi-disant *inv*
soccer ['sɑːkər] football *m*
sociable ['soʊʃəbl] sociable
social ['soʊʃl] social; (*recreational*) mondain; **social democrat** social-démocrate *m/f*; **socialism** socialisme *m*; **socialist** **1** *adj* socialiste **2** *n* socialiste *m/f*; **socialize** fréquenter des gens; **social worker** assistant sociale *m*, assistante sociale *f*
society [sə'saɪətɪ] société *f*
sociologist [soʊsɪ'ɑːlədʒɪst] sociologue *m/f*; **sociology** sociologie *f*
sock¹ [sɑːk] *n for wearing* chaussette *f*
sock² [sɑːk] *v/t* (*punch*) donner un coup de poing à
socket ['sɑːkɪt] ELEC *for light bulb* douille *f*; *Br* (*wall* ~) prise *f* de courant; *of eye* orbite *f*
soda ['soʊdə] (~ *water*) eau *f* gazeuse; (*soft drink*) soda *m*; (*ice-cream* ~) soda *m* à la crème glacée
sofa ['soʊfə] canapé *m*
soft [sɑːft] doux; (*lenient*) gentil; **soften** *position* assouplir; *impact*, *blow* adoucir; **softly** doucement; **software** logiciel *m*
soggy ['sɑːgɪ] *soil* détrempé; *pastry* pâteux
soil [sɔɪl] **1** *n* (*earth*) terre *f* **2** *v/t* salir
solar energy ['soʊlər] énergie *f* solaire
soldier ['soʊldʒər] soldat *m*
sole¹ [soʊl] *n of foot* plante *f*; *of shoe* semelle *f*

sole[2] [soʊl] *adj* seul; *responsibility* exclusif
solely ['soʊlɪ] exclusivement
solemn ['sɑːləm] solennel; **solemnity** solennité *f*; **solemnly** solennellement
solicit [sə'lɪsɪt] *of prostitute* racoler
solid ['sɑːlɪd] (*hard*) dur; (*without holes*) compact; *gold, silver etc, support* massif; **solidarity** solidarité *f*; **solidify** se solidifier; **solidly** *built* solidement; *in favor of* massivement
solitaire [sɑːlɪ'ter] *card game* réussite *f*
solitary ['sɑːlɪterɪ] *life, activity* solitaire; (*single*) isolé; **solitude** solitude *f*
solo ['soʊloʊ] **1** *adj* en solo **2** *n* MUS solo *m*; **soloist** soliste *m/f*
soluble ['sɑːljʊbl] *substance, problem* soluble; **solution** *also mixture* solution *f*
solve [sɑːlv] résoudre; **solvent** *financially* solvable
somber, *Br* sombre ['sɒmbər] sombre
some [sʌm] **1** *adj*: ***~ cream/chocolate/cookies*** de la crème/du chocolat/des biscuits; ***~ people say that …*** certains disent que … **2** *pron*: ***~ of the money*** une partie de l'argent; ***~ of the group*** certaines personnes du groupe, certains du groupe; ***would you like ~?*** est-ce que vous en voulez?; ***give me ~*** donnez-m'en **3** *adv* (*a bit*) un peu; **somebody** quelqu'un; **someday** un jour; **somehow** (*by one means or another*) d'une manière ou d'une autre; (*for some unknown reason*) sans savoir pourquoi; **someone** → ***somebody***; **someplace** → ***somewhere***
somersault ['sʌmərsɒːlt] **1** *n* roulade *f*; *by vehicle* tonneau *m* **2** *v/i of vehicle* faire un tonneau
'**something** quelque chose; **sometime** un de ces jours; ***~ last year*** dans le courant de l'année dernière; **sometimes** parfois; **somewhat** quelque peu; **somewhere 1** *adv* quelque part **2** *pron*: ***let's go ~ quiet*** allons dans un endroit calme; ***~ to park*** un endroit où se garer
son [sʌn] fils *m*
song [sɑːŋ] chanson *f*
'**son-in-law** beau-fils *m*; **son of a bitch** V fils *m* de pute V
soon [suːn] (*in a short while*) bientôt; (*quickly*) vite; (*early*) tôt; ***how ~?*** dans combien de temps?; ***as ~ as*** dès que; ***as ~ as possible*** le plus tôt possible; ***~er or later*** tôt ou tard; ***the ~er the better*** le plus tôt sera le mieux
soothe [suːð] calmer
sophisticated [sə'fɪstɪkeɪtɪd] sophistiqué; **sophistication** sophistication *f*

sophomore ['sɑːfəmɔːr] étudiant(e) *m(f)* de deuxième année
soprano [sə'prɑːnoʊ] soprano *m/f*
sordid ['sɔːrdɪd] sordide
sore [sɔːr] **1** *adj* F (*angry*) fâché; (*painful*): ***is it ~?*** ça vous fait mal? **2** *n* plaie *f*
sorrow ['sɑːroʊ] chagrin *m*
sorry ['sɑːrɪ] *day* triste; *sight* misérable; ***(I'm) ~!*** (*apologizing*) pardon!; ***be ~*** être désolé
sort [sɔːrt] **1** *n* sorte *f*; ***~ of...*** F plutôt **2** *v/t also* COMPUT trier
SOS [esoʊ'es] S.O.S. *m*; *fig*: *plea for help* appel *m* à l'aide
so-'so F comme ci comme ça F
soul [soʊl] *also fig* âme *f*
sound[1] [saʊnd] **1** *adj* (*sensible*) judicieux; *judgment* solide; (*healthy*) en bonne santé; *sleep* profond **2** *adv*: ***be ~ asleep*** être profondément endormi
sound[2] [saʊnd] **1** *n* son *m*; (*noise*) bruit *m* **2** *v/i*: ***that ~s interesting*** ça a l'air intéressant
soundly ['saʊndlɪ] *sleep* profondément; *beaten* à plates coutures; **soundproof** insonorisé; **soundtrack** bande *f* sonore
soup [suːp] soupe *f*
sour ['saʊər] *apple, milk* aigre; *comment* désobligeant
source [sɔːrs] *of river, information etc* source *f*
south [saʊθ] **1** *n* sud *m*; ***the South of France*** le Midi **2** *adj* sud *inv*; *wind* du sud **3** *adv travel* vers le sud; **South Africa** Afrique *f* du sud; **South African 1** *adj* sud-africain **2** *n* Sud-Africain *m*, Sud-Africaine *f*; **South America** Amérique *f* du sud; **South American 1** *adj* sud-américain **2** *n* Sud-Américain(e) *m(f)*; **southeast 1** *n* sud-est *m* **2** *adj* sud-est *inv* **3** *adv travel* vers le sud-est; **southeastern** sud-est *inv*; **southerly** *wind* du sud; *direction* vers le sud; **southern** du Sud; **southerner** habitant(e) *m(f)* du Sud; **southernmost** le plus au sud; **South Pole** pôle *m* Sud; **southward** vers le sud; **southwest 1** *n* sud-ouest *m* **2** *adj* sud-ouest *inv* **3** *adv* vers le sud-ouest; **southwestern** sud-ouest *inv*
souvenir [suːvə'nɪr] souvenir *m*
sovereign ['sɑːvrɪn] *state* souverain
sow[1] [saʊ] *n* (*female pig*) truie *f*
sow[2] [soʊ] *v/t seeds* semer
space [speɪs] espace *m*; (*room*) place *f*; **space shuttle** navette *f* spatiale; **space station** station *f* spatiale; **spacious** spacieux
spade [speɪd] *for digging* bê-

che *f*; **~s** *in card game* pique *m*
spaghetti [spə'getɪ] spaghetti *mpl*
Spain [speɪn] Espagne *f*
spam (mail) [spæm] spam *m*
span [spæn] (*cover*) recouvrir; *of bridge* traverser
Spaniard ['spænjərd] Espagnol *m*, Espagnole *f*; **Spanish 1** *adj* espagnol **2** *n language* espagnol *m*; ***the ~*** les Espagnols
spanner ['spænər] *Br* clef *f*
spare [sper] **1** *v/t time* accorder; (*lend: money*) prêter; (*do without*) se passer de; ***can you ~ the time?*** est-ce que vous pouvez trouver un moment? **2** *adj* (*extra*) *cash* en trop; *pair of glasses*, *clothes* de rechange **3** *n* pièce *f* de rechange; **spare part** pièce *f* de rechange; **spare ribs** côtelette *f* de porc dans l'échine; **spare room** chambre *f* d'ami; **spare time** temps *m* libre; **spare wheel** roue *f* de secours; **sparing**: ***be ~ with*** économiser; **sparingly** en petite quantité
spark [spɑːrk] étincelle *f*
sparkle ['spɑːrkl] étinceler; **sparkling wine** vin *m* mousseux
'spark plug bougie *f*
sparse [spɑːrs] *vegetation* épars
spartan ['spɑːrtn] *room* spartiate
spasmodic [spæz'mɑːdɪk] intermittent; *conversation* saccadé
spate [speɪt] *fig* série *f*, avalanche *f*
spatial ['speɪʃl] spatial
speak [spiːk] **1** *v/i* parler (***to, with*** à); ***~ing*** TELEC lui-même, elle-même **2** *v/t foreign language* parler; **speaker** *at conference* intervenant(e) *m(f)*; (*orator*) orateur(-trice) *m(f)*; *of sound system* haut-parleur *m*; ***French/Spanish ~*** francophone *m/f* / hispanophone *m/f*
special ['speʃl] spécial; *effort*, *day etc* exceptionnel; **specialist** spécialiste *m/f*; **specialize** se spécialiser (***in*** en, dans); **specially** → ***especially***; **specialty** spécialité *f*
species ['spiːʃiːz] espèce *f*
specific [spə'sɪfɪk] spécifique; **specifically** spécifiquement; **specifications** *of machine etc* spécifications *fpl*; **specify** préciser
specimen ['spesɪmən] *of work* spécimen *m*; *of blood*, *urine* prélèvement *m*
spectacular [spek'tækjʊlər] spectaculaire
spectator [spek'teɪtər] spectateur(-trice) *m(f)*
spectrum ['spektrəm] *fig* éventail *m*
speculate ['spekjʊleɪt] *also* FIN spéculer; **speculation** spéculations *fpl*; FIN spécula-

tion *f*; **speculator** FIN spéculateur(-trice) *m(f)*
speech [spi:tʃ] discours *m*; (*ability to speak*) parole *f*; (*way of speaking*) élocution *f*; **speechless** *with shock, surprise* sans voix
speed [spi:d] **1** *n* vitesse *f* **2** *v/i* (*go quickly*) se précipiter; *of vehicle* foncer; *drive too quickly* faire de la vitesse; **speedboat** vedette *f*; *with outboard motor* hors-bord *m inv*; **speed bump** dos d'âne *m*, ralentisseur *m*; **speed-dial button** bouton *m* de numérotation abrégée; **speedily** rapidement; **speeding** *when driving* excès *m* de vitesse; **speed limit** limitation *f* de vitesse; **speedometer** compteur *m* de vitesse; **speedy** rapide
spell[1] [spel] **1** *v/t word* écrire, épeler; ***how do you ~ it?*** comment ça s'écrit? **2** *v/i*: ***he can/can't ~*** il a une bonne/mauvaise orthographe
spell[2] *n of time* période *f*
spelling ['spelɪŋ] orthographe *f*
spend [spend] *money* dépenser; *time* passer; **spendthrift** *pej* dépensier(-ière) *m(f)*
sperm [spɜ:rm] spermatozoïde *m*; (*semen*) sperme *m*
sphere [sfɪr] *also fig* sphère *f*
spice [spaɪs] (*seasoning*) épice *f*; **spicy** *food* épicé
spider ['spaɪdər] araignée *f*; **spiderweb** toile *f* d'araignée
spike [spaɪk] pointe *f*; *on plant, animal* piquant *m*
spill [spɪl] **1** *v/t* renverser **2** *v/i* se répandre **3** *n of oil* déversement *m* accidentel
spin[1] [spɪn] **1** *n* (*turn*) tour *m* **2** *v/t* faire tourner **3** *v/i of wheel* tourner
spin[2] *v/t wool etc* filer; *web* tisser
spinach ['spɪnɪdʒ] épinards *mpl*
spinal ['spaɪnl] de vertèbres; **spinal column** colonne *f* vertébrale; **spinal cord** moelle *f* épinière; **spine** colonne *f* vertébrale; *of book* dos *m*; *on plant, hedgehog* épine *f*; **spineless** (*cowardly*) lâche
'spin-off retombée *f*
spiny ['spaɪnɪ] épineux
spiral ['spaɪrəl] **1** *n* spirale *f* **2** *v/i rise quickly* monter en spirale
spire ['spaɪr] *of church* flèche *f*
spirit ['spɪrɪt] esprit *m*; (*courage*) courage *m*; **spirited** (*energetic*) énergique; **spirits** (*alcohol*) spiritueux *mpl*; (*morale*) moral *m*; ***be in good/poor ~*** avoir/ne pas avoir le moral; **spiritual** spirituel
spit [spɪt] *of person* cracher
spite [spaɪt] malveillance *f*; ***in ~ of*** en dépit de; **spiteful** malveillant; **spitefully** avec

malveillance

splash [splæʃ] **1** *n noise* plouf *m*; *small amount of liquid* goutte *f*; *of color* tache *f* **2** *v/t person* éclabousser; *water, mud* asperger **3** *v/i of person* patauger; **~ *against sth*** *of waves* s'écraser contre qch; **splashdown** amerrissage *m*

splendid ['splendɪd] magnifique; **splendor**, *Br* **splendour** splendeur *f*

splint [splɪnt] MED attelle *f*

splinter ['splɪntər] **1** *n of wood, glass* éclat *m*; *in finger* écharde *f* **2** *v/i* se briser

split [splɪt] **1** *n damage* fente *f*; (*disagreement*) division *f*; (*of profits etc*) partage *m*; (*share*) part *f* **2** *v/t wood* fendre; *log* fendre en deux; (*cause disagreement in, divide*) diviser **3** *v/i of wood etc* se fendre; (*disagree*) se diviser

◆ **split up** *of couple* se séparer

spoil [spɔɪl] *child* gâter; *surprise, party* gâcher; **spoilsport** F rabat-joie *m/f*; **spoilt** *child* gâté

spoke [spoʊk] *of wheel* rayon *m*

spokesperson ['spoʊkspɜːrsən] porte-parole *m/f*

sponge [spʌndʒ] éponge *f*; **sponger** F parasite *m/f*

sponsor ['spɑːnsər] **1** *n for club membership* parrain *m*, marraine *f*; RAD, TV, SP sponsor *m/f* **2** *v/t for club membership* parrainer; RAD, TV, SP sponsoriser; **sponsorship** RAD, TV, SP sponsorisation *f*

spontaneous [spɑːn'teɪnɪəs] spontané; **spontaneously** spontanément

spool [spuːl] bobine *f*

spoon [spuːn] cuillère *f*; **spoonful** cuillerée *f*

sporadic [spə'rædɪk] intermittent

sport [spɔːrt] sport *m*; **sporting** *event*; sportif; (*fair, generous*) chic *inv*; **sports car** voiture *f* de sport; **sportsman** sportif *m*; **sportswoman** sportive *f*; **sporty** *person* sportif

spot¹ [spɑːt] *n on skin* bouton *m*; *in pattern* pois *m*

spot² *n* (*place*) endroit *m*

spot³ *v/t* (*notice, identify*) repérer

'spot check contrôle *m* au hasard; **spotless** impeccable; **spotlight** *beam* feu *m* de projecteur; *device* projecteur *m*; **spotty** *with pimples* boutonneux

spouse [spaʊs] *fml* époux *m*, épouse *f*

spout [spaʊt] **1** *n* bec *m* **2** *v/i of liquid* jaillir **3** *v/t* F débiter

sprain [spreɪn] **1** *n* foulure *f*; *serious* entorse *f* **2** *v/t ankle, wrist* se fouler; *seriously* se faire une entorse à

sprawl [sprɒːl] s'affaler; *of city* s'étendre; **sprawling** tentaculaire

spray [spreɪ] **1** *n of sea water* embruns *mpl*; *from fountain* gouttes *fpl* d'eau; *for hair* laque *f*; *container* atomiseur *m* **2** *v/t perfume, lacquer* vaporiser; *paint, weed-killer etc* pulvériser; **~ *graffiti on sth*** peindre des graffitis à la bombe sur qch; **spraygun** pulvérisateur *m*

spread [spred] **1** *n of disease, religion etc* propagation *f*; F (*big meal*) festin *m* **2** *v/t* (*lay*), *butter* étaler; *news, rumor, disease* répandre; *arms, legs* étendre **3** *v/i* se répandre; **spreadsheet** COMPUT feuille *f* de calcul; *program* tableur *m*

sprightly ['spraɪtlɪ] alerte

spring[1] [sprɪŋ] *n season* printemps *m*

spring[2] [sprɪŋ] *n device* ressort *m*

spring[3] [sprɪŋ] **1** *n* (*jump*) bond *m*; (*stream*) source *f* **2** *v/i* bondir

'**springboard** tremplin *m*; **springtime** printemps *m*

sprinkle ['sprɪŋkl] saupoudrer; **sprinkler** *for garden* arroseur *m*; *in ceiling* extincteur *m*

sprint [sprɪnt] **1** *n* sprint *m* **2** *v/i* SP sprinter; *fig* piquer un sprint F; **sprinter** SP sprinteur(-euse) *m*(*f*)

spy [spaɪ] **1** *n* espion(ne) *m*(*f*) **2** *v/i* faire de l'espionnage **3** *v/t* (*see*) apercevoir

◆ **spy on** espionner

squabble ['skwɑːbl] **1** *n* querelle *f* **2** *v/i* se quereller

squalid ['skwɒːlɪd] sordide; **squalor** misère *f*

squander ['skwɒːndər] gaspiller

square [skwer] **1** *adj in shape* carré; **~ *mile*** mile carré **2** *n shape*, MATH carré *m*; *in town* place *f*; *in board game* case *f*

squash[1] [skwɑːʃ] *n vegetable* courge *f*

squash[2] [skwɑːʃ] *n game* squash *m*

squash[3] [skwɑːʃ] *v/t* (*crush*) écraser

squat [skwɑːt] **1** *adj in shape* ramassé **2** *v/i sit* s'accroupir; *illegally* squatter

squeak [skwiːk] **1** *n of mouse* couinement *m*; *of hinge* grincement *m* **2** *v/i of mouse* couiner; *of hinge* grincer

squeal [skwiːl] **1** *n* cri *m* aigu; *of brakes* grincement *m* **2** *v/i* pousser des cris aigus; *of brakes* grincer

squeamish ['skwiːmɪʃ] trop sensible

squeeze [skwiːz] *hand* serrer; *shoulder*, (*remove juice from*) presser; *fruit, parcel* palper

squid [skwɪd] calmar *m*

squirm [skwɜːrm] se tortiller

St (= ***saint***) St(e) (= saint(e));

(= ***street***) rue
stab [stæb] poignarder
stability [stə'bɪlətɪ] stabilité *f*; **stabilize 1** *v/t* stabiliser **2** *v/i* se stabiliser; **stable 1** *adj* stable **2** *n for horses* écurie *f*
stack [stæk] **1** *n* (*pile*) pile *f* **2** *v/t* empiler
stadium ['steɪdɪəm] stade *m*
staff [stæf] (*employees*) personnel *m*; (*teachers*) personnel *m* enseignant
stage[1] [steɪdʒ] *n in project etc* étape *f*
stage[2] [steɪdʒ] **1** *n* THEA scène *f* **2** *v/t play* mettre en scène; *demonstration* organiser
stagger ['stægər] **1** *v/i* tituber **2** *v/t* (*amaze*) ébahir; *coffee breaks etc* échelonner; **staggering** stupéfiant
stagnant ['stægnənt] *water, economy* stagnant; **stagnate** *fig* stagner
'stag party enterrement *m* de vie de garçon
stain [steɪn] **1** *n* (*dirty mark*) tache *f*; *for wood* teinture *f* **2** *v/t* (*dirty*) tacher; *wood* teindre; **stained-glass window** vitrail *m*; **stainless steel** acier *m* inoxydable
stair [ster] marche *f*; ***the ~s*** l'escalier *m*; **staircase** escalier *m*
stake [steɪk] **1** *n of wood* pieu *m*; *when gambling* enjeu *m*; (*investment*) investissements *mpl*; ***be at ~*** être en jeu **2** *v/t tree* soutenir avec un pieu; *money* jouer; *person* financer
stale [steɪl] *bread* rassis; *air* empesté; *fig*: *news* plus très frais
stalk[1] [stɔːk] *n of fruit, plant* tige *f*
stalk[2] [stɔːk] *v/t animal, person* traquer
stall[1] [stɒːl] *n at market* étalage *m*; *for cow, horse* stalle *f*
stall[2] [stɒːl] **1** *v/i of vehicle, engine* caler; (*play for time*) chercher à gagner du temps **2** *v/t engine* caler; *person* faire attendre
stalls [stɒːlz] THEA orchestre *m*
stalwart ['stɒːlwərt] *supporter* fidèle
stamina ['stæmɪnə] endurance *f*
stammer ['stæmər] **1** *n* bégaiement *m* **2** *v/i* bégayer
stamp[1] [stæmp] **1** *n for letter* timbre *m*; *device, mark* tampon *m* **2** *v/t letter* timbrer; *passport* tamponner
stamp[2] [stæmp] *v/t*: ***~ one's foot*** taper du pied
stance [stæns] position *f*
stand [stænd] **1** *n at exhibition* stand *m*; (*witness ~*) barre *f* des témoins; (*support, base*) support *m*; ***take the ~*** LAW venir à la barre **2** *v/i* (*be situated*) se trouver; *as opposed to sit* rester debout; (*rise*) se lever **3** *v/t* (*tolerate*) supporter; (*put*) mettre

◆ **stand by 1** *v/i* (*not take action*) rester là sans rien faire; (*be ready*) se tenir prêt **2** *v/t person* soutenir; *decision* s'en tenir à
◆ **stand down** (*withdraw*) se retirer
◆ **stand for** (*tolerate*) supporter; (*represent*) représenter
◆ **stand out** *be visible* ressortir
◆ **stand up 1** *v/i* se lever **2** *v/t* F poser un lapin à
◆ **stand up for** défendre
◆ **stand up to** (*face*) tenir tête à

standard ['stændərd] **1** *adj procedure etc* normal; **~ *practice*** pratique *f* courante **2** *n* (*level*) niveau *m*; *moral* critère *m*; TECH norme *f*; **standardize** normaliser; **standard of living** niveau *m* de vie

'standby *fly* en stand-by; **standing** *in society* position *f* sociale; (*repute*) réputation *f*; **standoffish** distant; **standpoint** point *m* de vue; **standstill**: ***be at a*** **~** être paralysé; ***bring to a*** **~** paralyser

staple¹ ['steɪpl] *n foodstuff* aliment *m* de base

staple² ['steɪpl] **1** *n fastener* agrafe *f* **2** *v/t* agrafer

stapler ['steɪplər] agrafeuse *f*

star [stɑːr] **1** *n in sky* étoile *f*; *fig also* vedette *f* **2** *v/t of movie* avoir comme vedette(s); **starboard** de tribord

stare [ster]: **~ *into space*** regarder dans le vide; ***it's rude to*** **~** ce n'est pas poli de fixer les gens

stark [stɑːrk] **1** *adj landscape, color* austère; *reminder, contrast etc* brutal **2** *adv*: **~ *naked*** complètement nu

starry ['stɑːrɪ] *night* étoilé; **Stars and Stripes** bannière *f* étoilée

start [stɑːrt] **1** *n* début *m* **2** *v/i* commencer; *of engine, car* démarrer; **~*ing from tomorrow*** à partir de demain **3** *v/t* commencer; *engine, car* mettre en marche; *business* monter; **starter** *of meal* entrée *f*; *of car* démarreur *m*

startle ['stɑːrtl] effrayer; **startling** surprenant

starvation [stɑːr'veɪʃn] inanition *f*; **starve** souffrir de la faim; ***I'm starving*** F je meurs de faim F

state¹ [steɪt] **1** *n* (*condition, country, part of country*) état *m*; ***the States*** les États-Unis *mpl* **2** *adj capital, police etc* d'état; *banquet, occasion etc* officiel

state² [steɪt] *v/t* déclarer; *name and address* décliner

'State Department Département *m* d'État (américain); **statement** *to police* déclaration *f*; (*announcement*) communiqué *m*; (*bank* **~**) relevé *m* de compte; **state of emergency** état *m* d'urgence;

state-of-the-art de pointe; **statesman** homme *m* d'État
static (electricity) ['stætɪk] électricité *f* statique
station ['steɪʃn] **1** *n* RAIL gare *f*; *of subway*, RAD station *f*; TV chaîne *f* **2** *v/t guard etc* placer; **stationary** immobile
stationery ['steɪʃənərɪ] papeterie *f*
'station wagon break *m*
statistical [stə'tɪstɪkl] statistique; **statistically** statistiquement; **statistician** statisticien(ne) *m(f)*; **statistics** *science* statistique *f figures* statistiques *fpl*
statue ['stætʃu:] statue *f*; **Statue of Liberty** Statue *f* de la Liberté
status ['steɪtəs] statut *m*; (*prestige*) prestige *m*; **status symbol** signe *m* extérieur de richesse
statute ['stætʃu:t] loi *f*
staunch [stɒ:ntʃ] *supporter* fervent
stay [steɪ] **1** *n* séjour *m* **2** *v/i* rester; *~ in a hotel* descendre dans un hôtel; *~ right there!* tenez-vous là!
◆ **stay behind** rester; *in school* rester après la classe
◆ **stay up** (*not go to bed*) rester debout
steadily ['stedɪlɪ] *improve etc* de façon régulière; **steady** **1** *adj hand* ferme; *voice* posé; (*regular*) régulier; (*continuous*) continu **2** *adv*: *be going ~ of couple* sortir ensemble **3** *v/t person* soutenir; *voice* raffermir
steak [steɪk] bifteck *m*
steal [sti:l] **1** *v/t* voler **2** *v/i* (*be a thief*) voler; *~ in/out* entrer/sortir à pas feutrés
stealthy ['stelθɪ] furtif
steam [sti:m] **1** *n* vapeur *f* **2** *v/t food* cuire à la vapeur; **steamed up** F fou de rage; **steamer** *for cooking* cuiseur *m* à vapeur
steel [sti:l] **1** *adj* (*made of ~*) en acier **2** *n* acier *m*; **steelworker** ouvrier(-ière) *m(f)* de l'industrie sidérurgique
steep[1] [sti:p] *adj hill etc* raide; F *prices* excessif
steep[2] [sti:p] *v/t* (*soak*) faire tremper
steer[1] [stɪr] *n animal* bœuf *m*
steer[2] [stɪr] *v/t* diriger
steering ['stɪrɪŋ] MOT direction *f*; **steering wheel** volant *m*
stem[1] [stem] *n of plant* tige *f*; *of glass* pied *m*; *of word* racine *f*
stem[2] [stem] *v/t* (*block*) enrayer
stench [stentʃ] odeur *f* nauséabonde
stencil ['stensɪl] **1** *n* pochoir *m*; *pattern* peinture *f* au pochoir **2** *v/t pattern* peindre au pochoir
step [step] **1** *n* (*pace*) pas *m*; (*stair*) marche *f*; (*measure*) mesure *f* **2** *v/i*: *~ forward/*

back faire un pas en avant/en arrière

◆ **step down** *from post etc* se retirer

◆ **step up** (*increase*) augmenter

'**stepbrother** demi-frère *m*; **stepdaughter** belle-fille *f*; **stepfather** beau-père *m*; **stepladder** escabeau *m*; **stepmother** belle-mère *f*; **stepsister** demi-sœur *f*; **stepson** beau-fils *m*

stereo ['sterɪoʊ] (*sound system*) chaîne *f* stéréo; **stereotype** stéréotype *m*

sterile ['sterəl] stérile; **sterilize** stériliser

sterling ['stɜːrlɪŋ] FIN sterling *m*

stern[1] [stɜːrn] *adj* sévère

stern[2] [stɜːrn] *n* NAUT arrière *m*

sternly ['stɜːrnlɪ] sévèrement

steroids ['sterɔɪdz] stéroïdes *mpl*

stew [stuː] ragoût *m*

steward ['stuːərd] *on plane, ship* steward *m*; *at demonstration, meeting* membre *m* du service d'ordre; **stewardess** *on plane, ship* hôtesse *f*

stick[1] [stɪk] *n* morceau *m* de bois; *of policeman* bâton *m*; (*walking* ~) canne *f*

stick[2] [stɪk] **1** *v/t with adhesive* coller (***to*** à); F (*put*) mettre **2** *v/i* (*jam*) se coincer; (*adhere*) adhérer

◆ **stick by** F ne pas abandonner

◆ **stick to** (*adhere to*) coller à; F (*keep to*) s'en tenir à; F (*follow*) suivre

◆ **stick up for** F défendre

sticker ['stɪkər] autocollant *m*; **stick-in-the-mud** F encroûté(e) *m(f)*; **sticky** gluant; *label* collant

stiff [stɪf] *brush, cardboard, mixture etc* dur; *muscle, body* raide; *in manner* guindé; *drink* bien tassé; *competition* acharné; *fine* sévère; **stiffness** *of muscles* raideur *f*; *in manner* aspect *m* guindé

stifle ['staɪfl] étouffer; **stifling** étouffant

stigma ['stɪgmə] honte *f*

still[1] [stɪl] **1** *adj* calme **2** *adv*: ***keep ~!*** reste tranquille!; ***stand ~!*** ne bouge pas!

still[2] [stɪl] *adv* (*yet*) encore, toujours; (*nevertheless*) quand même

'**stillborn**: ***be ~*** être mort à sa naissance; **still life** nature *f* morte

stilted ['stɪltɪd] guindé

stimulant ['stɪmjʊlənt] stimulant *m*; **stimulate** stimuler; **stimulating** stimulant; **stimulation** stimulation *f*; **stimulus** (*incentive*) stimulation *f*

sting [stɪŋ] **1** *n from bee, jellyfish* piqûre *f* **2** *v/t & v/i* piquer; **stinging** *criticism* blessant

stink [stɪŋk] **1** *n* (*bad smell*) puanteur *f*; F (*fuss*) grabuge *m* F **2** *v/i* (*smell bad*) puer; F (*be very bad*) être nul

stipulate ['stɪpjʊleɪt] stipuler; **stipulation** condition *f*; *of will, contract* stipulation *f*

stir [stɜːr] **1** *v/t* remuer **2** *v/i of sleeping person* bouger; **stirring** *music, speech* émouvant

stitch [stɪʧ] **1** *n* point *m*; **~es** MED points *mpl* de suture **2** *v/t* (*sew*) coudre; **stitching** (*stitches*) couture *f*

stock [stɑːk] **1** *n* (*reserve*) réserves *fpl*; COM *of store* stock *m*; *animals* bétail *m*; FIN actions *fpl*; *for soup etc* bouillon *m*; ***be in/out of ~*** être en stock/épuisé **2** *v/t* COM avoir (en stock)

'stockbreeder éleveur *m*; **stockbroker** agent *m* de change; **stock exchange** bourse *f*; **stockholder** actionnaire *m/f*; **stockist** revendeur *m*; **stock market** marché *m* boursier; **stockpile 1** *n of food, weapons* stocks *mpl* de réserve **2** *v/t* faire des stocks de

stocky ['stɑːkɪ] trapu

stodgy ['stɑːdʒɪ] *food* bourratif

stoical ['stoʊɪkl] stoïque; **stoicism** stoïcisme *m*

stomach ['stʌmək] **1** *n* (*insides*) estomac *m*; (*abdomen*) ventre *m* **2** *v/t* (*tolerate*) supporter

stone [stoʊn] pierre *f*; (*pebble*) caillou *m*; **stoned** F *on drugs* défoncé F

stool [stuːl] *seat* tabouret *m*

stoop[1] [stuːp] *v/i* (*bend down*) se pencher

stoop[2] [stuːp] *n* (*porch*) perron *m*

stop [stɑːp] **1** *n for train, bus* arrêt *m* **2** *v/t* arrêter; (*prevent*) empêcher; *check* faire opposition à; ***~ doing sth*** arrêter de faire qch **3** *v/i* s'arrêter

◆ **stop over** faire escale

'stopgap bouche-trou *m*; **stoplight** (*traffic light*) feu *m* rouge; (*brake light*) stop *m*; **stopover** étape *f*; **stopper** *for bottle* bouchon *m*; **stop sign** stop *m*; **stopwatch** chronomètre *m*

storage ['stɔːrɪdʒ] COM emmagasinage *m*; *in house* rangement *m*; **store 1** *n* magasin *m*; (*stock*) provision *f*; (*~house*) entrepôt *m* **2** *v/t* entreposer; COMPUT stocker; **storefront** devanture *f* de magasin; **storekeeper** commerçant(e) *m*(*f*)

storey *Br* → ***story***[2]

storm [stɔːrm] *with rain, wind* tempête *f*; (*thunder~*) orage *m*; **stormy** orageux

story[1] ['stɔːrɪ] (*tale, account,* F: *lie*) histoire *f*; (*newspaper article*) article *m*

story[2] ['stɔːrɪ] *of building* étage *m*

stout [staʊt] *person* corpulent, costaud

stove [stoʊv] *for cooking* cuisinière *f*; *for heating* poêle *m*

stow [stoʊ] ranger

◆ **stow away** s'embarquer clandestinement

'stowaway passager clandestin *m*, passagère clandestine *f*

straight [streɪt] **1** *adj line, back, knees* droit; *hair* raide; (*honest, direct*) franc; (*not criminal*) honnête; *whiskey etc* sec; (*tidy*) en ordre; (*conservative*) sérieux; (*not homosexual*) hétéro F **2** *adv* (*in a straight line*) droit; (*directly, immediately*) directement; ***go ~*** F *of criminal* revenir dans le droit chemin; ***~ ahead*** tout droit; ***~ away, ~ off*** tout de suite; ***~ out*** très clairement; ***~ up*** *without ice* sans glace; **straighten** redresser; **straightforward** (*honest, direct*) direct; (*simple*) simple

strain[1] [streɪn] **1** *n on rope, engine* tension *f*; *on heart* pression *f*; ***suffer from ~*** souffrir de tension nerveuse **2** *v/t back* se fouler; *eyes* s'abîmer; *finances* grever

strain[2] [streɪn] *v/t vegetables* faire égoutter; *oil, fat etc* filtrer

strained [streɪnd] *relations* tendu; **strainer** *for vegetables etc* passoire *f*

strait [streɪt] détroit *m*; **strait-laced** collet monté *inv*

strange [streɪndʒ] (*odd, curious*) étrange, bizarre; (*unknown, foreign*) inconnu; **strangely** (*oddly*) bizarrement; ***~ enough, …*** c'est bizarre, mais …; **stranger** étranger(-ère) *m* (*f*); ***he's a complete ~*** je ne le connais pas du tout; ***I'm a ~ here myself*** moi non plus je ne suis pas d'ici

strangle ['stræŋgl] étrangler

strap [stræp] *of purse, shoe* lanière *f*; *of brassiere, dress* bretelle *f*; *of watch* bracelet *m*; **strapless** sans bretelles

strategic [strə'tiːdʒɪk] stratégique; **strategy** stratégie *f*

straw [strɒː] *material, for drink* paille *f*; **strawberry** fraise *f*

stray [streɪ] **1** *adj animal, bullet* perdu **2** *n* animal *m* errant **3** *v/i of animal* vagabonder; *of child* s'égarer; *fig*: *of eyes, thoughts* errer (***to*** vers)

streak [striːk] **1** *n of dirt, paint* traînée *f*; *in hair* mèche *f*; *fig*: *of nastiness etc* pointe *f* **2** *v/i move quickly* filer

stream [striːm] ruisseau *m*; *fig*: *of people* flot *m*; **streamline** *fig* rationaliser; **streamlined** *car, plane* caréné; *organization* rationalisé

street [striːt] rue *f*; **streetcar** tramway *m*; **streetlight** réverbère *m*; **street people** sans-abri *mpl*; **street value** *of drugs* prix *m* à la revente;

strength [streŋθ] force *f*; (*strong point*) point *m* fort; **strengthen 1** *v/t body* fortifier; *bridge, currency, bonds etc* consolider **2** *v/i* se consolider

strenuous ['strenjuəs] fatigant; **strenuously** *deny* vigoureusement

stress [stres] **1** *n* (*emphasis*) accent *m*; (*tension*) stress *m* **2** *v/t syllable* accentuer; *importance etc* souligner; **stressed out** F stressé F; **stressful** stressant

stretch [stretʃ] **1** *n of land, water* étendue *f*; *of road* partie *f* **2** *adj fabric* extensible **3** *v/t material* tendre; *small income* tirer le maximum de; F *rules* assouplir **4** *v/i to relax muscles, to reach sth* s'étirer; (*spread*) s'étendre; **stretcher** brancard *m*

strict [strɪkt] strict; **strictly** strictement; ***it is ~ forbidden*** c'est strictement défendu

stride [straɪd] **1** *n* (grand) pas *m* **2** *v/i* marcher à grandes enjambées

strident ['straɪdnt] strident; *demands* véhément

strike [straɪk] **1** *n of workers* grève *f*; *in baseball* balle *f* manquée; *of oil* découverte *f*; ***be on ~*** être en grève **2** *v/i of workers* faire grève; (*attack: of wild animal*) attaquer; *of killer* frapper; *of disaster* arriver; *of clock* sonner **3** *v/t also fig* frapper; *match* allumer; *oil* découvrir

◆ **strike out** *delete* rayer

strikebreaker ['straɪkbreɪkər] briseur(-euse) *m(f)* de grève; **striker** (*person on strike*) gréviste *m/f*; *in soccer* buteur *m*; **striking** (*marked, eye-catching*) frappant

string [strɪŋ] ficelle *f*; *of violin, tennis racket* corde *f*; **stringed instrument** instrument *m* à cordes

stringent ['strɪndʒnt] rigoureux

strip [strɪp] **1** *n* bande *f*; (*comic ~*) bande *f* dessinée **2** *v/t* (*remove*) enlever; (*undress*) déshabiller **3** *v/i* (*undress*) se déshabiller; *of stripper* faire du strip-tease; **strip club** boîte *f* de strip-tease

stripe [straɪp] rayure *f*; MIL galon *m*; **striped** rayé

stripper ['strɪpər] strip-teaseuse *f*; ***male ~*** strip-teaseur *m*; **striptease** strip-tease *m*

stroke [stroʊk] **1** *n* MED attaque *f*; *when painting* coup *m* de pinceau; *style of swimming* nage *f* **2** *v/t* caresser

stroll [stroʊl] **1** *n* balade *f* **2** *v/i* flâner; **stroller** *for baby* poussette *f*

strong [strɑːŋ] fort; *structure* solide; *candidate* sérieux; *support, supporter* vigoureux; **strongly** fortement; **strong-minded**: ***be ~*** avoir de la volonté; **strong point**

point *m* fort; **strongroom** chambre *f* forte; **strong-willed** qui sait ce qu'il/elle veut

structural ['strʌktʃərl] *damage* de structure; *fault, problems* de construction; **structure 1** *n* (*something built*) construction *f*; *of novel, poem etc* structure *f* **2** *v/t* structurer

struggle ['strʌgl] **1** *n* lutte *f* **2** *v/i with a person* se battre; **~ *to do sth*** avoir du mal à faire qch

strut [strʌt] se pavaner

stub [stʌb] *of cigarette* mégot *m*; *of check, ticket* souche *f*

stubborn ['stʌbərn] *person, refusal etc* entêté; *defense* farouche

stubby ['stʌbɪ] boudiné

stuck [stʌk] F: ***be ~ on s.o.*** être fou de qn

student ['stuːdnt] *at high school* élève *m/f*; *at college, university* étudiant(e) *m(f)*

studio ['stuːdɪoʊ] studio *m*; *of artist* atelier *m*

studious ['stuːdɪəs] studieux; **study 1** *n room* bureau *m*; (*learning*) études *fpl*; (*investigation*) étude *f* **2** *v/t & v/i* étudier

stuff [stʌf] **1** *n* (*things*) trucs *mpl*; *substance, powder etc* truc *m*; (*belongings*) affaires *fpl* **2** *v/t turkey* farcir; **~ *sth into sth*** fourrer qch dans qch; **stuffing** *for turkey* farce *f*; *in chair, toy* rembourrage *m*; **stuffy** *room* mal aéré; *person* vieux jeu *inv*

stumble ['stʌmbl] trébucher; **stumbling block** pierre *f* d'achoppement

stump [stʌmp] **1** *n of tree* souche *f* **2** *v/t*: ***I'm ~ed*** je colle F

stun [stʌn] étourdir; *animal* assommer; *fig* (*shock*) abasourdir; **stunning** (*amazing*) stupéfiant; (*very beautiful*) épatant

stunt [stʌnt] *for publicity* coup *m* de publicité; *in movie* cascade *f*; **stuntman** *in movie* cascadeur *m*

stupefy ['stuːpɪfaɪ] stupéfier

stupendous [stuː'pendəs] prodigieux

stupid ['stuːpɪd] stupide; **stupidity** stupidité *f*

sturdy ['stɜːrdɪ] robuste

stutter ['stʌtər] bégayer

style [staɪl] (*method, manner*) style *m*; (*fashion*) mode *f*; (*fashionable elegance*) classe *f*; **stylish** qui a de la classe; **stylist** (*hair ~*) styliste *m/f*

subcommittee ['sʌbkəmɪtɪ] sous-comité *m*

subconscious [sʌb'kɑːnʃəs] subconscient; **subconsciously** subconsciemment

subcontract [sʌbkən'trakt] sous-traiter; **subcontractor** sous-traitant *m*

subdivide [sʌbdɪ'vaɪd] sous-diviser

subdue [səb'duː] contenir
subheading ['sʌbhedɪŋ] sous-titre *m*
subhuman [sʌb'hjuːmən] sous-humain
subject 1 ['sʌbdʒɪkt] *n of country*, GRAM, (*topic*) sujet *m*; (*branch of learning*) matière *f* **2** ['sʌbdʒɪkt] *adj*: ***be ~ to*** être sujet à **3** [səb'dʒekt] *v/t* soumettre (***to*** à); **subjective** subjectif
sublet ['sʌblet] sous-louer
submachine gun [sʌbmə'ʃiːngʌn] mitraillette *f*
submarine ['sʌbməriːn] sous-marin *m*
submission [səb'mɪʃn] (*surrender*), *to committee etc* soumission *f*; **submissive** soumis; **submit 1** *v/t plan* soumettre **2** *v/i* se soumettre
subordinate [sə'bɔːrdɪnət] **1** *adj position* subalterne **2** *n* subordonné(e) *m*(*f*)
subpoena [sə'piːnə] LAW **1** *n* assignation *f* **2** *v/t person* assigner à comparaître
◆ **subscribe to** [səb'skraɪb] *magazine etc* s'abonner à; *theory* souscrire à
subscriber [səb'skraɪbər] *to magazine* abonné(e) *m*(*f*); **subscription** abonnement *m*
subsequent ['sʌbsɪkwənt] ultérieur
subside [səb'saɪd] *of waters* baisser; *of winds* se calmer; *of building* s'affaisser; *of fears* s'apaiser
subsidiary [səb'sɪdɪrɪ] filiale *f*
subsidize ['sʌbsɪdaɪz] subventionner; **subsidy** subvention *f*
substance ['sʌbstəns] substance *f*
substandard [sʌb'stændərd] de qualité inférieure
substantial [səb'stænʃl] considérable; *meal* consistant; **substantially** (*considerably*) considérablement; (*in essence*) de manière générale
substantive [səb'stæntɪv] réel
substitute ['sʌbstɪtuːt] **1** *n* substitut *m* (***for*** de); SP remplaçant(e) *m*(*f*) (***for*** de) **2** *v/t* remplacer; ***~ X for Y*** remplacer Y par X; **substitution** remplacement *m*
subtitle ['sʌbtaɪtl] sous-titre *m*
subtle ['sʌtl] subtil
subtract [səb'trækt] soustraire
suburb ['sʌbɜːrb] banlieue *f*; ***the ~s*** la banlieue; **suburban** typique de la banlieue; *attitudes etc* de banlieusards
subversive [səb'vɜːrsɪv] **1** *adj* subversif **2** *n* personne *f* subversive
subway ['sʌbweɪ] métro *m*
succeed [sək'siːd] **1** *v/i* réussir; *to throne* succéder à; ***~ in doing sth*** réussir à faire qch **2** *v/t* (*come after*) succéder à;

success réussite *f*; ***be a ~*** avoir du succès; **successful** *person* qui a réussi; *talks*, *operation* réussi; ***be ~ in doing sth*** réussir à faire qch; **successfully** avec succès; **successive** successif; ***on three ~ days*** trois jours de suite; **successor** successeur *m*
succinct [sək'sɪŋkt] succinct
succumb [sə'kʌm] (*give in*) succomber
such [sʌtʃ] **1** *adj*: ***~ a*** (*so much of a*) un tel, une telle; ***it was ~ a surprise*** c'était une telle surprise; (*of that kind*): ***~ as*** tel/telle que; ***there is no ~ word as …*** le mot … n'existe pas **2** *adv* tellement; ***~ an easy question*** une question tellement facile
suck [sʌk] **1** *v/t candy etc* sucer **2** *v/i* P: ***it ~s*** c'est merdique P; **sucker** F *person* niais(e) *m*(*f*); F (*lollipop*) sucette *f*; **suction** succion *f*
sudden ['sʌdn] soudain; **suddenly** tout à coup, soudain
sue [suː] poursuivre en justice
suede [sweɪd] daim *m*
suffer ['sʌfər] **1** *v/i* souffrir **2** *v/t experience* subir; **suffering** souffrance *f*
sufficient [sə'fɪʃnt] suffisant; ***not ~ funds*** pas assez d'argent; **sufficiently** suffisamment
suffocate ['sʌfəkeɪt] **1** *v/i* s'étouffer **2** *v/t* étouffer; **suffocation** étouffement *m*
sugar ['ʃʊgər] **1** *n* sucre *m* **2** *v/t* sucrer
suggest [sə'dʒest] suggérer; **suggestion** suggestion *f*
suicide ['suːɪsaɪd] suicide *m*
suit [suːt] **1** *n for man* costume *m*; *for woman* tailleur *m*; *in cards* couleur *f* **2** *v/t of clothes*, *color* aller à; **suitable** approprié, convenable; **suitably** convenablement; **suitcase** valise *f*
suite [swiːt] *of rooms* suite *f*; *furniture* salon *m* trois pièces; MUS suite *m*
sulk [sʌlk] bouder; **sulky** boudeur
sullen ['sʌlən] maussade
sultry ['sʌltrɪ] *climate* lourd; *sexually* sulfureux
sum [sʌm] (*total*, *amount*) somme *f*; *in arithmetic* calcul *m*
◆ **sum up 1** *v/t* (*summarize*) résumer; (*assess*) se faire une idée de **2** *v/i* LAW résumer les débats
summarize ['sʌməraɪz] résumer; **summary** résumé *m*
summer ['sʌmər] été *f*
summit ['sʌmɪt] *also* POL sommet *m*
summon ['sʌmən] *staff*, *meeting* convoquer; **summons** LAW assignation *f* (à comparaître)
sun [sʌn] soleil *m*; **sunbathe** prendre un bain de soleil; **sunbed** lit *m* à ultraviolets; **sunblock** écran *m* solaire;

sunburn coup *m* de soleil; **sunburnt**: ***be ~*** avoir des coups de soleil; **Sunday** dimanche *m*; **sunglasses** lunettes *fpl* de soleil; **sunny** *day* ensoleillé; *disposition* gai; ***it's ~*** il y a du soleil; **sunrise** lever *m* du soleil; **sunset** coucher *m* du soleil; **sunshade** *handheld* ombrelle *f*; *over table* parasol *m*; **sunshine** soleil *m*; **sunstroke** insolation *f*; **suntan** bronzage *m*; ***get a ~*** bronzer

super ['su:pər] **1** *adj* F super *inv* F **2** *n* (*janitor*) concierge *m/f*

superb [sʊ'pɜ:rb] excellent

superficial [su:pər'fɪʃl] superficiel

superfluous [sʊ'pɜ:rflʊəs] superflu

superintendent [su:pərɪn'tendənt] *of apartment block* concierge *m/f*

superior [su:'pɪrɪər] **1** *adj* supérieur **2** *n in organization* supérieur *m*

superlative [su:'pɜ:rlətɪv] **1** *adj* (*superb*) excellent **2** *n* GRAM superlatif *m*

'supermarket supermarché *m*

'superpower POL superpuissance *f*

supersonic [su:pər'sɑ:nɪk] supersonique

superstition [su:pər'stɪʃn] superstition *f*; **superstitious** superstitieux

supervise ['su:pərvaɪz] *children activities etc* surveiller; *workers* superviser; **supervisor** *at work* superviseur *m*

supper ['sʌpər] dîner *m*

supplement ['sʌplɪmənt] (*extra payment*) supplément *m*

supplier [sə'plaɪr] COM fournisseur(-euse) *m*(*f*); **supply** **1** *n of electricity, water etc* alimentation *f* (**of** en); ***~ and demand*** l'offre et la demande; ***supplies*** *of food* provisions *fpl* **2** *v/t goods* fournir

support [sə'pɔ:rt] **1** *n for structure* support *m*; (*backing*) soutien *m* **2** *v/t structure* supporter; *financially* entretenir; (*back*) soutenir; **supporter** *of politician, football etc team* supporteur(-trice) *m*(*f*); *of theory* partisan(e) *m*(*f*); **supportive** *attitude* de soutien; ***be very ~ of s.o.*** beaucoup soutenir qn

suppose [sə'poʊz] (*imagine*) supposer; ***be ~d to do sth*** (*be meant to, said to*) être censé faire qch; ***supposing ...*** (et) si ...; **supposedly** apparemment

suppress [sə'pres] réprimer; **suppression** répression *f*

supremacy [su:'preməsɪ] suprématie *f*; **supreme** suprême; **Supreme Court** Cour *f* suprême

surcharge ['sɜ:rʧɑ:rdʒ] surcharge *f*

sure [ʃʊr] **1** *adj* sûr; ***make ~ that ...*** s'assurer que ... **2**

adv: **~ *enough*** en effet; ***it ~ is hot today*** F il fait vraiment chaud aujourd'hui; **~!** F mais oui, bien sûr!; **surety** *for loan* garant(e) *m(f)*

surf [sɜːrf] **1** *n on sea* écume *f* **2** *v/t the Net* surfer sur

surface ['sɜːrfɪs] **1** *n* surface *f* **2** *v/i from water* faire surface; (*appear*) refaire surface; **surface mail** courrier *m* par voie terrestre ou maritime

'surfboard planche *f* de surf; **surfer** surfeur(-euse) *m(f)*; **surfing** surf *m*; ***go ~*** aller faire du surf

surge [sɜːrdʒ] *in electric current* surtension *f*; *in demand etc* poussée *f*

surgeon ['sɜːrdʒən] chirurgien *m(f)*; **surgery** chirurgie *f*; **surgical** chirurgical; **surgically** *remove* par opération chirurgicale

surly ['sɜːrlɪ] revêche

surmount [sər'maʊnt] *difficulties* surmonter

surname ['sɜːrneɪm] nom *m* de famille

surpass [sər'pæs] dépasser

surplus ['sɜːrpləs] **1** *n* surplus *m* **2** *adj* en surplus

surprise [sər'praɪz] **1** *n* surprise *f* **2** *v/t* étonner; ***be/look ~d*** être/avoir l'air surpris; **surprising** étonnant; **surprisingly** étonnamment

surrender [sə'rendər] **1** *v/i of army* se rendre **2** *v/t weapons etc* rendre **3** *n* capitulation *f*; (*handing in*) reddition *f*

surrogate mother ['sʌrəgət] mère *f* porteuse

surround [sə'raʊnd] **1** *v/t* entourer **2** *n of picture etc* bordure *f*; **surrounding** environnant; **surroundings** environs *mpl*; *setting* cadre *m*

surveillance camera caméra *f* de surveillance

survey 1 ['sɜːrveɪ] *n of modern literature etc* étude *f*; *Br of building* inspection *f*; (*poll*) sondage *m* **2** [sər'veɪ] *v/t* (*look at*) contempler; *Br building* inspecter; **surveyor** *Br* expert *m*

survival [sər'vaɪvl] survie *f*; **survive 1** *v/i* survivre **2** *v/t accident*, (*outlive*) survivre à; **survivor** survivant(e) *m(f)*

suspect 1 ['sʌspekt] *n* suspect(e) *m(f)* **2** [sə'spekt] *v/t person* soupçonner; (*suppose*) croire; **suspected** *murderer* soupçonné; *cause, heart attack etc* présumé

suspend [sə'spend] (*hang*), *from office* suspendre; **suspenders** *for pants* bretelles *fpl*; *Br* porte-jarretelles *m*

suspense [sə'spens] suspense *m*; **suspension** *in vehicle, from duty* suspension *f*

suspicion [sə'spɪʃn] soupçon *m*; **suspicious** (*causing suspicion*) suspect; (*feeling suspicion*) méfiant; ***be ~ of s.o.*** se méfier de qn; **suspiciously** *behave* de manière suspecte; *ask* avec méfiance

sustain [sə'steɪn] soutenir; **sustainable** durable

SUV [esju:'vi:] (= ***sports utility vehicle***) véhicule *m* utilitaire sport

swab [swɑ:b] tampon *m*

swallow[1] ['swɑ:loʊ] *v/t & v/i* avaler

swallow[2] ['swɑ:loʊ] *n bird* hirondelle *f*

swamp [swɑ:mp] **1** *n* marécage *m* **2** *v/t*: ***be ~ed with*** être submergé de; **swampy** marécageux

swap [swɑ:p] échanger (***for*** contre)

swarm [swɔ:rm] **1** *n of bees* essaim *m* **2** *v/i*: ***the town was ~ing with …*** la ville grouillait de …

swarthy ['swɔ:rðɪ] basané

swat [swɑ:t] *insect* écraser

sway [sweɪ] **1** *n* (*influence, power*) emprise *f* **2** *v/i in wind* se balancer; *because drunk, ill* tituber

swear [swer] **1** *v/i* (*use swearword*) jurer; ***~ at s.o.*** injurier qn **2** *v/t* LAW, (*promise*) jurer

◆ **swear in** *witnesses etc* faire prêter serment à

'swearword juron *m*

sweat [swet] **1** *n* sueur *f* **2** *v/i* transpirer, suer; **sweat band** bandeau *m* en éponge; **sweater** pull *m*; **sweatshirt** sweat(-shirt) *m*; **sweaty** plein de sueur

sweep [swi:p] **1** *v/t floor, leaves* balayer **2** *n* (*long curve*) courbe *f*; **sweeping** *statement* hâtif; *changes* radical

sweet [swi:t] *taste, tea* sucré; F (*kind*) gentil; F (*cute*) mignon; **sweetcorn** maïs *m*; **sweeten** sucrer; **sweetheart** amoureux(-euse) *m(f)*

swell [swel] **1** *v/i of wound, limb* enfler **2** *adj* F (*good*) super F *inv* **3** *n of the sea* houle *f*; **swelling** MED enflure *f*

swerve [swɜ:rv] *of driver, car* s'écarter brusquement

swift [swɪft] rapide

swim [swɪm] **1** *v/i* nager **2** *n* baignade *f*; ***go for a ~*** aller se baigner; **swimmer** nageur(-euse) *m(f)*; **swimming** natation *f*; **swimming pool** piscine *f*; **swimsuit** maillot *m* de bain

swindle ['swɪndl] **1** *n* escroquerie *f* **2** *v/t* escroquer; ***~ s.o. out of sth*** escroquer qch à qn

swing [swɪŋ] **1** *n* oscillation *f*; *for child* balançoire *f*; ***~ to the Democrats*** revirement *m* d'opinion en faveur des démocrates **2** *v/t object in hand, hips* balancer **3** *v/i* se balancer; (*turn*) tourner; *of public opinion etc* virer

Swiss [swɪs] **1** *adj* suisse **2** *n person* Suisse *m/f*; ***the ~*** les Suisses *mpl*

switch [swɪʧ] **1** *n for light* bouton *m*; (*change*) change-

ment *m* **2** *v/t* (*change*) changer de **3** *v/i* (*change*) passer
◆ **switch off** *lights*, *engine*, *PC* éteindre; *engine* arrêter
◆ **switch on** *lights*, *engine*, *PC* allumer; *engine* démarrer
Switzerland ['swɪtsərlənd] Suisse *f*
swivel ['swɪvl] pivoter
swollen ['swoʊlən] *stomach* ballonné; *ankles*, *face* enflé
syllabus ['sɪləbəs] programme *m*
symbol ['sɪmbəl] symbole *m*; **symbolic** symbolique; **symbolism** symbolisme *m*; **symbolist** symboliste *m/f*; **symbolize** symboliser
symmetrical [sɪ'metrɪkl] symétrique; **symmetry** symétrie
sympathetic [sɪmpə'θetɪk] (*showing pity*) compatissant; (*understanding*) compréhensif
◆ **sympathize with** ['sɪmpəθaɪz] *person* compatir avec; *views* avoir des sympathies pour
sympathizer ['sɪmpəθaɪzər] POL sympathisant(e) *m(f)*;
sympathy (*pity*) compassion *f*; (*understanding*) compréhension (***for*** de)
symphony ['sɪmfənɪ] symphonie *f*
symptom ['sɪmptəm] MED, *fig* symptôme *m*
synchronize ['sɪŋkrənaɪz] synchroniser
synonym ['sɪnənɪm] synonyme *m*; **synonymous** synonyme
synthesizer ['sɪnθəsaɪzər] MUS synthétiseur *m*; **synthetic** synthétique
syphilis ['sɪfɪlɪs] syphilis *f*
Syria ['sɪrɪə] Syrie *f*; **Syrian 1** *adj* syrien **2** *n* Syrien(ne) *m(f)*
syringe [sɪ'rɪndʒ] seringue *f*
syrup ['sɪrəp] sirop *m*
system ['sɪstəm] système *m*; (*orderliness*) ordre *m*; (*computer*) ordinateur *m*; **systematic** systématique; **systematically** systématiquement
systems analyst COMPUT analyste-programmeur(-euse) *m(f)*

T

table ['teɪbl] table *f*; *of figures* tableau *m*; **tablecloth** nappe *f*; **table lamp** petite lampe *f*; **table of contents** table *f* des matières; **tablespoon** cuillère *f* à soupe
tablet ['tæblɪt] MED comprimé *m*
tabloid ['tæblɔɪd] *newspaper* journal *m* à sensation

taboo [tə'buː] tabou *inv in feminine*
tacit ['tæsɪt] tacite
tack [tæk] **1** *n nail* clou *m* **2** *v/t in sewing* bâtir **3** *v/i of yacht* louvoyer
tackle ['tækl] **1** *n* (*equipment*) attirail *m*; SP tacle *m*; *in rugby* plaquage *m* **2** *v/t* SP tacler; *in rugby* plaquer; *problem* s'attaquer à; (*confront*) confronter; *physically* s'opposer à
tacky ['tækɪ] *paint, glue* collant; F (*cheap, poor quality*) minable F
tact [tækt] tact *m*; **tactful** diplomate; **tactfully** avec tact
tactical ['tæktɪkl] tactique; **tactics** tactique *f*
tactless ['tæktlɪs] qui manque de tact, peu délicat
tag [tæg] (*label*) étiquette *f*
tail [teɪl] queue *f*; **tail light** feu *m* arrière
tailor ['teɪlər] tailleur *m*; **tailor-made** *also fig* fait sur mesure
'**tail pipe** *of car* tuyau *m* d'échappement
take [teɪk] prendre; (*transport, accompany*) amener; *subject at school, photograph, photocopy, stroll* faire; *exam* passer; (*endure*) supporter; (*require: courage etc*) demander; ***how long will it ~ you to ...?*** combien de temps est-ce que tu vas mettre pour ...?
♦ **take after** ressembler à
♦ **take away** *object* enlever; *pain* faire disparaître; MATH soustraire (***from*** de)
♦ **take back** *object* rapporter; *person to a place* ramener; ***she wouldn't take him back*** *husband* elle ne voulait pas qu'il revienne
♦ **take down** *from shelf* enlever; *scaffolding* démonter; *pants* baisser; (*write down*) noter
♦ **take in** (*take indoors*) rentrer; (*give accommodation to*) héberger; (*make narrower*) reprendre; (*deceive*) duper; (*include*) inclure
♦ **take off** **1** *v/t clothes, hat* enlever; *10% etc* faire une réduction de; (*mimic*) imiter **2** *v/i of airplane* décoller; (*become popular*) réussir
♦ **take on** *job* accepter; *staff* embaucher
♦ **take out** *from bag, pocket* sortir (***from*** de); *tooth, word from text* enlever; *money from bank* retirer; *to dinner, theater etc* emmener; *insurance policy* souscrire à
♦ **take over** **1** *v/t company etc* reprendre **2** *v/i* POL arriver au pouvoir; *of new director* prendre ses fonctions; (*do sth in s.o.'s place*) prendre la relève
♦ **take up** *carpet etc* enlever; (*carry up*) monter; *dress etc* raccourcir; *judo, Spanish*

etc se mettre à; *new job* commencer; *space, time* prendre; *offer* accepter

'takeoff *of airplane* décollage *m*; (*impersonation*) imitation *f*; **takeover** COM rachat *m*; **takeover bid** offre *f* publique d'achat, OPA *f*; **takings** recette *f*

tale [teɪl] histoire *f*

talent ['tælənt] talent *m*; **talented** doué; **talent scout** dénicheur(-euse) *m*(*f*) de talents

talk [tɒːk] **1** *v/t & v/i* parler; ~ ***business*** parler affaires **2** *n* (*conversation*) conversation *f*; (*lecture*) exposé *m*; **~s** pourparlers *mpl*

◆ **talk back** répondre

talkative ['tɒːkətɪv] bavard; **talk show** talk-show *m*

tall [tɒːl] grand

tally ['tælɪ] **1** *n* compte *m* **2** *v/i* correspondre; *of stories* concorder

tame [teɪm] apprivoisé; *not wild* pas sauvage; *joke etc* fade

◆ **tamper with** ['tæmpər] toucher à

tampon ['tæmpɑːn] tampon *m*

tan [tæn] **1** *n from sun* bronzage; *color* marron *m* clair **2** *v/i in sun* bronzer **3** *v/t leather* tanner

tangent ['tændʒənt] MATH tangente *f*

tangible ['tændʒɪbl] tangible

tangle ['tæŋgl] enchevêtrement *m*

tango ['tæŋgoʊ] tango *m*

tank [tæŋk] MOT, *for water* réservoir *m*; *for fish* aquarium *m*; MIL char *m*; *for skin diver* bonbonne *f* d'oxygène; **tanker** (*oil* ~) pétrolier *m*; *truck* camion-citerne *m*

tanned [tænd] bronzé

tantalizing ['tæntəlaɪzɪŋ] alléchant

tantrum ['tæntrəm] caprice *m*

tap [tæp] **1** *n Br* (*faucet*) robinet *m* **2** *v/t* (*knock*) taper; *phone* mettre sur écoute

tape [teɪp] **1** *n for recording* bande *f*; *recording* cassette *f*; *sticky* ruban *m* adhésif **2** *v/t conversation etc* enregistrer; *with sticky tape* scotcher; **tape deck** platine *f* cassettes; **tape drive** COMPUT lecteur *m* de bandes; **tape measure** mètre *m* ruban

taper ['teɪpər] *of stick* s'effiler; *of column, pant legs* se rétrécir

'tape recorder magnétophone *m*; **tape recording** enregistrement *m*

tar [tɑːr] goudron *m*

tardy ['tɑːrdɪ] tardif

target ['tɑːrgɪt] **1** *n in shooting* cible *f*; *fig* objectif *m* **2** *v/t market* cibler

'target audience public *m* cible; **target date** date *f* visée; **target market** marché *m* cible

tariff ['tærɪf] (*customs* ~) taxe *f*; (*prices*) tarif *m*
tarmac ['tɑːrmæk] *at airport* tarmac *m*
tarnish ['tɑːrnɪʃ] ternir
tarpaulin [tɑːr'pɒːlɪn] bâche *f*
tart [tɑːrt] tarte *f*
task [tæsk] tâche *f*; **task force** commission *f*; MIL corps *m* expéditionnaire
taste [teɪst] **1** *n* goût *m* **2** *v/t* goûter; (*perceive taste of*) sentir; *try*, *fig* goûter à **3** *v/i*: ***it ~s like...*** ça a (un) goût de ...; **tasteful** de bon goût; **tastefully** avec goût; **tasteless** *food* fade; *remark*, *décor* de mauvais goût; **tasting** *of wine* dégustation *f*; **tasty** délicieux
tattered ['tætərd] en lambeaux
tattoo [tə'tuː] tatouage *m*
taunt [tɒːnt] **1** *n* raillerie *f* **2** *v/t* se moquer de
taut [tɒːt] tendu
tax [tæks] **1** *n on income* impôt *m*; *on goods*, *services* taxe *f* **2** *v/t income* imposer; *goods*, *services* taxer; **taxable income** revenu *m* imposable; **taxation** *act* imposition *f*; (*taxes*) charges *fpl* fiscales; **tax bracket** fourchette *f* d'impôts; **tax-deductible** déductible des impôts; **tax evasion** fraude *f* fiscale; **tax-free** hors taxe; **tax haven** paradis *m* fiscal
taxi ['tæksɪ] taxi *m*; **taxi driver** chauffeur *m* de taxi
taxing ['tæksɪŋ] exténuant
'taxi stand, *Br* **'taxi rank** station *f* de taxis
'taxpayer contribuable *m/f*; **tax return** déclaration *f* d'impôts; **tax year** année *f* fiscale
TB [tiː'biː] (= ***tuberculosis***) tuberculose *f*
tea [tiː] *drink* thé *m*; **teabag** sachet *m* de thé
teach [tiːʧ] enseigner; *person* enseigner à; **teacher** professeur *m/f*; *in elementary school* instituteur(-trice) *m(f)*; **teaching** *profession* enseignement *m*
'teacup tasse *f* à thé
teak [tiːk] tek *m*
team [tiːm] équipe *f*; **team spirit** esprit *m* d'équipe; **teamster** camionneur(-euse) *m(f)*; **teamwork** travail *m* d'équipe
teapot ['tiːpɑːt] théière *f*
tear[1] [ter] **1** *n in cloth etc* déchirure *f* **2** *v/t paper*, *cloth* déchirer **3** *v/i* (*run fast*, *drive fast*): ***she tore down the street*** elle a descendu la rue en trombe
◆ **tear down** *poster* arracher; *building* démolir
◆ **tear out** *page* arracher
◆ **tear up** déchirer; *contract etc* annuler
tear[2] [tɪr] *n in eye* larme *f*; ***be in ~s*** être en larmes; **tearful** *look* plein de larmes; **tear gas** gaz *m* lacrymogène

tease [tiːz] taquiner
'teaspoon cuillère *f* à café
technical ['teknɪkl] technique; **technically** (*strictly speaking*) en théorie; **technician** technicien(ne) *m*(*f*); **technique** technique *f*
technological [teknə'lɑːdʒɪkl] technologique; **technology** technologie *f*; **technophobia** technophobie *f*
teddy bear ['tedɪber] ours *m* en peluche
tedious ['tiːdɪəs] ennuyeux
tee [tiː] *in golf* tee *m*
teenage ['tiːneɪdʒ] *fashion* pour adolescents; **teenager** adolescent(e) *m*(*f*)
teens [tiːnz] adolescence *f*
teeny ['tiːnɪ] F tout petit
teeth [tiːθ] *pl* → ***tooth***
teethe [tiːð] faire ses dents
telecommunications [telɪkəmjuːnɪ'keɪʃnz] télécommunications *fpl*
telegraph pole ['telɪgræfpoʊl] *Br* poteau *m* télégraphique
telepathic [telɪ'pæθɪk] télépathique; **telepathy** télépathie *f*
telephone ['telɪfoʊn] **1** *n* téléphone *m* **2** *v/t person* téléphoner à **3** *v/i* téléphoner; **telephone book** annuaire *m*; **telephone booth** cabine *f* téléphonique; **telephone call** appel *m* téléphonique; **telephone conversation** conversation *f* téléphonique; **telephone directory** annuaire *m*; **telephone number** numéro *m* de téléphone
telephoto lens [telɪ'foʊtoʊlenz] téléobjectif *m*
telesales ['telɪseɪlz] télévente *f*
telescope ['telɪskoʊp] téléscope *m*
televise ['telɪvaɪz] téléviser
television ['telɪvɪʒn] *also set* télévision *f*; ***on ~*** à la télévision; **television program**, *Br* **television programme** émission *f* télévisée; **television studio** studio *m* de télévision
tell [tel] **1** *v/t story* raconter; *lie* dire; ***I can't ~ the difference*** je n'arrive pas à faire la différence; ***~ s.o. sth*** dire qch à qn; ***~ s.o. to do sth*** dire à qn de faire qch **2** *v/i* (*have effect*) se faire sentir; **teller** *in bank* guichetier(-ière) *m*(*f*); **telling off**: ***get a ~*** se faire remonter les bretelles F; **telltale 1** *adj signs* révélateur **2** *n* rapporteur(-euse) *m*(*f*)
temp [temp] **1** *n employee* intérimaire *m*/*f* **2** *v/i* faire de l'intérim
temper ['tempər] (*bad ~*) mauvaise humeur *f*; ***lose one's ~*** se mettre en colère
temperament ['temprəmənt] tempérament *m*; **temperamental** (*moody*) capricieux
temperate ['tempərət] tempéré

temperature ['temprətʃər] température *f*
temple¹ ['templ] REL temple *m*
temple² ['templ] ANAT tempe *f*
tempo ['tempoʊ] MUS tempo *m*
temporarily [tempə'rerılı] temporairement; **temporary** temporaire
tempt [tempt] tenter; **temptation** tentation *f*; **tempting** tentant
ten [ten] dix
tenacious [tı'neıʃəs] tenace; **tenacity** ténacité *f*
tenant ['tenənt] locataire *m/f*
tend¹ [tend] *v/t lawn* entretenir; *sheep* garder; *the sick* soigner
tend² [tend] *v/i*: **~ *to do sth*** avoir tendance à faire qch
tendency ['tendənsı] tendance *f*
tender¹ ['tendər] *adj* (*sore*) sensible; (*affectionate*), *steak* tendre
tender² ['tendər] *n* COM offre *f*
tenderness ['tendənıs] *of kiss etc* tendresse *f*; *of steak* tendreté *f*
tendon ['tendən] tendon *m*
tennis ['tenıs] tennis *m*; **tennis ball** balle *f* de tennis; **tennis court** court *m* de tennis; **tennis player** joueur(-euse) *m(f)* de tennis
tenor ['tenər] MUS ténor *m*
tense¹ [tens] *n* GRAM temps *m*
tense² [tens] *adj* tendu
tension ['tenʃn] tension *f*
tent [tent] tente *f*
tentative ['tentətıv] *smile, steps* hésitant; *conclusion, offer* provisoire
tenth [tenθ] dixième
tepid ['tepıd] *also fig* tiède
term [tɜːrm] (*period, word*) terme *m*; *Br* EDU trimestre *m*; (*condition*) condition *f*; ***be on good/bad ~s with s.o.*** être en bons/mauvais termes avec qn; ***in the long/short ~*** à long/court terme
terminal ['tɜːrmınl] **1** *n at airport* aérogare *m*; *for buses* terminus *m*; *for containers*, COMPUT terminal *m*; ELEC borne *f* **2** *adj illness* incurable; **terminally**: **~ *ill*** en phase terminale; **terminate 1** *v/t* mettre fin à; *pregnancy* interrompre **2** *v/i* se terminer; **termination** *of contract* résiliation *f*; *in pregnancy* interruption *f* volontaire de grossesse
terminus ['tɜːrmınəs] terminus *m*
terrace ['terəs] terrasse *f*
terrain [te'reın] terrain *m*
terrible ['terəbl] horrible, affreux; **terribly** (*very*) très
terrific [tə'rıfık] génial; **terrifically** (*very*) extrêmement, vachement F
terrify ['terıfaı] terrifier; **terrifying** terrifiant
territorial [terə'toːrıəl] territorial; **territory** territoire *m*;

fig domaine *m*
terror ['terər] terreur *f*; **terrorism** terrorisme *m*; **terrorist** terroriste *m/f*; **terrorist attack** attentat *m* terroriste; **terrorize** terroriser
terse [tɜːrs] laconique
test [test] **1** *n scientific, technical* test *m*; *academic, for driving* examen *m* **2** *v/t* tester, mettre à l'épreuve; **test-drive** *car* essayer
testicle ['testɪkl] testicule *m*
testify ['testɪfaɪ] LAW témoigner
testimony ['testɪmənɪ] LAW témoignage *m*
testy ['testɪ] irritable
tetanus ['tetənəs] tétanos *m*
text [tekst] **1** *n* texte *m*; *message* texto *m* **2** *v/t* envoyer un texto à; **textbook** manuel *m*; **text-message** texto *m*, SMS *m*
textile ['tekstaɪl] textile *m*
texture ['tekstʃər] texture *f*
than [ðæn] que; *with numbers* de; ***faster ~ me*** plus rapide que moi
thank [θæŋk] remercier; ***~ you*** merci; ***no ~ you*** (non) merci; **thankful** reconnaissant; **thankfully** (*luckily*) heureusement; **thankless** *task* ingrat; **thanks** remerciements *mpl*; ***~!*** merci!; ***~ to*** grâce à; **Thanksgiving (Day)** jour *m* de l'action de grâces, Thanksgiving *m*
that [ðæt] **1** *adj* ce, cette; *masculine before vowel* cet; ***~ one*** celui-là, celle-là **2** *pron* cela, ça; ***give me ~*** donne-moi ça; ***~'s tea*** c'est du thé; ***what is ~?*** qu'est-ce que c'est que ça?; ***who is ~?*** qui est-ce? **3** *rel pron* que; ***the car ~ you see*** la voiture que vous voyez **4** *adv* (*so*) aussi; ***~ expensive*** aussi cher **5** *conj* que; ***I think ~ ...*** je pense que ...
thaw [θɒː] *of snow* fondre; *of frozen food* se décongeler
the [ðə] le, la; *pl* les; ***to the station/theater*** à la gare/au théâtre; ***~ more I try*** plus j'essaie
theater, *Br* **theatre** ['θɪətər] théâtre *m*; **theatrical** *also fig* théâtral
theft [θeft] vol *m*
their [ðer] leur; *pl* leurs; (*his or her*) son, sa; *pl* ses; **theirs** le leur, les leurs; ***it's ~*** c'est à eux/elles
them [ðem] *object* les; *indirect object* leur; *with prep* eux, elles; ***I know ~*** je les connais; ***I gave ~ a dollar*** je leur ai donné un dollar; ***this is for ~*** c'est pour eux/elles; ***who? – ~*** qui? – eux/elles
theme [θiːm] thème *m*; **theme park** parc *m* à thème
themselves [ðem'selvz] eux-mêmes, elles-mêmes; *reflexive* se; *after prep* eux, elles; ***they gave ~ a holiday*** ils se sont offerts des vacances

then [ðen] (*at that time*) à l'époque; (*after that*) ensuite; *deducing* alors; ***by ~*** alors
theoretical [θɪə'retɪkl] théorique; **theoretically** en théorie; **theory** théorie *f*
therapeutic [θerə'pju:tɪk] thérapeutique; **therapist** thérapeute *m/f*; **therapy** thérapie *f*
there [ðer] là; ***over ~/down ~*** là-bas; ***~ is/are …*** il y a …; ***is/are ~ …?*** est-ce qu'il y a…?, y a-t-il …?; ***~ is/are not …*** il n'y a pas …; ***~ you are*** voilà; ***~ and back*** aller et retour; ***~ he is!*** le voilà!; ***~, ~!*** allons, allons; ***we went ~ yesterday*** nous y sommes allés hier; **thereabouts**: ***$500 or ~*** environ 500 $; **therefore** donc
thermometer [θər'mɑ:mɪtər] thermomètre *m*
thermos flask ['θɜ:rməsflæsk] thermos *m*
these [ði:z] **1** *adj* ces **2** *pron* ceux-ci, celles-ci
thesis ['θi:sɪs] thèse *f*
they [ðeɪ] ils, elles; (*he or she*) il; ***there ~ are*** les voilà; ***~ say that …*** on dit que …
thick [θɪk] épais; F (*stupid*) lourd; ***it's 3 cm ~*** ça fait 3 cm d'épaisseur; **thicken** *sauce* épaissir; **thick-skinned** *fig* qui a la peau dure
thief [θi:f] voleur(-euse) *m(f)*
thigh [θaɪ] cuisse *f*
thin [θɪn] *material* léger, fin; *layer* mince; *person* maigre; *line* fin; *soup* liquide
thing [θɪŋ] chose *f*; ***~s*** (*belongings*) affaires *fpl*
think [θɪŋk] penser; ***I ~ so*** je pense que oui; ***I don't ~ so*** je ne pense pas; ***I'll ~ about it*** *offer* je vais y réfléchir
◆ **think over** réfléchir à
◆ **think through** bien examiner
◆ **think up** *plan* concevoir
'**think tank** comité *m* d'experts
thin-skinned ['θɪnskɪnd] *fig* susceptible
third [θɜ:rd] **1** *adj* troisième **2** *n* troisième *m/f*; **thirdly** troisièmement; **third-party** tiers *m*; **third-party insurance** *Br* assurance *f* au tiers; **Third World** Tiers-Monde *m*
thirst [θɜ:rst] soif *f*; **thirsty** assoiffé; ***be ~*** avoir soif
thirteen [θɜ:r'ti:n] treize; **thirteenth** treizième; **thirtieth** trentième; **thirty** trente
this [ðɪs] **1** *adj* ce, cette; *masculine before vowel* cet; ***~ one*** celui-ci, celle-ci **2** *pron* cela, ça; ***~ is good*** c'est bien; ***~ is …*** c'est …; *introducing s.o.* je vous présente … **3** *adv*: ***~ high*** haut comme ça
thorn [θɔ:rn] épine *f*; **thorny** *also fig* épineux
thorough ['θɜ:roʊ] *search, knowledge* approfondi; *person* méticuleux; **thorough-**

bred *horse* pur-sang *m*; **thoroughly** complètement; *clean, search for, know* à fond

those [ðouz] **1** *adj* ces **2** *pron* ceux-là, celles-là

though [ðou] **1** *conj* (*although*) bien que (+*subj*), quoique (+*subj*); ***as ~*** comme si **2** *adv* pourtant

thought [θɒ:t] pensée *f*; **thoughtful** pensif; *book* profond; (*considerate*) attentionné; **thoughtless** inconsidéré

thousand ['θauznd] mille *m*; ***~s of*** des milliers *mpl* de; **thousandth** **1** *adj* millième **2** *n* millième *m/f*

thrash [θræʃ] rouer de coups; SP battre à plates coutures

◆ **thrash out** *solution* parvenir à

thrashing volée *f* de coups; ***get a ~*** SP se faire battre à plates coutures

thread [θred] **1** *n* fil *m*; *of screw* filetage *m* **2** *v/t needle, beads* enfiler; **threadbare** usé jusqu'à la corde

threat [θret] menace *f*; **threaten** menacer; **threatening** menaçant

three [θri:] trois; **three-quarters** les trois-quarts *mpl*

threshold ['θreʃhould] *of house, new era* seuil *m*

thrifty ['θrɪftɪ] économe

thrill [θrɪl] **1** *n* frisson *m* **2** *v/t*: ***be ~ed*** être ravi; **thriller** thriller *m*; **thrilling** palpitant

thrive [θraɪv] *of plants* bien pousser; *of business* prospérer

throat [θrout] gorge *f*; **throat lozenge** pastille *f* pour la gorge

throb [θrɑ:b] **1** *n of heart* pulsation *f*; *of music* vibration *f* **2** *v/i of heart* battre fort; *of music* vibrer

throne [θroun] trône *m*

throttle ['θrɑ:tl] **1** *n on motorbike, boat* papillon *m* des gaz **2** *v/t* (*strangle*) étrangler

through [θru:] **1** *prep* ◇ (*across*) à travers; ***go ~ the city*** traverser la ville ◇ (*during*) pendant; ***all ~ the night*** toute la nuit; ***Monday ~ Friday*** du lundi au vendredi (inclus) ◇ (*by means of*) par **2** *adv*: ***wet ~*** mouillé jusqu'aux os **3** *adj*: ***be ~*** (*have arrived*: *of news etc*) être parvenu; ***we're ~*** *of couple* c'est fini entre nous; ***be ~ with s.o./sth*** en avoir fini avec qn/qch; **throughout** **1** *prep* tout au long de, pendant tout(e) **2** *adv* (*in all parts*) partout

throw [θrou] **1** *v/t* jeter, lancer; *of horse* désarçonner; (*disconcert*) déconcerter; *party* organiser **2** *n* jet *m*; ***it's your ~*** c'est à toi de lancer

◆ **throw away** jeter

◆ **throw out** *old things* jeter; *from bar, home* jeter dehors,

mettre à la porte; *from country* expulser; *plan* rejeter
◆ **throw up 1** *v/t ball* jeter en l'air **2** *v/i* (*vomit*) vomir
throw-away ['θrouəweɪ] (*disposable*) jetable; *remark* en l'air; **throw-in** SP remise *f* en jeu
thru [θruː] → ***through***
thrust [θrʌst] (*push hard*) enfoncer
thud [θʌd] bruit *m* sourd
thug [θʌg] brute *f*
thumb [θʌm] **1** *n* pouce *m* **2** *v/t*: *~ **a ride*** faire de l'auto-stop; **thumbtack** punaise *f*
thunder ['θʌndər] tonnerre *m*; **thunderous** *applause* tonitruant; **thunderstorm** orage *m*; **thunderstruck** abasourdi; **thundery** *weather* orageux
Thursday ['θɜːrzdeɪ] jeudi *m*
thus [ðʌs] ainsi
thwart [θwɔːrt] contrarier
tick [tɪk] **1** *n of clock* tic-tac *m*; *Br* (*checkmark*) coche *f* **2** *v/i* faire tic-tac
ticket ['tɪkɪt] *for bus*, *museum* ticket *m*; *for train*, *airplane*, *theater*, *concert*, *lottery* billet *m*; *for speeding*, *illegal parking* P.V. *m*; **ticket machine** distributeur *m* de billets; **ticket office** billetterie *f*
ticking ['tɪkɪŋ] *noise* tic-tac *m*
tickle ['tɪkl] chatouiller
tidal wave ['taɪdlweɪv] raz-de-marée *m*
tide [taɪd] marée *f*
tidiness ['taɪdɪnɪs] ordre *m*; **tidy** *person*, *habits* ordonné; *room*, *house*, *desk* en ordre
◆ **tidy up 1** *v/t room*, *shelves* ranger; ***tidy o.s. up*** remettre de l'ordre dans sa tenue **2** *v/i* ranger
tie [taɪ] **1** *n* (*necktie*) cravate *f*; SP (*even result*) match *m* à égalité; ***he doesn't have any ~s*** il n'a aucune attache **2** *v/t laces* nouer; *knot* faire; *hands* lier **3** *v/i* SP *of teams* faire match nul; *of runner* finir ex æquo
◆ **tie down** attacher; *fig* (*restrict*) restreindre
◆ **tie up** *hair* attacher; *person* ligoter; *boat* amarrer
tier [tɪr] *of hierarchy* niveau *m*; *of seats* gradin *m*
tight [taɪt] **1** *adj clothes*, *knot*, *screw* serré; *shoes* trop petit; (*properly shut*) bien fermé; *not leaving much time* juste; *security* strict; F (*drunk*) bourré F **2** *adv hold* fort; *shut* bien; **tighten** *control*, *security* renforcer; *screw* serrer; (*make tighter*) resserrer; **tight-fisted** radin; **tightly** *adv* → ***tight*** *adv*; **tightrope** corde *f* raide; **tights** *Br* collant *m*
tile [taɪl] *on floor*, *wall* carreau *m*; *on roof* tuile *f*
till[1] [tɪl] → ***until***
till[2] [tɪl] (*cash register*) caisse *f*
tilt [tɪlt] pencher
timber ['tɪmbər] bois *m*

time [taɪm] **1** *n* temps *m*; (*occasion*) fois *f*; ***have a good ~*** bien s'amuser; ***what's the ~?*** quelle heure est-il?; ***the first ~*** la première fois; ***all the ~*** pendant tout ce temps; ***at the same ~*** *speak, reply etc*, (*however*) en même temps; ***in ~*** à temps; ***on ~*** à l'heure **2** *v/t* chronométrer; **time bomb** bombe *f* à retardement; **time difference** décalage *m* horaire; **time-lag** laps *m* de temps; **time limit** limite *f* dans le temps; **timely** opportun; **time out** SP temps *m* mort; **timer** *device* minuteur *m*; **timesaving** économie *f* de temps; **timescale** *of project* durée *f*; **time switch** minuterie *f*; **time zone** fuseau *m* horaire

timid ['tɪmɪd] timide

tin [tɪn] *metal* étain *m*; **tinfoil** papier *m* aluminium

tinge [tɪndʒ] soupçon *m*

tingle ['tɪŋgl] picoter

tinkle ['tɪŋkl] *of bell* tintement *m*

tinsel ['tɪnsl] guirlandes *fpl* de Noël

tint [tɪnt] **1** *n of color* teinte *f*; *for hair* couleur *f* **2** *v/t*: ***~ one's hair*** se faire une coloration; **tinted** *glasses* teinté; *paper* de couleur pastel

tiny ['taɪnɪ] minuscule

tip¹ [tɪp] *n* (*end*) bout *m*

tip² [tɪp] **1** *n advice* conseil *m*; *money* pourboire *m* **2** *v/t waiter etc* donner un pourboire à

◆ **tip off** informer

'tip-off renseignement *m*, tuyau *m* F

tipped [tɪpt] *cigarettes* à bout filtre

tippy-toe ['tɪpɪtoʊ]: ***on ~*** sur la pointe des pieds

tipsy ['tɪpsɪ] éméché

tire¹ ['taɪr] *n* pneu *m*

tire² ['taɪr] **1** *v/t* fatiguer **2** *v/i* se fatiguer

tired ['taɪrd] fatigué; **tiredness** fatigue *f*; **tireless** *efforts* infatigable; **tiresome** (*annoying*) fatigant; **tiring** fatigant

tissue ['tɪʃuː] ANAT tissu *m*; *handkerchief* mouchoir *m* en papier; **tissue paper** papier *m* de soie

title ['taɪtl] *of novel, person etc* titre *m*; LAW titre *m* de propriét é (***to*** de); **titleholder** SP tenant(e) *m*(*f*) du titre

to [tuː] **1** *prep* à; ***~ Japan*** au Japon; ***~ Chicago*** à Chicago; ***~ my place*** chez moi; ***~ the north of*** au nord de; ***give sth ~ s.o.*** donner qch à qn **2** *with verbs*: ***~ speak, ~ shout*** parler, crier; ***learn ~ drive*** apprendre à conduire; ***too heavy ~ carry*** trop lourd à porter **3** *adv*: ***~ and fro*** *walk, pace* de long en large

toast [toʊst] **1** *n for eating* pain *m* grillé; *when drinking* toast *m*; ***propose a ~ to s.o.***

porter un toast à qn **2** *v/t when drinking* porter un toast à

toaster grille-pain *m inv*

tobacco [tə'bækoʊ] tabac *m*

today [tə'deɪ] aujourd'hui

toddler ['tɑːdlər] jeune enfant *m*

to-do [tə'duː] F remue-ménage *m*

toe [toʊ] orteil *m*; *of sock, shoe* bout *m*; **toenail** ongle *m* de pied

together [tə'geðər] ensemble; (*at the same time*) en même temps

toilet ['tɔɪlɪt] toilettes *fpl*; **toilet paper** papier *m* hygiénique; **toiletries** articles *mpl* de toilette

token ['toʊkən] *sign* témoignage *m*; *Br* (*gift* **~**) bon *m* d'achat; *instead of coin* jeton *m*

tolerable ['tɑːlərəbl] *pain etc* tolérable; (*quite good*) acceptable; **tolerance** tolérance *f*; **tolerant** tolérant; **tolerate** tolérer

toll[1] [toʊl] *v/i of bell* sonner

toll[2] [toʊl] *n* (*deaths*) bilan *m*

toll[3] [toʊl] *n for bridge, road* péage *m*

'toll booth poste *m* de péage; **toll-free** TELEC gratuit; **~ *number*** numéro *m* vert

tomato [tə'meɪtoʊ] tomate *f*; **tomato ketchup** ketchup *m*

tomb [tuːm] tombe *f*; **tombstone** pierre *f* tombale

tomcat ['tɑːmkæt] matou *m*

tomorrow [tə'mɔːroʊ] demain; ***the day after* ~** après-demain; **~ *morning*** demain matin

ton [tʌn] tonne *f* courte (*=907 kg*)

tone [toʊn] *of color, conversation* ton *m*; *of musical instrument* timbre *m*; *of neighborhood* classe *f*; **~ *of voice*** ton *m*; **toner** toner *m*

tongue [tʌŋ] langue *f*

tonic ['tɑːnɪk] MED fortifiant *m*; **tonic (water)** Schweppes® *m*, tonic *m*

tonight [tə'naɪt] ce soir; *sleep* cette nuit

too [tuː] (*also*) aussi; (*excessively*) trop; ***me* ~** moi aussi; **~ *much rice*** trop de riz

tool [tuːl] outil *m*

tooth [tuːθ] dent *f*; **toothache** mal *m* de dents; **toothbrush** brosse *f* à dents; **toothpaste** dentifrice *m*; **toothpick** cure-dents *m*

top [tɑːp] **1** *n also clothing* haut *m*; (*lid: of bottle etc*) bouchon *m*; *of pen* capuchon *m*; *of the class, league* premier(-ère) *m(f)*; MOT: *gear* quatrième *f*/cinquième *f*; ***on* ~ *of*** sur; ***be at the* ~ *of*** être en haut de; ***be at the* ~ *of*** *league* être premier de; ***get to the* ~** *of company, mountain etc* arriver au sommet **2** *adj branches* du haut; *floor* dernier; *player etc* meilleur;

speed maximum; *note* le plus élevé; ~ ***official*** haut fonctionnaire *m*
topic ['tɑːpɪk] sujet *m*; **topical** d'actualité
topless ['tɑːplɪs] aux seins nus; **topmost** *branch* le plus haut; *floor* dernier; **topping** *on pizza* garniture *f*
topple ['tɑːpl] **1** *v/i* s'écrouler **2** *v/t government* renverser
top 'secret top secret *inv*
topsy-turvy [tɑːpsɪ'tɜːrvɪ] sens dessus dessous
torment 1 ['tɔːrment] *n* tourment *m* **2** [tɔːr'ment] *v/t person, animal* harceler
tornado [tɔːr'neɪdoʊ] tornade *f*
torpedo [tɔːr'piːdoʊ] **1** *n* torpille *f* **2** *v/t also fig* torpiller
torrent ['tɑːrənt] *also fig* torrent *m*
torture ['tɔːrtʃər] **1** *n* torture *f* **2** *v/t* torturer
toss [tɑːs] **1** *v/t ball* lancer; *rider* désarçonner; *salad* remuer
total ['toʊtl] **1** *adj* total; *disaster* complet; *idiot* fini; ***he's a ~ stranger*** c'est un parfait inconnu **2** *n* total *m*; **totalitarian** totalitaire; **totally** totalement
totter ['tɑːtər] tituber
touch [tʌtʃ] **1** *n sense* toucher *m*; ***lose ~ with s.o.*** perdre contact avec qn; ***in ~*** SP en touche **2** *v/t also emotionally* toucher; *exhibits etc* toucher à **3** *v/i of two things* se toucher
◆ **touch down** *of airplane* atterrir; SP faire un touché-en-but
'touchdown *of airplane* atterrissage *m*; SP touché-en-but; **touching** touchant; **touchline** SP ligne *f* de touche; **touch screen** écran *m* tactile; **touchy** *person* susceptible
tough [tʌf] *person, material* résistant; *meat, question, exam, punishment* dur
tour [tʊr] **1** *n* visite *f*; *as part of package* circuit *m* (***of*** dans); *of band etc* tournée *f* **2** *v/t area* visiter **3** *v/i of tourist* faire du tourisme; *of band* être en tournée; **tour guide** accompagnateur(-trice) *m*(*f*); **tourism** tourisme; **tourist** touriste *m/f*; **tourist industry** industrie *f* touristique; **tourist information office** office *m* de tourisme
tournament ['tʊrnəmənt] tournoi *m*
'tour operator tour-opérateur *m*, voyagiste *m*
tow [toʊ] remorquer
◆ **tow away** *car* emmener à la fourrière
toward [tɔːrd] vers; *with attitude, feelings etc* envers
towel ['taʊəl] serviette *f*
tower ['taʊər] tour *f*
town [taʊn] ville *f*; **town center**, *Br* **town centre** centre-

ville *m*; **town council** conseil *m* municipal; **town hall** hôtel *m* de ville

toxic ['tɑːksɪk] toxique; **toxin** toxine *f*

toy [tɔɪ] jouet *m*

trace [treɪs] **1** *n of substance* trace *f* **2** *v/t* (*find*) retrouver; *draw* tracer

track [træk] *path*, (*racecourse*) piste *f*; *motor racing* circuit *m*; *on record*, *CD* morceau *m*; RAIL voie *f* (ferrée); **~ *10*** RAIL voie 10; ***keep ~ of sth*** suivre qch

◆ **track down** *person* retrouver; *criminal* dépister; *object* dénicher

tracksuit *Br* survêtement *m*

tractor ['træktər] tracteur *m*

trade [treɪd] **1** *n* commerce *m*; (*profession*, *craft*) métier *m* **2** *v/i* (*do business*) faire du commerce **3** *v/t* (*exchange*) échanger (***for*** contre); **trade fair** foire *f* commerciale; **trademark** marque *f* de commerce; **trade mission** mission *f* commerciale; **trader** commerçant(e) *m*(*f*)

tradition [trə'dɪʃn] tradition *f*; **traditional** traditionnel; **traditionally** traditionnellement

traffic ['træfɪk] circulation *f*; *at airport*, *in drugs* trafic *m*

◆ **traffic in** *drugs* faire du trafic de

'**traffic circle** rond-point *m*; **traffic cop** F agent *m* de la circulation; **traffic jam** embouteillage *m*; **traffic light** feux *mpl* de signalisation; **traffic sign** panneau *m* de signalisation

tragedy ['trædʒədɪ] tragédie *f*; **tragic** tragique

trail [treɪl] **1** *n* (*path*) sentier *m*; *of blood* traînée *f* **2** *v/t* (*follow*) suivre à la trace; (*tow*) remorquer **3** *v/i* (*lag behind*) traîner; **trailer** *pulled by vehicle* remorque *f*; (*mobile home*) caravane *f*; *of movie* bande-annonce *f*

train[1] [treɪn] *n* train *m*

train[2] [treɪn] **1** *v/t* entraîner; *dog* dresser; *employee* former **2** *v/i of team*, *athlete* s'entraîner; *of teacher etc* faire sa formation

trainee stagiaire *m/f*; **trainer** SP entraîneur(-euse) *m*(*f*); *of dog* dresseur(-euse) *m*(*f*); **~s** *Br*: *shoes* tennis *mpl*; **training** *of new staff* formation *f*; SP entraînement *m*

'**train station** gare *f*

traitor ['treɪtər] traître *m*, traîtresse *f*

◆ **trample on** piétiner

trampoline ['træmpəliːn] trampoline *m*

tranquil ['træŋkwɪl] tranquille; **tranquility**, *Br* **tranquillity** tranquillité *f*; **tranquilizer**, *Br* **tranquillizer** tranquillisant *m*

transaction [træn'zækʃn] *of business* conduite *f*; *piece*

of business transaction *f*
transatlantic [trænzət'læntɪk] transatlantique
transcript ['trænskrɪpt] transcription *f*
transfer 1 [træns'fɜːr] *v/t* transférer **2** [træns'fɜːr] *v/i when traveling* changer; *in job* être muté (***to*** à) **3** ['trænsfɜːr] *n* transfert *m*; **transferable** *ticket* transférable; **transfer fee** *for sportsman* prix *m* de transfert
transform [træns'fɔːrm] transformer; **transformation** transformation *f*; **transformer** ELEC transformateur *m*
transfusion [træns'fjuːʒn] transfusion *f*
transit ['trænzɪt]: ***in ~*** en transit; **transition** transition *f*; **transitional** de transition; **transit lounge** *at airport* salle *f* de transit; **transit passenger** passager(-ère) *m(f)* en transit
translate [træns'leɪt] traduire; **translation** traduction *f*; **translator** traducteur(-trice) *m(f)*
transmission [trænz'mɪʃn] TV, AUT transmission *f*; **transmit** *news*, *program* diffuser; *disease* transmettre; **transmitter** RAD, TV émetteur *m*
transparency [træns'pærənsɪ] PHOT diapositive *f*; **transparent** transparent; (*obvious*) évident
transplant MED **1** ['trænsplænt] transplantation *n f*; *organ transplanted* transplant *m* **2** [træns'plænt] *v/t* transplanter
transport 1 ['trænspɔːrt] *n* transport *m* **2** [træn'spɔːrt] *v/t* transporter; **transportation** *of goods*, *people* transport *m*
transvestite [træns'vestaɪt] travesti *m*
trap [træp] **1** *n also fig* piège *m* **2** *v/t also fig* piéger; **trappings** *of power* signes extérieurs *mpl*
trash [træʃ] (*garbage*) ordures *fpl*; F *goods etc* camelote *f* F; *fig*: *person* vermine *f*; **trash can** poubelle *f*; **trashy** *goods* de pacotille; *novel* de bas étage
traumatic [traʊ'mætɪk] traumatisant; **traumatize** traumatiser
travel ['trævl] **1** *n* voyages *mpl* **2** *v/i* voyager **3** *v/t miles* parcourir; **travel agency** agence *f* de voyages; **travel agent** agent *m* de voyages; **traveler**, *Br* **traveller** voyageur(-euse) *m(f)*; **traveler's check**, *Br* **traveller's cheque** chèque-voyage *m*; **travel expenses** frais *mpl* de déplacement; **travel insurance** assurance-voyage *f*
trawler ['trɔːlər] chalutier *m*
tray [treɪ] *for food*, *photocop-*

ier plateau *m*; *to go in oven* plaque *f*
treacherous ['tretʃərəs] traître; **treachery** traîtrise *f*
tread [tred] **1** *n* pas *m*; *of staircase* dessus *m* des marches; *of tire* bande *f* de roulement **2** *v/i* marcher
treason ['tri:zn] trahison *f*
treasure ['treʒər] **1** *n* trésor *m* **2** *v/t gift etc* chérir; **treasurer** trésorier(-ière) *m(f)*; **Treasury Department** ministère *m* des Finances
treat [tri:t] **1** *n* plaisir *m*; ***it's my ~*** (*I'm paying*) c'est moi qui paie **2** *v/t* traiter; ***~ s.o. to sth*** offrir qch à qn; **treatment** traitement *m*
treaty ['tri:tɪ] traité *m*
treble ['trebl] **1** *adv*: ***~ the price*** le triple du prix **2** *v/i* tripler
tree [tri:] arbre *m*
tremble ['trembl] trembler
tremendous [trɪ'mendəs] (*very good*) formidable; (*enormous*) énorme; **tremendously** (*very*) extrêmement; (*a lot*) énormément
tremor ['tremər] *of earth* secousse *f* (sismique)
trench [trentʃ] tranchée *f*
trend [trend] tendance *f*; (*fashion*) mode *f*; **trendy** branché
trespass ['trespæs] entrer sans autorisation; ***no ~ing*** défense d'entrer; **trespasser** *personne qui viole la propriété d'une autre*
trial ['traɪəl] LAW procès *m*; *of equipment* essai *m*; ***be on ~*** LAW passer en justice
triangle ['traɪæŋgl] triangle *m*; **triangular** triangulaire
tribe [traɪb] tribu *f*
tribunal [traɪ'bju:nl] tribunal *m*
tributary ['trɪbjəterɪ] *of river* affluent *m*
trick [trɪk] **1** *n to deceive* tour *m*; (*knack*) truc *m* **2** *v/t* rouler; **trickery** tromperie *f*
trickle ['trɪkl] **1** *n* filet *m*; *fig* tout petit peu *m* **2** *v/i* couler goutte à goutte
tricky ['trɪkɪ] (*difficult*) délicat
trifling ['traɪflɪŋ] insignifiant
trigger ['trɪgər] *on gun* détente *f*
◆ **trigger off** déclencher
trim [trɪm] **1** *adj* (*neat*) bien entretenu; *figure* svelte **2** *v/t hair* couper un peu; *hedge* tailler; *costs* réduire; (*decorate: dress*) garnir **3** *n cut* taille *f*
trinket ['trɪŋkɪt] babiole *f*
trip [trɪp] **1** *n* (*journey*) voyage *m*; (*outing*) excursion *f* **2** *v/i* (*stumble*) trébucher **3** *v/t* (*make fall*) faire un croche-pied à
◆ **trip up 1** *v/t* (*make fall*) faire un croche-pied à; (*cause to go wrong*) faire trébucher **2** *v/i* (*stumble*) trébucher; (*make a mistake*) faire une erreur

triple ['trɪpl] → ***treble***
trite [traɪt] banal
triumph ['traɪʌmf] triomphe *m*
trivial ['trɪvɪəl] insignifiant; **triviality** banalité *f*
trolley ['trɑːlɪ] (*streetcar*) tramway *m*
troops [truːps] troupes *fpl*
trophy ['troʊfɪ] trophée *m*
tropic ['trɑːpɪk] GEOG tropique *m*; **tropical** tropical; **tropics** tropiques *mpl*
trot [trɑːt] trotter
trouble ['trʌbl] **1** *n* (*difficulties*) problèmes *mpl*; (*inconvenience*) dérangement *m*; (*disturbance*) affrontements *mpl*; ***get into ~*** s'attirer des ennuis **2** *v/t* (*worry*) inquiéter; (*bother, disturb*) déranger; *of back, liver etc* faire souffrir; **troublemaker** fauteur(-trice) *m(f)* de troubles; **troubleshooting** dépannage *m*; **troublesome** pénible
trousers ['traʊzərz] *Br* pantalon *m*
trout [traʊt] truite *f*
truant ['truːənt]: ***play ~*** faire l'école buissonnière
truce [truːs] trêve *f*
truck [trʌk] camion *m*; **truck driver** camionneur(-euse) *m(f)*; **truck stop** routier *m*
trudge [trʌdʒ] **1** *v/i* se traîner **2** *n* marche *f* pénible
true [truː] vrai; *friend, American* véritable; ***come ~*** *of hopes, dream* se réaliser; **truly** vraiment; ***Yours ~*** je vous prie d'agréer mes sentiments distingués
trumpet ['trʌmpɪt] trompette *f*
trunk [trʌŋk] *of tree, body* tronc *m*; *of elephant* trompe *f*; (*large suitcase*) malle *f*; *of car* coffre *m*
trust [trʌst] **1** *n* confiance *f*; FIN fidéicommis *m* **2** *v/t* faire confiance à; **trusted** éprouvé; **trustee** fidéicommissaire *m/f*; **trustful, trusting** confiant; **trustworthy** fiable
truth [truːθ] vérité *f*; **truthful** honnête
try [traɪ] **1** *v/t & v/i* essayer; LAW juger; ***~ to do sth*** essayer de faire qch; ***you must ~ harder*** tu dois faire plus d'efforts **2** *n rugby* essai *m*; **trying** (*annoying*) éprouvant
T-shirt ['tiːʃɜːrt] tee-shirt *m*
tub [tʌb] (*bath*) baignoire *f* *for liquid* bac *m*; *for yoghurt* pot *m*; **tubby** boulot
tube [tuːb] (*pipe*) tuyau *m*; *of toothpaste* tube *m*; **tubeless** *tire* sans chambre à air
Tuesday ['tuːzdeɪ] mardi *m*
tuft [tʌft] touffe *f*
tug [tʌg] **1** *n* NAUT remorqueur *m* **2** *v/t* tirer
tuition [tuːˈɪʃn] cours *mpl*
tumble ['tʌmbl] tomber; **tumbledown** qui tombe en ruines; **tumbler** *for drink* verre *m*; *in circus* acrobate *m/f*
tummy ['tʌmɪ] F ventre *m*;

tummy ache mal *m* de ventre
tumor, *Br* **tumour** tumeur *f*
tumult ['tuːmʌlt] tumulte *m*; **tumultuous** tumultueux
tuna ['tuːnə] thon *m*
tune [tuːn] **1** *n* air *m* **2** *v/t instrument* accorder
◆ **tune up 1** *v/i of orchestra* s'accorder **2** *v/t engine* régler
tuneful ['tuːnfl] harmonieux; **tune-up** *of engine* règlement *m*
tunnel ['tʌnl] tunnel *m*
turbine ['tɜːrbaɪn] turbine *f*
turbulence ['tɜːrbjələns] *in air travel* turbulences *fpl*; **turbulent** agité
turf [tɜːrf] gazon *m*; *piece* motte *f* de gazon
turkey ['tɜːrkɪ] dinde *f*
turmoil ['tɜːrmɔɪl] confusion *f*
turn [tɜːrn] **1** *n* (*rotation*) tour *m*; *in road* virage *m*; *in vaudeville* numéro *m*; ***take ~s doing sth*** faire qch à tour de rôle; ***it's my ~*** c'est à moi **2** *v/t wheel* tourner; ***~ the corner*** tourner au coin de la rue **3** *v/i of driver, car, wheel* tourner; *of person* se retourner; ***it has ~ed cold*** le temps s'est refroidi
◆ **turn around 1** *v/t object* tourner; *company* remettre sur pied; COM *order* traiter **2** *v/i* se retourner; *with a car* faire demi-tour
◆ **turn away 1** *v/t* (*send away*) renvoyer **2** *v/i* (*walk away*) s'en aller; (*look away*) détourner le regard
◆ **turn back 1** *v/t edges, sheets* replier **2** *v/i of walkers, in course of action* faire demi-tour
◆ **turn down** *offer* rejeter; *volume, heating* baisser; *edge* replier
◆ **turn off 1** *v/t TV, heater* éteindre; *faucet* fermer; *engine* arrêter **2** *v/i of car, driver* tourner; *of machine* s'éteindre
◆ **turn on 1** *v/t TV, heater* allumer; *faucet* ouvrir; *engine* mettre en marche; F *sexually* exciter **2** *v/i of machine* s'allumer
◆ **turn over 1** *v/i in bed* se retourner; *of vehicle* se renverser **2** *v/t* (*put upside down*) renverser; *page* tourner; FIN avoir un chiffre d'affaires de
◆ **turn up 1** *v/t collar* remonter; *volume* augmenter; *heating* monter **2** *v/i* (*arrive*) arriver, se pointer F
turning ['tɜːrnɪŋ] *in road* virage; **turning point** tournant *m*; **turnout** *at game etc* nombre *m* de spectateurs; **turnover** FIN chiffre *m* d'affaires; **turnpike** autoroute *f* payante; **turn signal** MOT clignotant *m*
turquoise ['tɜːrkwɔɪz] turquoise
turtle ['tɜːrtl] tortue *f* de mer; **turtleneck sweater** pull *m* à

col cheminée
tusk [tʌsk] défense *f*
tutor ['tuːtər] *Br: at university* professeur *m/f*; (**private**) ~ professeur *m* particulier
tuxedo [tʌk'siːdoʊ] smoking *m*
TV [tiː'viː] télé *f*; ***on*** ~ à la télé; **TV dinner** plateau-repas *m*; **TV guide** guide *m* de télé; **TV program**, *Br* **TV programme** programme *m* télé
twang [twæŋ] **1** *n in voice* accent *m* nasillard **2** *v/t guitar string* pincer
tweezers ['twiːzərz] pince *f* à épiler
twelfth [twelfθ] douzième; **twelve** douze
twentieth ['twentɪɪθ] vingtième; **twenty** vingt
twice [twaɪs] deux fois; ~ ***as much*** deux fois plus
twig [twɪg] brindille *f*
twilight ['twaɪlaɪt] crépuscule *m*
twin [twɪn] jumeau *m*, jumelle *f*; **twin beds** lits *mpl* jumeaux
twinge [twɪndʒ] *of pain* élancement *m*
twinkle ['twɪŋkl] scintiller
'**twin room** chambre *f* à lits jumeaux
twirl [twɜːrl] **1** *v/t* faire tourbillonner; *mustache* tortiller **2** *n of cream etc* spirale *f*
twist [twɪst] **1** *v/t* tordre; ~ ***one's ankle*** se tordre la cheville **2** *v/i of road* faire des méandres; *of river* faire des lacets **3** *n in rope* entortillement *m*; *in road* lacet *m*; *in plot* dénouement *m* inattendu; **twisty** *road* qui fait des lacets
twitch [twɪʧ] *nervous* tic *m*
twitter ['twɪtər] *of birds* gazouiller
two [tuː] deux; ***the*** ~ ***of them*** les deux
tycoon [taɪ'kuːn] magnat *m*
type [taɪp] **1** *n* (*sort*) type *m* **2** *v/i* (*use a keyboard*) taper **3** *v/t with a typewriter* taper à la machine
typhoon [taɪ'fuːn] typhon *m*
typhus ['taɪfəs] typhus *m*
typical ['tɪpɪkl] typique; ***that's*** ~ ***of you!*** c'est bien de vous!; **typically** typiquement
typist ['taɪpɪst] dactylo *m/f*
tyrannical [tɪ'rænɪkl] tyrannique; **tyrannize** tyranniser; **tyranny** tyrannie *f*; **tyrant** tyran *m*
tyre *Br* → ***tire***[1]

U

ugly ['ʌglɪ] laid
UK [juː'keɪ] (= ***United Kingdom***) R.-U. *m* (= Royaume-Uni)
ulcer ['ʌlsər] ulcère *m*
ultimate ['ʌltɪmət] (*best, definitive*) meilleur possible; (*final*) final; (*fundamental*) fondamental; **ultimately** (*in the end*) en fin de compte
ultimatum [ʌltɪ'meɪtəm] ultimatum *m*
ultrasound ['ʌltrəsaʊnd] MED ultrason *m*
ultraviolet [ʌltrə'vaɪələt] ultraviolet
umbrella [ʌm'brelə] parapluie *m*
umpire ['ʌmpaɪr] arbitre *m/f*
UN [juː'en] (= ***United Nations***) O.N.U. *f* (= Organisation des Nations unies)
unable [ʌn'eɪbl]: ***be ~ to do sth*** *not know how to* ne pas savoir faire qch; *not be in a position to* ne pas pouvoir faire qch
unacceptable [ʌnək'septəbl] inacceptable
unaccountable [ʌnə'kaʊntəbl] inexplicable
un-American [ʌnə'merɪkən] (*not fitting*) antiaméricain
unanimous [juː'nænɪməs] *verdict* unanime; **unanimously** à l'unanimité
unapproachable [ʌnə'proʊtʃəbl] *person* d'un abord difficile
unarmed [ʌn'ɑːrmd] *person* non armé
unassuming [ʌnə'suːmɪŋ] modeste
unattached [ʌnə'tætʃt] *without a partner* sans attaches
unattended [ʌnə'tendɪd] laissé sans surveillance
unauthorized [ʌn'ɒːθəraɪzd] non autorisé
unavoidable [ʌnə'vɔɪdəbl] inévitable
unbalanced [ʌn'bælənst] *also* PSYCH déséquilibré
unbearable [ʌn'berəbl] insupportable
unbeatable [ʌn'biːtəbl] imbattable
unbeaten [ʌn'biːtn] *team* invaincu
unbelievable [ʌnbɪ'liːvəbl] *also* F incroyable
unbias(s)ed [ʌn'baɪəst] impartial
unblock [ʌn'blɑːk] *pipe* déboucher
unbreakable [ʌn'breɪkəbl] incassable
unbutton [ʌn'bʌtn] déboutonner
uncanny [ʌn'kænɪ] étrange, mystérieux
unceasing [ʌn'siːsɪŋ] inces-

sant
uncertain [ʌn'sɜːrtn] incertain; **uncertainty** *of the future* caractère *m* incertain; ***there is still ~ about*** des incertitudes demeurent quant à …
uncle ['ʌŋkl] oncle *m*
uncomfortable [ʌn'kʌmftəbl] inconfortable
uncommon [ʌn'kɑːmən] inhabituel
uncompromising [ʌn'kɑːmprəmaɪzɪŋ] intransigeant
unconditional [ʌnkən'dɪʃnl] sans conditions
unconscious [ʌn'kɑːnʃəs] MED, PSYCH inconscient
uncontrollable [ʌnkən'troʊləbl] incontrôlable
unconventional [ʌnkən'venʃnl] non conventionnel
uncooperative [ʌnkoʊ'ɑːpərətɪv] peu coopératif
uncover [ʌn'kʌvər] découvrir
undamaged [ʌn'dæmɪdʒd] intact
undecided [ʌndɪ'saɪdɪd] *question* laissé en suspens; ***be ~ about*** être indécis à propos de
undeniable [ʌndɪ'naɪəbl] indéniable
under ['ʌndər] sous; (*less than*) moins de; ***it is ~ investigation*** cela fait l'objet d'une enquête
'undercarriage train *m* d'atterrissage
'undercover clandestin; ***~ agent*** agent *m* secret
under'cut COM: ***~ the competition*** vendre moins cher que la concurrence
under'done *meat* pas trop cuit; *pej* pas assez cuit
under'estimate sous-estimer
under'fed mal nourri
under'go subir
under'graduate *Br* étudiant(e) (de D.E.U.G. ou de licence)
'underground **1** *adj* souterrain; POL clandestin **2** *adv work* sous terre
under'hand (*devious*) sournois
under'line *text* souligner
under'lying sous-jacent
under'mine saper
underneath [ʌndər'niːθ] **1** *prep* sous **2** *adv* dessous
'underpants slip *m*
'underpass *for pedestrians* passage *m* souterrain
underprivileged [ʌndər'prɪvɪlɪdʒd] défavorisé
under'rate sous-estimer
understaffed [ʌndər'stæft] en manque de personnel
under'stand comprendre; **understandable** compréhensible; **understandably** naturellement; **understanding** **1** *adj person* compréhensif **2** *n* compréhension *f*; (*agreement*) accord *m*
under'take *task* entreprendre;

*~ **to do sth*** (*agree to*) s'engager à faire qch; **undertaking** (*enterprise*) entreprise *f*; (*promise*) engagement *m*
under'value sous-estimer
'underwear sous-vêtements *mpl*
'underworld *criminal* monde *m* du crime organisé
under'write FIN souscrire
undeserved [ʌndɪ'zɜːrvd] non mérité
undesirable [ʌndɪ'zaɪrəbl] indésirable
undisputed [ʌndɪ'spjuːtɪd] *champion* incontestable
undo [ʌn'duː] défaire
undoubtedly [ʌn'daʊtɪdlɪ] à n'en pas douter
undress [ʌn'dres] **1** *v/t* déshabiller; ***get ~ed*** se déshabiller **2** *v/i* se déshabiller
undue [ʌn'duː] excessif; **unduly** (*excessively*) excessivement
unearth [ʌn'ɜːrθ] *also fig* déterrer
uneasy [ʌn'iːzɪ] *relationship*, *peace* incertain vouloir signer cela
uneatable [ʌn'iːtəbl] immangeable
uneconomic [ʌniːkə'nɑːmɪk] pas rentable
uneducated [ʌn'edʒəkeɪtɪd] sans instruction
unemployed [ʌnɪm'plɔɪd] **1** *adj* au chômage **2** *npl*: ***the ~*** les chômeurs(-euses); **unemployment** chômage *m*
unequal [ʌn'iːkwəl] inégal
unerring [ʌn'ɜːrɪŋ] *judgment*, *instinct* infaillible
uneven [ʌn'iːvn] *surface*, *ground* irrégulier
uneventful [ʌnɪ'ventfl] *day*, *journey* sans événement
unexpected [ʌnɪk'spektɪd] inattendu; **unexpectedly** inopinément
unfair [ʌn'fer] injuste
unfaithful [ʌn'feɪθfl] *husband*, *wife* infidèle; ***be ~ to s.o.*** tromper qn
unfamiliar [ʌnfə'mɪljər] peu familier
unfasten [ʌn'fæsn] *belt* défaire
unfavorable [ʌn'feɪvərəbl] défavorable
unfinished [ʌn'fɪnɪʃt] inachevé
unfold [ʌn'foʊld] **1** *v/t letter* déplier; *arms* ouvrir **2** *v/i of story etc* se dérouler; *of view* se déployer
unforeseen [ʌnfɔːr'siːn] imprévu
unforgettable [ʌnfər'getəbl] inoubliable
unforgivable [ʌnfər'gɪvəbl] impardonnable
unfortunate [ʌn'fɔːrʧənət] malheureux; **unfortunately** malheureusement
unfounded [ʌn'faʊndɪd] non fondé
unfriendly [ʌn'frendlɪ] *person*, *welcome*, *hotel* froid
ungrateful [ʌn'greɪtfl] ingrat

unhappiness [ʌn'hæpɪnɪs] chagrin *m*; **unhappy** malheureux; *customers etc* mécontent (***with*** de)
unharmed [ʌn'hɑːrmd] indemne
unhealthy [ʌn'helθɪ] *person* en mauvaise santé; *food, atmosphere* malsain; *economy* qui se porte mal
unheard-of [ʌn'hɜːrdəv]: ***be ~*** ne s'être jamais vu
unhygienic [ʌnhaɪ'dʒiːnɪk] insalubre
unification [juːnɪfɪ'keɪʃn] unification *f*
uniform ['juːnɪfɔːrm] **1** *n* uniforme *m* **2** *adj* uniforme
unify ['juːnɪfaɪ] unifier
unilateral [juːnɪ'lætərəl] unilatéral
unimaginable [ʌnɪ'mædʒɪnəbl] inimaginable
unimaginative [ʌnɪ'mædʒɪnətɪv] qui manque d'imagination
unimportant [ʌnɪm'pɔːrtənt] sans importance
uninhabitable [ʌnɪn'hæbɪtəbl] inhabitable; **uninhabited** inhabitée
unintentional [ʌnɪn'tenʃnl] non intentionnel; **unintentionally** sans le vouloir
uninteresting [ʌn'ɪntrəstɪŋ] inintéressant
uninterrupted [ʌnɪntə'rʌptɪd] ininterrompu
union ['juːnjən] POL union *f*; (*labor ~*) syndicat *m*
unique [juː'niːk] unique
unit ['juːnɪt] unité *f*
unite [juː'naɪt] **1** *v/t* unir **2** *v/i* s'unir; **united** uni; *efforts* conjoint; **United Kingdom** Royaume-Uni *m*; **United Nations** Nations *fpl* Unies
United States (of A'merica) États-Unis *mpl* (d'Amérique)
unity ['juːnətɪ] unité *f*
universal [juːnɪ'vɜːrsl] universel; **universe** univers *m*
university [juːnɪ'vɜːrsətɪ] université *f*
unjust [ʌn'dʒʌst] injuste
unkind [ʌn'kaɪnd] méchant, désagréable
unknown [ʌn'noʊn] inconnu
unleaded [ʌn'ledɪd] *gas* sans plomb
unless [ən'les] à moins que (*+subj*)
unlikely [ʌn'laɪklɪ] improbable
unlimited [ʌn'lɪmɪtɪd] illimité
unload [ʌn'loʊd] décharger
unlock [ʌn'lɑːk] ouvrir
unluckily [ʌn'lʌkɪlɪ] malheureusement; **unlucky** *day* de malchance; *choice* malheureux; *person* malchanceux; ***that was so ~ for you!*** tu n'as vraiment pas eu de chance!
unmanned [ʌn'mænd] *spacecraft* sans équipage
unmarried [ʌn'mærɪd] non marié
unmistakable [ʌnmɪ'steɪk-

əbl] reconnaissable entre mille
unnatural [ʌn'nætʃrəl] contre-nature
unnecessary [ʌn'nesəserɪ] non nécessaire
unnerving [ʌn'nɜːrvɪŋ] déstabilisant
unobtainable [ʌnəb'teɪnəbl] *goods* qu'on ne peut se procurer; TELEC hors service
unobtrusive [ʌnəb'truːsɪv] discret
unoccupied [ʌn'ɑːkjʊpaɪd] (*empty*) vide; *position* vacant; *person* désœuvré
unofficial [ʌnə'fɪʃl] non officiel; **unofficially** non officiellement
unorthodox [ʌn'ɔːrθədɑːks] peu orthodoxe
unpack [ʌn'pæk] **1** *v/t case* défaire **2** *v/i* défaire sa valise
unpaid [ʌn'peɪd] *work* non rémunéré
unpleasant [ʌn'pleznt] désagréable
unplug [ʌn'plʌg] *TV, computer* débrancher
unpopular [ʌn'pɑːpjələr] impopulaire
unprecedented [ʌn'presɪdentɪd] sans précédent
unpredictable [ʌnprɪ'dɪktəbl] imprévisible
unpretentious [ʌnprɪ'tenʃəs] modeste
unproductive [ʌnprə'dʌktɪv] *meeting, discussion, land* improductif
unprofessional [ʌnprə'feʃnl] non professionnel; *workmanship* peu professionnel
unprofitable [ʌn'prɑːfɪtəbl] non profitable
unprovoked [ʌnprə'voʊkt] *attack* non provoqué
unqualified [ʌn'kwɑːlɪfaɪd] non qualifié
unquestionably [ʌn'kwestʃnəblɪ] sans aucun doute; **unquestioning** *attitude* aveugle
unreadable [ʌn'riːdəbl] *book* illisible
unrealistic [ʌnrɪə'lɪstɪk] irréaliste
unreasonable [ʌn'riːznəbl] déraisonnable
unrelated [ʌnrɪ'leɪtɪd] sans relation (***to*** avec)
unrelenting [ʌnrɪ'lentɪŋ] incessant
unreliable [ʌnrɪ'laɪəbl] pas fiable
unrest [ʌn'rest] agitation *f*
unrestrained [ʌnrɪ'streɪnd] *emotions* non contenu
unroll [ʌn'roʊl] *carpet* dérouler
unruly [ʌn'ruːlɪ] indiscipliné
unsanitary [ʌn'sænɪterɪ] *conditions, drains* insalubre
unsatisfactory [ʌnsætɪs'fæktərɪ] insatisfaisant; (*unacceptable*) inacceptable
unscathed [ʌn'skeɪðd] (*not injured*) indemne; (*not damaged*) intact
unscrew [ʌn'skruː] *sth screw-*

ed on dévisser; *top* décapsuler
unscrupulous [ʌn'skruːpjələs] peu scrupuleux
unselfish [ʌn'selfɪʃ] désintéressé
unsettled [ʌn'setld] incertain; *lifestyle* instable; *bills* non réglé; *issue* non décidé
unshaven [ʌn'ʃeɪvn] mal rasé
unskilled [ʌn'skɪld] *worker* non qualifié
unsophisticated [ʌnsə'fɪstɪkeɪtɪd] peu sophistiqué
unstable [ʌn'steɪbl] instable
unsteady [ʌn'stedɪ] *on feet* chancelant; *ladder* branlant
unsuccessful [ʌnsək'sesfl] *attempt* infructueux; *writer* qui n'a pas de succès; *candidate, marriage* malheureux; **unsuccessfully** sans succès
unsuitable [ʌn'suːtəbl] inapproprié
unswerving [ʌn'swɜːrvɪŋ] *loyalty* inébranlable
unthinkable [ʌn'θɪŋkəbl] impensable
untidy [ʌn'taɪdɪ] en désordre
untie [ʌn'taɪ] *knot* défaire; *prisoner, hands* détacher
until [ən'tɪl] **1** *prep* jusqu'à; ***from Monday ~ Friday*** de lundi à vendredi; ***not ~ Friday*** pas avant vendredi **2** *conj* jusqu'à ce que; ***can you wait ~ I'm ready?*** est-ce que vous pouvez attendre que je sois prêt?
untiring [ʌn'taɪrɪŋ] *efforts* infatigable
untold [ʌn'toʊld] *riches, suffering* inouï; *story* inédit
untrue [ʌn'truː] faux
unused [ʌn'juːzd] *goods* non utilisé
unusual [ʌn'juːʒl] inhabituel; (*strange*) bizarre; **unusually** anormalement, exceptionnellement
unveil [ʌn'veɪl] *statue etc* dévoiler
unwell [ʌn'wel] malade
unwilling [ʌn'wɪlɪŋ]: ***be ~ to do*** refuser de faire; **unwillingly** à contre-cœur
unwind [ʌn'waɪnd] **1** *v/t tape* dérouler **2** *v/i of tape, story* se dérouler; (*relax*) se détendre
unwise [ʌn'waɪz] malavisé
unwrap [ʌn'ræp] déballer
unzip [ʌn'zɪp] *dress etc* descendre la fermeture-éclair de; COMPUT décompresser
up [ʌp] **1** *adv*: ***~ in the sky/on the roof*** dans le ciel/sur le toit; ***~ here*** ici; ***~ there*** là-haut; ***be ~*** (*out of bed*) être debout; *of sun* être levé; *of temperature* avoir augmenté; (*have expired*) être expiré; ***what's ~?*** F qu'est-ce qu'il y a?; ***~ to 1989*** jusqu'à 1989; ***he came ~ to me*** il s'est approché de moi; ***what are you ~ to these days?*** qu'est-ce que tu fais en ce moment?; ***be ~ to something (bad)*** être sur un mau-

vais coup; ***I don't feel ~ to it*** je ne m'en sens pas le courage; ***it's ~ to you*** c'est toi qui décides; ***it's ~ to them to solve it*** c'est à eux de le résoudre **2** *prep*: ***further ~ the mountain*** un peu plus haut sur la montagne; ***they ran ~ the street*** ils ont remonté la rue en courant; ***we traveled ~ to Paris*** nous sommes montés à Paris **3** *n*: ***~s and downs*** hauts *mpl* et bas

'upbringing éducation *f*

up'date *file* mettre à jour

up'grade moderniser; *ticket* surclasser

upheaval [ʌp'hiːvl] bouleversement *m*

up'hold *rights* maintenir

'upkeep maintien *m*

'upload COMPUT transférer

up'market *Br restaurant, hotel* chic; *product* haut de gamme

upon [ə'pɑːn] → ***on***

upper ['ʌpər] supérieur

'upright 1 *adj citizen* droit **2** *adv sit* (bien) droit; **upright piano** piano *f* droit

'uprising soulèvement *m*

'uproar vacarme *m*; *fig* protestations *fpl*

up'set 1 *v/t* renverser; *emotionally* contrarier **2** *adj emotionally* contrarié, vexé; **upsetting** contrariant

upside 'down à l'envers; *car* renversé

up'stairs 1 *adv* en haut; ***~ from us*** au-dessus de chez nous **2** *adj room* d'en haut

up'stream en remontant le courant

up'tight F (*nervous*) tendu; (*inhibited*) coincé

up-to-'date à jour

'upturn *in economy* reprise *f*

upward ['ʌpwərd]: ***move sth ~*** élever qch; ***~ of 100*** au-delà de 100

uranium [jʊ'reɪnɪəm] uranium *m*

urban ['ɜːrbən] urbain

urge [ɜːrdʒ] **1** *n* (forte) envie *f* **2** *v/t*: ***~ s.o. to do sth*** encourager qn à faire qch; **urgency** urgence *f*; **urgent** urgent

urinate ['jʊrəneɪt] uriner; **urine** urine *f*

US [juː'es] (= ***United States***) USA *mpl*

us [ʌs] nous

USA [juːes'eɪ] (= ***United States of America***) USA *mpl*

usage ['juːzɪdʒ] usage *m*

USB USB *m*; ***~ stick, ~ flash drive*** clé *f* USB

use 1 [juːz] *v/t also pej*: *person* utiliser **2** [juːs] *n* utilisation *f*; ***it's no ~ waiting*** ce n'est pas la peine d'attendre

◆ **use up** épuiser

used[1] [juːzd] *car etc* d'occasion

used[2] [juːst]: ***be ~ to*** être habitué à; ***get ~ to*** s'habituer à

used[3] [juːst]: ***I ~ to work there*** je travaillais là-bas avant; ***I ~ to know him well***

je l'ai bien connu autrefois
useful ['ju:sfʊl] utile; **usefulness** utilité *f*; **useless** inutile; F (*no good*) nul F; **user** *of product* utilisateur(-trice) *m(f)*; **user-friendly** facile à utiliser; COMPUT convivial
usual ['ju:ʒl] habituel; ***as ~*** comme d'habitude; **usually** d'habitude
utensil [ju:'tensl] ustensile *m*
utilize ['ju:tılaız] utiliser
utter ['ʌtər] **1** *adj* total **2** *v/t sound* prononcer; **utterly** totalement

V

vacant ['veıkənt] *building* inoccupé; *look* vide, absent; *Br*: *position* vacant; **vacantly** *stare* d'un air absent; **vacate** *room* libérer
vacation [veı'keıʃn] vacances *fpl*; ***be on ~*** être en vacances
vaccinate ['væksıneıt] vacciner; **vaccination** vaccination *f*; **vaccine** vaccin *m*
vacuum ['vækjʊəm] **1** *n* vide *m* **2** *v/t floors* passer l'aspirateur sur
vagrant ['veıgrənt] vagabond *m*
vague [veıg] vague; **vaguely** vaguement
vain [veın] **1** *adj person* vaniteux; *hope* vain **2** *n*: ***in ~*** en vain
valiant ['væljənt] vaillant
valid ['vælıd] valable; **validate** *with official stamp* valider; *theory* confirmer; **validity** validité *f*; *of argument* justesse *f*; *of claim* bien-fondé *m*
valley ['vælı] vallée *f*
valuable ['væljʊbl] **1** *adj* de valeur; *colleague*, *help*, *advice* précieux **2** *npl*: ***~s*** objets *mpl* de valeur; **valuation** estimation *f*, expertise *f*; **value** **1** *n* valeur *f* **2** *v/t* tenir à, attacher un grand prix à
valve [vælv] soupape *f*, valve *f*; *in heart* valvule *f*
van [væn] *small* camionnette *f*; *large* fourgon *m*
vandal ['vændl] vandale *m*; **vandalism** vandalisme *m*; **vandalize** vandaliser
vanilla [və'nılə] **1** *n* vanille *f* **2** *adj* à la vanille
vanish ['vænıʃ] disparaître; *of clouds*, *sadness* se dissiper
vanity ['vænətı] *of person* vanité *f*
vapor ['veıpər] vapeur *f*; **vaporize** *of atomic bomb*, *explosion* pulvériser; **vapour** *Br* → ***vapor***
variable ['verıəbl] **1** *adj* variable; *moods* changeant **2** *n* MATH, COMPUT variable *f*; **variant** variante *f*; **variation** va-

riation *f*; **varied** varié; **variety** variété *f*; **various** (*several*) divers, plusieurs; (*different*) divers, différent

varnish ['vɑːrnɪʃ] **1** *n* vernis *m* **2** *v/t* vernir

vary ['verɪ] varier; ***it varies*** ça dépend

vase [veɪz] vase *m*

vast [væst] vaste; *improvement* considérable; **vastly** *improve etc* considérablement; *different* complètement

Vatican ['vætɪkən]: ***the ~*** le Vatican

vault[1] [vɒːlt] *n in roof* voûte *f*; ***~s*** *of bank* salle *f* des coffres

vault[2] [vɒːlt] **1** *n* SP saut *m* **2** *v/t beam etc* sauter

VCR [viːsiː'ɑːr] (= ***video cassette recorder***) magnétoscope *m*

veal [viːl] veau *m*

veer [vɪr] virer; *of wind* tourner

vegetable ['vedʒtəbl] légume *m*; **vegetarian** **1** *n* végétarien(ne) *m*(*f*) **2** *adj* végétarien; **vegetation** végétation *f*

vehement ['viːəmənt] véhément

vehicle ['viːɪkl] véhicule *m*

veil [veɪl] voile *m*

vein [veɪn] ANAT veine *f*

velocity [vɪ'lɑːsətɪ] vélocité *f*

velvet ['velvɪt] velours *m*

vendetta [ven'detə] vendetta *f*

vending machine ['vendɪŋ] distributeur *m* automatique; **vendor** LAW vendeur(-euse) *m*(*f*)

veneer [və'nɪr] placage *m*; *of politeness* vernis *m*

venerable ['venərəbl] vénérable; **veneration** vénération *f*

venereal disease [və'nɪrɪəl] M.S.T. *f*, maladie *f* sexuellement transmissible

venetian blind [və'niːʃn] store *m* vénitien

venom ['venəm] venin *m*

ventilate ['ventɪleɪt] ventiler; **ventilation** ventilation *f*; **ventilator** ventilateur *m*; MED respirateur *m*

venture ['ventʃər] **1** *n* (*undertaking*) entreprise *f*; COM tentative *f* **2** *v/i* s'aventurer

venue ['venjuː] *for meeting, concert etc* lieu *m*; *hall also* salle *f*

veranda [və'rændə] véranda *f*

verb [vɜːrb] verbe *m*; **verbal** (*spoken*) oral, verbal; **verbally** oralement, verbalement

verdict ['vɜːrdɪkt] LAW verdict *m*; (*opinion*, *judgment*) avis *m*, jugement *m*

verge [vɜːrdʒ] *of road* accotement *m*, bas-côté *m*; ***be on the ~ of ...*** être au bord de…

verification [verɪfɪ'keɪʃn] (*check*) vérification *f*; **verify** (*check*) vérifier, contrôler; (*confirm*) confirmer

vermin ['vɜːrmɪn] (*insects*) vermine *f*, parasites *mpl*; (*rats etc*) animaux *mpl* nuisi-

bles
vermouth [vər'mu:θ] vermouth *m*
versatile ['vɜ:rsətəl] *person* plein de ressources, polyvalent; *piece of equipment* multiusages; **versatility** *of person* adaptabilité *f*, polyvalence *f*; *of piece of equipment* souplesse *f* d'emploi
verse [vɜ:rs] (*poetry*) vers *mpl*, poésie *f*; *of poem* strophe *f*; *of song* couplet *m*
version ['vɜ:rʃn] version *f*
versus ['vɜ:rsəs] contre
vertical ['vɜ:rtɪkl] vertical
vertigo ['vɜ:rtɪgoʊ] vertige *m*
very ['verɪ] **1** *adv* très; ***was it cold? – not*** ~ faisait-il froid? – non, pas tellement; ***the*** ~ ***best*** le meilleur **2** *adj* même; ***at that*** ~ ***moment*** à cet instant même, à ce moment précis; ***that's the*** ~ ***thing I need*** c'est exactement ce dont j'ai besoin
vessel ['vesl] NAUT bateau *m*, navire *m*
vest [vest] gilet *m Br*: *undershirt* maillot *m* (de corps)
vestige ['vestɪdʒ] vestige *m*; *fig* once *f*
vet[1] [vet] *n* (*veterinarian*) vétérinaire *m*/*f*, véto *m*/*f* F
vet[2] [vet] *v*/*t applicants etc* examiner
vet[3] [vet] *n* MIL F ancien combattant *m*
veteran ['vetərən] **1** *n* vétéran *m* **2** *adj* (*old*) antique; (*old and experienced*) aguerri, chevronné
veterinarian [vetərə'nerɪən] vétérinaire *m*/*f*
veto ['vi:toʊ] **1** *n* veto *m inv* **2** *v*/*t* opposer son veto à
via ['vaɪə] par
viable ['vaɪəbl] viable
vibrate [vaɪ'breɪt] vibrer; **vibration** vibration *f*
vice[1] [vaɪs] *n* vice *m*
vice[2] [vaɪs] *Br* → ***vise***
vice 'president vice-président *m*
vice versa [vaɪs'vɜ:rsə] vice versa
vicious ['vɪʃəs] vicieux; *dog* méchant; *person*, *temper* cruel; *attack* brutal; **viciously** brutalement
victim ['vɪktɪm] victime *f*; **victimize** persécuter
victorious [vɪk'tɔ:rɪəs] victorieux; **victory** victoire *f*
video ['vɪdɪoʊ] **1** *n* vidéo *f*; *actual object* cassette *f* vidéo **2** *v*/*t* filmer; *tape off TV* enregistrer; **video camera** caméra *f* vidéo; **video cassette** cassette *f* vidéo; **video recorder** magnétoscope *m*; **videotape** bande *f* vidéo
vie [vaɪ] rivaliser
Vietnam [vɪet'næm] Vietnam *m*; **Vietnamese 1** *adj* vietnamien **2** *n* Vietnamien(ne) *m*(*f*); *language* vietnamien *m*
view [vju:] **1** *n* vue *f*; (*assessment*, *opinion*) opinion *f*, avis

m; ***in ~ of*** compte tenu de, étant donné **2** *v/t* considérer, envisager **3** *v/i* (*watch TV*) regarder la télévision; **viewer** TV téléspectateur(-trice) *m*(*f*); **viewpoint** point *m* de vue

vigor ['vɪgər] vigueur *f*; **vigorous** vigoureux; **vigorously** vigoureusement; **vigour** *Br* → ***vigor***

village ['vɪlɪdʒ] village *m*; **villager** villageois(e) *m*(*f*)

villain ['vɪlən] escroc *m*; *in drama* méchant *m*

vindicate ['vɪndɪkeɪt] (*prove correct*) confirmer, justifier; (*prove innocent*) innocenter

vindictive [vɪn'dɪktɪv] vindicatif

vine [vaɪn] vigne *f*

vinegar ['vɪnɪgər] vinaigre *m*

vineyard ['vɪnjɑːrd] vignoble *m*

vintage ['vɪntɪdʒ] **1** *n of wine* millésime *m* **2** *adj* (*classic*) classique

violate ['vaɪəleɪt] violer; **violation** violation *f*; (*traffic ~*) infraction *f* au code de la route

violence ['vaɪələns] violence *f*; **violent** violent

violin [vaɪə'lɪn] violon *m*; **violinist** violoniste *m/f*

VIP [viːaɪ'piː] (= ***very important person***) V.I.P. *m*

viral ['vaɪrəl] viral

virgin ['vɜːrdʒɪn] vierge *f*; *male* puceau *m* F; **virginity** virginité *f*

virile ['vɪrəl] viril; **virility** virilité *f*

virtual ['vɜːrtʃʊəl] quasi-; **virtually** (*almost*) pratiquement, presque

virtue ['vɜːrtʃuː] vertu *f*; **virtuous** vertueux

virus ['vaɪrəs] virus *m*

visa ['viːzə] visa *m*

vise [vaɪz] étau *m*

visibility [vɪzə'bɪlətɪ] visibilité *f*; **visible** visible

vision ['vɪʒn] (*eyesight*) vue *f*; REL vision *f*

visit ['vɪzɪt] **1** *n* visite *f*; (*stay*) séjour *m* **2** *v/t* rendre visite à; *doctor, dentist* aller voir; *city, country* aller à/en; *castle, museum* visiter; *website* consulter; **visitor** (*guest*) invité *m*; (*tourist*) visiteur *m*

visor ['vaɪzər] visière *f*

visual ['vɪʒʊəl] visuel; **visualize** (*imagine*) (s')imaginer; (*foresee*) envisager, prévoir; **visually** visuellement

vital ['vaɪtl] (*essential*) vital, essentiel; **vitality** vitalité *f*; **vitally**: ***~ important*** d'une importance capitale

vitamin ['vaɪtəmɪn] vitamine *f*; **vitamin pill** comprimé *m* de vitamines

vivacious [vɪ'veɪʃəs] plein de vivacité, vif; **vivacity** vivacité *f*

vivid ['vɪvɪd] vif; *description* vivant; **vividly** vivement; *re-*

member clairement; *describe* de façon vivante
V-neck ['vi:nek] col *m* en V
vocabulary [voʊ'kæbjʊlərɪ] vocabulaire *m*; (*list of words*) glossaire *m*
vocal ['voʊkl] vocal; **vocalist** MUS chanteur(-euse) *m(f)*
vocation [və'keɪʃn] vocation *f*; **vocational** *guidance* professionnel
vodka ['vɑ:dkə] vodka *f*
vogue [voʊg] vogue *f*; ***be in ~*** être en vogue
voice [vɔɪs] **1** *n* voix *f* **2** *v/t opinions* exprimer; **voicemail** messagerie *f* vocale
volcano [vɑ:l'keɪnoʊ] volcan *m*
volley ['vɑ:lɪ] volée *f*
volt [voʊlt] volt *m*; **voltage** tension *f*
volume ['vɑ:ljəm] volume *m*
voluntarily [vɑ:lən'terɪlɪ] de son plein gré, volontairement; **voluntary** volontaire; *work* bénévole; **volunteer 1** *n* volontaire *m/f*; (*unpaid worker*) bénévole *m/f* **2** *v/i* se porter volontaire
vomit ['vɑ:mət] **1** *n* vomi *m*, vomissure *f* **2** *v/i* vomir
voracious [və'reɪʃəs] vorace; *reader* avide
vote [voʊt] **1** *n* vote *m* **2** *v/i* POL voter (***for*** pour; ***against*** contre); **voter** POL électeur *m*; **voting** POL vote *m*
◆ **vouch for** [vaʊʧ] *truth, person* se porter garant de
vow [vaʊ] **1** *n* vœu *m*, serment *m* **2** *v/t*: ***~ to do*** jurer de faire
vowel [vaʊl] voyelle *f*
voyage ['vɔɪɪdʒ] voyage *m*
vulgar ['vʌlgər] vulgaire
vulnerable ['vʌlnərəbl] vulnérable
vulture ['vʌlʧər] vautour *m*

W

waddle ['wɑ:dl] se dandiner
wade [weɪd] patauger
wafer ['weɪfər] *cookie* gaufrette *f*; REL hostie *f*
waffle ['wɑ:fl] *to eat* gaufre *f*
wag [wæg] remuer
wages [weɪdʒɪz] salaire *m*
waggle ['wægl] remuer
wail [weɪl] hurler
waist [weɪst] taille *f*
wait [weɪt] **1** *n* attente *f* **2** *v/i* attendre
◆ **wait for** attendre
◆ **wait on** (*serve*) servir
◆ **wait up**: ***don't wait up*** (***for me***) ne m'attends pas pour aller te coucher
waiter ['weɪtər] serveur *m*; ***~!*** garçon!; **waiting list** liste *f* d'attente; **waiting room** salle *f* d'attente; **waitress** serveuse *f*
waive [weɪv] renoncer à
wake [weɪk] **1** *v/i*: **~ (*up*)** se ré-

veiller **2** *v/t person* réveiller
walk [wɒːk] **1** *n* marche *f*; (*path*) allée *f*; ***go for a ~*** aller se promener **2** *v/i* marcher; *as opposed to driving* aller à pied; (*hike*) faire de la marche **3** *v/t dog* promener
◆ **walk out** *of spouse* prendre la porte; *from theater etc* partir; (*go on strike*) se mettre en grève
walker ['wɒːkər] (*hiker*) randonneur(-euse) *m*(*f*); *for baby* trotte-bébé *m*; *for old person* déambulateur *m*; **walking** (*hiking*) randonnée *f*; **walkout** (*strike*) grève *f*; **walkover** (*easy win*) victoire *f* facile
wall [wɒːl] mur *m*
wallet ['wɑːlɪt] (*billfold*) portefeuille *m*
'**wallpaper** **1** *n also* COMPUT papier *m* peint **2** *v/t* tapisser; **wall-to-wall carpet** moquette *f*
waltz [wɒːlts] valse *f*
wan [wɑːn] *face* pâlot
wander ['wɑːndər] (*roam*) errer; (*stray*) s'égarer
wangle ['wæŋgl] F réussir à obtenir (par une combine)
want [wɑːnt] **1** *n*: ***for ~ of*** par manque de, faute de **2** *v/t* vouloir; (*need*) avoir besoin de; ***~ to do sth*** vouloir faire qch; ***I ~ to stay here*** je veux rester ici; ***she ~s you to go back*** elle veut que tu reviennes (*subj*) **3** *v/i*: ***~ for nothing*** ne manquer de rien; **wanted** *by police* recherché
war [wɔːr] guerre *f*; *fig* lutte *f*
ward [wɔːrd] *Br*: *in hospital* salle *f*; *child* pupille *m/f*
◆ **ward off** éviter
warden ['wɔːrdn] *of prison* gardien (ne) *m*(*f*); *Br*: *of hostel* directeur (-trice) *m* (*f*)
'**wardrobe** *for clothes* armoire *f*; (*clothes*) garde-robe *f*
warehouse ['werhaʊs] entrepôt *m*
'**warfare** guerre *f*; **warhead** ogive *f*
warily ['werɪlɪ] avec méfiance
warm [wɔːrm] chaud; *welcome*, *smile* chaleureux
◆ **warm up** **1** *v/t* réchauffer **2** *v/i* se réchauffer; *of athlete etc* s'échauffer
warmly ['wɔːrmlɪ] chaudement; *welcome*, *smile* chaleureusement; **warmth** *also fig* chaleur *f*; **warm-up** SP échauffement *m*
warn [wɔːrn] prévenir; **warning** avertissement *m*
warp [wɔːrp] *of wood* gauchir; **warped** *fig* tordu
warrant ['wɔːrənt] **1** *n* mandat *m* **2** *v/t* justifier; **warranty** garantie *f*
warrior ['wɔːrɪər] guerrier (-ière) *m*(*f*)
wart [wɔːrt] verrue *f*
wary ['werɪ] méfiant; ***be ~ of*** se méfier de
wash [wɑːʃ] **1** *n*: ***have a ~*** se laver **2** *v/t clothes*, *dishes* la-

ver **3** *v/i* se laver
◆ **wash up** (*wash one's hands and face*) se débarbouiller
washable ['wɑːʃəbl] lavable; **washbasin, washbowl** lavabo *m*; **washcloth** gant *m* de toilette; **washed out** (*tired*) usé; **washer** *for faucet etc* rondelle *f*; **washing** lessive *f*; ***do the ~*** faire la lessive; **washing machine** machine *f* à laver; **washroom** toilettes *fpl*
wasp [wɑːsp] guêpe *f*
waste [weɪst] **1** *n* gaspillage *m*; *from industrial process* déchets *mpl*; ***it's a ~ of time/money*** c'est une perte de temps/d'argent **2** *adj* non utilisé **3** *v/t* gaspiller; **waste basket** corbeille *f* à papier; **waste disposal (unit)** broyeur *m* d'ordures; **wasteful** gaspilleur; **wasteland** désert *m*; **wastpaper** papier(s) *m(pl)* (*jeté(s) à la poubelle*)
watch [wɑːʧ] **1** *n timepiece* montre *f*; ***keep ~*** monter la garde **2** *v/t* regarder; (*look after*) surveiller **3** *v/i* regarder; **watchful** vigilant
water ['wɒːtər] **1** *n* eau *f* **2** *v/t plant* arroser **3** *v/i*: ***my mouth is ~ing*** j'ai l'eau à la bouche; **watercolor**, *Br* **watercolour** aquarelle *f*; **watered down** *fig* atténué; **waterfall** chute *f* d'eau; **waterline** ligne *f* de flottaison; **waterlogged** détrempé; *boat* plein d'eau; **watermelon** pastèque *f*; **waterproof** imperméable; **waterside** bord *m* de l'eau; **waterskiing** ski *m* nautique; **watertight** *compartment* étanche; *fig*: *alibi* parfait; **waterway** voie *f* d'eau; **watery** *soup* trop clair; *coffee* trop léger
watt [wɑːt] watt *m*
wave[1] [weɪv] *n in sea* vague *f*
wave[2] [weɪv] **1** *n of hand* signe *m* **2** *v/i with hand* saluer; *of flag* flotter **3** *v/t flag etc* agiter
'**wavelength** RAD longueur *f* d'onde; ***be on the same ~*** *fig* être sur la même longueur d'onde
waver ['weɪvər] hésiter
wavy ['weɪvɪ] ondulé
wax [wæks] cire *f*
way [weɪ] (*method, manner*) façon *f*; (*route*) chemin *m* (***to*** de); ***this ~*** (*like this*) comme ça; (*in this direction*) par ici; ***by the ~*** (*incidentally*) au fait; ***in a ~*** (*in certain respects*) d'une certaine façon; ***lose one's ~*** se perdre; ***be in the ~*** (*be an obstruction*) gêner le passage; *disturb*) gêner; ***no ~!*** pas question!; **way in** entrée *f*; **way of life** mode *m* de vie; **way out** sortie *f*; *fig* issue *f*
we [wiː] nous
weak [wiːk] faible; *tea, coffee* léger; **weaken** **1** *v/t* affaiblir

2 *v/i* s'affaiblir; *in negotiation etc* faiblir; **weakness** faiblesse *f*

wealth [welθ] richesse *f*; **wealthy** riche

weapon ['wepən] arme *f*

wear [wer] **1** *n*: **~** (***and tear***) usure *f* **2** *v/t* (*have on*) porter; (*damage*) user **3** *v/i* (*wear out*) s'user; **~ *well*** (*last*) faire bon usage

◆ **wear down** user

◆ **wear off** *of effect* se dissiper

◆ **wear out 1** *v/t* (*tire*) épuiser; *shoes, carpet* user **2** *v/i of shoes, carpet* s'user

wearily ['wɪrɪlɪ] avec lassitude; **weary** las

weather ['weðər] **1** *n* temps *m* **2** *v/t crisis* survivre à; **weather-beaten** hâlé; **weather forecast** prévisions météorologiques *fpl*, météo *f*; **weatherman** présentateur *m* météo

weave [wi:v] **1** *v/t cloth* tisser **2** *v/i of cyclist* se faufiler

web [web] *of spider* toile *f*: ***the* ~** COMPUT le Web; **web page** page *f* de Web; **web site** site *m* Web

wedding ['wedɪŋ] mariage *m*; **wedding anniversary** anniversaire *m* de mariage; **wedding day** jour *m* de mariage; **wedding dress** robe *f* de mariée; **wedding ring** alliance *f*

wedge [wedʒ] *to hold sth in place* cale *f*; *of cheese etc* morceau *m*

Wednesday ['wenzdeɪ] mercredi *m*

weed [wi:d] **1** *n* mauvaise herbe *f* **2** *v/t* désherber; **weedkiller** herbicide *f*; **weedy** F chétif

week [wi:k] semaine *f*; ***a* ~ *tomorrow*** demain en huit; **weekday** jour *m* de la semaine; **weekend** week-end *m*; ***on the* ~** *this one* ce week-end; *every one* le week-end; **weekly 1** *adj* hebdomadaire **2** *n magazine* hebdomadaire *m* **3** *adv be published* toutes les semaines; *be paid* à la semaine

weep [wi:p] pleurer

wee-wee ['wi:wi:] F pipi *m* F; ***do a* ~** faire pipi

weigh [weɪ] peser

◆ **weigh up** (*assess*) juger

weight [weɪt] poids *m*; **weightlessness** apesanteur *f*; **weightlifter** haltérophile *m/f*; **weightlifting** haltérophilie *f*; **weighty** *fig* (*important*) sérieux

weir [wɪr] barrage *m*

weird [wɪrd] bizarre; **weirdo** F cinglé(e) *m(f)* F

welcome ['welkəm] **1** *adj* bienvenu; ***you're* ~*!*** je vous en prie! **2** *n* accueil *m* **3** *v/t* accueillir; *fig*: *news, announcement* se réjouir de; *opportunity* saisir

weld [weld] souder

welfare ['welfer] bien-être *m*; *financial assistance* sécurité *f* sociale; ***be on ~*** toucher les allocations; **welfare check** chèque *m* d'allocations; **welfare state** État *m* providence; **welfare worker** assistant social *m*, assistante sociale *f*

well[1] [wel] *n for water, oil* puits *m*

well[2] [wel] **1** *adv* bien; ***~ done!*** bien!; ***as ~*** (*too*) aussi; ***as ~ as*** (*in addition to*) en plus de; ***very ~*** *acknowledging order* entendu; *reluctantly agreeing* très bien; ***~, ~!*** *surprise* tiens, tiens!; ***~ ...*** *uncertainty, thinking* eh bien ... **2** *adj*: ***be ~*** aller bien; **well-balanced** équilibré; **well-behaved** bien élevé; **well-being** bien-être *m*; **well-done** *meat* bien cuit; **well-dressed** bien habillé; **well-earned** bien mérité; **well-heeled** F cossu; **well-informed** bien informé; **well-known** connu; **well-meaning** plein de bonnes intentions; **well-off** riche; **well-timed** bien calculé; **well-wisher** personne *f* apportant son soutien

west [west] **1** *n* ouest *m* **2** *adj* ouest *inv*; *wind* d'ouest **3** *adv travel* vers l'ouest; **westerly** *wind* d'ouest; *direction* vers l'ouest; **western 1** *adj* de l'Ouest **2** *n movie* western *m*; **Westerner** occidental(e); **westernized** occidentalisé; **West Indian 1** *adj* antillais **2** *n* Antillais(e) *m*(*f*); **West Indies**: ***the ~*** les Antilles *fpl*; **westward** vers l'ouest

wet [wet] mouillé; (*rainy*) humide; **wet suit** *for diving* combinaison *f* de plongée

whack [wæk] F (*blow*) coup *m*

whale [weɪl] baleine *f*

what [wɑːt] **1** *pron* ◇: ***~?*** quoi?; ***~ for?*** (*why?*) pourquoi?; ***so ~?*** et alors?

◇ *as object*: ***~ did he say?*** qu'est-ce qu'il a dit?, qu'a-t-il dit?; ***~ is that?*** qu'est-ce que c'est?; ***~ is it?*** (*what do you want?*) qu'est-ce qu'il y a?

◇ *as subject* qu'est-ce qui; ***~ just fell off?*** qu'est-ce qui vient de tomber?

◇ *relative as object* ce que; ***I did ~ I could*** j'ai fait ce que j'ai pu

◇ *relative as subject* ce qui; ***I didn't see ~ happened*** je n'ai pas vu ce qui s'est passé

◇ *suggestions*: ***~ about heading home?*** et si nous rentrions? **2** *adj* quel, quelle; *pl* quels, quelles; ***~ color is the car?*** de quelle couleur est la voiture?

whatever [wɑːt'evər]: ***~ the season*** quelle que soit la saison; ***~ you do*** quoi que tu fasses; ***ok, ~*** F ok, si vous le dites

wheat [wiːt] blé *m*

wheel [wiːl] roue *f*; (*steering ~*) volant *m*; **wheelchair** fau-

teuil *m* roulant; **wheel clamp** *Br* sabot *m* de Denver
wheeze [wiːz] respirer péniblement
when [wen] quand; ***on the day ~*** le jour où; **whenever** *each time* chaque fois que; *regardless of when* n'importe quand
where [wer] où; ***~ from?*** d'où?; ***~ to?*** où?; ***this is ~ I used to live*** c'est là que j'habitais; **whereas** tandis que; **wherever 1** *conj* partout où; ***sit ~ you like*** assieds-toi où tu veux **2** *adv* où (donc); ***~ can it be?*** où peut-il bien être?
whet [wet] *appetite* aiguiser
whether ['weðər] (*if*) si; ***~ you approve or not*** que tu sois (*subj*) d'accord ou pas
which [wɪʧ] **1** *adj* quel, quelle; *pl* quels, quelles **2** *pron* ◇ *interrogative* lequel, laquelle; *pl* lesquels, lesquelles; ***~ are your favorites?*** lesquels préférez-vous?
◇ *relative*: *subject* qui; *object* que; *after prep* lequel, laquelle; *pl* lesquels, lesquelles
whiff [wɪf]: ***catch a ~ of*** sentir
while [waɪl] **1** *conj* pendant que; (*although*) bien que (*+subj*) **2** *n*: ***a long ~*** longtemps; ***for a ~*** pendant un moment
whim [wɪm] caprice *m*
whimper ['wɪmpər] pleurnicher; *of animal* geindre
whine [waɪn] *of dog etc* gémir; F (*complain*) pleurnicher
whip [wɪp] **1** *n* fouet *m* **2** *v/t* (*beat*) fouetter; *cream* battre; F (*defeat*) battre à plates coutures
whirlpool ['wɜːrlpuːl] *in river* tourbillon *m*; *for relaxation* bain *m* à remous
whisk [wɪsk] **1** *n* fouet *m* **2** *v/t eggs* battre
whiskey ['wɪskɪ] whisky *m*
whisper ['wɪspər] chuchoter
whistle ['wɪsl] **1** *n sound* sifflement *m*; *device* sifflet *m* **2** *v/t & v/i* siffler
white [waɪt] **1** *n color, of egg* blanc *m*; *person* Blanc *m*, Blanche *f* **2** *adj* blanc; **white-collar worker** col *m* blanc; **White House** Maison *f* Blanche; **white lie** pieux mensonge *m*; **whitewash 1** *n* blanc *m* de chaux; *fig* maquillage *m* de la vérité **2** *v/t* blanchir à la chaux; **white wine** vin *m* blanc
whittle ['wɪtl] *wood* tailler au couteau
◆ **whittle down** réduire
whizzkid ['wɪzkɪd] F prodige *m*
who [huː] *interrogative* qui; *relative*: *subject* qui; *object* que; ***the woman ~ you saw*** la femme que tu as vue; **whoever** qui que ce soit; ***~ gets the right answer*** celui/celle qui trouve la bonne réponse

whole [hoʊl] **1** *adj* entier; ***the ~ town*** toute la ville **2** *n* tout *m*, ensemble *m*; ***on the ~*** dans l'ensemble; **whole-hearted** inconditionnel; **wholesale** de gros; *fig* en masse; **wholesaler** grossiste *m/f*; **wholesome** sain; **wholly** totalement
whom [huːm] *fml* qui
whore [hɔːr] putain *f*
whose [huːz] *interrogative* à qui; *relative* dont; ***~ is this?*** à qui c'est?; ***a country ~ economy is boomimg*** un pays dont l'économie prospère
why [waɪ] pourquoi
wicked ['wɪkɪd] méchant
wicker ['wɪkər] osier *m*
wicket ['wɪkɪt] *in station, bank etc* guichet *m*
wide [waɪd] *street, field* large; *experience* vaste; ***be 12 foot ~*** faire 3 mètres et demi de large; **widely** largement; ***~ known*** très connu; **widen** **1** *v/t* élargir **2** *v/i* s'élargir; **wide-open** grand ouvert; **wide-ranging** de vaste portée; **widespread** répandu
widow ['wɪdoʊ] veuve *f*; **widower** veuf *m*
width [wɪdθ] largeur *f*
wield [wiːld] *weapon* manier; *power* exercer
wife [waɪf] femme *f*
wig [wɪg] perruque *f*
wiggle ['wɪgl] *tooth etc* remuer; *hips* tortiller
wild [waɪld] **1** *adj animal, flowers* sauvage; *teenager* rebelle; *party* fou; *scheme* délirant; *applause* frénétique
wilderness ['wɪldərnɪs] désert *m*
'wildlife faune *f* et flore *f*
wilful *Br* → ***willful***
will[1] [wɪl] *n* LAW testament *m*
will[2] [wɪl] *n* (*willpower*) volonté *f*
will[3] [wɪl] *v/aux*: ***I ~ let you know tomorrow*** je vous le dirai demain; ***the car won't start*** la voiture ne veut pas démarrer; ***~ you tell her that ...?*** est-ce que tu pourrais lui dire que ...?; ***~ you stop that!*** veux-tu arrêter!
willful ['wɪlfl] *person, refusal* volontaire; **willing** *helper* de bonne volonté; ***be ~ to do sth*** être prêt à faire qch; **willingly** (*with pleasure*) volontiers; **willingness** empressement *m*; **willpower** volonté *f*
willy-nilly [wɪlɪ'nɪlɪ] (*at random*) au petit bonheur la chance
wilt [wɪlt] *of plant* se faner
wily ['waɪlɪ] rusé
wimp [wɪmp] F poule *f* mouillée
win [wɪn] **1** *n* victoire *f* **2** *v/t & v/i* gagner; *prize* remporter
wince [wɪns] tressaillir
wind[1] [wɪnd] *n* vent *m*; (*flatulence*) gaz *m*
wind[2] [waɪnd] **1** *v/i of path,*

river serpenter **2** *v/t* enrouler
◆ **wind up 1** *v/t clock, car window* remonter; *speech* terminer; *affairs* conclure; *company* liquider **2** *v/i (finish)* finir
'**wind-bag** F moulin *m* à paroles F; **windfall** *fig* aubaine *f*
winding ['waɪndɪŋ] *path* qui serpente
window ['wɪndoʊ] *also* COMPUT fenêtre *f*; *of airplane, boat* hublot *m*; *of store* vitrine *f*; ***in the ~*** *of store* dans la vitrine; **window seat** *on train* place *f* côté fenêtre; *on airplane* place côté hublot; **window-shop**: ***go ~ping*** faire du lèche-vitrines; **windowsill** rebord *m* de fenêtre; **windshield**, *Br* **windscreen** pare-brise *m*; **windshield wiper** essuie-glace *m*; **windsurfer** véliplanchiste *m/f*; **windsurfing** planche *f* à voile; **windy** venteux; ***it's so ~*** il y a tellement de vent
wine [waɪn] vin *m*; **wine cellar** cave *f* (à vin); **wine list** carte *f* des vins; **winery** établissement *m* viticole
wing [wɪŋ] *of bird, airplane,* SP aile *f*; **wingspan** envergure *f*
wink [wɪŋk] *of person* cligner des yeux
winner ['wɪnər] gagnant(e) *m(f)*; **winning** gagnant; **winning post** poteau *m* d'arrivée; **winnings** gains *mpl*
winter ['wɪntər] hiver *m*; **winter sports** sports *mpl* d'hiver; **wintry** d'hiver
wipe [waɪp] essuyer; *tape* effacer; **wiper** ['waɪpər] → ***windshield wiper***
wire ['waɪr] fil *m* de fer; *electrical* fil *m* électrique; **wireless phone** téléphone *m* sans fil; **wiring** ELEC installation *f* électrique; **wiry** *person* nerveux
wisdom ['wɪzdəm] sagesse *f*
wise [waɪz] sage; **wisecrack** F vanne *f* F; **wisely** *act* sagement
wish [wɪʃ] **1** *n* vœu *m*; ***best ~es*** cordialement; *for birthday, Christmas* meilleurs vœux **2** *v/t* souhaiter
◆ **wish for** vouloir
wisp [wɪsp] *of hair* mèche *m*; *of smoke* traînée *f*
wistful ['wɪstfl] nostalgique; **wistfully** avec nostalgie
wit [wɪt] *(humor)* esprit *m*; *person* homme *m*/femme *f* d'esprit
witch [wɪʧ] sorcière *f*; **witch-hunt** *fig* chasse *f* aux sorcières
with [wɪð] avec; ***~ no money*** sans argent; ***tired ~ waiting*** fatigué d'attendre; ***the woman ~ blue eyes*** la femme aux yeux bleus; ***I live ~ my aunt*** je vis chez ma tante; ***are you ~ me?*** *(do you understand?)* est-ce que vous me suivez?
withdraw [wɪð'drɒ:] **1** *v/t* reti-

rer **2** *v/i* se retire; **withdrawal** retrait *m*; **withdrawal symptoms** (symptômes *mpl* de) manque *m*; **withdrawn** *person* renfermé

wither ['wɪðər] se faner

with'hold *information, name, payment* retenir; *consent* refuser

with'in (*inside*) dans; *in expressions of time* en moins de; *in expressions of distance* à moins de

with'out sans

with'stand résister à

witness ['wɪtnɪs] **1** *n* témoin *m* **2** *v/t* être témoin de

witticism ['wɪtɪsɪzm] mot *m* d'esprit; **witty** plein d'esprit

wobble ['wɑːbl] osciller; **wobbly** bancal

wolf [wʊlf] **1** *n* loup *m* **2** *v/t*: **~ (down)** engloutir

woman ['wʊmən] femme *f*; **womanizer** coureur *m* de femmes; **womanly** féminin

womb [wuːm] utérus *m*

women ['wɪmɪn] *pl* → ***woman***; **women's lib** libération *f* des femmes

wonder ['wʌndər] **1** *n* (*amazement*) émerveillement *m*; ***no ~!*** pas étonnant! **2** *v/i* se poser des questions; ***I ~ if you could help*** je me demandais si vous pouviez m'aider; **wonderful** merveilleux; **wonderfully** (*extremely*) merveilleusement

won't [woʊnt] → ***will not***

wood [wʊd] bois *m*; **wooded** boisé; **wooden** (*made of wood*) en bois; **woodpecker** pic *m*; **woodwork** *parts made of wood* charpente *f*; *activity* menuiserie *f*

wool [wʊl] laine *f*; **woolen**, *Br* **woollen** **1** *adj* en laine **2** *n* lainage *m*

word [wɜːrd] **1** *n* mot *m*; *of song*, (*promise*) parole *f* **2** *v/t article, letter* formuler; **word processor** traitement *m* de texte

work [wɜːrk] **1** *n* travail *m*; ***out of ~*** au chômage **2** *v/i of person* travailler; *of machine*, (*succeed*) marcher

◆ **work out** **1** *v/t solution*, (*find out*) trouver; *problem* résoudre **2** *v/i at gym* s'entraîner; *of relationship etc* bien marcher

workable ['wɜːrkəbl] *solution* possible; **workaholic** F bourreau *m* de travail; **workday** (*hours of work*) journée *f* de travail; (*not weekend*) jour *m* de travail; **worker** travailleur(-euse) *m(f)*; **workforce** main-d'œuvre; **work hours** heures *fpl* de travail; **working class** classe *f* ouvrière; **working-class** ouvrier; **working hours** → ***work hours***; **workload** quantité *f* de travail; **workman** ouvrier *m*; **workmanlike** de professionnel; **workmanship** fabrication *f*; **work**

of art œuvre *f* d'art; **workout** séance *f* d'entraînement; **work permit** permis *m* de travail; **workshop** *also seminar* atelier *m*

world [wɜːrld] monde *m*; **world-class** de niveau mondial; **World Cup** *in soccer* Coupe *f* du monde; **world-famous** mondialement connu; **worldly** du monde; *person* qui a l'expérience du monde; **world record** record *m* mondial; **world war** guerre *f* mondiale; **worldwide 1** *adj* mondial **2** *adv* dans le monde entier

worn-'out *shoes, carpet* trop usé; *person* éreinté

worried ['wʌrɪd] inquiet; **worry 1** *n* souci *m* **2** *v/t* inquiéter **3** *v/i* s'inquiéter; **worrying** inquiétant

worse [wɜːrs] **1** *adj* pire **2** *adv play, perform, feel* plus mal; **worsen** empirer

worship ['wɜːrʃɪp] **1** *n* culte *m* **2** *v/t God* honorer; *fig: person, money* vénérer

worst [wɜːrst] **1** *adj* pire **2** *adv*: ***the areas ~ affected*** les régions les plus (gravement) touchées

worth [wɜːrθ]: ***be ~ ...*** valoir; ***be ~ it*** valoir la peine; **worthwhile**: ***it's not ~ waiting*** cela ne vaut pas la peine d'attendre

worthy ['wɜːrðɪ] *person, cause* digne

would [wʊd]: ***I ~ help if I could*** je vous aiderais si je pouvais; ***~ you like to go to the movies?*** est-ce que tu voudrais aller au cinéma?; ***~ you tell her ...?*** pourriez-vous lui dire que ...?

wound [wuːnd] **1** *n* blessure *f* **2** *v/t with weapon, words* blesser

wow [waʊ] *int* oh là là!

wrap [ræp] *gift* envelopper; *scarf etc* enrouler; **wrapping** emballage *m*; **wrapping paper** papier *m* d'emballage

wrath [ræθ] colère *f*

wreath [riːθ] couronne *f*

wreck [rek] **1** *n of ship* navire *m* naufragé; *of car* épave *f* **2** *v/t* détruire; **wreckage** *of ship* épave *m*; *of airplane* débris *mpl*; *of marriage, career* restes *mpl*; **wrecker** *truck* dépanneuse *f*

wrench [rentʃ] **1** *n tool* clef *f* **2** *v/t* (*pull*) arracher

wrestle ['resl] lutter; **wrestler** lutteur(-euse) *m(f)*; **wrestling** lutte *f*

wriggle ['rɪgl] (*squirm*) se tortiller

wrinkle ['rɪŋkl] *in skin* ride *f*; *in clothes* pli *m*

wrist [rɪst] poignet *m*; **wristwatch** montre *f*

write [raɪt] écrire; *check* faire ◆ **write off** *debt* amortir; *car* bousiller F

writer ['raɪtər] *of letter, book, song* auteur *m/f*; *of book*

écrivain *m/f*; **write-up** critique *f*
writhe [raɪð] se tordre
writing ['raɪtɪŋ] (*handwriting, script*) écriture *f*; (*words*) inscription *f*; **in ~** par écrit; **writing paper** papier *m* à lettres
wrong [rɒːŋ] **1** *adj information, decision, side, number* mauvais; *answer also* faux; **be ~** *of person* avoir tort; *of answer* être mauvais; *morally* être mal; **get the ~ train** se tromper de train; **what's ~?** qu'est-ce qu'il y a? **2** *adv* mal; **go ~** *of person* se tromper; *of marriage, plan etc* mal tourner **3** *n* mal *m*; *injustice* injustice *f*; **wrongful** injuste; **wrongly** à tort
wry [raɪ] ironique

X, Y

xenophobia [zenoʊ'foʊbɪə] xénophobie *f*
X-ray ['eksreɪ] **1** *n* radio *f* **2** *v/t* radiographier
yacht [jɑːt] yacht *m*; **yachting** voile *f*
Yank [jæŋk] F Ricain(e) *m(f)* F
yank [jæŋk] *v/t* tirer violemment
yard[1] [jɑːrd] *of prison etc* cour *f*; *behind house* jardin *m*; *for storage* dépôt *m*
yard[2] [jɑːrd] *measurement* yard *m*
'yardstick point *m* de référence
yarn [jɑːrn] (*thread*) fil *m*; F (*story*) (longue) histoire *f*
yawn [jɒːn] **1** *n* bâillement *m* **2** *v/i* bâiller
year [jɪr] année; **be six ~s old** avoir six ans; **yearly 1** *adj* annuel **2** *adv* tous les ans
yeast [jiːst] levure *f*
yell [jel] **1** *n* hurlement *m* **2** *v/t & v/i* hurler
yellow ['jeloʊ] jaune
yelp [jelp] **1** *n of animal* jappement *m*; *of person* glapissement *m* **2** *v/i of animal* japper; *of person* glapir
yes [jes] oui; *after negative question* si; **yes man** *pej* béni-oui-oui *m* F
yesterday ['jestərdeɪ] hier; **the day before ~** avant-hier
yet [jet] **1** *adv*: **the best ~** le meilleur jusqu'ici; **as ~** pour le moment; **have you finished ~?** as-tu (déjà) fini?; **he hasn't arrived ~** il n'est pas encore arrivé; **~ bigger** encore plus grand **2** *conj* (*however*) néanmoins
yield [jiːld] **1** *n from crops, investment etc* rendement *m* **2** *v/t fruit, good harvest* produire; *interest* rapporter **3** *v/i* (*give way*) céder; AUT céder

la priorité
yoga ['joʊgə] yoga *m*
yoghurt ['joʊgərt] yaourt *m*
yolk [joʊk] jaune *m* (d'œuf)
you [juː] ◇ *familiar singular*: *subject* tu; *object* te; *before vowel* t'; *after prep* toi; ***he knows ~*** il te connaît; ***for ~*** pour toi
◇ *polite singular, familiar plural and polite plural, all uses* vous
◇ *indefinite* on; ***~ never know*** on ne sait jamais
young [jʌŋ] jeune; **youngster** jeune *m/f*; *child* petit(e) *m(f)*
your [jʊr] *familiar* ton, ta; *pl* tes; *polite* votre; *pl familiar and polite* vos
yours [jʊrz] *familiar* le tien, la tienne; *pl* les tiens, les tiennes; *polite* le/la vôtre; *pl* les vôtres; ***a friend of ~*** un(e) de tes ami(e)s; un(e) de vos ami(e)s; *~ at end of letter* bien amicalement
your'self *familiar* toi-même; *polite* vous-même; *reflexive* te; *polite* se; *after prep* toi; *polite* vous; ***did you hurt ~?*** est-ce que tu t'es fait mal/ est-ce que vous vous êtes fait mal?
your'selves vous-mêmes; *reflexive* vous; *after prep* vous; ***did you hurt ~?*** est-ce que vous vous êtes fait mal?
youth [juːθ] jeunesse *f*; (*young man*) jeune homme *m*; (*young people*) jeunes *mpl*; **youth club** centre *m* pour les jeunes; **youthful** juvénile
yuppie ['jʌpɪ] F yuppie *m/f*

Z

zap [zæp] F COMPUT (*delete*) effacer; (*kill*) éliminer; (*hit*) donner un coup à; (*send*) envoyer vite fait
zeal [ziːl] zèle *m*
zero ['zɪroʊ] zéro *m*
zest [zest] *enjoyment* enthousiasme *m*
zigzag ['zɪgzæg] **1** *n* zigzag *m* **2** *v/i* zigzaguer
zilch [zɪltʃ] F que dalle F
zip ['zɪp] *Br* fermeture *f* éclair
◆ **zip up** *dress, jacket* remonter la fermeture éclair de; COMPUT compresser
'zip code code *m* postal; **zipper** fermeture *f* éclair
zit [zɪt] F *on face* bouton *m*
zone [zoʊn] zone *f*
zonked [zɑːŋkt] P (*exhausted*) crevé F
zoo [zuː] jardin *m* zoologique
zoology [zuː'ɑːlədʒɪ] zoologie *f*
'zoom lens zoom *m*
zucchini [zuː'kiːnɪ] courgette *f*

Verbes irréguliers anglais

Vous trouverez ci-après les trois formes principales de chaque verbe : l'infinitif, le prétérit et le participe passé.

arise - arose - arisen
awake - awoke - awoken, awaked
be (am, is, are) - was (were) - been
bear - bore - borne
beat - beat - beaten
become - became - become
begin - began - begun
bend - bent - bent
bet - bet, betted - bet, betted
bid - bid - bid
bind - bound - bound
bite - bit - bitten
bleed - bled - bled
blow - blew - blown
break - broke - broken
breed - bred - bred
bring - brought - brought
broadcast - broadcast - broadcast
build - built - built
burn - burnt, burned - burnt, burned
burst - burst - burst
buy - bought - bought
cast - cast - cast
catch - caught - caught
choose - chose - chosen
cling - clung - clung
come - came - come
cost (*v/i*) - cost - cost
creep - crept - crept
cut - cut - cut
deal - dealt - dealt
dig - dug - dug
dive - dived, dove [doʊv] (1) - dived
do - did - done
draw - drew - drawn
dream - dreamt, dreamed - dreamt, dreamed
drink - drank - drunk
drive - drove - driven
eat - ate - eaten
fall - fell - fallen
feed - fed - fed
feel - felt - felt
fight - fought - fought
find - found - found
flee - fled - fled
fling - flung - flung
fly - flew - flown
forbid - forbad(e) - forbidden
forecast - forecast(ed) - forecast(ed)
forget - forgot - forgotten
forgive - forgave - forgiven
freeze - froze - frozen
get - got - got, gotten (2)
give - gave - given

go - went - gone
grind - ground - ground
grow - grew - grown
hang - hung, hanged - hung, hanged (3)
have - had - had
hear - heard - heard
hide - hid - hidden
hit - hit - hit
hold - held - held
hurt - hurt - hurt
keep - kept - kept
kneel - knelt, kneeled - knelt, kneeled
know - knew - known
lay - laid - laid
lead - led - led
lean - leaned, leant - leaned, leant (4)
leap - leaped, leapt - leaped, leapt (4)
learn - learned, learnt - learned, learnt (4)
leave - left - left
lend - lent - lent
let - let - let
lie - lay - lain
light - lighted, lit - lighted, lit
lose - lost - lost
make - made - made
mean - meant - meant
meet - met - met
mow - mowed - mowed, mown
pay - paid - paid
plead - pleaded, pled - pleaded, pled (5)
prove - proved - proved, proven
put - put - put
quit - quit(ted) - quit(ted)
read - read [red] - read [red]
ride - rode - ridden
ring - rang - rung
rise - rose - risen
run - ran - run
saw - sawed - sawn, sawed
say - said - said
see - saw - seen
seek - sought - sought
sell - sold - sold
send - sent - sent
set - set - set
sew - sewed - sewed, sewn
shake - shook - shaken
shed - shed - shed
shine - shone - shone
shit - shit(ted), shat - shit(ted), shat
shoot - shot - shot
show - showed - shown
shrink - shrank - shrunk
shut - shut - shut
sing - sang - sung
sink - sank - sunk
sit - sat - sat
slay - slew - slain
sleep - slept - slept
slide - slid - slid

sling - slung - slung
slit - slit - slit
smell - smelt, smelled - smelt, smelled
sow - sowed - sown, sowed
speak - spoke - spoken
speed - sped, speeded - sped, speeded
spell - spelt, spelled - spelt, spelled (4)
spend - spent - spent
spill - spilt, spilled - spilt, spilled
spin - spun - spun
spit - spat - spat
split - split - split
spoil - spoiled, spoilt - spoiled, spoilt
spread - spread - spread
spring - sprang, sprung - sprung
stand - stood - stood
steal - stole - stolen
stick - stuck - stuck
sting - stung - stung
stink - stunk, stank - stunk
stride - strode - stridden
strike - struck - struck
swear - swore - sworn
sweep - swept - swept
swell - swelled - swollen
swim - swam - swum
swing - swung - swung
take - took - taken
teach - taught - taught
tear - tore - torn
tell - told - told
think - thought - thought
thrive - throve - thriven, thrived (6)
throw - threw - thrown
thrust - thrust - thrust
tread - trod - trodden
wake - woke, waked - woken, waked
wear - wore - worn
weave - wove - woven (7)
weep - wept - wept
win - won - won
wind - wound - wound
write - wrote - written

(1) **dove** n'est pas utilisé en anglais britannique
(2) **gotten** n'est pas utilisé en anglais britannique
(3) **hung** pour les tableaux mais **hanged** pour les meurtriers
(4) l'anglais américain n'emploie normalement que la forme en **-ed**
(5) **pled** s'emploie en anglais américain ou écossais
(6) la forme **thrived** est plus courante
(7) mais **weaved** au sens de *se faufiler*

Numbers / Les nombres

Cardinal Numbers / Les nombres cardinaux

0	zero, *Br aussi* nought *zéro*
1	one *un*
2	two *deux*
3	three *trois*
4	four *quatre*
5	five *cinq*
6	six *six*
7	seven *sept*
8	eight *huit*
9	nine *neuf*
10	ten *dix*
11	eleven *onze*
12	twelve *douze*
13	thirteen *treize*
14	fourteen *quatorze*
15	fifteen *quinze*
16	sixteen *seize*
17	seventeen *dix-sept*
18	eighteen *dix-huit*
19	nineteen *dix-neuf*
20	twenty *vingt*
21	twenty-one *vingt et un*
22	twenty-two *vingt-deux*
30	thirty *trente*
31	thirty-one *trente et un*
40	forty *quarante*
50	fifty *cinquante*
60	sixty *soixante*
70	seventy *soixante-dix*
71	seventy-one *soixante et onze*
72	seventy-two *soixante-douze*
79	seventy-nine *soixante-dix-neuf*
80	eighty *quatre-vingts*
81	eighty-one *quatre-vingt-un*
90	ninety *quatre-vingt-dix*
91	ninety-one *quatre-vingt-onze*
100	a hundred, one hundred *cent*
101	a hundred and one *cent un*
200	two hundred *deux cents*
300	three hundred *trois cents*
324	three hundred and twenty-four *trois cent vingt-quatre*
1000	a thousand, one thousand *mille*
2000	two thousand *deux mille*

1959	one thousand nine hundred and fifty-nine *mille neuf cent cinquante-neuf*
2000	two thousand *deux mille*
1 000 000	a million, one million *un million*
2 000 000	two million *deux millions*
1 000 000 000	a billion, one billion *un milliard*

Notes / Remarques:

i) **vingt** and **cent** take an -s when preceded by another number, except if there is another number following.
ii) If **un** is used with a following noun, then it is the only number to agree
(one man **un homme**; one woman **une femme**).
iii) 1.25 (one point two five) = 1,25 (un virgule vingt-cinq)
iv) 1,000,000 (en anglais) = 1 000 000 ou 1.000.000 (in French)

Ordinal Numbers / Les nombres ordinaux

1st first	$1^{er}/1^{ère}$ *premier / première*
2nd second	2e *deuxième*
3rd third	3e *troisième*
4th fourth	4e *quatrième*
5th fifth	5e *cinquième*
6th sixth	6e *sixième*
7th seventh	7e *septième*
8th eighth	8e *huitième*
9th ninth	9e *neuvième*
10th tenth	10e *dixième*
11th eleventh	11e *onzième*
12th twelfth	12e *douzième*
13th thirteenth	13e *treizième*
14th fourteenth	14e *quatorzième*
15th fifteenth	15e *quinzième*

16th	sixteenth	16^e	*seizième*
17th	seventeenth	17^e	*dix-septième*
18th	eighteenth	18^e	*dix-huitième*
19th	nineteenth	19^e	*dix-neuvième*
20th	twentieth	20^e	*vingtième*
21st	twenty-first	21^e	*vingt et unième*
22nd	twenty-second	22^e	*vingt-deuxième*
30th	thirtieth	30^e	*trentième*
31st	thirty-first	31^e	*trente et unième*
40th	fortieth	40^e	*quarantième*
50th	fiftieth	50^e	*cinquantième*
60th	sixtieth	60^e	*soixantième*
70th	seventieth	70^e	*soixante-dixième*
71st	seventy-first	71^e	*soixante et onzième*
80th	eightieth	80^e	*quatre-vingtième*
90th	ninetieth	90^e	*quatre-vingt-dixième*
100th	hundredth	100^e	*centième*
101st	hundred and first	101^e	*cent unième*
1000th	thousandth	1000^e	*millième*
2000th	two thousandth	2000^e	*deux millième*
1,000,000th	millionth	$1\,000\,000^e$	*millionième*

Dates / Les dates

1996	nineteen ninety-six	*mille neuf cent quatre-vingt-seize*
2005	two thousand (and) five	*deux mille cinq*

November 10/11 (ten, eleven), *Br* **the 10th/11th of November**
le dix/onze novembre

March 1 (first), *Br* **the 1st of March**
le premier mars